Farmacognosia

2ª edição

Farmacognosia

2ª edição

FERNANDO DE OLIVEIRA
Professor-Associado de Farmacognosia do Departamento de Farmácia da Faculdade de Ciências Farmacêuticas da Universidade de São Paulo. Professor Titular de Farmacobotânica da Universidade São Francisco, São Paulo.

GOKITHI AKISUE
Farmacêutico. Professor-Assistente Doutor de Farmacognosia do Departamento de Farmácia da Faculdade de Ciências Farmacêuticas da Universidade de São Paulo.

MARIA KUBOTA AKISUE *(in memoriam)*
Professora Titular de Farmacobotânica da Universidade São Francisco, São Paulo. Farmacêutica Bioquímica. Professora-Assistente Doutora de Farmacognosia do Departamento de Farmácia da Faculdade de Ciências Farmacêuticas da Universidade de São Paulo.

EDITORA ATHENEU

São Paulo	*Rua Jesuíno Pascoal, 30* *Tel.: (11) 2858-8750* *Fax: (11) 2858-8766* *E-mail: atheneu@atheneu.com.br*
Rio de Janeiro	*Rua Bambina, 74* *Tel.: (21) 3094-1295* *Fax: (21) 3094-1284* *E-mail: atheneu@atheneu.com.br*
Belo Horizonte	*Rua Domingos Vieira, 319, conj. 1.104*

PRODUÇÃO EDITORIAL: Sandra Regina Santana

CAPA: Equipe Atheneu

Dados Internacionais de Catalogação na Publicação (CIP)
(Câmara Brasileira do Livro, SP, Brasil)

Oliveira, Fernando de
Farmacognosia / Fernando de Oliveira, Gokithi Akisue, Maria Kubota Akisue. -- 2. ed. -- São Paulo : Editora Atheneu, 2014.

Bibliografia.
ISBN 978-85-388-0507-6

1. Farmacognosia I. Akisue, Gokithi. II. Akisue, Maria Kubota. III. Título.

CDD-615.3
14-03262 NLM-QV 340

Índices para catálogo sistemático:

1. Farmacognosia

OLIVEIRA, F.; AKISUE, G.; AKISUE, M. K.
Farmacognosia – 2ª edição

Apresentação

A experiência adquirida pelos autores, durante vários anos envolvidos no ensino de Farmacognosia, bem como na prestação de serviços à comunidade, cuidando de forma especial da identificação de drogas vegetais, mostrou a necessidade de se editar um compêndio destinado a dar suporte a essas tarefas.

A inexistência de livros similares no Brasil, aliada ao enfoque quase exclusivo de drogas alienígenas dos livros estrangeiros, faz com que essa necessidade seja mais intensamente sentida.

No livro que ora colocamos à disposição dos interessados, é dada ênfase à identificação de drogas vegetais por métodos morfológicos. A análise morfológica, compreendendo a macroscopia e a microscopia, corresponde, indubitavelmente, ao método mais rápido, mais fácil e que melhor possibilita a identificação de fraudes.

Para facilitar essa tarefa, o livro é ilustrado com número relativamente grande de figuras, todas originais. Essas figuras, constituídas de cópias do natural executadas a bico de pena, e por desenho de estruturas efetuadas com o auxílio de microprojeção, certamente irão facilitar muito a compreensão do assunto.

Os autores

Sumário

1

Farmacognosia

INTRODUÇÃO

O termo **Farmacognosia** foi criado por Schmidt J. A. em 1811, no livro *Lehrbuch der Materia Medica*, publicado em Viena, na Áustria, entretanto, só foi introduzido em 1815 por Seydler, em sua *Analecta Pharmacognostica*. Esse termo deriva de duas palavras gregas: *pharmakon*, que significa droga, medicamento, remédio, veneno; e *gnosis*, que significa conhecimento. Aplica-se, na atualidade, exclusivamente a drogas de origem vegetal e animal.

O estudo desse tipo de matéria é muito amplo e pode ser enfocado sob diversos ângulos.

Sendo o objetivo da Farmacognosia o estudo ou conhecimento das drogas, é necessário, antes de tudo, estabelecer-se um conceito preciso a seu respeito. Em Farmacognosia, droga é todo o produto de origem animal ou vegetal que, coletado ou separado da natureza e submetido a processo de preparo e conservação, tem composição e propriedades tais, dentro de sua complexidade, que constitui a forma bruta do medicamento. Droga é, pois, toda a matéria sem vida que sofreu alguma transformação para a seguir servir de base para medicamento.

A história, a produção, o armazenamento, a comercialização, o uso, a identificação, a avaliação e o isolamento de princípios ativos de drogas são aspectos tratados na Farmacognosia.

A identificação, verificação de pureza e avaliação de drogas são atividades diretamente relacionadas com os farmacêuticos. Por sua vez, atividades como as de seleção, cultura ou criação, colheita ou obtenção e tratamento de plantas ou animais, com vistas ao seu aproveitamento no combate às enfermidades, são tarefas executadas por diversos profissionais, geralmente em associação com farmacêuticos.

Outros tipos de tarefas importantes igualmente estudadas pela Farmacognosia correspondem à conservação e ao armazenamento de drogas.

A Farmacognosia pode ser encarada tanto sob o ponto de vista utilitário quanto filosófico. A pesquisa de novas plantas medicinais, buscando o isolamento de princípios ativos e sua identificação, a verificação da atividade farmacodinâmica desses princípios ativos bem como a do extrato do vegetal envolvido, constitui atividade relevante.

Para o lado das ciências básicas que entram no currículo farmacêutico, a Farmacognosia se relaciona intimamente com a Botânica, a Zoologia, a Genética, a Física e a Química, lançando mão dessas ciências no cumprimento de suas finalidades. A Farmacognosia também se relaciona com as ciências aplicadas, exercendo influência na Farmacotécnica, na Química, na Farmacêutica, na Farmacodinâmica e na Tecnologia e Controle tanto de medicamentos quanto de alimentos.

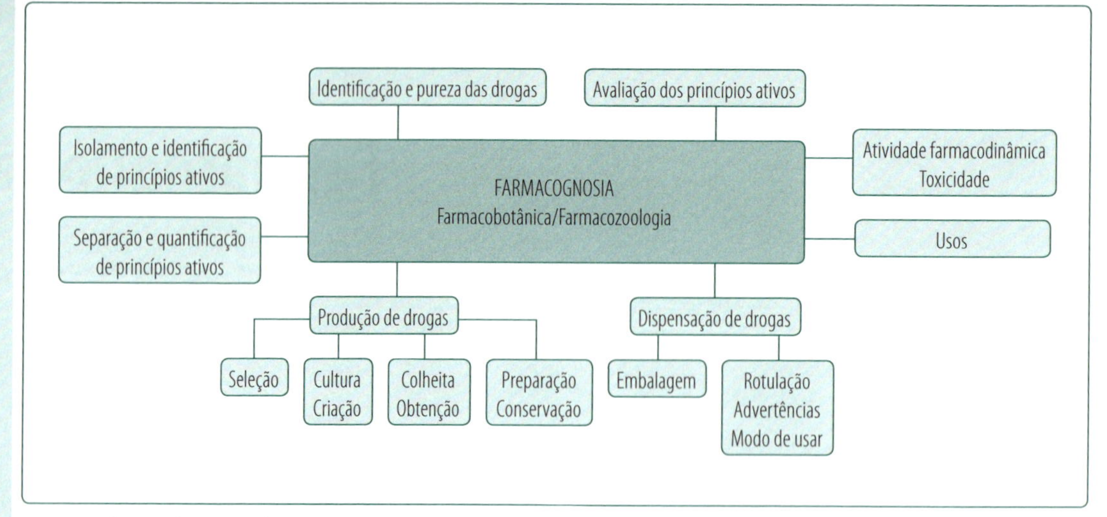

Fig. 1.1 – Campos de atuação da Farmacognosia.

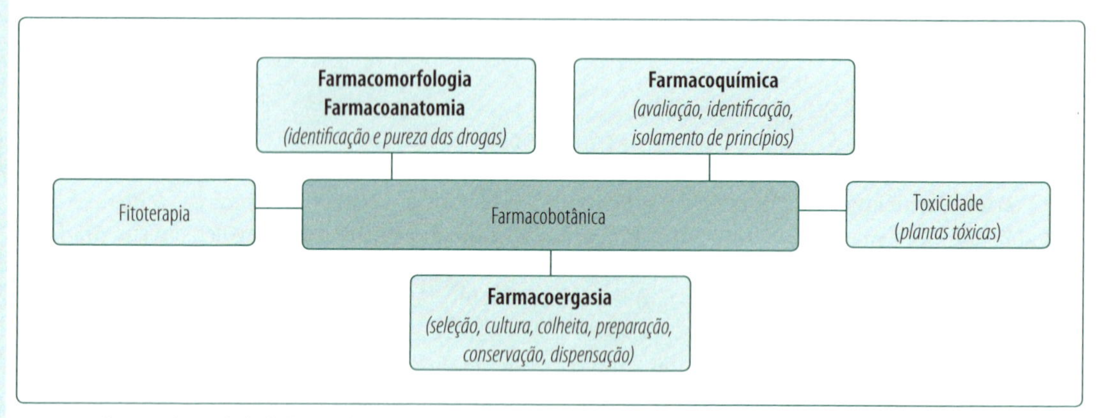

Fig. 1.2 – Campos de atividade da Farmacobotânica.

CONCEITO FARMACOGNÓSTICO DE DROGA E DE PRINCÍPIO ATIVO

Droga

A origem da palavra droga não está ainda bem esclarecida. Alguns consideram provável que esteja relacionada com a palavra alemã *trocken*, que significa secar, visto as drogas de origem vegetal ou animal se apresentarem exclusivamente no estado seco. Outros acreditam que a palavra droga derive do holandês *droog*, que significa seco, através do francês *drogue*.

Chama-se droga, em Farmacognosia, todo vegetal ou animal ou, ainda, uma parte ou órgão desses seres ou produtos derivados diretamente deles e que, após sofrerem processos de coleta, preparo e conservação, apresentem composição e propriedades tais que possibilitem o seu uso como forma bruta de medicamento ou como necessidade farmacêutica. Droga é, pois, matéria sem vida que sofreu alguma transformação para servir de base para medicamento. O processo de coleta e conservação não modifica as condições genéricas do produto.

O exemplo a seguir é bastante esclarecedor. As folhas de EUCALIPTO (*Eucalyptus globulus* Labillardiere), utilizadas no tratamento de moléstias do aparelho respiratório, coletadas simplesmente do vegetal, não constituem droga. Quando porém são submetidas, subsequentemente, a processo de conservação, por exemplo, secagem, passam a constituir uma droga. Seja agora o caso de um fruto, UVAS ROSADAS, por exemplo, pertencente à espécie *Vitis vinifera* L. Se esses frutos agora forem tratados, submetendo-os a processo de secagem, transformando-os em uva-passa, então, nesse caso, não se obtém uma droga, pois esse material não apresenta uso medicinal.

Na América Central, sobre plantas pertencentes à família *Cactaceae* se desenvolve um inseto denominado COCHONILHA (*Coccos cacti* L.). Esses insetos coletados, mortos com emprego de água fervente e submetidos a processo de secagem, constituem o chamado carmim animal, empregado como necessidade farmacêutica no colorimento de certos medicamentos e alimentos. Trata-se, portanto, de um tipo de droga, apesar de não apresentar atividade farmacodinâmica.

Considere-se agora o caso de frutos verdes, plenamente desenvolvidos de PAPOULA (*Papaver somniferum* L.). Se forem feitas incisões convenientes nesses frutos, deles exsudará um látex que, em contato com o ar, se solidificará. Esse exsudato raspado das cápsulas, reunido e moldado em forma de pães, após processo de secagem vai constituir o pão de ópio. Esse pão de ópio é rico em alcaloides apresentando emprego na indústria farmacêutica. Trata-se, portanto, de um tipo especial de droga constituída de mistura de substâncias derivadas diretamente de vegetal, denominada de droga derivada.

A droga pode ser considerada matéria-prima de medicamentos de origem vegetal ou animal, devidamente processada e conservada.

Segundo sua origem, a droga pode ser classificada em três tipos: droga vegetal, droga animal e droga derivada vegetal ou animal.

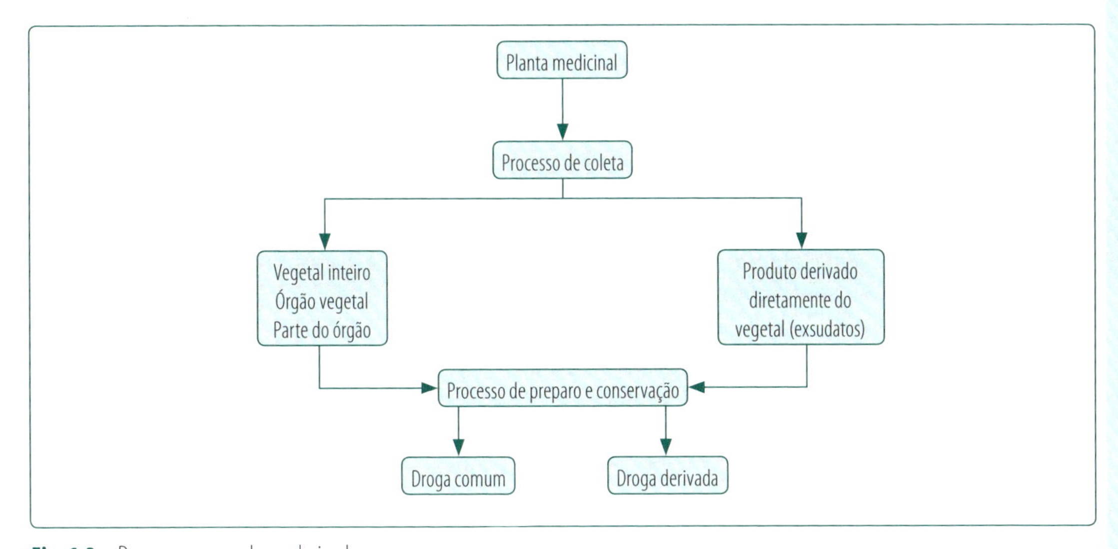

Fig. 1.3 – Droga comum e droga derivada.

Drogas derivadas

Drogas derivadas são produtos derivados de animal ou planta, obtidos diretamente, isto é, sem utilização de processo extrativo delicado. Quando se executam incisões no tronco de um pinheiro, por exemplo, notamos, após algum tempo, a exsudação de uma mistura complexa de substâncias que se solidifica em contato com o ar. Esse conjunto de substâncias recebe o nome de *terebentina* e, após o trabalho de coleta e preparo, constitui exemplo de droga derivada. Se, entretanto, forem retirados dessa árvore alguns pedaços de caule e estes forem submetidos à destilação, deles se obterá o óleo essencial do pinheiro. O óleo essencial do pinheiro não é considerado droga derivada, em virtude do processo de sua obtenção. O pão de ópio, como visto antes, é outro exemplo de droga derivada.

Como exemplo de droga derivada de origem animal, têm-se o bílis de boi e o mel de abelha.

Assim, para que uma matéria possa ser considerada droga, segundo o sentido farmacognóstico, deverá preencher as seguintes condições:

- ser de origem vegetal ou animal;
- ter sido submetida a processo de coleta e de conservação;
- não ser obtida mediante processos extrativos delicados (droga derivada);
- encerrar propriedades farmacodinâmicas ou ser considerada necessidade farmacêutica.

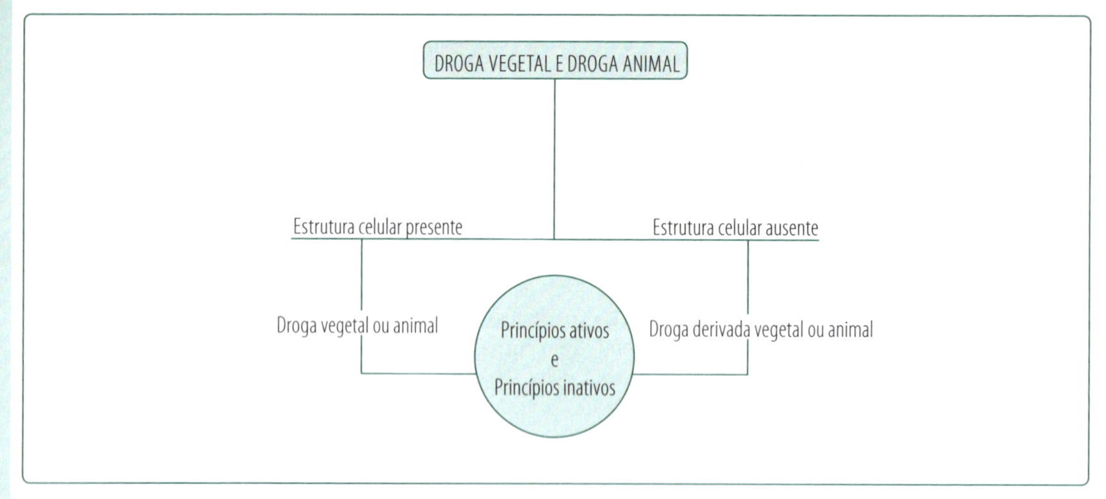

Fig. 1.4 – Esquema explicativo do conceito de droga.

Princípio ativo

A ação farmacodinâmica das drogas é devida à presença de princípios ativos. Esses princípios ativos são constituídos de uma substância ou conjunto de substâncias quimicamente bem definidas.

O ESTRAMÔNIO, a BELADONA, o MEIMENDRO e a TROMBETEIRA são drogas antiespasmódicas, em virtude de possuírem alcaloides como a atropina e a hiosciamina, que são seus princípios ativos. A droga constituída de cascas de QUINAS é utilizada em função de princípios ativos alcaloídicos que contêm, especialmente, quinina e quinidina. As folhas do DIGITAL encerram como princípios ativos glicósidos cardiotônicos (digitoxina, digoxina, entre outros).

Fazendo parte das drogas, ao lado dos princípios ativos, existe uma série de substâncias que não apresentam atividade farmacodinâmica, mas que, frequentemente, apresentam importância farmacêutica. Essas substâncias químicas são importantes, algumas vezes, na caracterização química da droga. Assim, o ácido mecônico existente no pão de ópio é importante pela coloração vermelho-vinhosa que dá em presença de solução de cloreto férrico, e essa reação é empregada na identificação do ÓPIO.

Fig. 1.5 – A. Droga – Fitocomplexo. **B.** Princípio ativo puro (isolado).

Outras vezes, essas substâncias não ativas podem agir ocasionando incompatibilidades medicamentosas que dificultam a obtenção de boas formas farmacêuticas.

Genericamente essas substâncias são denominadas princípios inativos.

2

Produção de Drogas

GENERALIDADES

A produção de drogas vegetais emprega tanto vegetais silvestres ou espontâneos como vegetais cultivados. A grande maioria das drogas brasileiras é proveniente de vegetais silvestres, ou seja, de processos extrativos. Essas drogas acabam, quase sempre, apresentando qualidade não suficientemente boa e padronizada.

O cultivo de plantas medicinais vem sofrendo impulso relativamente grande tanto no Brasil quanto no restante do mundo.

Inúmeros campos experimentais de cultivo têm sido destinados, quase exclusivamente, para o setor de plantas medicinais. Nesses campos experimentais procura-se adaptar plantas exóticas a novas condições de cultivo, bem como produzir, em larga escala, vegetais autóctones.

A seleção e o cultivo de novas variedades são tarefas bastante frequentes nesses tipos de instituição.

O melhoramento de plantas medicinais relaciona-se tanto com a maior capacidade de produção de princípios ativos quanto com a maior resistência a condições climáticas desfavoráveis e a parasitas.

O melhoramento pode estar relacionado a condições exteriores, isto é, com o meio ambiente, ou com o patrimônio genético do vegetal. No primeiro caso, diz-se estar relacionado a fatores extrínsecos e, no segundo caso, a fatores intrínsecos.

PROBLEMAS INERENTES ÀS DROGAS

Seleção

A seleção visa à obtenção de drogas em condições padronizadas. Para isso, se faz necessária a escolha dos organismos pertencentes a espécies em questão. Devem-se escolher os elementos aproveitáveis, pois a natureza não os produz em série.

Numa população de uma mesma espécie podem ocorrer, dentro de certos limites, diferenças morfológicas, fisiológicas e bioquímicas. A observação desse fato permitiu a seleção de formas de valor superior pela eliminação das de menor valor.

Com base nesse princípio, desenvolvem-se no mundo inteiro culturas de plantas medicinais, das quais se obtêm drogas de qualidade superior.

A existência de raças ou de variedades químicas naturais tem sido observada em grande número de espécies vegetais.

Uma espécie vegetal pode apresentar indivíduos morfologicamente iguais, porém com componentes químicos diferentes. Essa variação na composição pode ser vista tanto do ponto de vista da presença de substâncias diferentes quanto do ponto de vista da quantidade de determinada substância.

Essa variação pode estar relacionada com caracteres genéticos flutuantes. A seleção de indivíduos melhores, dotados num determinado sentido, levará à produção de cultura de melhor qualidade. Essa seleção deverá ser repetida periodicamente para separar elementos de qualidade inferior.

Uma certa espécie vegetal pode, portanto, apresentar dentro de certos limites, aspecto variável conforme a descendência ou meio onde se desenvolva. Essas modificações podem ser simplesmente morfológicas ou podem ser acompanhadas de variação de sua composição química.

Elementos diferentes de uma mesma espécie, com características geneticamente fixadas, podem ser enquadrados nas categorias de variedades ou de raças. A categoria *forma* não é considerada hereditária, mas condicionada pelo meio. Aplica-se a variações vulgares verificadas em indivíduos. Em regiões secas, por exemplo, certas plantas tornam-se mais pubescentes.

Na seleção referente a espécies medicinais, a forma apresenta importância reduzida, pois via de regra é interpretada como influência do meio. Essa influência pode ter caráter morfológico ou químico. Já na seleção de variedades ou de *raças*, categorias infraespecíficas de caráter genético apresentam importância relevante.

Cultura

A variedade ou raça selecionada, utilizada na cultura da espécie medicinal, tem contribuído para a obtenção de drogas de qualidade superior. No cultivo de plantas medicinais, forçosamente devem ser considerados fatores que influem poderosamente na vida vegetal e, portanto, na sua composição. Entre esses fatores estão a temperatura, o tipo do solo, a umidade, a idade da planta, o clima, a altitude e o estado patológico.

A temperatura tem influência marcante no cultivo de inúmeras plantas medicinais. O TRAGACANTO (*Astragalus gummifer* Labillardiere), por exemplo, cultivado em países frios, não produz os princípios que o faz importante em farmácia.

O solo intervém no desenvolvimento dos vegetais de diversas formas e sua composição química pode interferir, de maneira acentuada, na formação de princípios ativos. As plantas alcaloídicas produzem mais alcaloides em terrenos ácidos, ou seja, pobres em bases minerais; a adição de adubo nitrogenado melhora a produção de alcaloides. A porosidade e o pH são outros fatores importantes na caracterização do solo.

A umidade é um dos fatores de maior relevância. O transporte dos alimentos do solo para a planta e, na planta, de um para outro órgão, depende fundamentalmente da água. A síntese dos hidratos de carbono, ponto de partida para as demais sínteses efetuadas pelo vegetal, depende da presença de água.

A quantidade de água existente numa determinada região condiciona, até certo ponto, o tipo de vegetação. Existem plantas que, para se desenvolverem bem, necessitam de grandes quantidades de água. Outras, entretanto, preferem terrenos nos quais a quantidade de água não seja elevada.

A maneira de se colocar as sementes no solo tem também sua importância. Assim, a profundidade da cova e o espaçamento são de vital importância em uma cultura. Outras vezes, as sementes são inicialmente colocadas em sementeiras, onde germinam. As plantas resultantes são transferidas para os locais definitivos em ocasião oportuna. Existem casos em que as sementes, para germinar, necessitam da chamada quebra de dormência.

A adubação para incrementar certas vias metabólicas na obtenção de quantidades maiores de certos tipos de princípios ativos é um dos recursos dos quais muitas vezes se lança mão. A irrigação é efetuada de maneira a suprir às necessidades de água da planta.

O preparo do terreno e a proteção contra agentes externos, como irradiação, movimento de camada de ar, chuvas excessivas, ataque por insetos e microrganismos, são capítulos importantes relacionados à cultura de plantas medicinais. O uso de inseticidas, fungicidas ou de praguicidas em geral deve ser efetuado com certa precaução para não interferir na formação dos princípios ativos. Outro problema sério referente a essas substâncias corresponde a seus resíduos na droga, o que pode ser danoso à saúde. Hoje, dá-se preferência ao controle biológico das pragas, evitando-se assim a presença indesejável de certas substâncias químicas nas drogas.

Inúmeros fatores influem no conteúdo de princípios ativos de uma droga durante sua cultura. Esses fatores, em relação ao vegetal, podem ser divididos em dois grandes grupos: fatores relacionados com o meio ambiente ou fatores extrínsecos; e fatores intrínsecos.

Fatores extrínsecos

Os fatores extrínsecos, relacionados com o meio no qual o vegetal vive, podem ser divididos em três grupos: climáticos (irradiação e temperatura); climático-edáfico (água e gás carbônico); edáfico (estrutura física do solo, arejamento, nutrientes minerais, pH e microrganismos).

Fatores climáticos

Os fatores climáticos relacionam-se principalmente a temperatura e irradiações. Dizem respeito ao ambiente aéreo do vegetal.

A temperatura, originária da radiação solar, apresenta seus efeitos genéricos influindo também sobre o solo. Os limites de temperatura, dentro dos quais existe vida vegetal, são distantes. Certas plantas sobrevivem a temperaturas localizadas entre 40 a 60°C abaixo de zero. O intervalo ideal de temperatura localiza-se entre 3 e 30ºC. Contudo, é necessária certa uniformidade entre a temperatura do solo e do ar. A variação de temperatura também pode influir na germinação da semente. O plantio de semente, a uma certa profundidade, depende desse fato. A temperatura influi, ainda, na assimilação e, portanto, no desenvolvimento do vegetal.

A temperatura influi, também, sobre a umidade relativa do ambiente e na elaboração de produtos termossensíveis de plantas. Por exemplo, óleo essencial de plantas com glândulas externas (pelos glandulares).

Tabela 2.1. **Efeitos da radiação sobre os vegetais**

Tipo de radiação	Comprimento de onda em nm		Efeito sobre o vegetal
Raio X	0,1	24	Prejudiciais
Ultravioleta	120	400	Prejudiciais em doses altas Importantes para várias sínteses
Violeta-azul	4.000	4.900	Fototropismo Fotomorfismo
Verde-vermelho	4.900	7.600	Assimilação de CO_2
Infravermelho	7.600	$3x10^6$	Fator temperatura
Eletromagnética			Pouco conhecidas

Fatores climáticos-edáficos

Os fatores climáticos-edáficos derivam da relação do clima com o solo. A água e o gás carbônico integram esse grupo de fatores.

O vegetal, constantemente, retira água do meio ambiente devolvendo-a a seguir. O percentual de água no solo tem um valor ideal para cada planta. A água subterrânea é decorrência de precipitações. A transpiração de uma planta, fundamentalmente, é ocasionada por uma diferença de pressão. Os vegetais cultivados a grandes altitudes apresentam algumas características morfológicas semelhantes às de plantas de lugares quentes.

O gás carbônico existe tanto na atmosfera quanto no solo. Na atmosfera, aparece como resultante de combustões; no solo deriva do metabolismo de certos microrganismos. O gás carbônico produzido no solo algumas vezes se acumula no local de sua produção, constituindo esse acontecimento um fato importante no cultivo de determinadas plantas. A verificação de microrganismos no solo é de grande importância em diferentes culturas. O gás carbônico do ar sofre, ainda, deslocamento por ocasião dos ventos.

Fatores edáficos

Os fatores edáficos propriamente ditos têm relação essencialmente com o solo. A estrutura física do solo influi, por exemplo, na permeabilidade da água e na quantidade de dióxido de carbono retido. O arejamento do solo encontra-se ligado também à sua estrutura física. A presença de mais minerais e de micronutrientes, num determinado solo, é de importância vital para as plantas.

Outro fator importante é o pH do solo. A HORTELÃ da variedade *Michan* desenvolve-se melhor nos solos cujo pH encontra-se ao redor de 5. No caso da variedade *Hocho-min*, o pH ótimo para o desenvolvimento encontra-se ao redor de 7.

A presença de microrganismos no solo é muito importante. O desdobramento de substâncias nitrogenadas indispensáveis a plantas deve-se à presença de microrganismos. Alguns tipos de plantas, principalmente as da família *Leguminoseae*, mantêm certo tipo de simbiose com *Bacilos radicicolas*, resultando benefício para o lado da nutrição dos dois simbiontes.

A altitude influi também na produção de certos princípios ativos de plantas. O teor de óleo essencial pode variar com a altitude na qual é cultivada a planta.

Entre os fatores extrínsecos enquadram-se também a maneira de se efetuar o plantio e determinados cuidados dispensados à cultura. A maneira de preparar o solo varia conforme o vegetal em questão. O tipo de cova onde as sementes são colocadas também é importante, especialmente no que se refere à sua profundidade.

Feita a plantação é necessário, a seguir, dispensar algum tratamento à cultura para que a produção seja adequada. A adubação, a irrigação e os sistemas de proteção contra vento, irradiação e pragas merecem destaque especial. Cada vegetal tem uma necessidade nutricional específica para melhorar produção de princípio ativo. O efeito sedativo de VALERIANA *(Valeriana officinalis* L.) é influenciado pela adubação.

Colheita

O teor de princípio ativo de uma planta medicinal varia de órgão para órgão, com a idade, com a época da colheita e mesmo com o período do dia no qual é efetuado. A importância de uma colheita bem executada é, portanto, evidente. O aspecto, os caracteres organolépticos e a qualidade das substâncias dependem, muitas vezes, do modo como se efetua a colheita.

Tabela 2.2. **Conteúdo, em porcentagem, de alcaloides da *Lobelia inflata* L. em droga seca**

Cápsula imatura	0,88% - 1,04%
Sumidade florida	0,90% - 1,10%
Folha	0,42% - 0,43%
Fruto	0,35% - 0,38%
Raiz	0,54% - 0,56%
Planta inteira	0,53% - 0,56%

Tabela 2.3. **Teor de saponina da PULSATILA *(Anemone pulsatilla* L.)**

Planta inteira	2,40	(janeiro)	6,19	(abril)
Partes aéreas	0,19	(novembro)	0,75	(maio)
Raiz	1,50	(novembro)	1,90	(março)
Folha	0,09	(fevereiro)	0,75	(maio)
Fruto	0,18	(março)	0,30	(maio)

Quando a colheita é feita de plantas cultivadas racionalmente, geralmente a droga tem melhor qualidade. A falta de cuidado e a ignorância por parte do coletor levam, muitas vezes, as drogas de origem silvestre ao descrédito. É comum, no Brasil, haver drogas substituídas parcial ou totalmente por outras plantas não verdadeiras.

Colheita bem executada depende, portanto, do conhecimento perfeito da espécie vegetal em questão. A morfologia, a fisiologia e a maneira como variam os princípios ativos no vegetal são dados de maior importância que um coletor deve conhecer.

Conforme o órgão vegetal a ser coletado, existem algumas normas gerais:

- raízes, rizomas e túberas devem ser coletados, geralmente, na primavera ou no outono. Nessa época, os processos vegetativos entram em fase estacionária. A preferência maior, entretanto, é para se efetuar a coleta de plantas no outono, com alguns anos de idade e bem desenvolvidas, portanto, antes da floração;
- as cascas devem ser coletadas, por sua vez, na primavera;
- as folhas devem ser coletadas quando a fotossíntese é mais intensa, o que acontece durante o dia;
- as flores devem, por sua vez, ser coletadas na época da polinização. Em alguns casos, prefere-se o instante em que se encontram bem abertas e desenvolvidas;
- as sementes devem ser coletadas quando completamente maduras e, de preferência, antes da deiscência do fruto.

A colheita mecanizada economiza mão de obra e tempo; é indicada em muitos casos. A colheita de HORTELÃ e de VALERIANA constitui exemplo de colheita mecanizada. As raízes são frequentemente coletadas com o auxílio de arados, quando são superficiais, e com o auxílio do desmontador de arbustos.

Logo após a colheita, deve-se procurar eliminar impurezas que possam acompanhar o órgão ou a planta recém-coletada. Pedaços de outras partes do vegetal, areia e terra são impurezas comuns em materiais recém-coletados e que devem ser eliminados.

Para se obterem princípios ativos adequados deve-se procurar efetuar boa colheita. Colheita inadequada pode resultar em destruição do princípio ativo. Algumas farmacopeias exigem que as drogas sejam provenientes de culturas e que sejam colhidas de maneira padronizada.

A colheita pode ser manual ou mecanizada. A escolha depende do material a ser colhido. A colheita de DIGITALIS, por exemplo, efetua-se manualmente.

Uma série de princípios ativos varia na planta conforme as horas do dia. Por exemplo, a quantidade de óleo essencial é mais reduzida ao redor das 12 horas. Certas plantas, cujo princípio ativo pertence ao grupo dos glicósidos, não devem ser coletadas em dias chuvosos. As plantas alcaloídicas devem ser coletadas em horários em que o calor é mais intenso.

Ventos intensos influem no conteúdo de diversos tipos de princípios ativos, e em especial no caso de óleos essenciais, quando contidos em glândulas exógenas.

O excesso de umidade facilita o ataque por fungos e outros microrganismos. Não se recomenda efetuar colheita de plantas nos dias seguintes às chuvas torrenciais.

Além dos fatores citados, que influem durante a colheita de vegetais medicinais, fazendo variar o teor de princípios ativos, outros existem que são inerentes às plantas e, portanto, fazem parte dos fatores denominados intrínsecos.

Cada vegetal ou parte do vegetal tem um método adequado de colheita. Devem-se, entretanto, evitar compressões violentas e lesões profundas dos órgãos coletados. Via de regra, os métodos empregados dependem do tipo de órgão. Flores, inflorescências e ramos floridos podem ser coletados mecanicamente. No caso das folhas, esse processo já não funciona, daí os preços mais altos desses tipos de drogas. No caso de órgãos subterrâneos, após a colheita deve-se seguir limpeza conveniente. No caso de cascas, deve-se efetuar a colheita apenas da região indicada; não deve haver contaminação com lenho.

Outro fator importante a ser considerado durante a colheita é o estágio de desenvolvimento da planta. Grandes variações no conteúdo de princípio ativo são frequentemente observadas quando se muda a época de colheita.

Tabela 2.4. **Porcentagem de esparteína calculada em sulfato de esparteína contido na GIESTA**

Período de colheita	Rendimento % de sulfato de esparteína na droga
Fevereiro – Abril	6,5 - 7,0
Junho – Setembro	7,2 - 8,1
Novembro – Janeiro	4,8 - 6,0

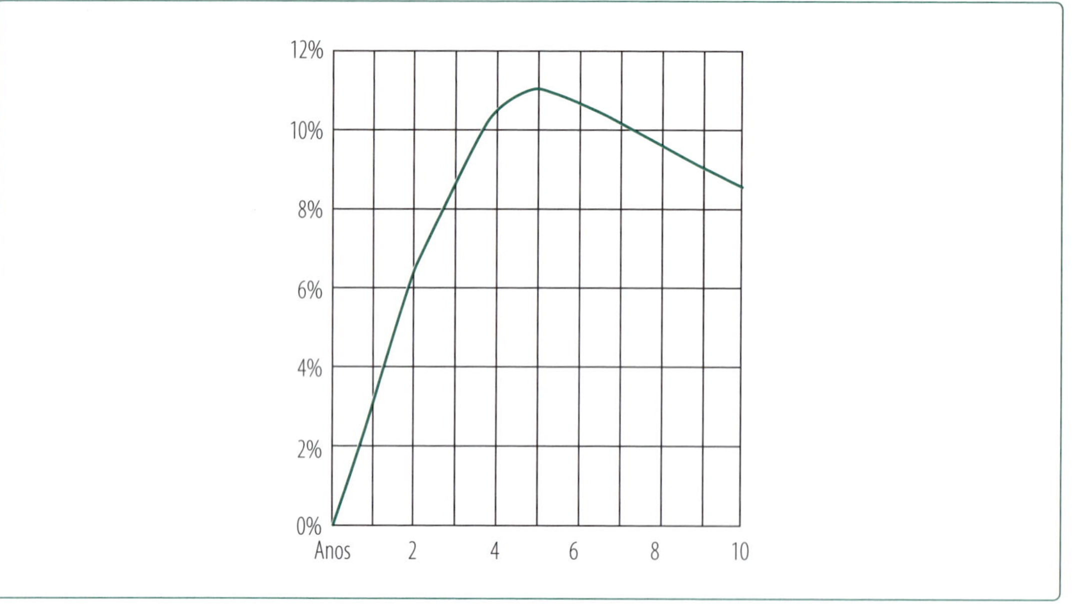

Fig. 2.1 – Variação do teor de quinina (calculado em sulfato de quinina) em função da idade na casca de *Cinchona Ledgeriana* Moens cultivada em Java (N. Taylor. *Cinchona in Java.* New York, Greenberg. 1945).

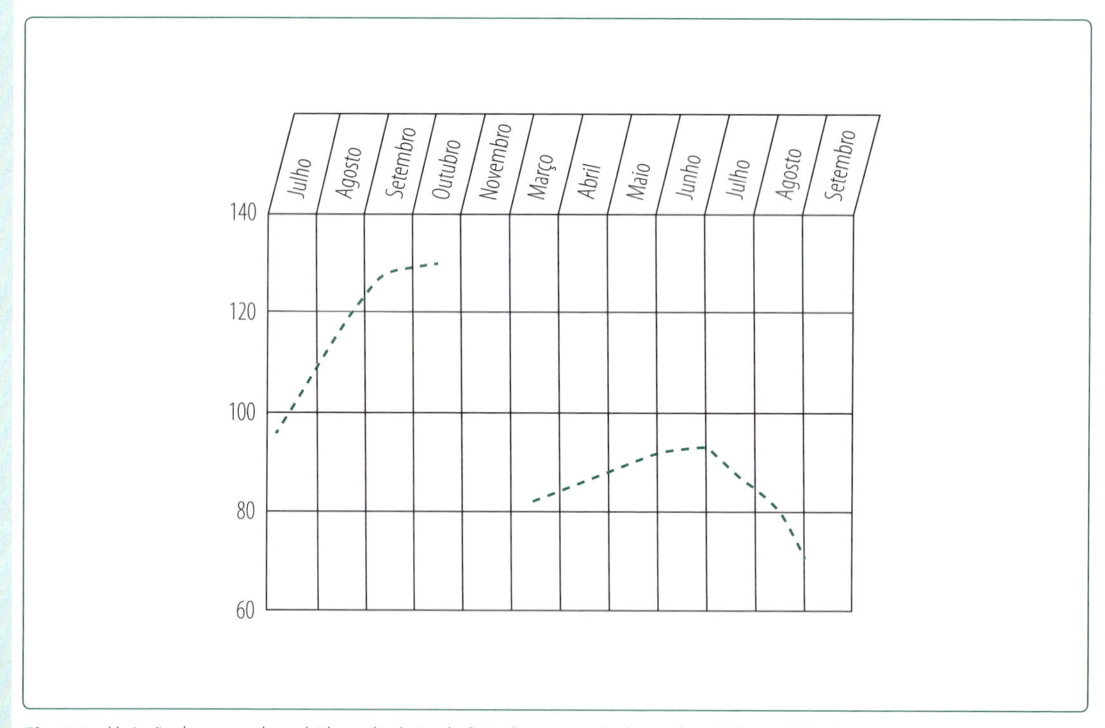

Fig. 2.2 – Variação do teor em heterósido cardiotônico da *Digitalis purpurea* L. diante do ciclo bianual da planta.

Numa cultura, cujo plantio foi iniciado em agosto ou setembro, a época ideal para a colheita poderá ser dezembro. Se uma segunda cultura for iniciada em janeiro, o intervalo de tempo após o qual se deve efetuar a colheita pode variar, isto é, pode ser maior do que o existente no primeiro caso. Geralmente, associa-se a colheita à época do aparecimento da flor ou da semente.

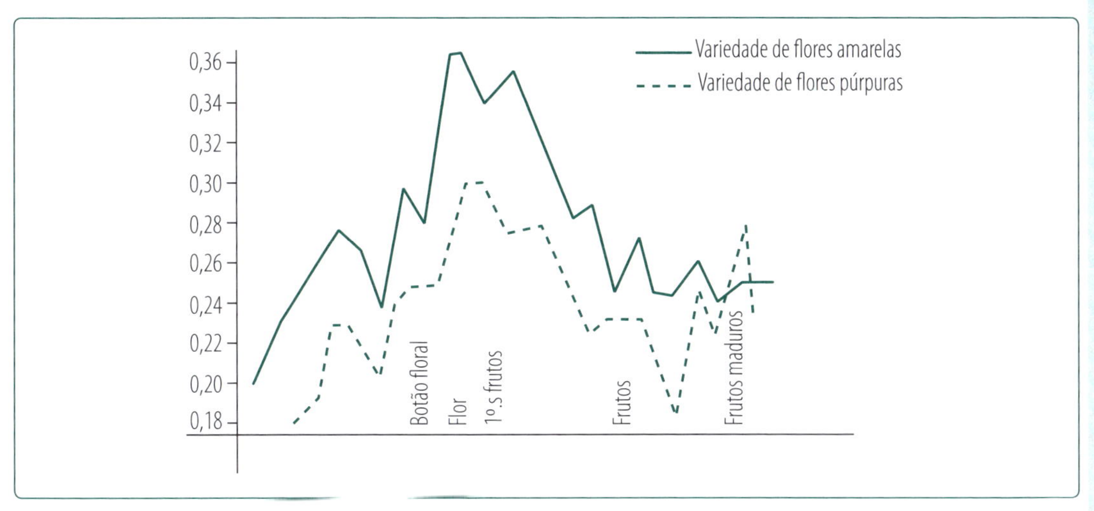

Fig. 2.3 – Variação da porcentagem de alcaloides em BELADONA de acordo com a fase de vida da planta.

O conteúdo de óleo essencial em uma planta varia em função da época do ano e do estágio de desenvolvimento dela. De um modo geral, pouco antes da floração o conteúdo é máximo. Segue-se uma queda de conteúdo e, quando a planta está em semente, o conteúdo é mínimo. Por exemplo, o *Ocimum basilicum* L.

A variação do óleo essencial em plantas também pode ocorrer com a mudança de estação do ano. Em algumas plantas, como no caso da HORTELÃ, a porcentagem de óleo essencial varia em função do estágio de desenvolvimento da folha. As folhas maiores têm menos essências.

O teor de alcaloides de vegetais pode variar de acordo com seu desenvolvimento vegetativo e com a época do ano. O teor de alcaloides de *Datura suaveolens* (Humboldt e Bonpland) varia com a época do ano. A ilustração seguinte expressa essa variação e permite observar, ainda, a variação relativa de componentes da fração alcaloídica (atropina e escopolamina).

Tabela 2.5. **Proporção percentual relativa entre escopolamina e atropina nas frações de alcaloides totais – Variação alcaloídica de *Datura suaveolens* Humboldt e Bonpland durante um ano**

Mês	Folha		Caule	
	Escopolamina	Atropina	Escopolamina	Atropina
1	61,7	38,3	69,3	30,7
2	65,9	34,1	48,4	51,6
3	67,9	32,1	63,0	37,0
4	71,0	29,0	79,0	21,0
5	70,0	30,0	76,0	24,0
6	66,6	33,4	76,0	24,0
7	68,3	31,7	86,6	13,4
8	78,2	21,8	86,5	13,5
9	66,2	33,8	76,6	23,4
10	47,3	52,7	75,4	24,6
11	57,8	42,2	73,4	26,6
12	58,2	41,8	73,8	26,2

Tabela 2.6. ***Datura suaveolens*** **Humboldt et Bonpland – Variação mensal do teor alcaloídico total e de substâncias voláteis a 105° C em porcentagem**

Data da coleta	Substâncias voláteis a 105° C	Substâncias voláteis a 105° C	Alcaloides na droga (%)	Alcaloides na droga seca (%)	Alcaloides na droga (%)	Alcaloides na droga seca (%)	Presença de flor na época da colheita	Ocorrência de chuva no dia anterior à colheita
	Folha	Caule	Folha	Folha	Caule	Caule		
06/10/76	5,5	8,3	0,44	0,47	0,25	0,27	S	S
08/11/76	9,6	10,0	0,30	0,33	0,17	0,19	N	N
06/12/76	6,0	7,3	0,50	0,53	0,21	0,23	Si	N
10/01/77	5,2	6,3	0,39	0,41	0,19	0,20	N	S
09/02/77	9,7	9,6	0,52	0,57	0,30	0,33	Si	N
10/03/77	4,8	5,0	0,46	0,48	0,20	0,21	N	S
13/04/77	2,6	6,0	0,47	0,48	0,26	0,28	Si	N
13/05/77	4,5	4,6	0,37	0,39	0,20	0,21	N	N
13/06/77	4,1	3,4	0,49	0,51	0,33	0,34	N	N
13/07/77	2,8	2,4	0,55	0,56	0,32	0,33	S	N
12/08/77	4,3	5,7	0,51	0,53	0,25	0,27	N	N
13/09/77	5,3	14,5	0,44	0,46	0,18	0,21	Si	S

S = presença de flor.
Si = presença de flor (início).
N = ausência de flor.

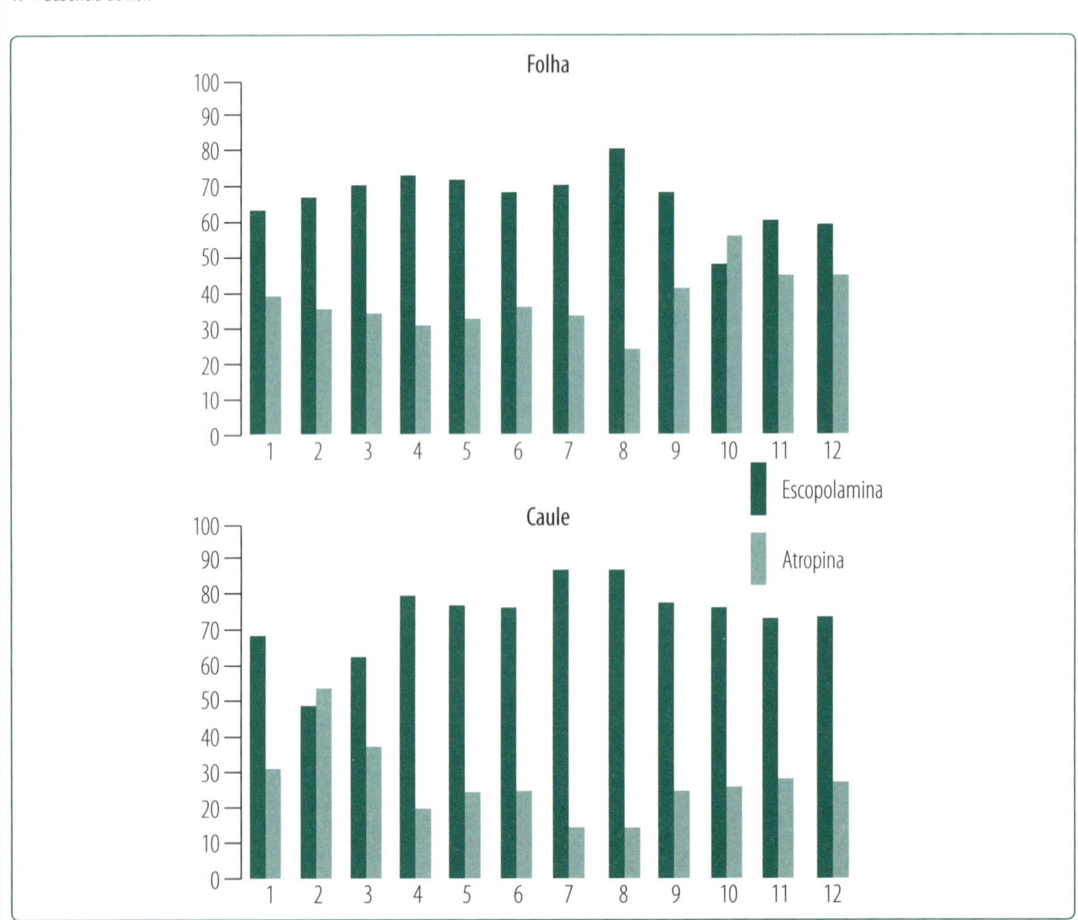

Fig. 2.4 – Variação anual dos teores relativos de escopolamina e atropina na TROMBETEIRA. Proporção percentual.

Preparo ou tratamento

Após a colheita, muitos materiais devem passar por preparo. As raízes, por exemplo, devem ser lavadas e secadas adequadamente. A lavagem, de um modo geral, deve ser rápida para se eliminar a massa de terra aderente. Para diminuir a contaminação por microrganismos, a lavagem é efetuada com água ozonizada ou com água hipoclorada. Outras vezes efetua-se a mondagem, ou seja, a retirada da camada externa de qualquer órgão, para eliminar impurezas ou substâncias que, quando presentes, poderiam redundar no desdobramento dos princípios ativos.

O material colhido deve ser submetido a certos tratamentos, assim, o tempo de permanência no ar deve ser bem controlado, no caso de se visar a transformações químicas.

Frequentemente o material é submetido à escolha. A escolha do material pretende, principalmente, eliminar os materiais que não apresentam características convenientes.

Em geral, raízes e os demais órgãos subterrâneos exigem tratamento especial, como lavagem e divisão em fragmentos menores.

Secagem

A secagem é o tipo de tratamento mais comum e seu objetivo é eliminar certa quantidade de água do órgão vegetal. Esse tipo de tratamento, além de diminuir o volume da droga, facilita a conservação.

A tabela a seguir mostra o teor de umidade em órgãos frescos do vegetal, e nesses mesmos órgãos quando transformados em droga.

Tabela 2.7. **Variações do teor de umidade em órgãos vegetais frescos e em órgãos vegetais transformados em droga**

Órgão vegetal	Umidade no órgão fresco (%)	Umidade permitida na droga (%)
Casca	50 a 55	8 a 14
Erva	50 a 90	12 a 15
Folha	60 a 98	8 a 14
Flor	60 a 95	8 a 15
Fruto	15 a 95	8 a 15
Raiz	50 a 85	8 a 14
Rizoma	50 a 85	12 a 16
Semente	10 a 15	12 a 13

O teor de água na droga é muito importante para a sua conservação. Quanto maior esse teor, mais sujeita a agentes deletérios a droga está. A tabela seguinte mostra a porcentagem de água necessária para o desenvolvimento desses agentes.

Tabela 2.8. **Porcentagem ideal de água para desenvolvimento de agentes deletérios**

Agentes	Umidade (%)
Bactérias	40 a 45
Enzimas	20 a 25
Fungos	15 a 20

Para evitar a ação de agentes deletérios, deve-se reduzir o conteúdo de água abaixo de 15%. Porcentagens elevadas de água facilitam o ataque dos princípios ativos por fungos, bactérias e enzimas.

A secagem de plantas pode ser efetuada de diversas maneiras, conforme a droga em questão. Assim, existem processos naturais e processos artificiais de secagem.

Os processos naturais são de três tipos: secagem à sombra; secagem ao sol; secagem mista (sol e sombra).

A secagem à sombra é um processo lento que pode facilitar a decomposição da droga em função da presença de enzimas. A secagem ao sol é rápida, podendo levar, entretanto, à evaporação de componentes voláteis ou destruição de princípios termolábeis. A secagem mista consiste em secar o material ao sol, e depois à sombra. Muitas vezes, esse processo pode diminuir o tempo de secagem sem alterar a qualidade e o teor dos princípios ativos.

A secagem natural depende das condições do local onde o processo será realizado e só é possível em regiões de clima quente e seco. O processo natural é mais brando e, portanto, mais adequado à obtenção da droga.

A secagem ao sol produz certa perda de princípios ativos, especialmente no caso de princípios ativos voláteis ou princípios termolábeis, podendo, ainda, alterar por oxidação de certos tipos de princípios ativos. Por essa razão, inicia-se a secagem ao sol por algumas horas, para diminuir a ação enzimática pela eliminação rápida de água, seguindo-se a secagem à sombra. A ação do vento facilita a retirada de umidade, entretanto, independe da vontade, não podendo ser previamente planejada.

Os processos artificiais de secagem podem ser, igualmente, de diversos tipos. Os principais são: circulação de ar, aquecimento, aquecimento com circulação de ar, vácuo e esfriamento.

No caso da circulação de ar, coloca-se o material em uma câmara e efetua-se a passagem de ar com velocidade adequada. Esse processo pode ser comparado ao da secagem à sombra em local de vento intenso. Drogas com princípios voláteis podem ser prejudicadas por esse método.

A secagem por aquecimento é realizada em estufa sem circulação de ar. Tem certa analogia com a secagem ao sol. A temperatura pode ser controlada, podendo trabalhar em estufas sem acarretar destruição dos princípios ativos empregando-se de 35 a 40°C de temperatura.

A secagem por passagem de ar, mais aquecimento, diminui o tempo da operação. Os produtos voláteis, entretanto, se perdem. Esse método é conveniente para drogas portadoras de princípios ativos não voláteis e sujeitos ao ataque de enzimas.

O emprego de vácuo em processo de secagem é prejudicial para drogas com princípios voláteis.

O esfriamento é um processo pouco empregado; nele se congela o material e retira-se a água a vácuo por sublimação. É o melhor processo, todavia, o custo é muito elevado e é conhecido por liofilização, sendo muito utilizado na desidratação de alimentos e medicamentos, porém, pouco para drogas.

A secagem muito rápida é inconveniente por formar camada relativamente dura e impermeável na parte externa, o que dificulta a eliminação de água retida internamente, perdurando assim os efeitos maléficos da umidade.

Estabilização

A estabilização, embora seja obrigatória para muitas drogas, não é utilizada em todos os casos. É realizada para se inativar enzimas. Se a secagem, como visto, visa fundamentalmente eliminar a água, a estabilização visa destruir as enzimas. Constitui processo adicional e violento, devendo ser utilizado somente quando a secagem simples não for suficiente. Nas drogas cardiotônicas, as enzimas desdobram a cadeia glicosídica reduzindo a atividade farmacológica, tornando-se, nesse caso, importante a estabilização.

Se algumas vezes a ação enzimática deve ser evitada, casos há em que ela se faz necessária. A MOSTARDA (*Brassica nigra* [Linne] Koch.) representa o exemplo clássico de droga na qual a ação enzimática é necessária.

A estabilização de droga pode ser feita de diversas formas: aquecimento, emprego de solventes e irradiação.

Aquecimento

Acima de 70 °C a maior parte das enzimas é inativada. O ideal seria aquecer durante certo tempo à temperatura de 80 a 90 °C. Esse aquecimento deve ser veloz, isto porque se faz necessário inativar rapidamente as enzimas, evitando desdobramentos dos princípios ativos. Deve-se colocar o material a ser estabilizado em ambiente previamente aquecido, em camadas relativamente finas. Isso permite que a temperatura atinja o centro do material quase imediatamente. Recomenda-se aquecer o material a 80 °C, durante 15 a 30 minutos (Fig. 2.5).

Solvente

As enzimas são desnaturadas por álcool, por exemplo, o etanol. Esse solvente, entretanto, pode retirar parte do princípio ativo quando a planta é mergulhada nele. A seguir, é apresentada a estabilização por passagem do vapor entre os materiais (Figs. 2.6 e 2.7).

Irradiação

Como no caso anterior, esse método tem alguns inconvenientes. Em geral, a irradiação com raios ultravioleta requer exposição demorada do material, em virtude de a ação desses agentes ser mais ou menos superficial. O poder de penetração dos raios ultravioleta é pequeno.

Conservação

A conservação engloba não apenas a manutenção das drogas após a embalagem, mas também as operações anteriores, como a estocagem e a própria embalagem. Engloba, pode-se dizer, qualquer operação antecedendo a própria conservação.

Os fatores ambiente, estado da divisão, embalagem e tempo de armazenamento relacionam-se diretamente com a conservação da droga.

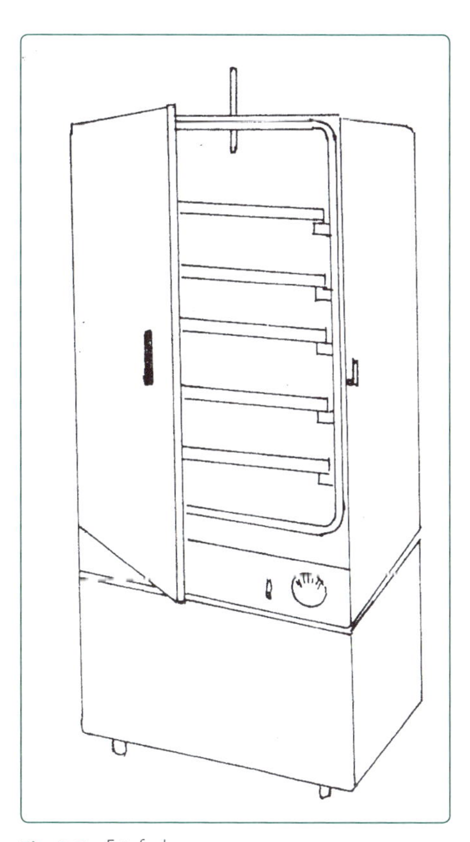

Fig. 2.5 – Estufa de secagem.

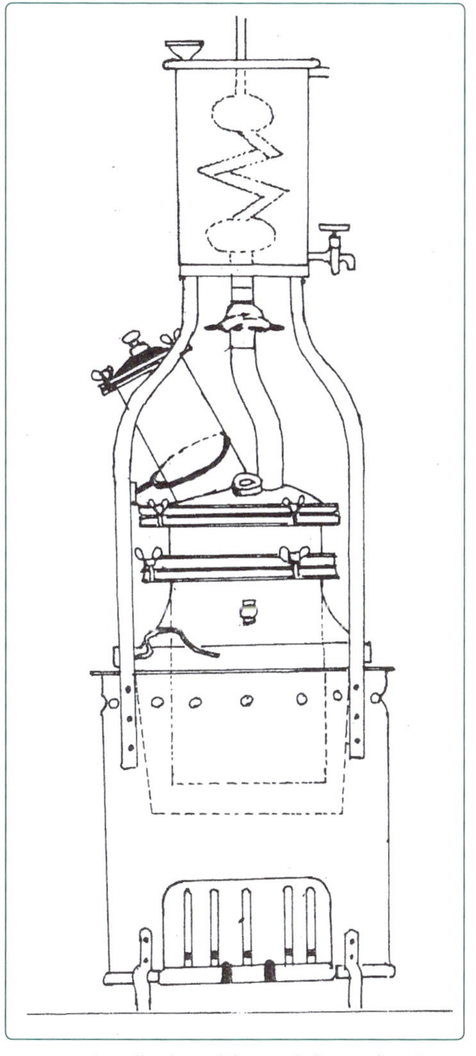

Fig. 2.6 – Aparelho de estabilização de Bourquelot e Herissei.

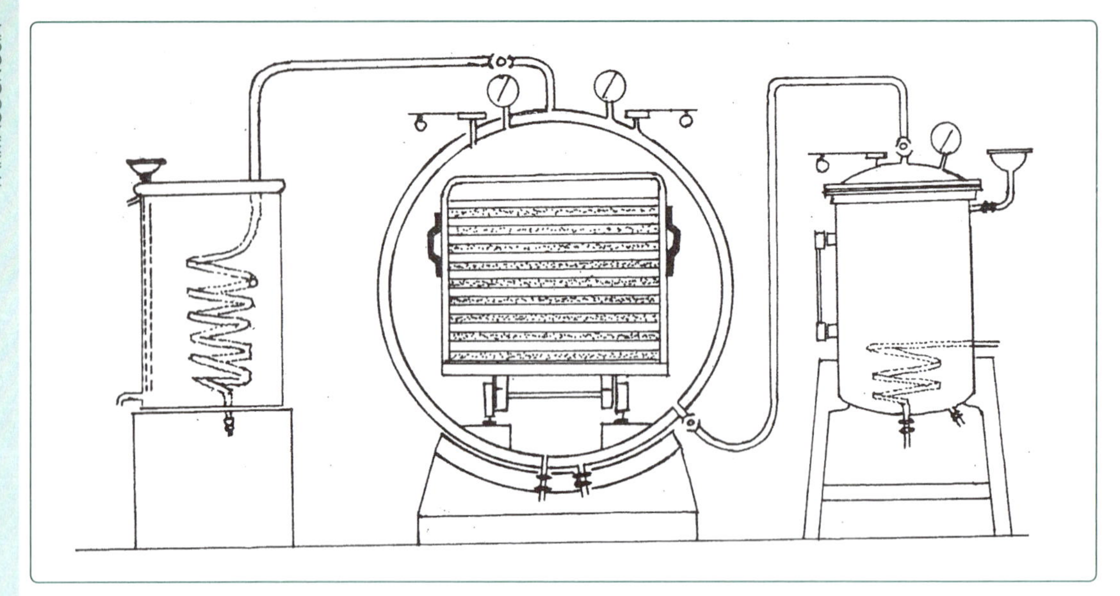

Fig. 2.7 – Aparelho de estabilização de Perrot e Goris.

Ambiente

A temperatura influi diretamente na conservação de drogas, podendo, ainda, influir indiretamente quando aliada à umidade. Drogas contendo óleos essenciais armazenadas à temperatura de 20ºC sofrem grandes perdas.

Drogas alcaloídicas não conservadas à baixa temperatura resultam, também, em perdas acentuadas do princípio ativo. O abaixamento da temperatura, por sua vez, leva à condensação da umidade.

Temperaturas abaixo de 0 °C tornam as drogas quebradiças.

A umidade é outro fator importante de natureza ambiental na conservação de drogas. Durante o armazenamento podem ser incorporados à droga de 10% a 30% de umidade.

Variações normais de umidade relativa do ambiente, as quais podem atingir até 50%, influem de maneira acentuada sobre os princípios ativos, possibilitando a contaminação da droga com a água externa ou ambiental.

A umidade, em conjunto com a temperatura, favorece o desenvolvimento de agentes degradantes de princípios ativos.

O ambiente ideal para a conservação das drogas deve ser seco e à temperatura de 5 a 15 °C.

Os depósitos destinados ao armazenamento de drogas devem ser preferencialmente de alvenaria em combinação com materiais incombustíveis como aço, cerâmica e ladrilhos. Devem ter pé direito alto, que facilite o bom arejamento. As janelas e as portas devem ser programadas para evitar o ataque de insetos e roedores. A iluminação deve ser pouco intensa. A luz direta afeta as drogas determinando seu aspecto e, às vezes, favorecendo a efetuação de reações químicas indesejáveis nas drogas.

Fiscalização periódica dos depósitos, limpeza adequada, boa ventilação, baixa umidade e temperatura razoavelmente baixa são fatores ambientais de alta importância na conservação das drogas.

A desinfecção e desinfestação do ambiente devem ser efetuadas periodicamente. Empregam-se, para esse fim, vapores tóxicos de p-diclorobenzeno e de brometo de metila.

Conforme a natureza da droga destinada ao armazenamento, recomenda-se a execução de expurgo, submetendo-se a processo de aquecimento à temperatura de 60ºC, durante tempo variável, que pode ir de alguns minutos a três dias.

Estado de divisão

O estado de divisão das drogas constitui fator importante na conservação deste tipo de matéria--prima. Quanto mais se dividir uma droga, mais será favorecida a aceleração de processos que levam à sua decomposição. Se por um lado a moagem de drogas redunda em redução de volume e, portanto, em economia de espaço, quase invariavelmente facilita a absorção de mais umidade, a aceleração de processos oxidativos, a perda de substâncias voláteis e, enfim, a redução da qualidade do material.

Embalagem

A embalagem deve permitir trocas gasosas, e sua natureza deve ser tal que não reaja com as substâncias contidas na droga.

Óleo essencial e óleo fixo existentes em drogas atacam embalagens plásticas, sendo, por essa razão, desaconselhável esse tipo de embalagem no caso de drogas que contenham esses princípios. Embalagens metálicas podem reagir com ácidos orgânicos.

O ambiente onde se armazenam drogas, sempre que possível, deve ser provido de condicionadores de ar para evitar a passagem de água do ambiente para a droga.

O uso de dissecantes nas embalagens é outro recurso muito utilizado. Não se recomenda a utilização de ambientes hermeticamente fechados, exceto quando concomitantemente se faz uso de desidratantes. Preferem-se embalagens porosas.

O tipo de embalagem depende da droga em questão, assim como de sua destinação.

Quando certa droga deve ser transportada e armazenada para uso posterior é frequente a escolha de um tipo de embalagem que dê proteção eficaz e que resulte, paralelamente, em economia de espaço. Assim, folhas e ervas são embaladas com o auxílio de enfardadeiras, em massas compactas, sólidas e cobertas por tecidos que permitam arejamento.

Drogas que se deterioram com facilidade, absorvendo umidades, são embaladas em latas, por exemplo, DIGITALIS e ESPORÃO-DE-CENTEIO. As gomas, as resinas e os extratos armazenam-se em barris ou caixas.

Em farmácias e laboratórios pequenos, todas as drogas podem ser armazenadas em frascos de vidro escuro hermeticamente fechados.

Tempo

O tempo é sempre fator limitante. Geralmente, antes de se utilizar uma droga, efetua-se o controle de seus princípios ativos. As farmacopeias proíbem o uso de drogas armazenadas por mais de um ano. A CÁSCARA SAGRADA constitui exemplo de exceção. Antes de serem usados, os fragmentos dessa droga devem ser armazenados durante algum período de tempo visando à redução do teor de glicósidos irritantes.

3

Análise de Drogas

INTRODUÇÃO

Na análise de drogas, três tipos de operações são fundamentais: a amostragem ou tomada de ensaio, a identificação, a verificação da pureza e a avaliação dos princípios ativos. A análise de uma droga se inicia pela amostragem, seguindo a identificação e a verificação da pureza. Provado que a droga não é adequada, nem se passa à avaliação. Tratando-se realmente da droga desejada em bom estado de pureza, passa-se à etapa seguinte.

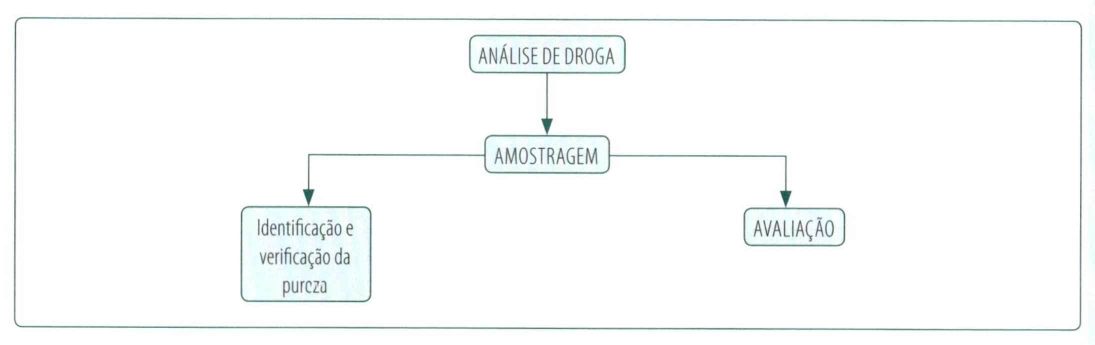

Outro aspecto a ser considerado na análise de drogas vegetais é a qualidade. Essa característica da droga está relacionada com a apresentação, o estado de conservação, o teor de princípios ativos e a pureza.

A apresentação de uma droga é especialmente importante quando ela se destina à elaboração de chás. Fragmentos de tamanhos muito diferentes, bem como coloração irregular, depreciam o produto. A apresentação pode não ser muito importante quando a droga se destina à indústria de extratos.

Estado da conservação, teor de princípios ativos e pureza sempre devem ser levados em consideração.

AMOSTRAGEM

O êxito da análise está intimamente relacionado com a amostragem ou a tomada de ensaio.

Para que a análise seja levada a bom termo, portanto, é indispensável a efetuação de uma tomada de ensaio perfeita. A amostra deve ser representativa da quantidade global da droga.

O problema da obtenção de amostras representativas não é tão simples quanto parece. O tipo de droga, o seu estado de divisão e a quantidade de embalagens são fatores que sempre devem ser considerados durante o processo da tomada de ensaio.

A Tabela 3.1 mostra o esquema de tomada de ensaio em função da quantidade de embalagens recebidas.

Tabela 3.1. Número de amostras a ser tomado em função da quantidade de embalagens

Quantidade de embalagens	1 a 10	10 a 30	30 a 50	50 a 75	75 a 100	+ de 100
Número de amostras	2 a 3	3 a 5	5 a 6	6 a 8	8 a 10	5% do total de embalagens Não menos de 10

Em geral, as drogas são apresentadas em embalagens variadas e de tamanhos relativamente grandes. A tomada de ensaio deve ser efetuada a diversas alturas dessas embalagens, por diversas razões: o transporte pode fazer com que ocorra certa separação de fragmentos dentro da própria embalagem; os fragmentos mais densos vão para o fundo e os menos densos ficam na parte superior; pode ocorrer, também, substituição fraudulenta de parte da droga, colocando-se na parte inferior o material fraudado.

Quando a droga apresenta-se finamente fragmentada, ou ainda, no caso de sementes e frutos de tamanho pequenos, utiliza-se na tomada de amostra um aparelho em forma de tubo provido de um dispositivo especial que permite o fechamento de sua extremidade. Esse aparelho é introduzido na embalagem e, no momento que se atinge o extremo, fecha-se o tubo, obtendo-se, assim, amostra proveniente de diversas regiões. Geralmente se efetuam tomadas de ensaio no sentido vertical e no sentido horizontal.

Quando o lote a ser ensaiado é de 100 kg, a tomada de ensaio mínima deve ser de 250 g, e quando o lote é de 10 kg, a tomada mínima deve ser de 125 g. Quando os fragmentos da droga são relativamente grandes, como no caso de certas cascas, a tomada de ensaio deve ser manual.

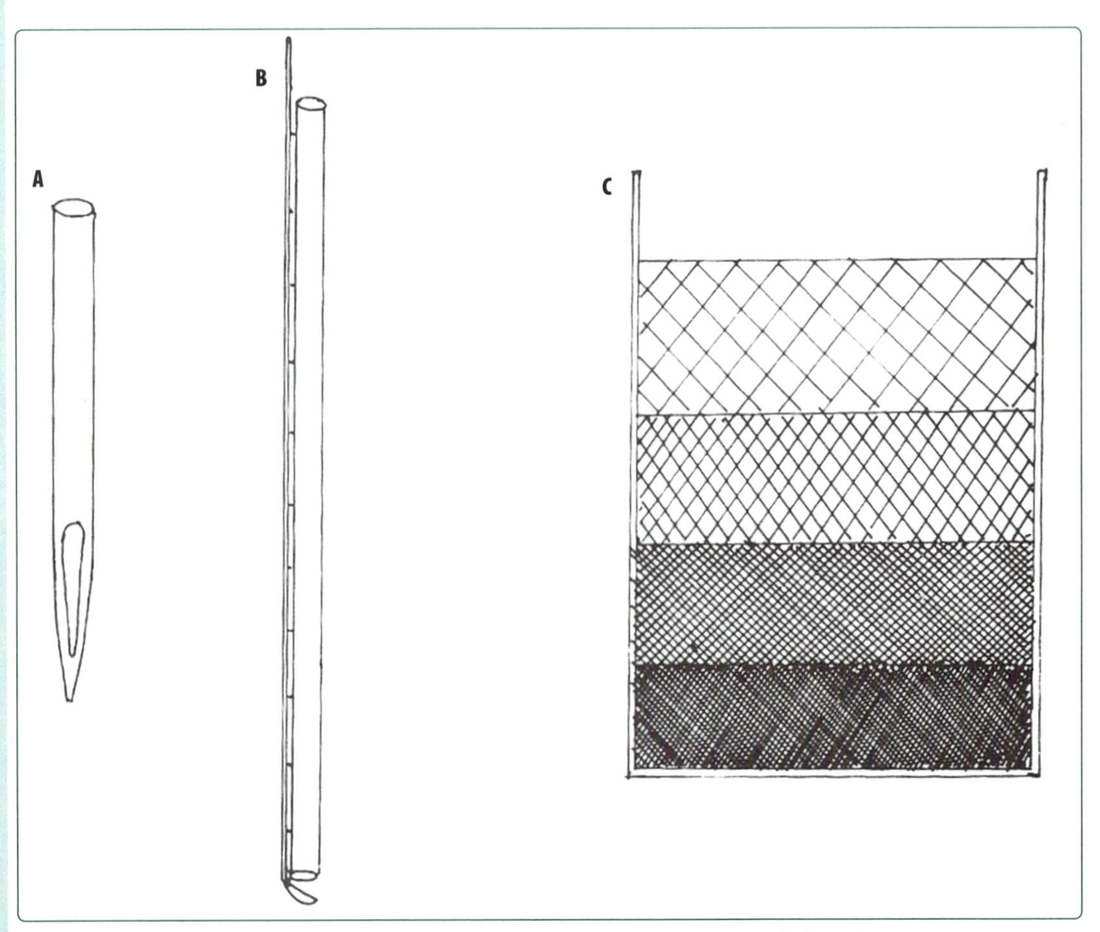

Fig. 3.1 – A e **B**. Aparelhos coletores de amostras; **C**. Representação de fardo com distribuição irregular de matéria.

Finda a tomada de ensaio, efetua-se a homogeneização da droga, visando reduzir o volume e possibilitar o trabalho com pequena quantidade de amostra.

Tratando-se de folhas ou de fragmentos pequenos, procede-se da seguinte maneira: distribui-se a droga sobre uma área quadrada dividida em quatro partes iguais (quatro quadrados). Com a mão faz-se com que a droga execute movimento circulatório, rejeitando-se, a seguir, as porções de drogas contidas em dois quadrados dispostos segundo uma das diagonais do quadrado maior. Quando as diferenças são muito evidentes em fragmentos de uma certa tomada de ensaio, separam-se esses materiais por catação. Calculam-se, a seguir, aproximadamente, as porcentagens segundo as quais os diversos componentes da mistura participam da mescla.

A análise de chás é feita separando-se as partes pelo processo de catação. Quando o chá é constituído por duas ou mais plantas, procura-se separar os componentes com auxílio de lupa e de pinça. Estima-se, depois, a porcentagem de cada componente na mistura.

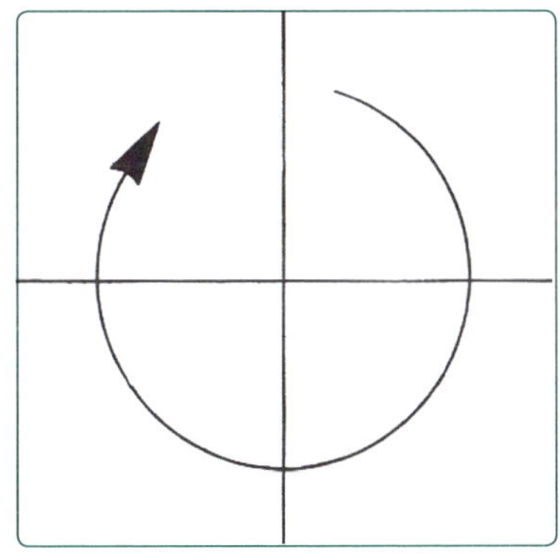

Fig. 3.2 – Superfície dividida em quatro quadrados, destinados a reduzir o tamanho da amostra.

IDENTIFICAÇÃO

A natureza cria individualidades. Não existem sequer dois indivíduos iguais. Entretanto, em indivíduos pertencentes a uma mesma espécie prevalecem as semelhanças, ficando as diferenças restritas a certos limites. Graças a esse fato é possível, após análise adequada, concluir que uma certa planta pertence a uma determinada espécie. Entretanto, órgãos de indivíduos pertencentes à mesma espécie são muito semelhantes entre si, possibilitando, inclusive, a identificação da espécie à qual pertencem. As raízes IPECACUANHA – *Cephaelis ipecacuanha* (Brotero) Richard – apresentam certas características especiais que permitem a sua identificação mesmo quando estão separadas do restante da planta. Na análise de drogas vegetais, grande parte das identificações baseia-se nesse fato.

Significado da identificação de drogas

O uso de droga legítima no preparo do "simples" é fato que se impõe. O prestígio ou o desprestígio dos extratos vegetais usados na terapêutica dependem do tipo de droga utilizada em sua elaboração. Assim, por exemplo, o fabricante de extratos vegetais que utilize, na fabricação de extrato, fluido de JABORANDI, folhas de uma das espécies de *Ottonia,* conhecida pelo nome de Jaborandi, estará cometendo um erro gravíssimo. As propriedades farmacodinâmicas desse extrato irão diferir muito daquele obtido com as folhas de JABORANDI verdadeiro *(Pilocarpus jaborandi* Holmes).

Antes de se utilizar qualquer droga no preparo de medicamentos, deve-se submetê-la à análise rigorosa. A identificação e a pureza da droga, bem como a avaliação de seus princípios ativos, são tarefas indispensáveis àqueles que buscam obter produto de boa qualidade.

O analista deve sempre ter em mente que a adulteração e a falsificação constituem procedimento trivial daqueles que, sem pensar no bem-estar público, buscam aumentar o lucro. Desde épocas imemoriais, esses tipos anômalos de procedimento têm estado a preocupar aqueles que têm como função preservar a saúde pública.

Em nosso país, no que tange às drogas naturais, principalmente as de origem vegetal, esse problema ocorre com frequência. Grande parte das drogas brasileiras origina-se de plantas silvestres. Pode-se afirmar, sem sombra de dúvida, que o cultivo racional de plantas medicinais quase inexiste em nosso país. Não bastasse isso, as pessoas que se prestam à coleta de plantas nativas são, com frequência, possuidoras de poucos conhecimentos, ocorrendo, portanto, ao lado da desonestidade de alguns, a ignorância de outros. Esses fatos têm contribuído muito para a má qualidade dos fitoterápicos.

Os nomes regionais das plantas podem se constituir em outro motivo de erro. Esses nomes, ou seja, os nomes populares das plantas, variam muito de um lugar para o outro e é comum designar-se plantas diferentes com um mesmo nome, bem como uma planta por diversos nomes. Por JABORANDI, nome oficial de nossa farmacopeia para as espécies *Pilocarpus jaborandi* Holmes, *Pilocarpus microphyllus* Stapf. e *Pilocarpus pennatifolius* Lem., se conhecem também diversas espécies pertencentes ao gênero *Piper* e ao gênero *Ottonia*, subordinadas à família *Piperaceae*. O CHAPÉU-DE-COURO, denominação oficial de nosso código farmacêutico para *Echinodorus macrophyllus* (Kunth) Micheli, é nome vulgar de diversas espécies de *Alisma* e de *Echinodorus*.

A necessidade de identificação de drogas destinadas ao consumo dos laboratórios farmacêuticos pode ser mais bem entendida quando, na prática, se tem a incumbência de analisar plantas coletadas por "raizeiros".

Fundamento da identificação

A identificação de uma droga é feita comparando-a à droga padrão, com descrições pormenorizadas existentes nas farmacopeias ou, ainda, em literatura especializada.

Essa comparação pode ser feita mediante processos diretos e indiretos.

A identificação, portanto, sempre encerra ideia de comparação.

Identificação por processos diretos

A droga, nesse caso, é observada à vista desarmada ou com auxílio de lupa de pequeno aumento, efetuando-se a comparação com a droga padrão ou com sua descrição macroscópica. Essa análise deve preceder às demais. Quanto menor as dimensões da droga, mais difícil é a sua caracterização por meio de processos diretos. Assim, no caso de drogas reduzidas a pó, somente características como cor, odor e sabor podem ser verificadas. Embora no caso dos pós os processos diretos não sejam suficientes, eles não podem ser negligenciados (Fig. 3.3).

A identificação de drogas, baseada em processos diretos, pode ser considerada segundo quatro aspectos: visão, tato, degustação ou sabor e olfato.

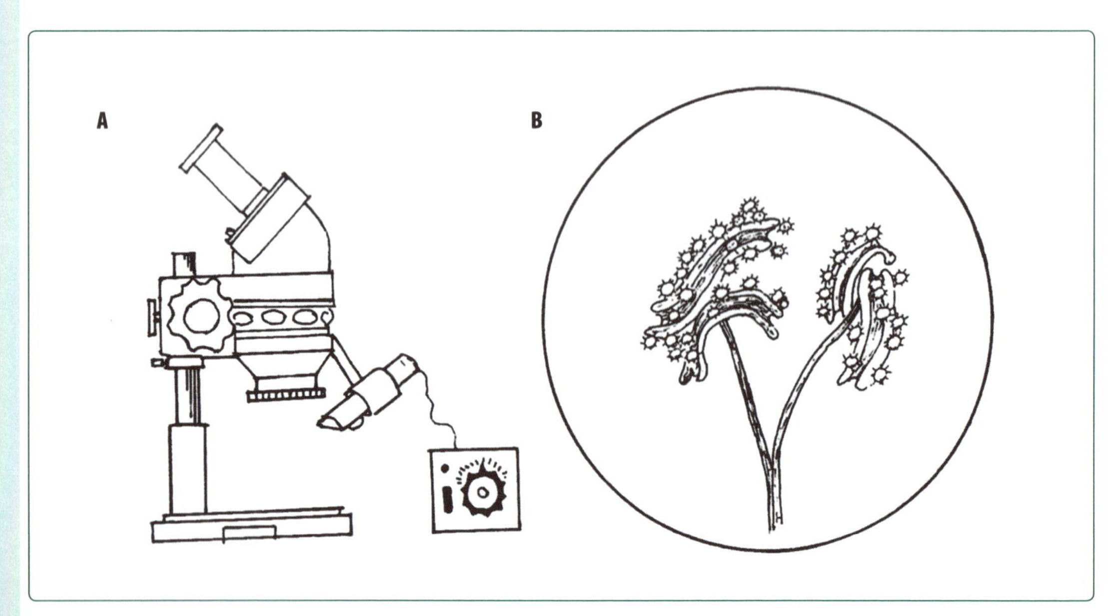

Fig. 3.3 – A. Desenho esquemático de lupa estereoscópica. **B.** Estame com anteras abertas contendo grãos de pólen observado com o auxílio da lupa.

A observação visual de uma droga pode levar a conclusões importantes sobre sua identidade. O tamanho, a forma, a coloração, a fratura e a observação de particularidades desempenham papel relevante na diagnose. Assim, ninguém vai confundir uma semente de MOSTARDA, cujo tamanho não é muito maior que o da cabeça de um alfinete, com um COCO-DA-BAHIA.

A forma constitui a característica mais importante nesse tipo de identificação. Cada órgão vegetal apresenta características morfológicas que devem ser observadas e comparadas com as da droga padrão ou com as monografias especializadas.

A cor e as fraturas têm significado menos relevantes que a característica anteriormente mencionada. A cor pode variar segundo o processo de secagem utilizado. Como particularidades de drogas, entende-se o aspecto global que ela apresenta quando colocada sobre uma superfície. Assim, a droga pode apresentar órgãos inteiros ou órgãos fragmentados. Pode se apresentar amarrotada ou não. Pode exibir brilho ou coloração característica.

O tato é igualmente aspecto muito importante na identificação de drogas. A observação da superfície por meio do tato, bem como a verificação da consistência, ajuda muito nesse tipo de tarefa.

A superfície das drogas pode motivar diversas sensações relacionadas com o tato. Assim, a superfície de uma droga pode ser lisa, áspera, verrucosa, tomentosa etc.

A consistência, ou seja, a resistência ou a firmeza que as drogas apresentam, pode variar conforme o caso em questão. E, de acordo com esse tipo de característica, as drogas podem ser duras ou moles, friáveis ou flexíveis.

O caule e a raiz das drogas JURUBEBA e MUIRAPUAMA são bastante duros; os frutos de BAUNILHA são razoavelmente moles; as folhas de BELADONA são friáveis; ao passo que os folíolos de SENE são flexíveis.

Fala-se, comparativamente também, em consistência papirácea, coreácea, membranácea e carnosa.

Com referência ao olfato, uma droga pode ser inodora ou apresentar odor, podendo apresentar odor agradável ou aromático; ou odor desagradável ou nauseoso.

Algumas vezes, o odor apresentado por uma droga pode ser designado comparativamente a odores bastante familiares. As raízes de GUINÉ ou PIPI apresentam odor aliáceo; as raízes de POLÍGALA apresentam odor de salicilato de metila.

O sabor também é uma característica relevante na identificação de drogas. Quatro são os sabores fundamentais: doce, amargo, azedo e salgado. Frequentemente, as farmacopeias e obras especializadas sobre drogas vegetais incluem certos tipos de sensação como sabor. Assim, fala-se de sabores adstringentes, oleosos, mucilaginosos, acre e pungente. O sabor adstringente é uma das características das drogas tânicas. Estas promovem uma sensação que lembra aperto sobre a mucosa bucal. Um exemplo bem conhecido dessa sensação é aquela decorrente do CAQUI ou da BANANA verde na boca; sabor oleoso, ou seja, que lembra a sensação de óleo na boca; sabor mucilaginoso é aquele que dá impressão de material que ao mesmo tempo aumenta de volume e escorrega na boca, em outras palavras, sensação que lembra QUIABO; o sabor acre ou picante, bem como o pungente, ardido ou doloroso, é frequentemente empregado na caracterização de certos tipos de droga.

Identificação por processos indiretos

Os processos indiretos de identificação podem ser enquadrados em três categorias: processos físicos, processos químicos e processos biológicos.

Processos físicos

Entre os processos físicos, dois se destacam pela frequência e generalização com que são utilizados: a microscopia e a cromatografia. Esses métodos podem ser considerados gerais para identificação de drogas vegetais. A microscopia costuma ser considerada o método mais rápido, mais fácil e mais barato na identificação e verificação da pureza de drogas vegetais.

A cromatografia é igualmente importante, porém apresenta custo razoavelmente alto. Necessita, ainda, de equipamentos especiais e de padrão para efetuar a comparação.

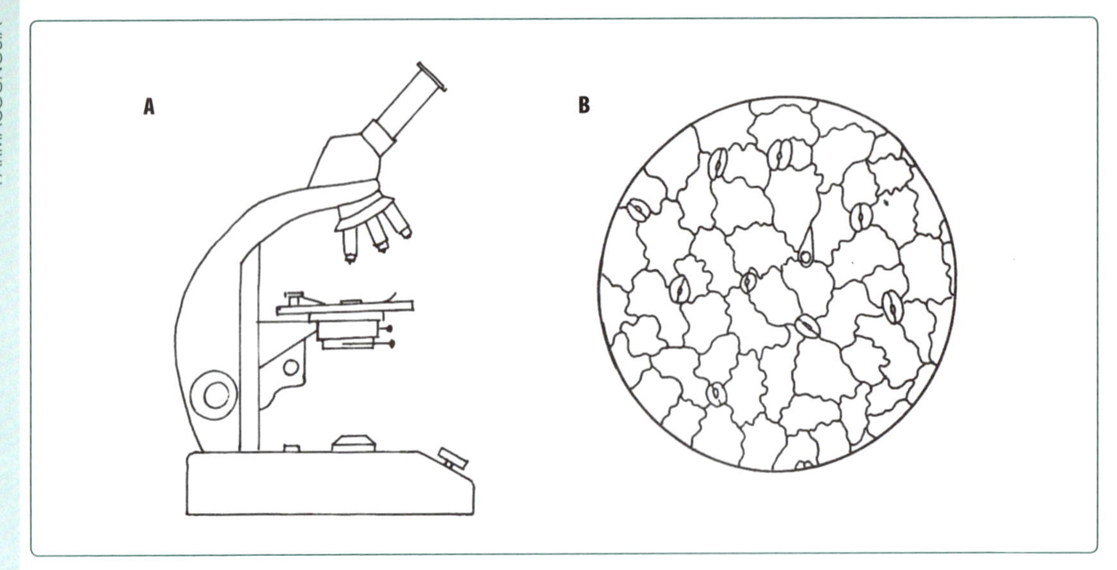

Fig. 3.4 – A. Desenho esquemático de microscópio. **B.** Tecido epidérmico visto ao microscópio.

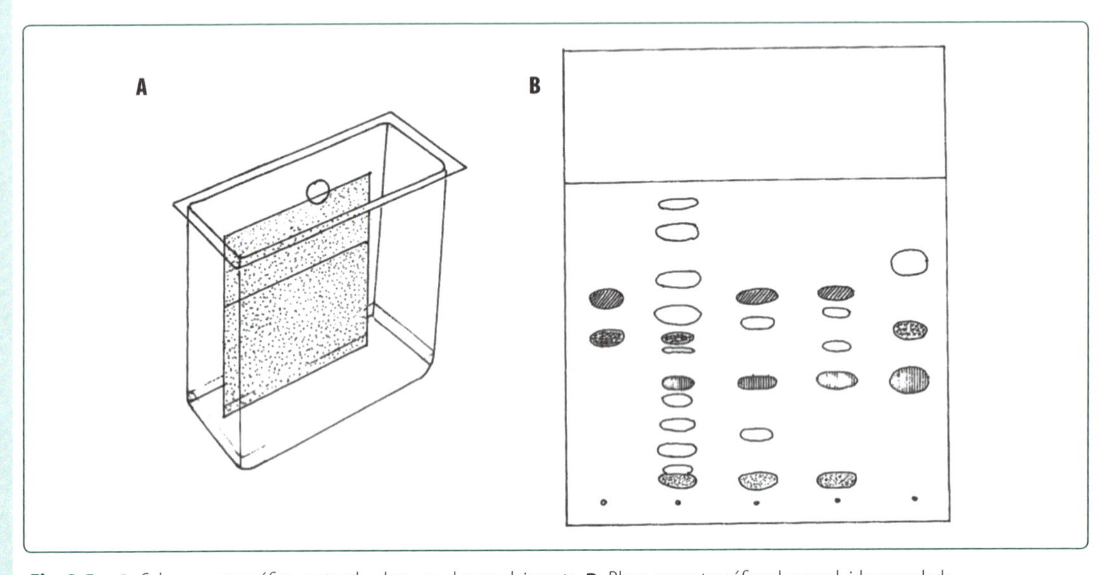

Fig. 3.5 – A. Cuba cromatográfica contendo placa em desenvolvimento. **B.** Placa cromatográfica desenvolvida e revelada.

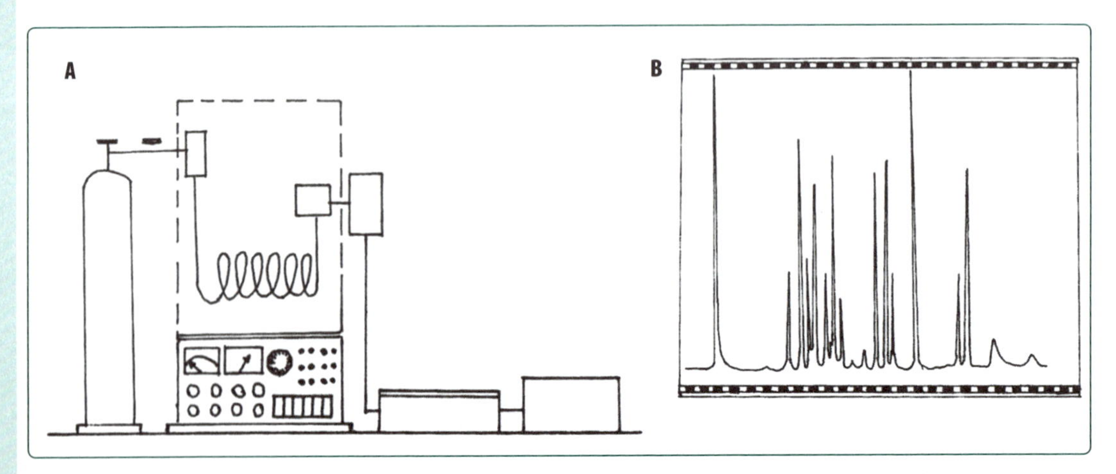

Fig. 3.6 – A. Esquema simplificado de cromatógrafo a gás. **B.** Cromatograma mostrando diversos picos referentes a substâncias que estavam presentes na droga.

A fluorescência, a luz polarizada, a viscosidade, a tensão superficial e a solubilidade são métodos especiais também de alta valia. A fluorescência que certas drogas apresentam, quando observadas à luz ultravioleta, auxilia na identificação. A RAIZ-DE-SÃO JOÃO e o HIDRASTIS apresentam, caracteristicamente, fluorescência amarela. O RUIBARBO RAPÔNTICO apresenta fluorescência azul, o que denuncia sua origem. Assim, é possível se diferenciar, por essa característica, o RUIBARBO verdadeiro do *Ruibarbo Rapôntico.*

O mel puro, analisado à luz polarizada, é dextro-rotatório. Os grãos de amido podem ser mais bem caracterizados morfologicamente quando vistos à luz polarizada. A presença da chamada "cruz de Malta" pode ser mais bem vista em alguns tipos de amido que em relação a outros. A forma da cruz também varia conforme o grão de amido em questão.

Pela densidade, costuma-se diferenciar o ALCAÇUZ proveniente da Rússia daquele que é proveniente da Espanha. O ALCAÇUZ da Rússia, quando colocado num recipiente contendo água, flutua, ao passo que o ALCAÇUZ da Espanha vai ao fundo.

As drogas contendo mucilagens, quando fervidas em água, aumentam sua viscosidade. Essa maior viscosidade pode ser posta em realce pelo aumento do tempo de escoamento medido com o auxílio de viscosímetro de *Ost wald.*

As drogas contendo saponinas, quando fervidas em água, diminuem a tensão superficial desse líquido. O extrato assim obtido, quando agitado em tubo de ensaio, leva à formação de espuma abundante e persistente.

Processos químicos

Os processos químicos empregados na identificação de drogas são de três tipos: transformações químicas, reações características e incineração.

✓ *Transformações químicas*

As reações de caracterização química podem ser feitas no próprio tecido vegetal ou em extratos provenientes destes. Fala-se em reação histoquímica quando a reação ocorre no seio do tecido, e em reação microquímica quando uma pequena quantidade da substância é extraída, com vistas à execução de reação destinada a caracterizar a droga, a qual ocorre fora do tecido vegetal.

Um bom exemplo de transformação química destinada à identificação de drogas é a reação de murexida que se faz com as drogas cafeicas: efetua-se um extrato clorofórmico da droga; evapora-se o clorofórmio à temperatura baixa; trata-se, a seguir, o resíduo com mistura de ácido clorídrico e clorato de potássio, visando obter composto intermediário oxidado; expõe-se, a seguir, esse composto a vapores de amônia originando coloração vermelha da murexida.

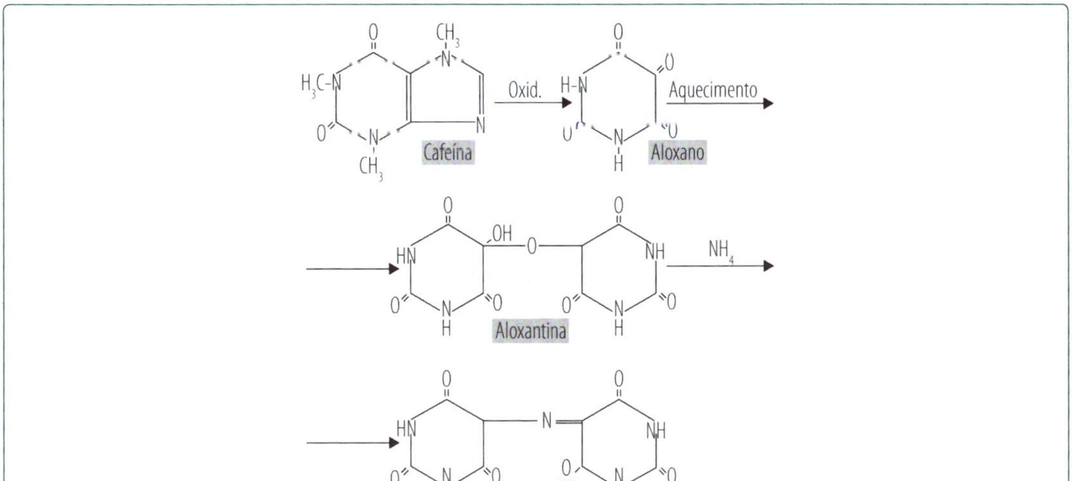

Fig. 3.7 – Reação de murexida.

Os cristais de oxalato de cálcio são frequentes em tecidos vegetais. Sua identificação costuma ser evidenciada pela verificação da presença de íons-cálcio. Para tanto, emprega-se o reativo para oxalato de cálcio à base de ácido sulfúrico diluído. O ácido sulfúrico reage com o oxalato de cálcio, formando sulfato de cálcio, substância esta que se cristaliza em forma de cristais aciculares. Basicamente, o que ocorre é a transformação de uma forma cristalina de oxalato de cálcio em outra de sulfato de cálcio.

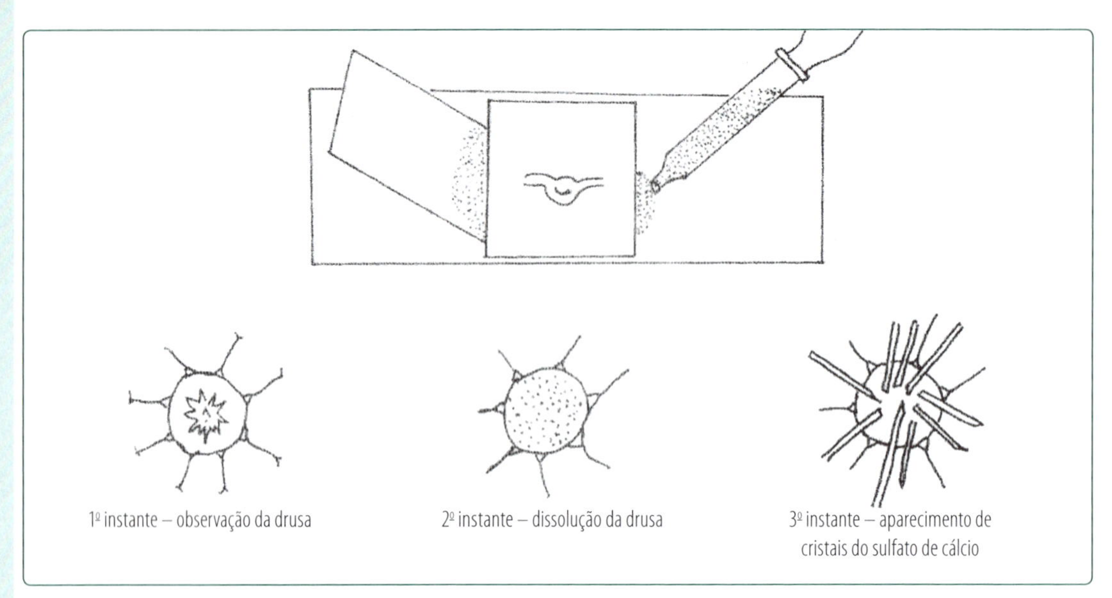

Fig. 3.8 – Identificação de oxalato de cálcio.

✓ *Reações características*

Inúmeras substâncias ou grupo de substâncias, quando tratadas por determinados reativos, dão reações de coloração ou de precipitação importantes para a identificação das drogas que as contêm. Assim, o resíduo do extrato clorofórmico das sementes de NOZ-VÔMICA, previamente alcalinizadas, quando tratado por uma gota de ácido sulfúrico concentrado e adicionado de um cristal de bicromato de potássio, desenvolve intensa coloração violácea indicativa da presença de estricnina.

O resíduo resultante da evaporação do extrato clorofórmico de 1 g do pó de folha de BELADONA previamente alcalinizada, tratado com uma a duas gotas de ácido nítrico concentrado e, após resfriamento, com uma a duas gotas de potassa alcoólica, desenvolve coloração violeta intensa que passa a vermelho-vinhosa com o tempo (reação de Vitali).

As substâncias alcaloídicas presentes em drogas costumam frequentemente ser caracterizadas pelas reações de precipitação com os chamados reativos de precipitação de alcaloides.

✓ *Incineração*

A incineração de drogas leva à formação de resíduo cujo peso porcentual deve ficar, para cada caso, entre determinados limites. Assim, quando uma droga é adulterada, a porcentagem de cinzas varia. Essa determinação é muito importante na identificação de drogas pulverizadas, que podem ser adulteradas pela adição de areia. Nesse caso, o teor de cinzas vai aparecer aumentado.

Processos biológicos

Inúmeros processos biológicos de identificação podem ser utilizados. A hemólise ocasionada por extratos de drogas contendo saponinas constitui exemplo desse importante grupo de processos de identificação. A hemoaglutinação ocasionada por extratos de drogas contendo taninos corresponde a outro exemplo.

Algumas reações específicas costumam ser empregadas. A verificação de ictiotoxicidade para drogas contendo saponinas, o vômito de pombos para drogas cardiotônicas, a convulsão estricnínica e o desenvolvimento de estado de catatonia são algumas vezes utilizados.

PUREZA

A pureza da droga pode ser modificada em função de contaminação ou fraude. A contaminação ocorre acidentalmente durante as etapas de coleta do vegetal, preparo, conservação ou armazenamento. Essa contaminação pode se dar com outros vegetais ou por outros órgãos diferentes, do mesmo vegetal, ou ainda, por microrganismos, insetos e roedores. A adulteração sempre tem caráter intencional.

A presença de contaminantes é outra característica importante a ser observada. Esses contaminantes podem ser de diversas origens: órgão diferente do mesmo vegetal; órgão de outro vegetal; material orgânico; material inorgânico e parasitos.

No caso de contaminação com órgãos diferentes do mesmo vegetal, o limite de tolerância é de 10% a 15%. Esse limite estipulado por algumas farmacopeias para esse tipo de contaminante não vale quando ele contiver substâncias tóxicas. Assim, para fruto contendo sementes tóxicas, o limite supracitado não vale.

Folha de ESTRAMÔNIO contaminada por BOLDO constitui exemplo do segundo caso. Nessa situação, é preciso verificar a identidade do órgão contaminante do outro vegetal para se ter a certeza da não toxicidade.

BÁLSAMO-DE TOLU contaminado com colofônia constitui exemplo de contaminação por material orgânico. Um pó qualquer contaminado com amido ou açúcar constitui outro exemplo do mesmo caso. Uma droga contaminada, mesmo que seja com material inerte, sempre redunda em prejuízo.

Os contaminantes inorgânicos, via de regra, são representados por areia ou pedras. Um meio de se detectar esse tipo de contaminação em pós, por exemplo, é efetuando-se a determinação de cinzas.

A contaminação por parasitas, quando não influi consideravelmente na qualidade da droga, pode ser tolerada dentro de certos limites (admite-se 1% a 2%). Deve-se tomar muito cuidado no caso de drogas mofadas, pois esses tipos de contaminantes podem levar à destruição dos princípios ativos e, ainda, motivar o aparecimento de substâncias tóxicas. Somente deve-se permitir 1% a 2% dos parasitas supracitados, quando se tenha a certeza de serem inócuos, isto é, não resultar em ação tóxica da droga devida à sua presença.

Os problemas resultantes de alterações, adulterações e falsificações, caracterizando fraudes, atingem com frequência as drogas vegetais, quer elas se destinem ao preparo de extratos vegetais, ou de outras formas farmacêuticas, quer elas se destinem à elaboração de chás.

Desde a Antiguidade, em vários tipos de atividades humanas, a fraude está sempre visando ao aumento do lucro.

Vender CAPIM LIMÃO – *Cymbopogon citratus* (DC) Stapf ou *Lippia Alba* (Mill) N.E Brown no lugar de *Melissa officinalis L.* corresponde ao tipo de substituição quase sempre fraudulenta que ocorre com frequência.

Esse tipo de substituição ou ocorre por ignorância do agente envolvido ou por intenção de auferir lucro maior, o que caracteriza fraude.

Os fraudadores geralmente são bem informados, portadores de habilidades e de grande capacidade de adaptação a situações novas, buscando falhas na legislação ou mesmo procurando burlar as estipulações legais.

Cabe aos órgãos de fiscalização a repressão desse tipo de procedimento inadequado e prejudicial à sociedade. É preciso que os profissionais envolvidos nessas tarefas de controle de qualidade estejam bem qualificados e que existam em maior número.

A análise macroscópica e principalmente a microscópica muito pode auxiliar nesse tipo de tarefa.

É um método simples, barato, que dispensa instrumentação cara e inacessível à maioria dos envolvidos na tarefa de controle de qualidade.

O farmacêutico é o profissional mais habilitado para isso, cabendo às faculdades de Farmácia oferecer qualificação adequada a eles.

Mistura de drogas

A análise de uma mistura de drogas na maior parte dos casos não é fácil de ser realizada. Deve-se analisar cada tipo de elemento integrante da mistura e depois determinar a porcentagem de cada um deles na mistura. A separação é manual ou com o auxílio de tamises, quando possível.

Com o auxílio de pinça separam-se os componentes maiores da mistura, e a verificação da proporção dos componentes é feita por meio da pesagem.

Algumas vezes, emprega-se nessa tarefa uma placa semelhante à esquematizada na Fig. 3.9. Distribui-se a mistura sobre ela de maneira que os fragmentos não se sobreponham. Com o auxílio de uma lupa, efetua-se a contagem de cada tipo de fragmento em cada quadradinho.

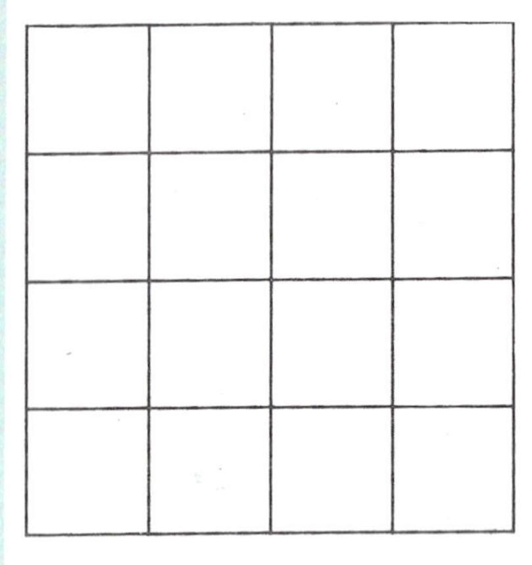

Fig. 3.9 – Quadrado dividido em 16 partes iguais. Os quadradinhos destinam-se à separação de drogas de uma mistura.

Outras vezes, coloca-se certa quantidade de mistura numa placa de Petri, leva-se o conjunto a uma lupa estereoscópica, efetua-se a separação com o auxílio de pinça e calcula-se por pesagem o percentual de cada componente na mistura.

IDENTIFICAÇÃO MACROSCÓPICA E MICROSCÓPICA DE DROGAS VEGETAIS

A *Farmacopeia Brasileira*, em suas cinco edições, identifica grande número de drogas vegetais pela sua morfologia externa e pela anatomia.

Esse tipo de identificação, mesmo quando não seja o único empregado, apresenta papel relevante. Trata-se de análise rápida, de custo reduzido e que, quase imediatamente, permite fazer julgamento sobre a droga em questão, verificando sua identidade ou reconhecendo a presença de possíveis fraudes ou contaminações.

Para execução dessa tarefa de maneira adequada, é importante a manutenção de coleção de drogas padrão. Deve-se, ainda, ter presente farta literatura especializada como farmacopeias, livros de Farmacognosia e monografias especializadas. Com todo esse material à disposição, torna-se fácil efetuar a comparação entre a droga problema e a droga padrão ou literatura específica.

O estado de divisão da droga é fator indicativo do procedimento a ser seguido. Assim, quando a droga a ser analisada encontra-se na forma de pó, do ponto de vista da análise macroscópica, pouco pode ser feito. Somente haverá condições de observar a cor, o sabor e o odor desse material.

À medida que o tamanho dos fragmentos aumenta, um maior número de observações pode ser feito. Surge a oportunidade de se observar uma série de características macroscópicas, bem como a de elaborar cortes histológicos e, com isso, tem-se a visão da organização tecidual do vegetal em questão. Do ponto de vista da microscopia são importantes a forma da célula vegetal, seu conteúdo, a natureza e o espessamento de sua parede, os tipos de tecidos presentes e suas características, bem como as estruturas.

Para facilitar generalizações, a identificação de drogas vegetais será analisada de acordo com o órgão vegetal empregado na elaboração da droga. Inicialmente, as reações histoquímicas mais utilizadas serão apresentadas, bem como a composição dos reagentes.

Técnica de cortes à mão livre

Obtenção de cortes à mão livre

O estudo microscópico de drogas vegetais, quer seja encarado como rotina de trabalho, quer como estudo científico destinado à elaboração de monografias com o intuito de possibilitar o trabalho farmacognóstico, exige, quase sempre, a elaboração de cortes no material a ser estudado. Tais cortes são efetuados ou à mão livre ou com auxílio de micrótomos.

No caso dos cortes à mão livre, são utilizados, na maior parte das vezes, suportes no interior dos quais são incluídas as peças a serem cortadas. Esses suportes, geralmente, são confeccionados com medula do pecíolo da folha de EMBAÚBA *(Cecropia* sp.), medula do caule de SABUGUEIRO *(Sambucus* sp.) ou ainda, com menor frequência, medula do caule de GIRASSOL *(Helianthus* sp.).

No preparo dos suportes, retira-se a parte externa da peça vegetal, deixando-se exclusivamente a parte medular, a qual deve adquirir forma cilíndrica.

Secciona-se a medula em pedaços cilíndricos de 3 a 4 cm de comprimento. Esses pequenos pedaços são divididos, longitudinalmente, em duas partes iguais.

Efetua-se, a seguir, ranhura no suporte de maneira a incluir, sem deixar folgas, a peça a ser cortada.

Em tal inclusão tem-se, forçosamente, de levar em consideração o sentido do corte que se quer obter. Tais cortes são efetuados geralmente em um dos seguintes sentidos: corte transversal, corte longitudinal radial, e corte longitudinal tangencial.

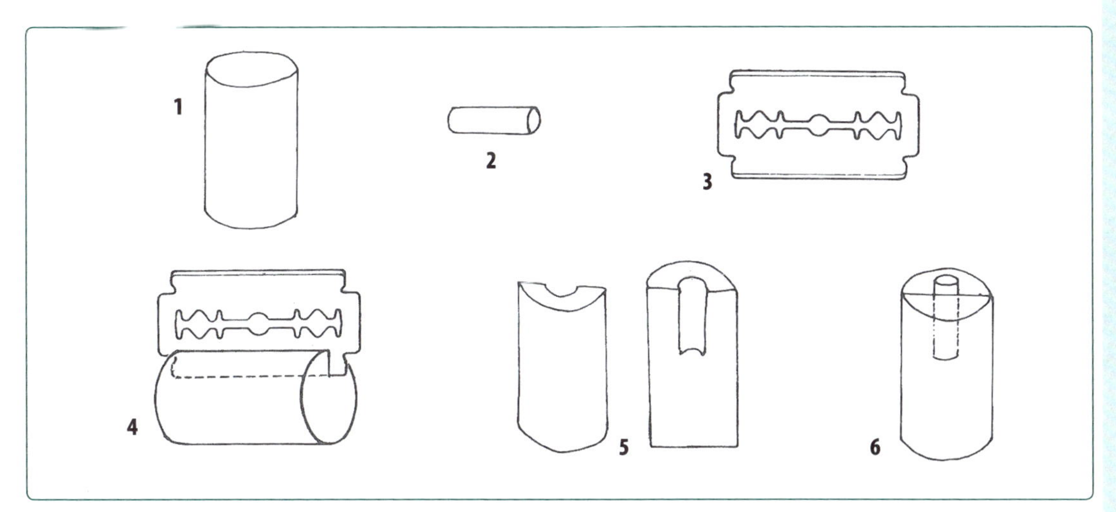

Fig. 3.10 – Desenho esquemático mostrando maneira de incluir a peça a ser cortada na medula de embaúba. **1** – Medula de embaúba; **2** – Peça a ser cortada; **3** – Lâmina de barbear; **4** – Seccionamento da medula; **5** – Medula seccionada e preparada; **6** – Material incluído destinado ao corte.

Na obtenção de cortes à mão livre, é comum empregar-se navalha ou lâmina de barbear. O fácil manejo e o preço relativamente pequeno motivam a escolha de lâminas de barbear na obtenção de cortes à mão livre.

Os cortes são obtidos com dois movimentos rápidos e conjugados da lâmina sobre o material a ser cortado, incluídos na medula (um movimento para dentro e outro para a direita, ou para a esquerda, conforme destro ou canhoto). Com o auxílio de um pincel, leva-se o corte para um recipiente contendo água destilada. Após serem obtidos diversos cortes, escolhem-se os melhores. Os cortes mais finos são os mais transparentes e, portanto, os mais recomendados.

Efetua-se o clareamento dos cortes com o auxílio de solução de hipoclorito de sódio (água de lavadeira ou sanitária, por exemplo), ou de cloral hidratado a 60% em água. No primeiro caso, os cortes escolhidos são transportados para o hipoclorito de sódio, onde devem permanecer até completa descoloração. Tal operação deve ser efetuada com auxílio de um estilete, e não com o pincel. Após a descoloração, o material é levado novamente ao recipiente que contém água destilada, efetuando-se a lavagem. Os cortes descorados podem ser observados sem coloração ou, então, após serem submetidos a processo de coloração pela hematoxilina. Nesse caso, antes do uso do corante, a lavagem deve ser muito bem executada de forma a retirar totalmente o hipoclorito de sódio.

Colocam-se duas gotas de hematoxilina de Delafield em um pequeno vidro de relógio. Transportam-se, a seguir, os cortes para o corante, permanecendo aí geralmente dois a três minutos. Após esse tempo, os cortes são retirados do corante e lavados novamente.

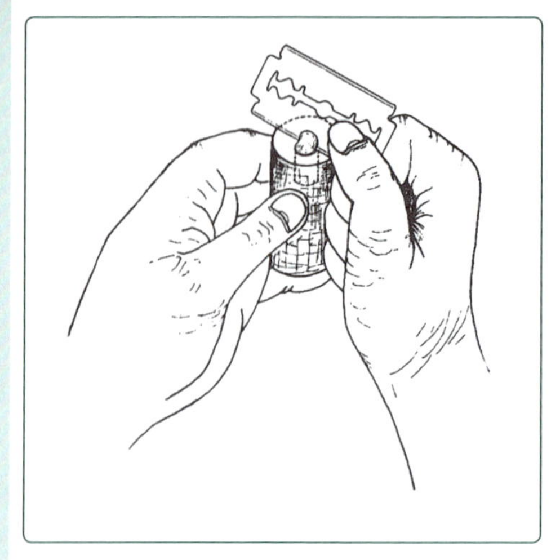

Fig. 3.11 – Execução do corte transversal.

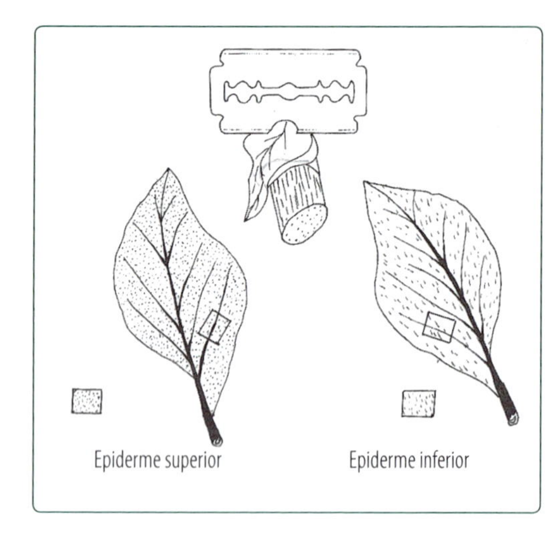

Fig. 3.12 – Obtenção de cortes paradérmicos.

Limpam-se muito bem uma lâmina e uma lamínula. Sobre a lâmina, coloca-se uma gota de glicerina ou de água destilada. Transporta-se, a seguir, com todo cuidado, o corte para a gota com o auxílio de um estilete. Cobrem-se, cuidadosamente, o corte e a gota de glicerina com a lamínula.

Para isso, dá-se à lamínula uma inclinação de 45° aproximadamente. Encosta-se uma das margens da lamínula na lâmina de microscopia que contém o corte. Desloca-se a lamínula até a margem encostada na lâmina entrar em contato com a gota. Deixa-se a lamínula repousar sobre a lâmina.

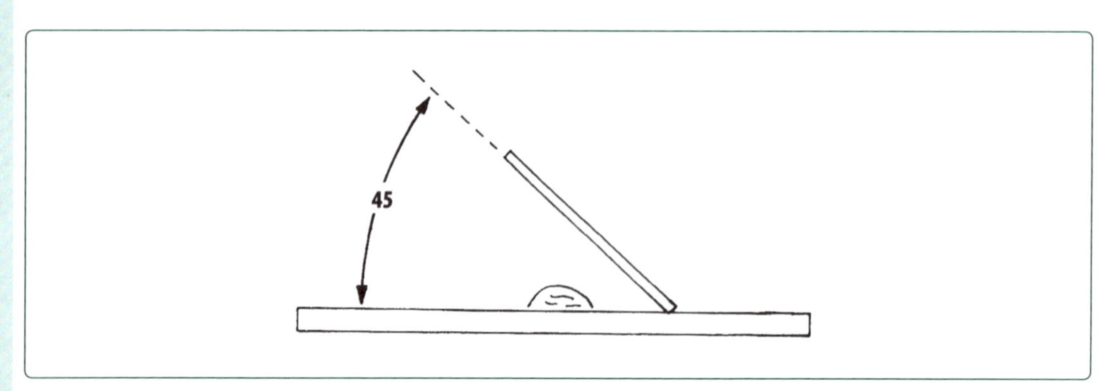

Fig. 3.13 – Inclinação que se deve dar à lamínula na montagem da preparação.

A glicerina ou a água não deve extravasar, todavia, deve preencher totalmente o espaço sob a lamínula.

Com o intuito de conservar a preparação por mais tempo, especialmente quando a montagem foi efetuada em glicerina, costuma-se efetuar a fixação da lamínula à lâmina. Essa etapa denomina-se de *lutagem*.

Com o auxílio de um triângulo e de uma mistura de cera e breu (3:1), prende-se a lamínula à lâmina. Para tanto, aquece-se o triângulo na chama de uma lamparina de álcool, colocando-o, a seguir, em contato com a mistura de cera e breu, fundindo-a.

Retira-se então uma gota da mistura fundida, com o auxílio do triângulo, colocando-a cuidadosamente no canto da lamínula, de tal modo a prender também a lâmina. Efetua-se a mesma operação sobre os demais cantos da lamínula. Com o triângulo aquecido, espalha-se, a seguir, a mistura entre as bordas da lâmina e da lamínula prendendo uma à outra.

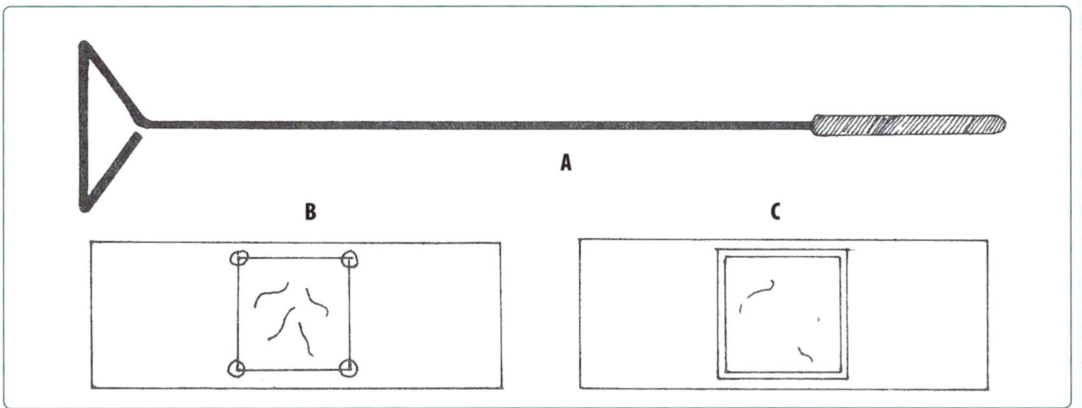

Fig. 3.14 – A. Triângulo destinado a colocar a cera sobre a lamínula no processo de lutagem. **B.** Lamínula presa nos cantos por pontos de cera. **C.** Lâmina pronta com a cera prendendo a lamínula em toda a extensão.

Outra maneira de proceder que dá bons resultados na fixação da lamínula à lâmina é a aplicação de esmalte de unha. Esse processo é muito mais rápido e mais fácil.

Emprega-se a solução de cloral hidratado a 60% em água para o clareamento e observação de cortes, quando não se pensa em corar os tecidos. Assim, após a obtenção dos cortes, estes são transferidos para uma gota de solução aquosa de cloral a 60%, previamente colocada sobre uma lâmina de microscópio e, finalmente, montados entre lâmina e lamínula. Segue-se o aquecimento da montagem até a fervura por aproximação e afastamento do conjunto à chama de uma lamparina tomando-se os seguintes cuidados: evitar fervura brusca, aproximando e afastando periodicamente o conjunto da chama; completar o volume de cloral evaporado, eliminado por ocasião da eliminação de bolhas de ar; caso haja excesso de cloral, com o auxílio de um pequeno pedaço de papel-filtro, efetuar sua retirada.

Obtida a preparação por um dos dois processos, passa-se à fase de observação.

Fig. 3.15 – Inclinação correta que se deve dar ao preparado durante a fervura branda com cloral.

Reações histoquímicas

Nos vegetais clorofilados, a membrana vegetal é dupla, isto é, existe uma membrana vegetal semipermeável, denominada membrana citoplasmática, e outra de natureza celulósica.

A membrana citoplasmática é comum tanto aos vegetais quanto aos animais. A celulósica é característica das células dos vegetais clorofilados. Constitui verdadeira parede celular, sendo, por isso, preferível chamá-la de parede celulósica. Como constituinte da membrana, além da celulose, encontram-se ainda matérias pépticas, como a pectose, ácidos pécticos, metapécticos e calose.

A primeira parede celular que se forma nas células vegetais é de natureza celulósica e é denominada parede celular primária. Muitas vezes, essa parede permanece durante toda a vida da célula; outras vezes, ela sofre modificações. A membrana secundária surge em determinadas células após estas atingirem seu crescimento máximo. As membranas secundárias podem ser de diversas naturezas: lignificada, suberificada, cutinizada, cerificada, hemicelulose e silicificada.

Outro fato importante para a diagnose das drogas vegetais corresponde às inclusões celulares tanto de natureza orgânica quanto inorgânica. Amido, aleurona, inulina, gotículas de óleo, sílica, cristais de oxalato de cálcio, carbonato de cálcio, conteúdos celulares diversos frequentemente são pesquisados com vistas à identificação de drogas.

Tanto a natureza das paredes celulares quanto as inclusões celulares podem ser evidenciadas por reações histoquímicas. Os principais reativos empregados em reações histoquímicas, com vistas à identificação de drogas vegetais, serão discutidos a seguir.

Cloreto de zinco iodado (reativo de Lawrens-Takaashi)

O cloreto de zinco iodado cora as paredes celulósicas e hemicelulósicas em azul, e as lignificadas, cutinizadas e suberificadas em amarelo a amarelo-alaranjado.

FÓRMULA DO REATIVO
cloreto de zinco 50 g + iodeto de potássio 16 g
+ água 17 ml + iodo metálico em excesso

Há outras três fórmulas de cloreto de zinco iodado:

FÓRMULA Nº 1
- cloreto de zinco 20 g
- iodeto de potássio 6,6 g
- iodo 1,5 g
- água destilada 12 ml

FÓRMULA Nº 2
Solução A
- cloreto de zinco 20 g
- água 8,5 ml

Solução B
- iodeto de potássio 1 g
- iodo 0,5 g
- água 20 ml

Misturar antes de usar

FÓRMULA Nº 3
Solução A
- iodo 1 g
- iodeto de potássio 1 g
- água 100 ml

Solução B
- cloreto de zinco 2 g
- água 1 ml

Misturar antes de usar

O cloreto de zinco iodado é o corante específico da celulose, corando-a em azul.

Solução de iodo (lugol)

A celulose, previamente tratada por ácido sulfúrico ou ácido fosfórico em presença de iodo, adquire coloração azul.

Os grãos de amido adquirem caracteristicamente cor azul em presença de iodo.

Os grãos de aleurona adquirem cor amarelo-claro.

FÓRMULA DO REATIVO
iodo 1 g - iodeto de potássio 2 g - água destilada 300 ml

Hematoxilina de Delafield

Dependendo do pH, a hematoxilina cora a celulose em roxo ou em azul.

FÓRMULA (solução estoque)

- hematoxilina 1 g
- 100 ml de álcool metílico
- álcool absoluto 6 ml
- 25 ml de glicerina
- solução saturada de alúmen de amônia

Modo de preparar

Dissolva 1 g de hematoxilina em 6 ml de álcool absoluto, juntando-se aos poucos os 100 ml da solução saturada de alúmen de amônia. Exponha a mistura ao ar e à luz durante uma semana. A seguir, filtre a solução e adicione, gota a gota, a mistura do álcool e da glicerina. Filtre. Desta solução estoque, retire 1 ml e dilua em 150 ml de água destilada.

Com o desenvolvimento celular, a parede celulósica poderá sofrer modificações, a fim de exercer outras funções. Os tipos de paredes modificadas mais frequentes são lignificada, suberificada, cutinizada, cerificada, hemicelulósica, silicificada e mucilaginosa.

Carmin aluminado

As paredes celulósicas adquirem coloração rósea pela ação do carmin aluminado.

Modo de preparar

Para preparar este reativo, faça solução de alúmen de potássio saturada a quente. Deixe essa solução esfriar. Sature essa solução a quente com carmin. Junte um cristal de fenol e filtre.

Solução de cloreto férrico a 2% em água

Esta solução evidencia a presença de taninos nas células, os quais adquirem coloração verde, azul ou negra.

Floroglucina clorídrica

A floroglucina clorídrica cora caracteristicamente as paredes lignificadas em vermelho-cereja.

O reativo é constituído de solução saturada de floroglucinol em ácido clorídrico a 20%.

Sudan III

As paredes suberificadas, cutícula, conteúdos celulares de óleo fixo, óleo essencial, resinas e outras substâncias de natureza lipófila coram-se em amarelo-alaranjado ou vermelho-alaranjado pelo sudan III.

Modo de preparar

Dilua 0,1 g de sudan III em 50 ml de isopropanol aquecidos a refluxo por 1 hora. Junte a essa mistura, com cuidado, 50 ml de glicerina.

Lugol

A solução diluída de lugol cora caracteristicamente o amido em azul. Essa solução cora também os grãos de aleurona. O plasma ou matriz cora-se em amarelo-claro, o cristaloide em amarelo-escuro e o globoide permanece incolor.

Azul de metileno

As células contendo mucilagem, em presença de solução aquosa de azul de metileno, entumecem e exibem coloração azul mais nítida que os tecidos vizinhos.

FÓRMULA
solução aquosa a 1% de azul de metileno

Reativo de oxalato de cálcio

Os cristais de oxalato de cálcio, em presença do reativo, originam a formação de cristais aciculares de sulfato de cálcio.

FÓRMULA
- ácido sulfúrico 25% (3 partes)
- etanol (2 partes)
- cloral 6% (5 partes)

Reativo para cistólito

Monte o corte histológico em cloral, segundo técnica usual (aquecimento, retirada de bolhas). Focalize o corte histológico no microscópio. A seguir, com o auxílio de um pedaço de papel de filtro, retire o cloral sem movimentar a preparação, fazendo com que ele seja, gradativamente, substituído por uma solução de ácido acético a 5%, introduzida por capilaridade. Observe o desprendimento de bolhas de gás carbônico na região dos cistólitos.

Reativo de Steinmetz

O reativo de Steinmetz apresenta como característica relevante a propriedade de descorar a estrutura ao mesmo tempo que promove coloração diferencial de diversos tecidos.

FÓRMULA
- cloral hidratado 40 g
- alúmen de ferro 3 g
- sulfato de anilina 1 g
- iodo ressublimado 0,45 g
- sudan III 0,1 g
- álcool 96°GL 30 ml
- água destilada 30 ml
- glicerina 25 ml

Modo de preparar

Dissolva o cloral hidratado e o alúmen de ferro em 15 ml de água. O sulfato de anilina é dissolvido a quente nos outros 15 ml de água restante. O iodo, por sua vez, é dissolvido no álcool. Depois de esfriar a solução de sulfato de anilina, as três soluções são reunidas. O sudan III é dissolvido a quente na glicerina. Resfrie essa solução e adicione-a ao conjunto. Filtre e armazene em frasco escuro de rolha esmerilhada.

Esse reativo é empregado diretamente na observação de cortes histológicos e de drogas pulverizadas. Não há necessidade de clareamento prévio. Com o reativo de Steinmetz, o resultado da coloração é:

- celulose – permanece incolor;
- lignina – cora-se em amarelo-dourado (sulfato de anilina);
- cutina, suberina e material lipófilo – de modo geral, coram-se em vermelho (sudan III);
- amido – cora-se em azul (iodo);
- taninos – adquirem coloração azul ou negra (cloreto férrico).

Outros reativos

A lignina pode também ser evidenciada pelo verde-iodo, safranina e fucsina ácida, cujas fórmulas dos reativos encontram-se a seguir apresentadas.

FÓRMULA
Verde-iodo
- verde-iodo 2 g
- água destilada 100 ml

FÓRMULA
Safranina
- safranina 1 g
- água destilada 50 ml
- álcool 95° 50 ml

FÓRMULA
Fucsina ácida
- fucsina ácida 0,5 g
- álcool 95° 50 ml
- água destilada 50 ml

4

Análise de Drogas – Folhas

DROGAS CONSTITUÍDAS DE FOLHAS

A análise de droga constituída de folhas, visando à sua identificação, é orientada principalmente no sentido de se constatar, na amostra ensaiada, a presença de certas características peculiares.

Essas características podem ser distribuídas em dois grupos: características macroscópicas e características microscópicas.

A identidade da droga é estabelecida comparando-se a amostra-problema com a amostra de droga padrão ou, ainda, com sua descrição farmacopeica ou de monografia especializada.

Caracterização macroscópica de folhas

A observação das características macroscópicas pode ser efetuada em drogas umedecidas ou não.

No caso das folhas de beladona – *Atropa belladonna L.* –, cuja droga correspondente apresenta-se constituída por folhas amarrotadas, comprimidas uma contra as outras, a análise inicia-se pela molhagem. Separa-se um conjunto de folhas, um pequeno aglomerado que é colocado em um pequeno béquer contendo água, no qual deve permanecer até que as folhas fiquem bem molhadas para evitar a fragmentação. A seguir, elas são distendidas cuidadosamente sobre uma superfície lisa e plana, onde suas características morfológicas são observadas.

Via de regra, essa análise é feita à vista desarmada ou com o auxílio de lupa de pequeno aumento. Certas características, como cor, odor e tamanho, costumam aparecer subordinadas ao título "características macroscópicas".

Na análise de folha, as principais características macroscópicas são aspecto geral, consistência, cor, forma, sabor, odor, superfície, tamanho e transparência.

Aspecto geral

A observação da forma na qual a droga se apresenta é de grande importância na sua identificação. Assim, as folhas podem se apresentar amarrotadas, inteiras, fragmentadas ou pulverizadas. Podem, ainda, estar contaminadas ou mesmo adulteradas com outros órgãos da mesma planta ou de outra. As folhas de BELADONA *(Atropa belladonna* L.) sempre aparecem bastante amarrotadas em virtude do processo de enfardamento. As folhas de UVA-URSI *(Arctostaphylos uva-ursi* L. Sprengel), por sua vez, aparecem inteiras, soltas e com aspecto luzidio (brilhante).

Consistência

A resistência que a droga apresenta a certas ações mecânicas, como flexão e pressão, chama-se de consistência. Sob esse aspecto, uma droga constituída de folha pode ser dura, mole, friável e flexível.

Como qualificativo adjunto dessa propriedade, aparecem termos frequentes nas descrições das edições I e II da *Farmacopeia Brasileira*, como:

- coriácea (consistência de couro) – exemplo: ABACATE *(Persea americana* Miller);
- membranácea (consistência de membrana) – exemplo: SENE *(Cassia angusfolia* Vahl);
- papirácea (consistência de papel) – exemplo: MALVA *(Malva sylvestris* L.);
- carnosa ou suculenta – exemplo: GUACO *(Mikania glomerata* Sprengel).

Fala-se, ainda, em consistência HERBÁCEA. Esse tipo de consistência corresponde à sinonímia de consistência membranácea e papirácea.

Cor

A cor das drogas constituídas de folhas apresenta valor relativo na sua diagnose. Dependendo do sistema de secagem e do estado de conservação da droga, sua coloração pode variar um pouco. É importante, todavia, se observar variações de coloração entre a face ventral e o dorsal da lâmina foliar, bem como diferença de tonalidade entre a lâmina foliar e o pecíolo. Exemplos são a folha de JURUBEBA (*Solanum paniculatum* L.), que apresenta coloração escura na página superior e branca-tomentosa na inferior, e a folha de HORTELÃ (*Mentha piperita* L.), que mostra limbo colorido de verde-claro e o pecíolo de arroxeado.

Forma

Para se observar a forma de droga constituída de folhas, via de regra, é necessário efetuar sua molhagem e, subsequentemente, sua distensão.

A morfologia externa, com frequência, fornece dados que facilitam muito a diagnose da droga.

O tipo de ápice, base, contorno (forma da folha), margem, nervação, simetria, presença ou ausência de pecíolo constitui elementos de grande valor na identificação de drogas.

No caso de drogas constituídas por folhas compostas, dificilmente os folíolos aparecem presos ao ráquis. Por essa razão, devem ser analisadas como folhas simples, efetuando-se, paralelamente, o estudo do ráquis que acompanha a droga.

Lâmina foliar

✓ *Contorno*

O contorno foliar deve ser considerado sem se levar em conta os acidentes da margem do limbo. Ele é considerado uma linha imaginária que liga os pontos extremos da lâmina foliar.

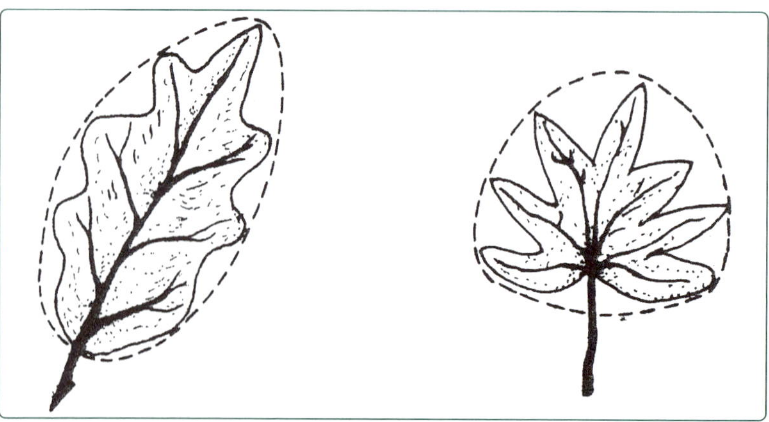

Fig. 4.1 – Contorno foliar.

De acordo com o contorno foliar, as folhas recebem diversas designações alusivas à sua forma. Os principais tipos de folhas, segundo o seu contorno, são lanceolada, oval, elíptica, orbicular, cordiforme, falsiforme, reniforme, romboidal, linear, oblonga, subulada, orbicular-peltada, oboval, acicular.

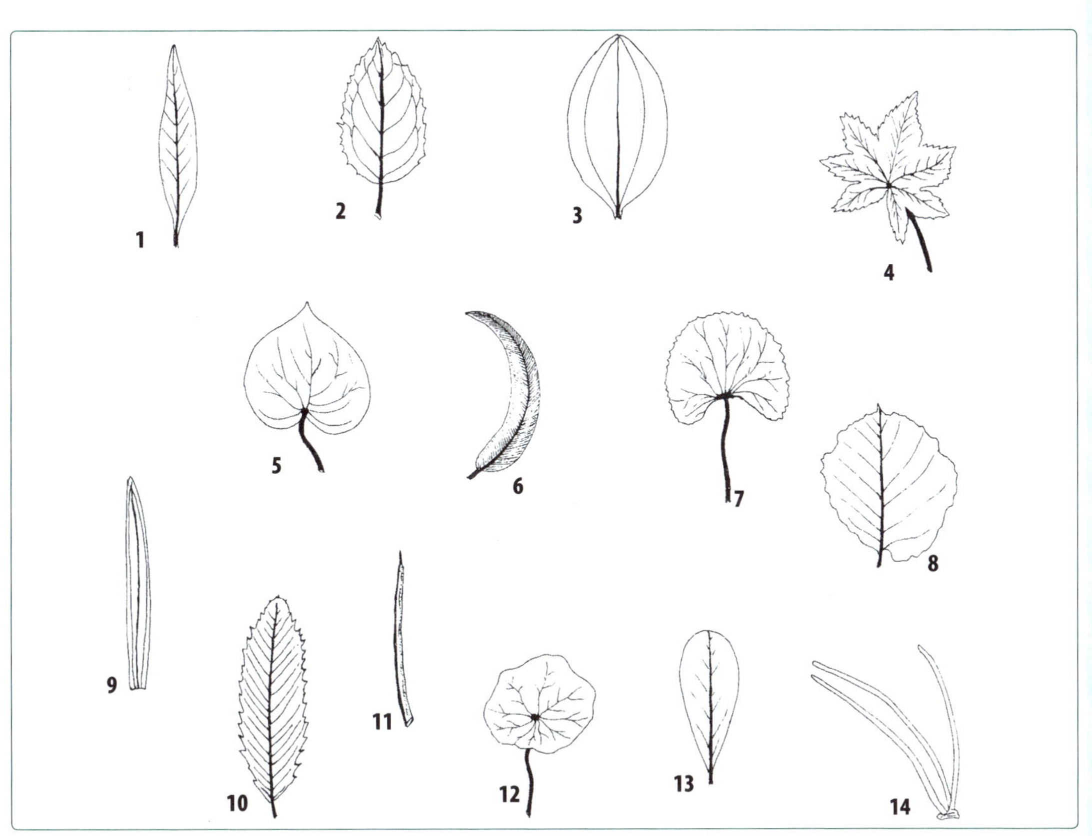

Fig. 4.2 – Formas de folhas quanto ao contorno. **1** – lanceolada; **2** – oval; 3 – elíptica; **4** – orbicular; **5** – cordiforme; **6** – falsiforme; **7** – reniforme; **8** – romboidal; **9** – linear; **10** – oblonga; **11** – subulada; **12** – orbicular-peltada; **13** – oboval; **14** – acicular.

✓ *Ápice*

É a parte extrema da folha e a sua parte terminal. Tanto será possível dizer-se "folha de ápice obtuso", como "folhas obtusas no ápice". Segundo Rizzini, é dúbio dizer-se simplesmente "folha obtusa" em vez de "folha de ápice obtuso", já que também a base pode apresentar essa forma.

Os principais tipos de ápice citados em monografias da *Farmacopeia Brasileira* e em livros de Farmacognosia são emarginado, acuminado, agudo, obtuso, mucronado, truncado.

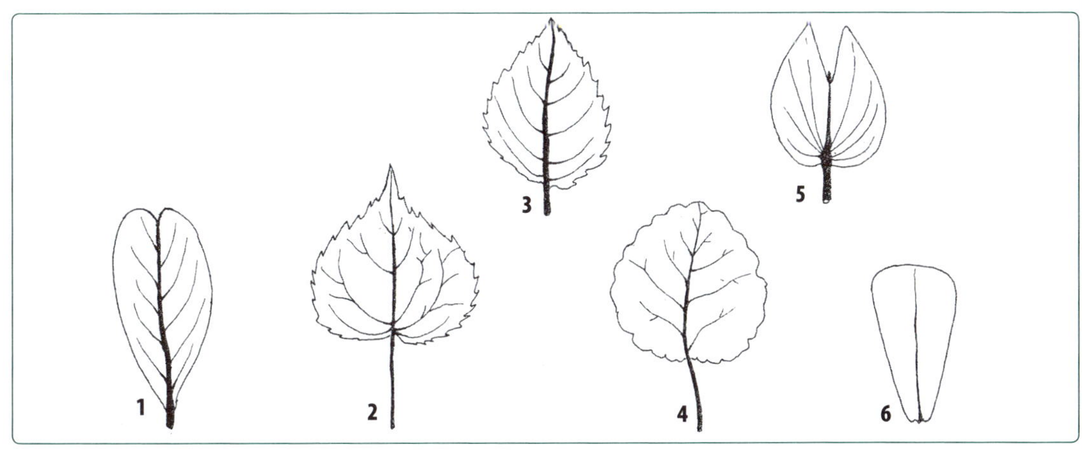

Fig. 4.3 – Formas de folhas quanto ao ápice. **1** – emarginado; **2** – acuminado; **3** – agudo; **4** – obtuso; 5 – mucronado; **6** – truncado.

✓ *Base*

É a porção da lâmina foliar em que se insere o pecíolo. Via de regra, tem posição oposta à do ápice.

Os tipos principais de base foliar são atenuada, arredondada, reentrante, amplexicaule, cuneata, decurrente, assimétrica, simétrica.

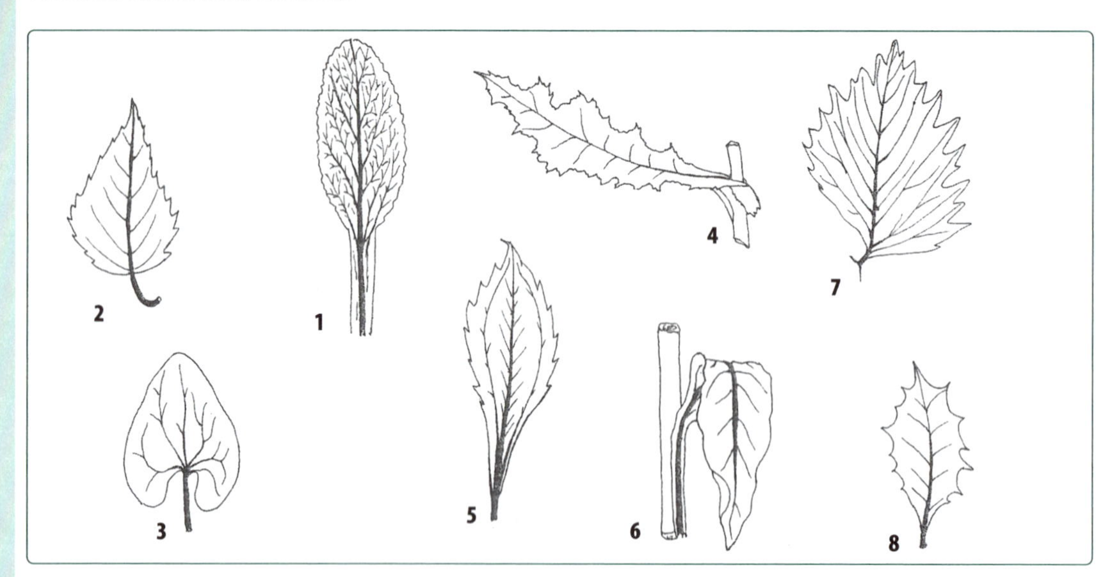

Fig. 4.4 – Tipos de base folia. **1** – atenuada; **2** – arredondada; **3** – reentrante; **4** – amplexicaule; **5** – cuneata; **6** – decurrente; **7** – assimétrica; **8 –** simétrica.

✓ *Margem (recortes da margem)*

A margem ou a borda foliar corresponde ao limite externo, periférico da lâmina foliar. Conforme os diversos tipos de recortes que podem aparecer na margem, as folhas podem ser denominadas de folhas de margem inteira (lisa), sinuada, crenada, denteada, serrilhada, mucronato-serrata, revoluta.

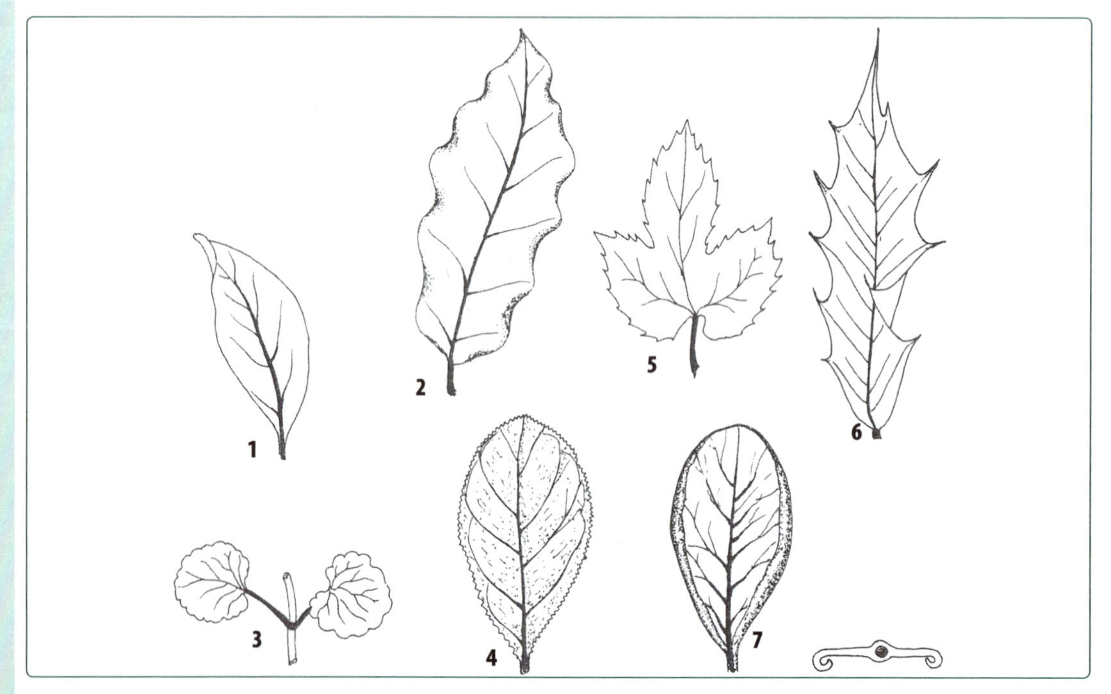

Fig. 4.5 – Tipos de folhas quanto ao recorte da margem. **1** – inteira (lisa); **2** – sinuada; **3** – crenada; **4** – denteada; **5** – serrilhada; **6** – mucronato-serrata; **7** – revoluta.

✓ *Subdivisão do limbo (recortes do limbo)*

Quanto ao recorte do limbo, as folhas podem ser lobada, fendida, partida, dissecada.

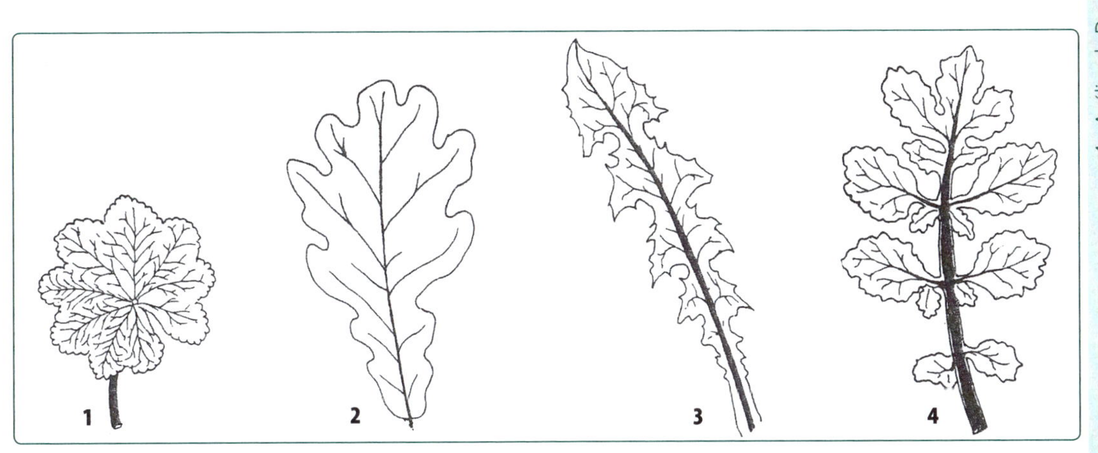

Fig. 4.6 – Tipos de folha quanto ao recorte do limbo. **1** – lobada; **2** – fendida; **3** – partida; **4** – dissecada.

✓ *Nervação*

Observando-se o limbo, especialmente sua face inferior, nota-se que ele é percorrido por finos cordões denominados de nervura. Chama-se de nervação a disposição apresentada pelas nervuras na folha.

Os principais tipos de nervação são uninérvia, peninérvia, palmatinérvia, curvinérvia, paralelinérvia, mista.

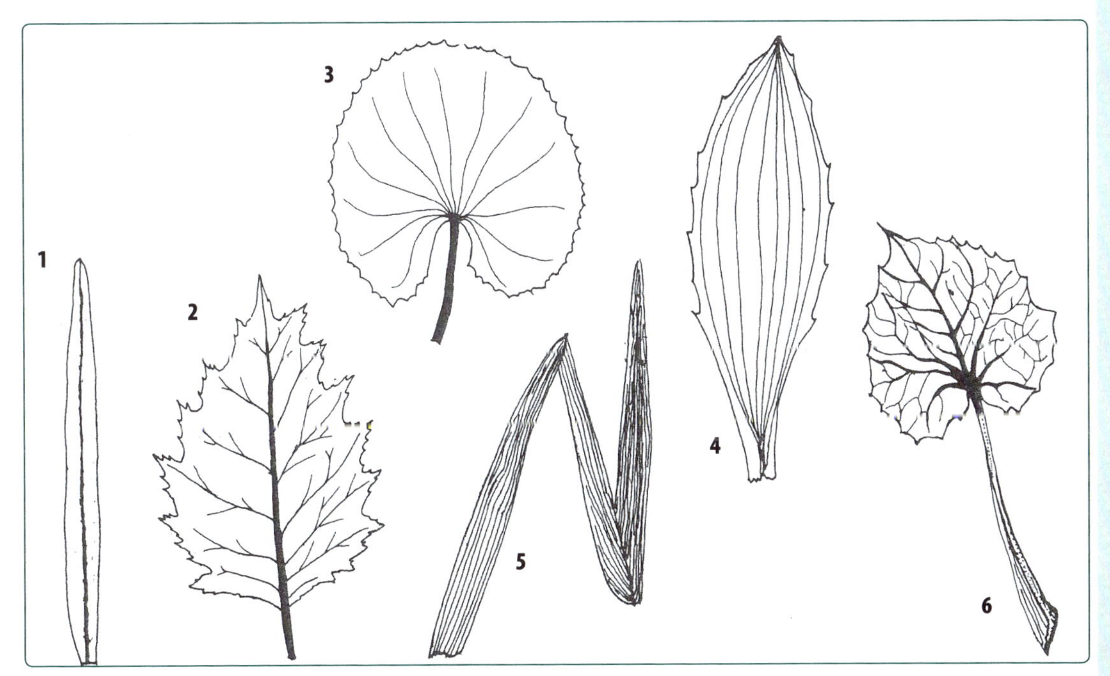

Fig. 4.7 – Tipos de folhas quanto à nervação. **1** – uninérvia; **2** – peninérvia; **3** – palmatinérvia; **4** – curvinérvia; **5** – paralelinérvia; **6** – mista.

As folhas COMPOSTAS não são tratadas detalhadamente pelo fato de, ao serem transformadas em droga, os folíolos se separarem do pecíolo. Esse tipo de folha pode ser classificado quanto à composição, isto é, ao arranjo dos folíolos nos pecíolos. Os tipos de folhas compostas mais comuns são folha piriada (imparipenada e paripenada), folha trifoliada e folha digitada.

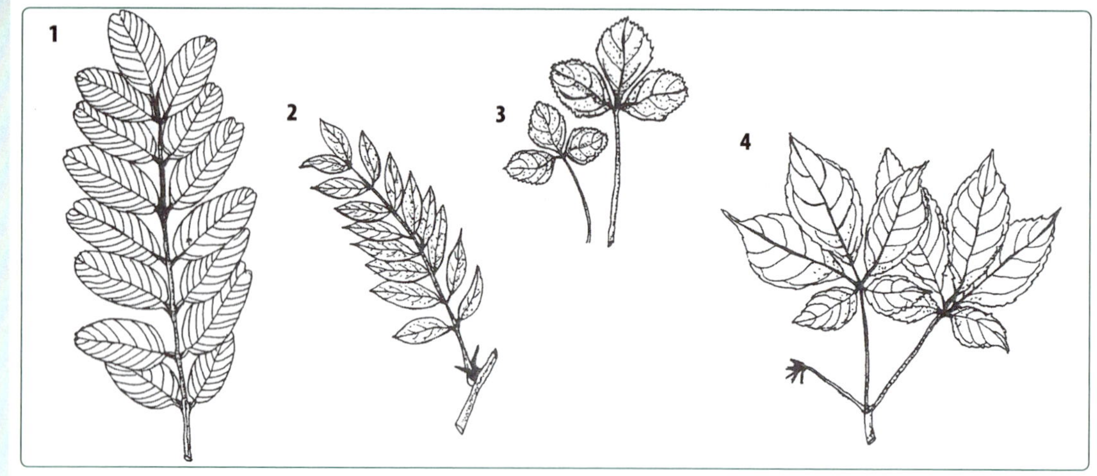

Fig. 4.8 – Tipos de folhas compostas. **1** – imparipenada; **2** – paripenada; **3** – trifoliada; **4** – digitada.

Pecíolo

Chama-se de pecíolo o pedúnculo que liga a lâmina foliar ao caule. Esse pedúnculo pode se inserir na margem do limbo ou não. Serão a seguir abordados os mais importantes aspectos do pecíolo em Farmacognosia, visando à identificação de drogas.

A forma, o aspecto da superfície e o tamanho constituem dados relevantes na identificação de drogas. Assim, quanto à forma, o pecíolo pode ser achatado, torcido, curvo e reto.

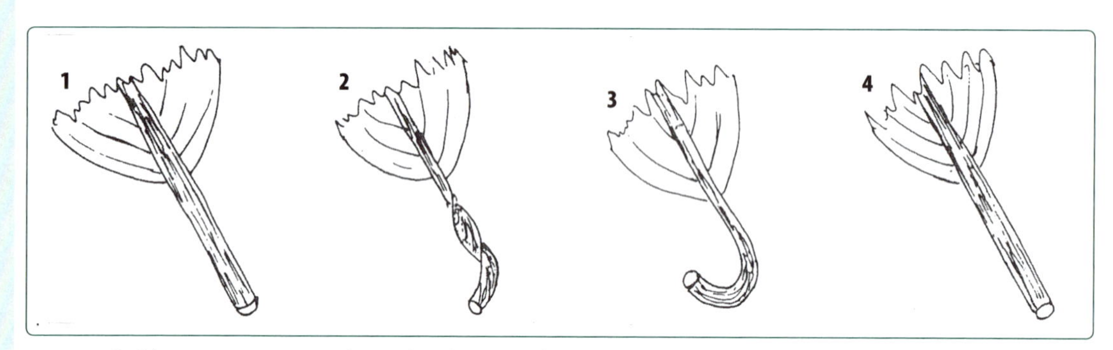

Fig. 4.9 – Pecíolo quanto ao aspecto geral. **1** – achatado; **2** – torcido; **3** – curvo; **4** – reto.

Quanto à inserção, pode ser central e lateral (marginal).

Fig. 4.10 – Pecíolo quanto à inserção. **1** – central; **2** – lateral (marginal).

O aspecto da secção transversal do pecíolo pode ser importante na identificação de uma droga. Os principais tipos de secção são circular, obtuso triangular, obtuso quadrangular, côncavo-convexo (canaletado), biconvexo, oval.

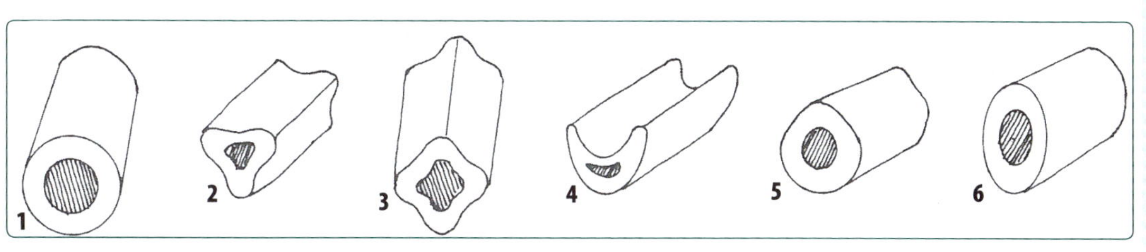

Fig. 4.11– Pecíolo quanto à secção transversal. **1** – circular; **2** – obtuso triangular; **3** – obtuso quadrangular; **4** – côncavo-convexo (canaletado); **5** – biconvexo; **6** – oval.

Odor

Via de regra, o odor de uma droga costuma ser comparado ao odor de uma substância ou de drogas bastante conhecidas. Casos há em que a droga não apresenta odor nítido, razão pela qual é chamada de inodora. Outras vezes, apresenta cheiro diferente de todas as substâncias por nós conhecidas. Nesse caso, diz-se que ela tem odor característico, o qual pode ser agradável (aromático) ou desagradável (nauseoso).

Resumindo, as drogas, quanto ao odor que exalam, podem ser inodoras ou de odor característico – aromático ou agradável e nauseoso ou desagradável.

Há também o odor comparado. Algumas vezes, comparamos o odor das drogas com odores bastante conhecidos. Por exemplo, odor canforáceo (semelhante ao da substância cânfora), odor de baunilha (semelhante ao da droga BAUNILHA), odor aliáceo (semelhante ao do ALHO).

Sabor

Na verificação do sabor, deve-se mastigar certa quantidade da droga, fazendo com que ela se misture bem com a saliva. Deve-se, ainda, ter o cuidado de não fumar, nem chupar balas ou ingerir qualquer substância que possa mascarar o sabor. Obviamente, deve-se ter bastante cuidado com drogas irritantes.

Após o processo de degustação, o analista deve cuspir fora o material e lavar a boca.

Basicamente, como já visto na identificação por processos diretos, existem no rol dos sabores algumas sensações, como adstringente, acre, oleosa, mucilaginosa.

Superfície

- Superfície do limbo: varia muito de uma folha para outra. Certas características das superfícies de folhas são essenciais na identificação de drogas, podendo ser observadas por meio do tato ou da visão. Quanto ao tato, a superfície pode ser lisa, áspera, sedosa, lanuda, tomentosa. Quanto à visão, a superfície pode ser glabra, pubescente, rugosa, ondulada, hirsuta, luzidia, verrucosa.
- Superfície do pecíolo: pode apresentar-se estriada, rugosa, verrucosa, pilosa.

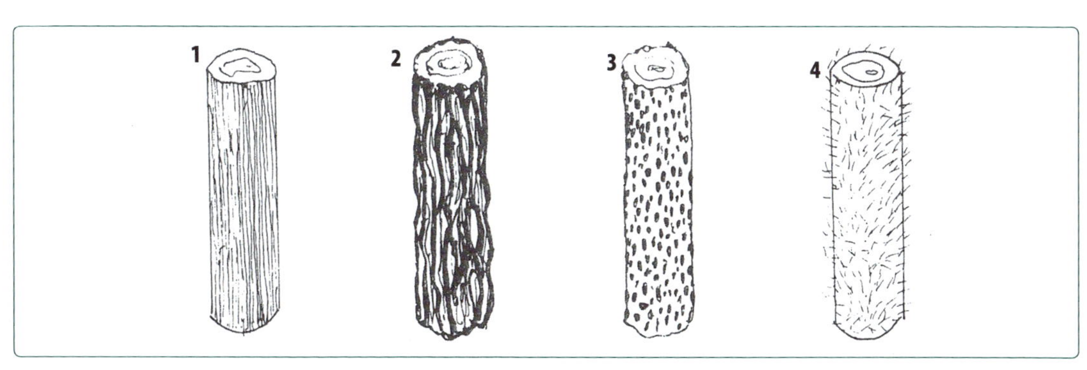

Fig. 4.12 – Pecíolo quanto à superfície. **1** – estriada; **2** – rugosa; **3** – verrucosa; **4** – pilosa.

Tamanho

As dimensões apresentadas pelas folhas são de grande importância na diagnose da droga. Em função do tamanho, ninguém confundirá uma folha de MEIMENDRO (até 25 cm de comprimento) com uma folha de ALCACHOFRA (mais de um metro de comprimento).

Frequentemente, nas descrições farmacopeicas e nas monografias especializadas, citam-se as dimensões do limbo (lâmina foliar), separadamente do pecíolo. É, ainda, conveniente lembrar que as folhas adultas de uma mesma espécie variam de dimensões dentro de certos limites.

Transparência

Em algumas folhas podem ser observados pontos ou traços translúcidos relacionados à estrutura interna do órgão, geralmente glândulas e certos tipos de idioblastos. Para a observação desses tipos de elementos, observa-se a folha frente a uma fonte luminosa. Assim, por exemplo, as folhas de EUCALIPTO e as folhas de JABORANDI deixam ver pontos translúcidos. Nesses exemplos, os pontos translúcidos são glândulas de óleo essencial.

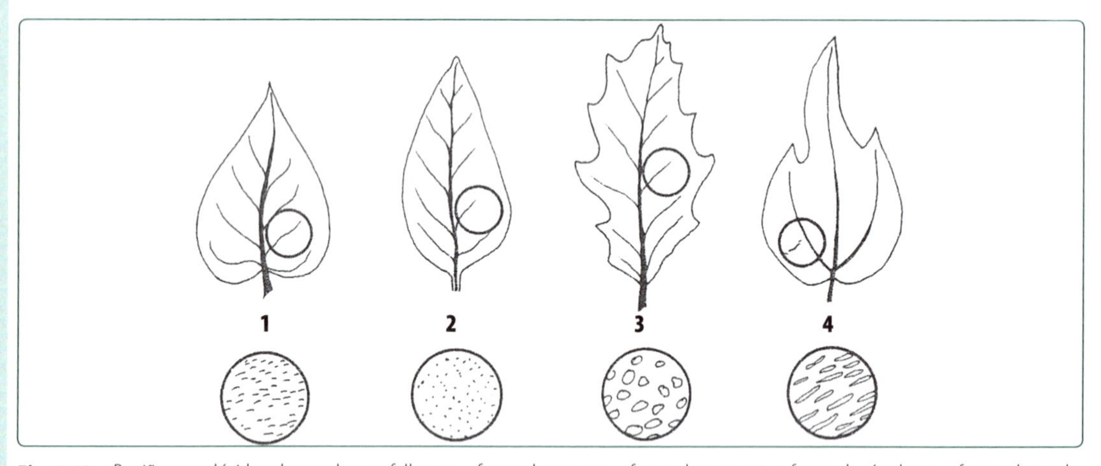

Fig. 4.13 – Regiões translúcidas observadas em folhas. **1** – forma de traço; **2** – forma de ponto; **3** – forma de círculo; **4** – forma alongada.

Caracterização microscópica de folhas

Considerações sobre histologia foliar

A análise microscópica de folhas costuma ser precedida da elaboração de cortes. Esses cortes, praticados com o auxílio de lâmina de barbear e medula de embaúba, são efetuados segundo dois planos de orientação: corte transversal e corte paradérmico.

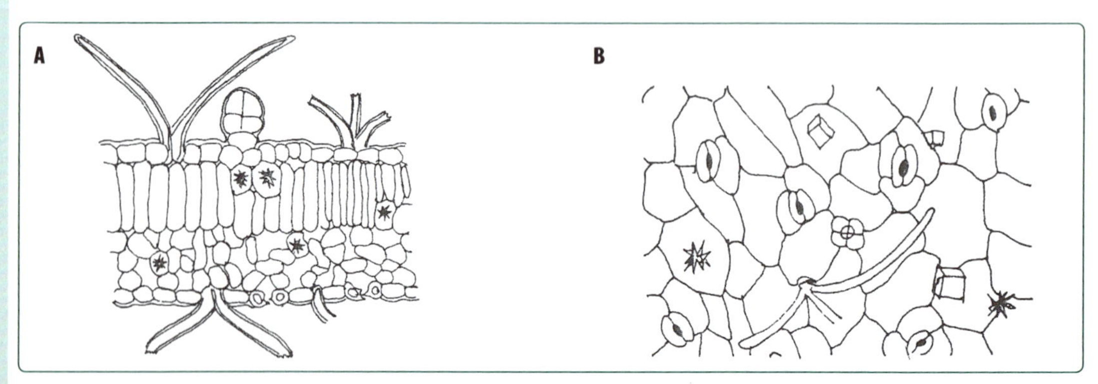

Fig. 4.14 – Observação microscópica de cortes. **A.** Transversal. **B.** Paradérmico.

Os cortes paradérmicos destinam-se ao estudo das epidermes. Quando a folha é suficientemente fina, muitas vezes esse corte é dispensado. Retira-se, então, um pequeno pedaço do limbo foliar de cerca de 0,5 cm^2 e divide-se esse pedaço em duas partes. A seguir, depositam-se esses materiais em uma gota de cloral hidratado a 60%, tomando-se o cuidado de inverter a posição de uma das peças. Cobre-se o conjunto com a lamínula e submete-se à fervura. Caso se torne necessário, recoloca-se cloral por capilaridade e ferve-se novamente até que o material fique bem claro. A seguir, observa-se ao microscópio.

Outras vezes, os fragmentos das folhas de 1 cm^2 são colocados em um tubo de ensaio contendo cloral hidratado a 60%. Aquece-se o cloral contendo as peças até que estas fiquem transparentes. Retira-se esse material do tubo, monta-se entre lâmina e lamínula e observa-se ao microscópio.

Basicamente, as folhas são constituídas pelos seguintes tipos de tecidos: epidermes, parênquimas e tecidos vasculares. Às epidermes que revestem as folhas, de acordo com a sua posição relativa, denominam-se de epiderme superior ou adaxial e epiderme inferior ou abaxial. Via de regra, as epidermes são constituídas por uma única camada de células. Casos há, entretanto, em que podem aparecer duas ou mais camadas celulares. Nesse caso, a epiderme é denominada de estratificada. Por exemplo, folhas de *Piper angustifolium* Ruiz et Pavon (Matico).

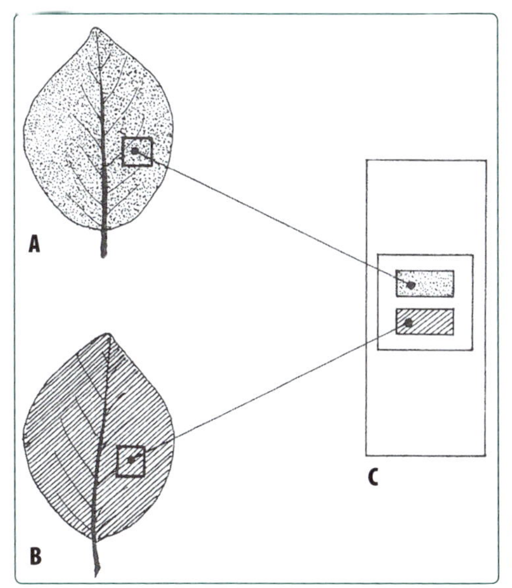

Fig. 4.15 – Montagem direta para observação paradérmica. **A.** Face ventral. **B.** Face dorsal. **C.** Lâmina montada.

No caso de drogas constituídas de folhas, torna-se difícil, ou mesmo impossível, a diferenciação entre epiderme estratificada e hipoderme – tecido proveniente do meristema fundamental e não do dermatógeno. Por essa razão, em Farmacognosia é hábito se atribuir às camadas inferiores de epidermes estratificadas o nome de hipoderme, adotando-se, assim, um conceito puramente topográfico para esse termo.

Entre as duas epidermes localiza-se a região do mesofilo constituída basicamente por tecidos parenquimáticos e por tecidos vasculares. Via de regra, o mesofilo é caracterizado pela presença de parênquimas clorofilianos.

O mesofilo pode ser homogêneo, isto é, as células do parênquima clorofiliano podem ser todas aproximadamente iguais, ou heterogêneo, com o parênquima clorofiliano diferenciado em parênquima paliçádico e parênquima lacunoso.

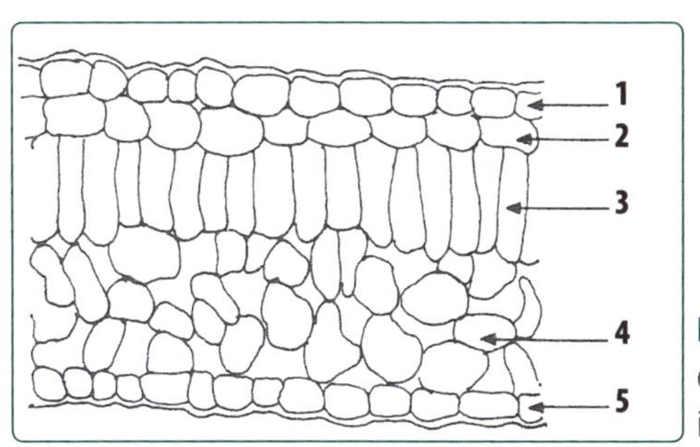

Fig. 4.16 – Secção transversal de folha: **1** – epiderme superior; **2** – hipoderme; **3** – parênquima paliçádico; **4** – parênquima lacunoso; **5** – epiderme inferior.

O parênquima paliçádico caracteriza-se pela presença de células cilíndricas e compridas, dispostas à maneira de paliçadas, quando vistas em corte transversal.

O parênquima lacunoso apresenta grandes espaços intercelulares, assemelhando-se, de certa forma, a uma esponja, daí derivando seu outro nome: parênquima esponjoso.

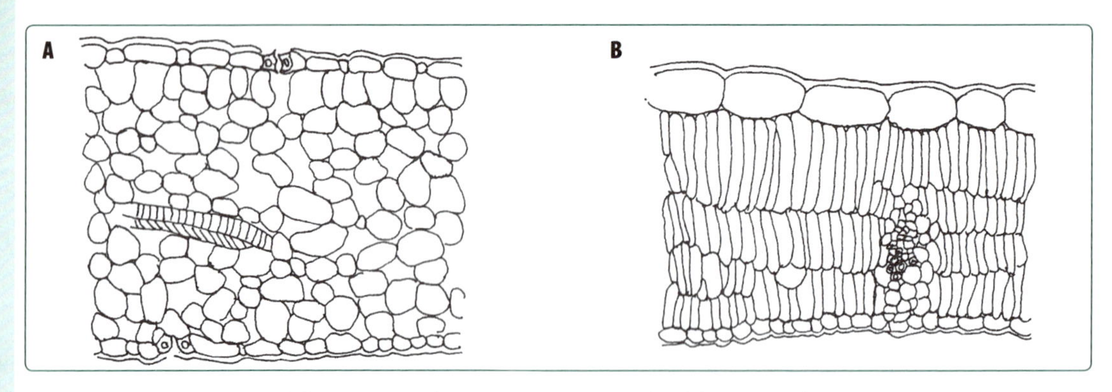

Fig. 4.17 – Secções transversais de folhas com mesofilo homogêneo. **A.** Provido de células aproximadamente isodiamétricas. **B.** Provido de células em paliçadas.

O mesofilo heterogêneo pode se apresentar de duas maneiras: assimétrico e simétrico.

Mesofilo heterogêneo assimétrico ou mesofilo bifacial é constituído de parênquima paliçádico de um lado e de parênquima lacunoso do outro.

O mesofilo heterogêneo simétrico ou mesofilo isofacial é constituído de parênquima paliçádico, parênquima lacunoso e parênquima paliçádico novamente. Em outras palavras, existe parênquima paliçádico relacionado tanto com a epiderme superior ou adaxial quanto com a epiderme inferior ou abaxial.

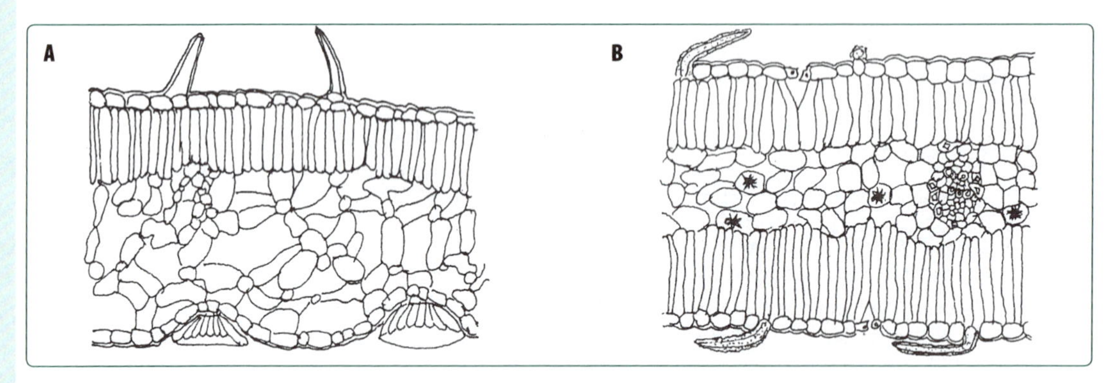

Fig. 4.18 – Secções transversais de folhas com mesofilo heterogêneo. **A.** Assimétrico. **B.** Simétrico.

Nas drogas de mesofilo heterogêneo, entre a epiderme e o parênquima paliçádico pode aparecer uma ou mais camadas celulares denominadas de hipoderme.

Nas folhas de dicotiledônias, de um modo geral, existe uma região na qual se localiza a nervura principal, estando as nervuras secundárias espalhadas pelo resto do limbo.

Nas folhas de monocotiledôneas em geral as nervuras distribuem-se paralelamente pela região do limbo, não existindo, via de regra, uma nervura principal.

Tanto nas folhas de dicotiledônias quanto nas de monocotiledônias é comum se encontrar grupos de fibras relacionadas com os feixes vasculares. Tecido colenquimático, localizado logo abaixo das epidermes, pode ser observado nas regiões relacionadas com feixes vasculares nas dicotiledônias, sendo esse tipo de tecido geralmente substituído por esclerênquima no caso das monocotiledônias.

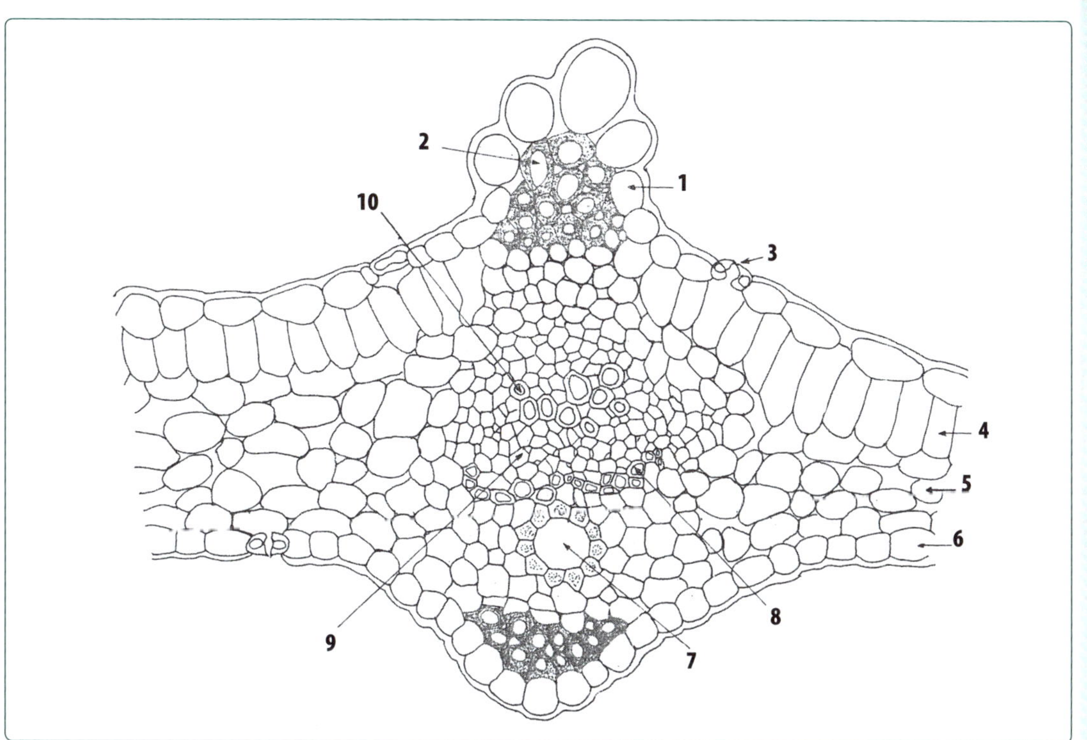

Fig. 4.19 – Secção transversal da folha de dicotiledônia *Petroselinum hortense*. Hoffmann: **1** – epiderme superior; **2** – colênquima lacunoso; **3** – estômato; **4** – parênquima paliçádico; **5** – parênquima lacunoso; **6** – epiderme inferior; **7** – canal secretor; **8** – fibras; **9** – floema; **10** – xilema.

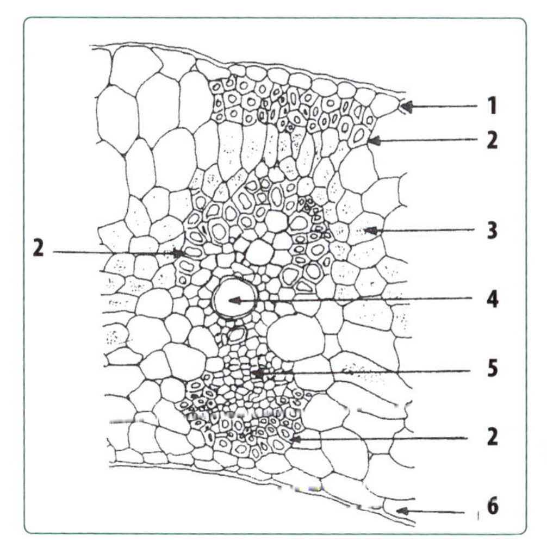

Fig. 4.20 – Secção transversal de folha de monocotiledônia *Reneulmia petasite*. Gagnepain: **1** – epiderme superior; **2** – fibras; **3** – clorênquima; **4** – xilema; **5** – floema; **6** – epiderme inferior.

Observação em cortes paradérmicos

Os cortes paradérmicos, isto é, efetuados em planos paralelos da lâmina foliar, possibilitam a observação das epidermes foliares e de seus anexos.

Em casos de drogas constituídas de folhas relativamente finas (por exemplo, folhas membranáceas ou papiráceas), pode-se dispensar a elaboração de cortes paradérmicos observando-se de face, diretamente, um pequeno pedaço de folha, após clareamento adequado obtido com o auxílio de solução de cloral hidratado a 60%, ou de um outro clarificante.

A observação de cortes paradérmicos possibilita julgamentos a respeito das células epidérmicas e dos anexos epidérmicos.

Células epidérmicas

Observam-se, inicialmente, as células epidérmicas considerando-se uma série de detalhes. Assim, verifica-se o grau de espessamento da parede celular. Esta, de acordo com esse critério, pode ser mais ou menos espessada. As pontuações existentes nas paredes podem ser mais ou menos evidentes, dependendo da droga em questão. Assim, em *Digitalis lanata* Ehrhart, as pontuações são bem evidentes, lembrando a parede celular o aspecto de rosário. As paredes celulares podem se apresentar retas, ondeadas ou sinuosas. As células da epiderme do ABACATE *(Persea americana* Miller) e da CAROBINHA *(Jacaranda caroba* (Vell) DC.) apresentam contorno poligonal. As células epidérmicas da HAMAMELIS *(Hamamelis virginiana* L.) são sinuosas, ao passo que as do CAPIM-LIMÃO *(Cymbopogon citratris* (DC) Stapf.) são ondeadas.

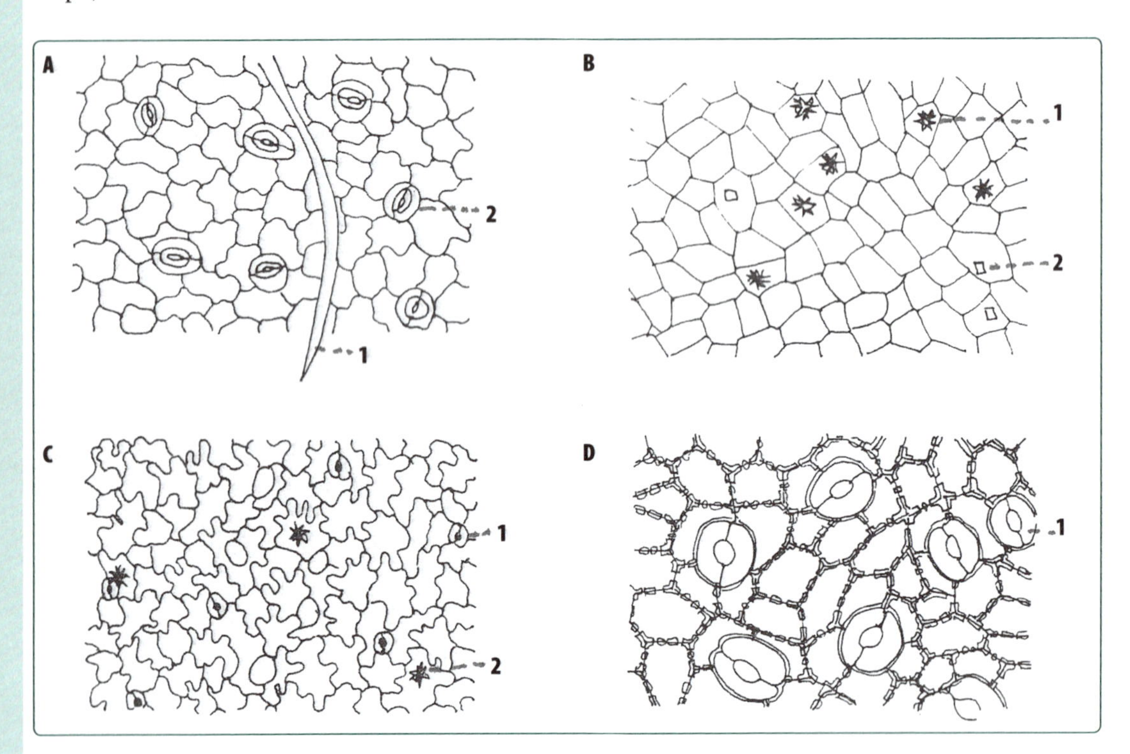

Fig. 4.21 – Epidermes em visão paradérmica. **A.** Parede sinuosa: **1** – pelo tector; **2** – estômato. **B.** Parede reta (contorno poligonal): **1** – drusa; **2** – cristal prismático. **C.** Parede ondeada: **1** – estômato; **2** – drusa. **D.** Parede reta (contorno poligonal) espessada pontuada: **1** – estômato.

Outra característica importante das células epidérmicas é a cutícula. Esta pode ser, por exemplo, estriada, como na BELADONA *(Atropa belladonna* L.) ou no JABORANDI *(Pilocarpus microphyllus* Stapt).

A cutícula pode ainda ser lisa, como na maioria das drogas, ou apresentar-se granulosa ou mesmo verrucosa, corno nos pelos tectores de TROMBETEIRA *(Datura suaveolens* Humb. et Bompl. ex Willd.) ou nos pelos tectores de SENE *(Cassia angustifolia* Vahl.).

Resumindo, devem ser observadas, em cortes paradérmicos, as células epidérmicas e a cutícula. Nas células observam-se principalmente a forma, o grau de espessamento da parede e o contorno celular.

Anexos epidérmicos

Os anexos epidérmicos são de dois tipos: tricomas e estômatos.

Os tricomas, de modo geral, apresentam grande significado na identificação de drogas. Existem diversos tipos de tricomas, como pelos tectores, geralmente terminados em ponta, os quais podem ser constituídos de uma a muitas células; e pelos glandulares, ou seja, pelos providos de glândula que produz óleo essencial. Papilas, escamas e acúleos constituem outros tipos de tricoma, encontrados com menor frequência em drogas vegetais.

Os estômatos auxiliam bastante na diagnose de drogas. Com referência a esse tipo de anexo, podem-se considerar a frequência com que ocorrem, sua distribuição pelas epidermes, isto é, se eles ocorrem tanto na epiderme superior quanto na inferior ou se ocorrem apenas em uma delas, e o tipo de estômato. Metcalf e Chalk consideram quatro tipos básicos de estômatos, com base no número de células para-estomatais e no arranjo dessas células em relação às células-guardas. Assim, há estômatos anomocítico, diacítico, paracítico e anisocítico.

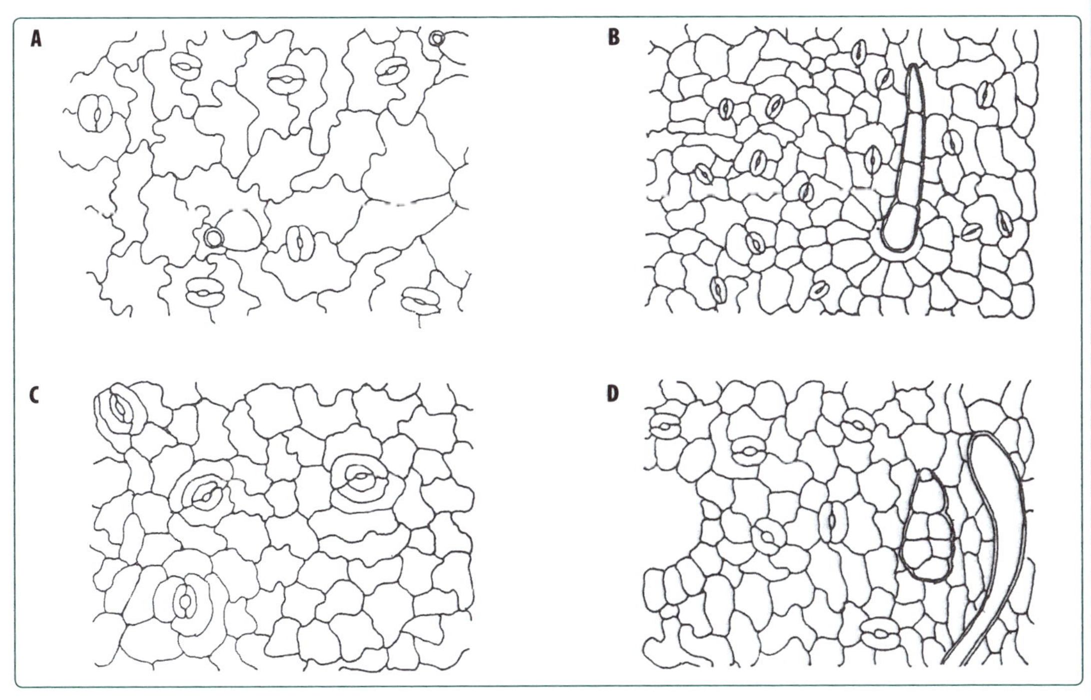

Fig. 4.22 – Tipos de estômatos. **A.** Estômato diacítico. **B.** Estômato anisocítico. **C.** Estômato paracítico. **D.** Estômato anomocítico.

Na observação de cortes paradérmicos ou em montagens diretas destinadas à observação de face, muitas vezes obtêm-se informações de grande valia a respeito de características do mesofilo. O manuseio adequado do microscópio permite ver, por transparência, por exemplo, a presença de cristais localizados em tecidos subepidérmicos.

Observação em cortes transversais

Os cortes transversais geralmente são executados ao nível do terço médio inferior da folha. Na observação desses cortes, é importante a verificação de inclusões, tricomas e tecidos.

Inclusões

Dois tipos de inclusões são consideradas: inclusões celulares e inclusões teciduais.

Entre as inclusões celulares merecem atenção especial as inorgânicas. Grãos de amido, gotículas de óleo e bolsas contendo taninos podem aparecer, porém o significado na morfodiagnose de folhas desses constituintes é bem menor do que as das inclusões inorgânicas.

Inclusões de oxalato de cálcio em função de forma cristalina característica (drusa: cristais em forma de roseta; rafídeos: cristais em forma de agulha; estiloides: cristais em forma de estilete, cristais prismáticos e areia cristalina) constituem detalhes importantes na identificação de drogas. Os cistólitos de carbonato de cálcio, embora menos frequentes que as inclusões de oxalato de cálcio, são igualmente essenciais na análise de certas drogas, por exemplo, o CHÁ-DE-BUGRE *(Cordia ecalyculata* Vell.) e a MACONHA *(Cannabis sativa* L.).

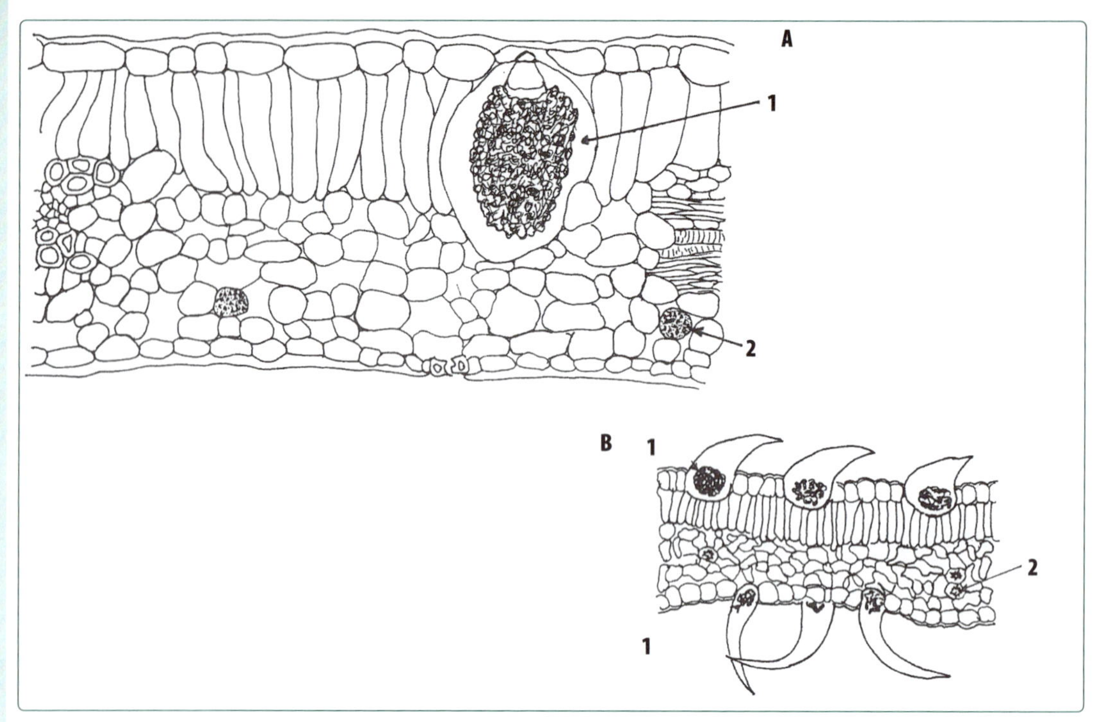

Fig. 4.23 – Inclusões inorgânicas em folhas. **A.** *Cordia ecalyculata* Vell.: **1** – cistólito; **2** – bolsa contendo areia cristalina. **B.** *Cannabis sativa* L.: **1** – cistólito na base de pelo tector; **2** – drusa.

Como inclusões teciduais, são relacionados, principalmente, os seguintes tipos de estruturas: glândulas, células especiais (idioblastos), escleritos e canais secretores.

Tricomas

Este tipo de anexo epidérmico, com frequência, sobressai na análise de drogas constituídas por folhas, quer o órgão vegetal esteja inteiro, fragmentado ou mesmo transformado em pó. O tecido epidérmico recobre o órgão vegetal, tendo, portanto, localização mais externa, o que sempre o coloca em evidência, especialmente quando a droga encontra-se pulverizada. Nas folhas podem ser encontrados os seguintes tipos de tricomas: pelos glandulares, pelos tectores, papilas, escamas e acúleos.

✓ *Pelos glandulares*

Os pelos glandulares constam, geralmente, de pedículo ou pedicelo e glândula. Na diagnose de drogas são importantes as características do pedículo desse pelo, que pode ser unicelular ou pluricelular. Quando o pedículo é pluricelular, as células podem estar arranjadas em uma fileira (pedículo unisseriado), em duas fileiras (pedículo bisseriado), e assim por diante.

A glândula, por sua vez, também pode estar constituída por uma ou muitas células e, de acordo com a forma da glândula, ela recebe diversas denominações. Assim, fala-se em glândula captada (em forma de cabeça), ovoide, claviforme, fusiforme, pateliforme (em forma de taça), e assim por diante. Dois tipos de pelos glandulares são importantes pela frequência em que ocorrem em drogas vegetais: pelo glandular das compostas, e pelo glandular das labiadas (Fig. 4.25).

✓ *Pelos tectores*

Os pelos tectores caracterizam-se por terminar em ponta. Da mesma forma que os pelos glandulares, podem ser unicelulares ou pluricelulares, podendo, igualmente, ser unisseriados ou polisseriados.

Os pelos tectores recebem denominações de acordo com a forma. Assim, há pelos tectores em forma de estrela, de candelabro, filiforme, de pedra-de-amolar, de chicote, sendo importante, também, o espessamento das paredes celulares bem como o aspecto assumido pela cutícula. Outro aspecto diferencial importante nos pelos tectores diz respeito à forma da célula terminal. As farmacopeias falam em células terminais flageliformes, em dedo de luva, espatulada, em agulha de bússola e colabada (Fig. 4.26).

✓ *Escamas*

As escamas, ou tricomas planos, são pouco frequentes nas folhas. Esse tipo de anexo ocorre, por exemplo, em drogas pertencentes às famílias *Euphorbiaceae e Bombacaceae.*

Fig. 4.24 – Escama vista de face.

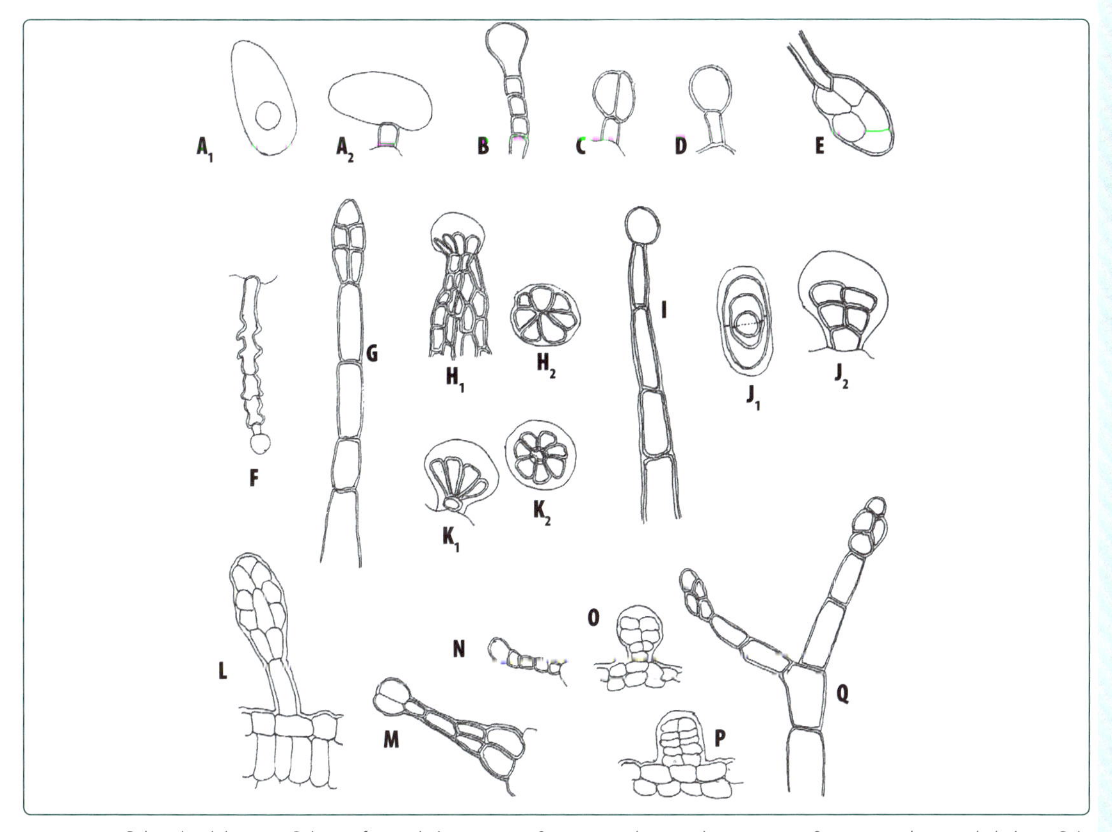

Fig. 4.25 – Pelos glandulares. **A.** Pelo em forma de biruta: **A_1** – O mesmo pelo visto de cima; **A_2** – O mesmo pelo visto de lado. **B.** Pelo glandular com pedicelo pluricelular e glândula unicelular. **C.** Pelo glandular com pedicelo unicelular e glândula septada. **D.** Pelo glandular com pedicelo unicelular e glândula capitada unicelular. **E.** Pelo glandular com pedicelo unicelular e glândula claviforme. **F.** Pelo glandular com pedicelo pluricelular com célula de parede ondulada e glândula capitada unicelular. **G.** Pelo glandular com pedicelo pluricelular unisseriado e glândula claviforme. **H_1 –** Pelo glandular com pedicelo pluricelular plurisseriado e glândula pluricelular capitada: **H_2** – O mesmo pelo visto de cima. **I.** Pelo glandular com pedicelo pluricelular unisseriado e glândula capitada unicelular. **J_1 –** Pelo glandular de *Compositae*: **J_2 –** O mesmo pelo visto de cima. **K.** Pelo glandular de *Labiatae*: **K_1** – Pelo glandular de Labiatae. **K_2** – O mesmo pelo visto de cima. **L.** Pelo glandular claviforme. **M.** Pelo glandular com pedicelo pluricelular e glândula septada. **N.** Pelo glandular com pedicelo unisseriado e glândula captada. **O** e **P.** Pelo glandular de *Compositae*. **Q.** Pelo glandular com pedicelo ramificado.

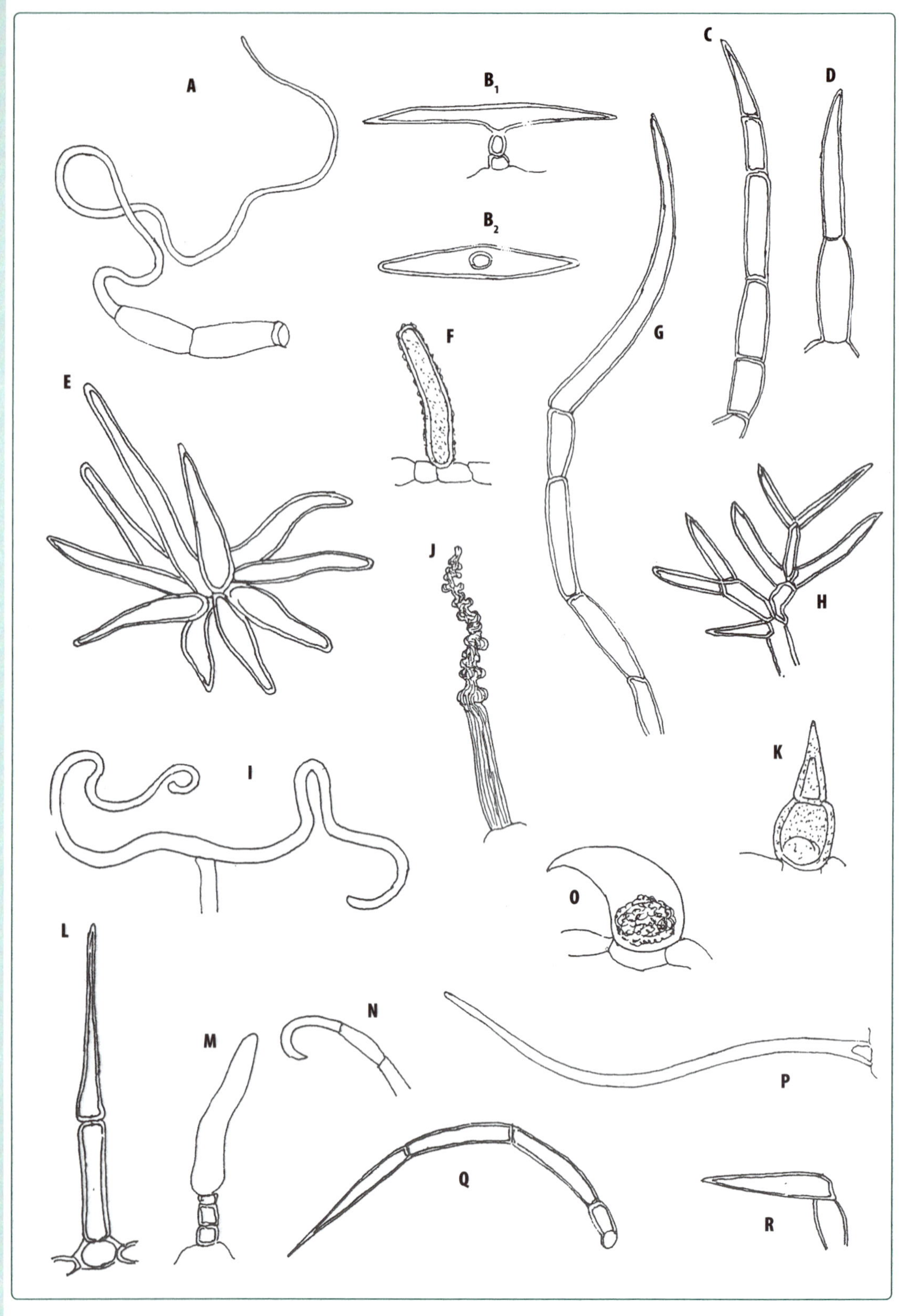

Fig. 4.26 – Pelos tectores. **A.** Pelo tector unisseriado com célula terminal flageliforme. **B$_1$** – Pelo tector em forma de agulha de bússola visto de lado. **B$_1$** – O mesmo pelo visto de cima. **C, D, G, L, N, Q** e **R**. Pelos tectores unisseriados. **E.** Pelo tector em forma de tufo (pelo estrelar). **F.** Pelo tector simples com cutícula verrucosa. **G.** Pelo tector unisseriado. **H.** Pelo ramificado. **I.** Pelo tector em forma de T torcido. **J.** Pelo tector simples com parede sinuosa e estriada. **K.** Pelo tector em forma de ampola. **M.** Pelo tector em forma de biruta. **O.** Pelo tector em forma de retorta com cistólito na base. **P.** Pelo tector simples com incrustação de sílica na base.

✓ *Acúleos*

Este tipo de anexo epidérmico é pouco frequente, porém, quando presente, ajuda muito no processo de identificação de droga.

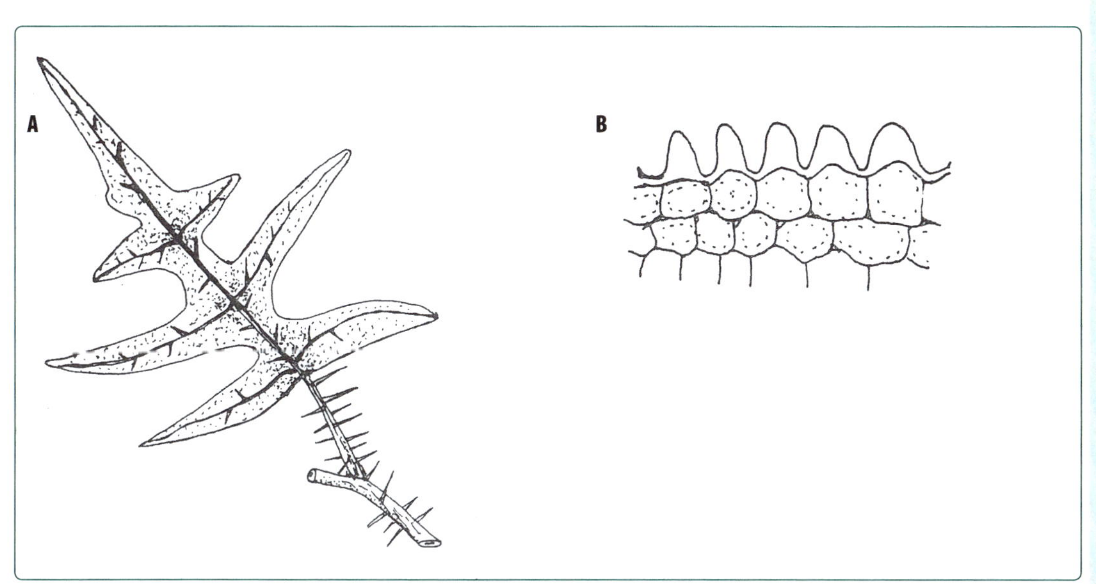

Fig. 4.27 – A. Folha de *Solanum* sp. provida de acúleo. **B.** Papilas de epiderme inferior de folha.

TECIDOS

A observação dos tecidos que formam a folha em corte transversal deve ser efetuada em duas regiões: ao nível da nervura mediana e ao nível do limbo propriamente dito.

As epidermes devem ser analisadas quanto às características da cutícula, das cédulas epidérmicas (forma e espessamento), dos estômatos e dos tricomas. Quanto aos estômatos, é importante a verificação de sua ocorrência, isto é, se eles ocorrem em uma só das epidermes ou se ocorrem nas duas. A localização dos estômatos ao mesmo nível das demais células epidérmicas, em criptas ou em saliências também deve ser considerada.

Quanto à região do mesofilo e à presença ou não de hipoderme, o número de camadas celulares, tanto do parênquima paliçádico quanto do parênquima lacunoso, e a compactação das células dessas regiões constituem caracteres importantes na identificação de drogas.

Morfodiagnose de drogas constituídas de folhas

Abacateiro

Persea americana Miller – *Lauraceae*

Parte usada: Folha.

Sinonímia vulgar: Guadite; Palta; Aguacate; Louro-abacate; Pera-abacate; Avacate; Avocat; Ahuaca; Avacado; Shele.

Sinonímia científica: *Laurus persea* L.; *Persea gratissima* Gaertner; *Persea praecox* Poeppig.; *Laurus indica* Sieb.; *Persea perse* (L.) Cockrell.

É inodora e de sabor fracamente adstringente.

Descrição macroscópica

A folha do ABACATEIRO é simples, elíptica, oval-elíptica, oblonga ou oval-acuminada, de margem inteira, mais ou menos ondulada, semicoriácea, de base assimétrica e ápice agudo; o limbo mede de 8 a 20 cm de comprimento por 4 a 9 cm de largura, e o pecíolo mede até 5 cm de comprimento por 3 a 9 mm de diâmetro, na base; quando fresca, é de cor verde-escura na página superior, pouco brilhante, e com a página inferior verde mais clara, fosca e um tanto áspera; na folha seca, a coloração pode passar a castanho-clara ou amarronzada. A nervura mediana é saliente na página inferior, com nervuras secundárias oblíquas, salientes, dando origem às nervuras terciárias que se anastomosam em fina trama.

Fig. 4.28 – ABACATEIRO (*Persea americana* Miller). Folha inteira.

Descrição microscópica

A epiderme superior é formada de células com contorno poligonal, pouco alongadas no sentido transversal, providas de cutícula espessa e granulosa; vista de face, mostra células de paredes levemente sinuosas ou de contorno poligonal e raros pelos tectores unicelulares, curtos, de paredes espessas.

A epiderme inferior é de células menores, retangulares ou arredondadas, com as paredes levemente convexas; vista de face apresenta cutícula granulosa, com muitos estomas anomocíticos rodeados por três a quatro células paraestomatais; os pelos tectores são semelhantes aos da epiderme superior. O mesofilo é heterogêneo, assimétrico, formado por duas camadas de células paliçádicas, longas, e tanto o parênquima lacunoso quanto o paliçádico apresentam grandes células arredondadas com mucilagem e óleo essencial. O parênquima esponjoso, com poucas camadas de células irregulares, alongadas, deixa grandes espaços intercelulares entre essas células.

A nervura mediana em secção transversal apresenta-se ligeiramente côncava do lado da epiderme superior e convexa do lado da epiderme inferior.

As células epidérmicas são irregulares na forma e no tamanho, sendo um pouco menores do que aquelas da região do limbo propriamente dito. Logo abaixo da epiderme ocorre a presença de colênquima do tipo angular. O parênquima fundamental envolve um feixe vascular grande, arqueado e envolvido por bainha fibrosa. Pequenos cristais fusiformes ocorrem tanto na região do limbo quanto na região da nervura mediana.

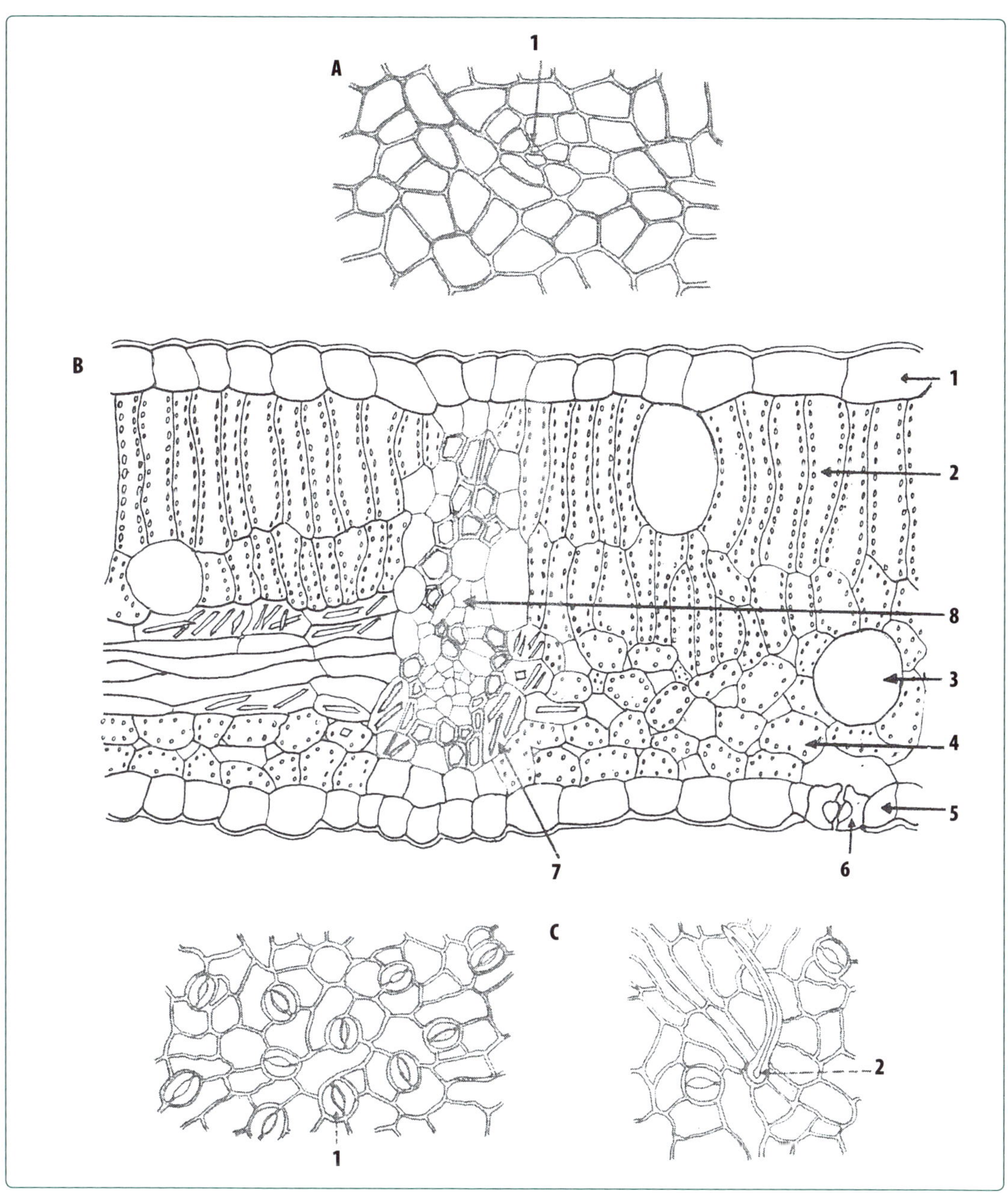

Fig. 4.29 – ABACATEIRO (*Persea americana* Miller). **A.** Epiderme superior vista de face: **1** – base de pelo. **B.** Corte transversal: **1** – epiderme superior; **2** – parênquima paliçádico; **3** – glândula endógena; **4** – parênquima lacunoso; **5** – epiderme inferior; **6** – estômato; **7** – cristal; **8** – feixe vascular. **C.** Epiderme inferior vista de face: **1** – estômato; **2** – pelo tector.

Beladona

Atropa belladonna Linné – *Solanaceae*

Parte usada: Folha.

Sinonímia vulgar: Cereja-do-inferno.

Sinonímia científica: *Atropa acuminata* Royle; *Atropa lethalis* Salisb.; *Atropa lutescens* Jacquem.

A droga apresenta sabor amargo, desagradável e odor fraco, particular e nauseabundo, lembrando levemente o odor de fumo.

Descrição macroscópica

A folha de BELADONA é inteira, oval lanceolada, de ápice acuminado, margem lisa e base simétrica e atenuada. As folhas medem de 5 a 25 cm de comprimento, por 4 a 12 cm de largura. A nervação é do tipo peninérveo.

A droga apresenta-se constituída de folhas amarrotadas, comprimidas umas contra as outras e de aspecto delgado. São friáveis, de cor verde-pardacenta na página superior, e verde-acinzentada na inferior. Mostra raros pelos, sendo estes mais evidentes na região do pecíolo e nervura mediana.

Fig. 4.30 – BELADONA *(Atropa belladonna* Linné). Folha inteira.

Descrição microscópica

As epidermes das folhas, quando vistas de face, são formadas de células sinuosas recobertas por cutícula finamente estriada. Em ambas as páginas ocorrem estômatos do tipo anisocítico, providos de três células paraestomatais, das quais uma é bem menor. Pelos tectores cônicos constituídos de duas a seis células providas de cutícula lisa, e pelos glandulares, com glândulas arredondadas unicelular ou pluricelular, ovoide, providas de pedículo unicelular ou pluricelular, podem ser observados. As epidermes, vistas em secção transversal, mostram células de contorno ligeiramente arredondado e alongado no sentido tangencial.

O mesofilo é bifacial, com uma camada paliçádica. Logo abaixo desta existem grandes células cheias de cristais tetraédricos de oxalato de cálcio, de aparência triangular, com pontas aguçadas, conhecidas como areia cristalina. A nervura mediana é biconvexa e o feixe vascular lenhoso é bicolateral, disposto em arco aberto.

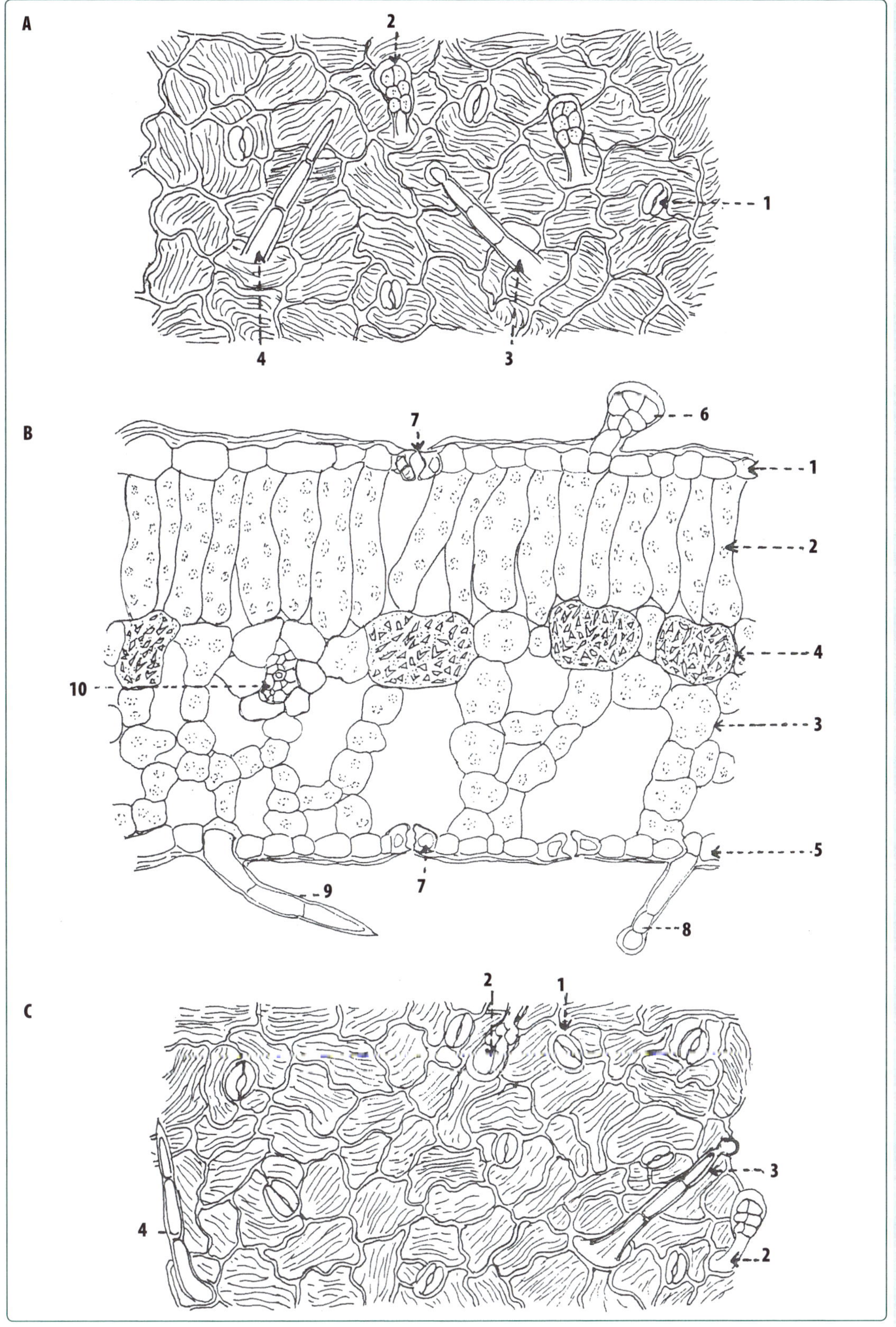

Fig. 4.31 – BELADONA (*Atropa belladonna* L.). **A.** Epiderme superior vista de face: **1** – estômato; **2** – pelo glandular; **3** – pelo glandular; **4** – pelo tector. **B.** Corte transversal: **1** – epiderme superior; **2** – parênquima paliçádico; **3** – parênquima lacunoso; **4** – bolsa de areia cristalina; **5** – epiderme inferior; **6** – pelo glandular; **7** – estômato; **8** – pelo glandular; **9** – pelo tector; **10** – feixe vascular. **C.** Epiderme inferior vista de face: **1** – estômato; **2** – pelo glandular; **3** – pelo glandular; **4** – pelo tector.

Boldo

Peumus boldus (Molina) Lyons. – Monimiaceae

Parte usada: Folha.

Sinonímia vulgar: Boldo-do-Chile.

Sinonímia científica: *Peumus fragrans* Perc.; *Ruizia fragrans* Ruiz et Pavan.; *Boldoa fragrans* Gay.; *Boldus chilensis* Schült. f.

A droga apresenta odor aromático, característico, canforáceo e fracamente acre, lembrando o de essência de QUENOPÓDIO, que aumenta pelo esmagamento; seu sabor é amargo, aromático e um tanto acre.

Descrição macroscópica

A folha é curtamente peciolada, inteira, grossa, coriácea, quebradiça, elíptica ou oval-elíptica, de ápice obtuso e base arredondada e simétrica; mede de 3 a 6 cm de comprimento, por 2 a 4 cm de largura. O limbo é de cor cinzenta-esverdeada e cinzenta-prateada, mostrando-se algumas vezes avermelhado. A face superior apresenta pequenas e numerosas protuberâncias, mais claras, em cujo centro acham-se insertos pelos curtos, simples, bifurcados ou estrelares, o que a torna áspera ao tato. A face inferior apresenta raros pelos e raras protuberâncias.

As nervuras são salientes na página inferior e impressas na página superior, sendo as secundárias, geralmente, indivisas até quase a margem, onde se anastomosam nitidamente.

Observada por transparência, a folha mostra pontos translúcidos, formados por glândulas cheias de óleo essencial.

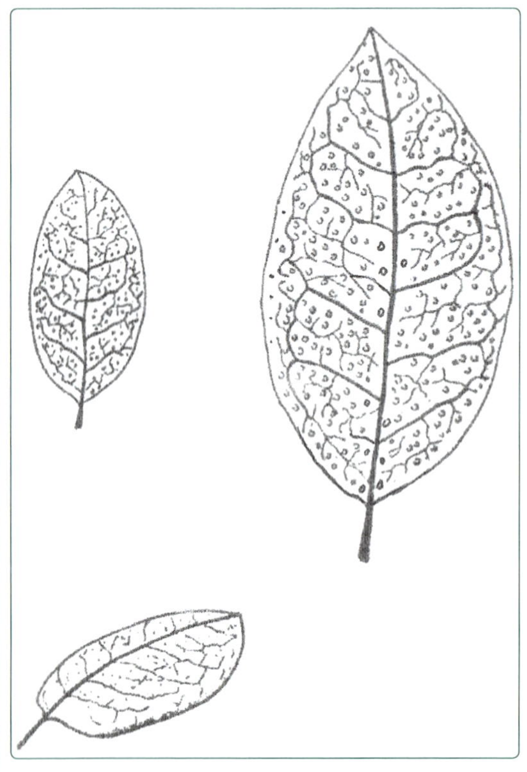

Fig. 4.32 – BOLDO *(Peumus boldus* (Molina) Lyons). Folhas inteiras.

Descrição microscópica

A epiderme, quando vista de face, é formada de células de contorno poligonal e de paredes quase retas, recobertas por uma cutícula lisa e espessa. A epiderme superior é sem estômatos e guarnecida de pelos curtos e espessos, simples, bifurcados ou estrelares; esses pelos geralmente são caducos, total ou parcialmente, e se acham insertos no centro de pequenas protuberâncias pluricelulares. A epiderme inferior apresenta as células com as paredes mais onduladas que as da face superior, com grande número de estômatos anomocíticos estreitos, rodeados de até sete células paraestomatais; pelos estrelares, caducos e em menor número podem ser vistos nessa região.

A hipoderme é comumente constituída por uma ou duas camadas de células achatadas, incolores e de paredes também espessadas.

O mesofilo é heterogêneo e assimétrico, provido de pequenos cristais quase aciculares. Contém, em ambas as zonas, numerosas glândulas oleíferas, unicelulares, volumosas, globosas e suberizadas. O tecido paliçádico é constituído por uma ou duas fileiras de células com conteúdo de cor castanho.

A nervura mediana é côncavo-convexa. O sistema liberolenhoso côncavo é representado por um cordão lenhoso arqueado, situado sobre o floema e protegido por bainha fibrosa, contínua ou disposta em ilhotas, recoberto por um maciço fibroso que ocupa toda a concavidade do arco lenhoso, no qual se distinguem dois pequenos feixes liberolenhosos opostos ao feixe principal.

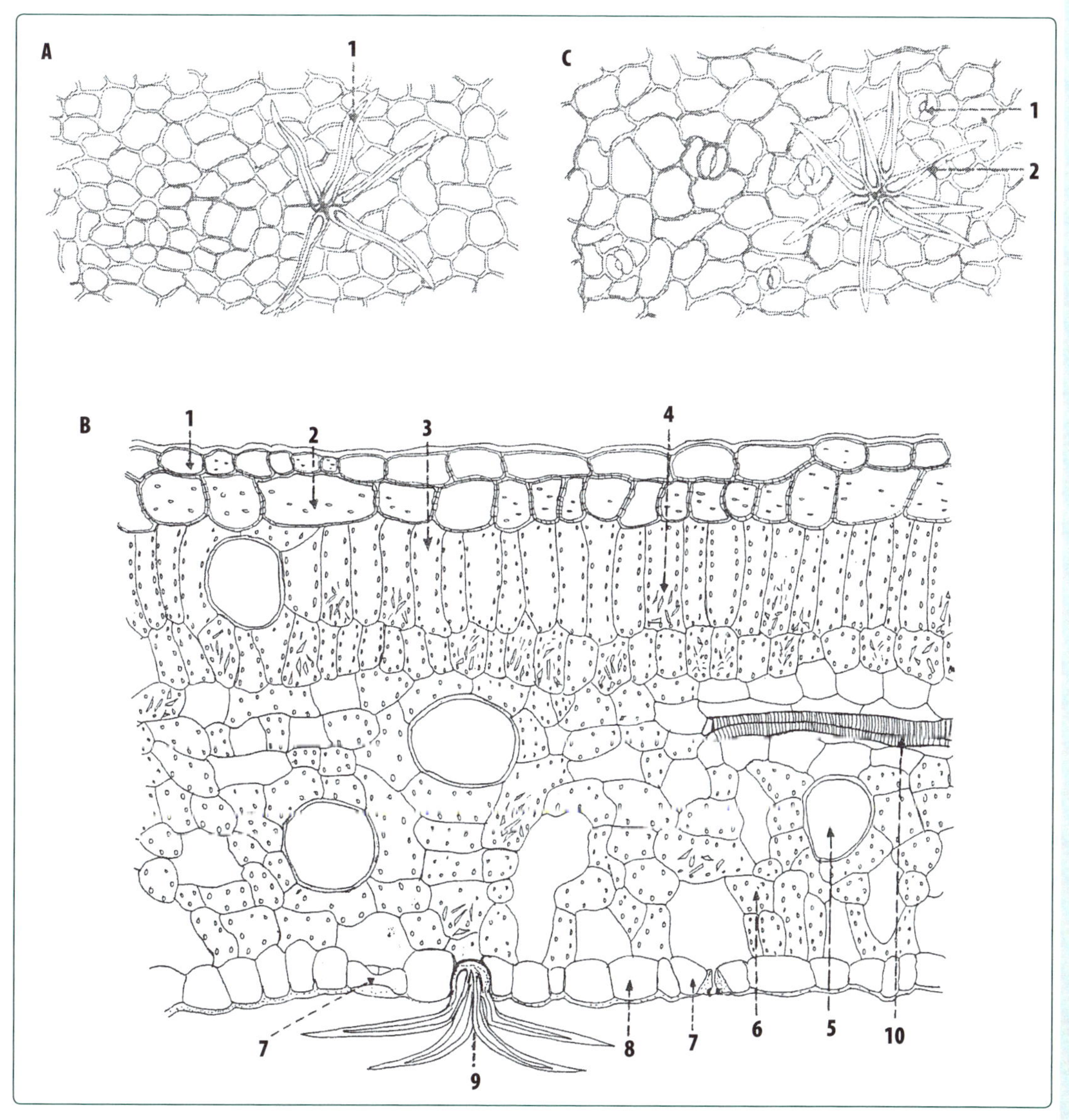

Fig. 4.33 – BOLDO (*Peumus boldus* (Molina) Lyons). **A.** Epiderme superior vista de face: **1** – pelo tector. **B.** Corte transversal: **1** – epiderme superior; **2** – hipoderme; **3** – parênquima paliçádico; **4** – cristais aciculares; **5** – glândula endógena; **6** – parênquima lacunoso; **7** – estômato; **8** – epiderme inferior; **9** – pelo tector; **10** – feixe vascular. **C.** Epiderme inferior vista de face: **1** – estômato; **2** – pelo tector.

Caroba

Jacaranda caroba (Vellozo) DC. – *Bignoniaceae*

Parte usada: Folha.

Sinonímia vulgar: Carobinha; Caroba do campo; Caroba-roxa; Cambota pequena; Caroba do mato; Cambotê; Carova.

Sinonímia científica: *Bignonia caroba* Vellozo; *Jacaranda claussenianа* Casar.

Esta folha é inodora quando seca e de sabor bastante amargo.

Descrição macroscópica

A folha de CAROBA é composta imparibipinada, com 4 a 8 pares de folíolos sésseis, variando de oblongo-lanceolados a oboval, agudos ou brevemente acuminados no ápice e na base cuneata. Os foliólulos são coriáceos, inteiros, de margens lisas, de cor escura na página superior, que é um tanto luzidia, e verde mais clara na inferior, tornando-se pardacenta pela dessecação. Apresentam nervação penada, com as nervuras laterais oblíquas e salientes. Os foliólulos medem, geralmente, de 3 a 4 cm de comprimento, por 1 a 1,5 cm de largura.

Descrição microscópica

A epiderme, recoberta por uma cutícula bastante espessa, granulosa ou estriada, é formada de células poligonais, de paredes ondeadas, e contém estômatos somente na epiderme inferior. A epiderme superior é provida de pequenos pelos tectores cônicos, unicelulares e de paredes espessadas; ambas as faces, principalmente a inferior, encerram pelos glandulosos curtamente pediculados, pluricelulares, pateliformes. O mesofilo é bifacial, heterogêneo, assimétrico, formado na parte superior por uma ou duas fileiras de células paliçádicas e, na inferior, por um parênquima lacunoso. A nervura mediana é côncava sobre a face superior e convexa sobre a inferior.

O sistema liberolenhoso é formado por um cordão lenhoso arqueado, composto de xilema com vasos e fibras dispostos em filas radiais e recoberto por floema pouco desenvolvido e bainha fibrosa mais ou menos contínua; um maciço colenquimático, bastante espesso, ocupa a parte superior do cordão liberolenhoso, atingindo a epiderme superior da nervura.

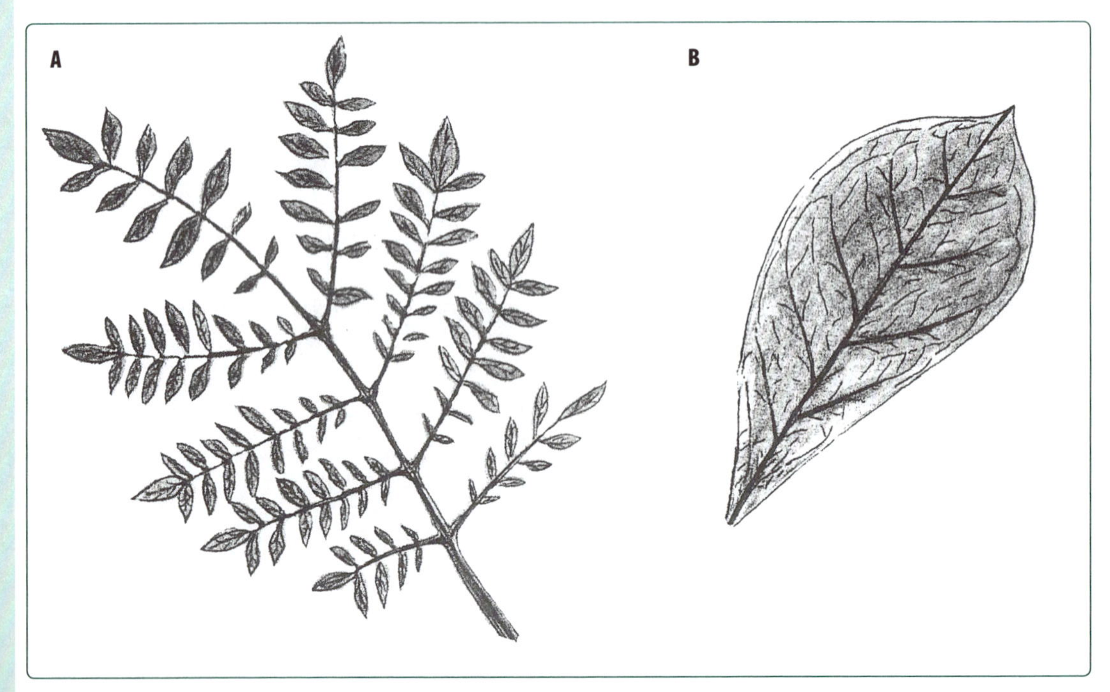

Fig. 4.34 – CAROBA (*Jacaranda caroba* (Vellozo) DC.). **A.** Folha composta. **B.** Foliólulo.

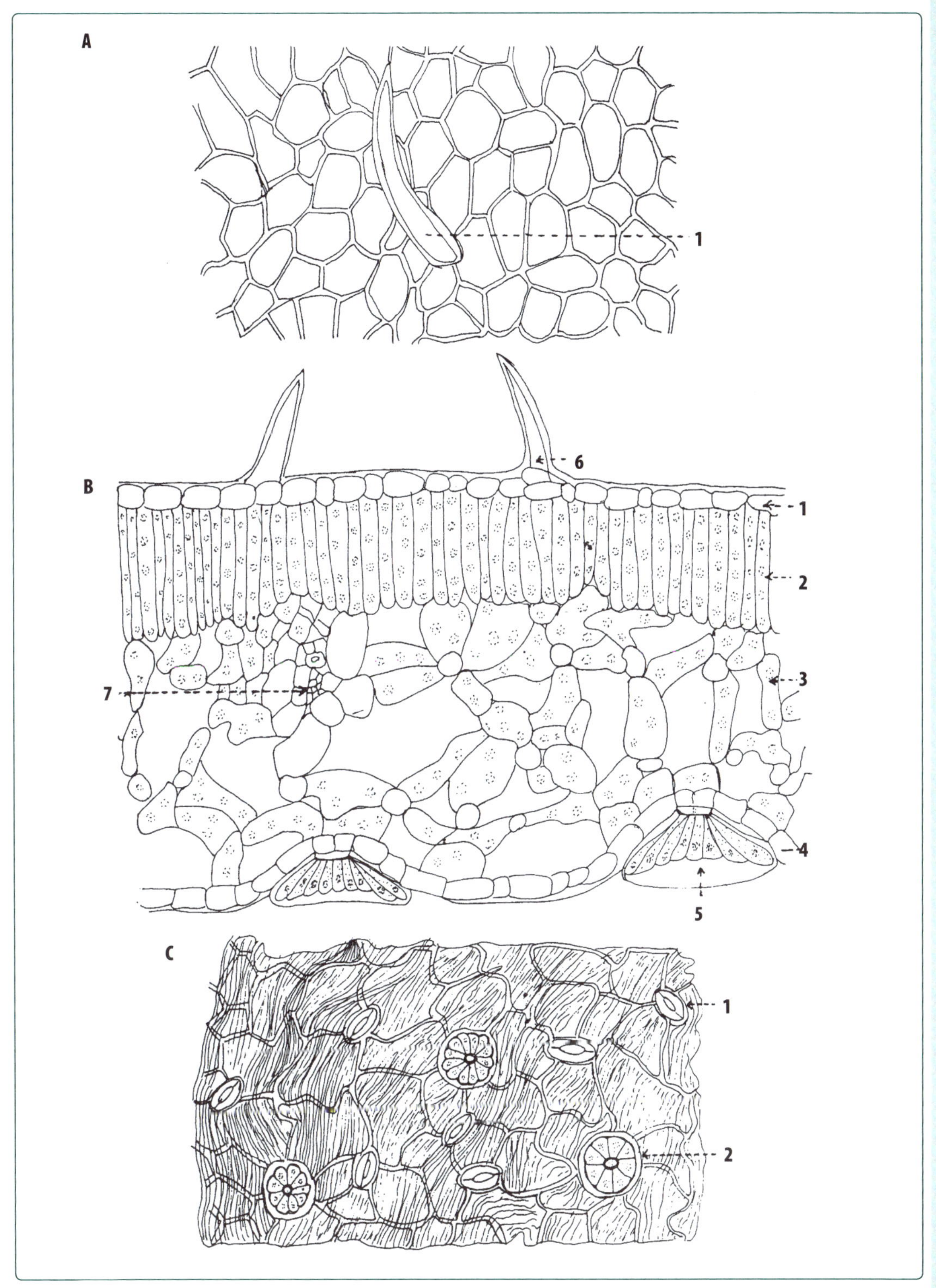

Fig. 4.35 – CAROBA *(Jacaranda caroba* (Vellozo) DC.). **A.** Epiderme superior vista de face: **1** – pelo tector. **B.** Corte transversal: **1** – epiderme superior; **2** – parênquima paliçádico; **3** – parênquima lacunoso; **4** – epiderme inferior; **5** – pelo glandular; **6** – pelo tector; **7** – feixe vascular. **C.** Epiderme inferior vista de face: **1** – estômato; **2** – pelo glandular.

Chá-de-bugre

Cordia ecalyculata Vell. – Boraginaceae

Parte usada: Folha.

Sinonímia vulgar: Porangaba, Cafezinho; Café-do-mato; Chá-de-frade-louro; Salgueiro; Louro Mole; Folha Magra.

A folha seca apresenta coloração variando do verde-escuro ao verde amarronzado. Tem odor e sabor característico, aromático, agradável, um tanto amargo e adstringente. É provida de certo brilho quando transformada em droga.

Descrição macroscópica

As folhas apresentam contorno lanceolada, ápice variando do agudo ao acuminado e base cuneada e simétrica. A margem da folha é lisa e a nervação, penada. As nervuras secundárias emergem da nervura principal num ângulo de aproximadamente 60° e são pouco evidentes, curvando-se para o ápice e anastomosando-se com as seguintes. A consistência das folhas varia da membranácea a semicoriácea e apresentam-se glabas e lisas, medindo de 8 a 14 cm de comprimento por 3 a 6 cm de largura. O pecíolo mede de 1 a 2 cm de comprimento e apresenta secção plano-convexa ou ligeiramente côncavo-convexa.

Descrição microscópica

Secção transversal da folha, ao nível de terço inferior médio, mostra mesofilo heterogêneo e assimétrico.

A epiderme superior ou adaxial é constituída por uma fileira de células de contorno aproximadamente arredondado e um tanto alongado no sentido periclinal; a epiderme inferior ou abaxial é representada por células irregulares na forma e no tamanho.

O parênquima paliçádico é formado por uma fileira de células cilíndricas dispostas umas ao lado da outras e que ocupam aproximadamente um terço da espessura do limbo. Intercalados entre as células do parênquima paliçádico e relacionados com a epiderme superior podem ser observados cistólitos grandes, mais compridos que as células em paliçada.

O parênquima lacunoso possui seis a oito fileiras de células de contorno arredondado, algumas emitindo braços, incluindo idioblastos que contêm areia cristalina.

A epiderme superior, vista em secção paradérmica, é constituída de células providas de paredes sinuosas um tanto espessadas. Podem ainda ser observados por transparência os pontos de inserção dos cistólitos. A epiderme inferior, vista em secção paradérmica, é representada por células de contorno sinuoso e inclui estômatos do tipo anisocítico.

A nervura mediana em secção transversal apresenta-se recoberta por uma fileira de células de contorno arredondado e de tamanho menor que as correspondentes à região do limbo foliar. Logo abaixo das epidermes aparece região colenquimática do tipo colênquima angular. O parênquima fundamental é constituído de células de contorno arredondado que envolve um conjunto de até quinze feixes vasculares dispostos em círculo e separados por raios parenquimáticos estreitos. Os feixes vasculares são do tipo colateral e têm uma calota fibrosa protegendo o floema. Idioblastos contendo areia cristalina podem ser observados na região do parênquima, fundamental tanto externamente aos feixes vasculares quanto na região medular interna aos feixes vasculares.

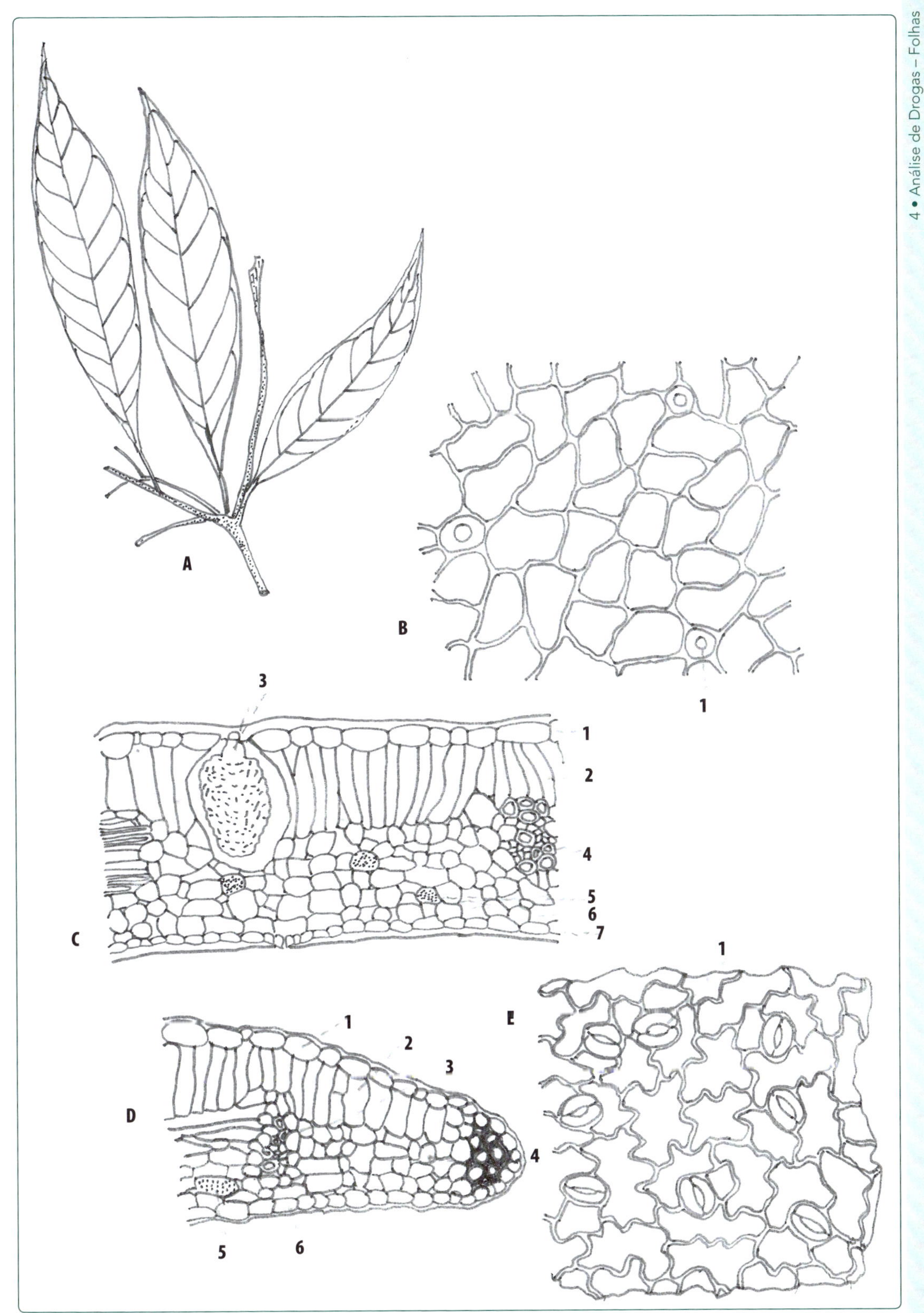

Fig. 4.36 – CHÁ-DE-BUGRE (*Cordia ecalyculata Vell*). **A.** Ramo contendo folhas. **B.** Epiderme adaxial (superior) vista de face: **1** – ponto de implantação do cistólito. **C.** Secção transversal da folha: **1** – epiderme adaxial (superior); **2** – parênquima paliçádico; **3** – cistólito; **4** – feixe vascular; **5** – bolsa de areia cristalina; **6** – parênquima lacunoso; **7** – epiderme abaxial (inferior). **D.** Secção transversal de folha junto à margem: **1** – epiderme adaxial; **2** – parênquima paliçádico; **3** – feixe vascular; **4** – parênquima lacunoso; **5** – bolsa de areia cristalina; **6** – epiderme abaxial. **E** – Epiderme abaxial (ou epiderme inferior) vista de face: **1** – estômatos.

Chapéu-de-couro

Echinodorus macrophyllus (Kunth) Micheli – *Alismataceae*

Parte usada:	Folha.
Sinonímia vulgar:	Chá-de-campanha; Chá-mineiro; Chá-do-pobre; Erva-do-brejo; Erva-do-pântano.
Sinonímia científica:	*Alisma macrophyllus* Kunth.; *Alisma folliscordatis-obtusis* Plum.; *Alisma cordifolium* L.; *Alisma berteroanum* Balbis.

A droga é inodora e de sabor levemente amargo.

Descrição macroscópica

Folha simples, oval, de base cordiforme e aguda ou acuminada no ápice. Limbo inteiro, de cor verde-escuro, em geral com cerca de 20 a 40 cm de comprimento por 15 a 35 cm de largura na região próxima à base, de superfície rugosa, áspera, pedatinérvea, com onze a treze nervuras principais, salientes na página inferior. Pecíolo longo, coriáceo, medindo até 70 cm de comprimento, sulcado longitudinalmente e provido de estrias longitudinais. O limbo, quando examinado contra a luz, mostra minúsculos pontos transparentes.

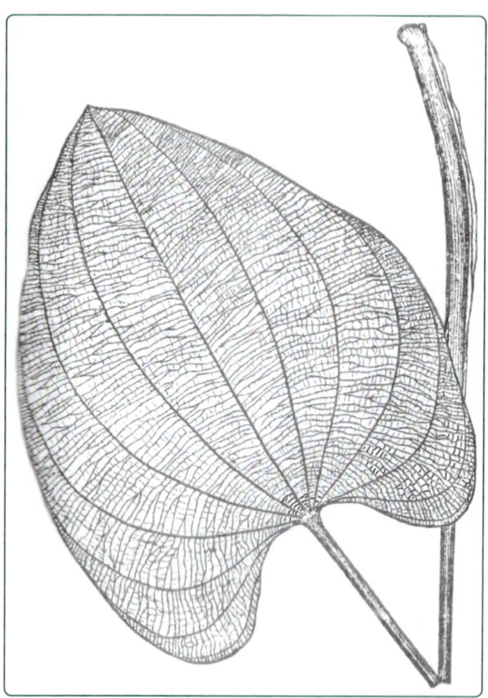

Fig. 4.37 – CHAPÉU-DE-COURO *(Echinodorus macrophyllus* (Kunth) Micheli). Folha inteira.

Descrição microscópica

As epidermes não apresentam pelos tectores nem glandulares; vistos de face, mostram-se formadas de células alongadas de paredes finas e levemente sinuosas, e apresentam numerosos estômatos circundados, em geral, por quatro células. A epiderme das nervuras, vista de face, denota ser formada por células retangulares, alongadas no sentido longitudinal e dispostas em filas paralelas. O mesofilo é constituído de parênquima frouxo, de células ovais ou arredondadas. Feixes vasculares delicados podem se observados nessa região e a nervura mediana é constituída de vários feixes vasculares de contorno arredondado, envoltos por um parênquima fundamental, constituído de células isodiamétricas, dispostas de modo a deixar grandes lacunas entre elas. O mesofilo e o tecido fundamental da nervura apresentam raros cristais prismáticos.

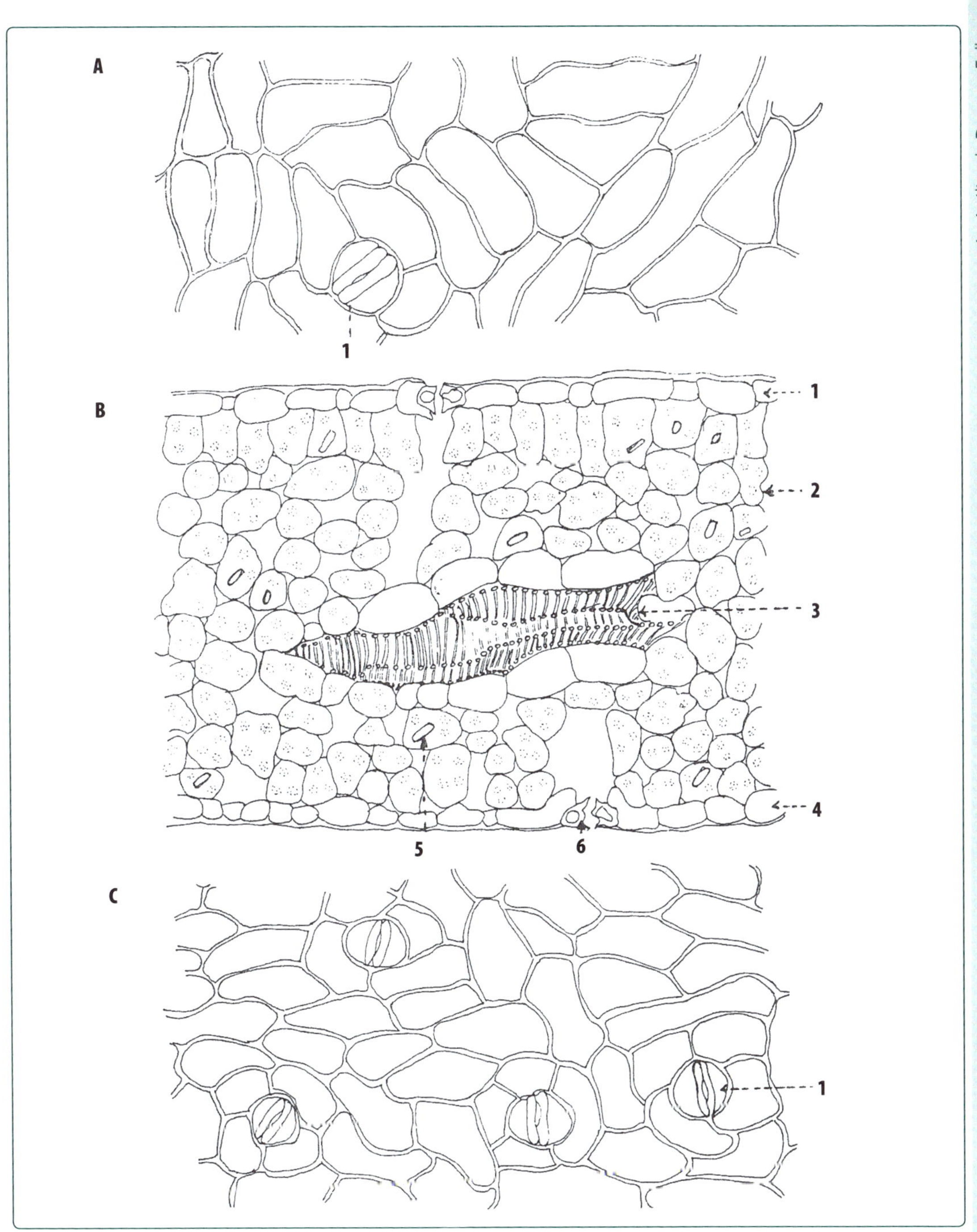

Fig. 4.38 – CHAPÉU-DE-COURO *(Echinodorus macrophyllus* (Kunth) Micheli). **A.** Epiderme superior vista de face: **1** – estômato. **B.** Corte transversal: **1** – epiderme superior; **2** – parênquima clorofiliano; **3** – feixe vascular; **4** – epiderme inferior; **5** – cristal prismático; **6** – estômato. **C.** Epiderme inferior vista de face: **1** – estômato.

Digital

Digitalis purpurea L. – *Scrophulariaceae*

Parte usada: Folha.

Sinonímia vulgar: Dedaleira; Erva-deda; Abeloura; Seiva-de-Nossa-Senhora; Erva-de-São-Leonardo; Luvas-de-Nossa-Senhora.

A droga tem odor fraco, porém característico, lembrando o do chá, e paladar amargo.

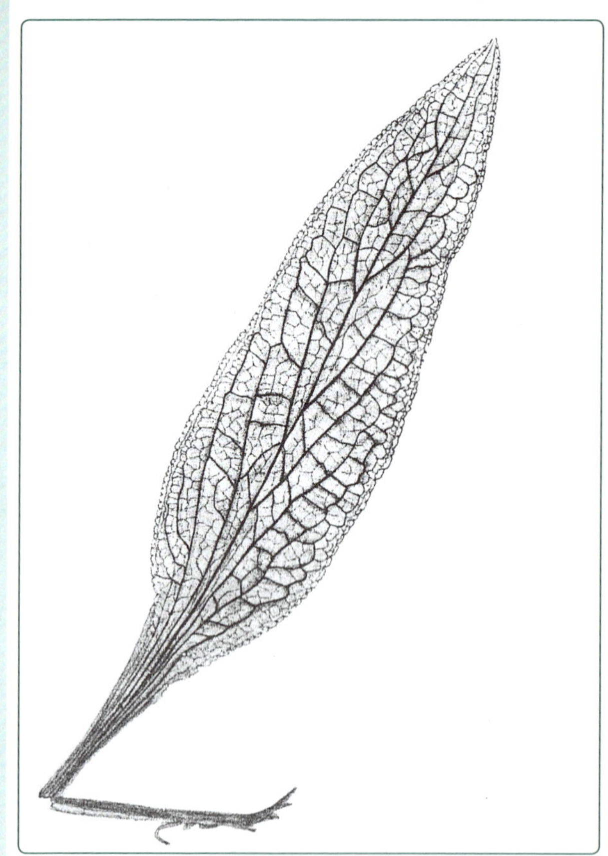

Fig. 4.39 – DIGITAL *(Digitalis purpurea* L.) Folha inteira.

Descrição macroscópica

A folha é oval-oblonga ou lanceolada, séssil ou atenuada num pecíolo alado. O ápice foliar é agudo ou ligeiramente acuminado. Seu comprimento, em geral, é de 15 a 35 cm por 6 a 10 cm de largura. Sua margem é grosseira e desigualmente crenada ou crenado-denteada. A face superior é verde, quase glabra ou recoberta por uma pubescência mole, finamente rugosa e proeminente, entre as nervuras deprimidas. A face inferior é brancacenta, tomentosa e caracterizada pela trama bem aparente das nervuras salientes e esbranquiçadas, por entre a qual se observam redes mais finas. A nervura principal é fortemente desenvolvida e envia nervuras secundárias para a margem, sob ângulo agudo.

Descrição microscópica

A epiderme superior, vista de face, mostra células de contorno poligonal com paredes ondeadas e a inferior com paredes sinuosas; ambas as epidermes apresentam pelos de dois tipos: tectores e glandulares; os primeiros são cônicos, pluricelulares (em geral com duas a seis células), unisseriados, com paredes não espessadas, com uma ou outra célula colabada, evidenciando-se a célula terminal em forma de dedo de luva. Os pelos glandulares exibem, em geral, um pedículo de uma ou duas células e uma célula glandular ovoide, a qual, mais frequentemente, está dividida por um septo vertical. O mesofilo consiste em uma fileira de células paliçádicas e de um tecido esponjoso formado de 3 a 4 fileiras de células arredondadas ou cilíndricas. A epiderme inferior mostra pequenos estômatos do tipo anomocítico, enquanto a superior apresenta muito poucos, ou mesmo não os apresenta. A droga não contém cristais de oxalato de cálcio e as nervuras não contêm fibras.

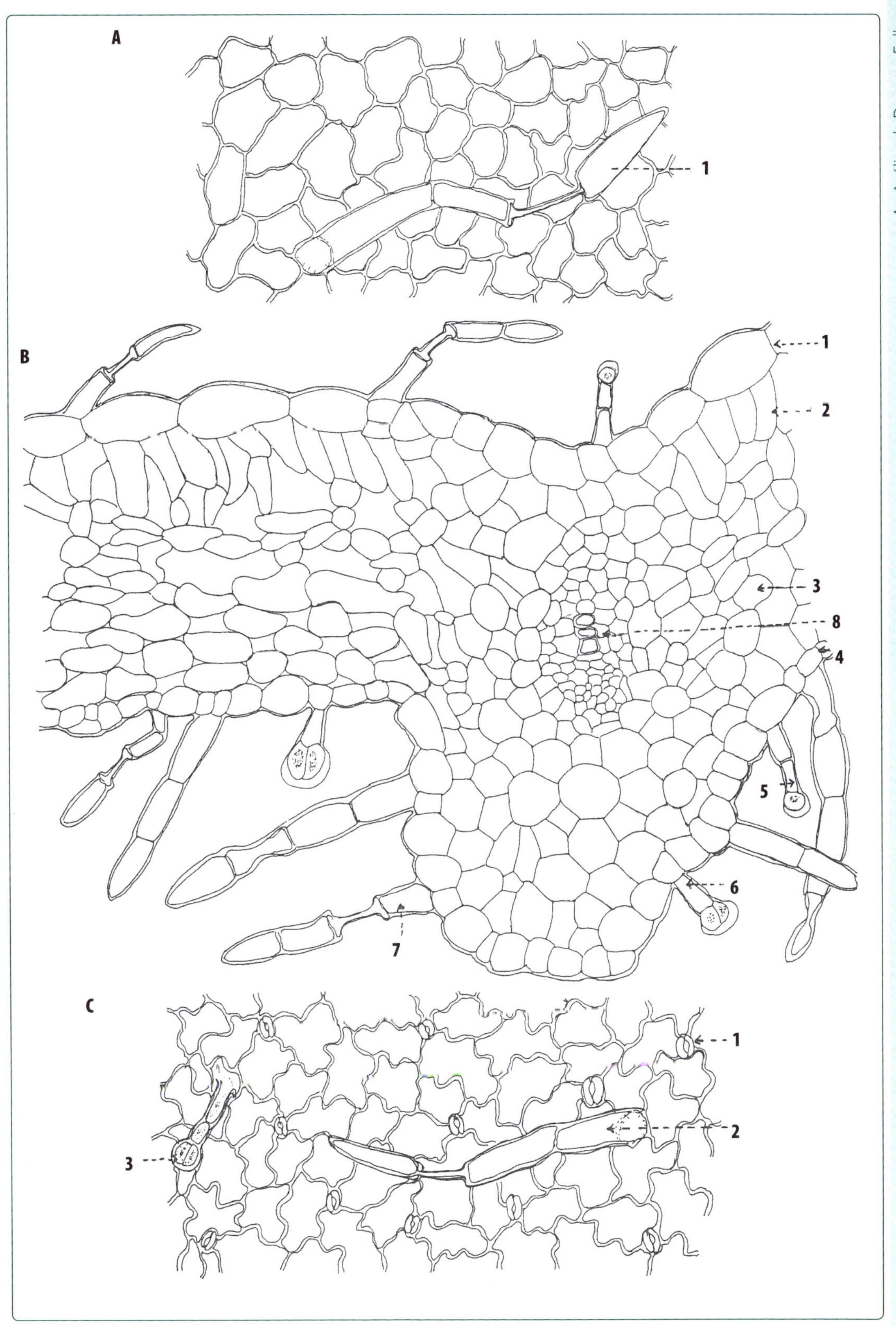

Fig. 4.40 – DIGITAL *(Digitalis purpurea* L.). **A.** Epiderme superior vista de face: **1** – pelo tector. **B.** Corte transversal: **1** – epiderme superior; **2** – parênquima paliçádico; **3** – parênquima lacunoso; **4** – epiderme inferior; **5** – pelo glandular; **6** – pelo glandular; **7** – pelo tector; **8** – feixe vascular. **C.** Epiderme inferior vista de face: **1** – estômato; **2** – pelo tector; **3** – pelo glandular.

Digitalis lanosa

Digitalis lanata Ehrhart – *Scrophulariaceae*
Parte usada: Folha.
Sinonímia vulgar: Digitalis de flor amarela.

A droga é quase inodora e de paladar muito amargo.

Descrição macroscópica

As folhas basais são oval-oblongas ou sublanceoladas, sésseis ou atenuadas em pecíolo alado. Medem 15 a 20 cm de comprimento por cerca de 3,5 cm de largura. Algumas vezes, a região mais larga da folha situa-se mais próxima do ápice, sendo a folha suboboval. A margem foliar é lisa e o ápice, obtuso. As folhas da haste são sésseis lanceoladas, medindo de 10 a 20 cm de comprimento por cerca de 2,5 cm de largura. As nervuras são salientes nos dois tipos de folha, especialmente a nervura mediana. A página superior é de cor verde mais escura que a face inferior.

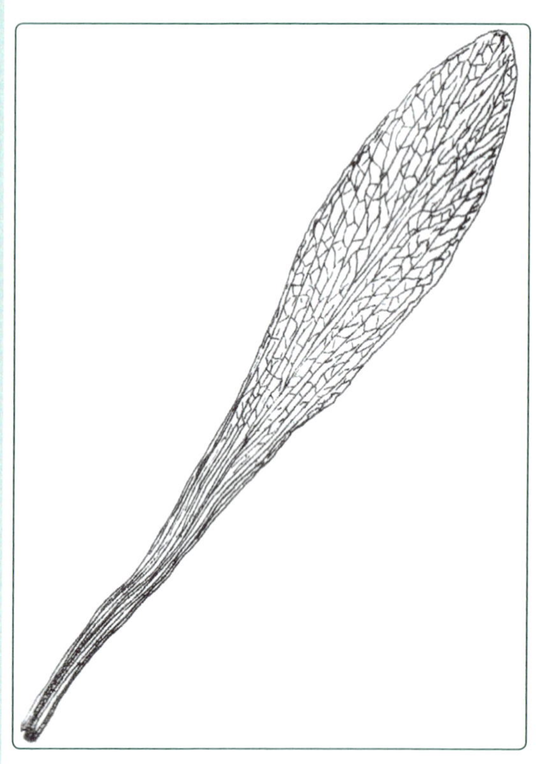

Fig. 4.41 – DIGITALIS-LANATA *(Digitalis lanata* Ehrhart). Folha inteira.

Descrição microscópica

Tanto a epiderme superior quanto a epiderme inferior, quando vistas de face, apresentam contorno poligonal e paredes ondeadas, sendo a sinuosidade da epiderme inferior mais intensa. Quando as paredes dessas células são observadas de face, podem-se ver pontuações que lhes conferem o aspecto de contas de rosário. Raros pelos tectores unisseriados, portadores de uma ou mais células colabadas, podem ser observados.

O mesofilo é constituído de três a quatro camadas de células em paliçada, relativamente curtas, seguido de parênquima lacunoso denso com até doze camadas celulares.

Tanto a epiderme superior quanto a inferior apresentam estômatos do tipo anomocítico. Pelo glandular com glândula septada também pode ser observado.

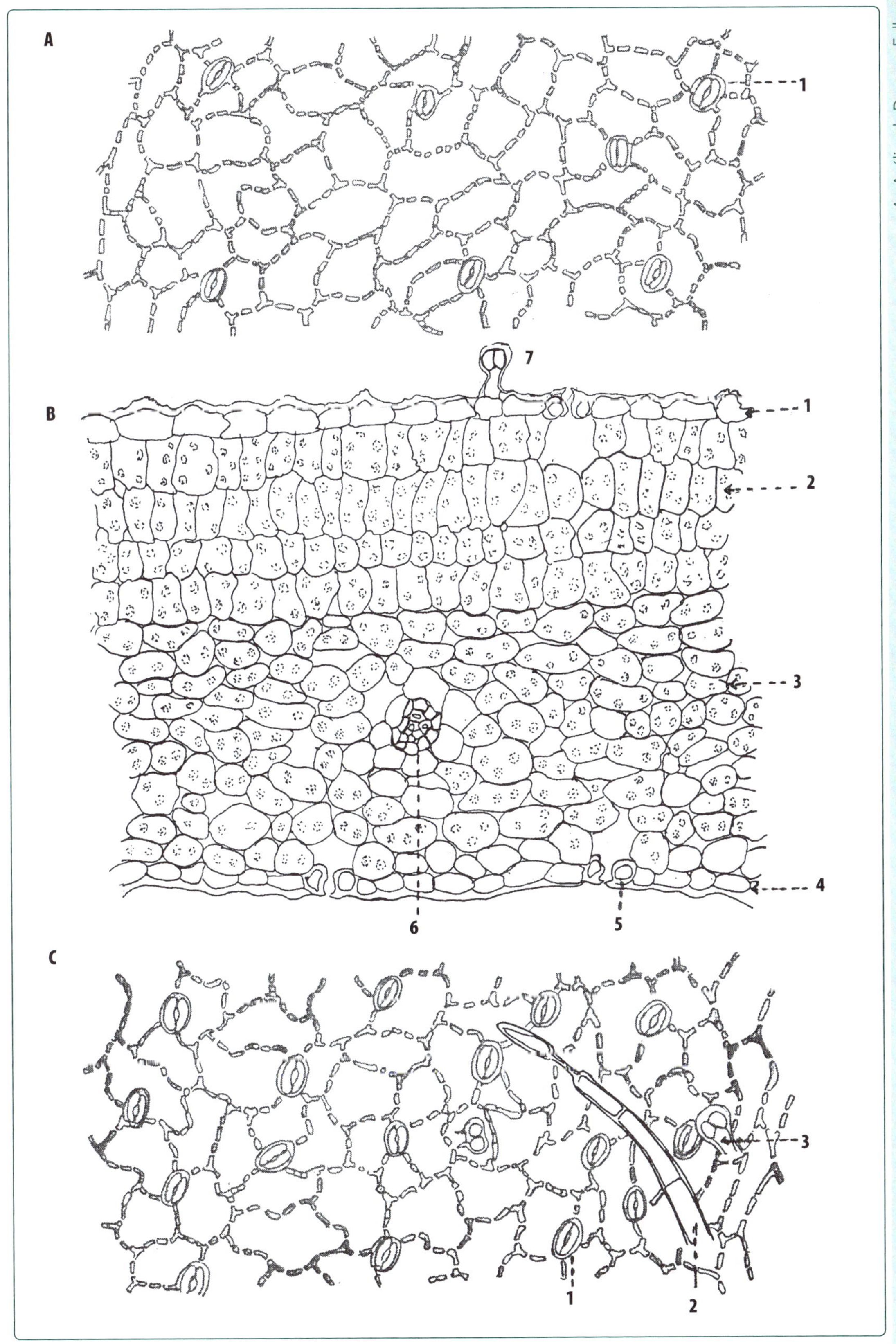

Fig. 4.42 – DIGITALIS LANATA *(Digitalis lanata* Ehrhart). **A.** Epiderme superior vista de face: **1** – estômato. **B.** Corte transversal: **1** – epiderme superior; **2** – parênquima paliçádico; **3** – parênquima lacunoso; **4** – epiderme inferior; **5** – estômato; **6** – feixe vascular; **7** – pelo glandular. **C.** Epiderme inferior vista de face: **1** – estômato; **2** – pelo tector; **3** – pelo glandular.

Espinheira santa

Maytenus ilicifolia Mart. ex Reisseh – *Celastraceae*
Parte usada: Folha.
Sinonímia vulgar: Cancerosa; Cancrosa; Cancorosa.
Sinonímia científica: *Maytenus buchananni* Loes.

Folhas de margem nitidamente espinhosa, inodoras, de sabor levemente amargo e adstringente.

Descrição macroscópica

As folhas são simples, inteiras, glabras, cariáceas, de margem nimiamente espinhosa com cinco a dez espinhos. Possuem forma que varia da oblonga, oblonga-ovalada a elíptica lanceolada. Apresentam ápice agudo ou acuminado terminando em espinho, e base variando de cuneata a abtusa. Medem geralmente de 3 a 10 cm de comprimento por 1,5 a 4 cm de largura.

A nervação é peninérvea, com as nervuras secundárias emergindo da principal num ângulo aproximadamente de 45º. Essas nervuras vão até a margem onde terminam em espinhos ou se fundem com a nervura marginal, que é bem evidente e contorna o limbo foliar. Apresentam cor que varia de verde-acinzentado brilhante ao verde pálido, sendo mais clara na sua face inferior ou abaxial. As nervuras são salientes na face abaxial. O pecíolo é curto e mede menos de 1 cm.

Descrição microscópica

Secção transversal da folha mostra mesofilo heterogêneo e assimétrico, e os estômatos ocorrem somente na epiderme inferior ou adaxial. A epiderme superior é constituída por uma única camada celular de paredes espessas recoberta por cutículas espessas. Cristais prismáticos e cristais estiloides estão presentes nessa epiderme. A epiderme inferior é semelhante à superior, diferindo desta por apresentar células de tamanhos menores. O parênquima paliçádico é constituído por duas fileiras celulares e ocupam de um terço a metade do mesofilo foliar. O parênquima lacunoso é constituído de seis a dez camadas celulares de contorno arredondado emitindo braços com frequência e envolvendo espaços celulares do tipo lacuna. Feixes vasculares colaterais ocorrem na região central do mesofilo envoltos por bainha fibrosa.

A nervura mediana é envolta por células semelhantes às descritas para região do limbo. Abaixo da epiderme, em ambas as faces, ocorre colênquima do tipo angular. O parênquima fundamental é constituído por células de contorno aproximadamente arredondado e envolve um único feixe vascular colateral envolto por bainha fibrosa. Cristais estiloides e prismáticos podem ocorrer nessa região.

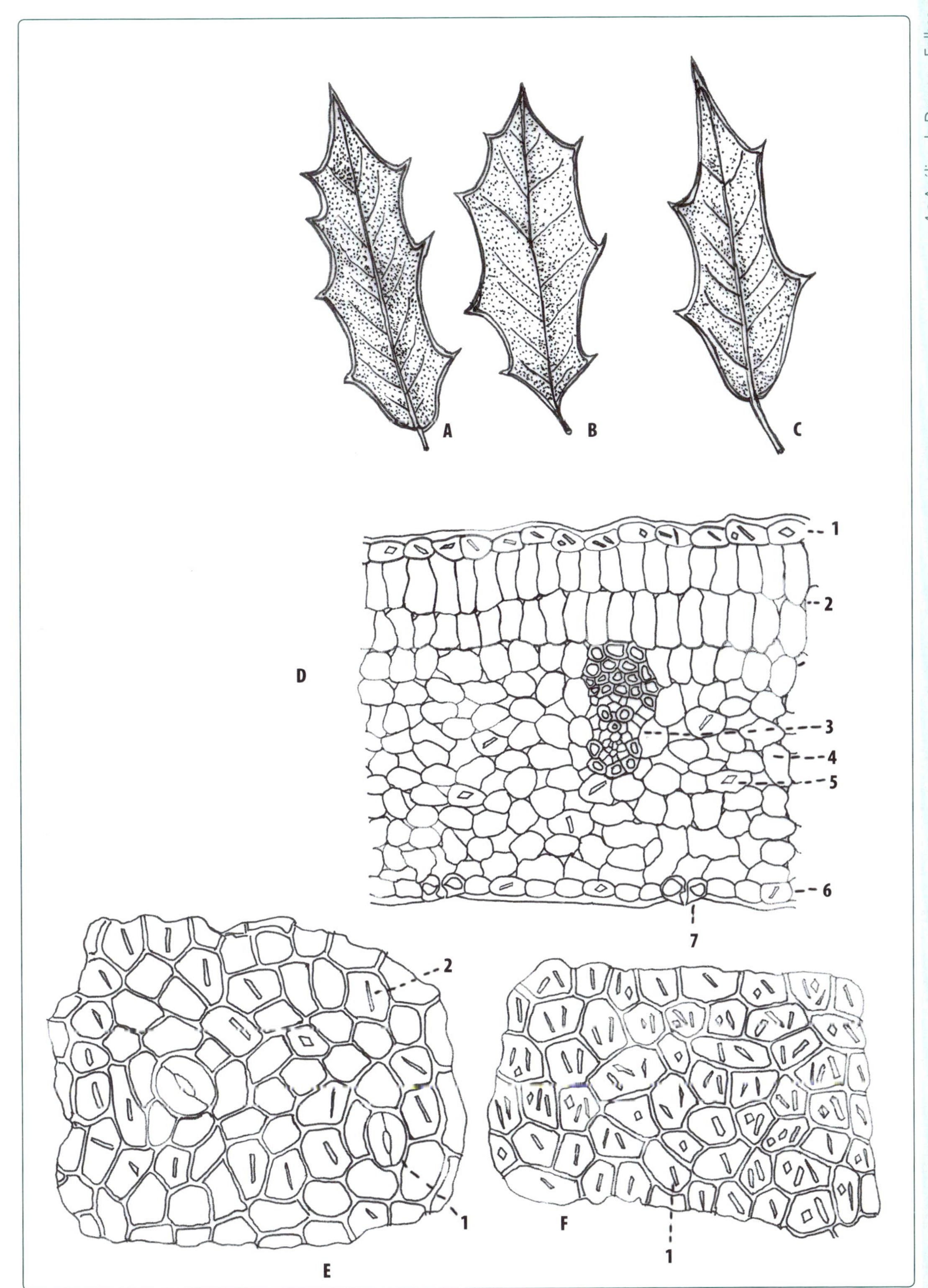

Fig. 4.43 – ESPINHEIRA SANTA (*Maytenus ilicifolia* Mart. ex Reissek). **A, B** e **C.** Folhas. **D.** Secção transversal da folha: **1** – epiderme adaxial com células contendo cristais; **2** – parênquima paliçádico; **3** – feixe vascular; **4** – parênquima lacunoso; **5** – cristal prismático; **6** – epiderme abaxial; **7** – estômato. **E.** Epiderme inferior (abaxial) em visão paradérmica: **1** – estômato; **2** – cristal. **F.** Epiderme superior (adaxial) em visão paradérmica: **1** – cristal.

Estramônio

Datura stramonium Linné – *Solanaceae*

Parte usada:	Folha.
Sinonímia vulgar:	Figueira-do-inferno; Aubaritinga-dos-índios; Erva-do-diabo; Erva-dos-demônios; Erva-dos-feiticeiros; Figueira-brava, entre outras.
Sinonímia científica:	*Datura pseudostramonium* Sieb.; *Stramonium foetidum* Scop.; *Stramonium peregrinum; Stramonium spinosum* Lam.; *Stramonium vulgatum* Gaertn.

Quando fresca, possui cheiro viroso, que chega a desaparecer pela dessecação. É de sabor amargo, nauseoso e levemente salgado.

Descrição macroscópica

A folha de ESTRAMÔNIO é longamente peciolada, de limbo oval-arredondado, de base assimétrica ou às vezes subcordiforme, aguda no ápice, de lobos marginais sinuosos e desigualmente denteados. Mede de 15 a 20 cm de comprimento e 8 a 10 cm de largura. Apresenta ambas as faces glabras na folha adulta e cobertas de pelos na folha nova, principalmente sobre as nervuras da face inferior. A nervação é penada. Por sua vez, as nervuras secundárias, em número de quatro a cinco de cada lado, são alternadas, côncavas em cima e salientes embaixo; separam-se da nervura mediana sob um ângulo agudo, dirigindo-se para os dentes da margem. É de cor verde-escura na página superior e mais clara na inferior.

Descrição microscópica

A epiderme é recoberta por cutícula lisa e apresenta, em ambas as faces, estômatos arredondados, acompanhados por três células paraestomatais, das quais geralmente uma é bem menor. Os estômatos são mais frequentes na face inferior. Os pelos tectores, mais numerosos sobre as nervuras, são unisseriados, pluricelulares e providos de cutícula verrucosa.

Os pelos glandulares são, em geral, curtamente pediculados, com glândula em forma de cone truncado e formada por duas camadas superpostas e paralelas de células. O mesofilo é bifacial, e as células do parênquima lacunoso, situadas logo abaixo das células paliçádicas, encerram cristais estrelares de oxalato de cálcio, os quais são encontrados também no parênquima fundamental das nervuras. Os feixes liberolenhosos são bicolaterais.

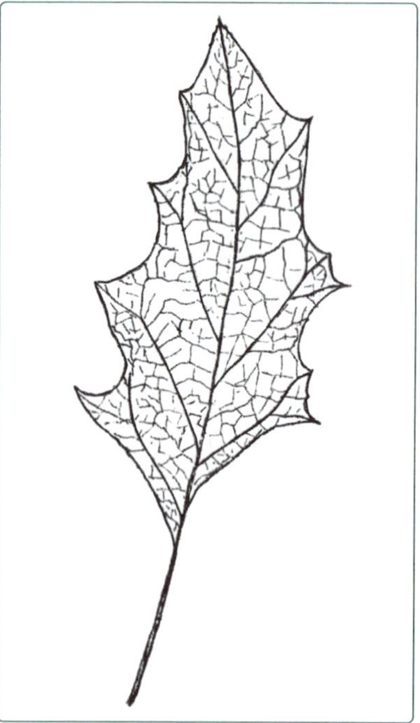

Fig. 4.44 – ESTRAMÔNIO *(Datura stramonium* L.). Folhas inteiras.

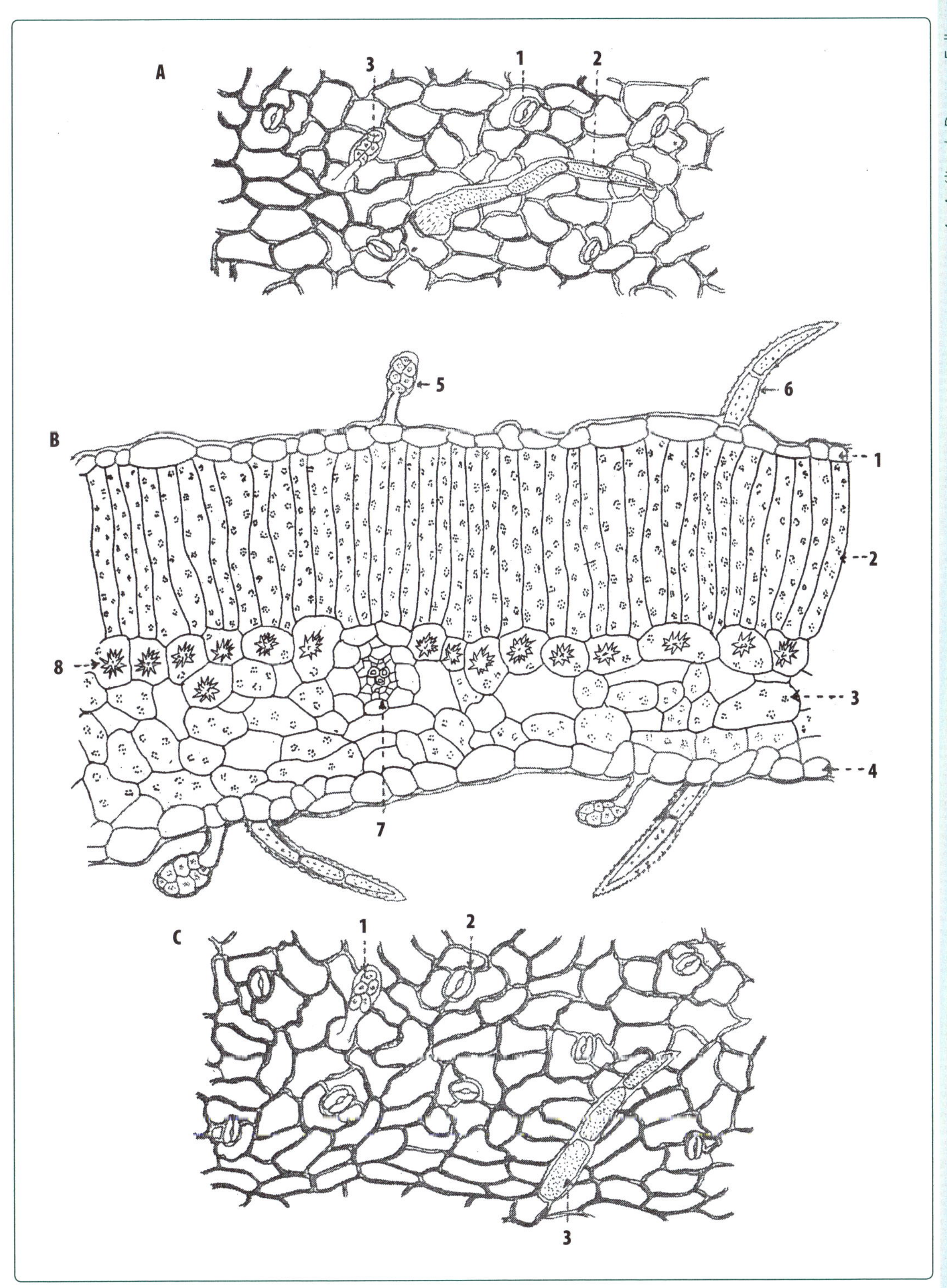

Fig. 4.45 – ESTRAMÔNIO *(Datura stramonium* L.). **A.** Epiderme superior vista de face: **1** – estômato; **2** – pelo tector; **3** – pelo glandular. **B.** Corte transversal: **1** – epiderme superior; **2** – parênquima paliçádico; **3** – parênquima lacunoso; **4** – epiderme inferior; **5** – pelo glandular; **6** – pelo tector; **7** – feixe vascular; **8** – cristal de drusa. **C.** Epiderme inferior vista de face: **1** – pelo glandular; **2** – estômato; **3** – pelo tector.

Eucalipto

Eucalyptus globulus Labillardiere – *Myrtaceae*

Parte usada: Folha.

Sinonímia vulgar: Árvore-da-febre; Comeiro-azul; Mogno-branco.

Sinonímia científica: *Eucalyptus globulosus* St. Lag.

A folha de EUCALIPTO tem forte odor típico e sabor característico, amargo, quente e depois seguido de sensação de frescura.

Descrição macroscópica

A folha de EUCALIPTO, quando adulta, é falciforme e mede de 8 a 30 cm de comprimento por 2 a 7 cm de largura. Apresenta consistência coriácea, quebradiça, ápice muito agudo ou acuminado e base assimétrica, levemente desiguais. São subcoriáceas, pecioladas, sendo o pecíolo, de 5 a 35 mm de comprimento, achatado e frequentemente retorcido; suas faces são de cor verde-amarelada pálida, ou cinzento-esverdeada e mais ou menos glaucas, glabras, um pouco rugosas, salpicadas de glândulas oleíferas translúcidas e com numerosas manchas punctiformes pardas, formando pequeninas verrugas salientes e suberosas. Da nervura mediana, bastante saliente, partem, sob ângulos variáveis, as nervuras secundárias, que se reúnem, formando paralelamente às margens da folha uma linha ondeada. As folhas jovens, sésseis e de formato oblongo não devem fazer parte da droga.

Fig. 4.46 – EUCALIPTO *(Eucalyptus globulus* Labillardière.). **A.** Folha da planta adulta. **B.** Folha da planta jovem.

Descrição microscópica

A epiderme é glabra, formada por uma camada de células poligonais de cutícula bastante espessa e finamente granulosa. Apresenta estômatos em ambas as faces, estômatos estes grandes, do tipo anomocítico. O mesofilo é heterogêneo simétrico, formado debaixo das epidermes, de três a quatro camadas de células em paliçada, que envolvem no centro da estrutura o parênquima lacunoso frouxo formado por células irregulares. Encerra grandes nódulos secretores e numerosos cristais de oxalato de cálcio dos tipos prismáticos e estrelares. As manchas pardas e verrucosas, que aparecem frequentemente sobre a superfície das folhas, são formadas por um tecido de células suberosas, dispostas em camadas concêntricas e achatadas.

A nervura mediana é biconvexa e apresenta, sob cada uma de suas epidermes, uma espessa camada de tecido colenquimatoso, que recobre o parênquima fundamental. O sistema liberolenhoso é representado por um longo cordão inferior arqueado e por dois cordões superiores. Os feixes vasculares bicolaterais são recobertos, de cada lado, por bainha fibrosa; disposto em ilhas, o tecido fundamental apresenta nódulos secretores semelhantes aos do mesofilo, porém menores.

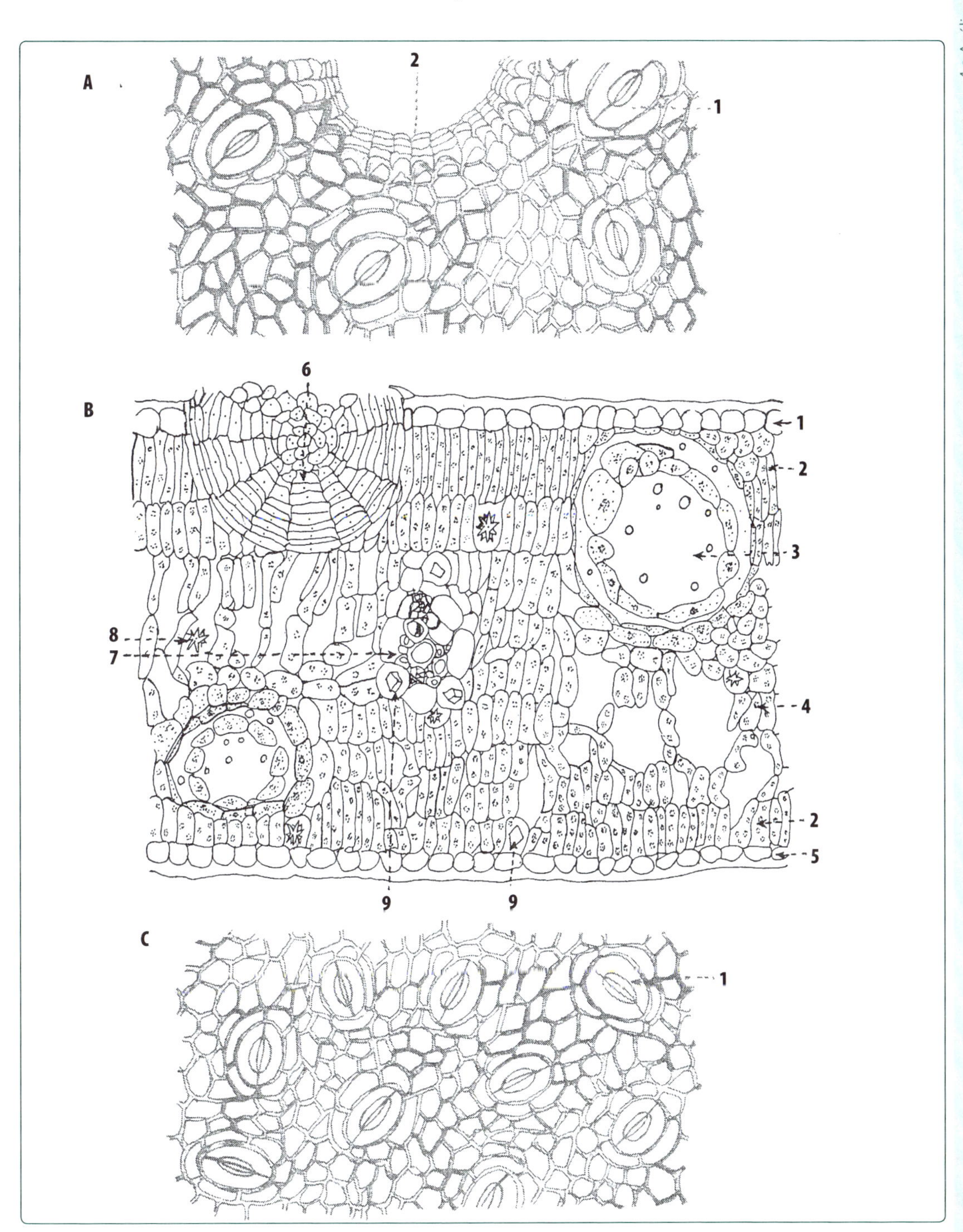

Fig. 4.47 – EUCALIPTO *(Eucalyptus globulus* Labillardiere.). **A.** Epiderme superior vista de face: **1** estômato; **2** – súber cicatricial. **B.** Corte transversal: **1** – epiderme superior; **2** – parênquima paliçádico; **3** – glândula endógena; **4** – parênquima lacunoso; **5** – epiderme inferior; **6** – súber cicatricial; **7** – feixe vascular; **8** – cristal de drusa; **9** – cristal prismático; **C.** Epiderme inferior vista de face: **1** – estômato.

Guaco

Mikania glomerata Sprengel – *Compositae*
Parte usada: Folha.
Sinonímia vulgar: Guaco liso; Guaco-de-cheiro; Guaco cheiroso; Cipó caatinga; Huaco.

Seca, esta folha é levemente aromática, lembrando o odor de cumarina. Tem sabor aromático e amargo.

Descrição macroscópica

A folha de GUACO é peciolada, oval-lanceolada, acuminada no ápice e de base arredondada ou subcordada. Mede de 10 a 15 cm de comprimento por até 5 cm de largura. As margens são inteiras e um tanto sinuosas. O limbo é glabro e luzidio sobre ambas as páginas, sensivelmente lobado; contém de três a cinco nervuras básicas, oriundas do ápice do pecíolo, que mede de 3 a 6 cm de comprimento por até 0,5 cm de diâmetro na base. O pecíolo tem forma quase cilíndrica e é ligeiramente canaletado próximo à base foliar. As folhas apresentam consistência variando de membranácea a subcoriácea.

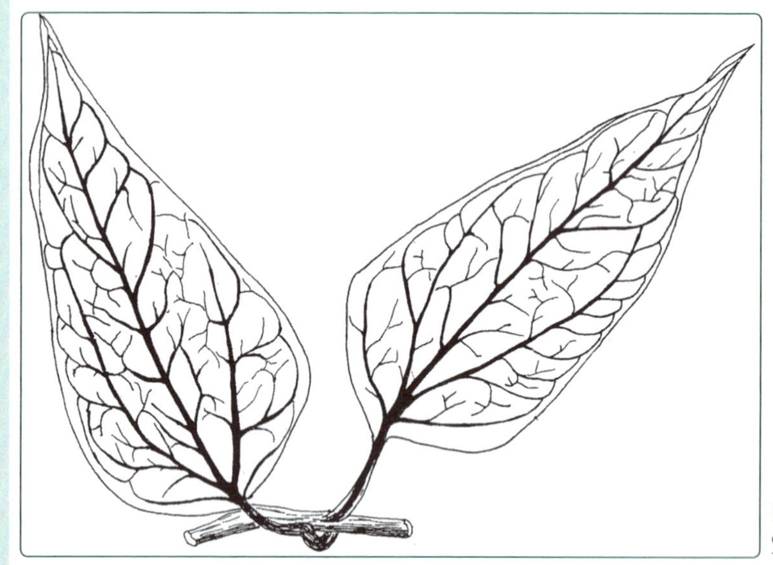

Fig. 4.48 – GUACO *(Mikania glomerata* Sprengel). Folhas inteiras.

Descrição microscópica

A epiderme glabra é formada, na página superior, por células poligonais de paredes levemente curvas, e na inferior de células por paredes ondeadas. Os estômatos são do tipo anomocítico, providos de três a quatro células paraestomatais e ocorrem exclusivamente na epiderme inferior.

Ambas as epidermes contêm pelos glandulosos unisseriados, pluricelulares, recurvados, mais frequentes sobre a página inferior e situados nas depressões epidérmicas. O mesofilo é heterogêneo, assimétrico, formado na parte superior por uma ou duas camadas de células paliçádicas e na inferior por parênquima lacunoso, formado de células arredondadas ou elípticas. As células da camada paliçádica lembram o formato das letras H, V e Y.

A nervura mediana, fortemente biconvexa, apresenta de três a cinco feixes liberolenhosos ovais, dispostos em arco e formados por um cordão lenhoso recoberto inferiormente por floema e, em ambas as extremidades, por bainha fibrosa lignificada. Nas proximidades desses feixes notam-se pequenos canais secretores.

Essa folha apresenta também células isoladas que contêm uma substância resinífera, finamente granulosa. Braquiescleritos podem ocorrer na região do parênquima fundamental.

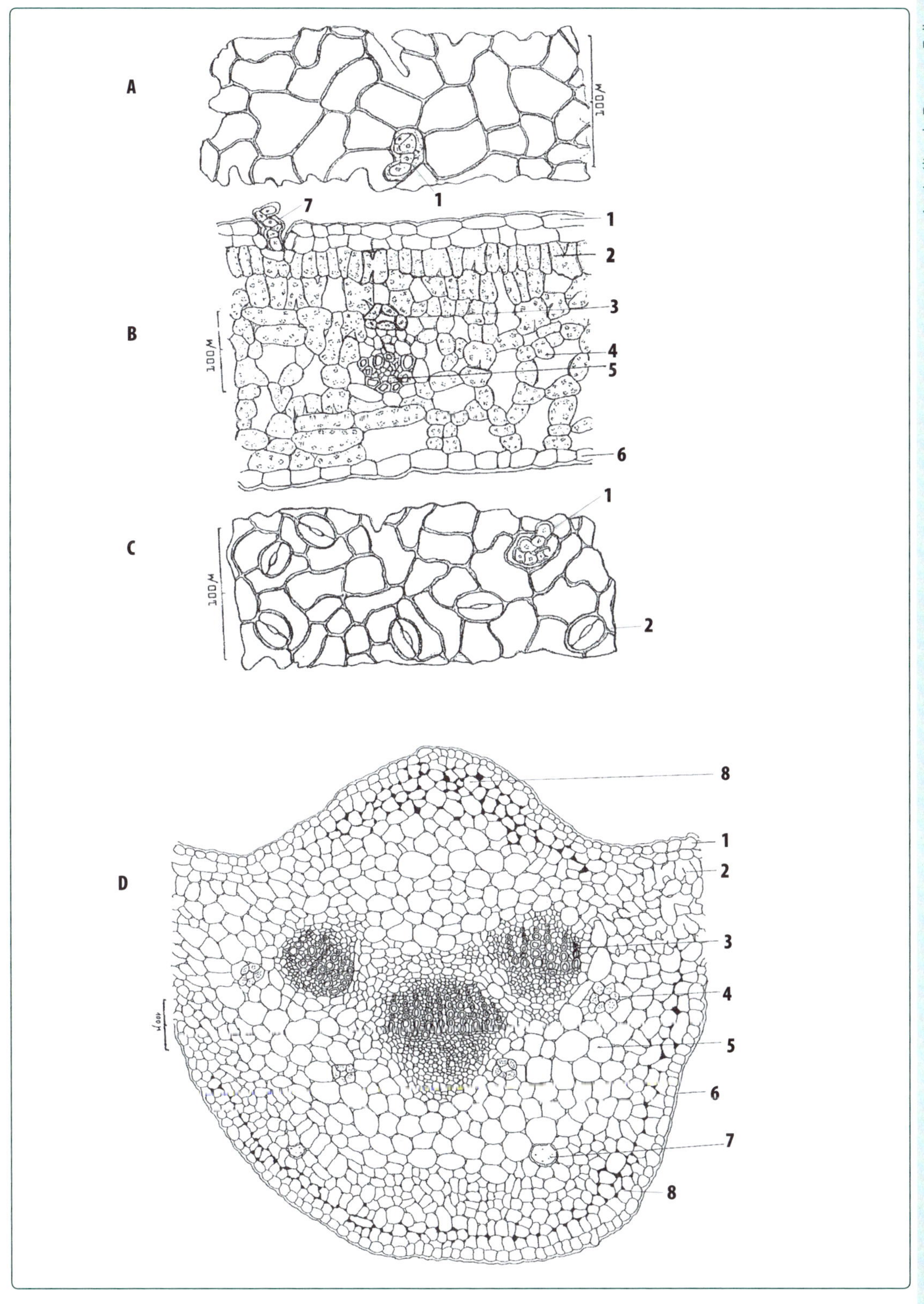

Fig. 4.49 – GUACO *(Mikania glomerata* Sprengel). **A.** Visão paradérmica da epiderme adaxial (superior): **1** – pelo glandular torcido localizado em depressão epidérmica. **B.** Secção transversal da folha: **1** – epiderme adaxial (superior); **2** – parênquima paliçádico; **3** – canal secretor; **4** – parênquima lacunoso; **5** – feixe vascular; **6** – epiderme abaxial (superior); **7** – pelo glandular torcido localizado em depressão epidérmica. **C.** Visão paradérmica da epiderme abaxial (superior): **1** – pelo glandular torcido localizado em depressão epidérmica; **2** – estômato. **D.** Secção transversal da região da nervura mediana: **1** – epiderme adaxial (superior); **2** – parênquima paliçádico; **3** – feixe vascular; **4** – canal secretor; **5** – parênquima fundamental; **6** – epiderme abaxial (inferior); **7** – esclerito; **8** – colênquima.

Guaco-do-mato

Mikania laevigata Shultz Bip ex Baker – *Asteraceae-Compositae*
Parte usada: Folha.
Sinonímia vulgar: Guaco; Guaco cheiroso.

Seca, esta folha é levemente aromática, lembrando o odor de cumarina. Possui sabor adocicado.

Descrição macroscópica

As folhas são pecioladas, glabras, de disposição oposta. Apresentam margem lisa inteira, contorno oval, ápice acuminado e base obtusa arredondada. Têm consistência coriácea e apresentam base trinervada, menos frequentemente pentanervada. Medem, quando adultas, de 10 a 20 cm de comprimento por 6 a 10 cm de largura.

Quando transformadas em droga, apresentam aspecto amarrotado e superfície rugosa. Atritada entre os dedos, exalam cheiro característico, lembrando cumarina. O pecíolo é aproximadamente cilíndrico; mede de 5 a 7 cm de comprimento e é ligeiramente canaletado junto à base do limbo.

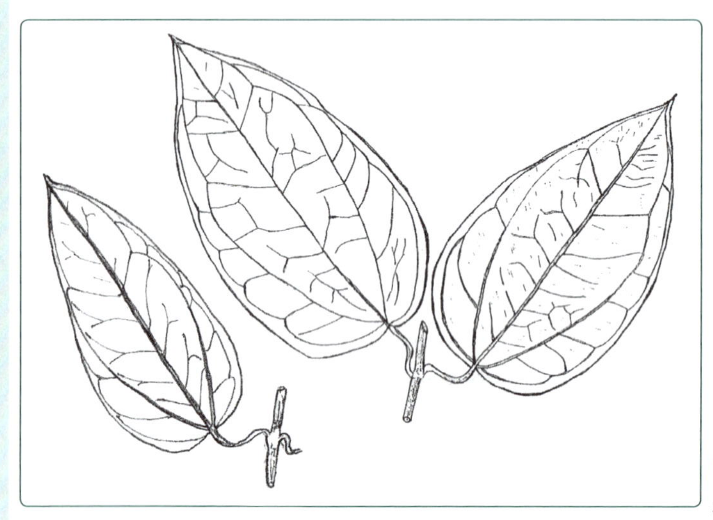

Fig. 4.50 – GUACO-DO-MATO *(Mikania laevigata* Shultz Bip ex Baker). Folhas inteiras.

Descrição microscópica

Secção transversal da folha ao nível do terço médio inferior mostra a seguinte estrutura: epiderme superior constituída de células de contorno retangular alongadas no sentido periclinal. Abaixo dessa camada celular ocorre outra camada constituída por células alongadas no sentido periclinal, de tamanho ligeiramente maior do que as células epidérmicas. O parênquima paliçádico contém três camadas celulares, sendo constituído por células braciformes lembrando o formato das letra H, Y, N e V.

O parênquima lacunoso é bem desenvolvido, sendo formado de células braciformes em número de quatro a seis camadas celulares.

A epiderme inferior apresenta células de contorno parecido com a epiderme superior. Estômatos podem ser observados sobre essa epiderme. Tanto na epiderme abaxial quanto na epiderme adaxial ocorrem pelos glandulares torcidos encimados por glândula unicelular.

A epiderme da face superior e inferior, quando vista de face, mostra-se constituída por células de paredes sinuosas e um tanto alongadas.

Secção transversal ao nível da nervura mediana mostra contorno levemente biconvexo. A epiderme superior é formada por células de tamanho menor que as situadas sobre a região do limbo propriamente dita. Abaixo dessa camada celular ocorre a presença de colênquima do tipo angular. O parênquima fundamental é bem desenvolvido e engloba três feixes vasculares colaterais abertos em sua região central. Canais secretores esquizógenos podem ser observados próximos aos feixes vasculares, especialmente junto à região do floema.

Braquiescleritos isolados são frequentes por toda a região do parênquima fundamental providos de paredes pouco espessadas.

O colênquima relacionado com a epiderme inferior é menos desenvolvido, sendo formado por duas a três camadas celulares.

A epiderme inferior é semelhante à superior.

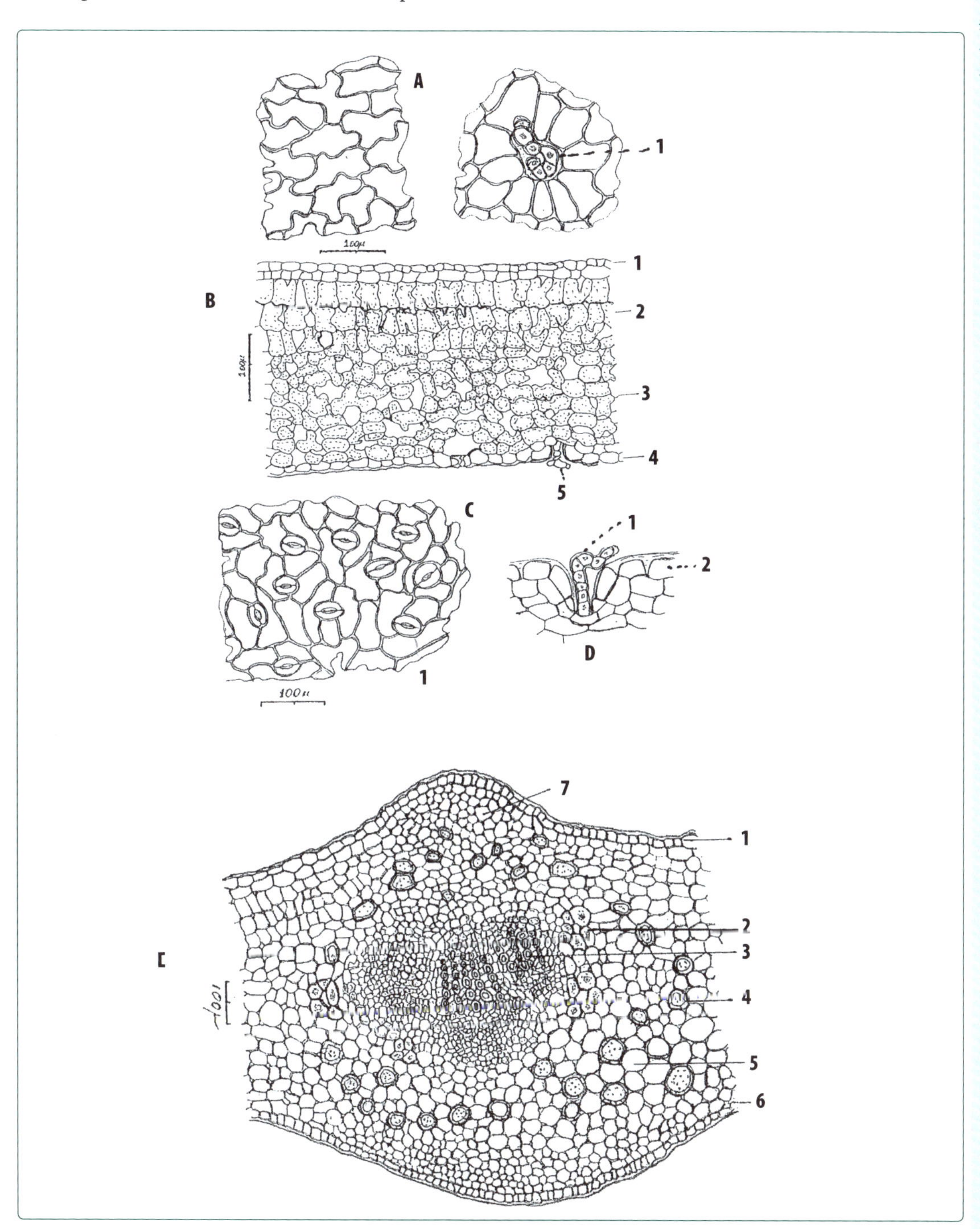

Fig. 4.51 – GUACO-DO-MATO (*Mikania laevigata* Shultz Bip ex Baker). **A.** Epiderme adaxial (superior) em visão paradérmica: **1** – pelo glandular torcido em cavidade epidérmica. **B.** Secção transversal da folha: **1** – epiderme adaxial (superior); **2** – parênquima paliçádico; **3** – parênquima lacunoso; **4** – epiderme abaxial (inferior); **5** – pelo glandular em cavidade epidérmica. **C.** Epiderme abaxial (inferior) em visão paradérmica: **1** – estômato. **D.** Detalhe mostrando pelo glandular torcido em cavidade epidérmica em secção transversal: **1** – pelo glandular torcido; **2** – epiderme. **E.** Secção transversal da nervura mediana: **1** – epiderme adaxial (superior); **2** – canal secretor; **3** – feixe vascular; **4** – esclerito; **5** – parênquima fundamental; **6** – epiderme adaxial (inferior); **7** – colênquima.

Guaçatonga

Casearia sylvestris SW. – *Salicaceae-Flacourtiaceae*
Parte usada: Folha.
Sinonímia vulgar: Chá-de-bugre; Erva-de-bugre; Erva-de-lagarto; Guassatonga.

A droga é inodora e de sabor um tanto amargo.

Descrição microscópica

A folha é simples, inteira, peciolada de consistência, variando da membranácea a semicoriácea. Apresenta contorno elíptico-lanceolado e a base é levemente assimétrica e cuneata. A nervação é peninérvea e a nervura principal é bem nítida, saliente na face inferior ou adaxial e opaca de cor verde mais clara na face inferior ou abaxial. O limbo, quando observado frente uma fonte luminosa, apresenta-se com numerosas pontuações translúcidas correspondentes a glândulas internas. A folha mede de 6 a 10 de comprimento por 2 a 3,5 cm de largura. As nervuras secundárias partem da nervura principal num ângulo de 30º a 40º e são pouco evidentes. Junto à margem foliar, elas se curvam para o ápice, anastomosando-se com as seguintes.

O pecíolo mede de 3 a 12 mm e é ligeiramente pubescente biconvexo, com aspecto canaletado próximo ao limbo foliar.

Descrição microscópica

Secção transversal da folha mostra epiderme constituída por uma camada de células alongadas no sentido tangencial e de contorno arredondado. O mesofilo é heterogêneo e assimétrico, com parênquima paliçádico formado por duas a três fileiras celulares e que ocupam cerca de um terço a metade do mesofilo. O parênquima lacunoso, por sua vez, é constituído de três e cinco camadas celulares formadas por células alongadas ou arredondadas que deixam lacunas entre si. O mesofilo envolve feixes vasculares colaterais envoltos por calotas fibrosas tanto do lado voltado para a epiderme adaxial quanto para o voltado para a epiderme abaxial. Bolsas secretoras podem ser observadas na região do mesofilo, bem como drusas de oxalatos de cálcio. Sobre as epidermes podem ocorrer pelos tectores simples e cônicos.

A nervura mediana é recoberta por epiderme com as características da descrita para região do limbo propriamente dito. Pelos tectores simples e cônicos ocorrem com mais frequência nessa região, tanto do lado adaxial quanto do lado abaxial. Abaixo da epiderme ocorre região de colênquima do tipo angular.

O parênquima fundamental é bem desenvolvido, constituído por células de contorno aproximadamente isodiamétrico em que se encontram distribuídos canais secretores e cristais de oxalato de cálcio do tipo drusa e cristais prismáticos. A região central do parênquima fundamental é ocupada por feixe vascular em forma de arco envolto por bainha fibrosa envolvida por bainha cristalífera. Drusas ocorrem com frequência na região floemática.

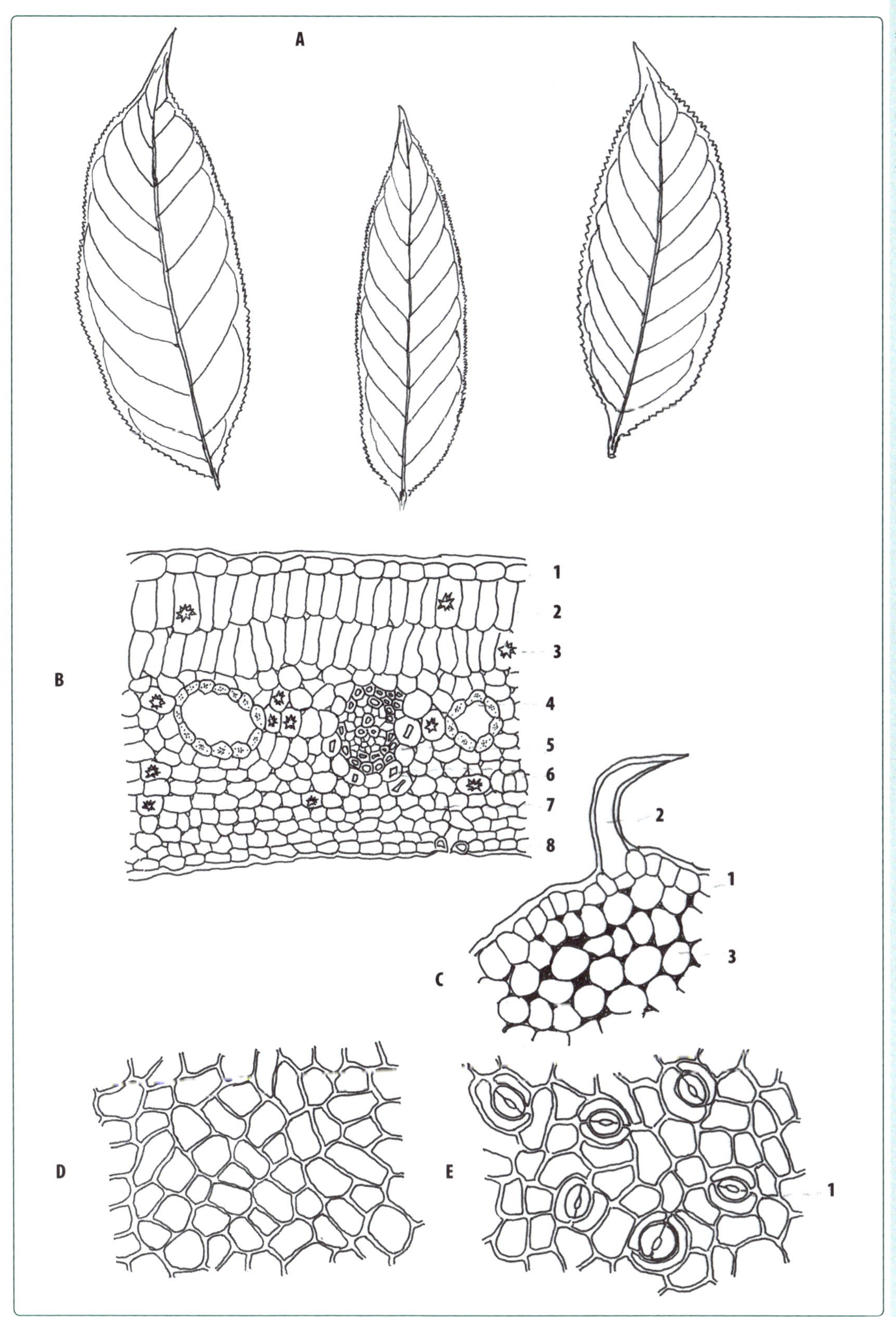

Fig. 4.52 – GUAÇATONGA (*Casearia sylvestris* SW.). **A.** Folhas. **B.** Secção transversal da folha: **1** – epiderme superior (adaxial); **2** – parênquima paliçádico; **3** – drusa; **4** – canal secretor; **5** – feixe vascular; **6** – cristal prismático; **7** – parênquima lacunoso; **8** – epiderme inferior (abaxial). **C.** Fragmento da região da nervura mediana mostrando: **1** – epiderme; **2** – pelo tector simples cônico; **3** – colênquima. **D.** Epiderme superior (adaxial) em visão paradérmica. **E.** Epiderme inferior (abaxial) em visão paradérmica: **1** – estômatos.

Hamamélis

Hamamelis virginiana Linné – *Hamamelidaceae*

Parte usada: Folha.

Sinonímia vulgar: Hamamélido; Hamamélia; Hamamelis da Virgínia; Avellano brujo; Avellano de la bruja; *Winter bloom.*

A droga é quase inodora e possui sabor adstringente, levemente amargo e aromático.

Descrição macroscópica

A folha de HAMAMÉLIS apresenta-se amarrotada em quase toda a superfície; possui consistência papirácea e exibe nervação peninérvea com nervuras formando um reticulado. É curtamente peciolada, medindo o pecíolo de 1 a 1,5 cm de comprimento. Apresenta forma largamente elíptica ou oval-romboidal, geralmente assimétrica na base, acuminada ou aguda no ápice, truncada ou subcordiforme na base, de margens sinuosas e irregulares e grosseiramente crenadas; mede, geralmente, de 8 a 12 cm de comprimento por 5 a 8 cm de largura e é de cor pardo-esverdeada a pardo-marrom, na página superior, e verde-clara na inferior. Da nervura mediana partem, de cada lado, em ângulo agudo, cinco a seis nervuras fortes laterais, as quais se dirigem em curvas brandas para o vértice dos dentes do limbo sem se reunirem; as nervuras terciárias dispõem-se paralelamente entre si.

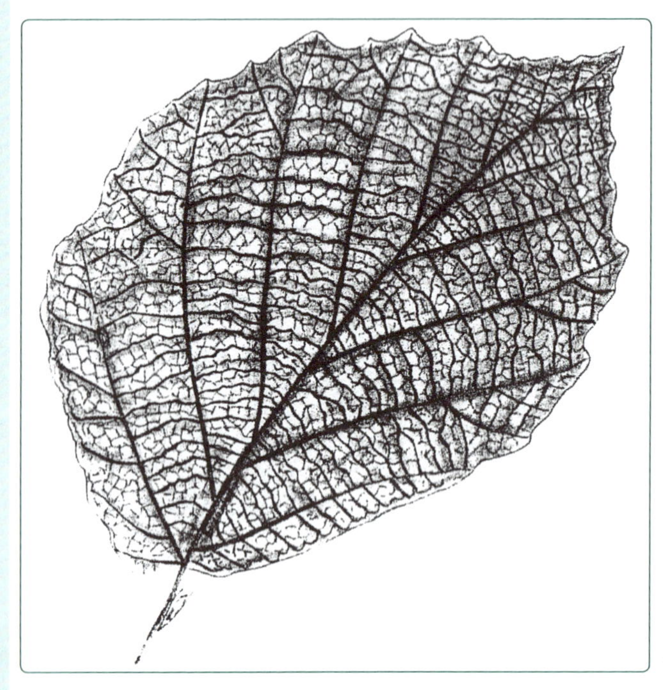

Fig. 4.53 – HAMAMÉLIS *(Hamamelis virginiana* L.). Folha inteira.

Descrição microscópica

Somente a epiderme inferior apresenta estômato, do tipo anomocítico, margeado por quatro a cinco células anexas alongadas paralelamente ao ostíolo; ambas as epidermes contêm pelos estrelares de quatro a doze células unidas na base e, vistas de face, mostram paredes sinuosas. O mesofilo é heterogêneo, assimétrico e formado na parte superior por uma camada de células paliçádicas e, na inferior, por um parênquima lacunoso frouxo; existem grandes astroescleritos, alguns dos quais vão de uma a outra epiderme. As nervuras, mesmo as menores, são acompanhadas de fibras e de uma bainha cristalífera provida de cristais prismáticos.

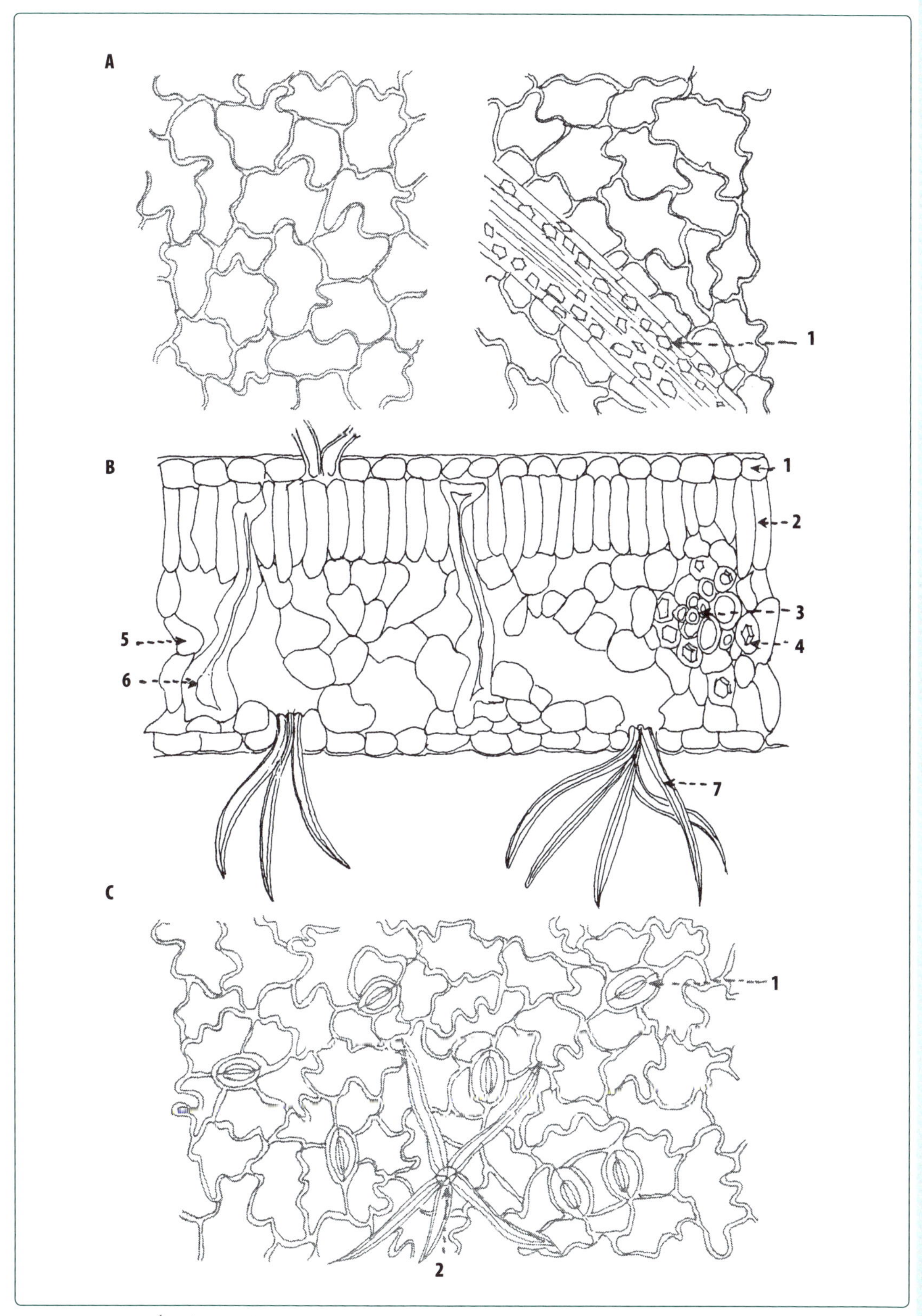

Fig. 4.54 – HAMAMÉLIS *(Hamamelis virginiana* L.). **A.** Epiderme superior vista de face: **1** – cristais prismáticos. **B.** Corte transversal: **1** – epiderme superior; **2** – parênquima paliçádico; **3** – feixe vascular; **4** – cristal prismático; **5** – parênquima lacunoso; **6** – idioblasto; **7** – pelo tector. **C.** Epiderme inferior vista de face: **1** – estômato; **2** – pelo tector.

Jaborandi

Pilocarpus microphyllus Stapf. – *Rutaceae*
Parte usada: Folha.
Sinonímia vulgar: Jaborandi-do-Maranhão.

A droga possui odor aromático, quando triturada, e sabor amargo, um pouco acre.

Descrição macroscópica

As folhas imparipenadas medem de 2 a 6 cm de comprimento, no caso do *Pilocarpus microphyllus* Stapf. e de 4 a 15 cm no caso das outras espécies. Apenas o folíolo terminal é peciolado. No caso do *Pilocarpus microphyllus* Stapf., o pecíolo é alado. O contorno do folíolo varia de lanceolado a oval e é emarginado no ápice. A base do folíolo é, geralmente, assimétrica e o limbo espessado, coriáceo ou subcoriáceo de bordos inteiros, e mostra pontos translúcidos quando observados frente a uma fonte luminosa. Na face dorsal, as nervuras aparecem bem nítidas; e as nervuras secundárias se anastomosam no bordo em forma de arcos.

Fig. 4.55 – JABORANDI *(Pilocarpus microphyllus* Stapf.). **A.** Folha inteira. **B.** Folíolo terminal. **C, D, E** e **F.** Folíolos laterais.

Descrição microscópica

A epiderme apresenta, em ambas as faces, células poligonais com cutícula espessada e estriada. Os estômatos são pequenos, do tipo anomocítico e podem ser encontrados só na epiderme inferior. Nas epidermes podem aparecer esferocristais de hesperidina. Existem raríssimos pelos tectores unicelulares. Raras vezes podem ser observados pelos glandulares com glândula globosa pluricelular. O parênquima paliçádico é constituído de uma fileira de células curtas. No mesofilo, aparecem grandes glândulas esquizolisígenas produtoras de óleo essencial, principalmente perto da epiderme superior. No parênquima lacunoso frouxo, constituído de 10 a 15 camadas de células, encontram-se numerosas drusas de oxalato de cálcio. Os feixes vasculares contêm fibras bastante espessadas, especialmente as que ocorrem na nervura mediana. As drusas são também encontradas no parênquima paliçádico.

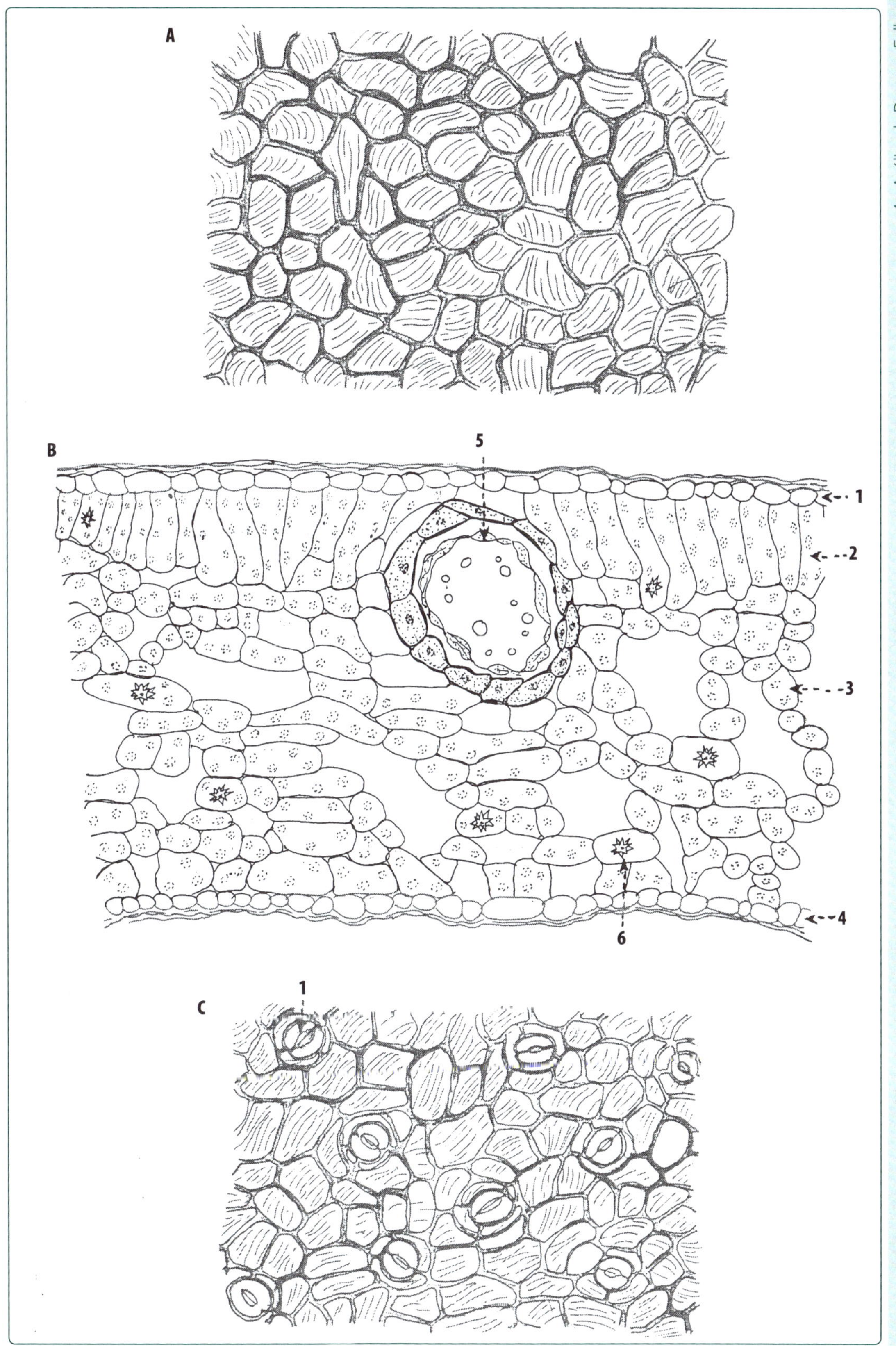

Fig. 4.56 – JABORANDI *(Pilocarpus microphyllus* Stapf.). **A.** Epiderme superior vista de face mostrando cutícula estriada. **B.** Corte transversal: **1** – epiderme superior; **2** – parênquima paliçádico; **3** – parênquima lacunoso; **4** – epiderme inferior; **5** – glândula endógena; **6** – cristal de drusa. **C.** Epiderme inferior vista de face com cutícula estriada: **1** – estômato.

Malva

Malva sylvestris Linné - *Malvaceae*

Parte usada: Folha.

Sinonímia vulgar: Malva selvagem; Malva maior.

A folha fresca é inodora, porém a droga possui odor leve, característico. Mastigada, possui sabor mucilaginoso.

Fig. 4.57 – MALVA *(Malva sylvestris* L.). Folha inteira.

Descrição macroscópica

As folhas de MALVA são membranáceas, mais ou menos pilosas sobre ambas as faces, longamente pecioladas, de limbo orbicular ou reniforme de ápice obtuso e base levemente truncada ou subcordiforme. Medem de 7 a 11 cm de comprimento por 12 a 15 cm de largura; são palmatinérveas, com cinco a sete lobos angulosos ou arredondados, separados por sulcos pouco profundos. As margens são crenulado-denteadas.

Descrição microscópica

As epidermes da folha apresentam os estômatos do tipo anamocítico circundados por três a quatro células anexas, das quais uma apresenta tamanho menor do que as demais. Numerosos tufos de pelos tectores, que vistos de cima apresentam aspecto estrelar, são formados por dois a quatro pelos tectores simples implantados em um mesmo ponto. Pelos tectores simples isolados também podem ser observados.

Os pelos glandulares são pluricelulares, claviformes, semelhantes aos das *Solanáceas,* curtamente pediculados. O mesofilo é assimétrico frouxo, mostrando drusas de oxalato de cálcio e células mucilaginosas, as quais também são encontradas na epiderme; o parênquima paliçádico é formado de uma ou duas fileiras de células e o parênquima esponjoso possui de três a quatro camadas de células arredondadas ou alongadas no sentido transversal.

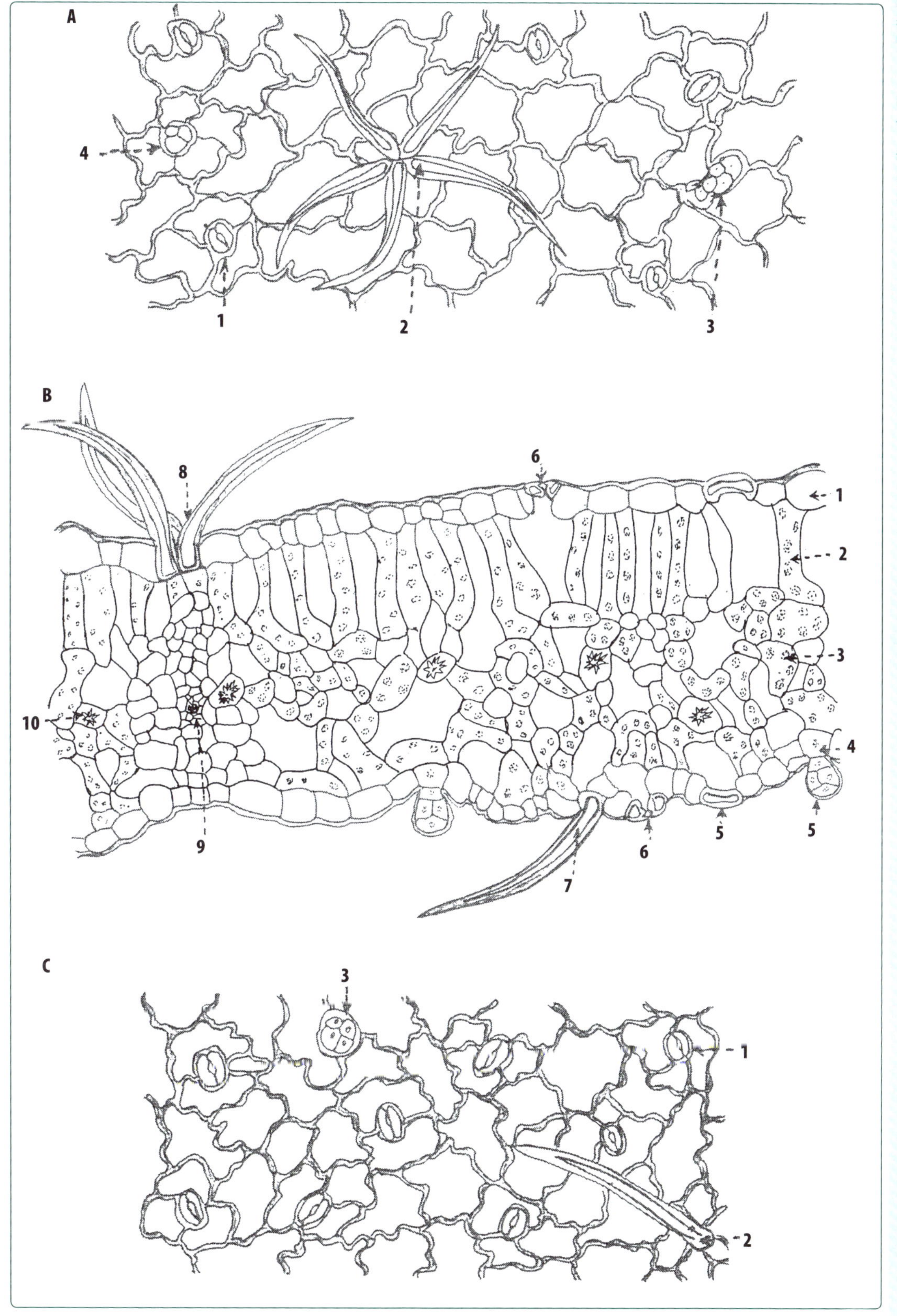

Fig. 4.58 – MALVA *(Malva sylvestris* L.). **A.** Epiderme superior vista de face: **1** – estômato; **2** – pelo tector; **3** – pelo glandular; **4** – pelo glandular. **B.** Corte transversal: **1** – epiderme superior; **2** – parênquima paliçádico; **3** – parênquima lacunoso; **4** – epiderme inferior; **5** – pelo glandular; **6** – estômato; **7** – pelo tector; **8** – pelo tector; **9** – feixe vascular; **10** – cristal de drusa. **C.** Epiderme inferior vista de face: **1** – estômato; **2** – pelo tector; **3** – pelo glandular.

Maracujá

Passiflora alata Dryander – *Passifloraceae*
Parte usada: Folha.
Sinonímia vulgar: Granadille.

A droga é inodora e de sabor fracamente amargo.

Descrição macroscópica

A folha de MARACUJÁ é oval ou oblonga de 10 a 16 cm de comprimento por 8 a 11 cm de largura, membranácea, glabérrima, de cor verde-escura na página superior, mais pálida na inferior. A nervação é peninérvea, com as nervuras salientes em ambas as faces, principalmente na inferior; suas margens são inteiras e hialino-cartilagíneas. O ápice é agudo acuminado, ou mesmo oblongo, e a base arredondada ou ligeiramente reentrante. O pecíolo mede geralmente cerca de 3 cm de comprimento e é profundamente canaliculado na parte superior. Apresenta duas a quatro glândulas sésseis nas margens, dispostas aos pares. É convexo na parte inferior, que assume forma carenada.

Fig. 4.59 – MARACUJÁ *(Passiflora alata* Aiton). Folha inteira.

Descrição microscópica

As epidermes são glabras e, quando vistas de face, são formadas de células poligonais, de paredes levemente ondeadas na face superior e mais sinuosas na inferior. Os estômatos são do tipo anomocítico e ocorrem somente na epiderme inferior; são circundados por três a cinco células semelhantes às demais células epidérmicas.

A cutícula é espessa e lisa. O mesofilo é heterogêneo, assimétrico, formado na parte superior de duas a três fileiras de células dispostas em paliçada e, na inferior, por parênquima lacunoso, constituído de células ramosas, ricas em cristais estrelares de oxalato de cálcio. A nervura mediana é fortemente convexa na parte superior e mais ainda na inferior, que apresenta uma saliência careniforme; sob ambas as epidermes, ela apresenta um maciço colenquimatoso desenvolvido; o tecido fundamental contém numerosas células com cristais estrelares de oxalato de cálcio. O sistema liberolenhoso é representado por vários feixes fibrovasculares, dispostos em seu conjunto em semicírculo, quase unidos entre si; um pouco acima do centro desse semicírculo encontra-se um feixe maior.

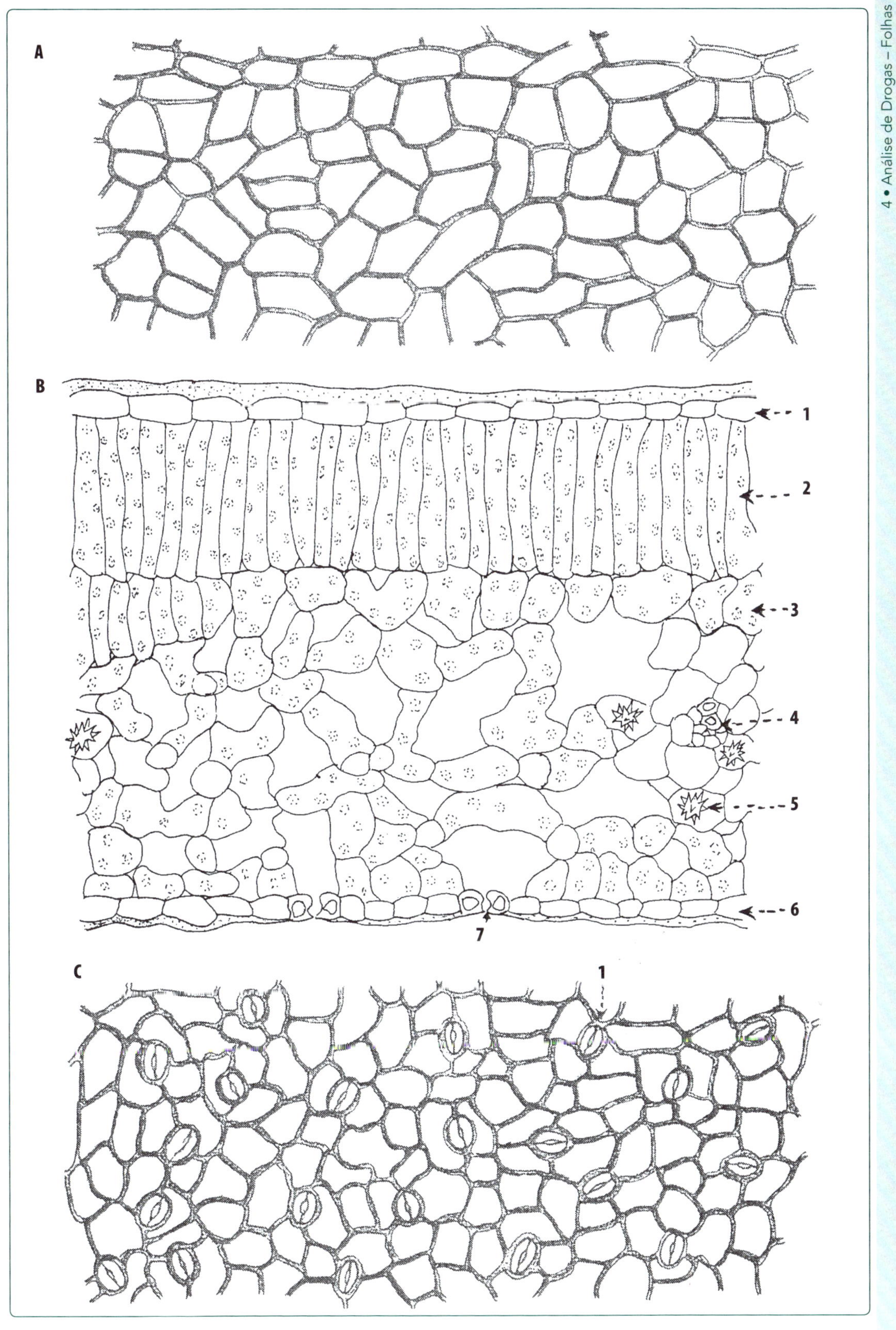

Fig. 4.60 – MARACUJÁ *(Passiflora alata* Aiton). **A.** Epiderme superior vista de face. **B.** Corte transversal: **1** – epiderme superior; **2** – parênquima paliçádico; **3** – parênquima lacunoso; **4** – feixe vascular; **5** – cristal de drusa; **6** – epiderme inferior; **7** – estômato. **C.** Epiderme inferior vista de face: **1** – estômato.

Maracujá azedo

Passiflora edulis Sims – *Passifloraceae*
Parte usada: Folha.
Sinonímia vulgar: Passiflora; Flor-da-paixão.

A droga tem odor característico e sabor um tanto adocicado.

Descrição macroscópica

As folhas são simples, glabras, caracteristicamente trilobadas, porém ocorre o fenômeno de heterofilia. Ao lado das folhas características, pode-se observar a presença de folhas inteiras e bilobadas. Apresentam contorno arredondado, com o ápice variando do agudo ao acuminado, a base cordada e a margem serrilhada. A consistência varia de subcariácea a membranácea e o tamanho apresenta-se entre 5 e 15 cm de comprimento, subelítico ou ovado-elíptico. A região do *sinus* do limbo apresenta-se arredondada. As folhas são trinervadas e as nervuras secundárias emergem da nervura principal num ângulo de aproximadamente 45°.

Os pecíolos medem até 8 cm de comprimento e são providos caracteristicamente de duas glândulas sésseis localizadas junto à lâmina foliar.

O caule, que acompanha frequentemente a droga em tamanhos pequenos, é cilíndrico, um tanto estriado longitudinalmente, podendo apresentar-se fistuloso. A presença de gavinhas pode ocorrer em algumas axilas foliares.

Descrição microscópica

Secções transversais da folha mostram estrutura heterogêneo e assimétrica. A epiderme superior é formada por células de contorno aproximadamente retangular, alongadas no sentido periclinal, sendo o tamanho das células variável.

O parênquima paliçádico é representado por uma única fileira de células. Esse parênquima corresponde a aproximadamente um terço da espessura do limbo.

O parênquima lacunoso é constituído por seis a dez fileiras de células.

Feixes vasculares colaterais podem ser observados nessa região, os quais se apresentam envolvidos por bainha parenquimática. A epiderme inferior está representada por células irregulares na forma e no tamanho. A folha é hipoestomática. Drusas de oxalato de cálcio são frequentes em todo o mesofilo.

A epiderme superior, vista de face, está representada por células de contorno aproximadamente poligonal. A epiderme inferior, por sua vez, exibe células de contorno sinuoso e engloba estômatos do tipo anisocítico com mais frequência.

A nervura mediana está envolta por células com as características das células epidérmicas já descritas. Sob essa epiderme ocorre a presença de pelos tectores simples cônicos e curtos. O colênquima, localizado logo abaixo da epiderme em ambas as faces, é do tipo angular.

O parênquima fundamental é bem desenvolvido e engloba quatro a cinco feixes vasculares dispostos em círculo. Drusas de oxalato de cálcio são frequentes em toda região parenquimática.

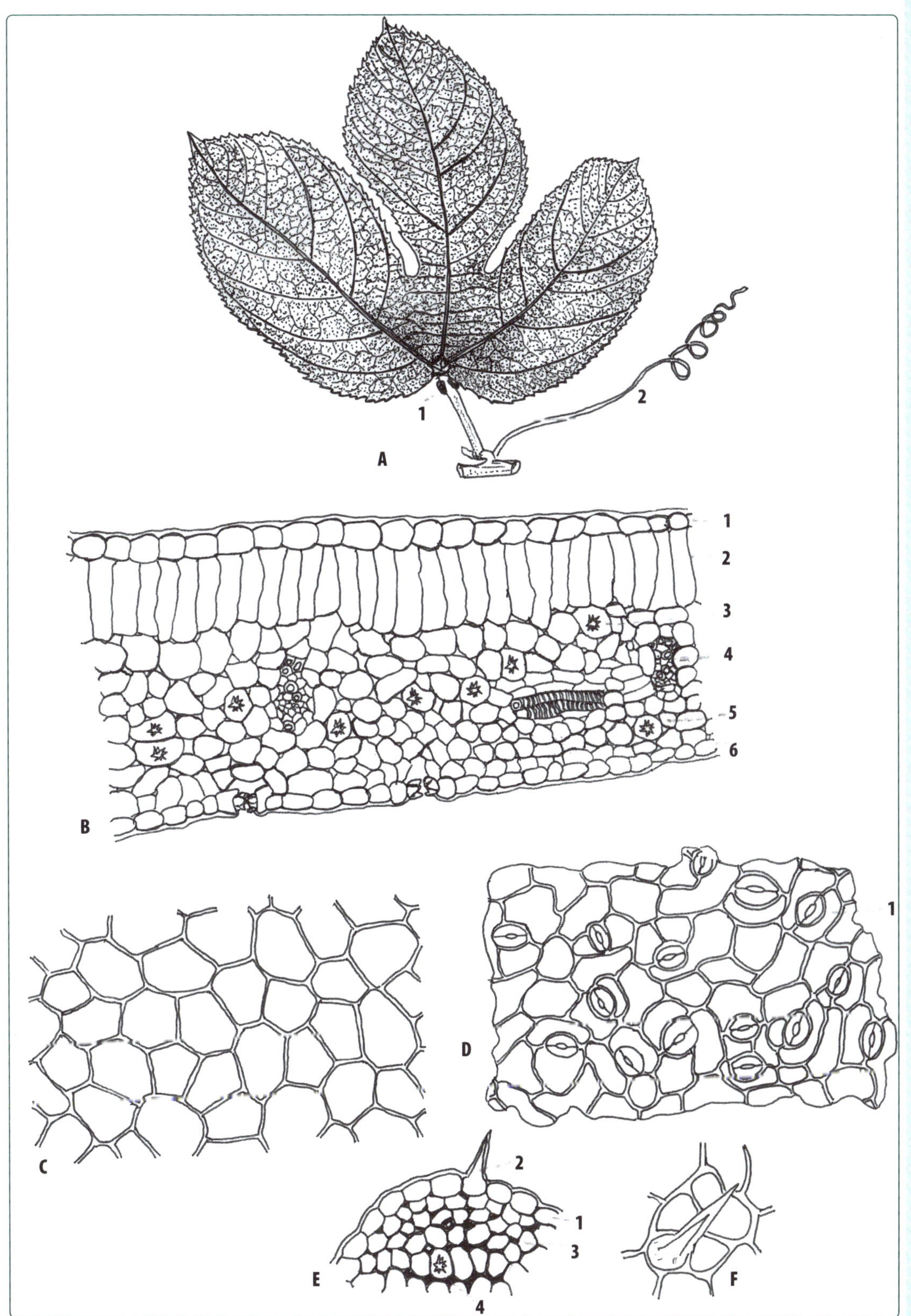

Fig. 4.61 – MARACUJÁ AZEDO (*Passiflora edulis* Sims). **A.** Folhas: **1** – glândula; **2** – gavinha. **B.** Secção transversal da folha: **1** – epiderme superior (adaxial); **2** – parênquima paliçádico; **3 –** drusa; **4** – feixe vascular; **5** – parênquima lacunoso; **6** – epiderme inferior (abaxial). **C.** Epiderme superior (adaxial) em visão paradérmica. **D.** Epiderme inferior (abaxial) em visão paradérmica: **1** – estômato. **E.** Fragmento da região da nervura mediana em visão transversal: **1** – epiderme; **2** – pelo tector cônico; **3** – colênquima; **4** – drusa. **F.** Epiderme em visão paradérmica mostrando pelo tector cônico.

Meimendro

Hyosciamus niger Linné – *Solanaceae*
Parte usada: Folha.
Sinonímia vulgar: Meimendro negro; Erva-dos-cavalos.

A droga tem odor fraco e característico e sabor um tanto amargo e acre.

Descrição macroscópica

A folha de MEIMENDRO atinge cerca de 25 cm de comprimento por 10 a 15 cm de largura; as inferiores são curtamente pecioladas, as médias sésseis e as superiores, semiamplexicaules. Seu limbo é oval ou oval-oblongo, sinuoso-denteado, com um a quatro dentes ou lobos triangulares, mais raramente inteiro ou simplesmente sinuoso. Apresenta cor verde-acinzentada e é muito peluginoso, principalmente na face inferior. O ápice foliar é agudo. Sua nervura mediana é muito dilatada na base; as nervuras secundárias, pouco numerosas e desigualmente espaçadas, são, como a mediana, esbranquiçadas, proeminentes sobre a face inferior, irregularmente ramificadas, às vezes desde a sua base inferior.

Fig. 4.62 – MEIMENDRO *(Hyosciamus niger* L.). Folhas inteiras.

Descrição microscópica

As epidermes, recobertas por cutícula lisa, são guarnecidas sobre ambas as faces de estômatos, de pelos tectores e de pelos glandulares. Os estômatos são elípticos do tipo anisocítico e envolvidos por três células anexas, das quais uma é sempre menor que a outra. Os pelos tectores são unisseriados, lisos, grossos, longos, cônicos e pluricelulares.

Os pelos glandulares são, às vezes, muito longos e terminados em uma pequena glândula bicelular, que exsuda substância viscosa, ou em uma grande glândula pluricelular elíptica, claviforme; outras vezes são muito curtos, compostos de um pedículo que sustenta uma grande glândula, igualmente claviforme. O mesofilo é bifacial; o parênquima lacunoso sob as paliçadas, bem como o tecido fundamental das nervuras, contém células com cristais prismáticos de oxalato de cálcio, geralmente geminados ou raramente estrelares. A nervura mediana é biconvexa; os feixes fibrovasculares são bicolaterais e envolvidos por bainha fibrosa.

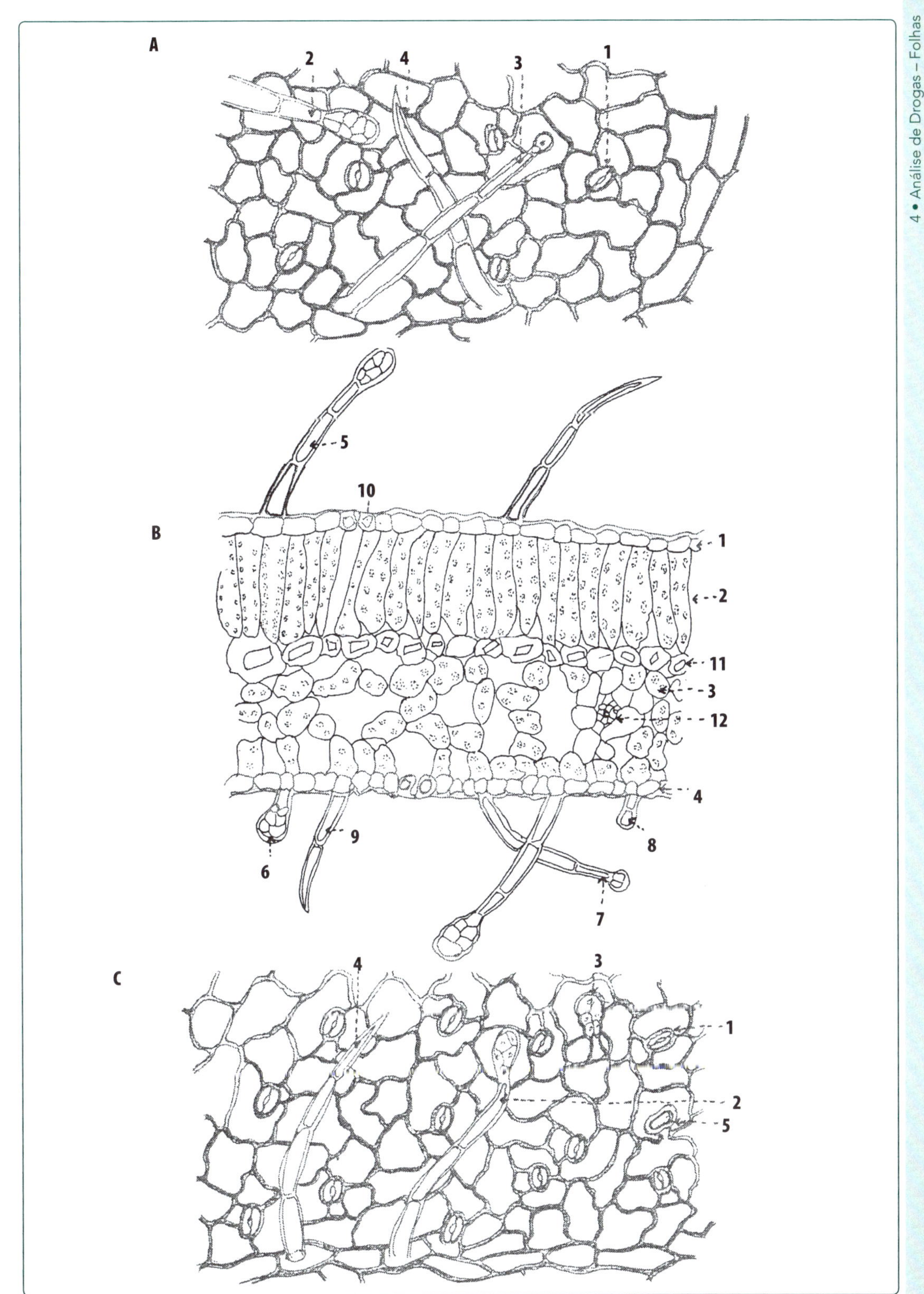

Fig. 4.63 – MEIMENDRO *(Hyoscyamus niger* L.). **A.** Epiderme superior vista de face: **1** – estômato; **2** – pelo glandular; **3** – pelo glandular; **4** – pelo tector. **B.** Corte transversal: **1** – epiderme superior; **2** – parênquima paliçádico; **3** – parênquima lacunoso; **4** – epiderme inferior; **5**, **6**, **7** e **8** – pelo glandular; **9** – pelo tector; **10** – estômato; **11** – cristais prismáticos; **12** – feixe vascular. **C.** Epiderme inferior vista de face: **1** – estômato; **2** e **3** – pelo glandular; **4** – pelo tector; **5** – pelo glandular visto do topo.

Pata-de-Vaca

Bauhinia forticata Link – *Fabaceae*
Sinonímia vulgar: Unha-de-vaca.

A droga apresenta odor característico e sabor ligeiramente amargo.

Descrição macroscópica

As folhas apresentam-se caracteristicamente bilobadas. Os lobos atingem o terço superior da folha e, com mais frequência, a metade do limbo foliar. No vértice localizado entre os dois lobos pode ser observada a presença de pequeno mucrom. A base foliar varia de arredondada a subcordiforme, podendo ser observada nessa região, no ponto de inserção do pecíolo, a presença de pulvinos.

O ápice dos lobos apresenta-se agudo e acuminado, e a margem foliar é lisa. A lâmina foliar apresenta consistência membranácea e a superfície é lisa ou finamente pulvescente na face dorsal. Apresenta de nove a onze nervuras que têm disposição palmada e origem comum na base da folha em formação especial. As nervuras apresentam curvação e tendem a se unirem no ápice do lobo.

Os pecíolos medem de 2,5 a 3,5 cm quando plenamente desenvolvidos e apresentam caracteristicamente estípulas transformadas em espinhos.

Descrição microscópica

A folha é hipoestomática e o mesofilo é homogêneo. As células da epiderme superior ou adaxial apresentam contorno retangular alongado no sentido periclinal e de tamanho relativamente grande. As células epidérmicas relacionadas com região do feixe vascular são menores. As células da epiderme inferior ou abaxial são irregulares na forma e no tamanho, e de tamanho menor que as das células da epiderme superior ou adaxial. Sobre a epiderme inferior pode-se observar a presença de estômatos e de pelos glandulares típicos de forma globosa contendo glândula interna. O mesofilo é constituído por três ou cinco fileiras de células dispostas em paliçada, sendo as células paliçadas relacionadas com a epiderme adaxial mais compridas, de comprimento igual a cinco vezes a sua largura. As células em paliçada, localizadas junto à epiderme abaxial, têm comprimento igual a duas ou três vezes a largura.

Feixes vasculares colaterais, providos de bainha parenquimática que vai da epiderme adaxial à epiderme abaxial, são observados na região do mesofilo envoltos pelas células em paliçada. Cristais prismáticos de oxalato de cálcio são observados nessa bainha parenquimática. Idioblastos contendo drusas de oxalato de cálcio são observados distribuídos por todo o mesofilo.

Pelos tectores simples curvos, lembrando forma de retorta, podem ser observados sobre as epidermes, especialmente sobre a epiderme abaxial e na região das nervuras primárias.

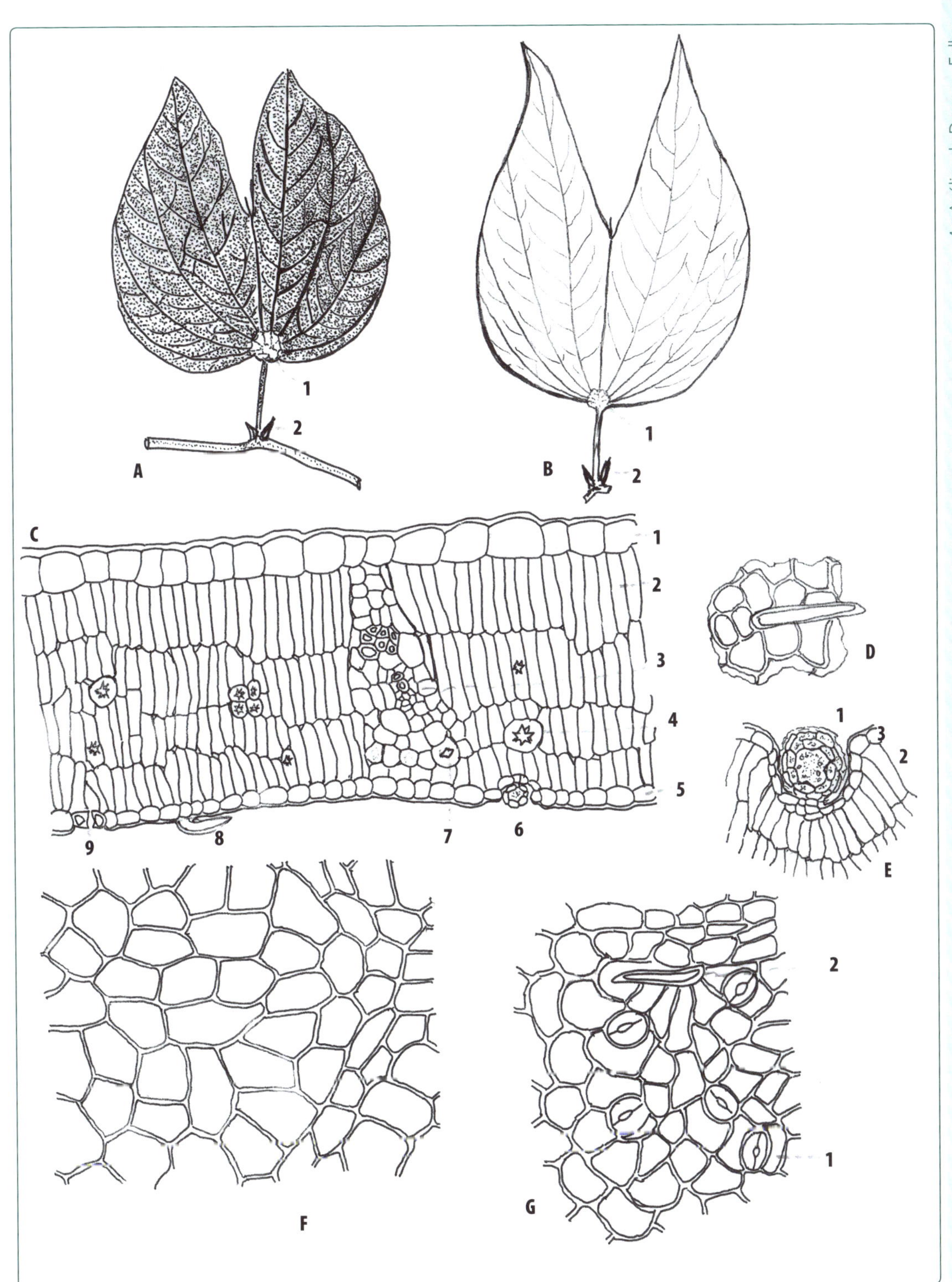

Fig. 4.64 – PATA-DE-VACA (*Bauhinia forticata* Link). **A** e **B.** Folhas: **1** – pulvinos; **2** – estípula espinescente. **C.** Secção transversal da folha: **1** – epiderme superior (adaxial); **2** – parênquima paliçádico; **3** – feixe fibrovascular; **4** – drusa; **5** – epiderme inferior (abaxial); **6** – pelo glandular típico; **7** – cristal prismático; **8** – pelo tector simples cônico; **9** – estômato. **D.** Visão paradérmica de fragmento epidérmico mostrando pelo simples cônico. **E.** Secção transversal do limbo foliar mostrando: **1** – pelo glandular globoso; **2** – parênquima paliçádico; **3** – epiderme abaxial (inferior). **F.** Epiderme superior (adaxial) vista de face. **G.** Epiderme inferior (abaxial) vista de face: **1** – estômato; **2** – pelo tector.

Sene

Cassia acutifolia Delile e *Cassia angustifolia* Vahl. – *Leguminosae-Caesalpinoideae*
Parte usada: Folíolos.
Sinonímia vulgar: Sene-da-Índia; Sene-de-Tinevelly (*C. angustifolia*);
Sene-de-Alexandria (*C. acutifolia)*.

A droga tem odor fraco, mas característico, e sabor um tanto mucilaginoso e amargo.

Descrição macroscópica

Os folíolos de SENE-DA-ÍNDIA ou de TINEVELLY, fornecidos pela *Cassia angustifolia* Vahl., apresentam-se, em geral, inteiros, medindo de 2 a 6 cm de comprimento por 6 a 14 mm de largura, de contorno lanceolado ou oval-lanceolado, de cor verde-amarelada; é quase liso na parte superior e mais claro na inferior. Apresentam ápice agudo, base assimétrica e margem lisa. Os folíolos do comércio vêm, raramente, acompanhados de alguns folículos elípticos, mais ou menos reniformes, medindo de 4 a 5 cm de comprimento.

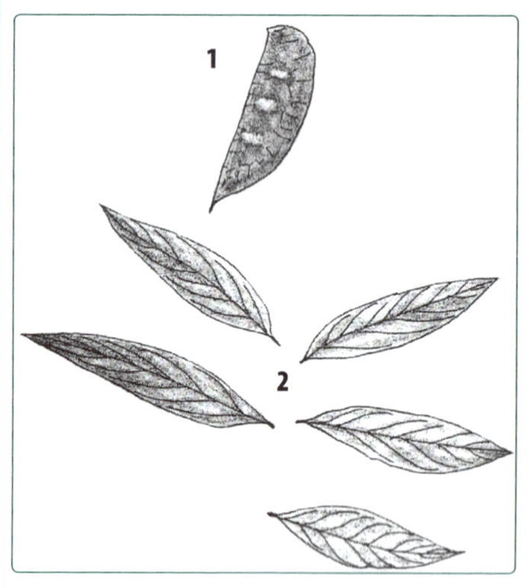

Fig. 4.65 – SENE (*Cassia angustifolia* Vahl) – Sene-da-Índia: **1** – fruto (folículo); **2** – folíolo.

O folíolo de SENE-DE-ALEXANDRIA fornecido pela *C. acutifolia* Delile apresenta-se, no comércio em geral, inteiro, raramente partido; é lanceolado ou oval-lanceolado, membranáceo, de ápice agudo e base assimétrica; mede de 2 a 4 cm de comprimento por 6 a 8 mm de largura, inteiro, quebradiço, de cor verde-clara ou verde-acinzentada e pouco pubescente. A margem dos folíolos é lisa, e a nervação, penada.

Entre os folíolos se encontram alguns folículos largamente elípticos, um tanto reniformes, de cor verde-escura, delgados e membranosos.

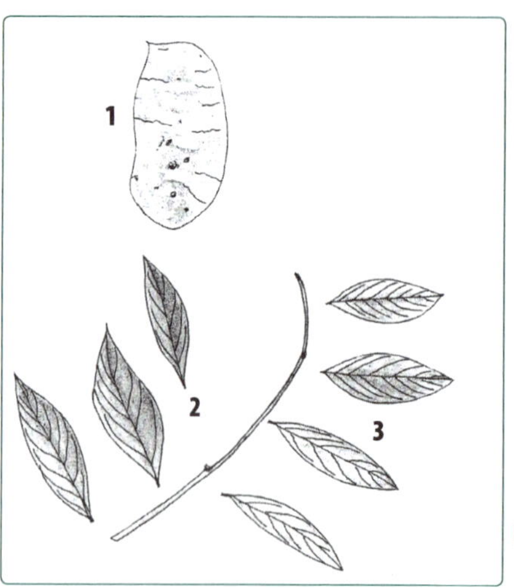

Fig. 4.66 – SENE *(Cassia acutifolia* Delile) – Sene-da-Alexandria: **1** – fruto; **2** – folíolo; **3** – ráquis.

Descrição microscópica

As células epidérmicas são recobertas por uma cutícula lisa ou pouco granulosa, e algumas células contêm mucilagem aglomerada em placas estratificadas contra sua parede interna. A epiderme, vista de face, mostra células poligonais e estômatos paracíticos com duas células anexas, desiguais, alongadas paralelamente ao ostíolo. Cicatrizes circulares, correspondentes aos pontos de inserção dos pelos já caídos, podem ser observadas.

Existem pelos tectores unicelulares, cônicos, curvos, de paredes espessas e cutícula verrucosa, implantados num agrupamento de células epidérmicas dispostas em roseta. O mesofilo é heterogêneo-simétrico, formado sob cada epiderme de uma fileira de células paliçádicas, longas, cujo comprimento é maior naquelas que se situam junto à página superior; o tecido fundamental e o parênquima lacunoso encerram drusas de oxalato de cálcio. O revestimento fibroso, existente no feixe vascular da nervura central, é envolvido por uma bainha cristalífera, com cristais prismáticos de oxalato de cálcio, ocorrendo o mesmo com as nervuras secundárias (Fig. 4.66).

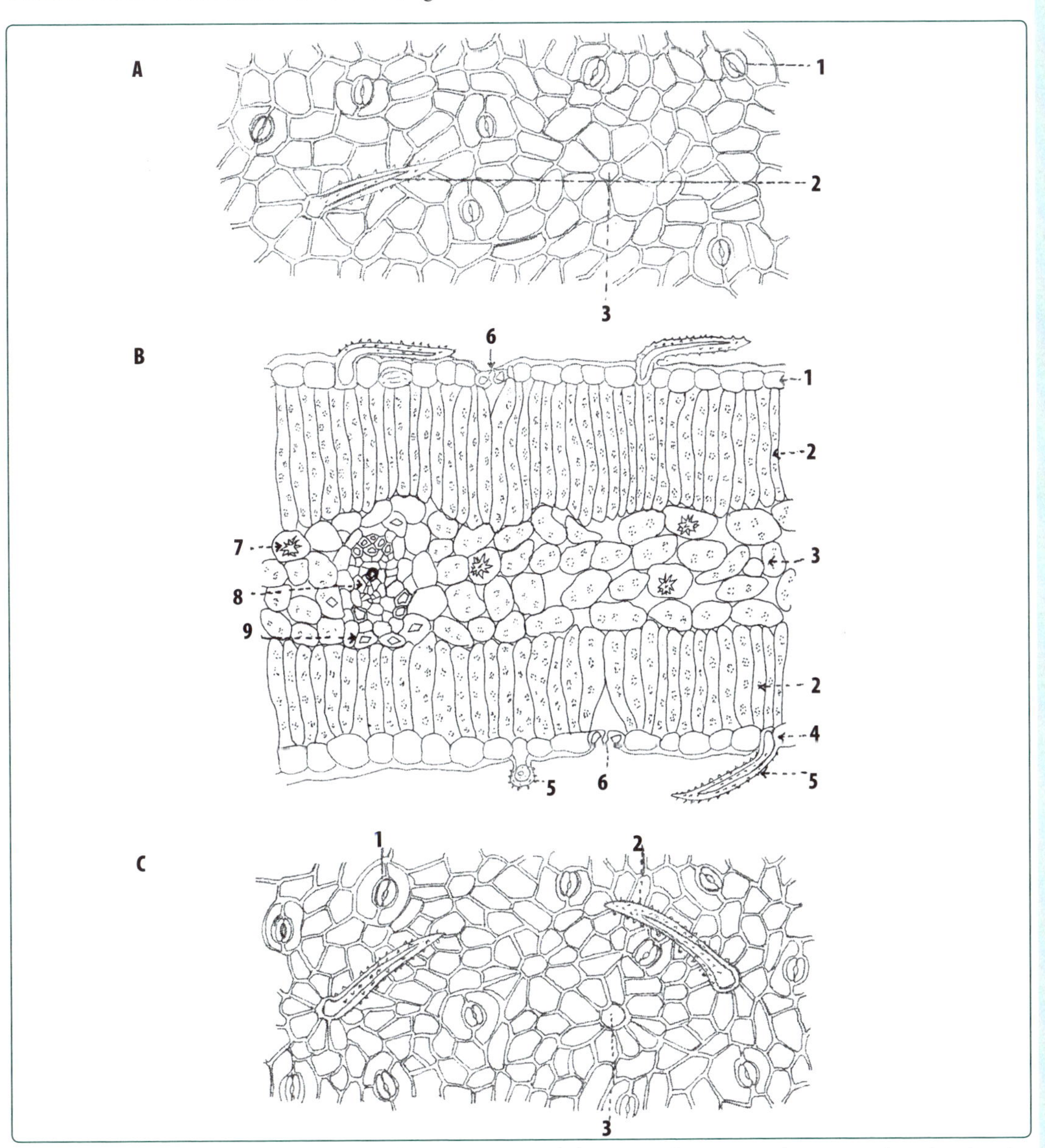

Fig. 4.67 – SENE *(Cassia angustifolia* Vahl). **A.** Epiderme superior vista de face: **1** – estômato; **2** – pelo tector; **3** – base do pelo tector. **B.** Corte transversal: **1** – epiderme superior; **2** – parênquima paliçádico; **3** – parênquima lacunoso; **4** – epiderme inferior; **5** – pelo tector; **6** – estômato; **7** – cristal de drusa; **8** – feixe vascular; **9** – cristais prismáticos. **C.** Epiderme inferior vista de face: **1** – estômato; **2** – pelo tector; **3** – base do pelo tector.

Trombeteira

Brugmansia suaveolens (Willd.) Bercht et J. Presl. - *Solanaceae*

Parte usada: Folha.

Sinonímia vulgar: Trombeteira cheirosa; Cartucheira; Saia-de-Velha; Trombeta; Saia-branca.

Sinonímia científica: *Datura gardneri* Hook., *Brugmansia suaveolens* Bercht et Presl.; *Brugmasia suaveolens* G. Don.; *Datura arborea* ex Sendtnon L.; *Datura suaveolens* Humb. et Bompl. ex Willd.

A droga é inodora ou apresenta odor característico bem fraco, e seu sabor é amargo.

Descrição macroscópica

A folha é oval-lanceolada, oblonga, com 20 a 40 cm de comprimento e cerca de 10 cm de largura; longamente peciolada, medindo o pecíolo de 6 a 10 cm de comprimento; nervura muito proeminente na face inferior. A folha é quase glabra na face superior, de cor verde mais escura que a inferior, levemente pubescente, sobretudo nas nervuras.

A margem apresenta-se inteira, um tanto sinuosa, o ápice varia do agudo ao ligeiramente acuminado e a base apresenta-se assimétrica. A folha apresenta nervação peninérvea, e as nervuras secundárias curvam-se para o ápice, anastomosando-se com as seguintes. A consistência foliar é papirácea.

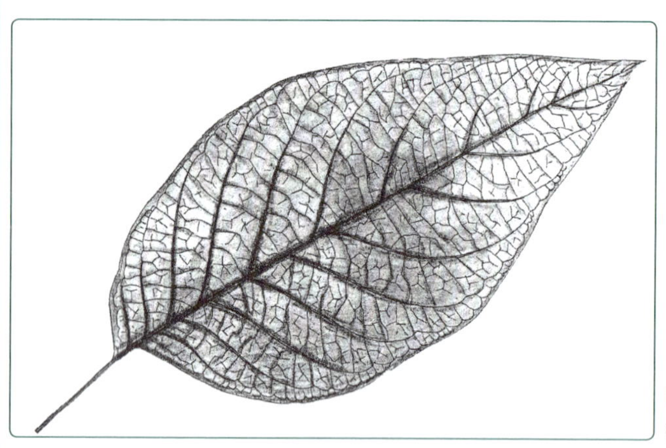

Fig. 4.68 – TROMBETEIRA *(Datura suaveolens* Humb. et Bompl. ex Willd). Folha inteira.

Descrição microscópica

As epidermes, quando observadas de face, apresentam células de contorno sinuoso, sendo esse detalhe mais evidente na epiderme inferior. Ambas as epidermes são portadoras de estômatos do tipo anisocítico; a face inferior apresenta esse anexo em maior número. Pelos tectores cônicos, de cutícula verrucosa, podem ser observados sobre a epiderme especialmente sobre a região das nervuras em que se apresentam, em geral, providos de duas a três células, assumindo aspectos mais ou menos curvos.

Os pelos glandulares são claviformes. O mesofilo é heterogêneo e assimétrico, sendo o parênquima paliçádico constituído por uma única camada celular. O parênquima lacunoso é frouxo, constituído por cinco a nove camadas celulares, sendo aquela localizada logo abaixo do parênquima paliçádico rica em drusas de oxalato de cálcio.

É importante ressaltar que as folhas de TROMBETEIRA devem ser colhidas, preferencialmente, quando a planta está florida.

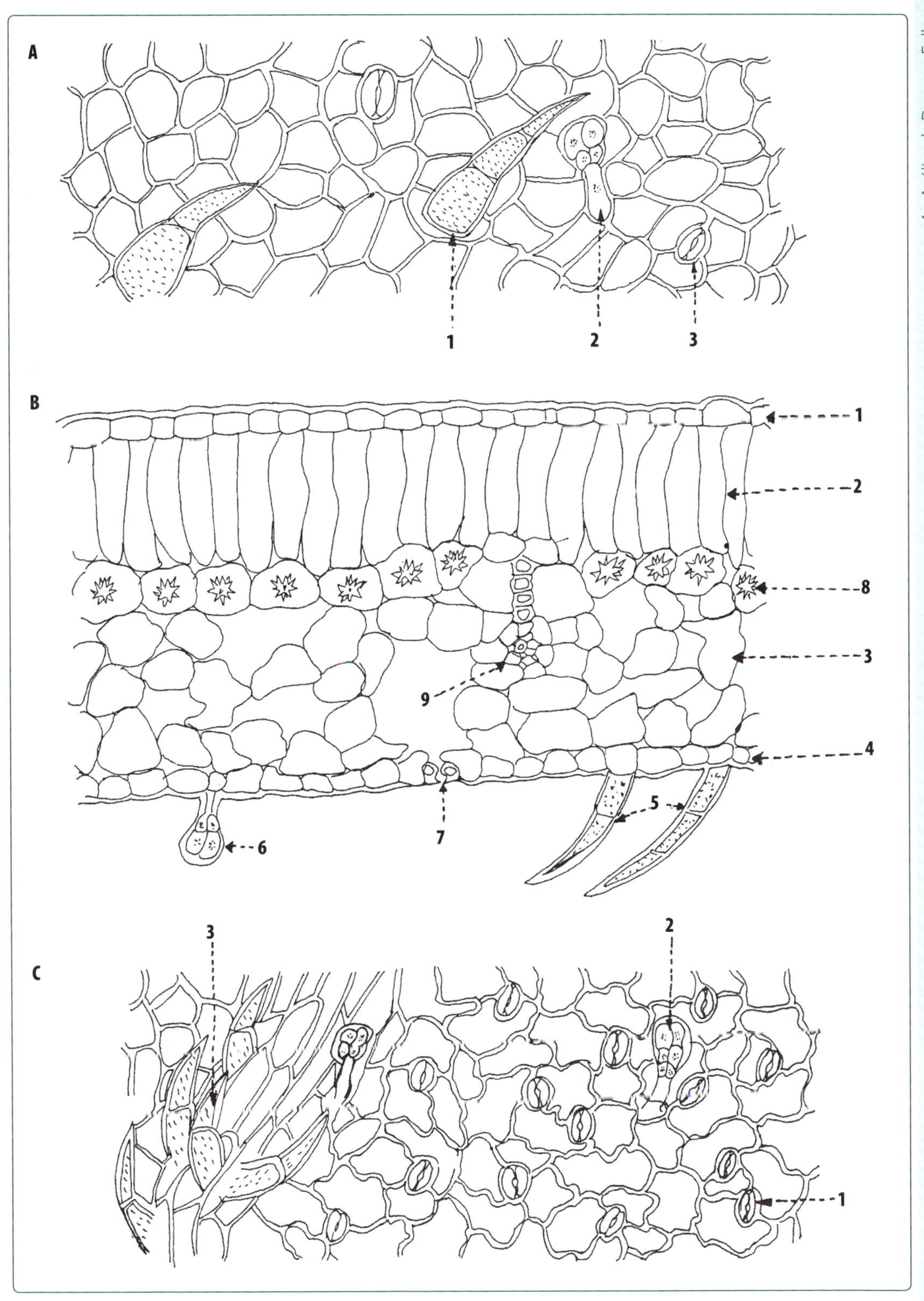

Fig. 4.69 – TROMBETEIRA *(Datura suaveolens* Humb. et Bonpl. ex Willd). **A.** Epiderme superior vista de face: **1** – pelo tector; **2** – pelo glandular; **3** – estômato. **B.** Corte transversal: **1** – epiderme superior; **2** – parênquima paliçádico: **3** – parênquima lacunoso; **4** – epiderme inferior; **5** – pelo tector; **6** – pelo glandular; **7** – estômato; **8** – cristal de drusa; **9** – feixe vascular. **C.** Epiderme inferior vista de face: **1** – estômato; **2** – pelo glandular; **3** – pelo tector.

5

Análise de Drogas – Flores

GENERALIDADES

As flores nada mais são que ramos modificados adaptados à reprodução do vegetal.

Na constituição das flores entram peças de natureza foliar e peças de natureza caulinar.

Grande parte da nomenclatura citada no capítulo referente às folhas será aplicada na caracterização morfológica de drogas constituídas de flores. Esse fato é consequência da natureza das peças que integram os verticilos florais. Cálice, corola, androceu e gineceu, basicamente, são constituídos de folhas modificadas. Certas brácteas que acompanham inflorescências em nada diferem das folhas normais, senão pela localização.

O pedúnculo floral e o receptáculo apresentam estrutura caulinar. Assim, delimitando essas peças encontra-se o tecido epidérmico, abaixo do qual pode aparecer ou não colênquima. Segue-se o tecido fundamental, no qual se encontram um ou mais feixes vasculares.

Ainda neste capítulo serão abordadas as drogas constituídas de partes de flores, bem como daquelas constituídas de inflorescências. Nas drogas constituídas por inflorescência deve-se considerar, também, o eixo de natureza caulinar que integra o conjunto.

A identificação de características morfológicas de flores também é importante nas monografias farmacopeicas dedicadas às "sumidades floridas" e às "plantas floridas", uma vez que o órgão em questão integra esses tipos de drogas. Neste capítulo serão considerados os tipos seguintes de drogas: as constituídas de flores; as constituídas de partes de flores, e aquelas constituídas de inflorescências.

DROGAS CONSTITUÍDAS DE FLORES

Na análise de drogas constituídas de flores devem-se considerar as características das seguintes partes: verticilos florais (cálice, corola, androceu e gineceu), receptáculo floral e pedúnculo floral.

Denomina-se flor séssil a flor que não apresenta pedúnculo floral.

Cálice e corola, em conjunto, recebem a denominação de perianto. Quando a flor apresenta cálice e corola é denominada de diperiantada, e quando apresenta somente um verticilo protetor, o qual por convenção é chamado de cálice, denomina-se de flor monoperiantada. Quando a flor não apresenta nem cálice nem corola é denominada de nua ou aperiantada.

Com referência à presença de androceu e gineceu nas flores, elas podem ser classificadas de hermafroditas, masculinas e femininas.

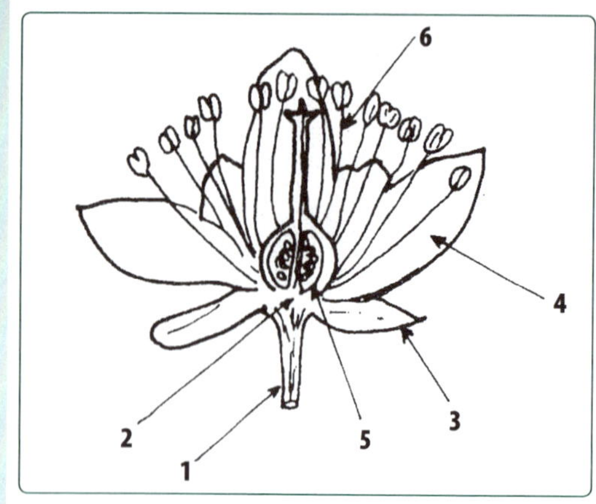

Fig. 5.1 – Secção longitudinal de flor completa: **1** – pedúnculo floral; **2** – receptáculo floral; **3** – sépala (cálice); **4** – pétala (corola); **5** – gineceu; **6** – estame (androceu).

Verticilos florais

Cálice

O cálice, verticilo mais externo das flores periantadas, é constituído de folhas sésseis modificadas, denominadas de sépalas. Na análise de sépalas, todas as considerações feitas para as folhas são válidas (forma, consistência, superfície etc.).

São, ainda, características importantes do cálice a igualdade e soldadura das sépalas. Quando o cálice apresenta sépalas iguais é denominado de regular; quando diferentes, recebe o nome de cálice irregular.

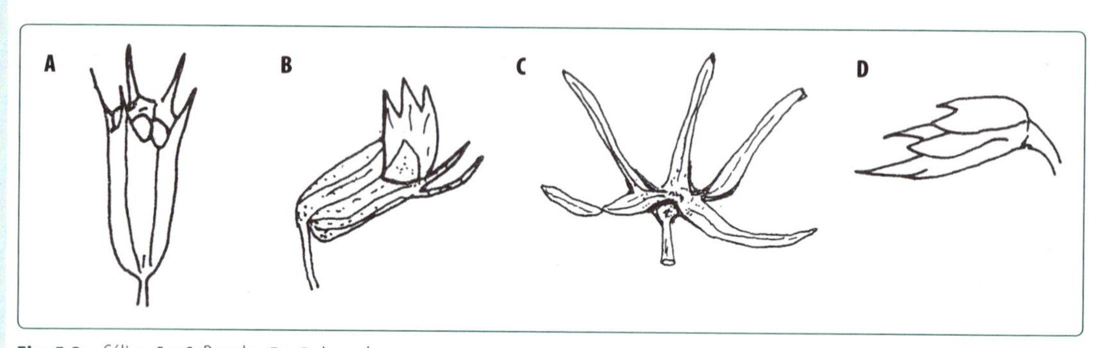

Fig. 5.2 – Cálice. **A** e **C.** Regular. **B** e **D.** Irregular.

O cálice é denominado dialissépalo quando as sépalas se apresentam livres, e gamossépalo quando as sépalas se apresentam soldadas.

Fig. 5.3 – Cálice. **A** e **B.** Gamossépalo. **C** e **D.** Dialissépalo.

No cálice gamossépalo, geralmente, as partes terminais permanecem livres, originando lacínias maiores ou menores. Conforme a extensão maior ou menor da soldadura, os cálices podem receber as denominações seguintes, de acordo com o número de lacínias presentes: sépalas livres na extremidade (bidenteados, tridenteados, tetradenteados, polidenteados), sépalas soldadas até a região mediana (bífido, trífido, tetráfido, pentáfido, polífido), e sépalas soldadas no terço próximo à base (bipartido, tripartido, tetrapartido, pentapartido, polipartido).

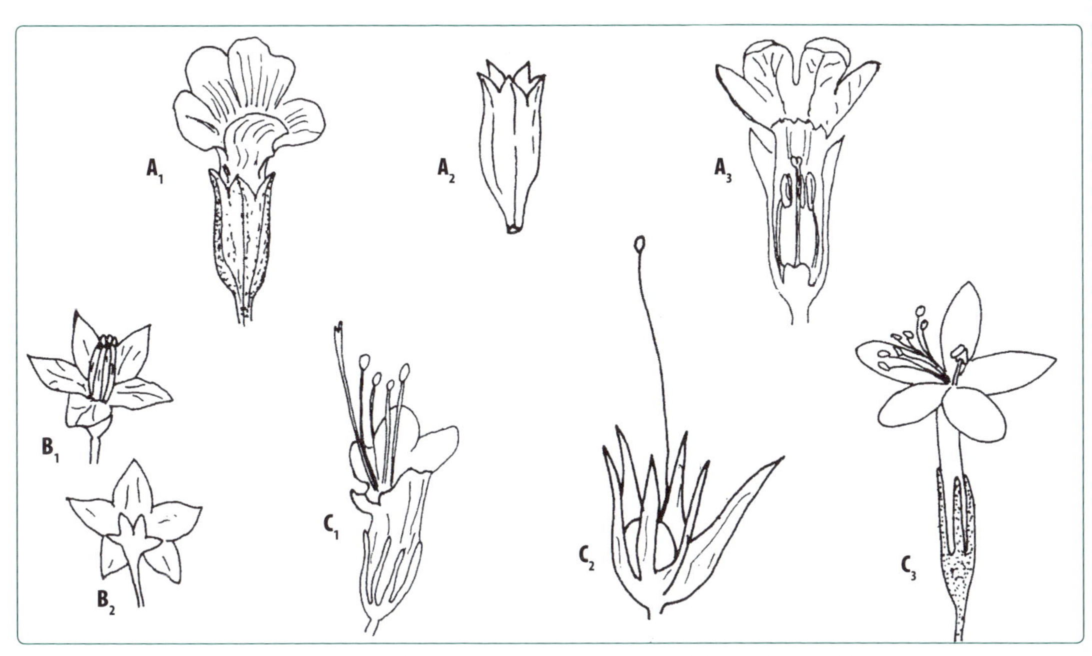

Fig. 5.4 – Cálice (quanto ao tamanho das lacínias). **A.** (**A_1, A_2, A_3**) Denteado. **B.** (**B_1, B_2**) Fido. **C.** (**C_1, C_2, C_3**) Partido.

O cálice também pode ser classificado, quanto à sua duração na planta, em cálice caduco (cai antes ou logo depois da antese), cálice decíduo (cai pouco antes ou pouco depois da corola), e cálice persistente (persiste após a fecundação e acompanha o fruto).

A forma do cálice costuma representar uma boa característica para a identificação de drogas. Cálice e corola apresentam uma série de formas, segundo as quais recebem denominações específicas.

Os principais tipos de cálice, segundo a forma, citados pela *Farmacopeia Brasileira,* são cálice tubuloso (em forma de tubo), cálice campanulado (em forma de campânula), cálice urceolado (em forma de urna), cálice turbinado (em forma de cone invertido) e cálice bilabiado (em forma de dois lábios).

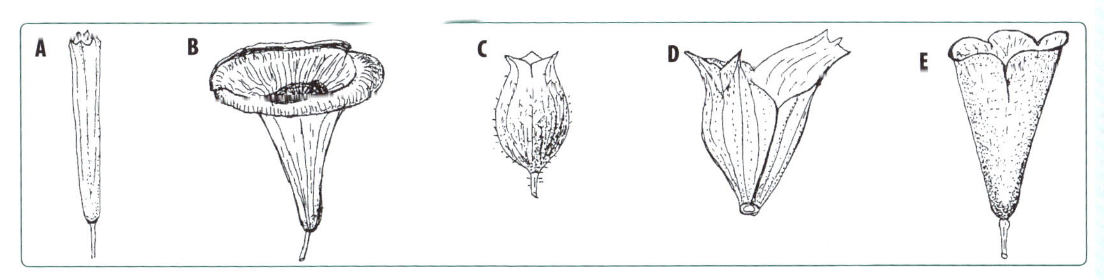

Fig. 5.5 – Formas de cálice. **A.** Tubulado. **B.** Campanulado. **C.** Urceolado. **D.** Bilabiado. **E.** Turbinado.

Do ponto de vista da microscopia, a análise das sépalas é feita como no caso das folhas. Geralmente, essas peças são mais delicadas e, quando verde, frequentemente o mesofilo é homogêneo.

Corola

A corola é constituída de pétalas. As pétalas, como as sépalas, são folhas modificadas.

São, via de regra, muito mais delicadas do que as folhas e as brácteas.

Inúmeras drogas são constituídas exclusivamente por pétalas, por exemplo, pétalas de *Rosa gallica* L. e pétalas de PAPOULA-RUBRA *Papaver rhoeas* L.

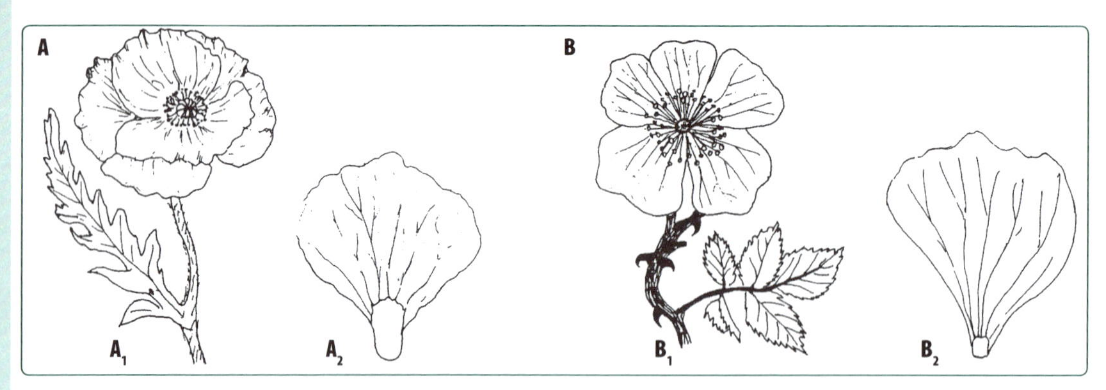

Fig. 5.6 – Drogas constituídas por pétalas. **A.** *Papaver rhoeas* L.: **A_1** – Flor; **A_2** – Pétala isolada. **B.** *Rosa gallica* L.: **B_1** – Flor; **B_2** – Pétala isolada.

De maneira semelhante, como foi visto para o cálice, a corola é denominada regular ou irregular, conforme as pétalas sejam iguais ou não.

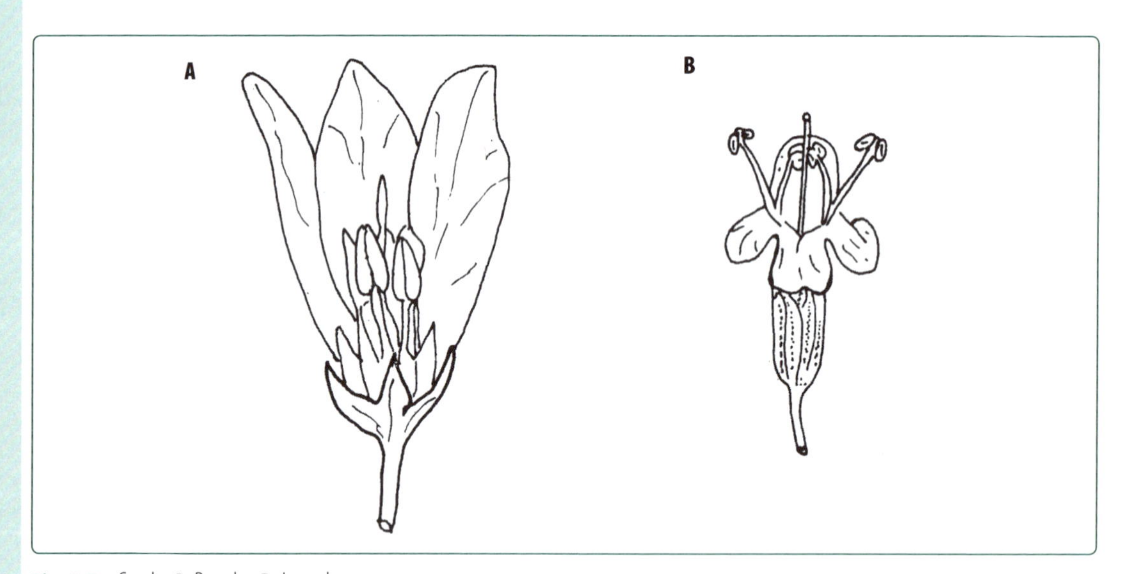

Fig. 5.7 – Corola. **A.** Regular. **B.** Irregular.

A corola é chamada gamopétala (simpétala) quando apresenta as pétalas soldadas, e dialipétalas quando apresenta as pétalas livres.

De acordo com a forma assumida pelo conjunto de pétalas existentes em uma flor, as corolas recebem denominações diversas. Assim, a corola dialipétala pode ser papilionácea, rosácea, crucífera, cariofilácea. A corola gamopétala, por sua vez, pode ser ligulada, urceolada, hipocrateriforme, campanulada, rotada, tubulada, personada (Figs. 5.9 e 5.10).

Numa pétala podem-se considerar o limbo ou lâmina corolínica e a região basal, por meio da qual a corola se prende ao receptáculo. Essa última região pode aparecer transformada em uma pequena "unha" (a unguícula) ou, ainda, pode originar uma expansão chamada de lígula.

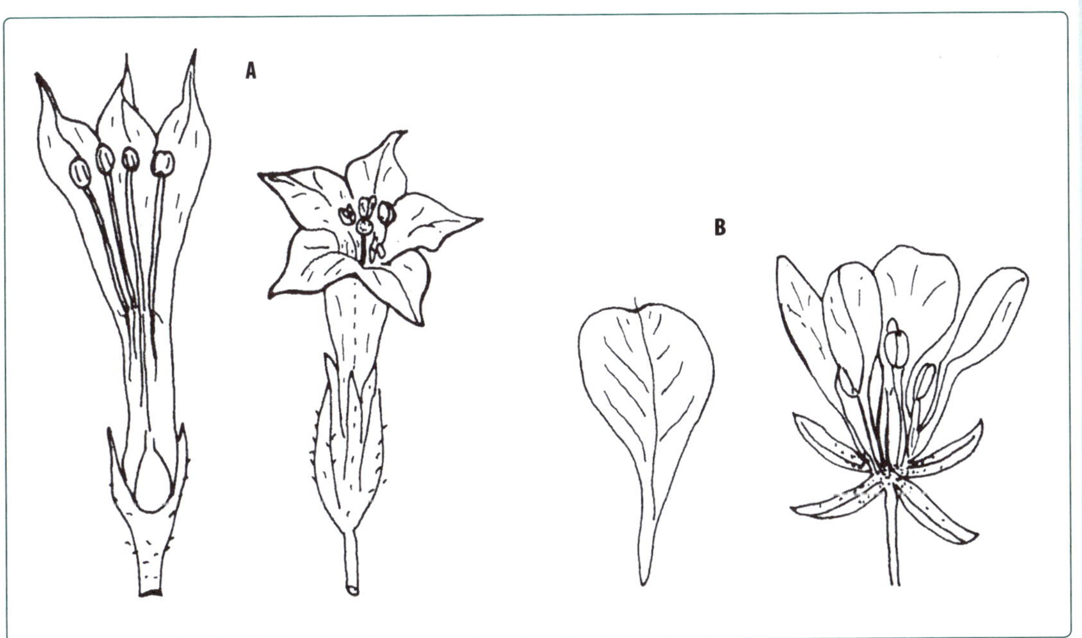

Fig. 5.8 – Corola. **A.** Corola gamopétala do tabaco. **B.** Corola dialipétala de crucífera.

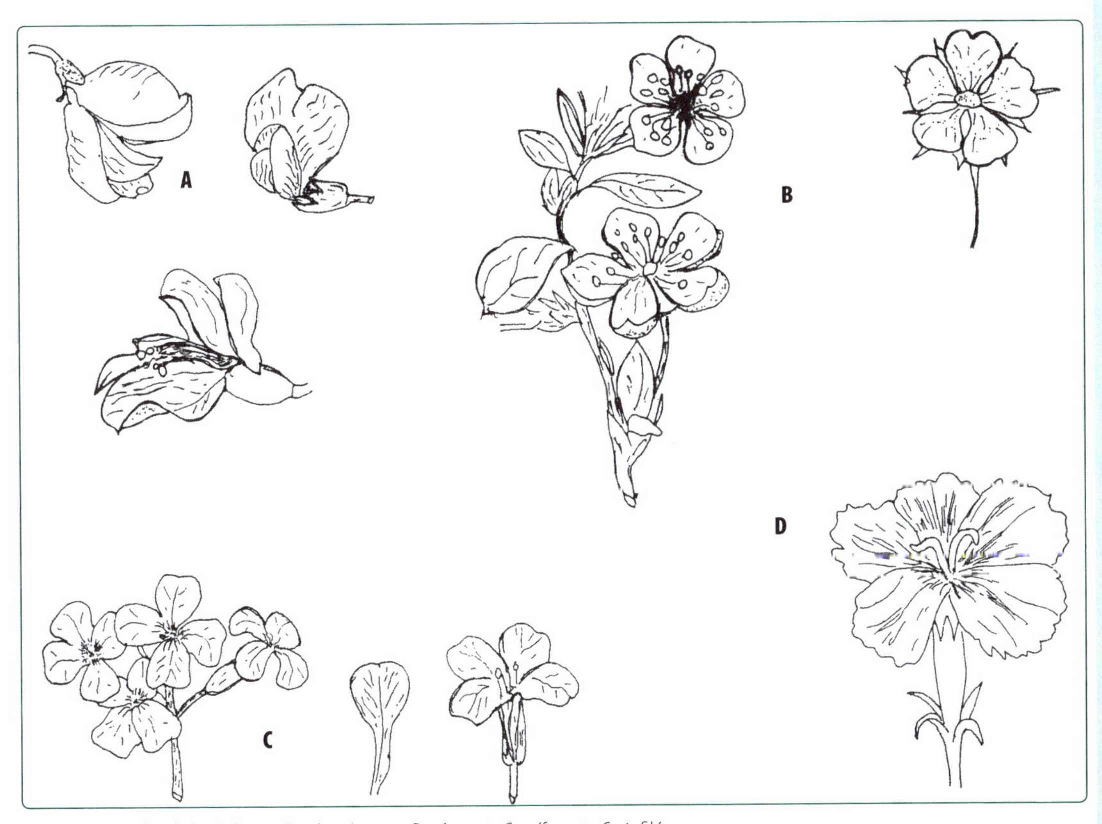

Fig. 5.9 – Corolas dialipétalas. **A.** Papilionácea. **B.** Rosácea. **C.** Crucífera. **D.** Cariofilácea.

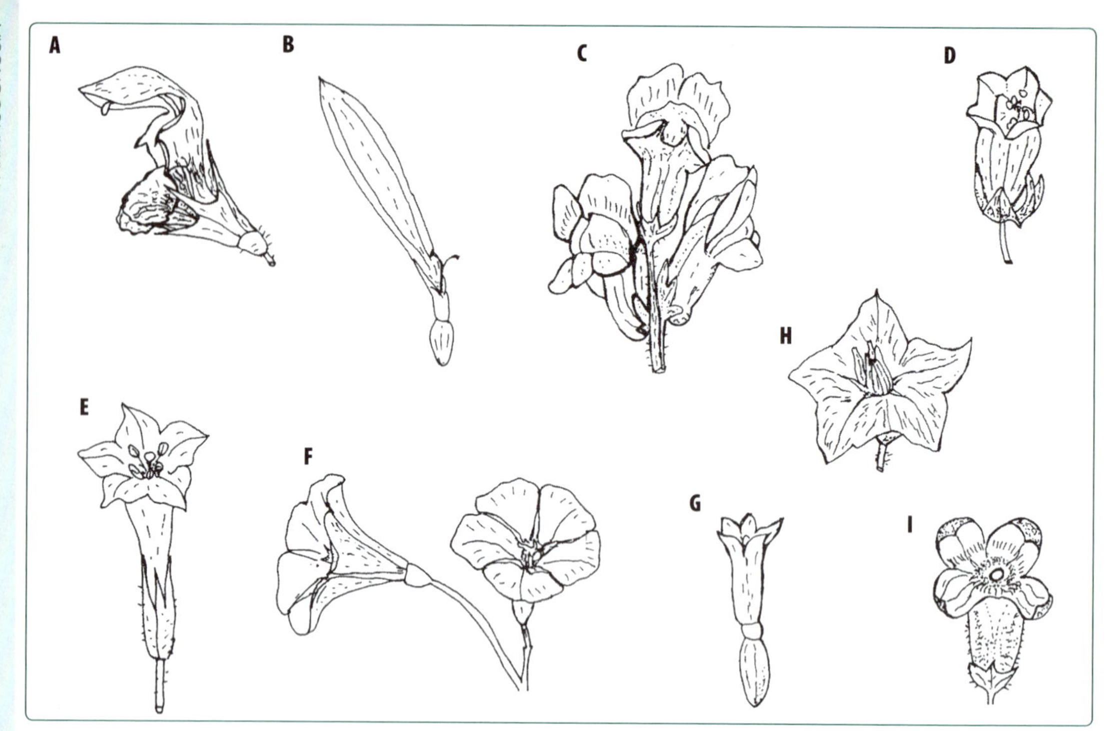

Fig. 5.10 – Corolas gamopétalas. **A.** Bilabiada. **B.** Ligulada. **C.** Personada. **D.** Urceolada. **E.** Infundibuliforme. **F.** Campanulada. **G.** Tubulada. **H.** Rotada. **I.** Hipocrateriforme.

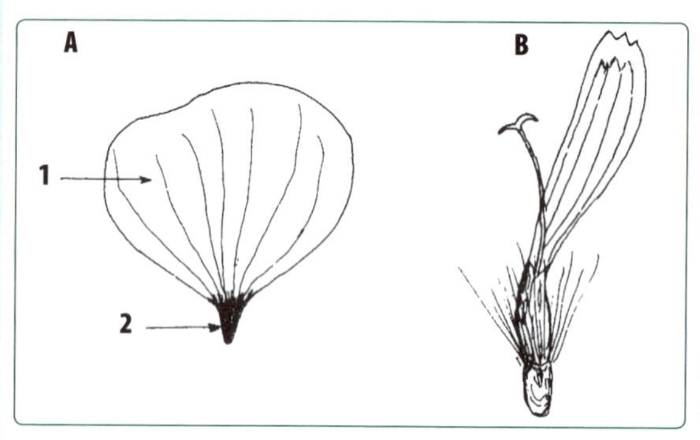

Fig. 5.11 – A. Pétala: **1** – limbo; **2** – unguícula. **B.** Pétalas soldadas formando lígula.

Do ponto de vista da anatomia ou análise microscópica, as pétalas são bem mais delicadas do que as folhas e do que as sépalas. As nervuras existentes também são muito delicadas e, frequentemente, a epiderme apresenta papilas. As secções transversais mostram, entre as duas epidermes, mesofilo pouco desenvolvido envolvendo feixes delicados. Podem ser observadas, algumas vezes, inclusões celulares.

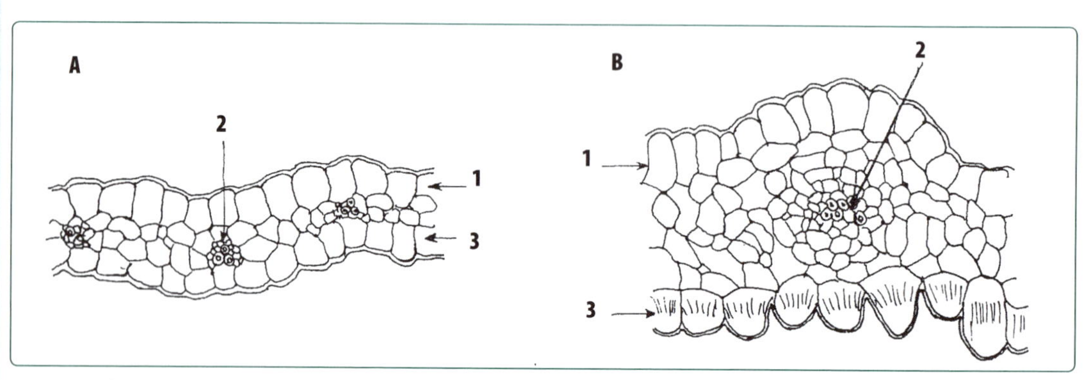

Fig. 5.12 – Secções transversais de pétalas. **A** – **1** – epiderme externa; **2** – feixe vascular; **3** – epiderme interna. **B** – **1** – epiderme externa; **2** – feixe vascular; **3** – epiderme interna (papilas).

Androceu

O androceu é constituído de estames. Basicamente, um estame completo consta de três partes: filete, conectivo e antera. No interior da antera, os grãos de pólen são formados. Quando um estame perde a capacidade de formar grãos de pólen, ele recebe o nome de estaminoide.

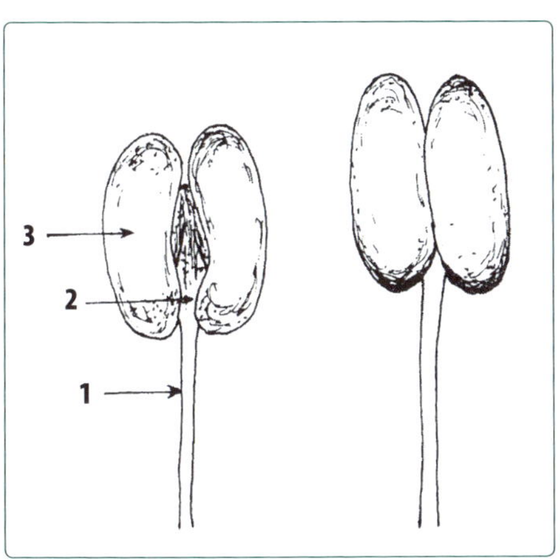

Fig. 5.13 – Estame: **1** – filete; **2** – conectivo; **3** – antera.

O androceu pode apresentar os estames soldados entre si ou livres. Quando os estames encontram-se soldados, via de regra, isso acontece de uma das seguintes maneiras: os estames acham-se soldados pelos filetes (adelfia) ou os estames acham-se soldados pelas anteras (sinanterias). Exemplos de adelfia são encontrados em drogas das famílias *Malvaceae, Bombacaceae* e *Leguminosae.* As flores de *Malva sylvestris* L. da família *Malvácea, Chorisia speciosa* Saint Hillaire da família *Bombacácea,* e *Cytisus scoparens* Link. são exemplos dessa assertiva. Exemplos de sinanteria são frequentes em plantas da família *Compositae.* As flores de *Matricaria chamomilla* L. e *Arnica montana* L. são exemplos de órgãos em que ocorrem sinanteria.

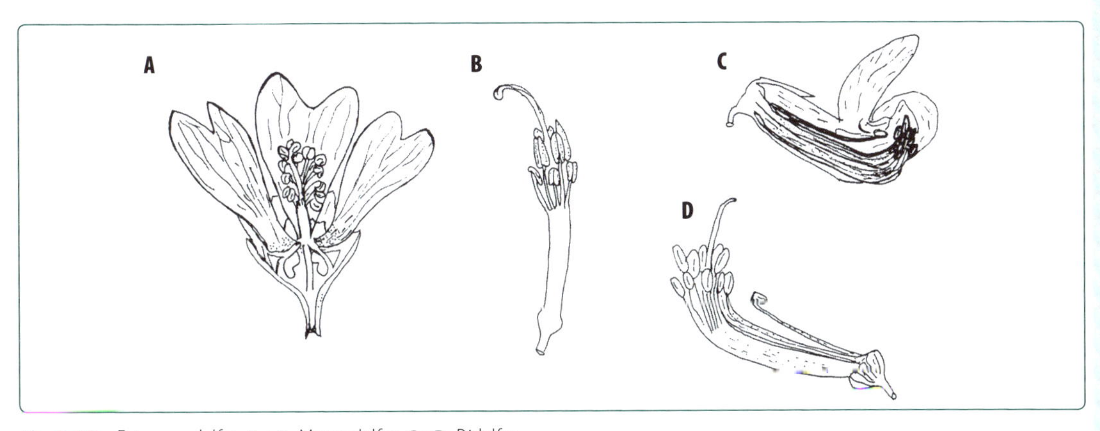

Fig. 5.14 – Estames adelfos. **A** e **B.** Monoadelfos. **C** e **D.** Didelfos.

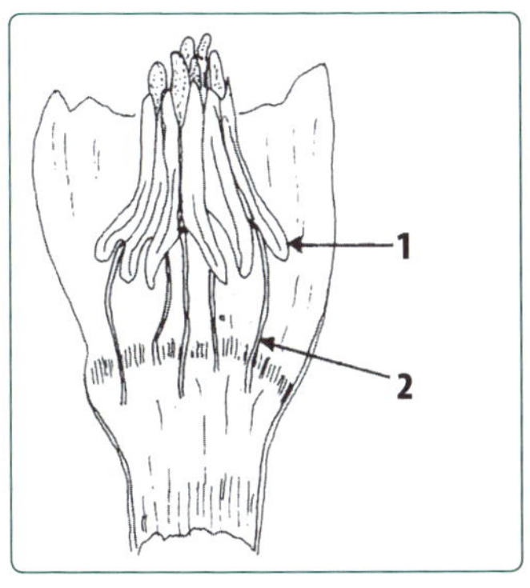

Fig. 5.15 – Estames sinantéreos: **1** – antera; **2** – filete.

O filete, via de regra, é cilíndrico, todavia, casos há em que assume formas diversas, como claviforme, nodoso, subulado etc.

O conectivo pode ser mais ou menos desenvolvido. Algumas vezes, a junção entre o filete e a antera adquire o aspecto de articulação (conectivo articulado).

Ele pode apresentar-se expandido à maneira de travessão, separando nitidamente as duas tecas da antera. Pode, ainda, ser transformado em alavanca, como acontece no gênero *Salvia,* pertencente à família *Labiatae.*

O conectivo pode ser prolongado, transformando-se numa espécie de apêndice (apêndice plumoso) ou, ainda, assumir o aspecto de gancho (conectivo rostrado).

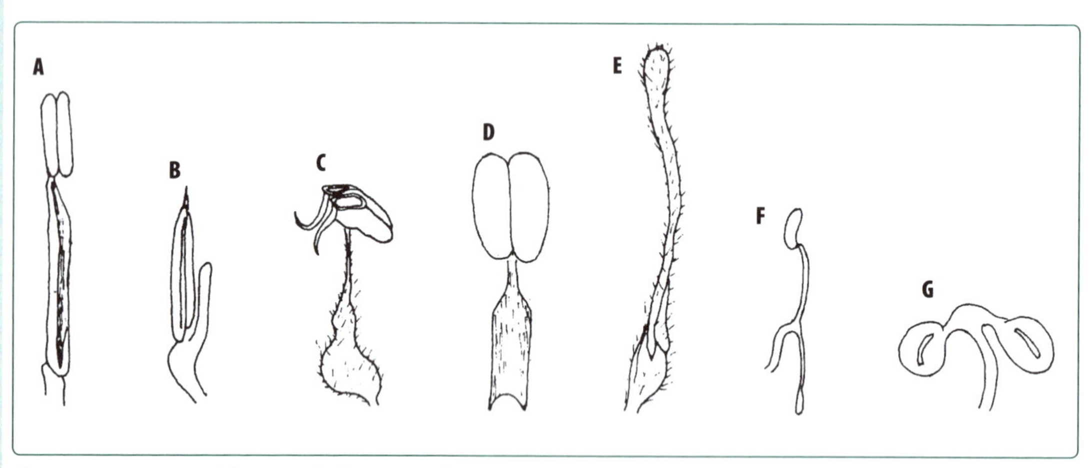

Fig. 5.16 – A, B, C, D e **E.** Vários tipos de filetes. **F** e **G.** Conectivos expandidos.

As anteras apresentam-se como expansões localizadas, via de regra, nas extremidades dos filetes. Elas podem ser classificadas de acordo com a forma que apresentam. Há, assim, anteras sagitadas, elípticas, ovoides, cordiformes, espiraladas, bicornes, sinuosas, caudadas, falcadas, lineares, globosas etc.

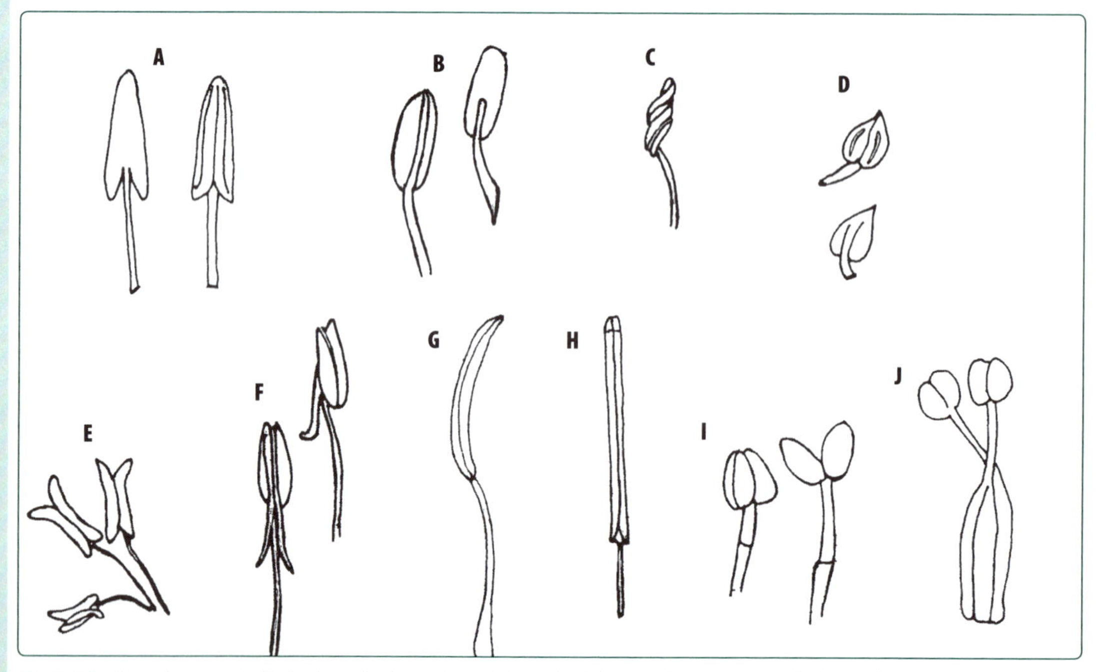

Fig. 5.17 – Tipos de antera. **A.** Sagitada. **B.** Elíptica. **C.** Espiralada. **D.** Cordiforme. **E.** Bicornes. **F.** Caudada. **G.** Falcada. **H.** Linear. **I.** Ovoide. **J.** Globosa.

A maneira pela qual as anteras se abrem para liberar os grãos de pólen (deiscência) constitui outro dado de importância na diagnose de drogas. Assim, há anteras que se abrem por fendas transversais, fendas longitudinais, valvas e poros.

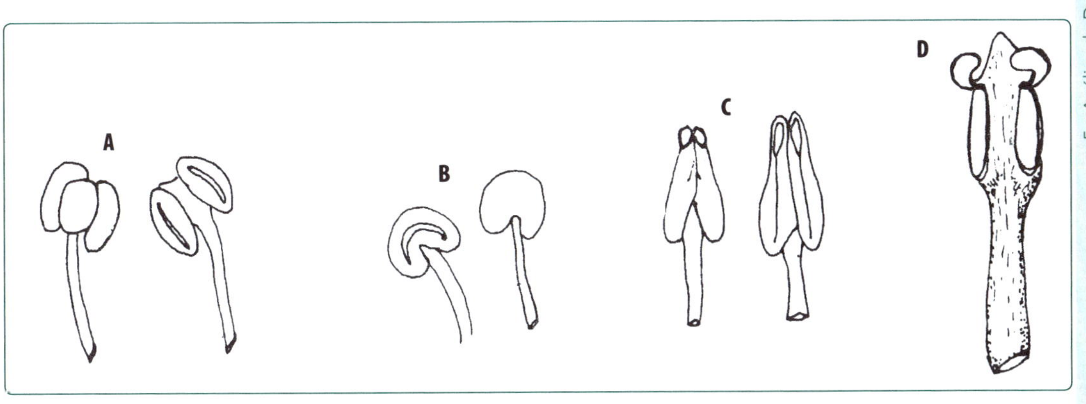

Fig. 5.18 – Deiscência de anteras. **A.** Rimosa (fenda longitudinal). **B.** Transversal. **C.** Poricida. **D.** Valvar.

Quando todos os estames de uma flor forem iguais e simétricos em relação a um eixo, o androceu é chamado de regular; é denominado de irregular em hipótese contrária.

Dois casos de androceu irregular merecem denominação especial: androceu com quatro estames, sendo dois maiores e dois menores – estames didínamos; androceu com seis estames, quatro maiores e dois menores – estames tetradínamos.

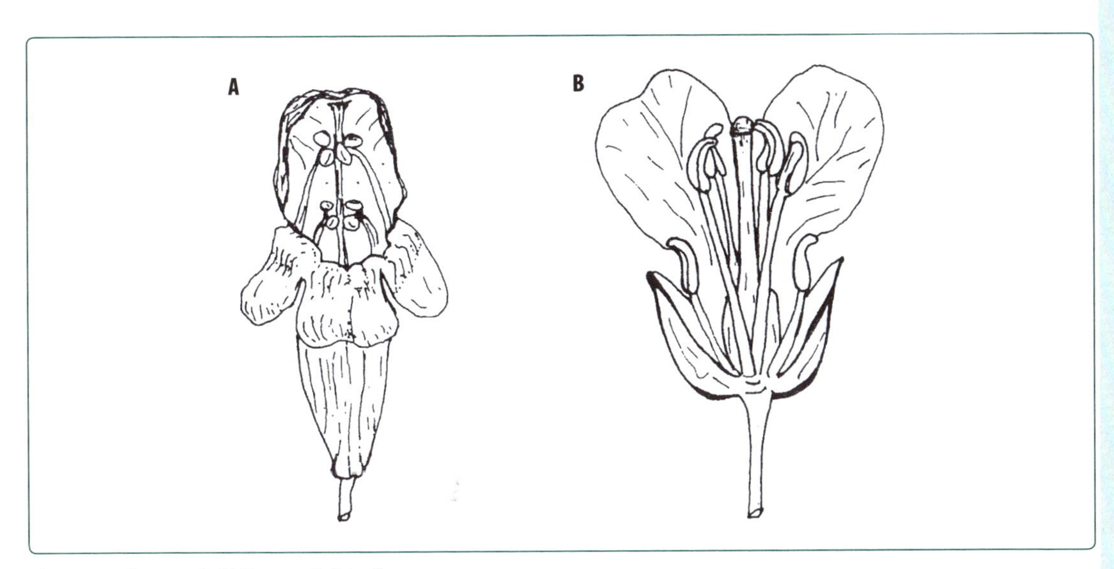

Fig. 5.19 – Estames. **A.** Didínamos. **B.** Tetradínamos.

São importantes, na identificação de drogas, os aspectos anatômicos exibidos pelo androceu. Os filetes apresentam epiderme, parênquima fundamental e feixes vasculares. Podem, ainda, apresentar anexos epidérmicos característicos, bem como inclusões celulares e teciduais.

Na antera, do ponto de vista da anatomia, devem-se considerar duas regiões: epitécio e endotécio. Dessas duas regiões, a segunda é a que mais fornece dados para a diagnose. A camada mecânica do endotécio, em função dos espessamentos que possui, deve merecer atenção especial.

Os grãos de pólen, por sua morfologia característica, ajudam na identificação de certas drogas. A sua membrana mais externa (exina) pode assumir uma variedade muito grande de forma. Há quem diga que "o grão de pólen estaria para a planta como a impressão digital para o homem". A exina pode ser lisa, espinhosa, rugosa, reticulada, verrucosa etc. Os grãos de pólen de *Anthemis nobilis* L. (CAMOMILA

ROMANA), *Arnica montana* L. (ARNICA), *Grindelia camporum* Greene (GRINDÉLIA) apresentam exina espinhosa e forma arredondada. Os grãos de pólen do CRAVO-DA-ÍNDIA apresentam forma obtusa piramidal e exina lisa.

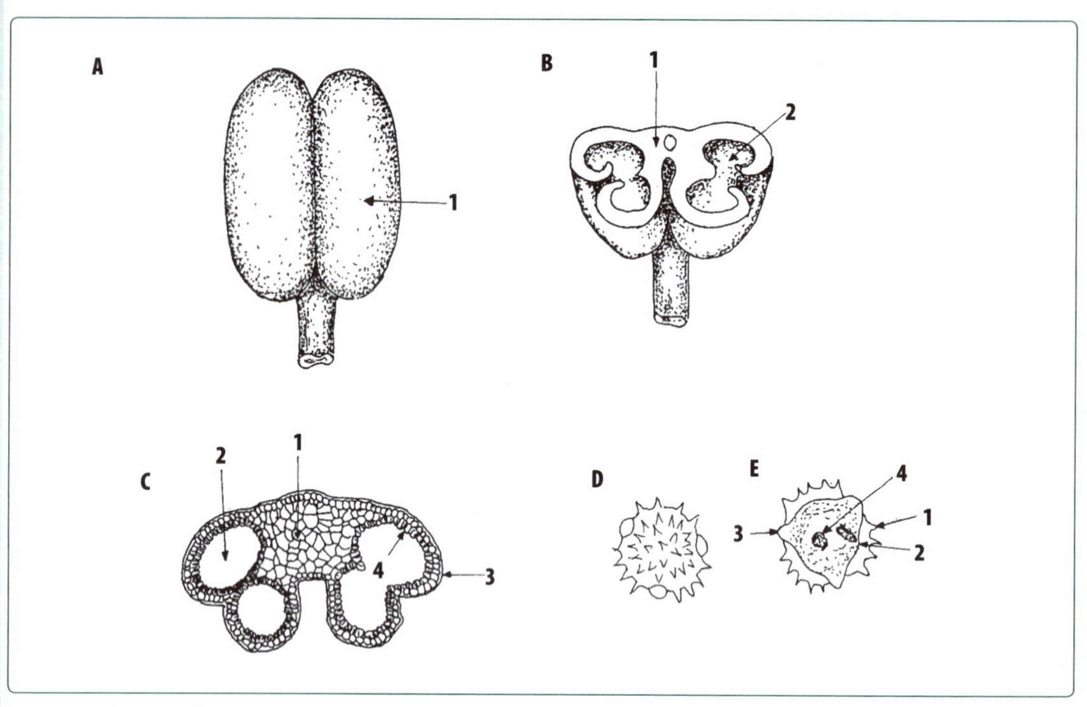

Fig. 5.20 – Antera. **A.** Antera inteira: **1** – teca. **B.** Antera cortada transversalmente: **1** – conectivo; **2** – saco polínico. **C.** Antera cortada transversalmente: **1** – conectivo; **2** – saco polínico; **3** – epitécio; **4** – endotécio. **D.** Grão de polén – visão externa. **E.** Grão de polén – corte óptico: **1** – exina; **2** – intina; **3** – poro germinativo; **4** – núcleo.

Gineceu

O gineceu é constituído, basicamente, de ovário, estilete e estigma. No ovário, além da parede ovariana, deve-se considerar a placenta (local de inserção dos óvulos) e os óvulos.

Quando o ovário apresenta carpelos soldados, chama-se gamocarpelar, e quando apresenta carpelos livres denomina-se dialicarpelar ou apocárpico.

O gineceu pode ser classificado segundo o número de carpelos que apresenta (monocarpelar, dicarpelar, tricarpelar, tetracarpelar e policarpelar) e segundo o número de lojas que apresenta (unilocular, dilocular, trilocular, tetralocular e polilocular). Para mais detalhes, vide capítulo 6.

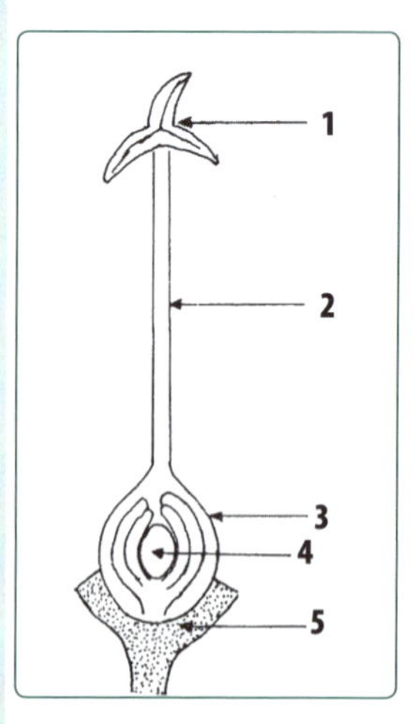

Fig. 5.21 – Gineceu ou pistilo: **1** – estigma; **2** – estilete; **3** – ovário; **4** – óvulo; **5** – receptáculo.

Ovário

A posição do ovário em relação ao plano de inserção das demais peças florais é importante. Assim, o ovário é súpero quando se localiza em posição superior ao plano de inserção e às peças florais (flor hipogina). Quando, entretanto, se localiza inferiormente, recebe o nome de ovário ínfero (flor epígina), e quando se localiza no mesmo plano recebe o nome de ovário médio (flor perígena).

O CRAVO-DA-ÍNDIA (botão floral) caracteriza-se pela presença de ovário ínfero e hipanto. As flores de MALVA apresentam ovário súpero.

Fig. 5.22 – Ovário (quanto à posição). **A.** Súpero. **B.** Médio. **C** e **D.** Ínfero.

Segundo a forma, o ovário pode ser ovoide, globoso, subgloboso, anguloso (trigonal, tetragonal, pentagonal, poligonal), piriforme etc.

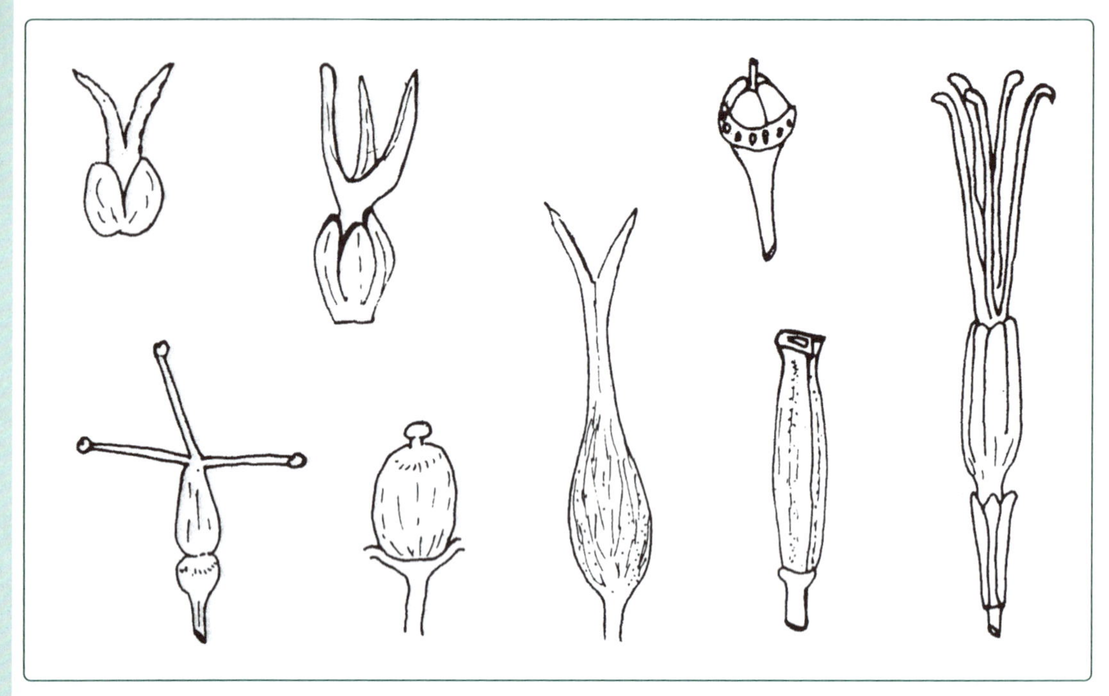

Fig. 5.23 – Gineceu mostrando diversos tipos de ovário.

Estilete

O estilete, segundo a altura em que se insere no ovário, pode ser ginobásico (quando se insere na base), terminal (quando se insere no ápice) e lateral (quando se insere no lado).

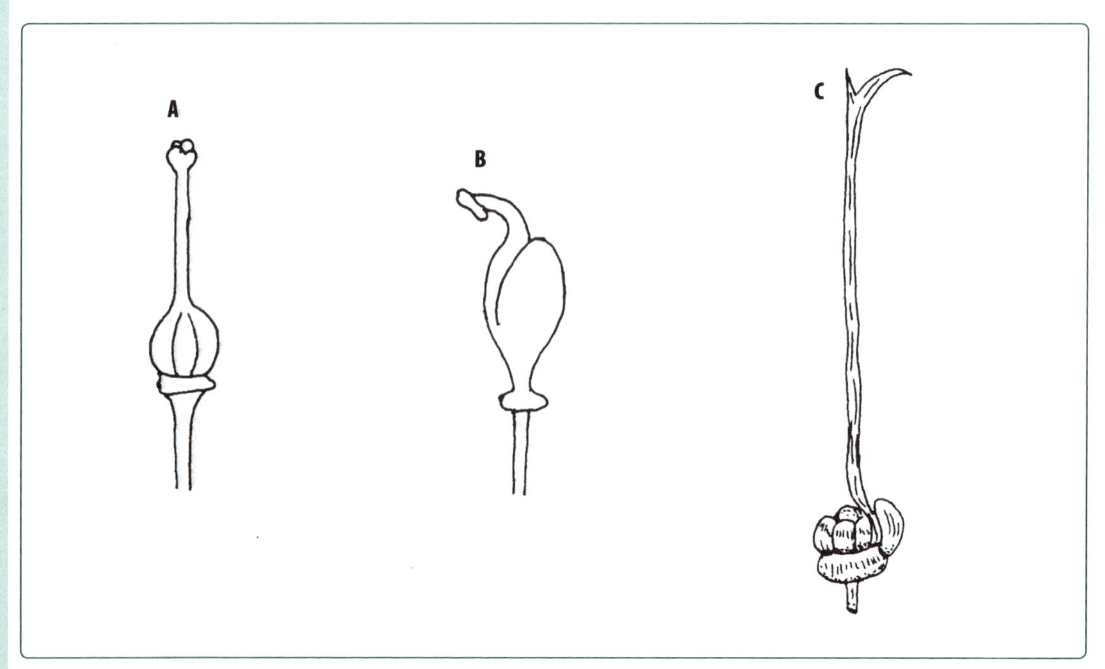

Fig. 5.24 – Estilete (quanto à inserção). **A.** Terminal. **B.** Lateral. **C.** Ginobásico.

O estilete pode ser classificado, também, de acordo com a sua forma, em cilíndrico, subulado, globoso etc.

Estigma

A porção terminal do estilete denomina-se estigma. O estigma pode ser séssil, quando se insere diretamente sobre o ovário (ausência de estilete), capitado, lobado (bilobado, trilobado, quinquelobado), partido (bífido, trífido, pentáfido), penicilado e côncavo.

O número de superfícies estigmáticas geralmente está relacionado com o número de lojas ovarianas. Assim, quando o ovário é pentacarpelar, com frequência o estigma é quinquelobado ou quinquefido.

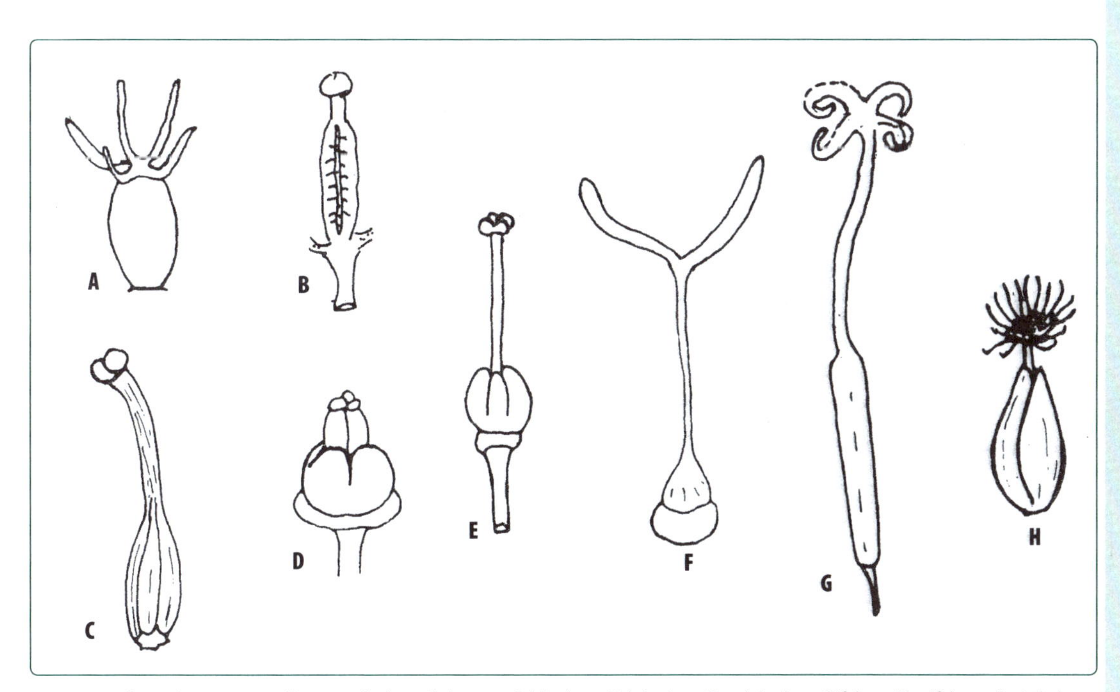

Fig. 5.25 – Tipos de estigma. **A.** Estigma séssil. **B.** Globoso. **C.** Bilobado. **D.** Trilobado. **E.** Tetralobado. **F.** Bífido. **G.** Tetráfido. **H.** Penicilado.

O estigma de MILHO *(Zea mays* L.) e os estigmas de AÇAFRÃO *(Crocus sativus* Linné) são exemplos de drogas constituídas exclusivamente por estilete e estigma.

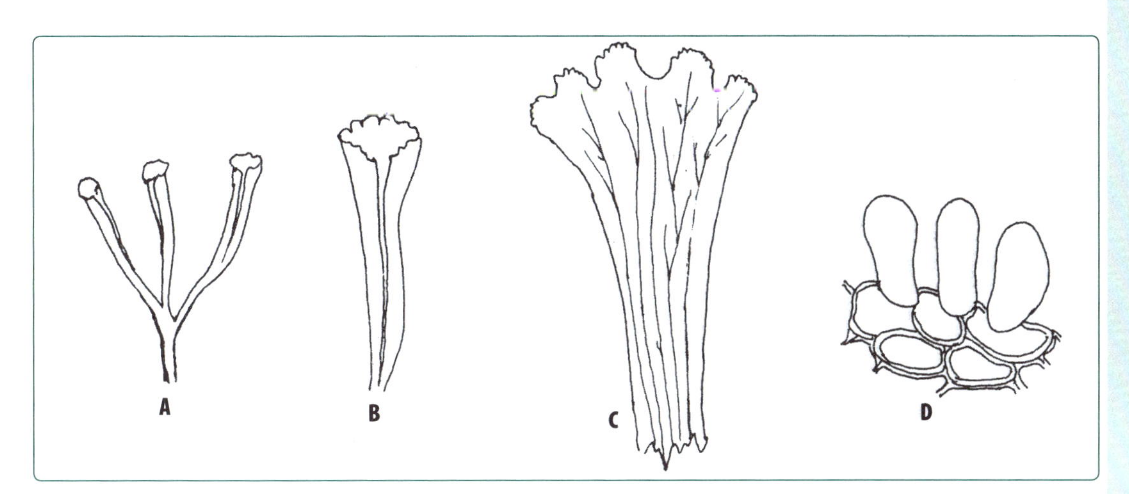

Fig. 5.26 – Estigma de açafrão. **A.** Estigma trífido. **B.** Detalhe de uma das divisões. **C.** A mesma divisão aberta. **D.** Papilas vistas ao microscópio.

Receptáculo floral

É a parte dilatada do pedúnculo floral; é o local no qual se inserem os verticilos florais. Essa parte da flor tem estrutura de caule.

De acordo com a forma que apresenta, o receptáculo pode ser plano, côncavo, convexo, discoide, urceolado, globoide etc.

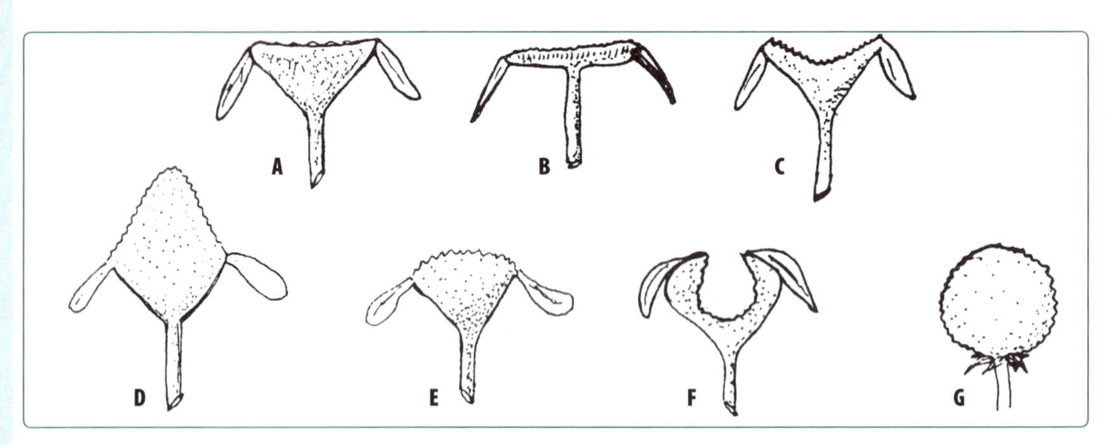

Fig. 5.27 – Tipos de receptáculo. **A.** Plano. **B.** Discoide. **C.** Côncavo. **D.** Cônico. **E.** Convexo. **F.** Urceolado. **G.** Globoide.

Pedúnculo floral

O pedúnculo floral é a peça que serve de união entre o receptáculo e o ramo da planta.

DROGAS CONSTITUÍDAS DE PARTES DE FLORES

Inúmeras drogas são constituídas de partes de flores. Assim, temos: "estigma" de AÇAFRÃO (estilete e estigma), "estigma" de MILHO (estigma e estilete), pétalas de PAPOULA-RUBRA e pétalas de ROSA-VERMELHA.

Neste caso, a análise é simples, considerando-se o que foi visto nos itens anteriores.

DROGAS CONSTITUÍDAS DE INFLORESCÊNCIAS

Chama-se de inflorescência a um conjunto de flores agrupadas regularmente sobre ramos especiais da planta.

Na análise de drogas constituídas de inflorescências, devem-se considerar as flores, as brácteas, o eixo da inflorescência e a inflorescência como um todo.

Na análise das flores, procede-se da maneira explicada nos itens anteriores. Na análise das brácteas, segue-se o esquema apresentado para a análise de folhas.

O eixo da inflorescência é de natureza caulinar. Em sua análise devem-se considerar o aspecto geral, a consistência, a fratura, a cor, o odor, o sabor, o tamanho e as superfícies (externa e secção transversal).

A análise microscópica deve ser feita considerando-se as características dos seguintes tecidos: epiderme e anexos, colênquima, parênquima cortical, parênquima medular, feixes vasculares e inclusões (teciduais e celulares).

Existem casos nos quais são importantes, ainda, as características da endoderme, do periciclo e dos raios medulares.

As estruturas dos pecíolos das folhas e dos pedúnculos florais são bastante parecidas com a dos eixos das inflorescências.

As inflorescências podem ser classificadas em duas categorias: inflorescências cimosas, simpodiais ou definidas, e inflorescências racimosas, monopodiais ou indefinidas.

Na inflorescência cimosa, a flor que primeiro abre é a do broto terminal. Essa flor define o crescimento do eixo onde ela aparece, isto é, o crescimento longitudinal desse eixo termina com o aparecimento da flor. Desenvolvem-se eixos secundários, os quais, sucessivamente, vão sendo definidos pelo aparecimento de flores. A floração é centrífuga, isso é, progride do centro para a periferia.

Fig. 5.28 – Tipos de inflorescência cimosa. **A.** Ripídio (monocásio). **B.** Drepânio (monocásio). **C.** Cimo-bíparo (dicásio).

Nas inflorescências racimosas, o crescimento do eixo principal é ininterrupto. Em sua extremidade, as flores encontram-se ainda em botão. A abertura das flores se verifica da periferia para o centro (centrípeta).

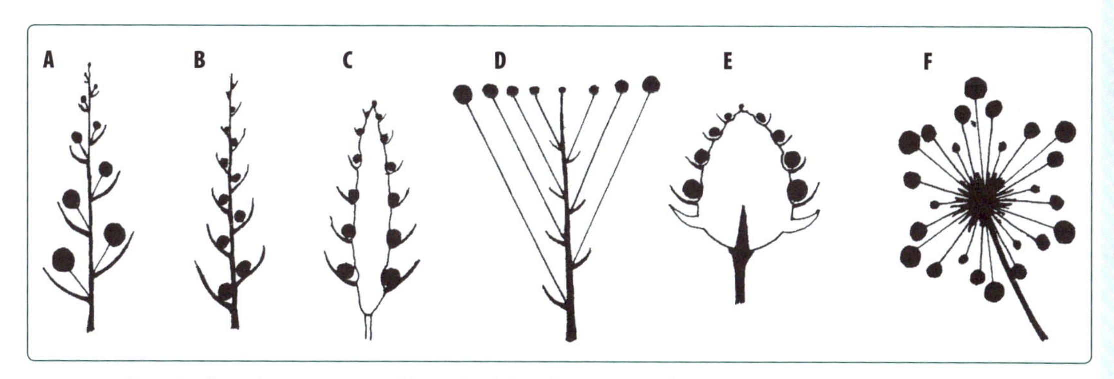

Fig. 5.29 – Tipos de inflorescência racimosa. **A.** Rácimo (cacho). **B.** Espiga. **C.** Espádice. **D.** Corimbo. **E.** Capítulo. **F.** Umbela.

Existem também as chamadas inflorescências compostas. Os desenhos apresentados nas figuras a seguir são alguns exemplos desse tipo.

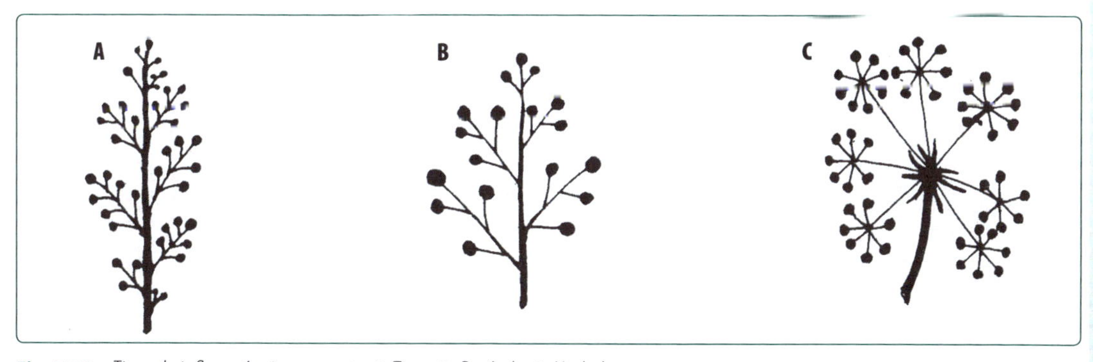

Fig. 5.30 – Tipos de inflorescência composta. **A.** Tirso. **B.** Panícula. **C.** Umbela composta.

Possuem importância especial em Farmacognosia inflorescências do tipo capítulo, glomérulo e verticilastros.

Glomérulo é um tipo de inflorescência cimosa, cujas flores localizam-se umas bem próximas às outras, dando ao conjunto aspecto globoso.

Verticilastro é um tipo de inflorescência cimosa muito condensada, com aspecto de um verticilo, porém, na realidade, partindo da axila de duas folhas opostas.

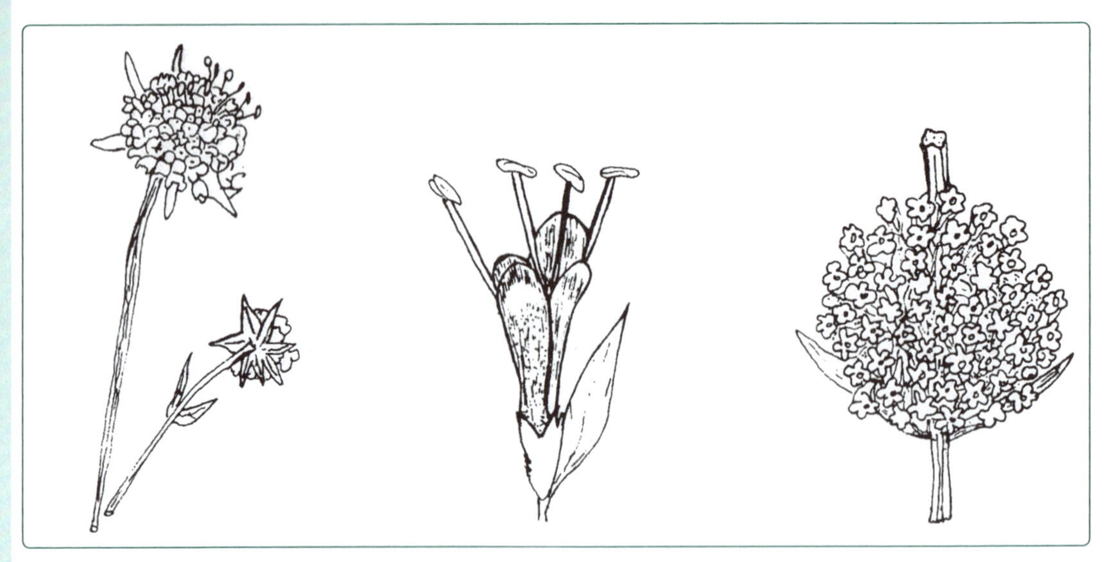

Fig. 5.31 – Inflorescências do tipo glomérulo.

Fig. 5.32 – Inflorescências do tipo verticilastro.

A inflorescência em forma de capítulo entra na constituição de diversas drogas. Por essa razão, é conveniente mencionar alguns detalhes desse tipo de inflorescência.

Na análise farmacognóstica de um capítulo, devem-se considerar floretas, receptáculos, brácteas protetoras das floretas (páleas), brácteas involucrais e pedúnculo.

A análise das floretas é feita considerando-se os itens citados na análise de flores. Ao conjunto de floretas tubulosas dos capítulos, denomina-se de flósculos, e ao das liguladas, de semiflósculos.

O receptáculo tem estrutura caulinar. Suas características microscópicas costumam ser relevantes na identificação de certas drogas. Todavia, as descrições da *Farmacopeia Brasileira*, no que tange a essa parte do capítulo, referem-se mais à forma macroscópica. As principais formas de receptáculos citadas são convexo, côncavo, plano, discoidal, piramidal, urceolado e globoso.

Quando o receptáculo não tem bráctea protetora das floretas ou páleas, denomina-se receptáculo nu.

A forma assumida pelo receptáculo, após a retirada das floretas e páleas, costuma ser considerada. Assim, habitua-se dizer que o receptáculo apresenta aspecto faveolado, retículo-faveolado, alveolar etc.

À análise das brácteas involucrais e das páleas, segue o esquema apresentado para as folhas.

A análise do pedúnculo dá-se de maneira semelhante à dos pecíolos e dos pedúnculos florais.

Finalmente, considera-se ainda a forma dos capítulos (capítulos ovoides, capítulos oblongos, capítulos globosos, capítulos discoides etc.) e a maneira como eles se apresentam na planta, isto é, se aparecem isolados ou se aparecem fazendo parte de inflorescência composta.

Fig. 5.33 – Inflorescência em forma de capítulo. **A. 1** – floreta tubulosa; **2** – bráctea protetora da floreta (pálea); **3** – floreta ligulada; **4** – bráctea involucral; **5** – receptáculo; **6** – pedúnculo. **B. 1** – floreta tubulosa; **2** – brácteas involucrais; **3** – páleas; **4** – receptáculo; **5** – pedúnculo. **C. 1** – floreta tubulosa; **2** – floretas liguladas; **3** – receptáculo (oco); **4** – pedúnculo. **D – 1** – bráctea protetora de floreta; **2** – bráctea tetriz; **3** – floreta tubulosa; $\mathbf{D_1}$ **1** – bráctea protetora de floreta; **2** – bráctea tetriz; $\mathbf{D_3}$ – bráctea tetriz isolada.

Morfodiagnose de drogas constituídas de flores

Açafrão

Crocus sativus Linné – *Iridaceae*
Parte usada: Estilete e estigma.

O AÇAFRÃO é untuoso ao tato, elástico e flexível. Possui cheiro forte, agradável e específico, e sabor acre, aromático e um pouco picante, colorindo a saliva de amarelo-dourado.

Descrição macroscópica

O AÇAFRÃO é constituído por massa frouxa de grandes filamentos compridos, achatados e isolados, de cor vermelho-parda, misturada com filamentos finos amarelos compostos pelos estiletes e estigmas florais. Os filamentos, cujo comprimento é variável, termina em três ramificações estigmáticas, de cerca de 25 a 35 mm de comprimento, afiladas na base, que mede 1 mm de largura, alongadas no ápice em forma de funil estreito, fendido no sentido lateral e regularmente crenulado nos bordos superiores. Nesse ponto, o estigma mede cerca de 3 mm de largura.

O estigma é atravessado ao meio por uma grossa nervura, que na parte superior se ramifica, bifurcando-se cada vez mais.

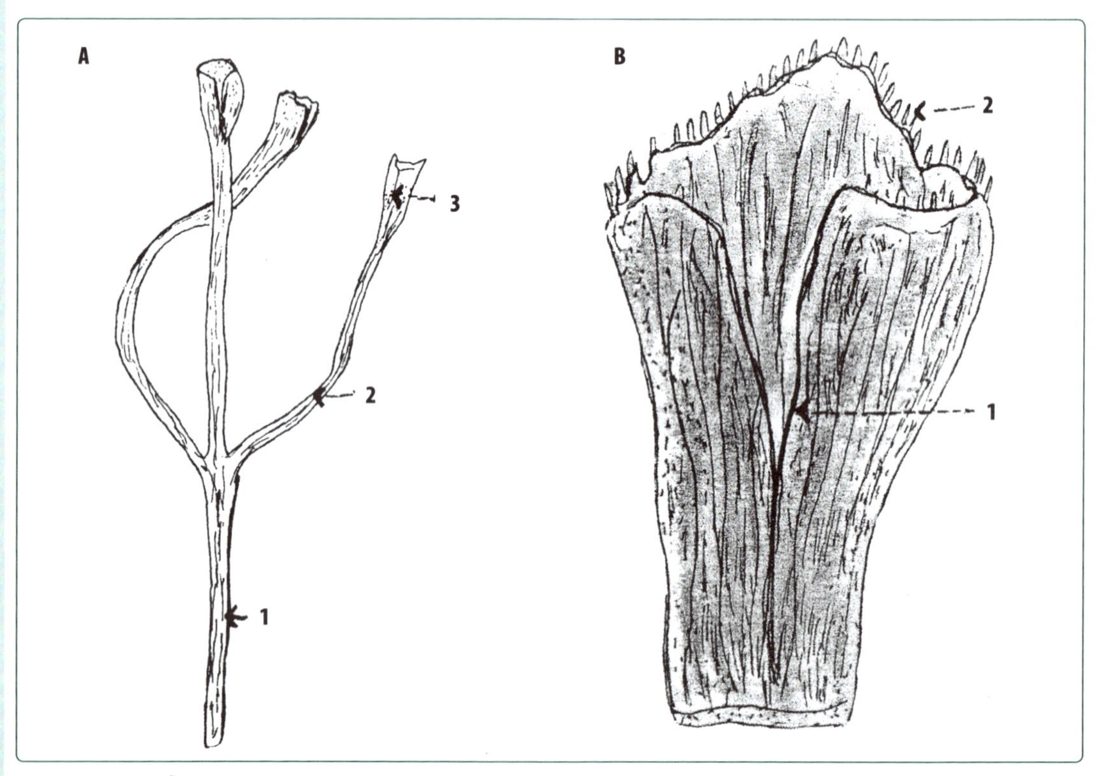

Fig. 5.34 – AÇAFRÃO *(Crocus sativus* L.). **A.** Estigma: **1** – estilete; **2** – ramificação estigmática; **3** – superfície estigmática apical. **B.** Superfície estigmática apical: **1** – fenda longitudinal; **2** – papilas.

Descrição microscópica

O estigma é constituído por um parênquima formado de células delgadas poligonais ou arredondadas nos ângulos, de paredes pouco espessas e cheias de matéria corante vermelho-alaranjada. Esse parênquima é protegido nas duas faces por uma epiderme formada de uma fileira de células tabulares pouco alongadas, perpendicularmente à superfície do estigma. As células epidérmicas são recobertas por uma cutícula pouco espessa; muitas delas apresentam, no meio de sua parede externa, uma pequena saliência verrucosa. Cada estigma é percorrido por um feixe liberolenhoso proveniente do estilete e que se divide em numerosas ramificações na parte superior. O vértice do estigma é caracterizado por numerosas papilas tubulares de ápice cilíndrico-arredondado, geralmente mais compridas do que as células epidérmicas, entre as quais se acham, às vezes, grãos de pólen arredondados, de exina espessa, com 35 a 50 micra de diâmetro.

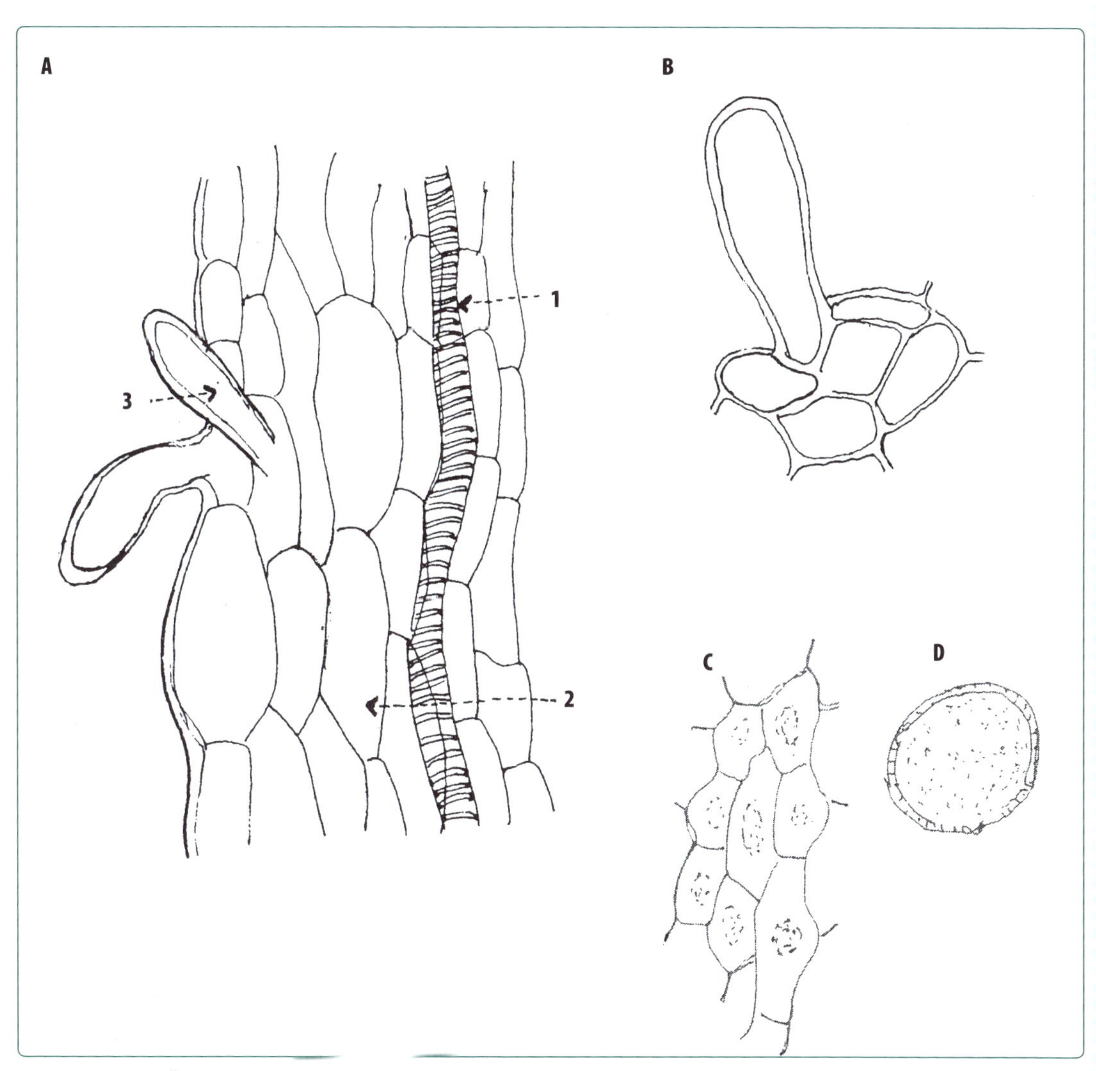

Fig. 5.35 – AÇAFRÃO *(Crocus sativus* L.). **A.** Superfície estigmática próxima do ápice vista de face: **1** – região do feixe vascular mostrando vaso xilemático espiralado (visto por transparência); **2** – epiderme; **3** – papila. **B.** Detalhe de papila estigmática. **C.** Epiderme da superfície estigmática próxima do ápice vista de face. **D.** Grão de pólen.

Alfazema

Lavandula officinalis Choix ex Vill. – *Labistae*

Parte usada:	Sumidade florida.
Sinonímia vulgar:	Lavândula; Lavanda; Espliego; Alhucena; Spigo.
Sinonímia científica:	*Lavandula angustifolia* Moench.; *Lavandula vulgaris* Lam.; *Lavandula spica* L.; *Lavandula vera* DC.

A flor de ALFAZEMA possui cheiro aromático especial, forte, agradável e sabor quente e levemente amargo.

Descrição macroscópica

As flores de ALFAZEMA encontram-se dispostas em verticilastros, agrupadas em espigas terminais frouxas, curtas, suportadas por um longo pedúnculo nu. Os verticilastros, em número de seis a dez, bastante afastados uns dos outros, consistem em duas cimeiras de cerca de três flores cada uma. Essas flores medem de 5 a 8 mm de comprimento e de 3 a 4 mm de diâmetro; o cálice é tubuloso, pentadenteado, medindo cerca de 5 mm de comprimento, externamente pubescente, de cor azul-esbranquiçada a cinzento-azulada e amarelado no interior, que é glabro e luzidio.

É percorrido por dez a treze nervuras longitudinais, apresentando bordos quase inteiros ou terminados por cinco dentes, quatro dos quais são muito pequenos e, o posterior, relativamente grande, formando um lobo distinto, arredondado-romboidal e côncavo. A corola é bilabiada, de cor azul-acinzentada, de 1 mm de comprimento, pubescente no exterior, tendo o lábio superior bilobado e o inferior formado de três lobos menores. Os quatro estames são didínamos, pubescentes, encimados por anteras ovoides. O gineceu é provido de ovário súpero, bicarpelar com estilete ginobásico. Fruto do tipo tetraquênio.

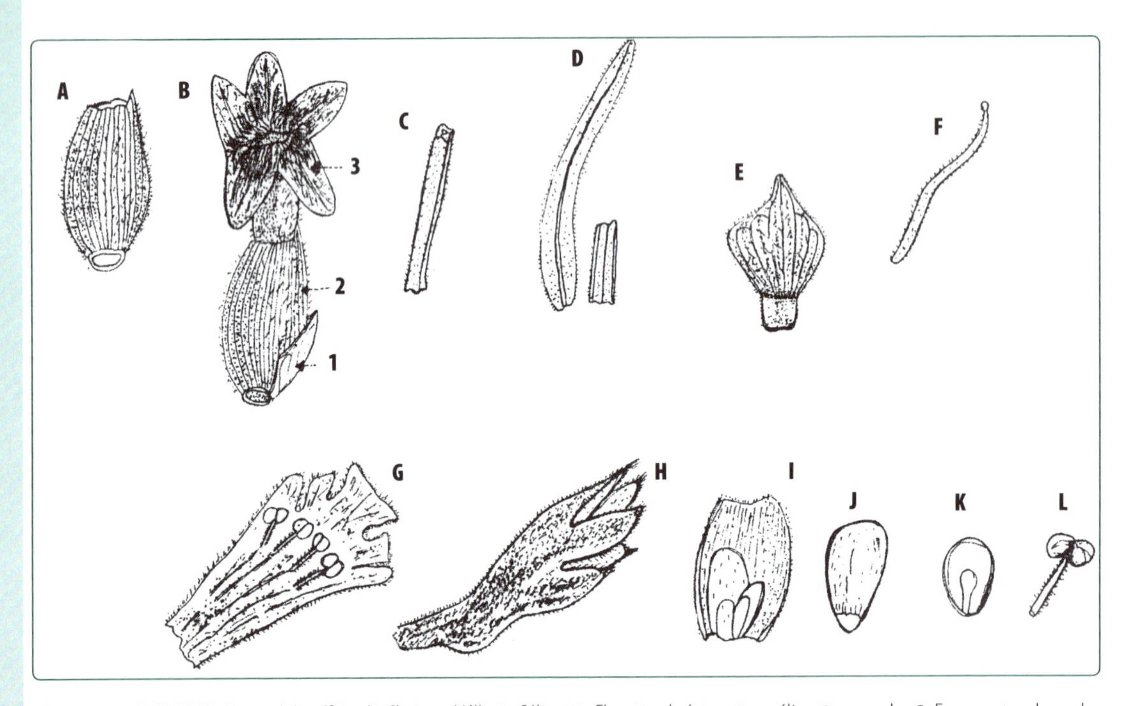

Fig. 5.36 – ALFAZEMA *(Lavandula officinalis* Choix ex Vill). **A.** Cálice. **B.** Flor: **1** – bráctea; **2** – cálice; **3** – corola. **C.** Fragmentos de caule. **D.** Folha e fragmento de folha. **E.** Bráctea. **F.** Estilete e estigma. **G.** Corola aberta longitudinalmente mostrando estames. **H.** Corola amarrotada tal como aparece na droga. **I.** Secção longitudinal do cálice mostrando as núculas. **J.** Núcula. **K.** Núcula cortada longitudinalmente. **L.** Estame.

Descrição microscópica

Em correspondência com as nervuras do cálice acham-se pelos pluricelulares ramificados, providos de cutícula estriada ao lado de pelos glandulares unicelulares, sustentados por um pedúnculo unicelular; existem ainda no cálice grandes pelos glandulares, esferoidais, sésseis, característicos de *Labiatae.* As células epidérmicas apresentam-se sinuosas. A corola é recoberta por epiderme provida de células de paredes sinuosas e mamilonadas, em que ocorrem pelos alongados, pluricelulares, simples ou capitados (glandulíferos), de paredes irregularmente sinuosas e cheias de protuberâncias.

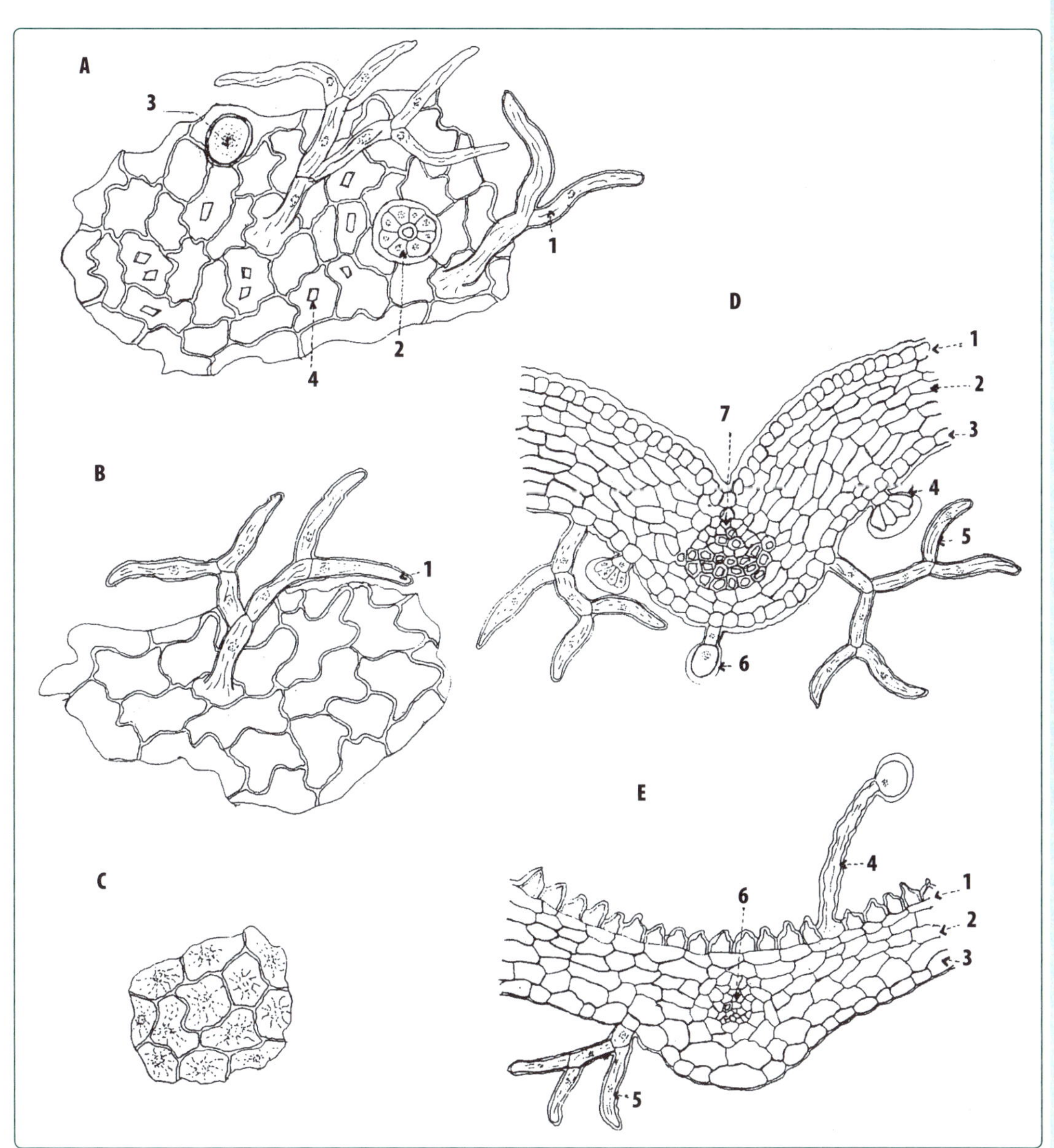

Fig. 5.37 – ALFAZEMA *(Lavandula angustifolia* Moench). **A.** Cálice visto de face: **1** – pelo tector; **2** – pelo glandular da labiada; **3** – pelo glandular; **4** – cristal prismático visto por transparência. **B.** Corola vista de face: **1** – pelo tector. **C.** Corola vista de face mostrando epiderme mamilonada. **D.** Corte transversal do cálice: **1** – epiderme interna; **2** – parênquima fundamental; **3** – epiderme externa; **4** – pelo glandular da labiada; **5** – pelo tector ramificado; **6** – pelo glandular; **7** – feixe vascular. **E.** Corte transversal da corola: **1** – epiderme interna, **2** – parênquima fundamental; **3** – epiderme externa; **4** – pelo glandular; **5** – pelo tector ramificado; **6** – feixe vascular.

Arnica

Arnica montana Linné - *Compositae*

Parte usada:	Capítulo floral.
Sinonímia vulgar:	Arnica-das-montanhas; Tabaco-das-montanhas; Quina-dos-pobres.
Sinonímia científica:	*Arnica petiolata* Schur.; *Arnica alpina* Willd.; *Arnica angustifólia* Turcz.; *Arnica helvetica* B. Don.; *Arnica plantaginisfolia* Gilib.; *Doronicum arnica* Desf.; *Doronicum montanum* Lamm.; *Doronicum appositifolium* Lam.

A ARNICA apresenta odor fraco, aromático, agradável, e sabor acre e amargo.

Descrição macroscópica

Os capítulos florais medem mais ou menos 6 cm de diâmetro, sendo envolvidos por 20 a 24 brácteas, dispostas em duas séries. As brácteas são estreitas, lanceoladas, atingindo até 15 mm de comprimento, com o bordo inteiro, de coloração verde-parda e pelos curtos. O receptáculo, quando privado das flores, mostra-se ligeiramente convexo, com cerca de 1 cm de diâmetro, exibindo pequenas cavidades onde se inserem as flores, apresentando ainda, entre as cavidades, pelos brancos, curtos e duros.

As flores liguladas, em número de quatorze a vinte, são dispostas na periferia do receptáculo; medem até 2,5 cm de comprimento e são femininas, mostrando o ovário ínfero, de 4 a 5 mm de comprimento, pardo, com quatro a cinco arestas pouco visíveis e pelos curtos e brancos. O papo é formado de uma camada de cerdas amarelas; a lígula, de cor amarelo-alaranjada, mede até 2 cm de comprimento e apresenta três lóbulos e de sete a quinze nervuras na base. O estilete é fino e se divide na região terminal em dois estigmas. Observa-se a presença de estaminódios.

As flores tubulosas se dispõem na parte central do receptáculo, são hermafroditas e mais numerosas; o ovário, o papo e o estilete são semelhantes aos das flores liguladas. A corola, de mais ou menos 0,5 cm de comprimento, é tubular, alargada na parte superior, de cor amarelo-alaranjada, com cinco lóbulos recurvados para fora e apresentam externamente, na base, pelos brancos. As anteras, em número de cinco, são unidas formando um tubo: as tecas polínicas são elípticas, romboidais, e o conectivo prolonga-se numa peça triangular.

Descrição microscópica

A epiderme externa das brácteas, vista de face, mostra células de paredes ondeadas e estômatos do tipo anomocítico. A epiderme interna é formada de células alongadas, ondeadas, sem estômatos. Na face externa das brácteas encontram-se os seguintes tipos de tricomas: abundantes pelos tectores cônicos, unicelulares, pontiagudos, pouco espessados, com uma média de 650 a 1.200 micra de comprimento, geralmente retos e, por vezes, divididos em uma célula basal, curta e uma terminal, mais comprida; raramente esta última se liga à célula basal por uma parede inclinada.

Raras vezes encontram-se pelos tectores de três a dez células, com até 1.400 micra de comprimento. Existem pelos formados de células de tamanho uniforme, mas geralmente as células da extremidade são maiores. Os pelos glandulares são numerosos, chegando até 500 micra de comprimento, com pedículo de duas fileiras de células e com glândula, grande, esférica ou ovoide, com várias ordens de células; existem também pelos do mesmo aspecto, mas com o pedicelo formado de uma só fileira de células. São raras as glândulas de aspecto claviforme.

O receptáculo, envolvido por epiderme, constituído de parênquima fundamental, que inclui feixes vasculares e canais secretores, mostra externamente pelos, geralmente de duas a cinco células, medindo em média 340 a 850 micra e, de um modo geral, semelhante aos das brácteas.

O ovário apresenta as células epidérmicas alongadas. Sobre a epiderme aparecem pelos tectores pluricelulares, curtos e grossos, e pelos glandulares. Pelos geminados, que alcançam em média 300 micra de comprimento, formados por duas células de paredes pouco espessadas, unidas lateralmente e com as pontas separadas, podem ser observados; a parede de união desses pelos é pontuada. Os pelos glandulares são claviformes, medindo geralmente de 60 a 80 micra, com até oito células dispostas em duas fileiras. A parede do ovário mostra, algumas vezes, placas reticuladas de cor castanha ou preta constituídas por fitomelanina.

Os pelos do papo formam feixes que são compostos de duas a três fileiras de células, na extremidade superior, sendo a parte inferior formada de maior número de células. Essas células assemelham-se às células de pelos geminados, com suas pontas saindo dos feixes.

Os estigmas apresentam, em suas extremidades superiores, pelos unicelulares, cônicos, pontiagudos, medindo 100 a 150 micra. Logo abaixo desses pelos, veem-se papilas em forma de dedo de luva, sendo mais ou menos curtas as da face interna do estigma.

A epiderme da face interna da lígula, de células poligonais, mostra papilas curtas, com estrias cuticulares. Na face externa da lígula, especialmente no tubo, existem pelos tectores de 600 a 1.200 micra de comprimento e 30 a 40 micra de largura, geralmente de quatro a cinco células, pouco espessadas, com célula terminal pontiaguda; além disso, aparecem glândulas do tipo das compostas.

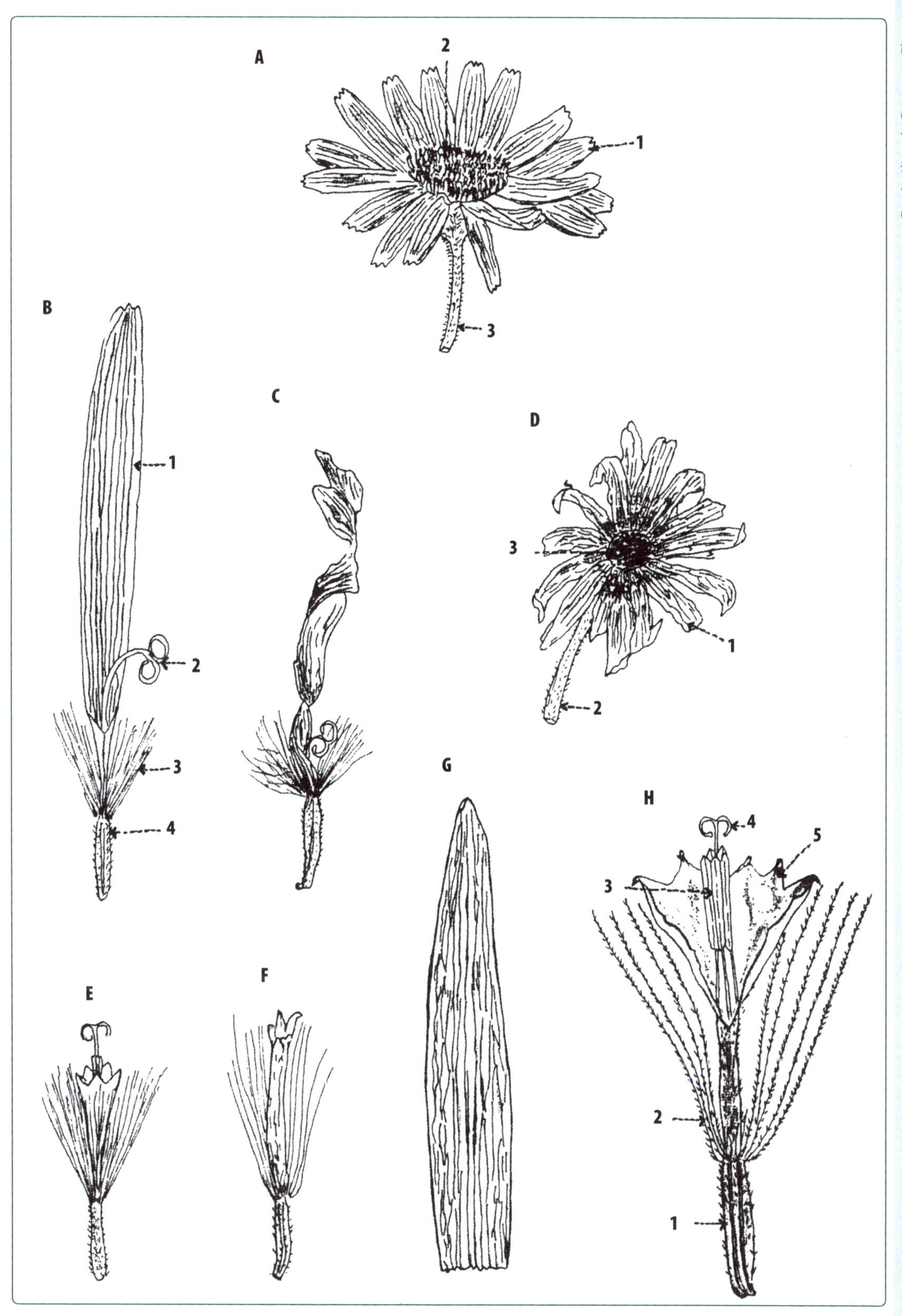

Fig. 5.38 – ARNICA *(Arnica montana* L.). **A.** Capítulo floral: **1** – floreta ligulada; **2** – floreta tubulosa; **3** – pedúnculo. **B.** Floreta ligulada: **1** – lígula; **2** – estigma bífido; **3** – papos; **4** – ovário. **C.** Floreta ligulada como aparece na droga. **D.** Capítulo desprovido de floretas: **1** – brácteas involucrais; **2** – pedúnculo; **3** – receptáculo. **E** e **F.** Floreta tubulosa. **G.** Bráctea involucral. **H.** Floreta tubulosa com carola aberta longitudinalmente: **1** – ovário; **2** – papo; **3** – estame com anteras soldadas (sinanteria); **4** – estigma bífido; **5** – corola.

As flores tubulares contêm os mesmos pelos; nas partes superiores da flor, as células epidérmicas são ondeadas e nas demais partes são poligonais. Nos lóbulos da corola existem papilas em forma de dedo de luva com até 125 micra de comprimento.

As células da camada mecânica das anteras apresentam espessamento que aparece como um único rebordo, semelhante a um arco.

Os grãos de pólen são triangular-arredondados, com exina cheia de pequenos espinhos e com três poros de germinação. Geralmente medem 35 micra. As pontas do conectivo são caracterizadas por células espessadas, limitadas por paredes retas.

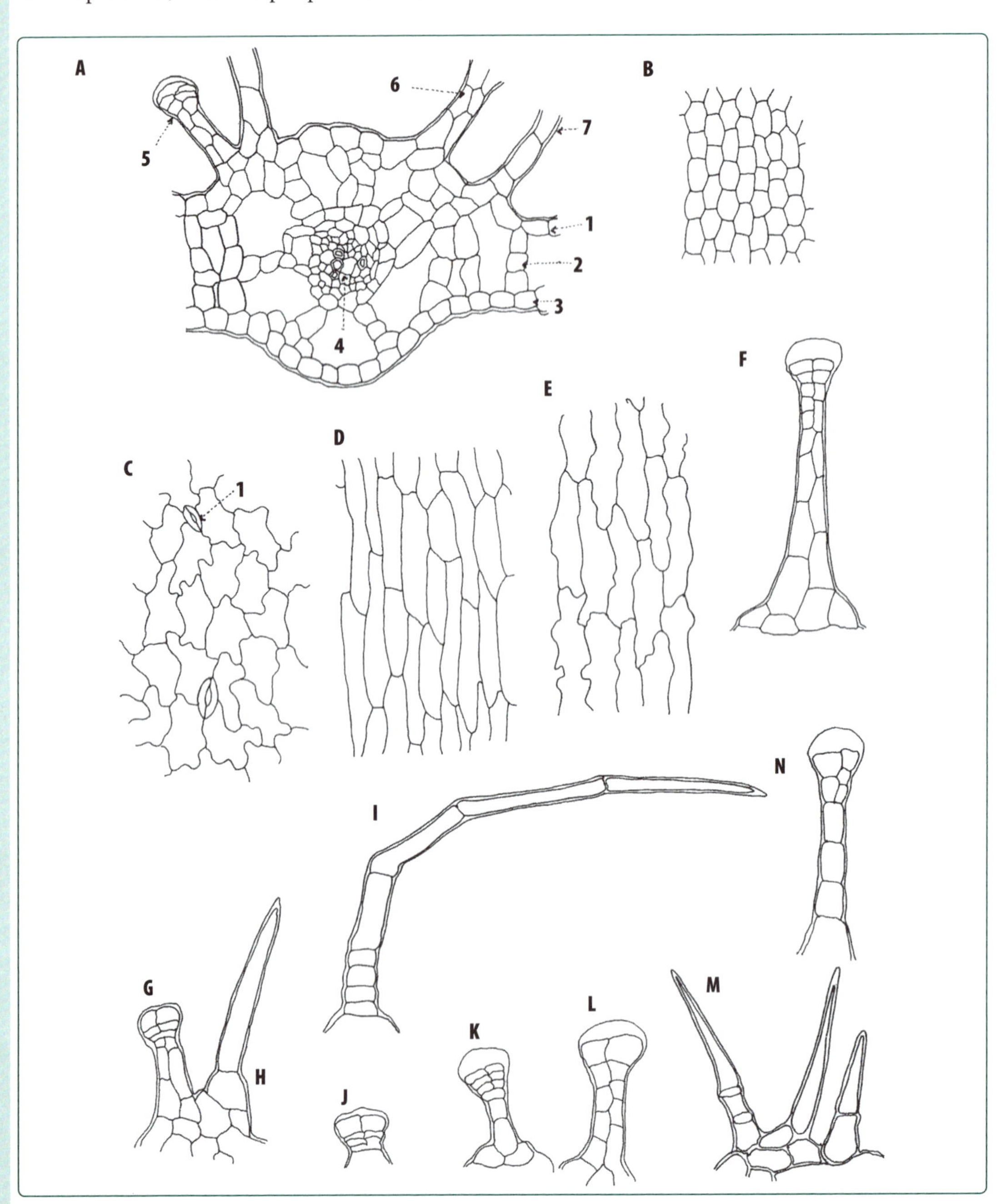

Fig. 5.39 – ARNICA *(Arnica montana* L.) – Brácteas. **A.** Corte transversal da bráctea: **1** – epiderme superior; **2** – parênquima fundamental; **3** – epiderme inferior; **4** – feixe vascular; **5** – pelo glandular; **6** – pedículo do pelo glandular; **7** – parte basal do pelo tector. **B.** Fragmento de epiderme inferior da região mediana vista de face. **C.** Epiderme inferior da região apical da bráctea vista de face: **1** – estômato. **D.** Epiderme superior da região basal vista de face. **E.** Epiderme superior da região apical vista de face. **F, G, J, K, L** e **N.** Pelos glandulares. **H, I** e **M**. Pelos tectores.

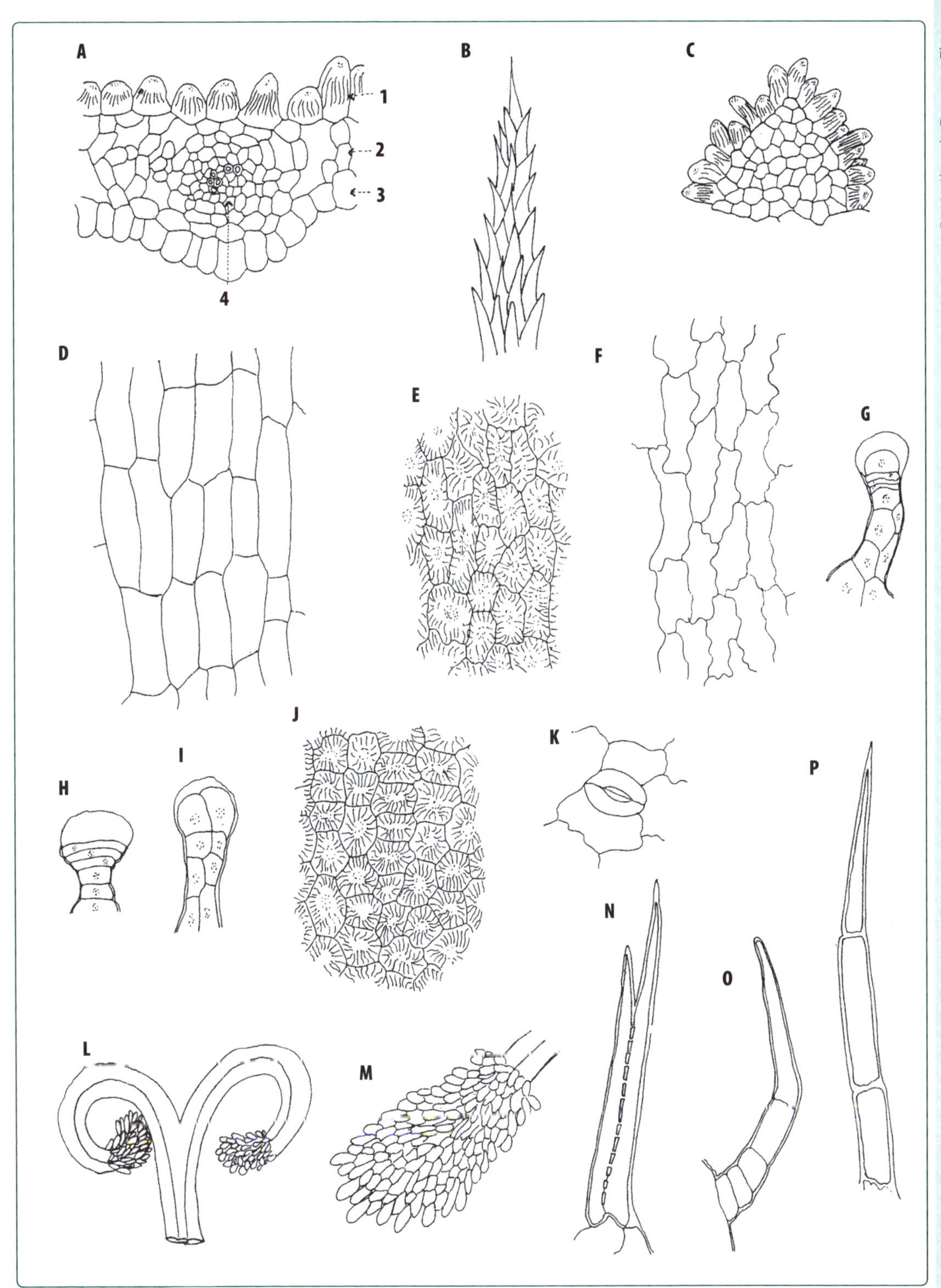

Fig. 5.40 – ARNICA *(Arnica montana* L.) – Floreta ligulada. **A.** Corte transversal da lígula: **1** – epiderme superior papiliforme; **2** – parênquima fundamental; **3** – epiderme inferior; **4** – feixe vascular. **B.** Fragmento de papo. **C.** Ápice de uma lígula em montagem paradérmica mostrando papilas. **D.** Epiderme inferior da região basal de lígula vista de face. **E.** Epiderme superior da região apical da lígula vista de face. **F.** Epiderme inferior da região apical da lígula vista de face. **G, H** e **I.** Pelos glandulares da região basal da lígula. **J.** Epiderme superior da região mediana da lígula vista de face. **K.** Estômato da epiderme inferior localizada na região apical da lígula. **L.** Estigma bífido com papilas. **M.** Papilas estigmáticas. **N.** Pelo tector geminado localizado da região ovariana. **O** e **P.** Pelos tectores da região ovariana e basal da corola.

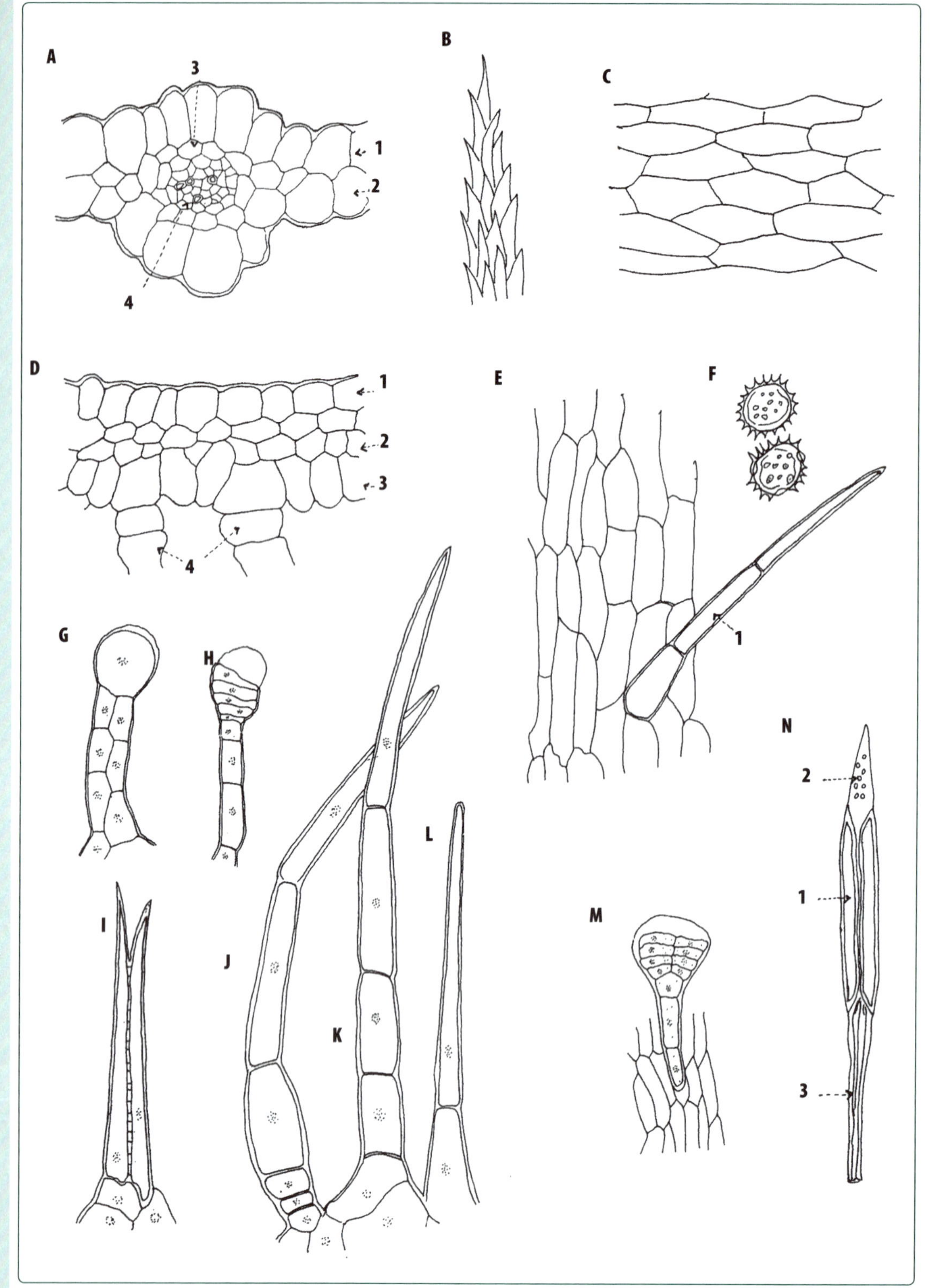

Fig. 5.41 – ARNICA *(Arnica montana* L.) – Floreta tubulosa. **A.** Corte transversal da região apical de pétala: **1** – epiderme interna; **2** – epiderme externa; **3** – parênquima fundamental; **4** – feixe vascular. **B.** Fragmento apical de um papo. **C.** Epiderme interna da região mediana da corola vista de face. **D.** Corte transversal da região mediana da corola: **1** – epiderme interna; **2** – parênquima fundamental; **3** – epiderme externa; **4** – base dos pelos. **E.** Epiderme externa da região apical da corola vista de face: **1** – pelo tector. **F.** Grão de pólen. **G** e **H.** Pelos glandulares localizados principalmente na região basal da corola e no ovário. **I.** Pelo tector geminado localizado na epiderme do ovário. **J, K** e **L**. Pelos tectores localizados na carola e ovário. **M.** Pelo glandular localizado na ponta da antera. **N.** Estame: **1** – antera; **2** – pelo glandular; **3** – filete.

Cabelo-de-milho

Zea mays L. – *Poaceae* (*Gramineae*)
Parte usada: Estilete e estigma.
Sinonímia vulgar: Estigma-de-milho; Barba-de-milho.

A droga apresenta-se como uma mistura de fios de coloração variando da cor púrpura até amarelo--esverdeado.

Apresenta odor fraco característico e sabor pouco evidente, ligeiramente adocicado.

Descrição macroscópica

A droga apresenta-se como massa de fios entrelaçados, os quais podem atingir até 20 cm de comprimento. São um tanto achatados de coloração, variando de púrpura-amarronzada até amarelo-esverdeado. Os fios, observados com auxílio de lupa, mostram estrias dispostas longitudinalmente, e próximo à região de estigma apresentam tricomas pluricelulares. O estigma é bífido e geralmente de ramos desiguais.

Descrição microscópica

Os estiletes são recobertos por epiderme formada por células retangulares alongadas no sentido do comprimento. Essa epiderme recobre zona parenquimática constituída por células de forma semelhante à das células epidérmicas e que envolvem delicados feixes vasculares dispostos paralelamente, providos de vasos xilemáticos espiralados ou canelados.

Sobre a epiderme, especialmente na região distal do estilete, ocorre a presença de tricomas pluricelulares com porção distal dilatada formada por duas a cinco fileiras de células, diminuindo o número dessas fileiras em direção ao ápice, no qual, com frequência, terminam por uma única célula. As células emitem projeção de suas pontas para fora do corpo do pelo, adquirindo à estrutura aspecto característico.

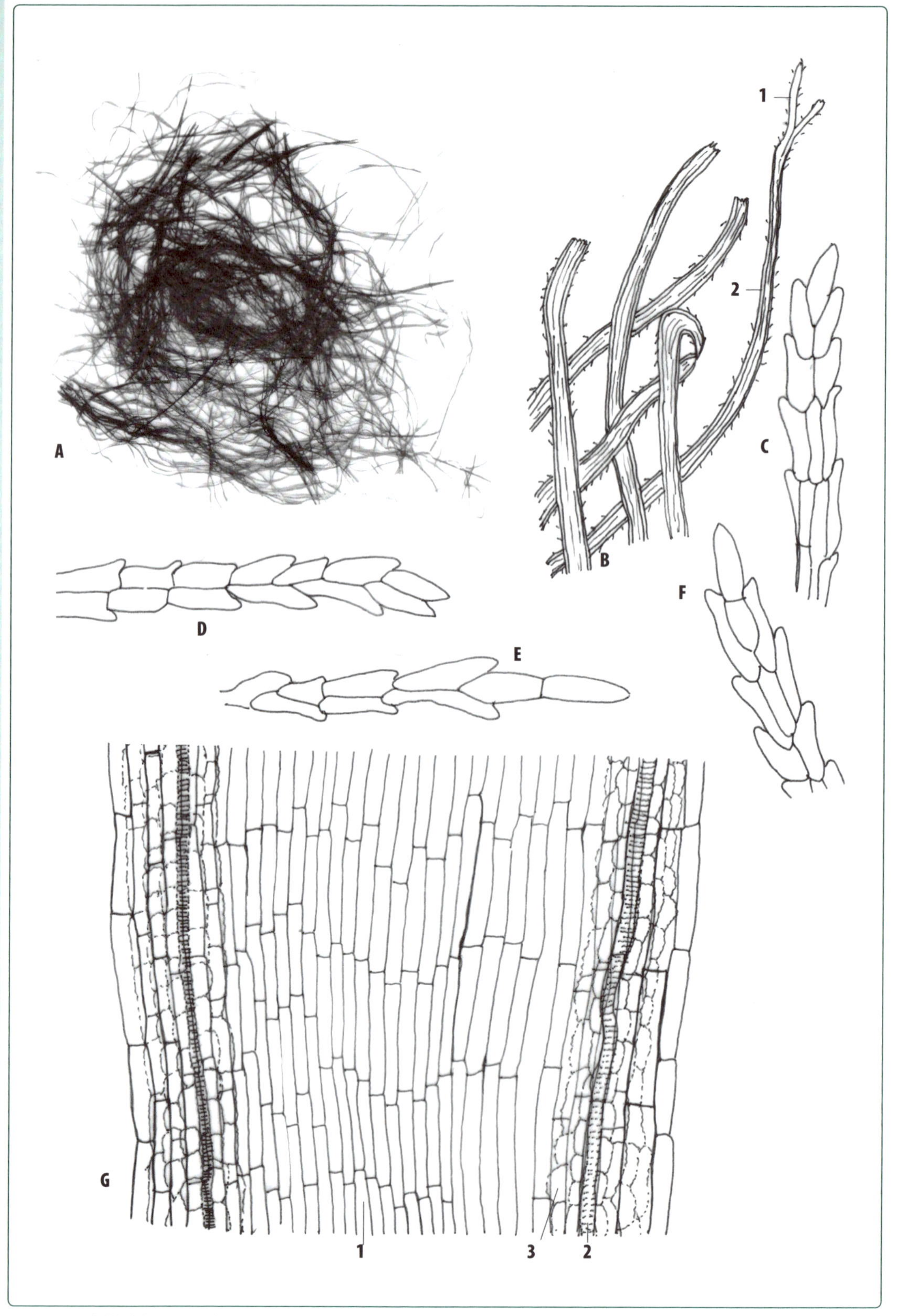

Fig. 5.42 – CABELO-DE-MILHO (*Zea mays* L.). **A.** Massa constituída por mistura de fios (estiletes com estigma). **B.** Detalhes dos fios observados à lupa: **1** – estigma; **2** – estilete. **C, D, E** e **F.** Tricomas que aparecem sobre a região do estilete e do estigma. **G.** Visão de um fragmento, oriundo da região do estilete, observada ao microscópio após diafanização em solução cloral hidratada, seguida de aquecimento: **1** – epiderme vista de face; **2** – vaso xilemático espiralado; **3** – células parenquimáticas vistas por transparência.

Camomila vulgar

Matricaria chamomilla Linné – *Compositae*

Parte usada: Capítulo floral.

Sinonímia vulgar: Camomila; Matricaria; Camomila-dos-alemães; Manzanilha comum; Camomila comum.

A droga possui odor aromático e sabor também aromático e levemente amargo.

Descrição macroscópica

Apresenta-se como capítulos longamente cônicos, com flores marginais liguladas e femininas, em número de dez a vinte e, em geral, com 6 a 9 mm de comprimento; a lígula é branca, elíptica, oblonga, tridenteada no vértice e percorrida por quatro nervuras. As flores internas ou do disco são hermafroditas, numerosas, em média com 2 mm de comprimento de corola amarela, tubulosa, pentadenteada e mostram cinco estames com as anteras unidas; do tubo sobressai a ponta do estilete com dois estigmas recurvados. Todas as flores aparecem sem papo. O receptáculo é nu, cônico, medindo até 6 mm de comprimento, desprovido de palhetas e oco no seu interior. O invólucro é côncavo e formado de três fileiras de brácteas, cujo número varia de vinte a trinta. As brácteas são lanceoladas, obtusas, amareladas, largamente escariosas, inteiras no vértice e atingindo 2,5 mm de comprimento (Fig. 5.43).

Descrição microscópica

O receptáculo, envolvido por epiderme, é constituído por parênquima fundamental que circunda grossos canais secretores de origem esquizogênica, que contêm pequeninas gotas oleosas de cor amarela. Feixes vasculares delicados também podem ser observados nessa região. As brácteas do invólucro contêm um feixe vascular, acompanhado, em ambos os lados, por duas lâminas esclerosas que atingem a margem da bráctea e contêm curtas fibras canaliculadas; a superfície externa mostra alguns pelos glandulares, do tipo das compostas. Consistem estes de três a quatro pavimentos de células dispostas em duas séries e com cutícula envolvendo a glândula como a um saco. A epiderme superior das flores liguladas é papilosa, assim como as extremidades dos dentes das flores tubulosas; ambas as flores contêm, externamente, pelos glandulares do tipo das compostas.

O ovário exibe numerosas glândulas do mesmo tipo, e mostra, na camada epidérmica, séries de células pequenas, poliédricas, mucilaginosas, em forma de uma escada de corda, e células cristalíferas, com pequenas drusas de oxalato de cálcio. Os grãos de pólen são triangulares-arredondados, com exina espinhosa, contendo três poros de germinação e 25 micra de diâmetro, em média (Fig. 5.44).

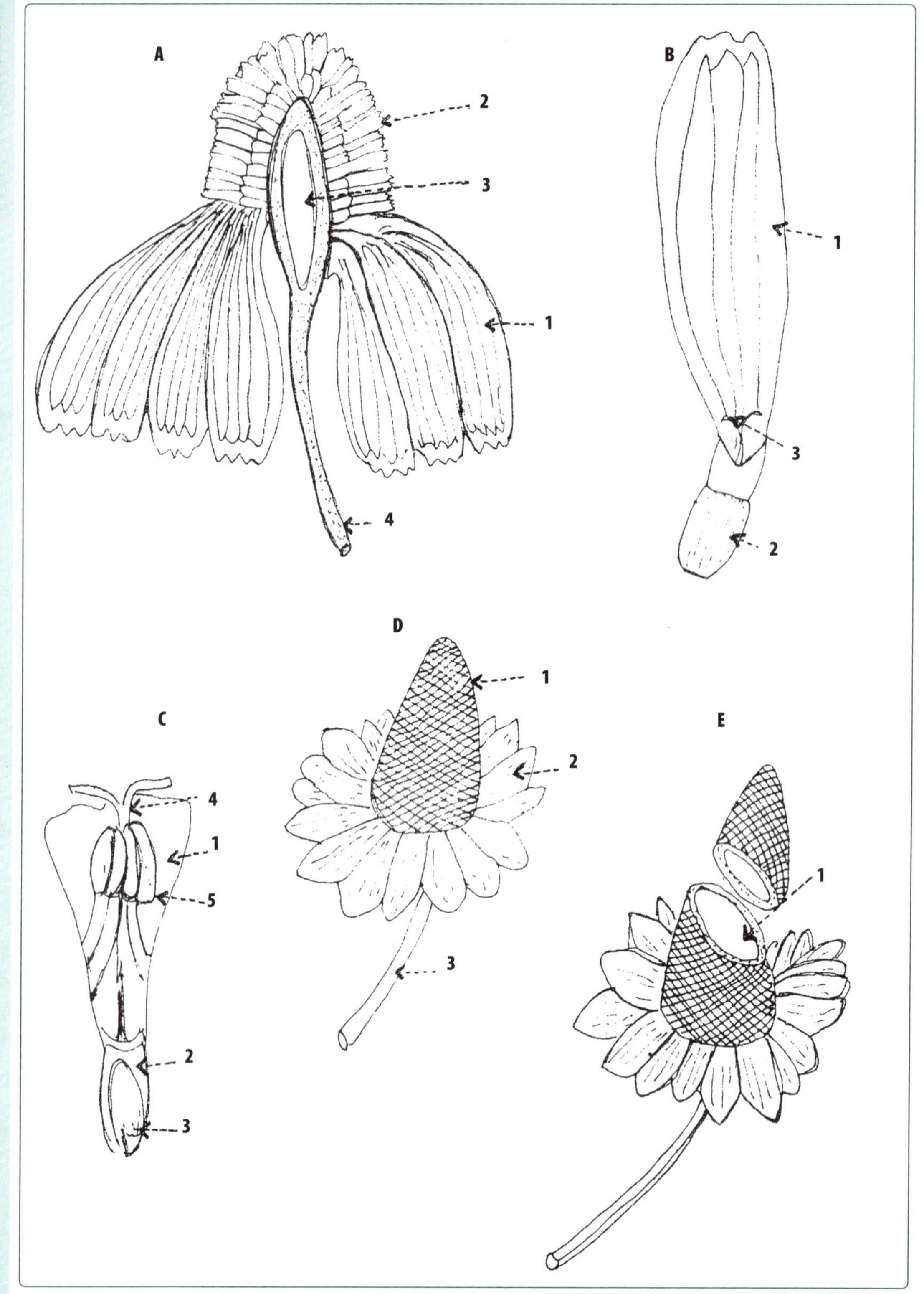

Fig. 5.43 – CAMOMILA VULGAR *(Matricaria chamomilla* L.). **A.** Capítulo cortado longitudinalmente: **1** – floreta ligulada; **2** – floreta tubulosa; **3** – receptáculo oco; **4** – pedúnculo. **B.** Floreta ligulada: **1** – lígula; **2** – ovário; **3** – estigma bífido. **C.** Floreta tubulosa em secção longitudinal: **1** – corola; **2** – ovário; **3** – óvulo anátropo; **4** – estigma bífido; **5** – estames soldados pelas anteras (sinanteria). **D.** Capítulo desprovido de floretas: **1** – receptáculo; **2** – brácteas involucrais; **3** – pedúnculo. **E.** Capítulo desprovido de floretas mostrando receptáculo oco em corte transversal: **1** – receptáculo oco.

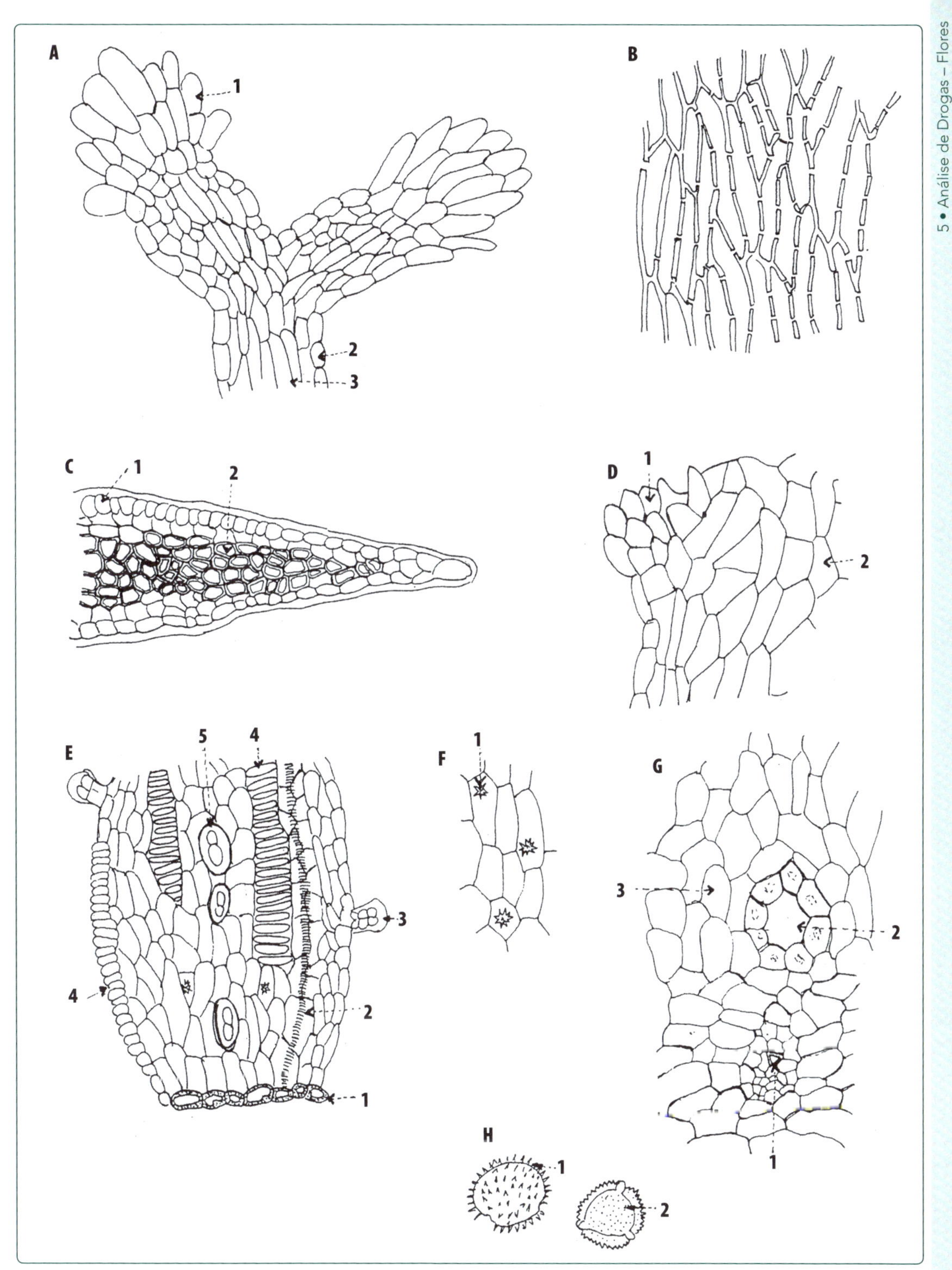

Fig. 5.44 – CAMOMILA VULGAR *(Matricaria chamomilla* L.). **A.** Estigma bífido: **1** – papilas estigmáticas; **2** – epiderme; **3** – parênquima fundamental. **B.** Bráctea involucral vista de face (lâmina esclerosada vista por transparência). **C.** Bráctea involucral em secção transversal: **1** – epiderme; **2** – lâmina esclerosada. **D.** Extremidade dos dentes de uma floreia tubulosa: **1** – papilas; **2** – epiderme vista de face. **E.** Ovário visto de face: **1** – anel esclerótico; **2** – vaso xilemático espiralado de feixe vascular; **3** – pelo glandular visto de lado; **4** – célula mucilaginosa; **5** – pelo glandular visto de cima. **F.** Parênquima fundamental ovariano: **1** – drusa. **G.** Receptáculo em corte transversal: **1** – feixe vascular delicado; **2** – canal secretor: **3** – parênquima fundamental. **H.** Grãos de pólen: **1** – aspecto geral; **2** – corte ótico.

Cravo-da-Índia

Syzygium aromaticum Linné – *Myrtaceae*
Parte usada: Botão floral dessecado.
Sinonímia vulgar: Cravinho; Cravo aromático.
Sinonímia científica: *Eugenia caryophyllata* Thumb.; *Caryophyllus aromaticus* L.; *Myrtus caryophyllus* Spreng.; *Eugenia aromatica* Baill.; *Jambosa caryophyllus* Ndz.

O CRAVO-DA-ÍNDIA possui cheiro fortemente aromático e sabor aromático, ardente e característico.

Descrição macroscópica

O botão floral apresenta-se geralmente de cor pardo-negra ou vermelho-escura, medindo de 10 a 18 mm de comprimento, por 3 a 4 mm de largura, e é formado por um ovário ínfero, arredondado-quadrangular, levemente dilatado na parte superior, na qual se encontram duas lojas ovarianas, multiovuladas. É coroado por quatro sépalas subovaistriangulares, espessas, levemente divergentes, côncavas na parte superior; elas circundam uma pequena massa globulosa, de 5 a 6 mm de diâmetro, facilmente separável, formada por quatro pétalas estreitamente imbricadas, arredondadas, de cor mais clara e cheias de pontuações translúcidas. As pétalas recobrem numerosos estames recurvados para dentro e inseridos sobre um disco deprimido no centro, de onde se eleva um estilete curto e subulado (Fig. 5.45).

Descrição microscópica

Um corte transversal, feito na parte média do ovário, um pouco abaixo das lojas ovarianas, apresenta epiderme guarnecida de estômatos do tipo anomocítico, formada por uma camada de células tabulares, recobertas por cutícula bastante espessa e lisa; parênquima muito desenvolvido, dividido em três zonas nitidamente diferenciadas: zona externa, munida de numerosos nódulos secretores de óleo essencial, ovais, medindo até 200 micra bastante próximos uns dos outros e dispostos sobre duas séries; zona média, formada por células colenquimatosas, com pequenos cristais estrelares de oxalato de cálcio e numerosos feixes fibrovasculares arredondados, acompanhados de fibras esclerenquimáticas curtas; zona interna, formada por um tecido frouxo e lacunoso. O centro do tubo é ocupado por um eixo liberolenhoso arredondado, circunscrito por endoderme aparente. Grande número de pequenos feixes bicolaterais, recobertos interna e externamente por um líber cristalífero e limitado externamente por algumas fibras pericíclicas, são observados nessa região. O centro dessa estrutura é ocupado por medula que contém cristais estrelares de oxalato de cálcio, os quais se encontram também em todos os parênquimas.

O corte tangencial mostra células epidérmicas poligonais, pequenas e, por transparência, nódulos secretores da camada subjacente.

A corola, quando vista de face, mostra células epidérmicas, poligonais, com as paredes retas ou ligeiramente ondeadas. O parênquima fundamental contém grande número de glândulas esquizógenas e de drusas, quando observadas por transparência. O filete contém, no parênquima fundamental, drusas de oxalato de cálcio e suas células epidérmicas são estreitas, ligeiramente ondeadas e alongadas no sentido longitudinal. Glândulas podem ser observadas nessa região. As anteras apresentam células com espessamentos filetados. Os grãos de pólen são tetraédricos, com um poro em cada um dos vértices, que por sua vez são arredondados.

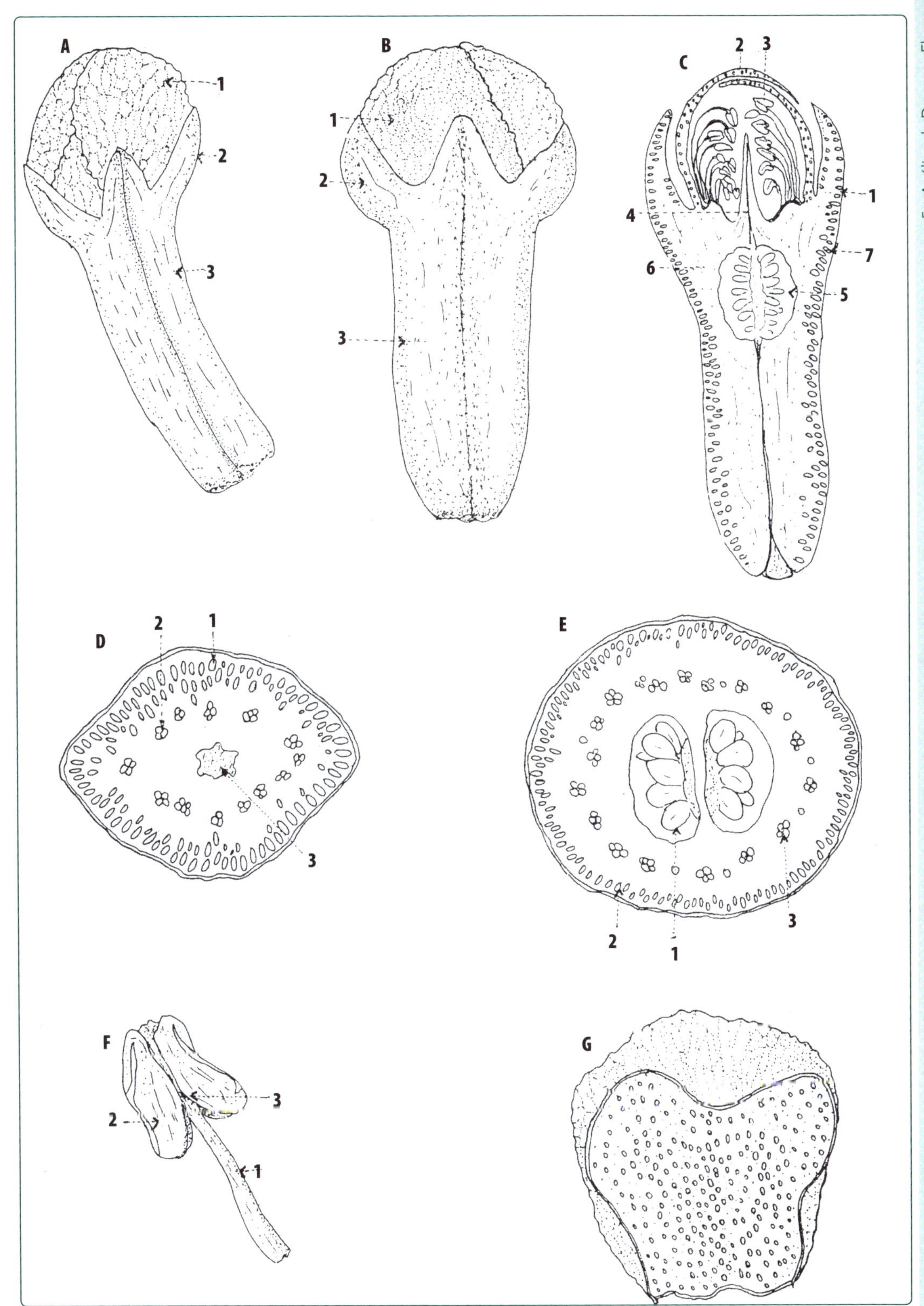

Fig. 5.45 – CRAVO-DA-ÍNDIA *(Syzygium aromaticum* (L.) Merril et Perry). **A** e **B.** Botão floral: **1** – pétala; **2** – sépala; **3** – região do hipanto. **C.** Secção longitudinal do botão floral: **1** – sépala; **2** – pétala; **3** – estame; **4** – estilete subulado; **5** – loja ovariana; **6** – região do hipanto; **7** – glândulas endógenas. **D.** Secção transversal do hipanto abaixo das lojas ovarianas: **1** – glândula endógena; **2** – feixe fibrovascular; **3** – cilindro central. **E.** Secção transversal do hipanto na altura da loja ovariana: **1** – loja ovariana; **2** – glândula endógena; **3** – feixe fibrovascular. **F.** Estame: **1 –** filete; **2** – antera; **3** – conectivo. **G.** Pétala isolada.

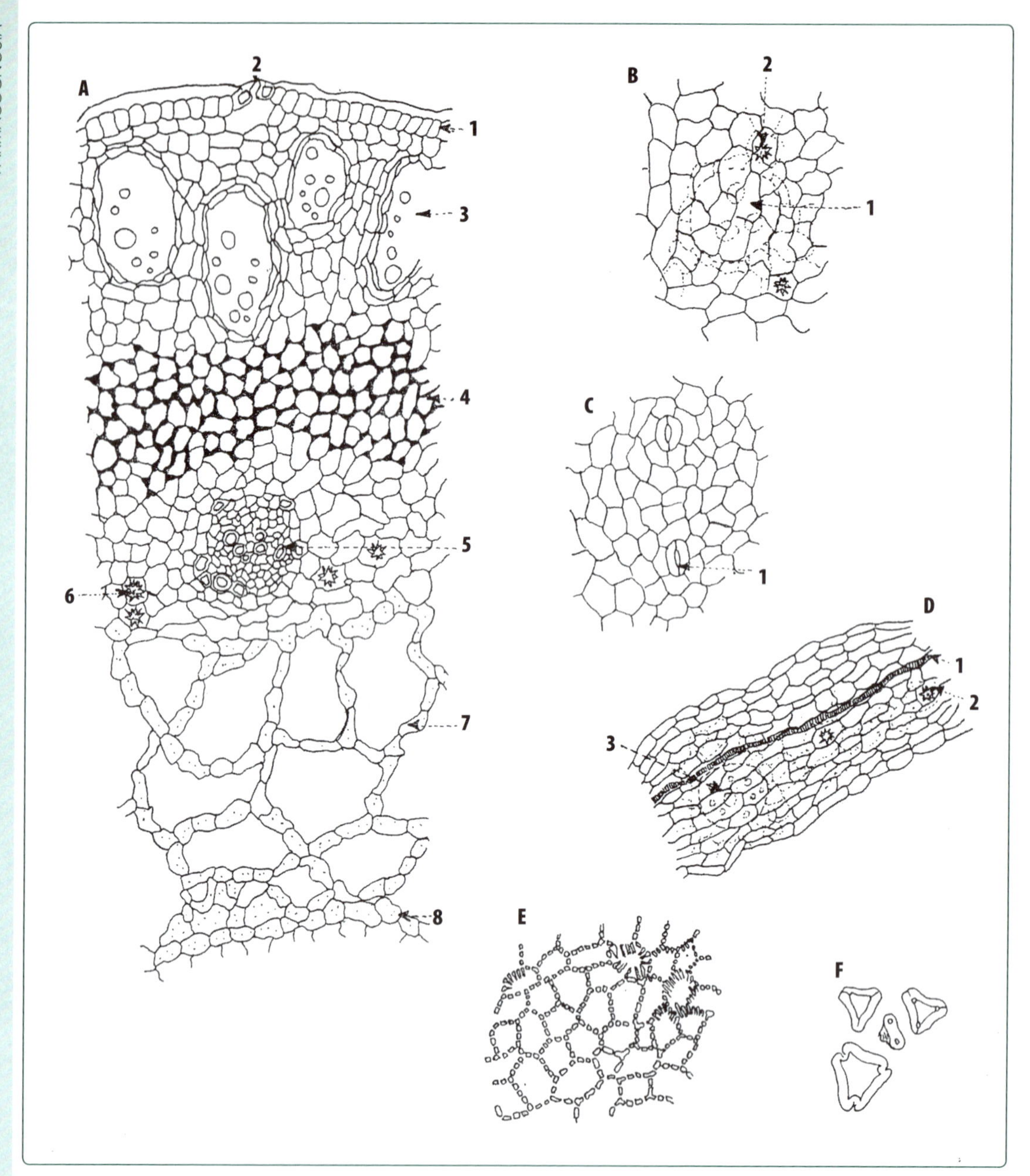

Fig. 5.46 – CRAVO-DA-ÍNDIA *(Syzygium aromaticum* (L.) Merril et Perry). **A.** Corte transversal da região do hipanto: **1** – epiderme; **2** – estômato; **3** – glândula endógena; **4** – região colenquimatosa; **5** – feixe fibrovascular; **6** – drusa; **7** – região de tecido frouxo; **8** – endoderme. **B.** Epiderme da corola vista de face: **1** – glândula vista por transparência; **2** – drusa. **C.** Epiderme do hipanto vista de face: **1** – estômato. **D.** Filete: **1** – região do feixe vascular mostrando vaso espiralado em primeiro plano, visto por transparência; **2** – drusa; **3** – glândula endógena. **E.** Camada mecânica da antera vista de face. **F.** Grãos de pólen.

Flor-de-laranjeira

Citrus aurantium L. – *Rutaceae*

Parte usada: Botões florais e flores.

Sinonímia: Flor-de-laranja-doce; Laranja-flor; Laranjeira-flor; Fleur d'oranger.

As flores de laranjeira são aromáticas, possuidoras de odor característico agradável, coloração amarelo-claro ou amarelo-amarronzado, e sabor levemente amargo.

Descrição macroscópica

A droga flor-de-laranjeira é constituída por botões florais ou mistura de botões florais com flores abertas submetidas a processo de secagem à sombra ou em estufas com temperatura e circulação de ar bem controlada para evitar a perda de óleos essenciais.

O cálice é formado por cinco sépalas pequenas de coloração verde-clara, provido de raros pelos e de pontos translúcidos indicativos de glândulas contidas em seu interior.

A corola tem cinco pétalas livres e apresenta coloração variando de branca a amarelo-amarronzado. As pétalas medem até 1,5 cm de comprimento por cerca de 0,7 cm de largura. Apresentam ápice obtuso e consistência carnosa, sendo provida de pontos glandulares. Os estames em número de 20 a 25 apresentam-se caracteristicamente reunidos em grupos de quatro a oito pelo fenômeno da adelfia, ou seja, soldadura dos filetes. As anteras são bitecas, de ápice mais afilado que a base. O gineceu é provido de ovário geralmente octalocular, cada uma das lojas providos de dois óvulos. O estilete é robusto, sendo encimado por estigma globoso.

Descrição microscópica

Secção transversal das pétalas mostra mesofilo homogêneo constituído em geral por oito a dez camadas celulares com células braciformes ou aproximadamente circulares. A epiderme interna é constituída por uma fileira de células mamilonadas de aspecto característico.

Essa camada celular observada paradermicamente mostra mamilos proeminentes e cutícula nimiamente estriada. A epiderme externa é mamilonada; apresenta-se um tanto estriada e é provida de estômatos paracíticos. O mesofilo inclui em sua posição mediana feixes vasculares colaterais delicados e glandulares produtores de óleo essencial em sua região próxima à epiderme externa.

Esferocristais de hesperidina podem ser observados nas células da epiderme externa.

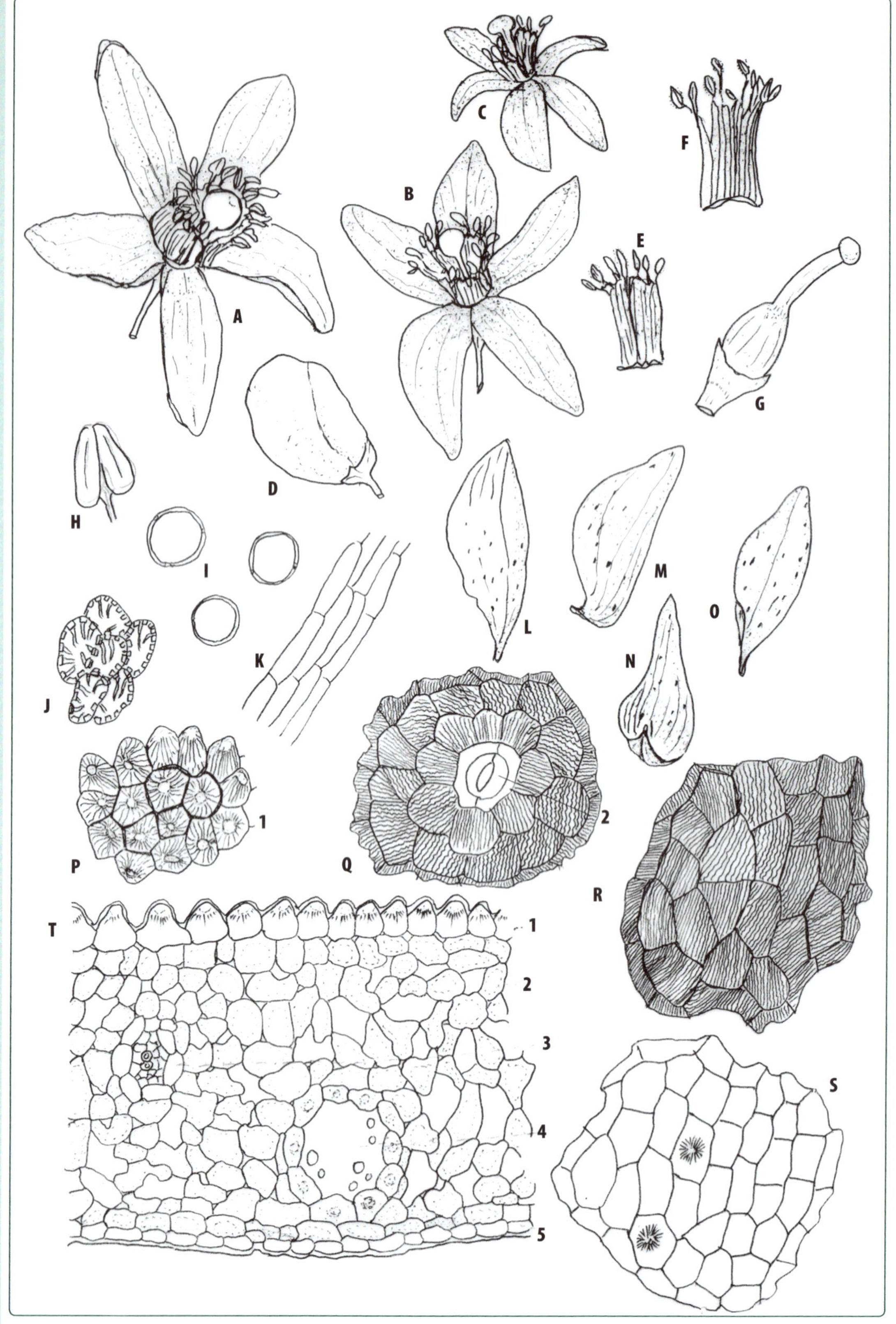

Fig. 5.47 – FLOR-DE-LARANJEIRA *(Citrus aurantium* L.). **A, B** e **C.** Flor aberta. **D.** Botão floral. **E** e **F.** Grupos de estames adelfos. **G.** Gineceu. **H.** Estame. **I.** Grãos de pólen. **J.** Células da camada mecânica da antera mostrando espessamentos em fita da parede celular. **K.** Células de filete. **L, M, N, O.** Pétalas. **P, Q, R.** Epiderme interna vista de face: **1** – células mamilonadas; **2** – estômato. **S.** Epiderme externa. **T.** Secção transversal da pétala: **1** – Epiderme interna mamilonadas; **2** – parênquima do mesofilo; **3** – feixe vascular; **4** – canal secretor; **5** – epiderme externa.

Macela

Achyrocline satureoides DC. – *Compositae*

Parte usada: Flor.

Sinonímia vulgar: Marcela; Marcela do campo; Alecrim de parede.

Sinonímia científica: *Achyrocline flaccida* DC.; *Gnaphalium satureoides* Lamk.; *Ganaphalium flaccidum* Welnm.

Estas flores possuem cheiro particular e sabor amargo e aromático.

Descrição macroscópica

As flores da MACELA, em número de até seis, são amarelo-pálidas e se apresentam reunidas em capítulos agrupados em glomérulos paniculados. São protegidas por oito a nove brácteas de forma navicular, providas de ápice acuminado e base truncada, sendo as externas mais curtas medindo cerca de 3 mm de comprimento por 1 mm de largura. As brácteas mais internas medem até 3,5 mm de comprimento por 1 mm de largura e apresentam, como as anteriores, coloração amarelo-palha, sendo providas de mancha amarela mais escura na região basal.

As flores mais externas do capítulo são femininas e de aspecto filiforme, apresentando-se denteadas no ápice. São menos frequentes e alcançam 3 mm de comprimento. Seu estigma é bífido e o estilete glabro apresenta expansão globosa próximo à base. O ovário ínfero apresenta papo unisseriado com cerca de vinte cerdas brancas que alcançam quase a mesma altura da corola.

A flores centrais, geralmente em número de uma a três, são tubulosas, hermafroditas e alcançam até 3 mm de comprimento. O tubo da corola é ligeiramente alargado na base e o androceu epipétalo é formado por cinco estames sinantéreos. As anteras apresentam ápice agudo e base sagitada. O gineceu dessa flor é semelhante ao da anterior, assim como o seu papo. O fruto é um aquênio obovoide de cor parda e de superfície papilosa (Fig. 5.48).

Descrição microscópica

As brácteas, quando observadas em secção transversal, são constituídas de poucas fileiras de células junto à base e vão diminuindo de espessura em direção ao ápice. A epiderme é formada por células de contorno retangular. Apresentam pelos tectores, em especial, junto à base da bráctea. A epiderme das brácteas, quando observadas de face, apresentam células de contorno alongado e ligeiramente sinuoso.

As flores, vistas em corte transversal, são recobertas por epiderme e constituídas de células de contorno retangular que envolvem duas a três fileiras de células de contorno arredondado e de paredes um pouco espessadas.

A epiderme, quando vista de face, apresenta células alongadas de contorno poligonal e, nas lacíneas das flores, pelos glandulares providos, geralmente, de três células basais e de célula terminal alongada bem maior que as anteriores. As células epidérmicas que recobrem o ovário apresentam contorno poligonal.

A base do estilete, vista de face, mostra expansão globosa constituída por células esclerosadas. A região basal das flores apresenta anel esclerenquimático. As células que constituem o papo são alongadas, de paredes finas e muitas delas se projetam para fora, formando pequenas pontas.

Os grãos de pólen são arredondados com exina espinhosa e três poros de germinação.

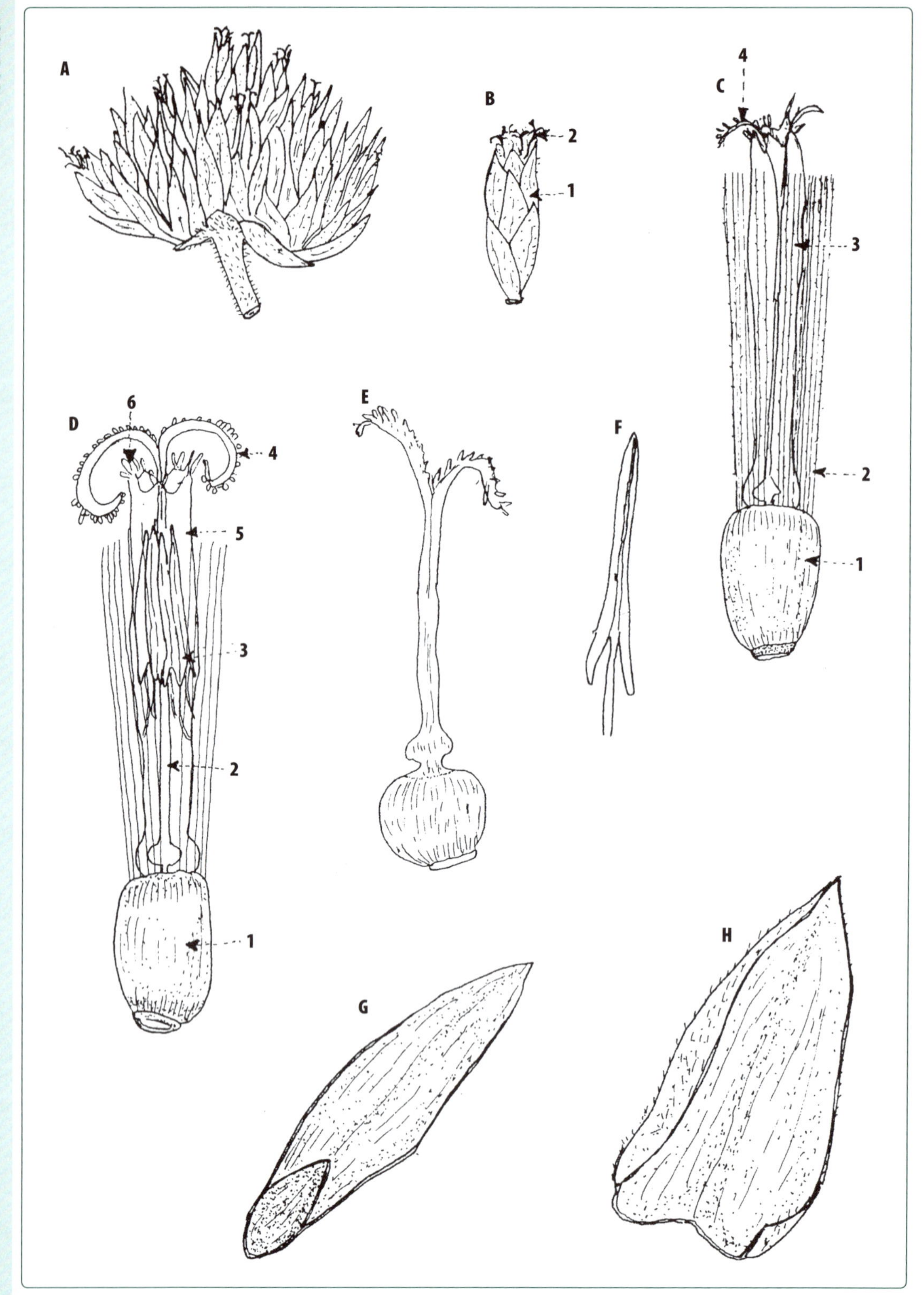

Fig. 5.48 – MACELA *(Achyrocline satureoides* DC). **A.** Glomérulos de capítulos. **B.** Capítulo: **1** – brácteas; **2** – floretas. **C.** Flor tubulosa: **1** – ovário; **2** – papos; **3** – corola; **4** – estigma. **D.** Flor tubulosa com a corola aberta longitudinalmente: **1** – ovário; **2** – estilete; **3** – anteras soldadas (sinanteria); **4** – estigma bífido e papiloso; **5** – corola; **6** – papilas localizadas no ápice da corola. **E.** Gineceu desprovido de papo. **F.** Estame com antera sagitada. **G.** Bráctea protetora da floreta. **H.** Bráctea protetora do capítulo.

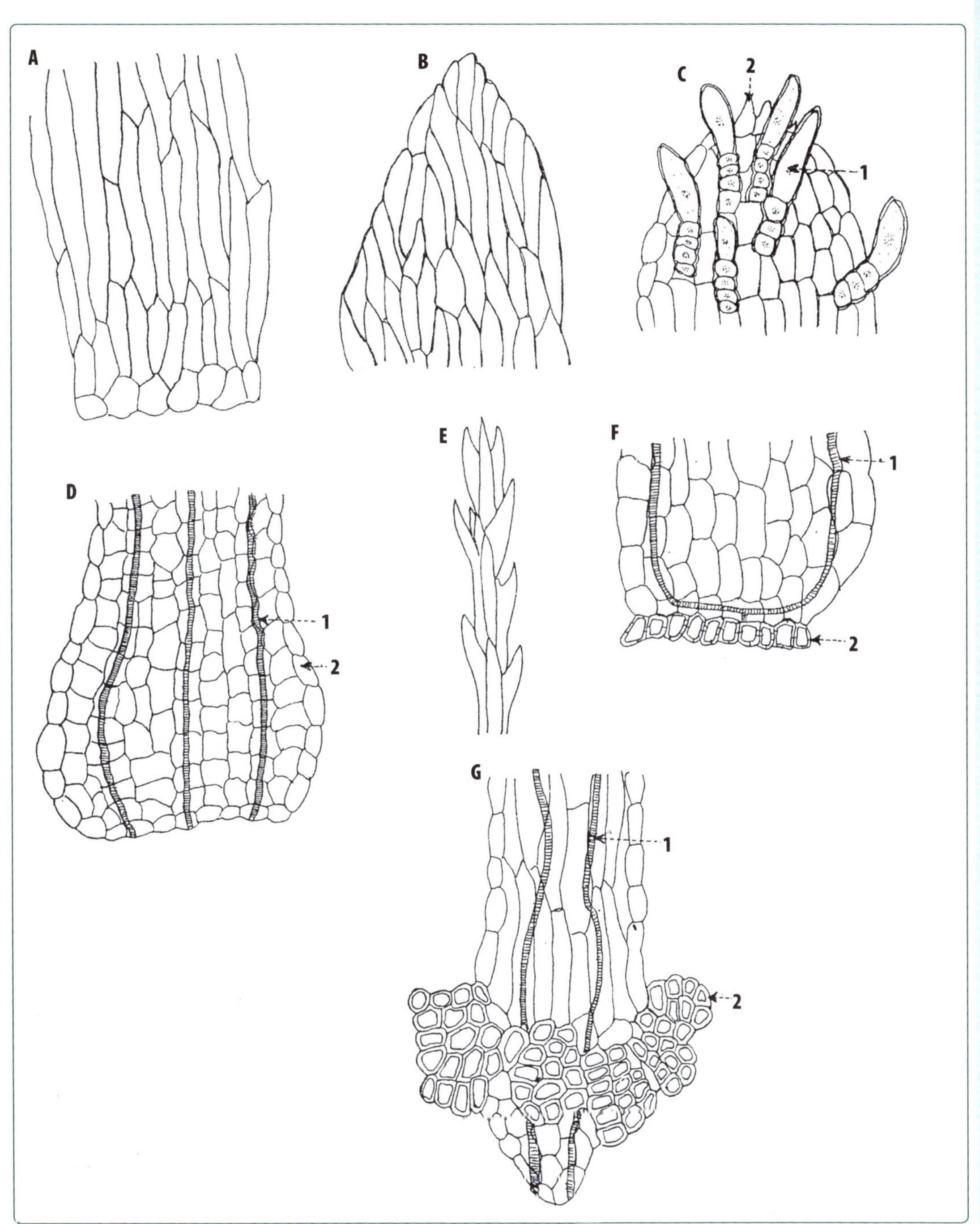

Fig. 5.49 – MACELA *(Achyrocline satureoides* DC). **A.** Bráctea protetora de capítulo vista de face. **B.** Bráctea protetora de floreta vista de face. **C.** Ápice da corola: **1** – pelo glandular; **2** – papila. **D.** Base da corola vista de face: **1** – vaso xilemático espiralado de feixe vascular visto por transparência; **2** – epiderme. **E.** Fragmento de cerda do papo. **F.** Base do ovário: **1** – vaso xilemático espiralado de feixe vascular visto por transparência; **2** – anel esclerenquimático. **G.** Expansão globosa e esclerosada da base do estilete: **1** – vaso xilemático espiralado; **2** – células esclerosadas.

Mamoeiro

Carica papaya Linné – *Caricaceae*
Parte usada: Flor masculina.
Sinonímia vulgar: Chamburu.
Sinonímia científica: *Papaya vulgaris* DC.

Estas flores, quando frescas, possuem cheiro fraco, aromático, característico, que quase desaparece pela dessecação.

Descrição macroscópica

A inflorescência masculina do MAMOEIRO é longamente pedunculada, cimosopaniculada, sendo a panícula mais ou menos ampla e laxiflora. As flores masculinas medem de 3 a 5 cm de comprimento e têm pequenino cálice gamossépalo, glabérrimo, levemente campanulado, quinquelobado, com os lobos lanceolados, agudos, de cor verde-clara, carnosos. A corola tem cor branco-amarelada, sendo glabérrima, simpétala, alongada-tubulosa, com cinco divisões, recurvadas para baixo e de perfloração torcida. Os estames são em número de dez e se distribuem em duas séries na face da corola, sendo cinco sésseis e cinco munidos de filetes curtos cilíndricos; as anteras são biloculares de deiscência longitudinal e introrsas; o conectivo das inferiores ultrapassa-as, formando uma lígula curtamente obtusa; o gineceu é constituído por apenas um estilete cilíndrico-cônico, que representa os últimos vestígios dos órgãos femininos atrofiados.

Os pedúnculos da inflorescência não devem fazer parte da droga.

Fig. 5.50 – MAMOEIRO *(Carica papaya* L.). **A.** Inflorescência: **1** – botão floral; **2** – flor aberta; **3** – eixo da inflorescência. **B.** Flor. **C.** Flor aberta longitudinalmente: **1** – estames; **2** – tubo da corola; **3** – gineceu; **4** – pedúnculo. **D.** Estame de filete curto e longo presos aos fragmentos da corola.

Descrição microscópica

A corola observada em secção transversal apresenta-se recoberta por epidermes providas de células de contorno retangular. A cutícula que recobre essas células mostra-se estriada. A região do mesofilo é constituída em média por sete fileiras de células de contorno arredondado, algumas das quais têm drusas de oxalato de cálcio. Feixes vasculares delicados podem ser observados nesse local. A epiderme externa da corola, quando vista de face, apresenta células providas de contorno poligonal recobertas por cutícula estriada e pelos tectores simples, longos e de paredes sinuosas. A epiderme interna é semelhante à anterior, porém não apresenta pelos.

Os grãos de pólen são arredondados, providos de exina quase lisa e de três poros de germinação.

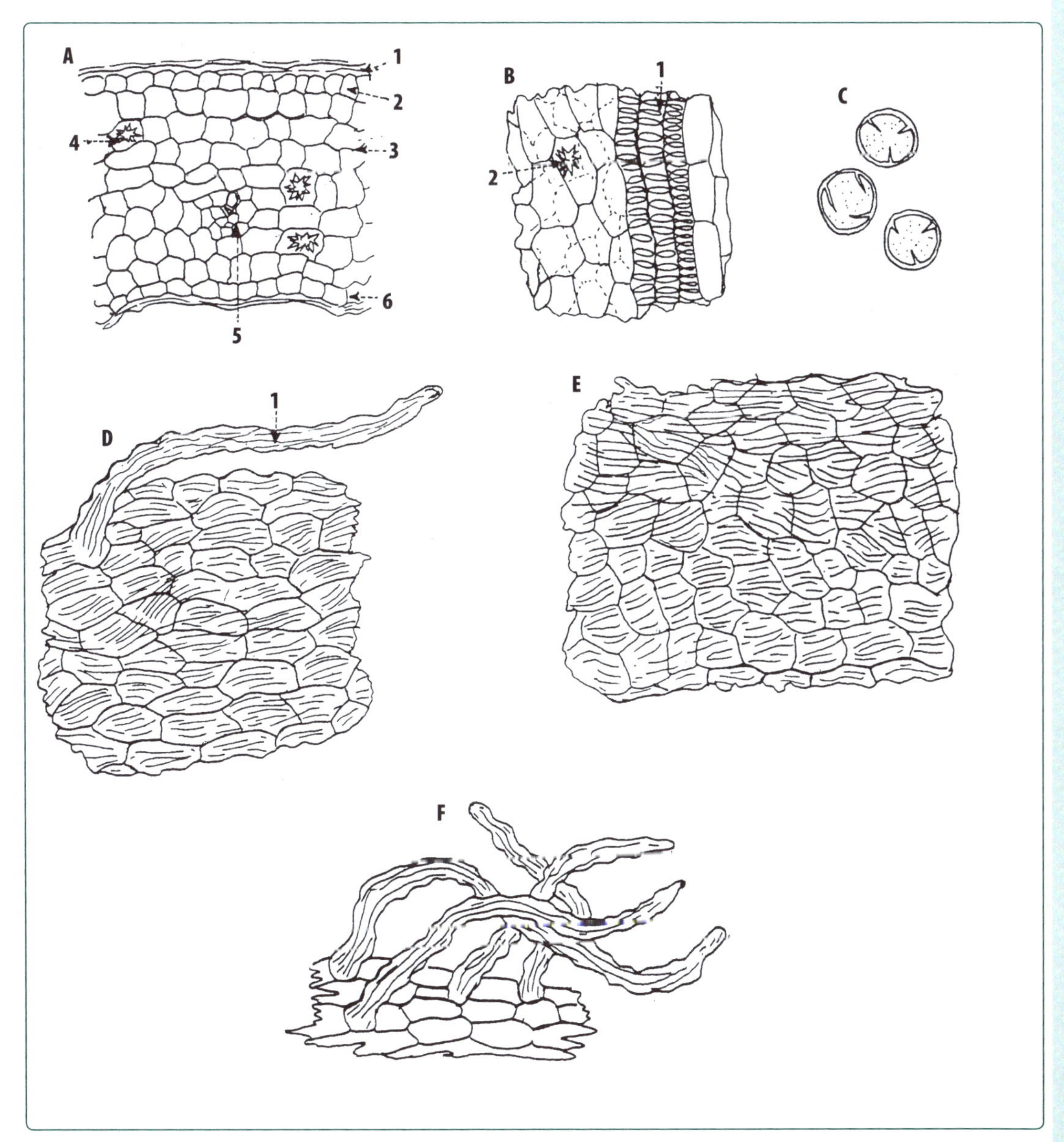

Fig. 5.51 – MAMOEIRO *(Carica papaya* L.). **A.** Secção transversal da corola: **1** – cutícula estriada; **2** – epiderme externa; **3** – parênquima fundamental; **4** – drusa; **5** – feixe vascular; **6** – epiderme interna. **B.** Fragmento da corola vista de face: **1** – vaso xilemático do feixe vascular; **2** – drusa. **C.** Grão de pólen. **D.** Epiderme externa vista de face: **1** – pelo tector. **E.** Epiderme interna vista de face. **F.** Fragmento de epiderme mostrando pelos tectores.

Paineira

Chorisia speciosa Saint Hilaire – *Bombacaceae*
Parte usada: Flor.
Sinonímia vulgar: Árvore de paina; Barriguda.

Estas flores possuem cheiro levemente aromático e sabor mucilaginoso.

Descrição macroscópica

As flores de PAINEIRA são solitárias ou geminadas ou, ainda, raramente reunidas em número de três nas axilas de folhas, formando, após a queda dessas folhas, racemos terminais, sustentados por pedúnculos de 2 a 3 cm de comprimento, espessos e direitos, munidos próximos de seu vértice de três bractéolas membranáceas alternas, semiorbiculares e côncavas superiormente. O cálice mede de 1,5 a 2 cm de comprimento e 1,4 a 1,6 cm de diâmetro no vértice; é campanulado, irregularmente tri a quinquelobado, com os lobos desiguais, semielípticos, levemente agudos; é coriáceo, glabro externamente e revestido de um tomento curto, sendo sedoso internamente. As pétalas, em número de cinco, medem em média 8,5 cm de comprimento por 2,5 cm de largura. São obovais-espatuladas, oblíqua e superficialmente chanfradas no vértice, onduladas inferiormente, cobertas externamente de um tomento curto e esbranquiçado, revestidas de pelos igualmente curtos, mais raros sobre a metade superior de sua face interna, que é de cor arroxeada ou vermelha. Sua metade inferior é glabra e amarela, estriada e pontuada de preto.

Os estames têm os filetes soldados num tubo de 7 a 8,5 cm de comprimento, no qual se podem distinguir duas porções diferentes entre si. A inferior, cilíndrica, é constituída por fileira externa de estaminódios, apenas mais comprido do que o cálice, com dez estrias que separam outras tantas quinas longitudinais. São amarelados e dilatados no vértice numa espécie de coroa dividida em cinco lobos biloculados, distendidos, lanosos e púrpuro-negros. A porção superior, também cilíndrica, soldada na base à precedente, apresenta diâmetro menor. É glabra, avermelhada, um pouco dilatada no vértice, que é coroado por um círculo de anteras extrorsas e adnatas. As anteras são lineares, flexuosas, paralelas entre si, divididas cada uma no seu comprimento por um sulco profundo, que parece, antes da deiscência, distinguir duas lojas, mas que se abrem ao longo desse sulco em duas valvas que se estendem de cada lado. Os grãos de pólen são globulosos ou um tanto angulosos e de exina lisa. O estilete é filiforme, levemente pubescente na base, embainhado pelo tubo formado pelos filetes dos estames, o qual ultrapassa em comprimento. O estigma é captado, indistintamente quinquelobado, e de coloração purpurina.

O ovário é cônico, subpentagonal obtuso, dividido incompletamente em cinco lojas por outros tantos septos delgados, cuja margem livre traz uma placenta espessa, prismática-triangular. Essas placentas, unidas entre si no fundo do ovário, apresentam, fixados nos seus ângulos laterais, muitos óvulos pequeninos, conoides.

Descrição microscópica

As pétalas, quando cortadas transversalmente, são recobertas por epidermes providas de células de contorno retangular alongadas no sentido anticrinal, providas de tufos de pelos simples que se inserem em determinados locais, assumindo o conjunto o aspecto de pelo estrelado. O mesofilo é constituído de oito a dez fileiras de células arredondadas que envolvem ductos de mucilagem e delicados feixes vasculares. Drusas de oxalato de cálcio podem ser observadas nessa região.

Tanto a epiderme externa quanto a epiderme interna são constituídas por células de contorno poligonal. Pelos tectores simples, dispostos em tufos, podem ser observados sobre a epiderme. Pelos glandulares pluricelulares fusiformes também são frequentes. Grãos de pólen, providos de exina quase lisa e de três poros de germinação, também podem ser observados.

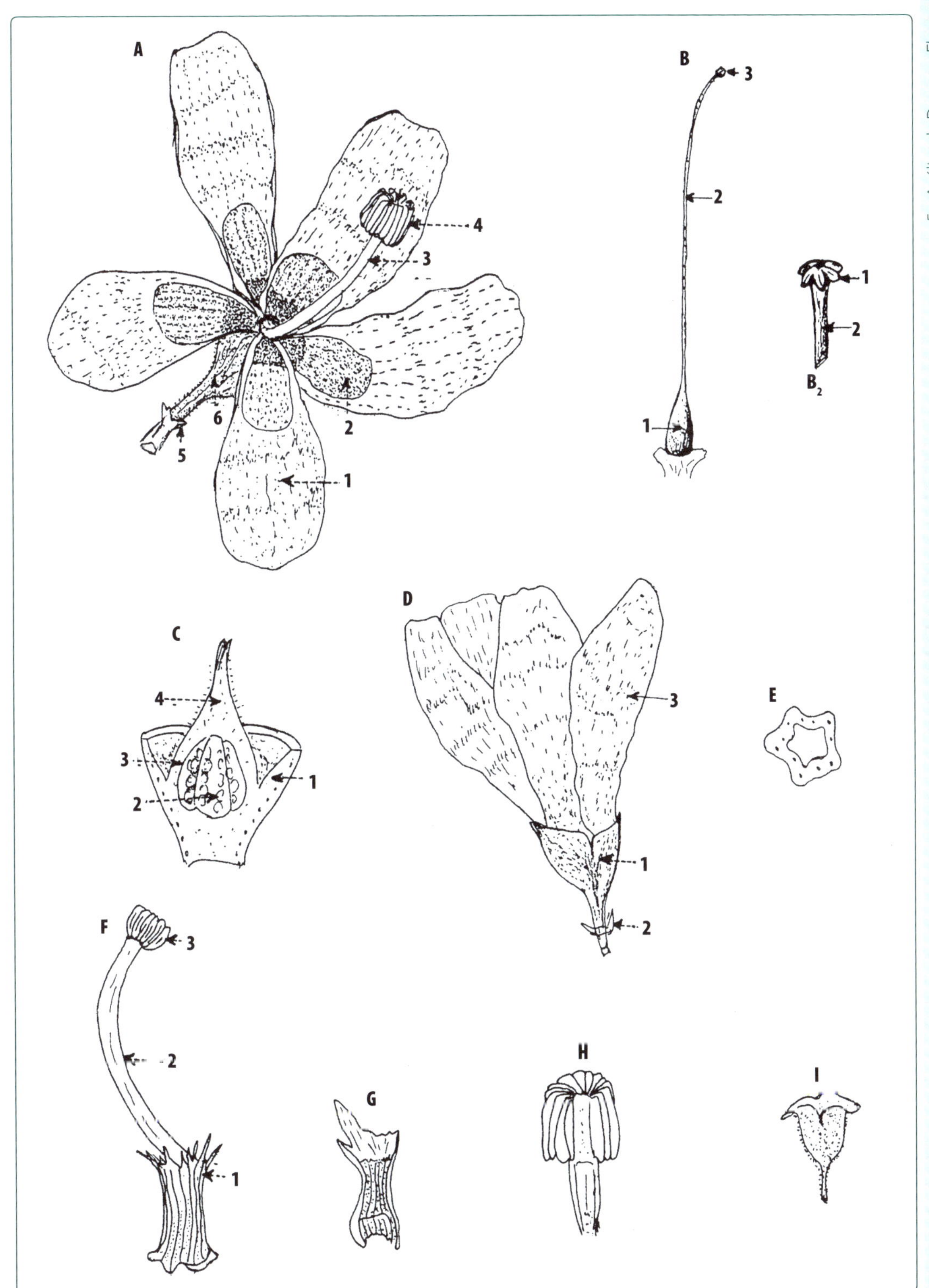

Fig. 5.52 – PAINEIRA *(Chorisia speciosa* Saint Hilaire). **A.** Flor: **1** – pétala; **2** – mácula; **3** – andróforo; **4** – anteras; **5** – bractéola; **6** – cálice. **B.** Gineceu: **1** – ovário; **2** – estilete; **3** – estigma. **B$_2$. 1** – estigma; **2** –estilete. **C.** Secção longitudinal ovariana: **1** – cálice; **2** – loja ovariana contendo óvulos; **3** – parede ovariana; **4** – porção basal do estilete. **D.** Flor: **1** – cálice; **2** – bractéolas. **E.** Cilindro estaminoidífero em corte transversal. **F.** Andróforo: **1** – estaminódio preso ao cilindro estaminoidífero; **2** – tubo formado pela concrescência de filetes (adelfia); **3** – anteras extrorsas adnatas. **G.** Cilindro estaminoidífero cortado longitudinalmente. **H.** Parte terminal do andróforo mostrando anteras extrorsas e adnatas. **I.** Cálice.

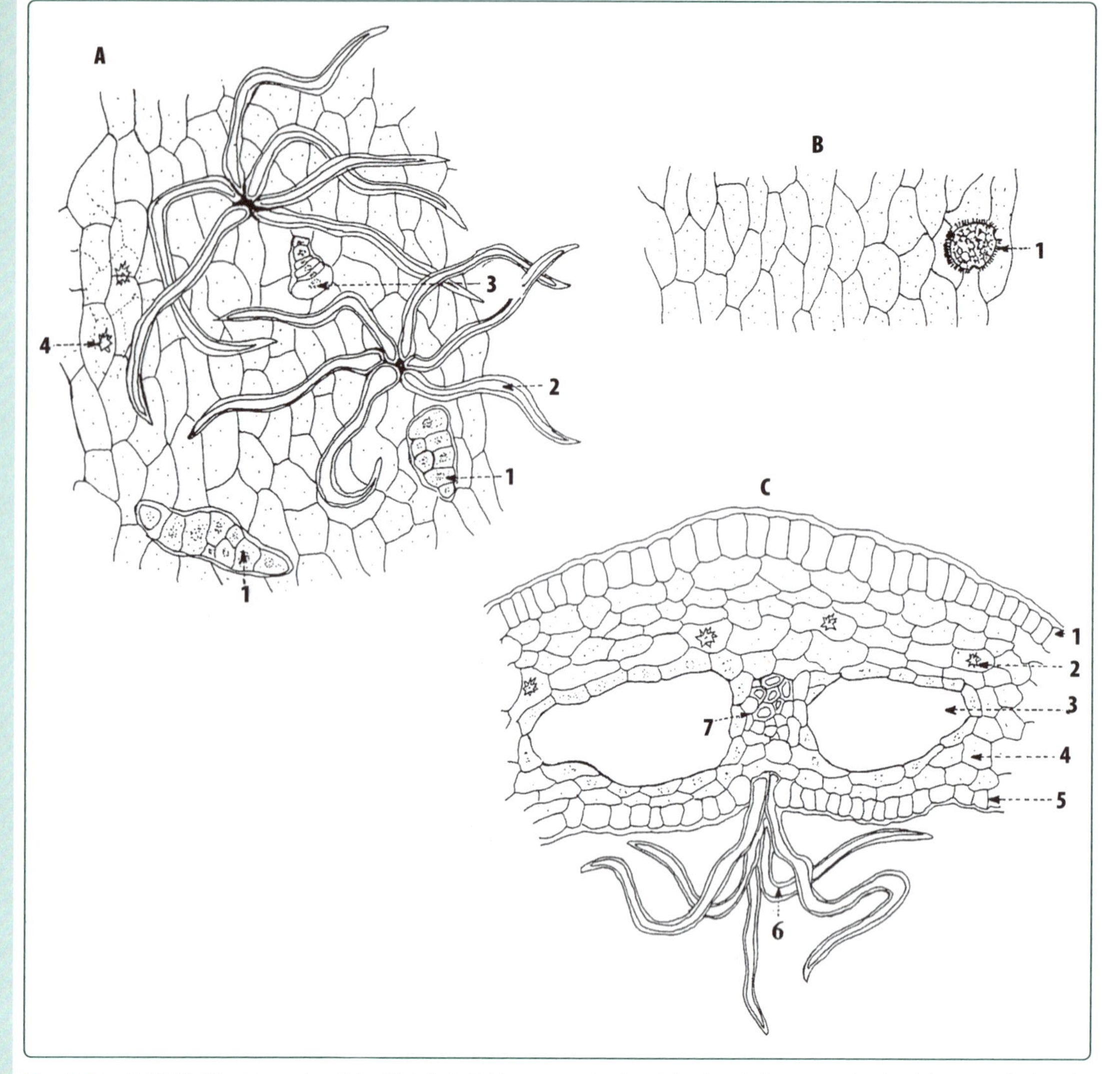

Fig. 5.53 – PAINEIRA *(Chorisia speciosa* Saint Hilaire). **A.** Epiderme superior da pétala vista de face: **1** – pelo glandular; **2** – tufo de pelos tectores simples; **3** – pelo glandular; **4** – drusa. **B.** Epiderme inferior da pétala vista de face: **1** – grão de pólen. **C.** Corte transversal da pétala: **1** – epiderme superior; **2** – drusa; **3** – ducto de mucilagem; **4** – parênquima fundamental; **5** – epiderme inferior; **6** – tufo de pelos tectores simples; **7** – feixe vascular.

Papoula rubra

Papaver rhoeas Linné – *Papaveraceae*
Parte usada: Pétalas.
Sinonímia vulgar: Amapola; Rosolaccio.

Possui cheiro aromático, agradável, e sabor adstringente e levemente amargo.

Descrição macroscópica

As pétalas da PAPOULA RUBRA atingem 6 cm de comprimento por 5 cm de largura; são largamente elípticas ou ovais, de margens inteiras, de textura delicada, lisas, de cor rubro-violáceas e com mancha escura ou mácula na base; secas, tomam cor pardo-avermelhadas.

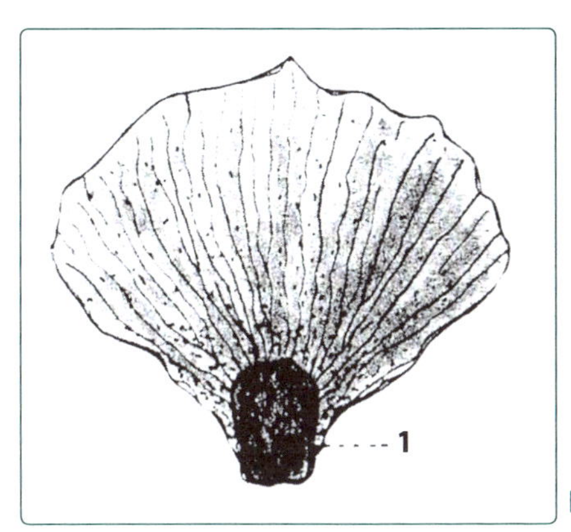

Fig. 5.54 – PAPOULA RUBRA *(Papaver rhoeas* L.) – Pétala: **1** – mácula.

Descrição microscópica

As epidermes das pétalas, quando vistas de face, são formadas de células poliédricas alongadas, de paredes sinuosas, e não têm senão raros e pequenos estômatos arredondados. Numerosos grãos de pólen globulosos são ordinariamente encontrados aderentes às pétalas.

Na região próxima à mácula, as células epidérmicas mostram-se menos sinuosas.

A secção transversal da pétala apresenta epiderme provida de células de forma e tamanho variáveis, recobertas por cutícula fina. O mesofilo, constituído de seis a oito camadas celulares, é formado por células arredondadas e englobam delicados feixes vasculares.

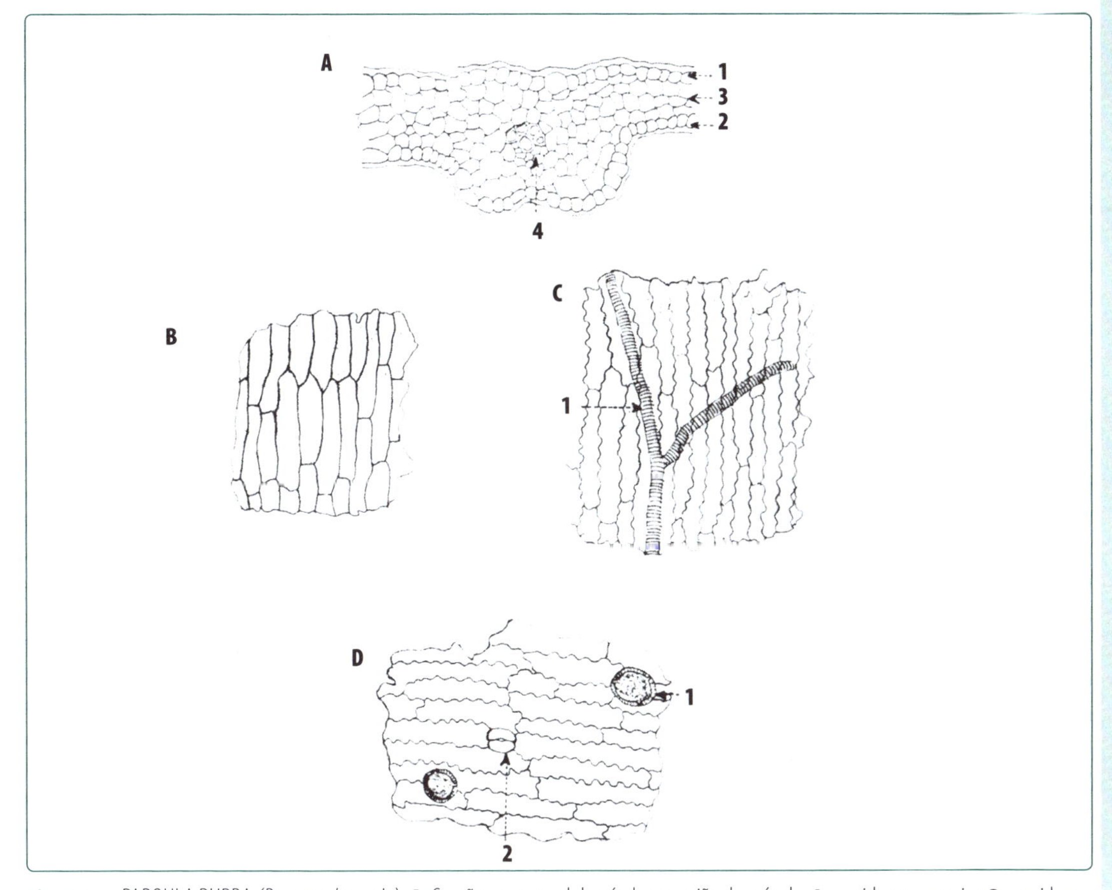

Fig. 5.55 – PAPOULA RUBRA *(Papaver rhoeas* L.). **A.** Secção transversal da pétala na região da mácula: **1** – epiderme superior; **2** – epiderme inferior; **3** – parênquima fundamental; **4** – feixe vascular. **B.** Epiderme superior vista de face, próxima da região da mácula. **C.** Epiderme superior vista de face: **1** – feixe vascular mostrando vaso espiralado em primeiro plano visto por transparência. **D.** Epiderme inferior vista de face: **1** – grão de pólen; **2** – estômato.

Rosa rubra

Rosa gallica L. – *Rosaceae*
Parte usada: Pétalas.

As pétalas são macias, aveludadas ao tato, de odor aromático agradável e sabor adstringente e levemente amargo.

Descrição macroscópica

A droga é constituída de pétalas, a maior parte das vezes, separadas e com menos frequência reunidas em botões florais cônicos. São largamente ovais ou obcordiformes. Apresentam na base uma pequena unha ou unguícula. As margens são inteiras, curvas e apresentam cor vermelho-purpurina. Com frequência aparecem amarrotadas e fragmentadas. Medem de 2 a 3 cm de largura na região mais dilatada próxima ao ápice por 1,5 a 3,5 cm de comprimento.

Descrição microscópica

Secção transversal da pétala, ao nível do terço médio inferior acima da região da unguícula, apresenta epiderme superior constituída de células papiliformes providas de conteúdo vermelho-purpurino. Mesofilo provido de cinco a dez camadas celulares constituído de células quase isodiamétricas providas de conteúdo de coloração semelhante à fileira celular anteriormente descrita. Essa região envolve feixes vasculares delicados, colaterais. A epiderme inferior é constituída por células de contorno quase retangulares alongadas no sentido periclinal.

A epiderme superior, quando vista de face, exibe caráter acentuadamente mamilonar, e a epiderme inferior é formada, quando vista de face, por células cujo contorno varia do retangular ao quase arredondado.

Sobre a epiderme inferior, nas regiões próximas à unguícula, onde as células apresentam contorno com frequência retangular, raras vezes nota-se a presença de pelos tectores simples.

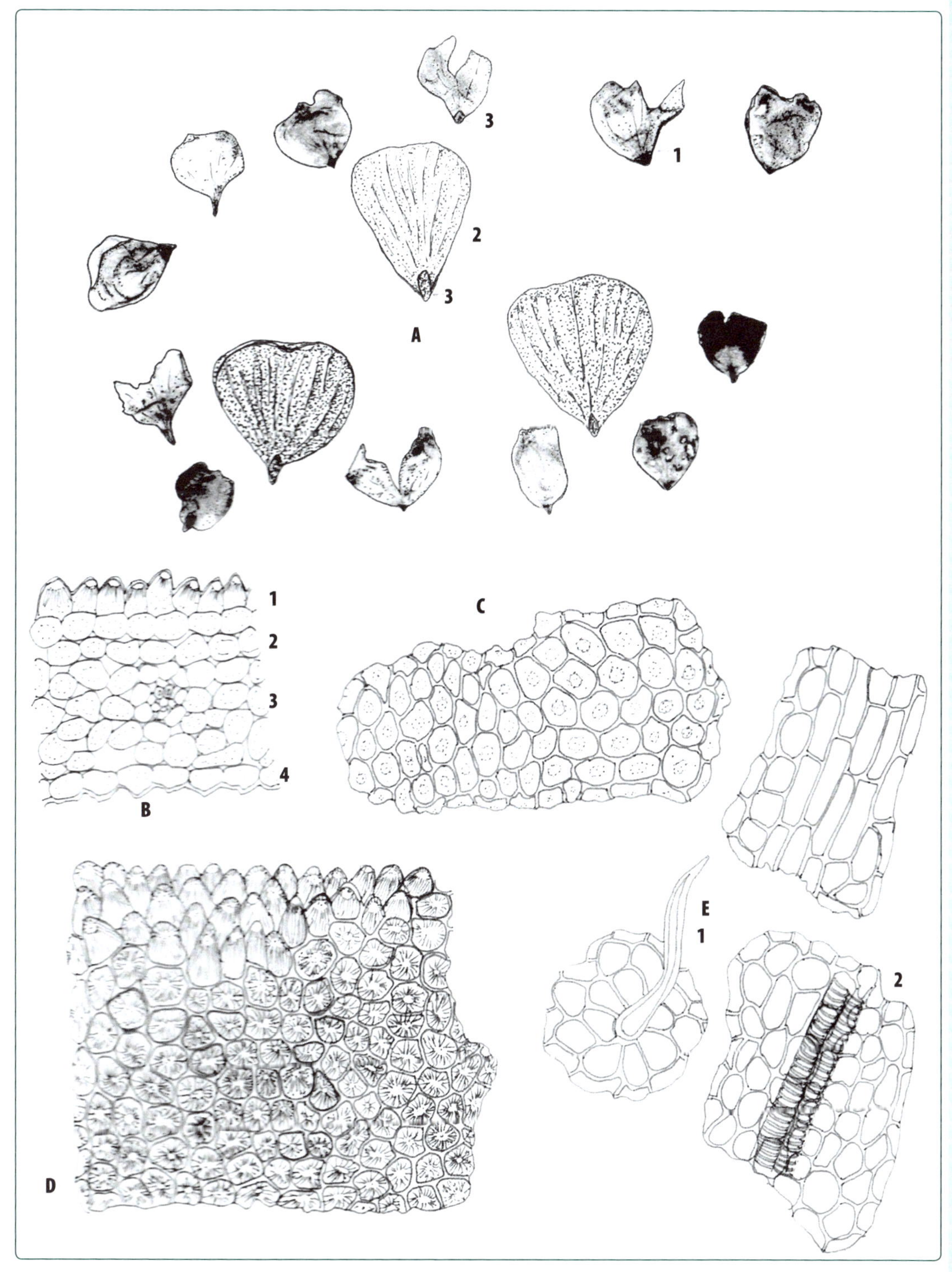

Fig. 5.56 – ROSA RUBRA (*Rosa gallica* L.). **A.** Pétalas: **1** – droga; **2** – pétala fresca; **3** – unguícula. **B.** Secção transversal da pétala: **1** – epiderme superior mamilonada (células papiliformes); **2** – mesofilo; **3** – feixe vascular; **4** – epiderme inferior. **C.** Epiderme inferior visão paradérmica. **D.** Epiderme superior visão paradérmica. **E.** Visão paradérmica da região da unguícula: **1** – pelo tector simples; **2** – vaso xilemático espiralado.

Tília

Tilia cordata Miller e *Tilia platyphyllos* Scopoli – *Tiliaceae*
Parte usada: Inflorescência.
Sinonímia vulgar: Tília do verão; Tila; Tiglio; Tilleul.
A TÍLIA possui cheiro suave e sabor adocicado.

Descrição macroscópica

As flores de TÍLIA são dispostas em cimos umbeliformes compostos de cinco a quinze flores na primeira espécie, e de três a sete flores na segunda, e cujos pedúnculos são soldados na parte inferior a uma longa bráctea linear-oblonga, coriácea, membranácea, integérrima, reticulada-venosa, glabra, de cor verde-amarelada. As flores amareladas têm cálice tomentoso, formado de cinco sépalas caducas, livres e carenadas; a carola é composta de cinco pétalas espatuladas, arredondadas ou acuminadas no vértice; os estames, em número de 30 a 40, têm filete filiforme e conectivo bífido, e suas anteras são ovoides e dorsifixas; o ovário é súpero, piloso, quinquelocular, encimado por estilete com estigma quinquelobulado.

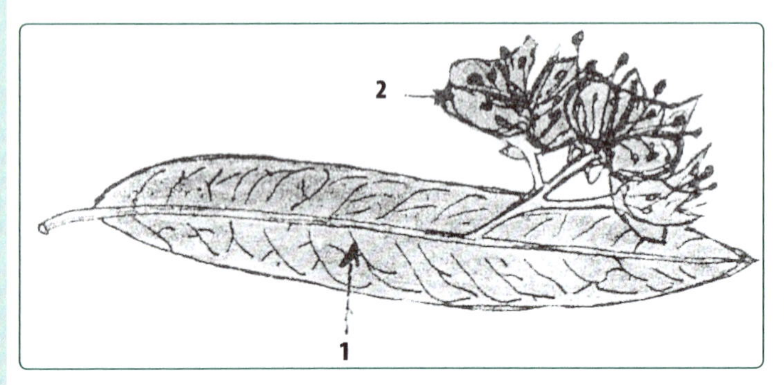

Fig. 5.57 – TÍLIA *(Tilia platyphyllos* Scopoli) – Flor: **1** – bráctea; **2** – inflorescência.

Descrição microscópica

Os tecidos de todas as partes da inflorescência da *Tilia platyphyllos* Scopoli, sobretudo os da flor, contêm células ou reservatórios de mucilagem e cristais estrelares de oxalato de cálcio. As sépalas, as pétalas e os ovários apresentam pelos simples e pelos fasciculados, lembrando o aspecto de estrela. Os grãos de pólen são finamente pontuados e apresentam três poros germinativos.

A secção transversal da bráctea apresenta epidermes providas de células de contorno retangular, alongado no sentido longitudinal. O mesofilo é constituído por uma única camada de células em paliçada, e por três ou quatro camadas de parênquima lacunoso. Ductos mucilaginosos podem ser observados nessa região, bem como drusas de oxalato de cálcio.

As epidermes das brácteas, quando vistas de face, apresentam células providas de contorno poligonal. Pelos simples, dispostos em fascículo, de maneira a lembrar pelos estrelares, são observados nessa região.

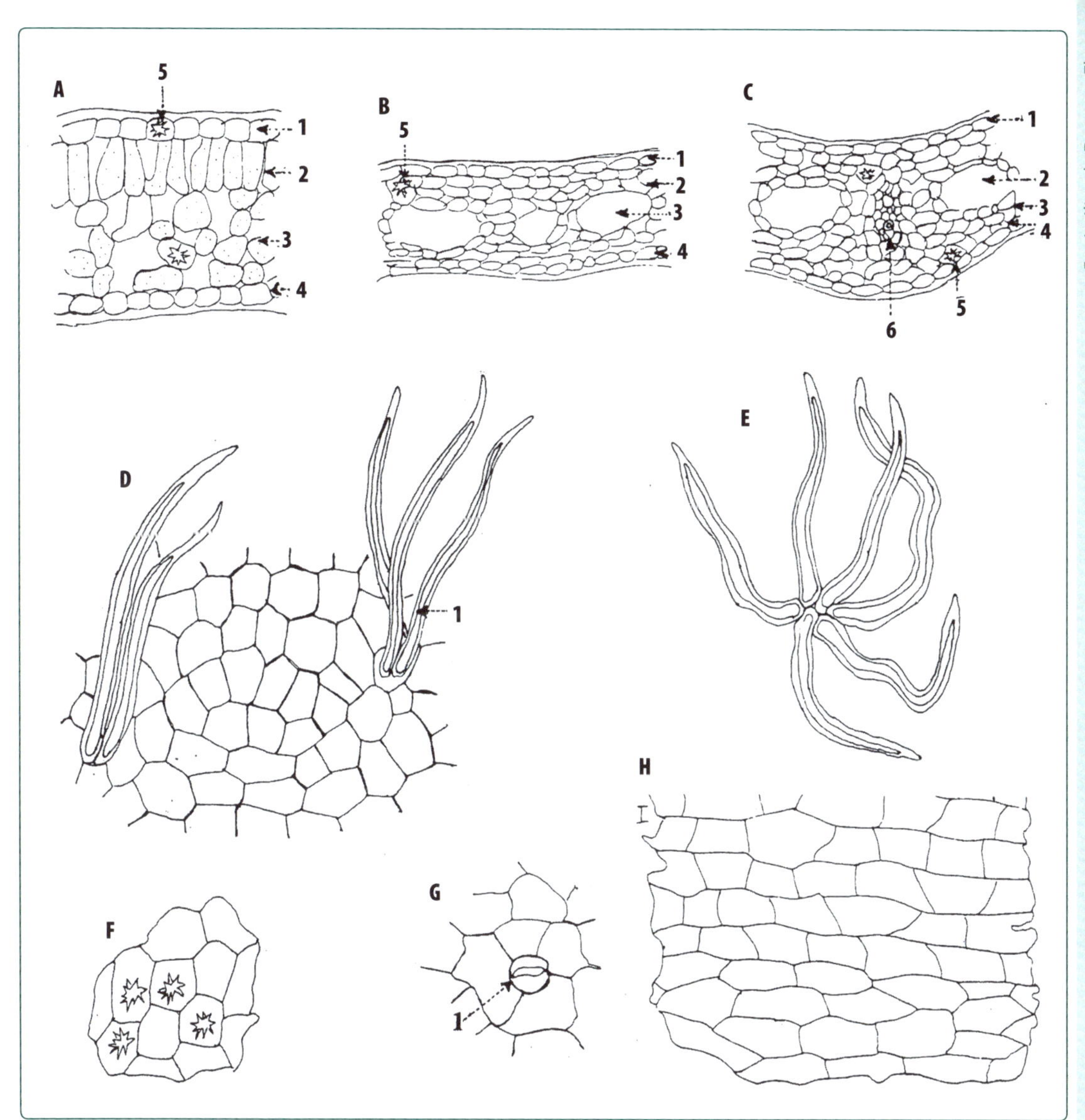

Fig. 5.58 – TÍLIA *(Tilia platyphyllos* Scopoli). **A.** Secção transversal de bráctea: **1** – epiderme superior; **2** – parênquima paliçádico; **3** – parênquima lacunoso; **4** – epiderme inferior; **5** – drusa. **B.** Secção transversal do cálice: **1** – epiderme superior; **2** – parênquima fundamental; **3** – ducto de mucilagem; **4** – epiderme inferior; **5** – drusa. **C.** Secção transversal da corola. **1** – epiderme superior; **2** – ducto de mucilagem; **3** – parênquima fundamental; **4** – epiderme inferior; **5** – drusa; **6** – feixe vascular. **D.** Epiderme superior da bráctea vista de face: **1** – pelo tector simples. **E.** Tufo de pelos tectores simples. **F.** Células epidérmicas contendo drusas vistas de face. **G.** Epiderme inferior da bráctea vista de face: **1** – estômato. **H.** Epiderme inferior da bráctea vista de face.

Análise de Drogas – Frutos

GENERALIDADES

Considera-se fruto o ovário fecundado e desenvolvido acompanhado ou não de outras partes florais. O gineceu, e portanto o ovário, é formado por folhas carpelares. Os frutos, por essa razão, em sua essência apresentam estrutura de folhas. Neles pode-se observar a presença de três regiões bem distintas: a epiderme externa da folha carpelar, que recebe o nome no fruto de epicarpo; a região do mesofilo da folha carpelar, que é denominada de mesocarpo no órgão em estudo; a epiderme interna da folha carpelar, no caso, denominada de endocarpo.

Essa última região do fruto relaciona-se com o local de inserção das sementes denominado placenta. Essa região pode sofrer uma série de modificações apresentando-se, algumas vezes, lignificada (Figs. 6.1 e 6.2).

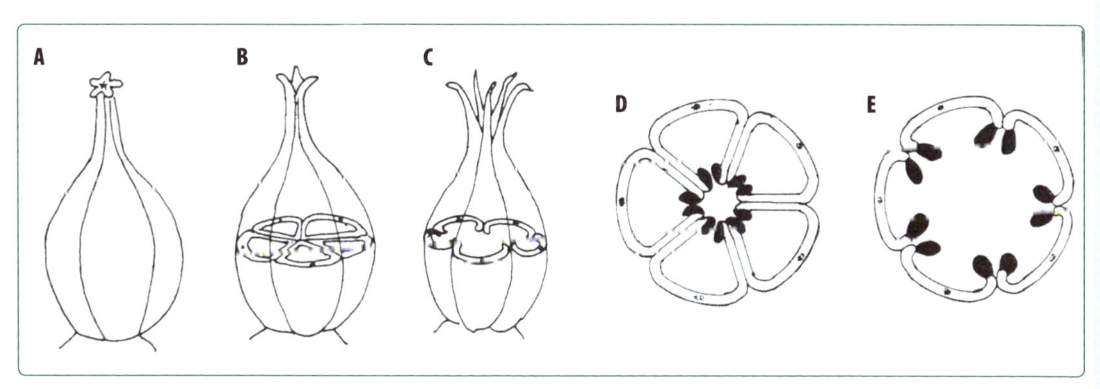

Fig. 6.1 – Folhas carpelares na formação do ovário e do fruto. **A.** Aspecto externo. **B** e **C.** Esquema mostrando a maneira de união de folhas carpelares. **D** e **E.** Secção transversal de frutos resultantes de B e C, respectivamente, mostrando região de placenta com sementes.

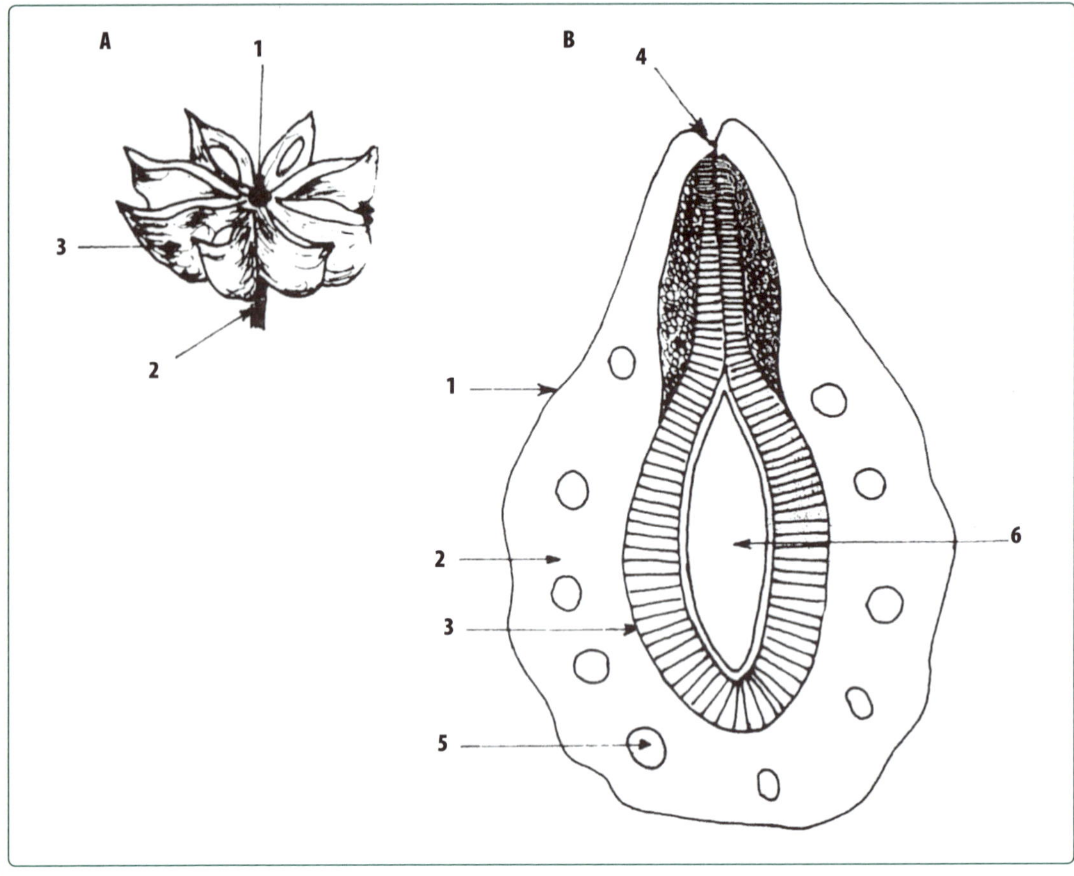

Fig. 6.2 – Folículo de BADIANA *(Illicium verum* Hooker *filius)*. **A.** Aspecto macroscópico: **1** – columela; **2** – pedúnculo; **3** – folículo. **B.** Secção transversal de folículo: **1** – epicarpo; **2** – mesocarpo; **3** – endocarpo; **4** – região da sutura da folha carpelar; **5** – feixe vascular; **6** – semente.

DROGAS CONSTITUÍDAS DE FRUTOS

Sob o título "Drogas constituídas de frutos" será incluída também a análise de drogas constituídas de partes de frutos. Assim, quando se analisa a casca de LARANJA-AMARGA – exemplo de droga constituída de parte de fruto –, deve-se proceder exatamente da maneira que se procede na análise de droga constituída de fruto inteiro. É óbvio que, nesse caso, não será efetuada a caracterização do endocarpo, pois essa parte do fruto está ausente nessa droga.

A *Farmacopeia Brasileira* cita, ainda, além das cascas de LARANJA-AMARGA, as seguintes drogas constituídas de partes de frutos: casca de LARANJA DOCE (epicarpo e mesocarpo), LIMÃO (epicarpo e mesocarpo), TAMARINDO (fruto desprovido de epicarpo), COLOQUÍNTIDA (fruto mondado ou fruto desprovido do epicarpo e parte do mesocarpo), KAMALA (pelos glandulares do epicarpo) (Fig. 6.3).

A identificação de uma droga constituída de fruto é feita por meio das suas características macroscópicas e microscópicas.

Caracterização macroscópica de frutos

Considera-se fruto o ovário fecundado e desenvolvido acompanhado ou não de outras estruturas de origem não carpelar a ele soldadas.

Certos autores chamam de pseudofrutos a outras partes de flores que não o ovário, que tenham se desenvolvido e se tornado édulas (comestíveis).

A caracterização macroscópica de drogas constituídas de frutos é feita considerando-se o aspecto externo e o aspecto da secção transversal.

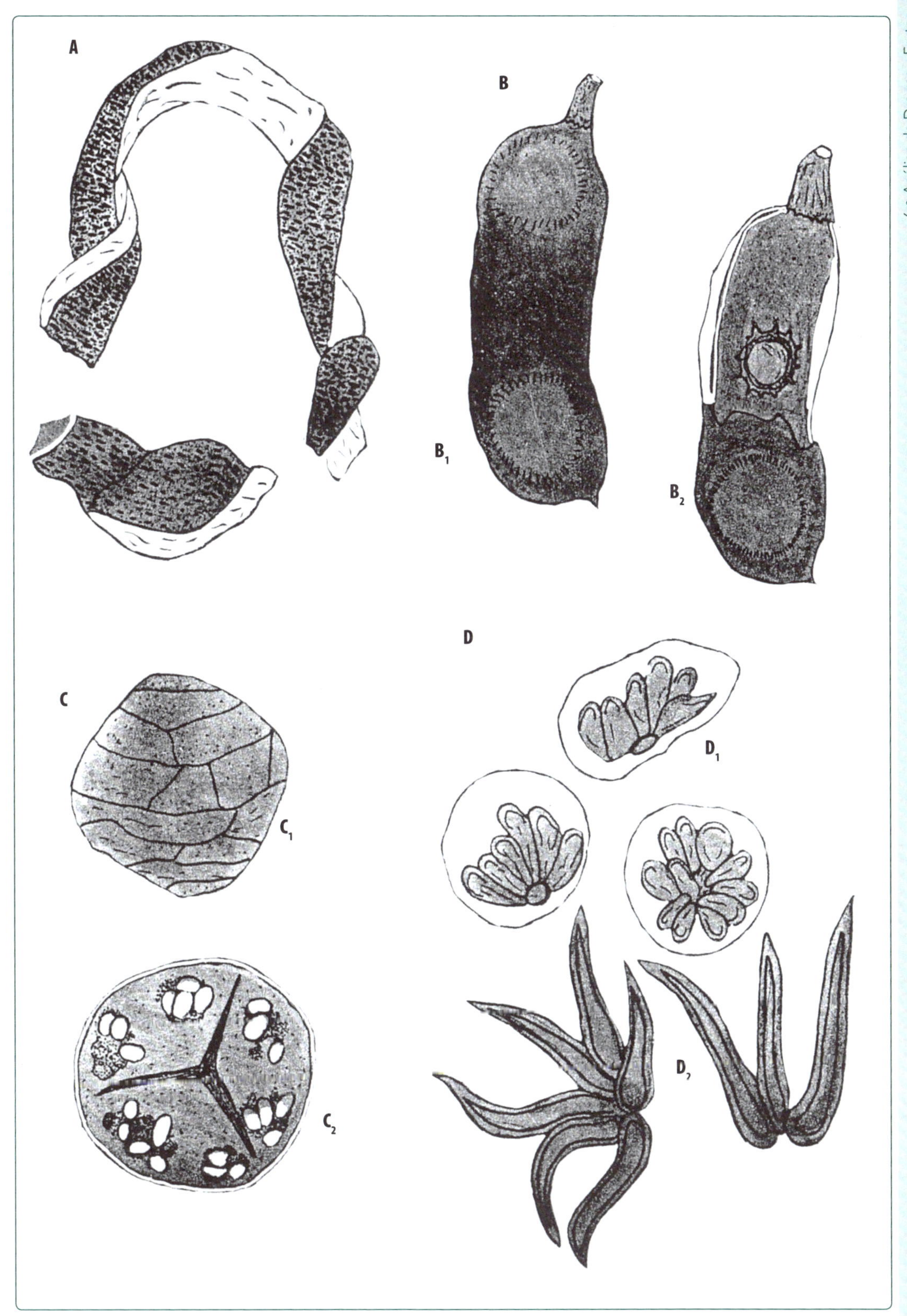

Fig. 6.3 – Drogas constituídas de partes de fruto. **A.** Casca de LARANJA *(Citrus* sp.) – epicarpo e mesocarpo. **B.** TAMARINDO *(Tamarindus indica* L.): $\mathbf{B_1}$ – Fruto inteiro; $\mathbf{B_2}$ – Fruto parcialmente desprovido de pericarpo. **C.** COLOQUÍNTIDA *(Citrulllus colocynthis* Schrader.) – Fruto desprovido do epicarpo e parte do mesocarpo: $\mathbf{C_1}$ – Aspecto externo; $\mathbf{C_2}$ – Secção transversal: **D.** KAMALA *(Mallotus philippinensis* Müller Argoviensis): $\mathbf{D_1}$ – Pelos tectores; $\mathbf{D_2}$ – Pelos glandulares.

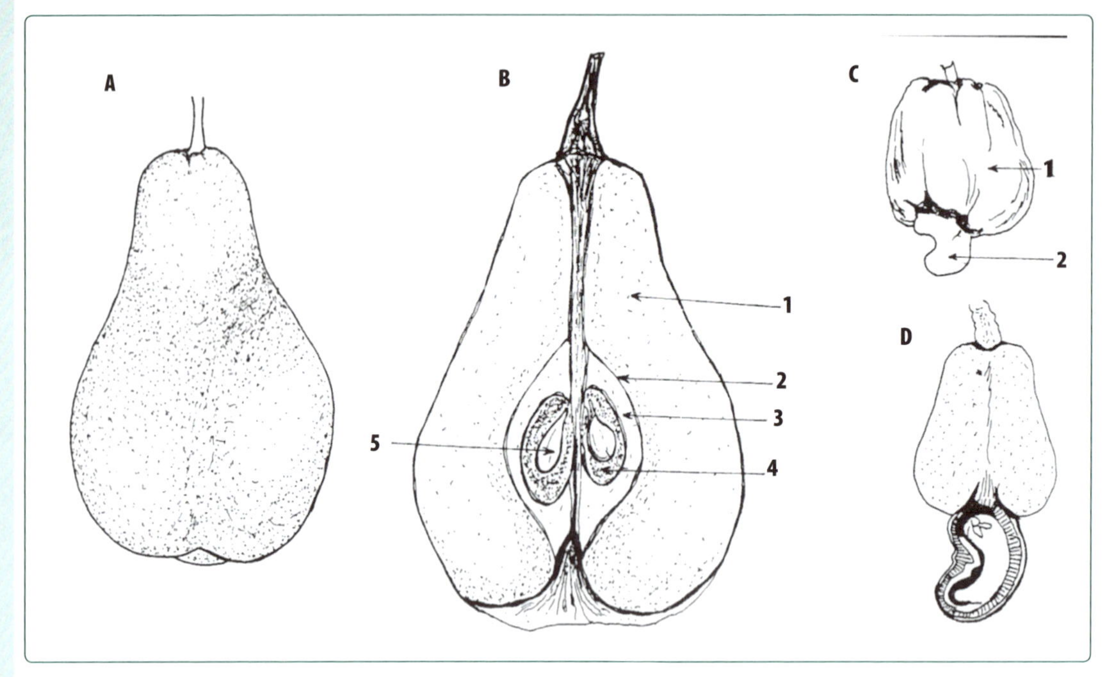

Fig. 6.4 – Pseudofrutos. **A.** Fruto de PERA *(Pyrus communis* L.) – (tipo pomo). **B.** O mesmo fruto cortado longitudinalmente: **1** – hipanto; **2** – epicarpo; **3** – mesocarpo; **4** – endocarpo; **5** – semente. **C.** Fruto de CAJU *(Anacardium occidentale* L.): **1** – pedúnculo (parte édula); **2** – fruto verdadeiro (aquênio). **D.** O mesmo fruto mostrando pericarpo cortado longitudinalmente, revelando semente.

Aspecto externo

Este tipo de observação é feito com ou sem a elaboração de cortes. Em primeiro lugar, verifica-se o aspecto geral da droga. Ela deve ser homogênea, isto é, não deve conter matérias estranhas além do limite permitido e especificado nas monografias oficiais.

Assim, uma droga pode ser constituída de fruto inteiro ou não. O grau de fragmentação do fruto constitui um fator limitante das observações macroscópicas. Para um fruto pulverizado, considerações referentes à forma e ao tamanho original do fruto não poderão ser feitas. Quando o fruto apresenta-se inteiro, efetuam-se cortes transversais para a observação das secções correspondentes. Algumas vezes, faz-se o mesmo com secções longitudinais.

O tipo de fruto, a forma, a cor, o sabor, o odor e a consistência são características importantes em sua diagnose.

Aspecto da secção transversal

Com esse tipo de observação, chega-se a conclusões sobre o número de lojas existentes, o tipo de placentação e a presença ou não de sementes acompanhando o fruto.

A secção transversal da parede do fruto, ou seja, do pericarpo, quando observado com o auxílio de uma lupa, pode fornecer informações de grande valor na identificação da droga. Na BAUNILHA, a parte interna do pericarpo (endocarpo) é recoberta por sementes minúsculas de coloração negra, o que permite delimitar duas regiões. No fruto de FUNCHO pode-se verificar a presença de quatro canais secretores distribuídos no mesocarpo nas regiões de valécula e dois outros na região da face comissural.

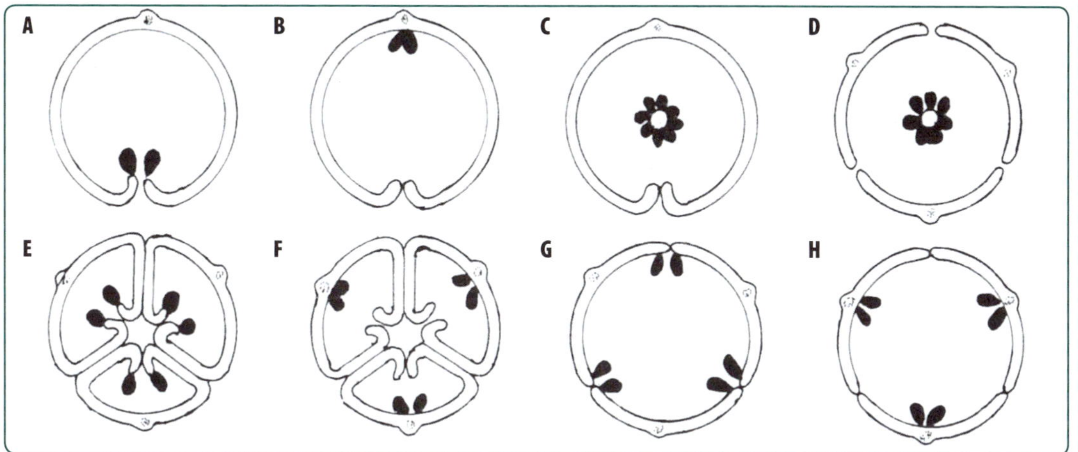

Fig. 6.5 – Tipos de placentação. **A.** Placentação parietal marginal (ovário unilocular). **B.** Placentação parietal laminar (ovário unicarpelar). **C.** Placentação central axial (ovário unicarpelar). **D.** Placentação central axial (ovário tricarpelar unilocular). **E.** Placentação central marginal (ovário tricarpelar trilocular). **F.** Placentação parietal laminar (ovário tricarpelar trilocular). **G.** Placentação parietal marginal (ovário tricarpelar unilocular). **H.** Placentação parietal laminar (ovário tricarpelar unilocular).

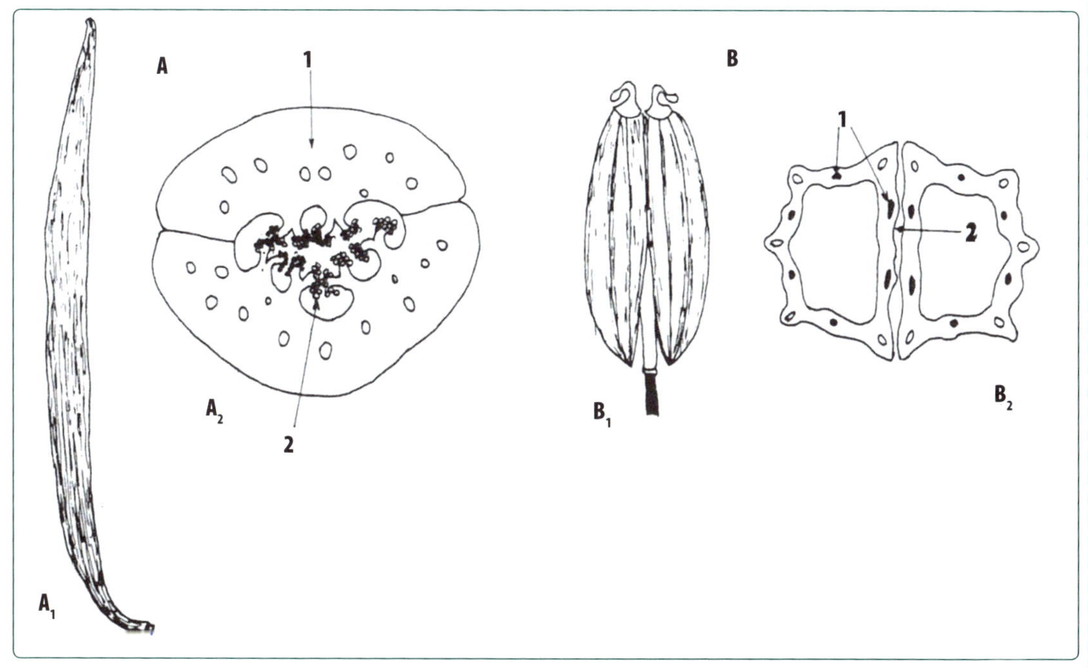

Fig. 6.6 – Macroscopia de frutos. **A.** Fruto de BAUNILHA *(Vanilla planifolia* Andrews): **A_1** – Aspecto externo; **A_2** – Secção transversal: **1** – pericarpo; **2** – sementes. **B.** Fruto de FUNCHO *(Foeniculum vulgare* (Miller) Gaertner: **B_1** – Aspecto externo; **B_2** – Secção transversal: **1** – canal secretor; **2** – face comissural.

Classificação dos frutos (tipos de frutos)

Inicialmente se pode dividir os frutos em dois grupos: frutos simples e frutos compostos.

Frutos simples

Chamam-se frutos simples aqueles formados por um só ovário (gineceu) gamocarpelar e de estruturas intimamente soldadas a ele.

Os frutos simples, conforme a natureza de seus pericarpos, são divididos em dois grupos: frutos secos e frutos carnosos.

Os frutos simples e secos, por sua vez, podem ser divididos em duas categorias, conforme a sua abertura ou não, visando à liberação das sementes: frutos simples deiscentes e frutos simples indeiscentes.

Os frutos que se abrem deixando livres as suas sementes são denominados frutos deiscentes. Estes podem ser divididos, conforme o número de carpelos, em unicarpelar, bicarpelar, tricarpelar e policarpelar.

Os unicarpelares, por sua vez, são subdivididos em folículo (deiscência por uma fenda) e legume (deiscência por duas fendas).

A denominação lomento é atribuída ao fruto do tipo legume articulado.

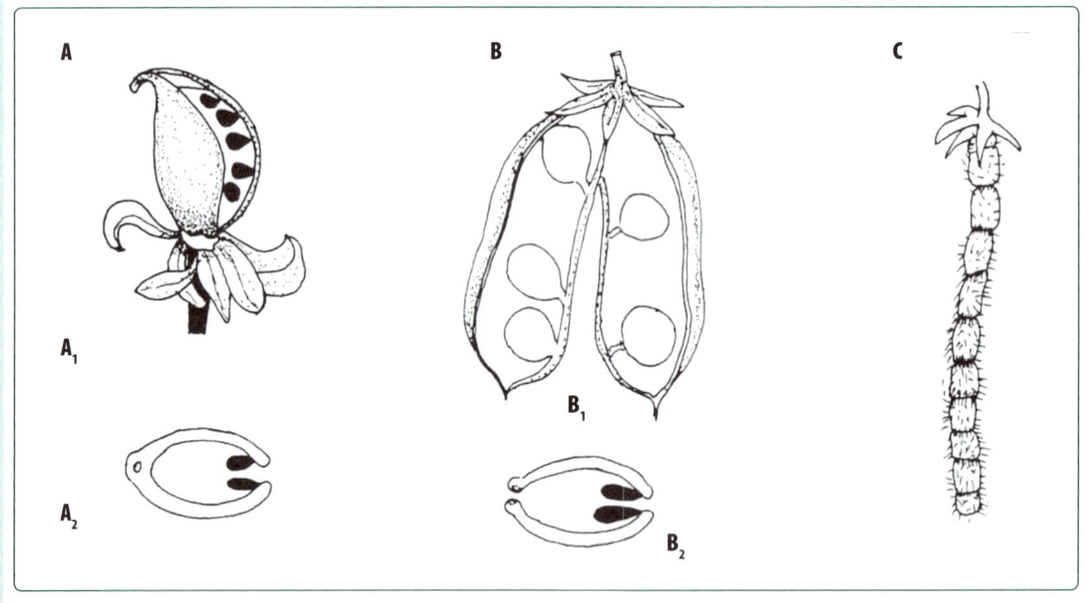

Fig. 6.7 – Frutos secos deiscentes unicarpelares. **A.** Folículo: A_1 – Aspecto externo; A_2 – Secção transversal mostrando deiscência. **B.** Legume: B_1 – Aspecto externo; B_2 – Secção transversal mostrando deiscência. **C.** Lomento (legume articulado) – Aspecto externo.

Os frutos secos deiscentes bicarpelares e policarpelares são denominados também de cápsulas. Esses frutos, de acordo com o tipo de deiscência, podem ser classificados em cápsula poricida (deiscência por poros) e cápsula pixidiária ou pixídio (deiscência por fenda transversal).

Subdividem-se, ainda, em frutos que se abrem por fenda longitudinal, sendo classificados em cápsula loculicida (abertura por lóculo), cápsula septicida (abertura pela região do septo) e cápsula septifraga (fendas na região do septo e do lóculo).

A siliqua, cápsula de deiscência septifraga que deixa livre o tabique placentário, oriunda de ovário bicarpelar, ocorre, principalmente, nas crucíferas.

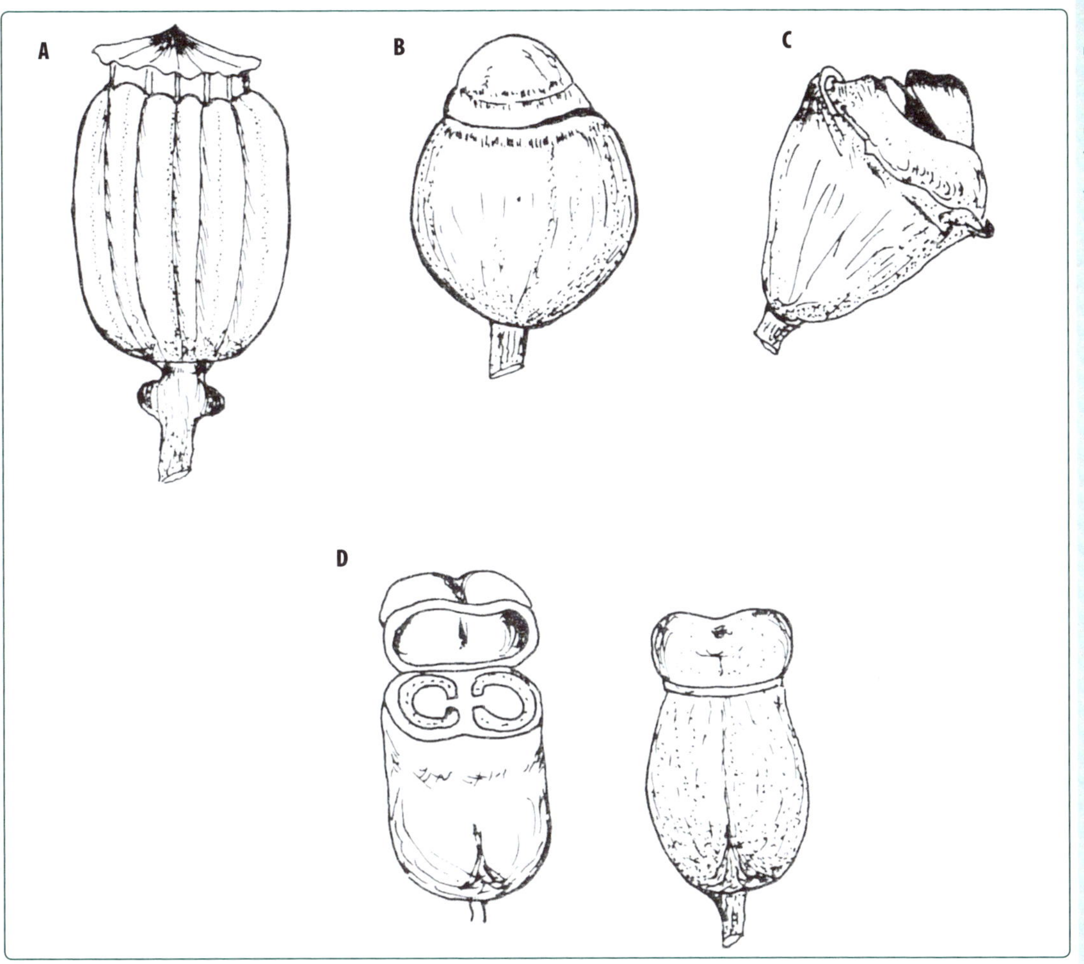

Fig. 6.8 – Frutos secos deiscentes: cápsulas. **A.** Cápsula poricida. **B**, **C** e **D.** Cápsulas pixidiárias.

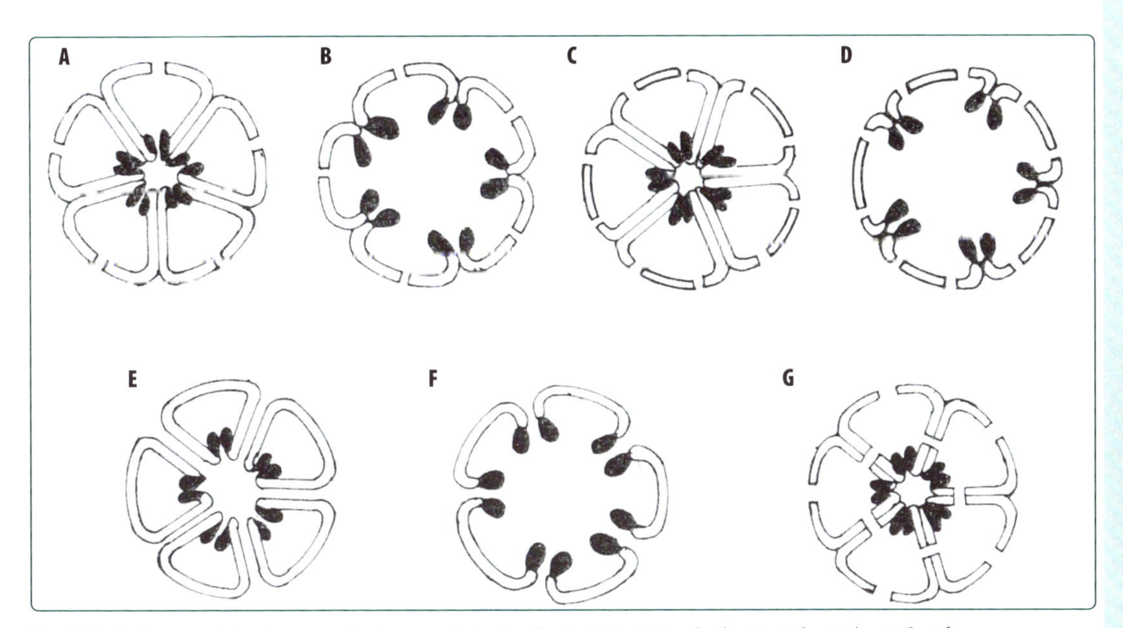

Fig. 6.9 – Frutos secos deiscentes – secções transversais de cápsulas. **A, B, C** e **D.** Loculicidas. **E** e **F.** Septicidas. **G.** Septifragas.

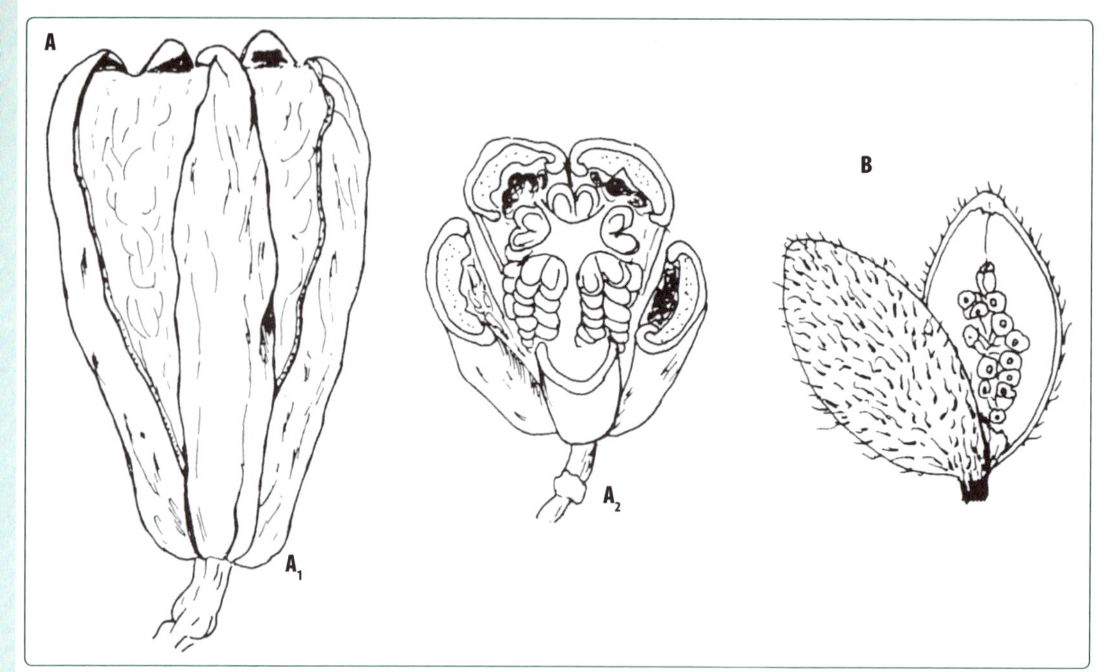

Fig. 6.10 – Cápsulas loculicidas. **A.** Fruto de PAINA *(Chorisia speciosa* St. Hillaire): $\mathbf{A_1}$ – Fruto aberto inteiro; $\mathbf{A_2}$ – Secção transversal. **B.** Fruto de URUCUM *(Bixa orellana* L.).

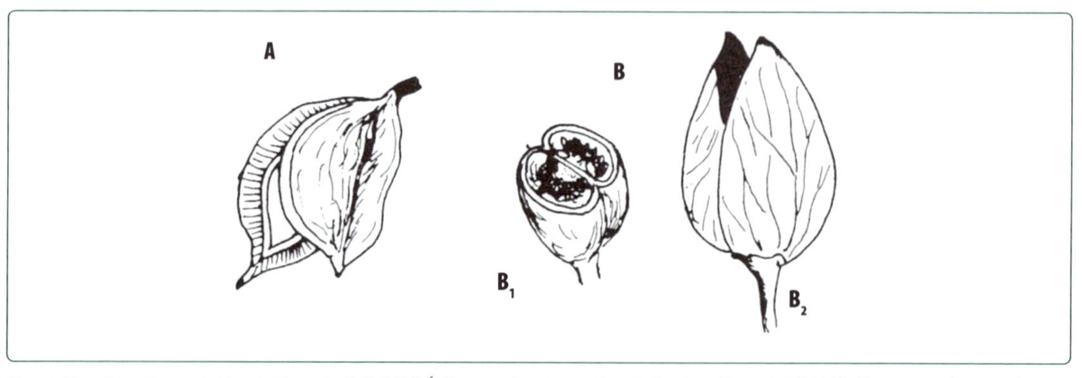

Fig. 6.11 – Cápsulas septicidas. **A.** Fruto de JACARANDÁ *(Jacaranda mimosaefolia* D. Don). **B.** Fruto do TABACO *(Nicotiana tabacum* L.): $\mathbf{B_1}$ – Secção transversal da cápsula; $\mathbf{B_2}$ – Fruto inteiro.

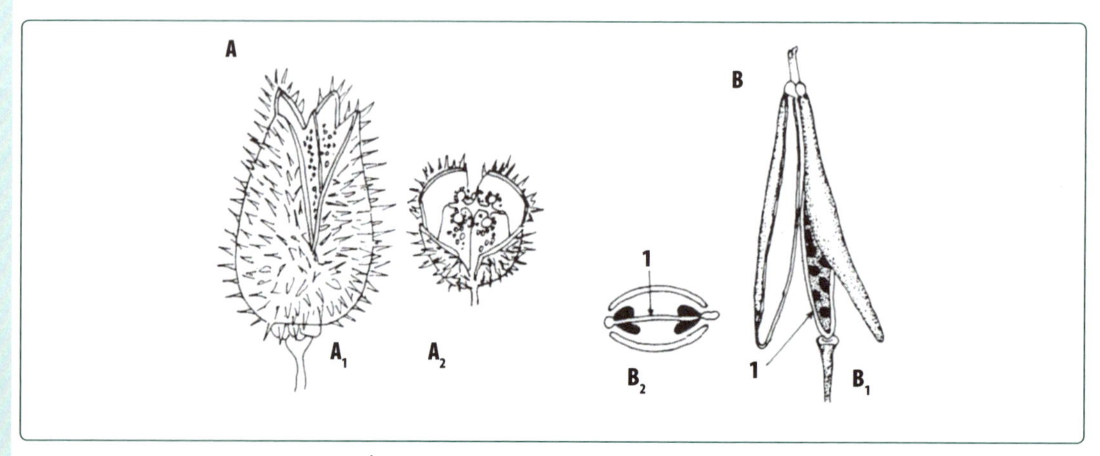

Fig. 6.12 – A. Cápsula septifraga de ESTRAMÔNIO *(Datura stramonium* L.): $\mathbf{A_1}$ – Cápsula inteira e aberta; $\mathbf{A_2}$ – Secção transversal. **B.** Siliqua de *Cruciferae:* $\mathbf{B_1}$ – Fruto inteiro e aberto: **1** – septo placentário. $\mathbf{B_2}$ – Desenho esquemático mostrando deiscência: **1** – septo placentário.

Os frutos secos indeiscentes são assim classificados:

- aquênio – fruto pequeno, monospérmico, provido de uma semente, a qual se prende ao pericarpo em um só ponto. Esse tipo de fruto ocorre na família *Compositae;*
- cariopse ou grão – fruto pequeno, monospérmico, cuja semente acha-se soldada ao pericarpo em toda a extensão. É fruto da família *Gramineae;*
- sâmara – fruto monospérmico cujo pericarpo se expande em forma de asa (fruto alado). Ocorre em diversas famílias botânicas, como *Malpighiaceae, Sapindaceae, Leguminoseae*;
- noz – fruto de pericarpo rígido (pétreo), que não se abre naturalmente; geralmente monospérmico;
- esquizocarpo – ou fruto divisível – fruto proveniente de ovário bicarpelar, gamocarpelar que no amadurecimento se divide em duas partes (mericarpos), contendo cada uma delas uma semente. Por exemplo, o fruto das *Umbelliferae.*

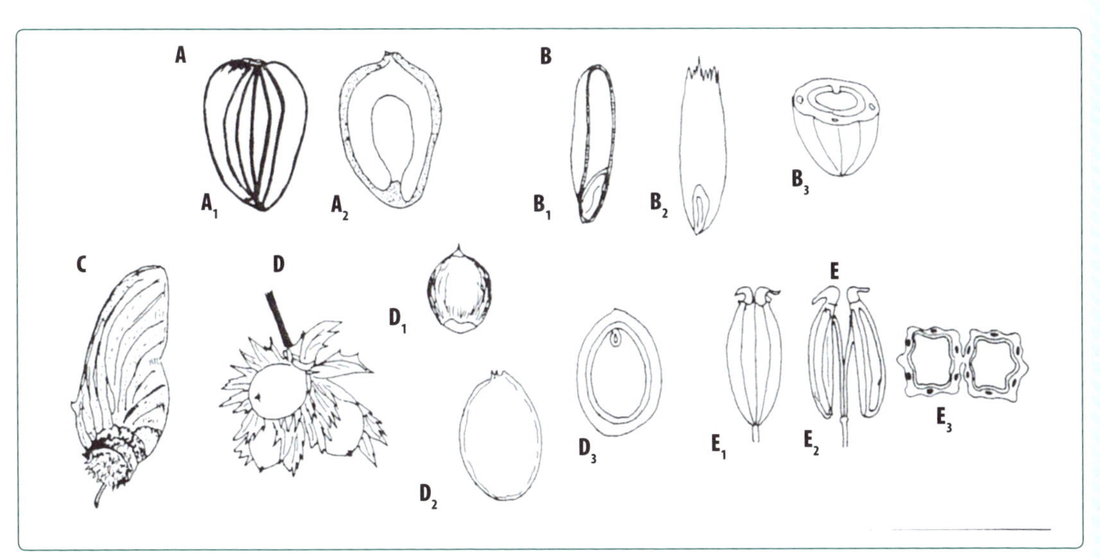

Fig. 6.13 – Fruto simples seco e indeiscente. **A.** Aquênio de GIRASSOL *(Helianthus annuus* L.): **A_1** – Aquênio inteiro; **A_2** – Aquênio cortado longitudinalmente. **B.** Cariopse ou grão: **B_1** – Fruto inteiro; **B_2** – Corte longitudinal; **B_3** – Corte transversal. **C.** Sâmara (fruto alado). **D.** NOZ--DE-AVELÃ *(Corylusavellana* L.) – Ramo contendo frutos: **D_1** – Noz inteira; **D_2** – Fruto cortado longitudinalmente; **D_3** – Semente contida no fruto; **E.** Esquisocarpo de FUNCHO *(Foeninculum vulgare* Mill): **E_1** – Fruto inteiro (cremocarpo); **E_2** – Fruto visto longitudinalmente mostrando dois mericarpos; **E_3** – Corte transversal mostrando dois mericarpos.

Os frutos simples carnosos, como os frutos secos, podem ser divididos em deiscentes e indeiscentes. Os frutos deiscentes são denominados cápsulas carnosas. Constituem exemplos de fruto carnoso deiscente a baga da MOSCADEIRA, o fruto do *Ecballium*, ou PEPINO SELVAGEM, e o fruto do MELÃO-DE-SÃO-CAETANO.

Os indeiscentes são assim classificados:

- baga – fruto em que todo pericarpo é carnoso, suculento, exceto o epicarpo, que é membranáceo, ou, com menor frequência, coriáceo. Os *hesperídeos* e os *peponídeos* são tipos especiais de bagas;
- drupas – frutos com o endocarpo pétreo ou percaminoso, soldado à semente constituindo o chamado caroço;
- pomo – fruto cuja parte exterior deriva do hipanto e é bastante desenvolvida e carnosa, sendo o pericarpo pouco desenvolvido, provido de endocarpo duro ou papiráceo.

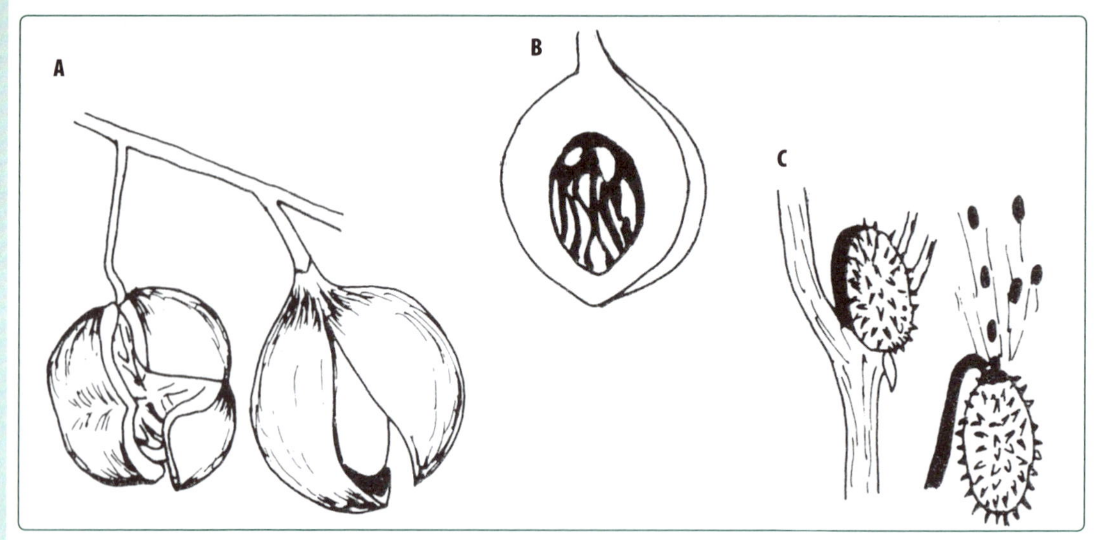

Fig. 6.14 – Frutos carnosos deiscentes. **A.** Baga carnosa de NOZ-MOSCADA *(Myristica fragrans* Houttuyn). **B.** O mesmo fruto em corte longitudinal. **C.** Fruto com deiscência explosiva de *Ecballium* sp.

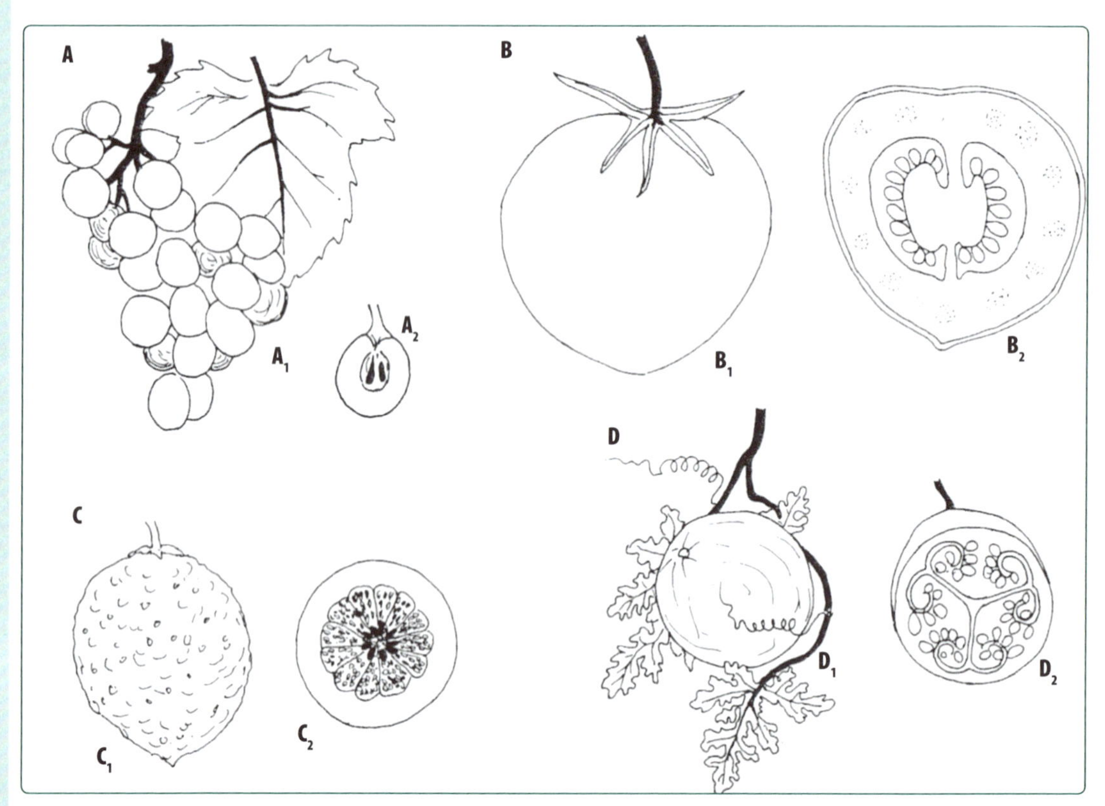

Fig. 6.15 – Frutos carnosos indeiscentes. **A.** Baga de UVA *(Vites vinifera* L.): $\mathbf{A_1}$ – Cacho de uvas; $\mathbf{A_2}$ – Baga cortada longitudinalmente. **B.** TOMATE *(Solanum lycopersicum* L.): $\mathbf{B_1}$ – Baga inteira; $\mathbf{B_2}$ – Baga cortada longitudinalmente. **C.** Hesperídio de LIMÃO *(Citrus limonum* Riss): $\mathbf{C_1}$ – Hesperídeo inteiro; $\mathbf{C_2}$ – Hesperídeo cortado transversalmente. **D.** Peponídeo de COLOQUÍNTIDA *(Citrullus colocynthis* Schrader): $\mathbf{D_1}$ – Ramo e fruto inteiro; $\mathbf{D_2}$ – Fruto cortado transversalmente.

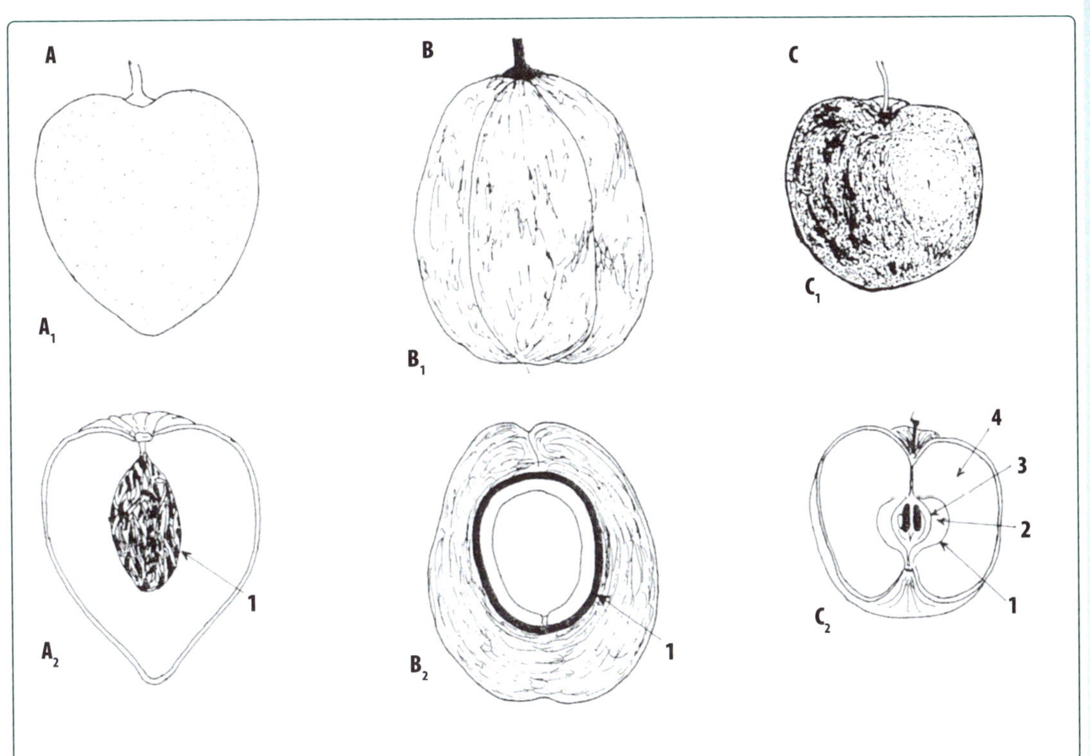

Fig. 6.16 – Frutos carnosos indeiscentes. **A** e **B.** Drupas. **C.** Pomo. **A.** PÊSSEGO *(Prunus persica* (L.) Batsch.): **A$_1$** – Fruto inteiro; **A$_2$** – Fruto cortado longitudinalmente mostrando: **1** – caroço. **B.** COCO (*Cocos nucifera* L.): **B$_1$** – Fruto inteiro; **B$_2$** – Fruto cortado longitudinalmente mostrando: **1** – Endocarpo pétreo soldado ao tegumento da semente. **C.** MAÇÃ *(Pyrus malus* L.): **C$_1$** – Fruto inteiro; **C$_2$** – Fruto cortado longitudinalmente mostrando: **1** – epicarpo; **2** – mesocarpo; **3** – endocarpo; **4** – hipanto.

Frutos compostos

Os frutos compostos podem ser divididos em dois grupos: frutos agregados ou frutos múltiplos e infrutescências.

Frutos agregados ou múltiplos

Estes frutos são provenientes de uma só flor de gineceu dialicarpelar (apocarpelar). Cada flor origina mais de um fruto (frutículo).

Assim como os frutos simples, podem ser secos ou carnosos, deiscentes ou indeiscentes. Geralmente, os nomes dados a esses tipos de fruto derivam do nome do fruto simples, ao qual os frutículos mais se assemelham, acrescidos de prefixos indicadores de quantidade (bi, tri, poli). Por exemplo: bifolículos *(Asclepia);* polifolículos (fruto de ANIS ESTRELADO); bisâmara (fruto de ACER); poliaquênio (fruto de MORANGO); tetranúculo (fruto de SÁLVIA).

Infrutescência

São frutos compostos derivados de inflorescências. Mais de uma flor concorre para o aparecimento desse tipo de fruto. Por exemplo: AMORA é uma reunião de diversas bagas, cada uma originada de uma flor. A parte suculenta é constituída pelo cálice e eixo de inflorescência (nesse caso especial, recebe o nome de *sorose*). O FIGO é um tipo especial de infrutescência chamada de *sicônio.* O pedúnculo e o receptáculo da inflorescência constituem a parte suculenta do fruto. Os frutos são pequenos aquênios (Fig. 6.18).

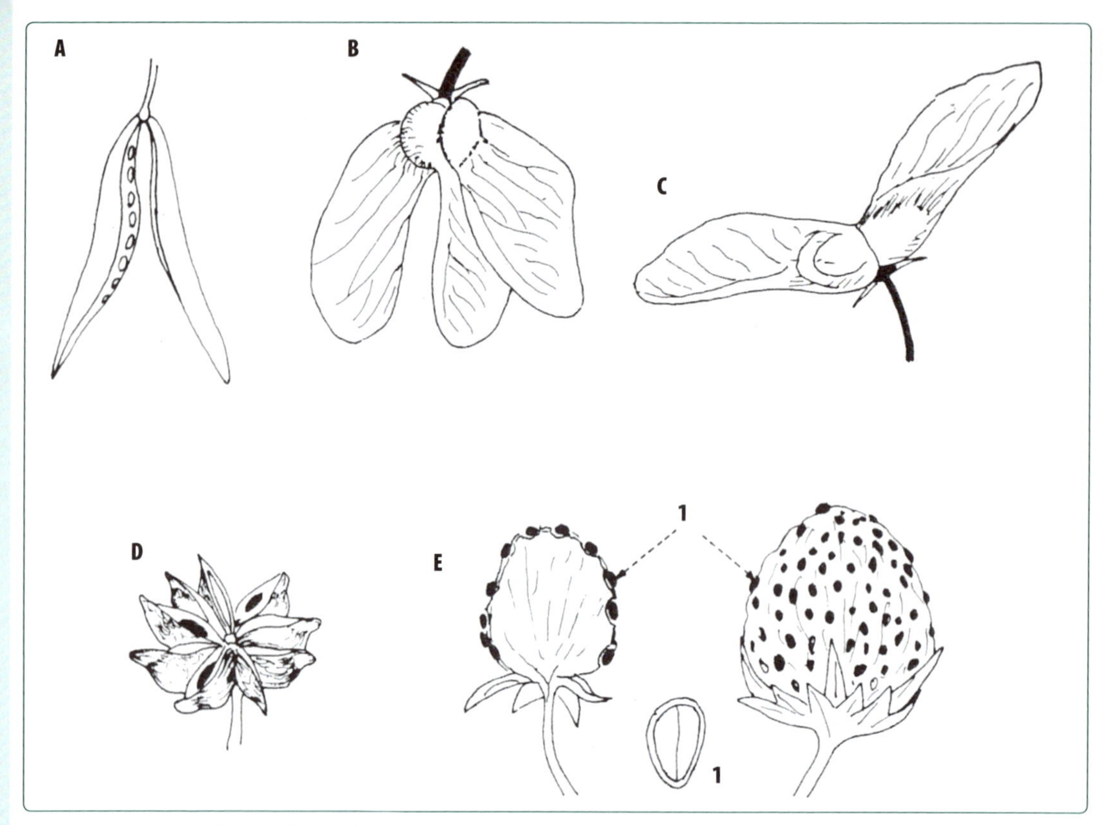

Fig. 6.17 – Frutos múltiplos. **A.** Difolículo de *Asclepia*. **B.** Trisâmara de *Heteropteris*. **C.** Disâmara de *Acer*. **D.** Polifolículo de *Illicium*. **E.** Poliaquênio de *Fragaria* (pseudofruto múltiplo no qual o receptáculo é bastante desenvolvido e suculento): **1** – aquênio.

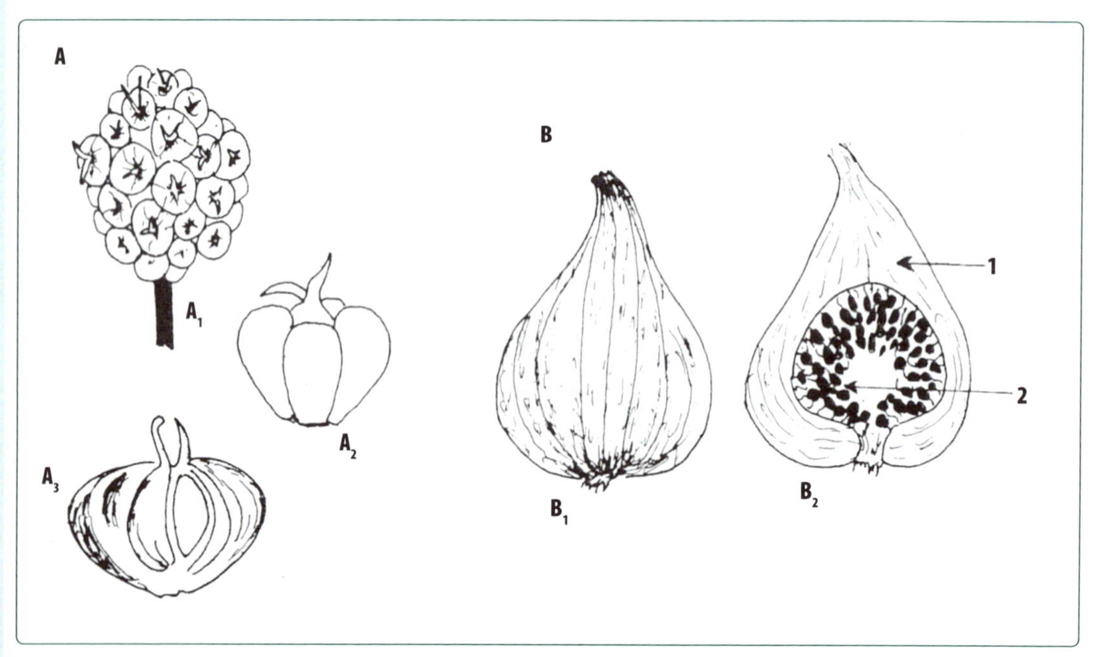

Fig. 6.18 – Infrutescência. **A.** Sorose da AMORA *(Morus nigra* L.): $\mathbf{A_1}$ – Infrutescência (baga composta); $\mathbf{A_2}$ – Flor feminina; $\mathbf{A_3}$ – Bagula isolada (parte suculenta formada pelo cálice). **B.** Sicônio de FIGO *(Ficus carica* L.): $\mathbf{B_1}$ – Pseudofruto inteiro; $\mathbf{B_2}$ – Secção longitudinal mostrando: **1** – receptáculo carnoso; **2** – frutículo.

Caracterização microscópica de frutos

O fruto, do ponto de vista da caracterização microscópica, pode ser dividido em três partes: epicarpo ou ectocarpo, mesocarpo e endocarpo.

Chama-se de pericarpo o conjunto formado pelas três partes citadas. A análise microscópica do fruto deve ser precedida da elaboração de cortes. Via de regra, costuma-se efetuar um corte paradérmico para a observação das características do epicarpo visto de face, e um corte transversal para a observação geral do pericarpo.

Corte paradérmico

Visa à observação do epicarpo visto de face. Fornece informações sobre as seguintes estruturas: contorno celular, sinuosidade e espessamento da parede celular; tipo de cutícula (lisa, estriada, granulosa); saliências, papilas, anexos epidérmicos (tipo de pelo, inserção de pelo e tipo de estômato); e inclusões.

Corte transversal

O corte transversal visa à observação geral do pericarpo do fruto, e o corte transversal do epicarpo pode fornecer uma série de informações relacionadas com características de suas células. Assim, podem-se verificar espessamentos, pontuações, espaços intercelulares, conteúdos celulares e anexos epidérmicos.

No mesocarpo, podem-se observar o número de camadas celulares; a forma, o tamanho e o espessamento das células; pontuações; espaços intercelulares, inclusões celulares (cristais, amido, produtos amorfos, corantes), inclusões teciduais (grupos de fibras, células pétreas, canais secretores, glândulas endógenas etc.) e feixes vasculares.

Na região do endocarpo são feitas considerações sobre o tipo de células (forma, tamanho, espessamento, conteúdo celular), o número de camadas de células e a observação da placenta quanto à localização, tipos de células etc.

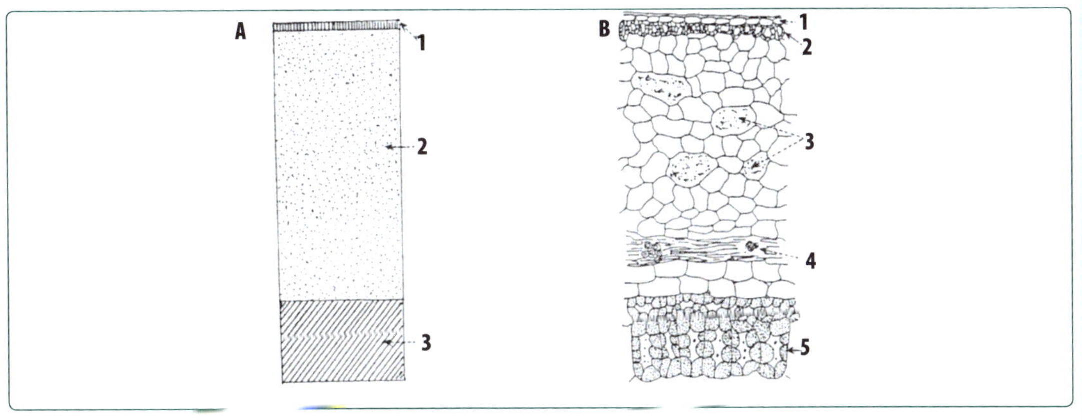

Fig. 6.19 – A. Desenho esquemático da secção transversal de fruto de CUBEBA *(Piper cubeba* L.): **1** – epicarpo; **2** – mesocarpo; **3** – endocarpo. **B.** Detalhe da mesma secção: **1** – epicarpo; **2** – células pétreas; **3** – células secretoras; **4** – feixe fibrovascular; **5** – endocarpo pétreo.

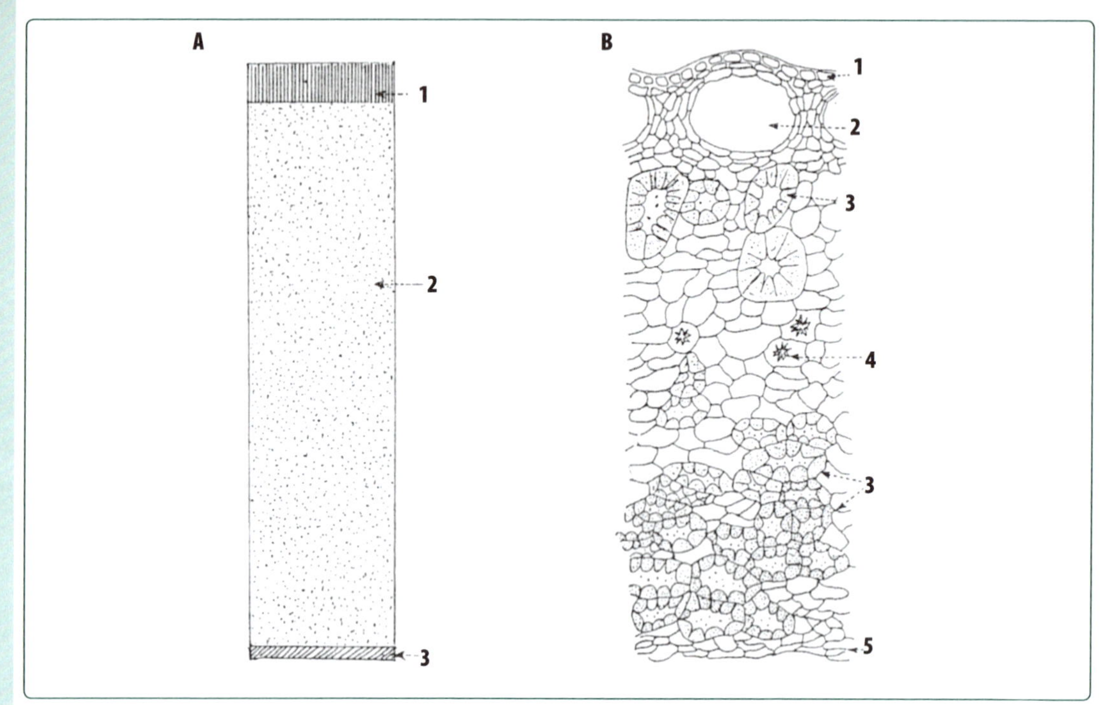

Fig. 6.20 – A. Desenho esquemático de secção transversal do fruto de PIMENTA *(Pimenta officinalis* Berg.): **1** – epicarpo; **2** – mesocarpo; **3** – endocarpo. **B.** Detalhe da mesma secção: **1** – epicarpo; **2** – glândulas endógenas; **3** – células pétreas; **4** – drusas; **5** – endocarpo.

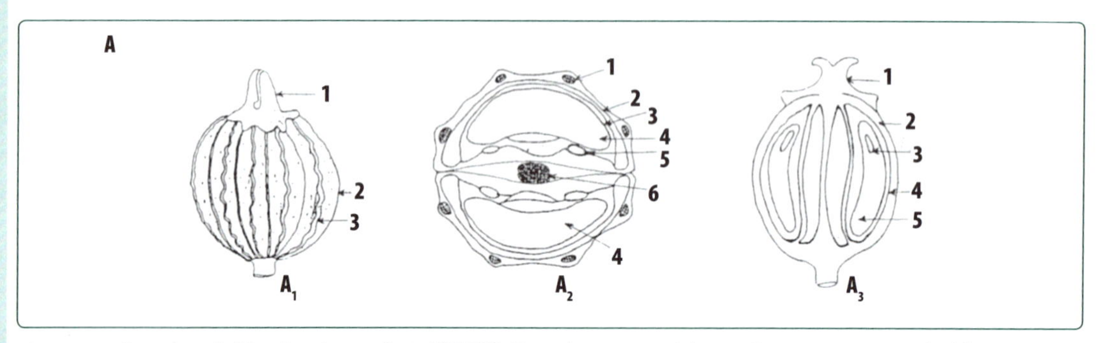

Fig. 6.21 – Fruto de umbelífera (esquizocarpo). **A.** COENTRO *(Coriandrum sativum* L.): **A_1** – Fruto inteiro: **1** – estilopódio; **2** – aresta; **3** – valécula; **A_2** – Secção transversal: **1** – feixe vascular; **2** – pericarpo; **3** – semente; **4** – endosperma; **5** – canal secretor; **6** – carpóforo; **A_3** – Secção longitudinal: **1** – estilopódio; **2** – pericarpo; **3** – embrião; **4** – semente; **5** – endosperma.

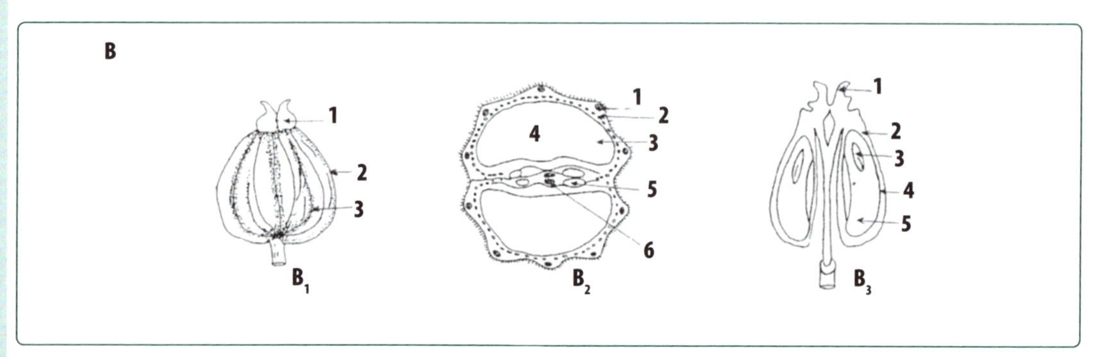

Fig. 6.22 – Fruto de umbelífera (esquizocarpo). **B.** ANIS *(Pimpinella anisum* L.): **B_1** – Fruto inteiro: **1** – estilopódio; **2** – aresta; **3** – valécula; **B_2** – Secção transversal: **1** – feixe vascular; **2** – pericarpo; **3** – semente; **4** – endosperma; **5** – canal secretor; **6** – carpóforo; **B_3** – Secção longitudinal: **1** – estilopódio; **2** – pericarpo; **3** – embrião: **4** – semente; **5** – endosperma.

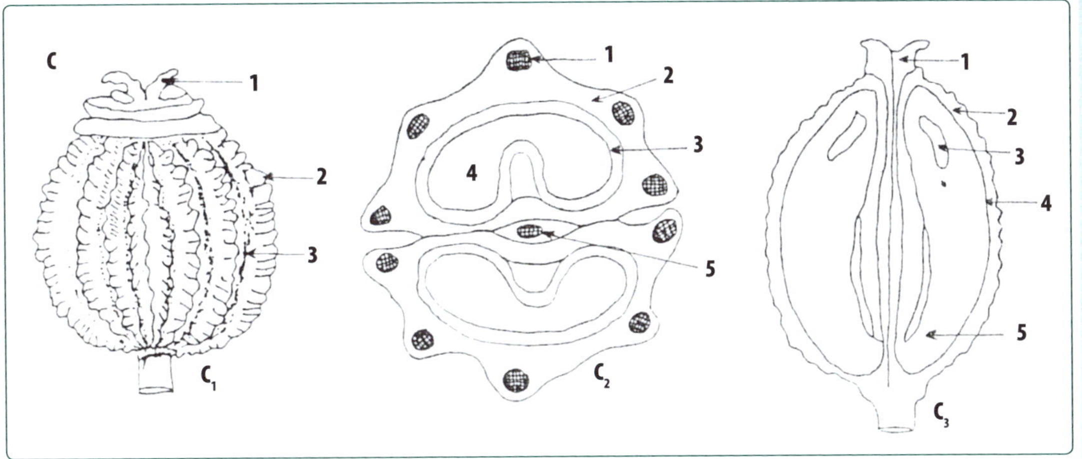

Fig. 6.23 – Fruto de umbelífera (esquizocarpo). **C.** CICUTA *(Conium maculatum* L.): **C_1** – Fruto inteiro: **1** – estilopódio, **2** – aresta; **3** – valécula; **C_2** – Secção transversal: **1** – feixe vascular; **2** – pericarpo; **3** – semente; **4** – endosperma; **5** – estilopédio; **C_3** – Secção longitudinal: **1** – estilopódio; **2** – pericarpo; **3** – embrião; **4** – semente; **5** – endosperma.

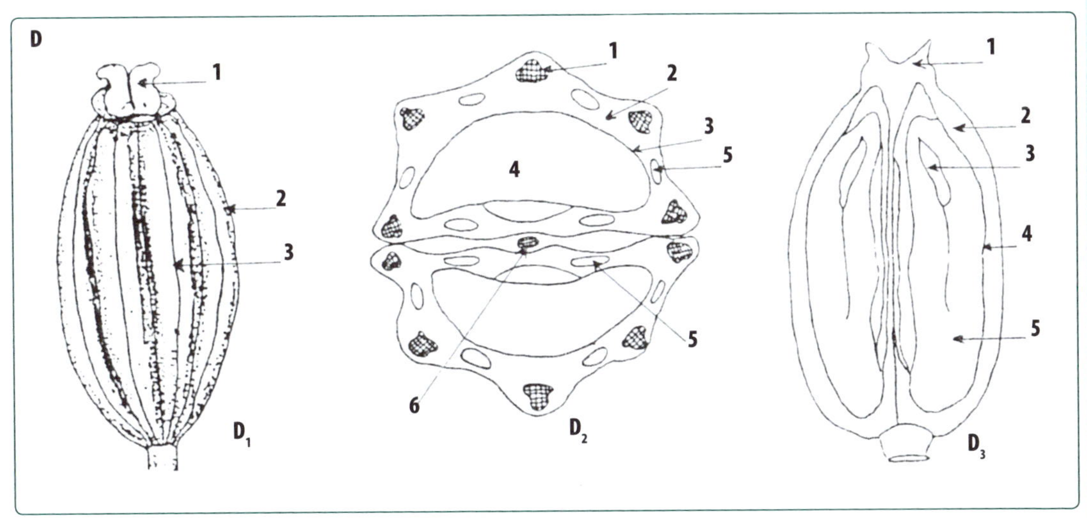

Fig. 6.24 – Fruto de umbelífera (esquizocarpo). **D.** FUNCHO *(Foeniculum vulgare* Miller): **D_1** – Fruto inteiro: **1** – estilopódio; **2** – aresta; **3** – valécula; **D_2** – Secção transversal: **1** – feixe vascular; **2** – pericarpo; **3** – semente; **4** – endosperma; **5** – canal secretor; **6** – carpóforo; **D_3** – Secção longitudinal. **1** – estilopódio; **2** – pericarpo; **3** – embrião; **4** – semente; **5** – endosperma.

Morfodiagnose de drogas constituídas de frutos

Anis

Pimpinella anisum L. – *Umbelliferae*
Parte usada: Fruto.
Sinonímia vulgar: Anis verde; Erva-doce; Anice verde; Anise; Anis vert.
Sinonímia científica: *Anisum officinarum* Moench.; *Carum anisum* Baill.

O fruto de ANIS-VERDE apresenta odor aromático de anetol, agradável e seu sabor é característico, quente, aromático e doce.

Descrição macroscópica

O fruto de ANIS é constituído por um esquizocarpo ovoide ou piriforme, alargado na base e estreito no vértice, que é coroado por um estilopódio espesso, suportando dois estiletes reflexos; mede de 3 a 6 mm de comprimento por 2 a 3 mm de largura, sendo geralmente acompanhado de pedicelo e apresentando muitas vezes os mericarpos unidos. Estes são de cor verde-acinzentada e cada qual apresenta cinco quinas, pouco salientes, retilíneas e lisas; são cobertas de pelos amarelados, curtos e ásperos, os quais podem ser mais bem observados com emprego de lupa. Entre os mericarpos e próximo à sua base, vê-se o carpóforo, filiforme e de cor mais clara.

Sua secção transversal é orbicular e mostra numerosos canais secretores, dispostos irregularmente em número de três ou quatro entre cada duas arestas consecutivas (Fig. 6.25).

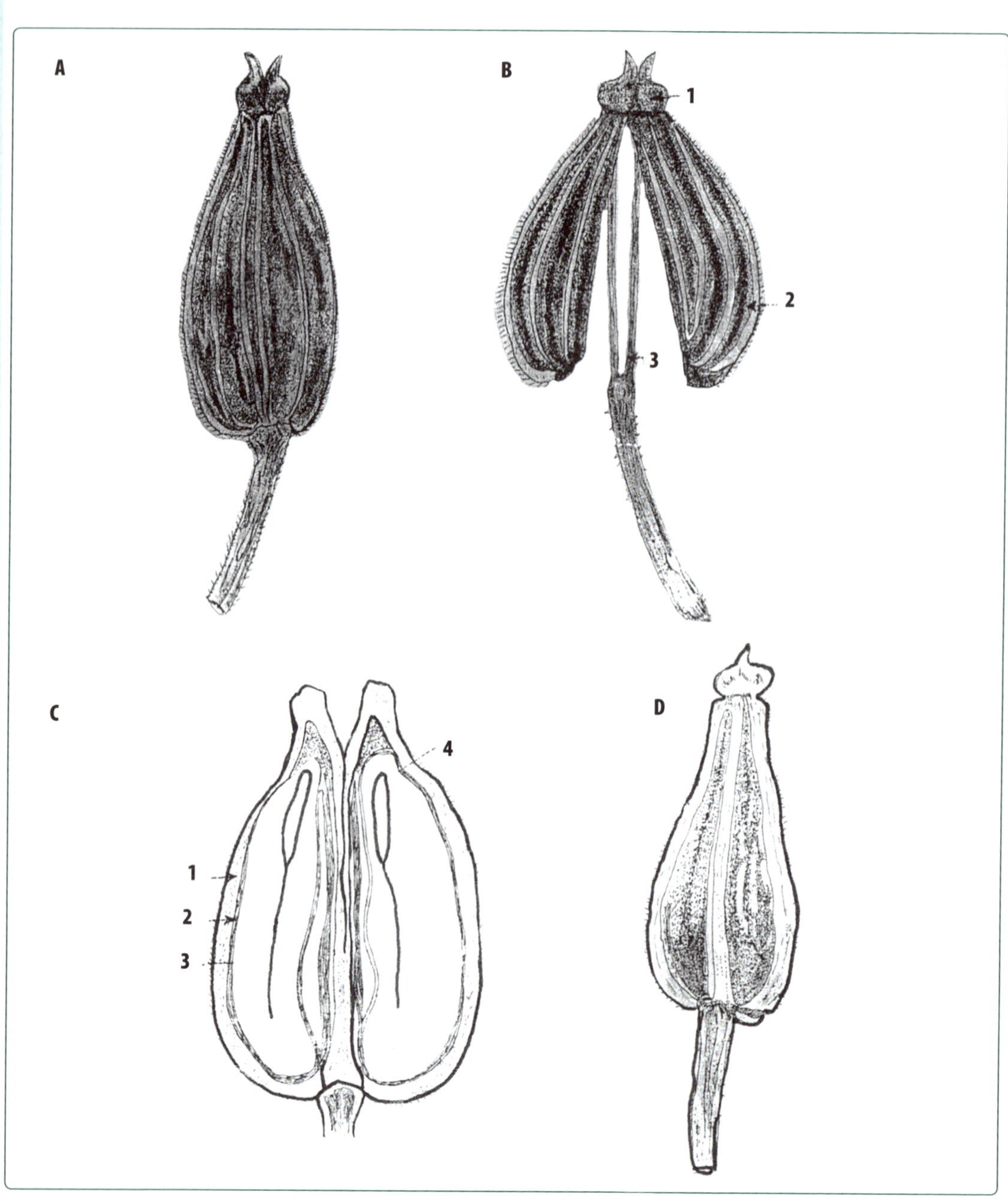

Fig. 6.25 – ANIS *(Pimpinella anisum* L.). **A.** Fruto fechado (cremocarpo). **B.** Fruto aberto: **1** – estilopódio; **2** – mericarpo; **3** – carpóforo. **C.** Secção longitudinal perpendicular à face comissural: **1** – pericarpo; **2** – tegumento da semente; **3** – endosperma; **4** – embrião. **D.** Secção longitudinal passando pela face comissural.

Descrição microscópica

O epicarpo contém pelos tectores espessos, cônicos, curtos, unicelulares ou bicelulares e cutículas verrucosas, os quais medem de 25 a 200 micra de comprimento por 15 a 40 micra de largura. O mesocarpo é caracterizado por numerosos canais secretores, estreitos e dispostos em volta da semente; os da face comissural são maiores que os outros. O epicarpo é constituído por células de contorno retangular, alongado no sentido tangencial e com paredes espessadas. O mesocarpo é pouco desenvolvido, sendo formado por seis a oito camadas celulares. O endocarpo é constituído por uma única fileira de células. O carpóforo é formado, em sua maior parte, de fibras esclerenquimáticas e numerosas células esclerosas e pequenas. A semente, de contorno reniforme, é constituída por tegumento reduzido e por endosperma de células poligonais e incolores contendo grãos de aleurona, óleo fixo e cristais estrelares de oxalato de cálcio de 2 a 10 micra de diâmetro.

Conforme a altura do fruto na qual for executado o corte transversal, pode aparecer o embrião, geralmente representado por um par de cotilédones no interior do endosperma (Fig. 6.26).

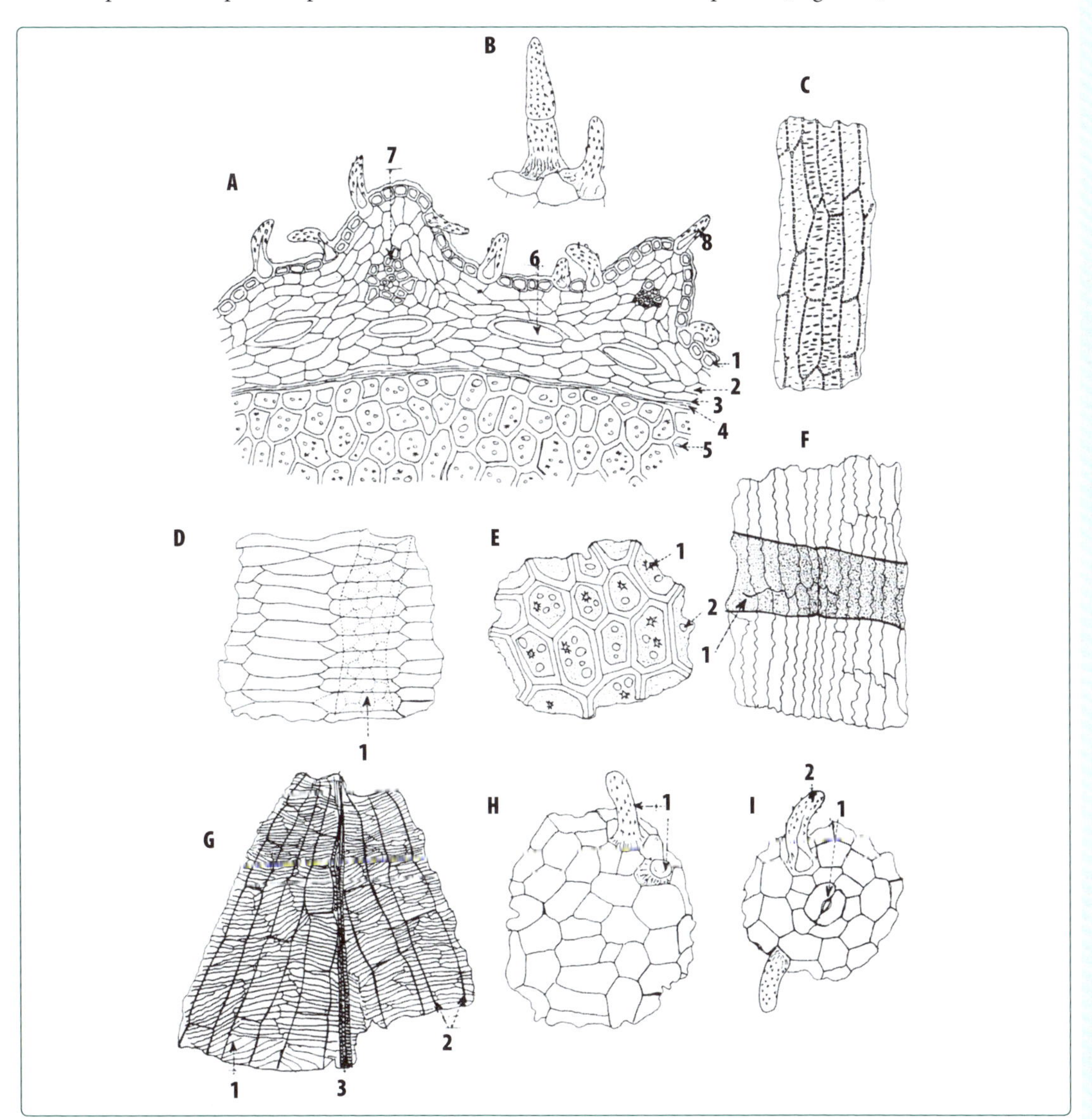

Fig. 6.26 – ANIS *(Pimpinella anisum* L.). **A.** Secção transversal: **1** – epicarpo; **2** – mesocarpo; **3** – endocarpo; **4** – células obliteradas; **5** – endosperma; **6** – canal secretor; **7** – feixe vascular; **8** – pelo tector. **B.** Pelos tectores típicos. **C.** Fragmento da região de feixe vascular. **D.** Fragmento de mesocarpo contendo canal secretor: **1** – canal secretor. **E.** Fragmento de endosperma: **1** – drusa; **2** – gotícula de óleo fixo. **F.** Fragmento de mesocarpo com canal secretor. **G.** Fragmento de pericarpo: **1** – endocarpo visto de face; **2** – canal secretor visto por transparência; **3** – região de feixe vascular mostrando xilema em primeiro plano. **H.** Epicarpo visto de face: **1** – pelo tector. **I.** Epicarpo visto de face: **1** – estômato; **2** – pelo tector.

Badiana

Illicium verum Hooker *filius* – *Magnoliaceae*
Parte usada: Fruto.
Sinonímia vulgar: Badiana-da-China; Anis-estrelado; Anis-da-China.

A droga possui odor aromático, característico, e sabor doce e anisado, exceto a semente, que tem gosto fracamente acre e oleoso.

Descrição macroscópica

Fruto composto do tipo polifolículo, geralmente com oito a doze folículos, desigualmente desenvolvidos, lenhosos, careniformes, medindo até 15 mm de comprimento, de cor pardo-escura, dispostos horizontalmente em forma de estrela em volta de eixo central, denominado de columela. A columela continua, frequentemente, num pedúnculo curvado e intumescido no lugar da inserção. Esses folículos, comprimidos lateralmente, rugosos, abrem-se na borda superior (sutura ventral) por uma larga fenda. Cada um deles contém uma semente oval, pardo-avermelhada, dura, luzidia e apresenta na base secção aproximadamente quadrada, pela qual se fixa ao eixo central. O ápice do folículo é terminado em ponta obtusa, ligeiramente curva, e o bordo inferior é espesso e rugoso. Já o bordo superior é mais ou menos direito e aberto em dois lábios, delgados e lisos de cada lado da fenda. As faces laterais de aspecto rugoso apresentam, perto da base, uma parte mais lisa, semielíptica, pela qual os carpelos ficavam em contato entre si; a face interna é lisa e luzidia, de cor pardo-amarelada. A semente contida em cada folículo é oval-elíptica, truncada na base, na qual se distinguem o hilo e a micrópila, bastante próximos um do outro; ela contém, sob um invólucro frágil, um albúmen oleoso que circunda um pequeno embrião.

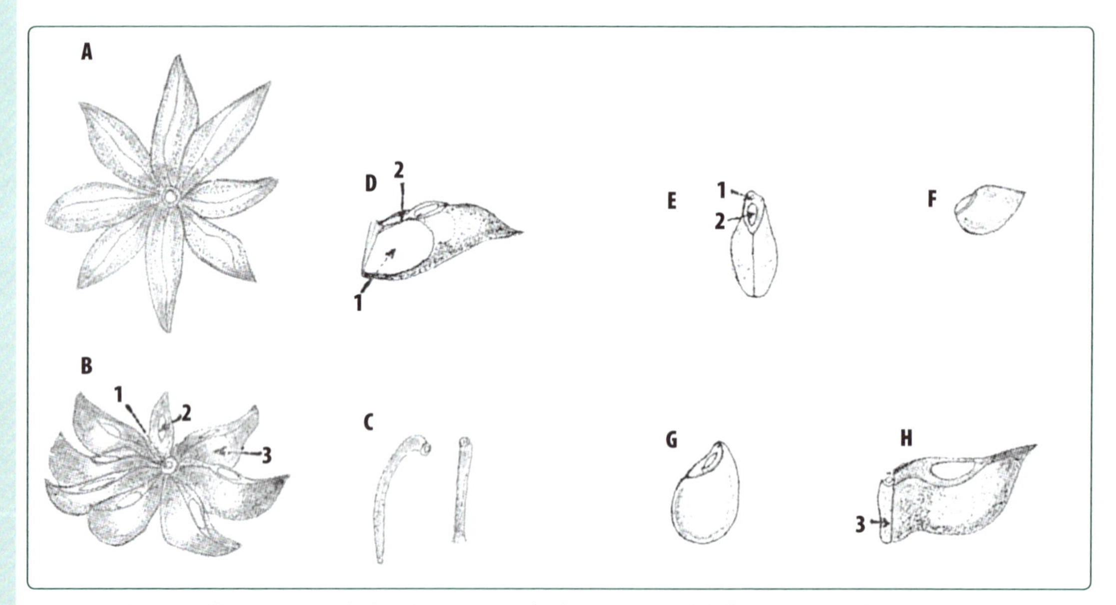

Fig. 6.27 – BADIANA *(Illicium verum* Hooker). **A.** Fruto em visão facial. **B.** Visão ventral do fruto: **1** – columela; **2** – semente; **3** – frutículo (folículo). **C.** Pedúnculo. **D.** Folículo: **1** – região de compressão lateral; **2** – sutura ventral. **E, F** e **G.** Sementes: **1** – micrópila; **2** – hilo. **H.** Frutículo: **3** – columela.

Descrição microscópica

O epicarpo, visto de face, é guarnecido de grandes estomas e recoberto por cutícula rugosa. O mesocarpo, visto em corte transversal, é constituído, em sua parte externa, por parênquima formado de células de paredes pardas, em cujo meio se observam numerosas células secretoras oleíferas. A parte interna do mesocarpo é formada de células menores e de paredes espessas. No limite dessas duas zonas estão localizados numerosos feixes fibrovasculares. O endocarpo é formado de uma camada de células alongadas radialmente e dispostas em forma de paliçada; na parte correspondente à sutura, essas células tornam-se menores. Nessa região, o endocarpo é reforçado por um maciço de células esclerosas de paredes muito espessas e canaliculadas.

O eixo central bem como o pedúnculo do fruto encerram numerosas células esclerosas, variáveis na forma e de paredes mais ou menos espessas, com fortes protuberâncias afiladas classificadas como astroescleritos.

No endosperma da semente veem-se grãos de aleurona, de formas irregulares e com pequenas protuberâncias.

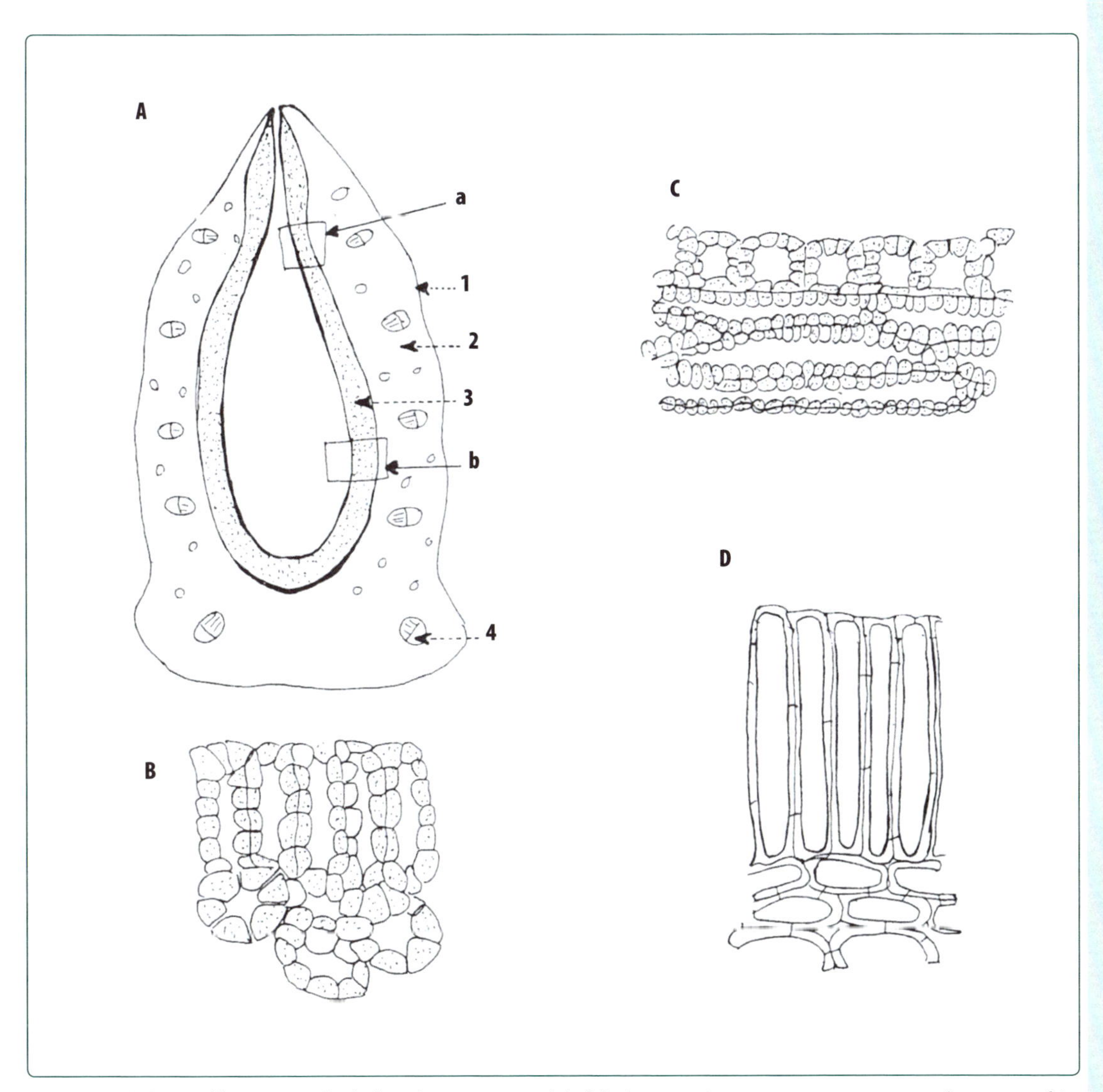

Fig. 6.28 – BADIANA *(Illicium verum* Hooker). **A.** Secção transversal do folículo: **1** – epicarpo; **2** – mesocarpo; **3** – endocarpo; **4** – feixe vascular. **B.** Endocarpo em secção transversal (região **a**). **C.** Endocarpo em secção longitudinal (região **a**). **D.** Endocarpo em secção transversal (região **b**).

Baunilha

Vanilla planifolia Andrews – *Orchidaceae*
Parte usada: Fruto.

A droga apresenta odor aromático, característico e agradável. Não deve desprender odor de heliotropina.

Descrição macroscópica

Os frutos são tricarpelares, flexíveis, de 15 a 25 cm de comprimento e 6 a 12 mm de largura, atenuados nas extremidades, recurvados na base, subcilíndricos ou achatados. Sua superfície externa é pardo-negra, mais ou menos luzidia, de aspecto untuoso, percorrida longitudinalmente por vincos bastante profundos, quase paralelos, recobertos, o que são suas melhores qualidades comerciais, de cristais de vanilina. Em sua extremidade mais delgada apresenta uma cicatriz procedente do estilete e, na ponta, a cicatriz triangular das partes florais caducas.

O pericarpo circunda uma cavidade triangular e tem seis placentas bifurcadas, cheias de grande número de sementes pequenas, pretas, ovais ou arredondadas. A parte interna do pericarpo, compreendida entre essas placentas, é guarnecida de papilas que secretam o suco viscoso e aromático.

Cortada transversalmente e comprimida, a BAUNILHA libera um suco de cor âmbar, trazendo consigo numerosas sementes pequenas e pretas (Fig. 6.29).

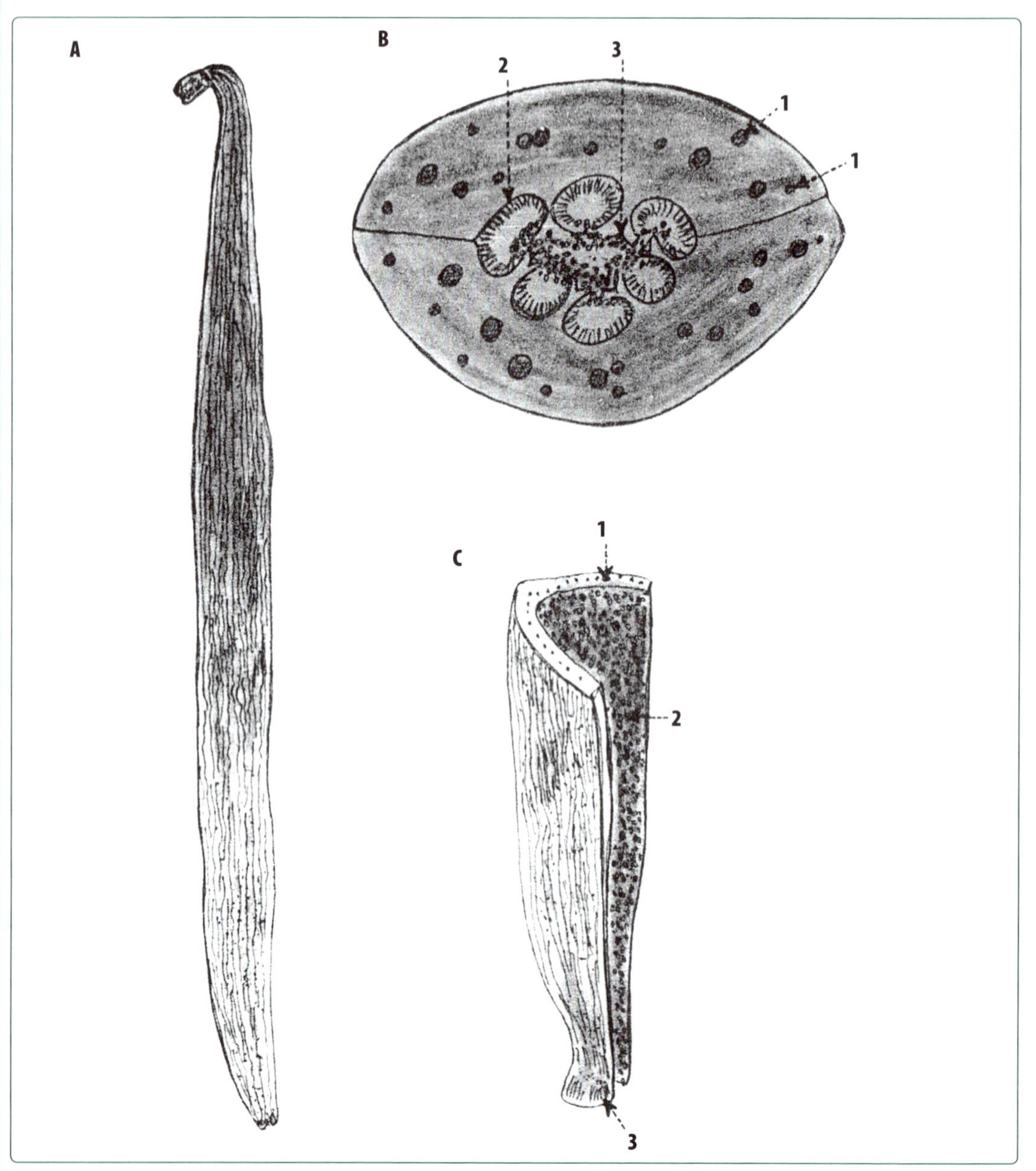

Fig. 6.29 – BAUNILHA *(Vanilla planifolia* Andrews). **A.** Fruto. **B.** Secção transversal: **1** – feixe vascular; **2** – placenta; **3** – sementes. **C.** Secção transversal do fruto perto do ápice: **1** – feixe vascular; **2** – sementes; **3** – região relacionada com estilete.

Descrição microscópica

O epicarpo, visto de face, é provido de estômatos do tipo anomocítico. Visto em secção transversal, é formado por uma camada de células tabulares, de paredes espessadas e porosas que contêm uma substância amarelo-parda e cristais prismáticos ou octaédricos. Sob esse epicarpo, observam-se uma ou duas camadas de células colenquimáticas hipodérmicas. O mesocarpo, muito espesso, é constituído por um tecido de células irregulares, de paredes delgadas e sinuosas. Apresenta numerosos feixes fibrovasculares, envolvidos por bainha fibrosa, formada de largas fibras, de paredes espessas e pontuadas. O mesocarpo encerra, em toda a sua espessura, idioblastos, formados de células estreitas, superpostas, que contêm cristais aciculares de oxalato de cálcio, frequentemente em feixes. O mesocarpo nas suas camadas internas é formado de células menores e alongadas tangencialmente. O endocarpo apresenta, na sua face interna, nos pontos situados entre as placentas, numerosas papilas unicelulares longas, arredondadas na extremidade, de paredes finas e cheias de uma substância granulosa, pardacenta e de pequenas gotas de óleo-resinas.

As sementes são arredondadas, recobertas por um tegumento pardo-negro que envolve um embrião oleoso; esse tegumento é formado por dois invólucros, dos quais o externo é constituído por uma só camada de células esclerosas de paredes muito espessas (Fig. 6.30).

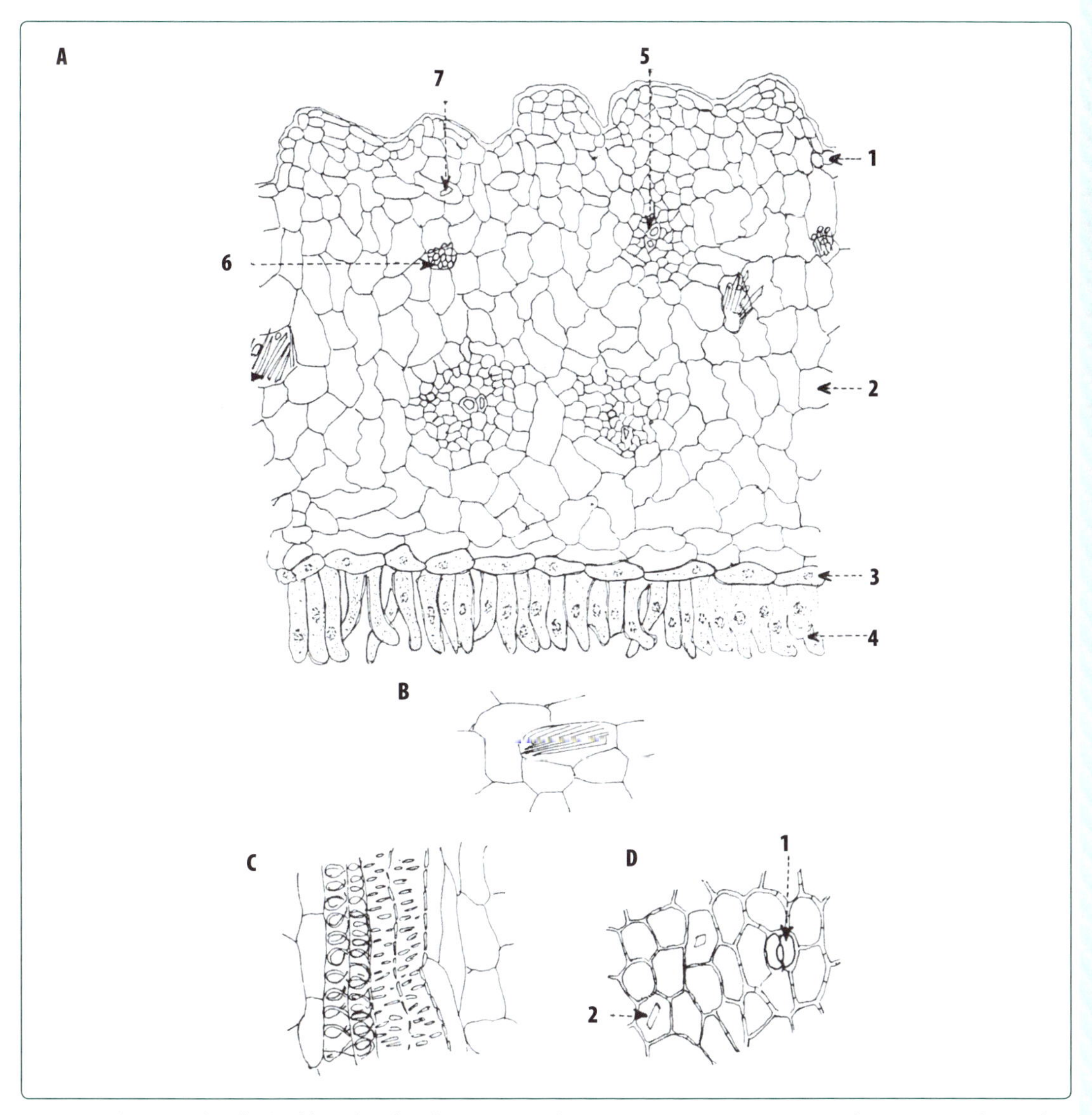

Fig. 6.30 – BAUNILHA *(Vanilla planifolia* Andrews). **A.** Secção transversal: **1** – epicarpo; **2** – mesocarpo; **3** – endocarpo; **4** – papilas; **5** – feixe vascular; **6** – cristais estiloides de oxalato de cálcio (cristais aciculares); **7** – cristais prismáticos. **B.** Fragmento de mesocarpo mostrando idioblasto contendo cristais estiloides. **C.** Região de feixe vascular vista em secção longitudinal. **D.** Epicarpo visto de face: **1** – estômato; **2** – cristal prismático.

Buchinha

Luffa operculata Cogn. – *Cucurbitaceae*
Parte usada: Fruto.
Sinonímia vulgar: Cabacinha; Abobrinha-do-norte; Bucha-dos-paulistas; Purga-de-João-Paes; Bucha-do-caçador; Purga-dos-frades-da-companhia.
Sinonímia científica: *Luffa purgana* Mart.; *Luffa drastica* Mart.; *Momordica luffa* Vell.; *Momordica operculata* L.

Descrição macroscópica

O fruto é uma cápsula operculada subovoide, chegando a medir até 8 cm de comprimento por até 5 cm de diâmetro. É percorrido externamente por nove a dez nervuras dispostas no sentido longitudinal providas de acúleos que chegam a medir 5 mm de comprimento. Apresenta, ainda, rugosidades no sentido transversal e coloração variando de castanho a marrom-escura.

Numa das extremidades do fruto, observa-se a presença de pedúnculo estriado longitudinalmente e que pode medir até 1,5 cm de comprimento. Na outra extremidade localiza-se o opérculo.

A parte externa do fruto, constituída por epicarpo e parte do mesocarpo, se destaca com facilidade liberando a parte interna, representada por um emaranhado de filamentos de natureza fibrosa provido no ápice de três aberturas. No interior dessa parte fibrosa, encontram-se, geralmente, dez a doze sementes de coloração negra. As sementes são achatadas e medem aproximadamente 1 cm de comprimento por 5 mm de largura e 1,5 mm de espessura. Apresentam superfície quase lisa e região basal provida de duas saliências oblíquas dispostas de cada lado. O hilo localiza-se, nessa extremidade, em uma pequena protuberância.

A semente cortada transversalmente deixa ver tegumento fino de coloração escura, pequena faixa de endosperma e embrião com dois cotilédones; a secção longitudinal da semente, efetuada paralelamente ao plano de sua largura, mostra tegumento, faixa reduzida de endosperma e embrião no qual se nota o eixo radículo-caulinar apontando para a micrópila e um dos cotilédones de formato subelíptico (Fig. 6.31).

Descrição microscópica

O epicarpo, quando visto de face, apresenta-se constituído por células de contorno poligonal providas de cutícula finamente estriada. Pelos tectores cônicos, providos geralmente de três a seis células dispostas em uma única série, são observados nessa região. Esses pelos apresentam cutícula visivelmente estriada. Os estômatos são do tipo anomocítico.

Frequentemente, observa-se sobre o epicarpo a região de inserção do pelo com célula maior no centro e um conjunto de células menores dispostas em roseta.

O epicarpo, quando visto em secção transversal, apresenta células de contorno aproximadamente retangular, alongadas no sentido tangencial. Abaixo do epicarpo, nota-se região constituída por duas ou três fileiras de células esclerosadas de paredes lignificadas.

Nas zonas das saliências do fruto, o número de camadas das células esclerosadas é maior e se confunde com as células dos acúleos que apresentam a mesma natureza. Abaixo dessa região, observa-se a presença de duas ou três camadas de células de parede espessada, de tamanho bem maior que as anteriores. O resto do mesocarpo e endocarpo é constituído por células parenquimáticas que envolvem grande número de feixes fibrovasculares, dispostos em diversos sentidos e que se anastomosam.

Os vasos do xilema são do tipo espiralado e as fibras que envolvem os feixes vasculares são curtas, de paredes grossas com pontuações simples. A região parenquimática localizada ao redor dos feixes desintegra-se, deixando evidente um tecido frouxo fibroso que envolve as sementes (Fig. 6.32).

A secção transversal da semente adulta mostra tegumento formado de cinco camadas distintas. A camada epidérmica é constituída de células de paredes finas, alongadas em sentido radial; essas células apresentam, externamente, camada de cutina pouco espessa. Depois do desenvolvimento total da semente, a camada epidérmica apresenta-se ondulada e as células mostram nas paredes radiais ondulações estreitas. A camada hipodérmica é formada de duas a três fileiras de células arredondadas ou alongadas tangencialmente; a seguir, observa-se uma fileira de células pequenas, retangulares, alongadas radialmente, cujas paredes se apresentam bastante lignificadas, deixando o lúmen pequeno. Subjacente a essa zona, localiza-se uma fileira de células alongadas, dispostas em paliçada; essas células apresentam lúmen estreito e paredes espessadas de lignina.

A parte interna do tegumento mostra parênquima lacunoso, formado de células de paredes finas dispostas irregularmente; esse parênquima envolve dois feixes vasculares situados nas bordas da semente. As células mais internas dessa zona tornam-se amassadas e aderem ao endosperma; este, depois do desenvolvimento total da semente, fica reduzido a uma fileira de células retangulares, alongadas tangencialmente, de citoplasma denso e núcleo bem visível.

Os cotilédones são plano-convexos e mostram epiderme formada de células pequenas, retangulares; entre as duas epidermes, há um parênquima formado de células poligonais, que apresentam, como inclusão, substâncias lipídicas. Os cotilédones são percorridos por seis a sete, ou mesmo oito feixes vasculares delicados.

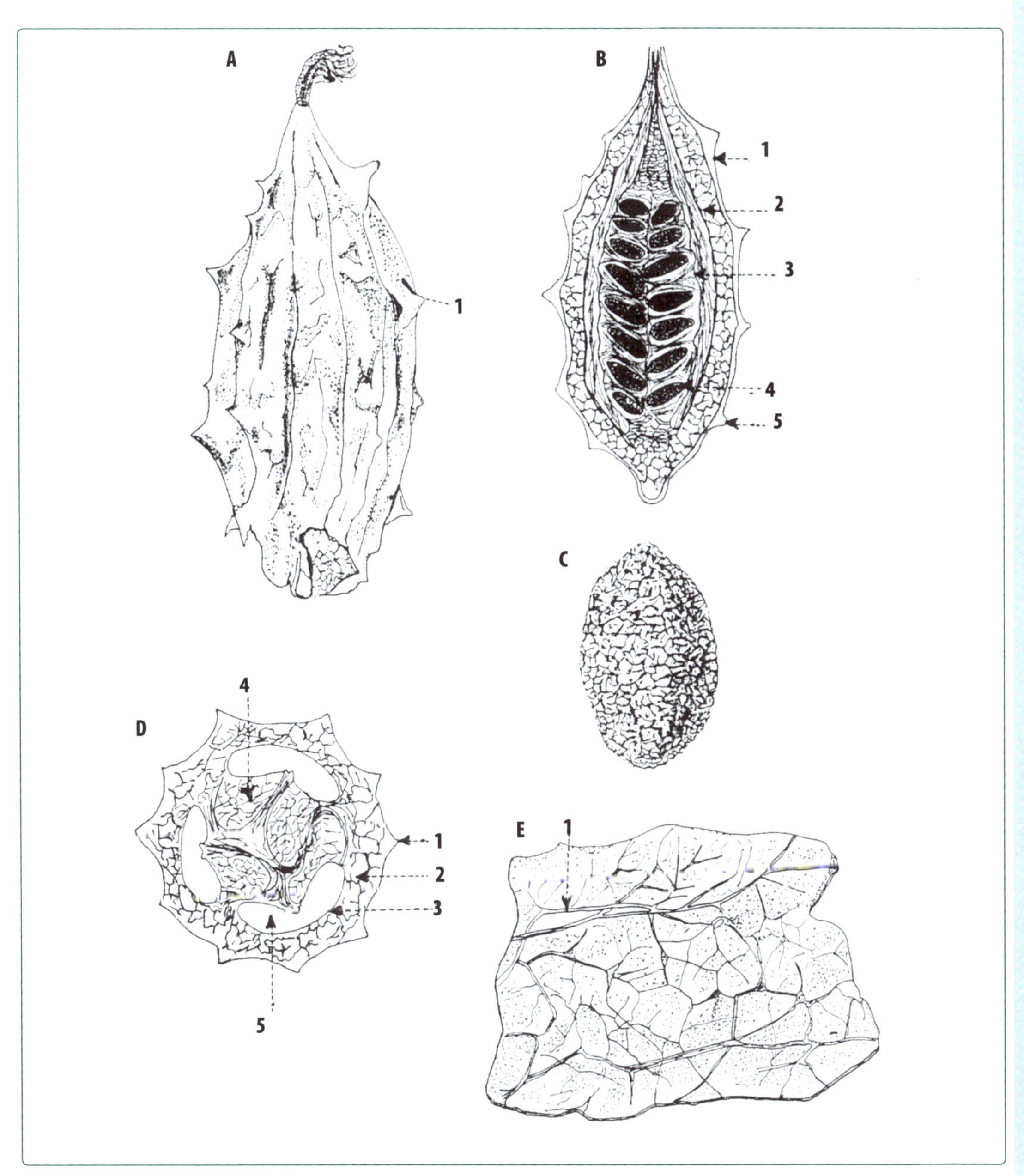

Fig. 6.31 – BUCHINHA *(Luffa operculata* Cogn.). **A.** Fruto inteiro: **1** – acúleo. **B.** Corte longitudinal: **1** – epicarpo; **2** – mesocarpo; **3** – endocarpo; **4** – semente; **5** – acúleo. **C.** Fruto adulto mondado. **D.** Secção transversal: **1** – epicarpo (região de acúleo); **2** – mesocarpo; **3** – endocarpo; **4** – placenta (trofosperma); **5** – cavidade disseminatória. **E.** Pericarpo (epicarpo e porção externa do mesocarpo) – visão facial interna: **1** – cordões fibrovasculares.

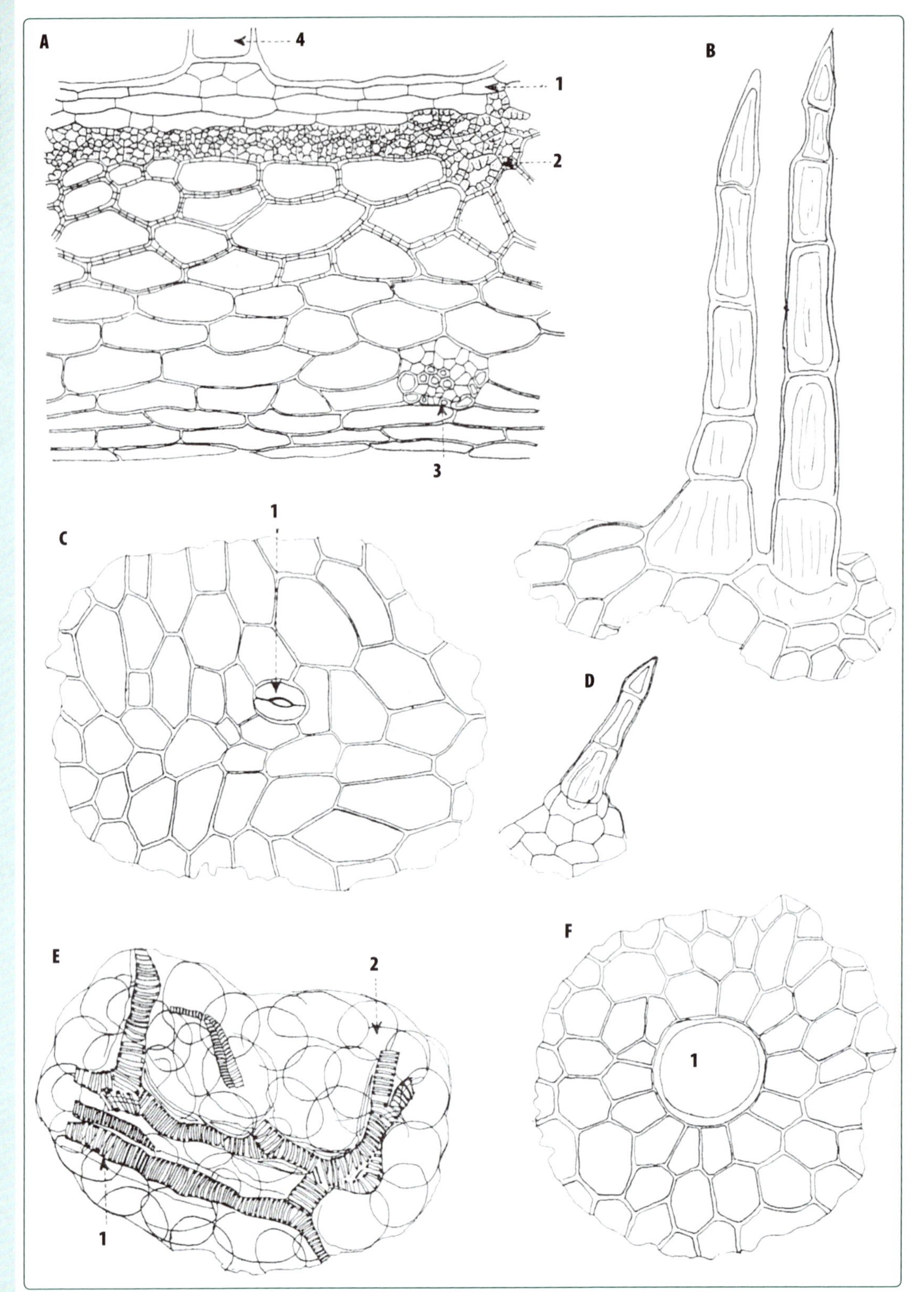

Fig. 6.32 – BUCHINHA *(Luffa operculata* Cogn.) – Casca do fruto. **A.** Casca do fruto em corte transversal: **1** – epicarpo; **2** – região externa do mesocarpo com células lignificadas; **3** – feixe fibrovascular; **4** – base de um pelo tector. **B, D.** Fragmento do epicarpo visto de face mostrando os pelos tectores. **C.** Epicarpo visto de face: **1** – estômato. **E.** Fragmento do endocarpo mostrando feixes vasculares anastomosados e parênquima frouxo: **1** – vaso xilemático espiralado de feixe vascular visto por transparência; **2** – parênquima frouxo. **F.** Fragmento de epicarpo mostrando inserção de pelo: **1** – inserção de pelo.

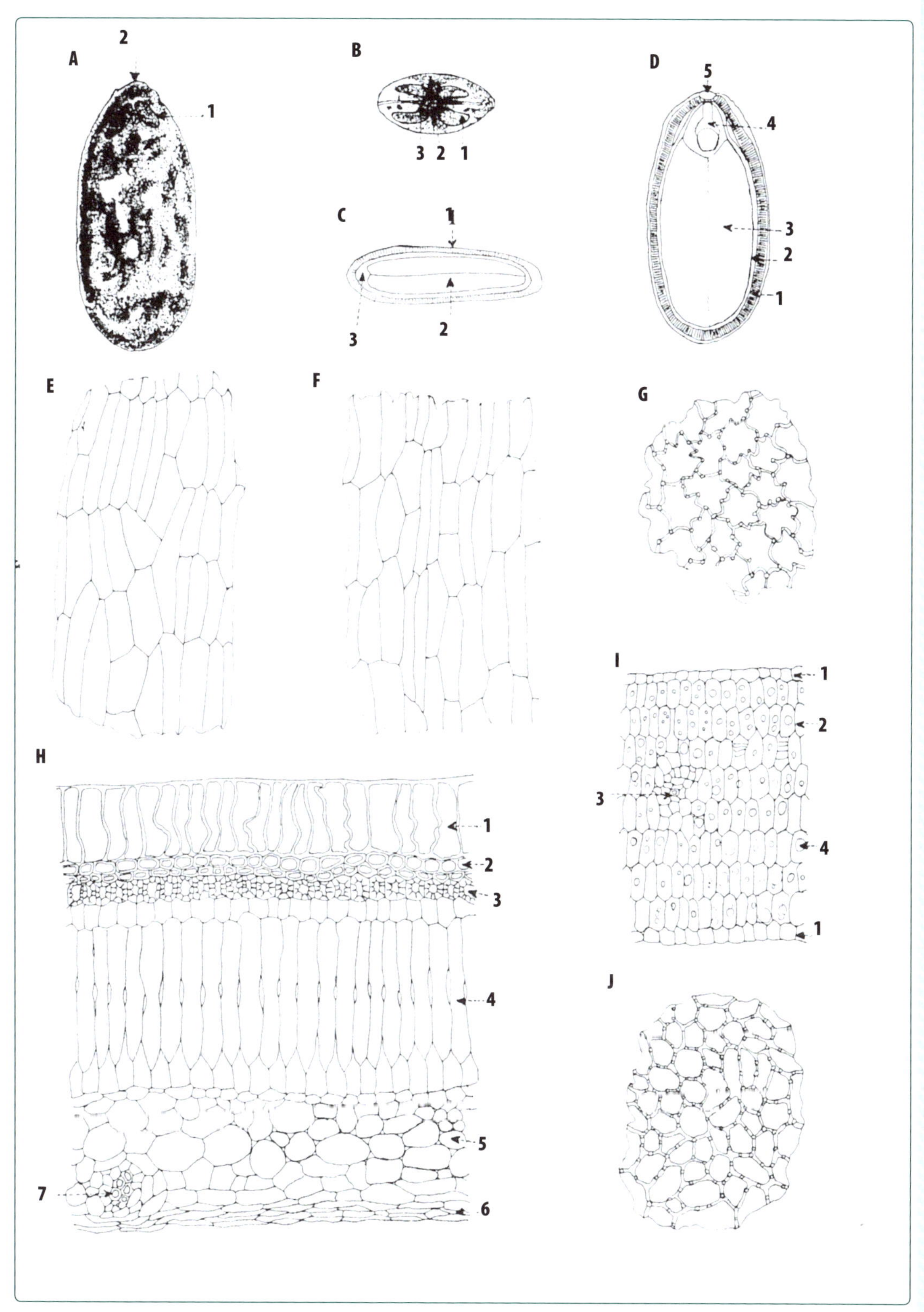

Fig. 6.33 – BUCHINHA *(Luffa operculata* Cogn.) – Semente. **A.** Semente inteira: **1** – protuberância; **2** – hilo. **B.** Semente vista de topo: **1** – protuberância; **2** – hilo; **3** – micrópila. **C.** Secção transversal: **1** – tegumento; **2** – cotilédone; **3** – endosperma. **D.** Secção longitudinal: **1** – tegumento; **2** – endosperma; **3** – cotilédone; **4** – eixo radículo-caulinar; **5** – micrópila. **E.** Película endospermática que envolve o embrião – visão facial interna. **F.** Película endospermática que envolve o embrião – visão facial externa. **G, J.** Epiderme da semente vista de face. **H.** Secção transversal: **1** – epiderme: **2** – hipoderme; **3** – camada esclerosada; **4** – camada paliçádica; **5** – camada parenquimática; **6** – camada de células obliteradas; **7** – feixe vascular. **I.** Secção transversal do cotilédone: **1** – epiderme; **2** – parênquima de reserva; **3** – feixe vascular; **4** – gotícula de óleo.

Cubeba

Piper cubeba Linné *filius* – *Piperaceae*
Parte usada: Fruto.
Sinonímia vulgar: Pimenta cubeba; Cubeba; Poivre a quene; Cubeb; Kubebe.
Sinonímia científica: *Cubeba officinalis* Miq.

O fruto possui odor aromático e característico, e seu sabor também é fortemente aromático, picante e um pouco amargo.

Descrição macroscópica

Este fruto é uma drupa globosa, de 3 a 6 mm de diâmetro, com prolongamento inferior do pericarpo simulando um pedúnculo de 5 a 7 mm de comprimento; é um pouco pontudo no ápice, no qual se observa porção tetrafida remanescente do estigma, de cor cinzento-parda ou enegrecida, grosseiramente sulcado de rugas salientes, formando uma trama de malhas poligonais.

O pericarpo, globoso, unilocular e medindo de 0,3 a 0,5 mm de diâmetro, recobre uma só semente esférica, um pouco comprimida, de superfície lisa e avermelhada, fixada no fruto por uma base, em que apresenta uma cicatriz circular quase preta. O pericarpo apresenta cor escura e aspecto grosseiramente reticulado. O tegumento da semente é pouco desenvolvido e o perisperma é firme, esbranquiçado, oleoso e contém um pequeno embrião localizado logo abaixo do vértice. Em grande número de frutos, a semente é incompletamente desenvolvida e rugosa e o pericarpo, quase vazio (Fig. 6.34).

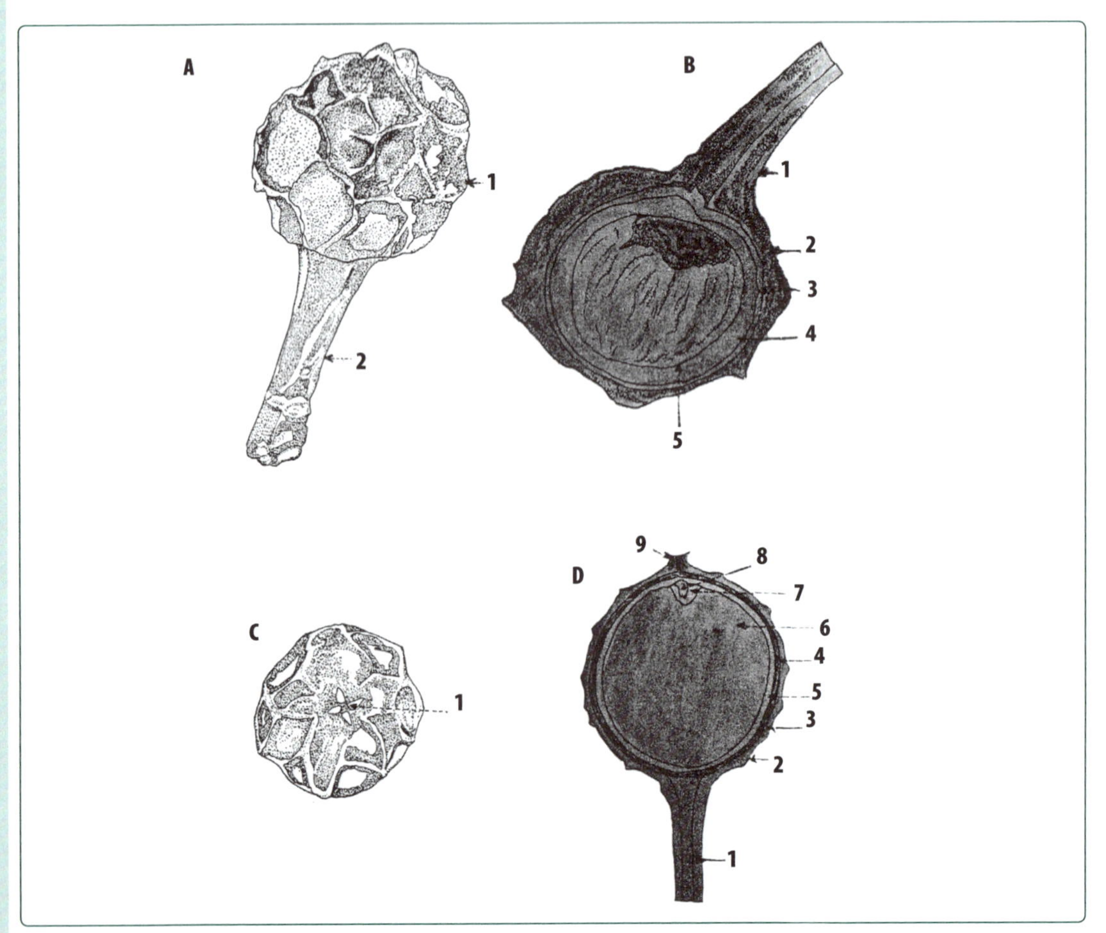

Fig. 6.34 – CUBEBA *(Piper cubeba* L.). **A.** Fruto inteiro: **1** – fruto; **2** – pedúnculo. **B.** Fruto cortado longitudinalmente: **1** – pedúnculo; **2** – epicarpo; **3** – mesocarpo; **4** – endocarpo; **5** – semente. **C.** Fruto visto de cima: **1** – vestígio estigmático. **D.** Secção longitudinal: **1** – pedúnculo; **2** – epicarpo; **3** – mesocarpo; **4** – endocarpo; **5** – tegumento da semente; **6** – perisperma; **7** – endosperma; **8** – embrião; **9** – vestígio estigmático.

Descrição macroscópica

O pericarpo é formado por uma camada de células tabulares de paredes pouco espessas e recobre camada esclerosa contínua, formada por uma ou duas fileiras de pequenos braquiescleritos de paredes muito espessas e canaliculadas. O mesocarpo é dividido em duas camadas diferentes: a externa é formada de células poligonais, irregulares, com amilo, gotas de óleo fixo e pequenos cristais de cubebina, apresentando numerosas glândulas oleíferas unicelulares; a camada interna é formada por sete a dez fileiras de células poligonais de paredes espessas, providas de amilo. O limite entre as duas zonas é caracterizado pela presença de feixes liberolenhosos dispostos em ilhotas espaçadas.

O endocarpo é formado por uma camada esclerosa contínua, constituída por duas a três fileiras de grandes braquiescleritos, geralmente alongados radialmente, de paredes muito espessas e canaliculadas. Os tegumentos seminais são formados por duas camadas de células retangulares, bastante achatadas: a externa incolor, e a interna colorida de pardo. O perisperma é constituído por um tecido de células poliédricas, de paredes delgadas, cheias de grãos de amido, no meio do qual se acham disseminadas as glândulas de óleo-resinosas, cujo conteúdo colore-se de vermelho pelo ácido sulfúrico (Fig. 6.35).

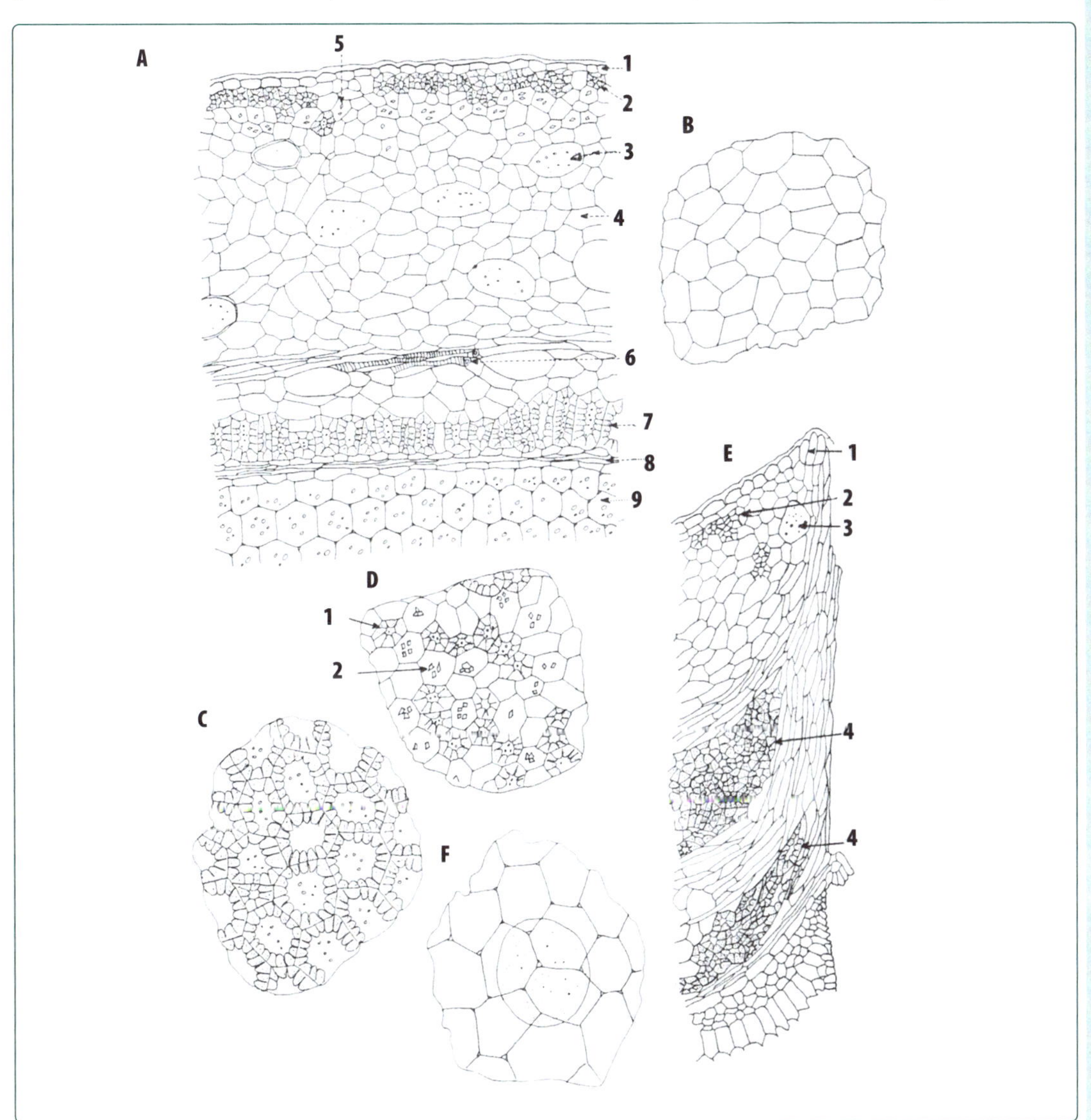

Fig. 6.35 – CUBEBA *(Piper cubeba* L.). **A.** Secção transversal: **1** – epicarpo; **2** – camada esclerosada do mesocarpo; **3** – célula oleífera do mesocarpo; **4** – célula parenquimática comum do mesocarpo; **5** – cristais prismáticos; **6** – feixe vascular; **7** – endocarpo; **8** – tegumento; **9** – perisperma. **B.** Epicarpo visto de face. **C.** Endocarpo visto de face. **D.** Corte paradérmico passando pela região mais externa do mesocarpo: **1** – células pétreas; **2** – células contendo cristais prismáticos. **E.** Secção transversal: **1** – epicarpo; **2** – células esclerosas; **3** – célula oleífera; **4** – grupo de células pétreas. **F.** Fragmento de mesocarpo mostrando glândula por transparência.

Faveiro

Dimorphandra mollis Benthan – *Leguminose*
Parte usada: Fruto.
Sinonímia vulgar: Barbatimão de folha miúda.

Descrição macroscópica

O fruto é do tipo simples, seco, indeiscente, proveniente de ovário unicarpelar, achatado, com uma das extremidades arredondada e a outra provida de pedúnculo curvo, estriado longitudinalmente. Mede, geralmente, 12 cm de comprimento por 3 cm de largura e 1 cm de espessura. A superfície do pericarpo é rugosa e de coloração amarronzada. Observado lateralmente, mostra bem visível a linha de soldadura da folha carpelar e a da nervura mediana.

Cortado longitudinalmente, apresenta inúmeras sementes presas à placenta através de funículo filamentoso. As sementes são vermelhas, oblongas, mostrando bem a rafe, o hilo e o vestígio do funículo. O embrião, de forma típica, é bem desenvolvido (Fig. 6.36).

Descrição microscópica

O epicarpo, quando visto de face, apresenta células de contorno retangular e paredes nitidamente espessadas. Estômatos do tipo anomocítico podem ser observados nessa região.

O pericarpo, quando observado em corte transversal, apresenta epicarpo provido de células de contorno retangular, alongadas no sentido radial e providas de espessamento nas paredes radiais externas. A cutícula é espessa.

O mesocarpo é externamente constituído de células do tipo parenquimático, alongadas no sentido radial e, frequentemente, incluindo cristais de rutina, em forma de ouriço. A região mais interna do mesocarpo é formada por diversas camadas de células alongadas, esclerosadas, dispostas em diversas direções.

O endocarpo é formado por uma única camada celular provida de células de contorno arredondado e paredes bastante lignificadas.

A semente, quando cortada transversalmente, mostra camada paliçádica relativamente longa com células de parede bem espessada. Apresenta, ainda, camada colunar externa, uma camada parenquimática provida de quatro a seis fileiras celulares e outra camada colunar interna.

Os cotilédones são recobertos por epiderme formado de células de contorno retangular, alongadas no sentido tangencial e por parênquima cotiledonar provido de reservas (Figs. 6.37 e 6.38).

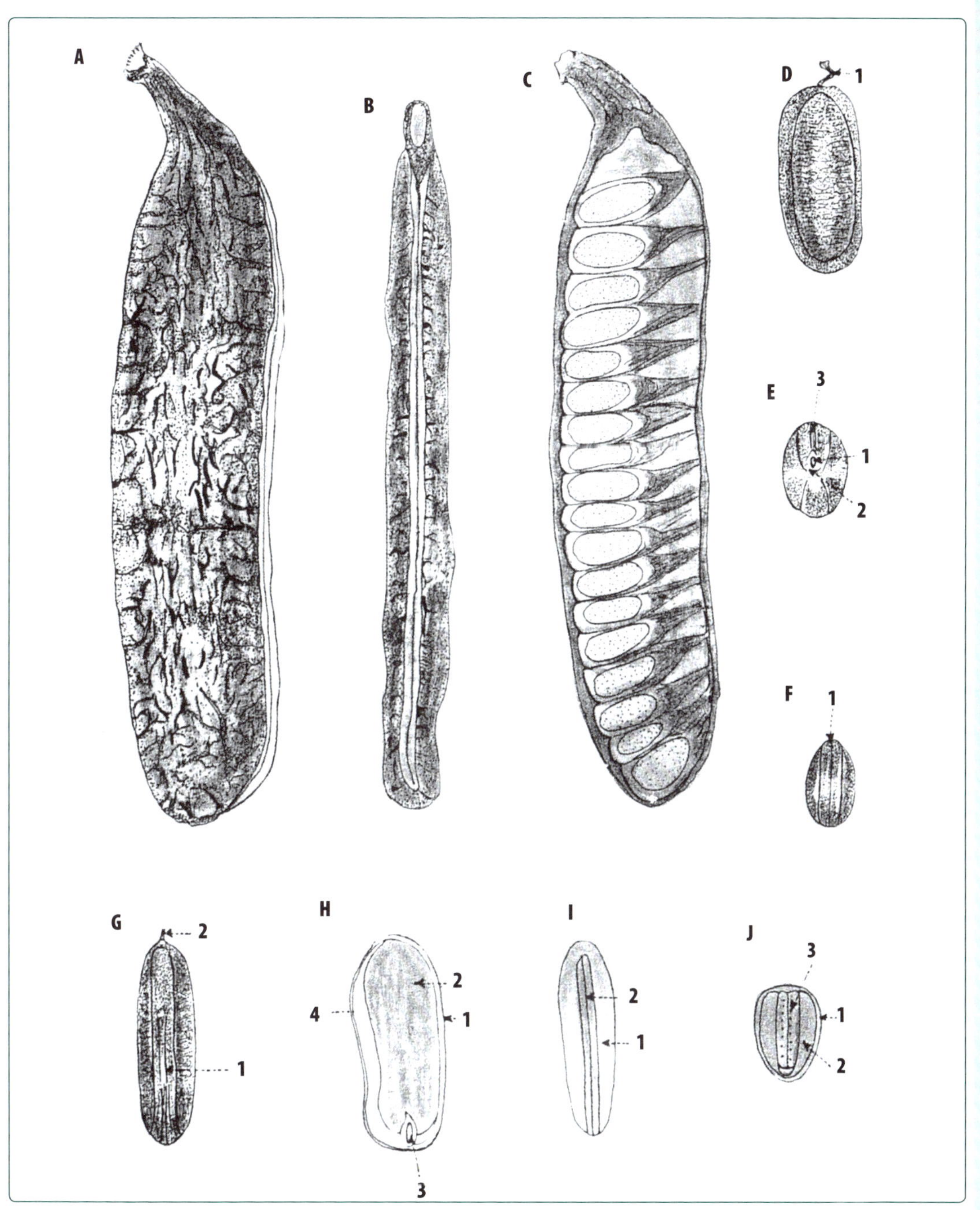

Fig. 6.36 – FAVEIRO *(Dimorphandra mollis* Benthan). **A.** Fruto inteiro. **B.** Fruto visto de lado. **C.** Secção longitudinal do fruto. **D.** Visão lateral (perfil) da semente: **1** – funículo. **E.** Semente vista de topo inferior: **1** – hilo; **2** – micrópila (cicatrícula); **3** – rafe. **F.** Semente vista de topo superior: **1** – rafe. **G.** Visão dorsal da semente: **1** – rafe; **2** – funículo. **H.** Secção longitudinal da semente (paralelamente às lâminas cotiledonais): **1** – tegumento; **2** – cotilédone; **3** – eixo radículo-caulinar; **4** – endosperma. **I.** Secção longitudinal da semente mondada (corte perpendicular ao plano das folhas cotiledonais): **1** – endosperma; **2** – cotilédone. **J** – Secção transversal da semente: **1** – tegumento; **2** – endosperma; **3** – cotilédone.

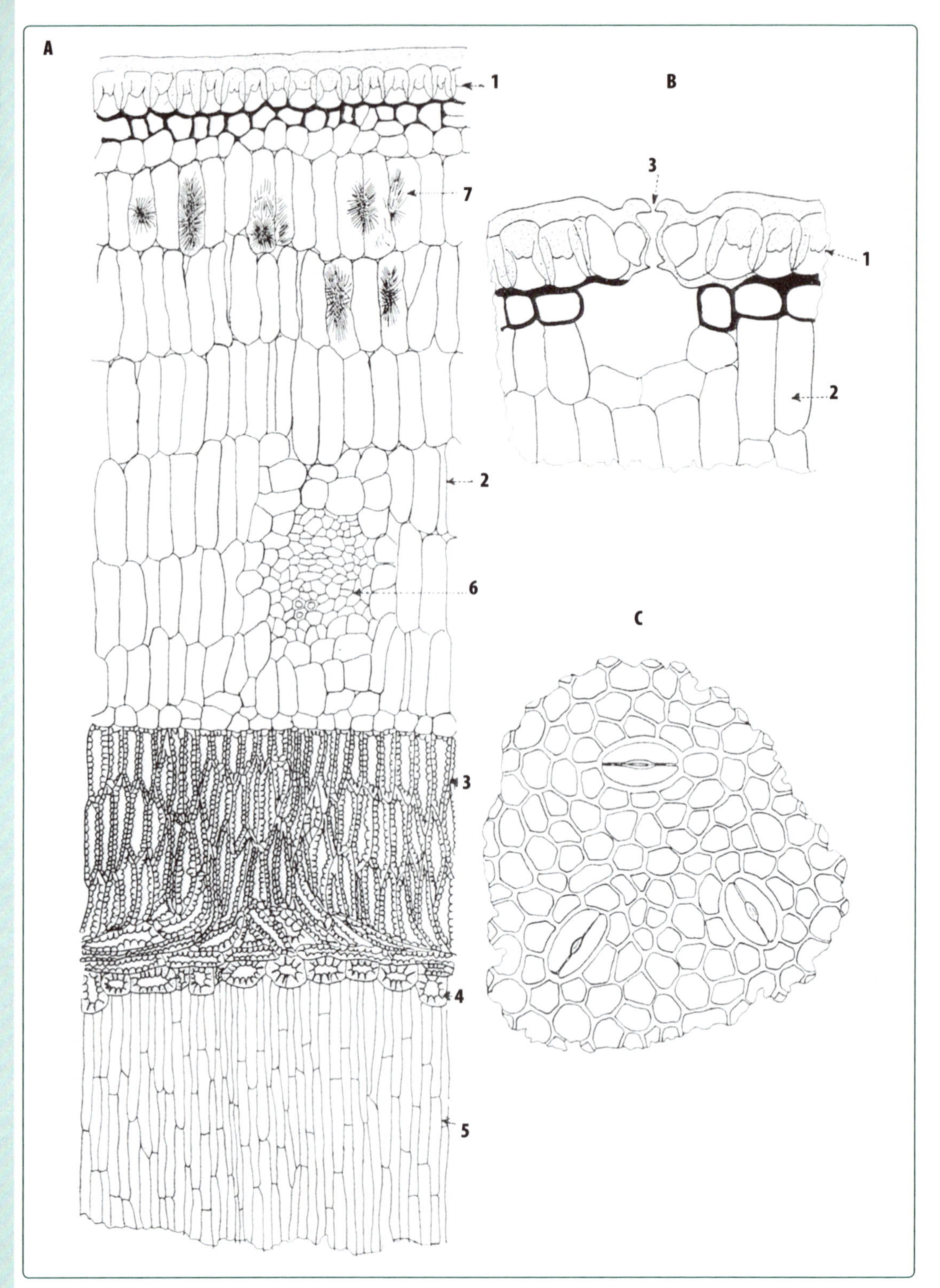

Fig. 6.37 – FAVEIRO *(Dimorphandra mollis* Benthan.). **A.** Secção transversal do fruto: **1** – epicarpo; **2** – mesocarpo; **3** – camada esclerótica; **4** – endocarpo; **5** – placenta (trofosperma); **6** – feixe vascular; **7** – esferocristais. **B.** Região externa do pericarpo: **1** – epicarpo; **2** – células do mesocarpo; **3** – estômato. **C.** Epicarpo visto de face.

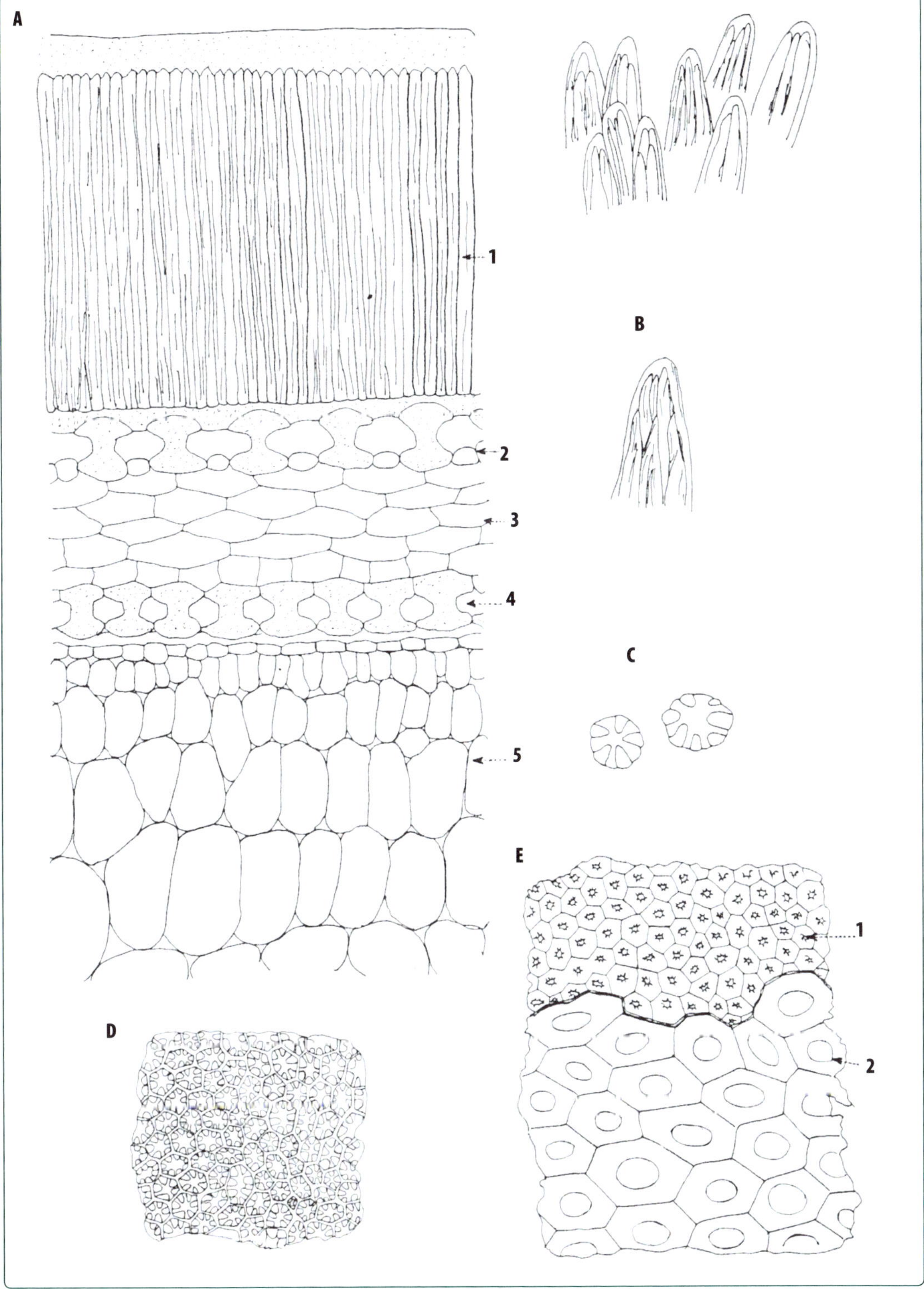

Fig. 6.38 – FAVEIRO *(Dimorphandra mollis* Benthan.). **A.** Secção transversal da semente: **1** – camada paliçádica; **2** – camada colunar externa; **3** – camada parenquimática; **4** – camada colunar interna; **5** – endosperma. **B.** Ponta das células da camada paliçádica. **C.** Células paliçádicas vistas de topo (detalhe). **D.** Paliçada vista de topo. **E.** Fragmento do tegumento da semente visto de face, mostrando em primeiro plano a base da camada colunar, e no segundo plano a base da camada paliçádica: **1** – camada paliçádica; **2** – camada colunar.

Funcho

Foeniculum vulgare Miller – *Umbelliferae*

Parte usada: Fruto.

Sinonímia vulgar: Erva-doce brasileira.

Sinonímia científica: *Foeniculum officinale* All.; *Foeniculum capillaceum* Gilib.; *Foeniculum dulce* DC.; *Anethum foeniculum* L.; *Foeniculum vulgare* Miller; *Foeniculum foeniculum* (L.) Karsten.

Possui odor forte, aromático, semelhante ao do anetol, com sabor doce e aromático.

Descrição macroscópica

O fruto do FUNCHO é do tipo cremocarpo, oblongo, quase cilíndrico, às vezes ovoide, direito ou levemente arqueado, de 4 a 5 mm de comprimento por 2 a 4 mm de largura, glabro e de cor verde--acinzentada ou verde-pardacenta. No ápice, apresenta estilopódio bifurcado.

Os dois mericarpos, geralmente unidos, apresentam cinco arestas muito salientes, fortemente carenadas, das quais as duas marginais são um pouco mais desenvolvidas do que as outras; as valéculas são muito estreitas e contêm quatro canais secretores de óleo essencial na parte dorsal e dois na parte comissural.

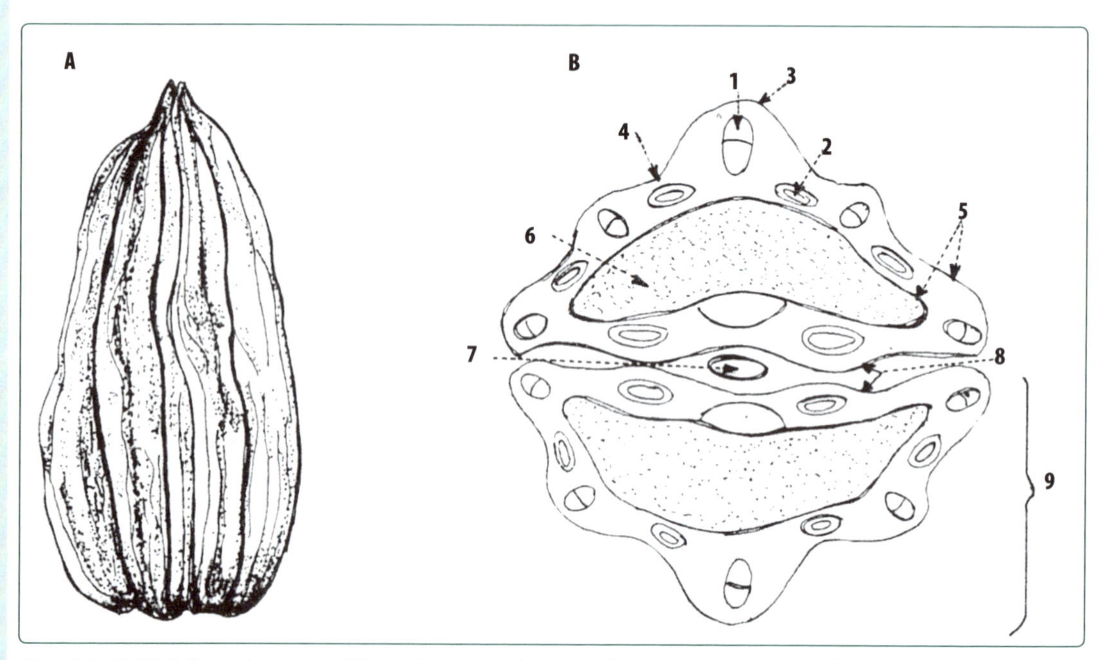

Fig. 6.39 – FUNCHO *(Foeniculum vulgare* Miller). **A.** Fruto inteiro (cremocarpo). **B.** Secção transversal: **1** – feixe vascular; **2** – canal secretor; **3** – aresta; **4** – valécula; **5** – pericarpo; **6** – semente; **7** – feixe vascular do carpóforo; **8** – face comissural; **9** – mericarpo.

Descrição microscópica

A secção transversal de cada mericarpo é pentagonal, tendo quatro ângulos quase iguais e levemente côncavos e o quinto, ou superfície comissural, muito mais comprido e mais ou menos ondeado. O epicarpo é glabro, formado de uma camada de células poligonais e contém estômatos; o mesocarpo é formado por um parênquima de células irregulares e apresenta, principalmente na vizinhança dos feixes fibrovasculares das arestas, várias células nitidamente caracterizadas por suas paredes munidas de pontuações reticuladas. É no mesocarpo que estão localizados os canais secretores, situados abaixo das valéculas. O endocarpo é formado por uma camada de células alongadas, bastante regulares, dispostas em forma de taco de assoalho quando vistas em corte paradérmico. A camada mais externa do tegumento da semente é representada por uma fileira de células aderidas ao endocarpo. Abaixo dessa camada de células aparecem diversas fileiras de células amassadas, mais evidentes na região da rafe.

O endosperma, constituído de células poligonais, contém grãos de aleurona com globoides ou cristaloides, cristais estrelares de oxalato de cálcio e gotículas de óleo fixo.

O embrião é pequeno e localizado na região superior da semente.

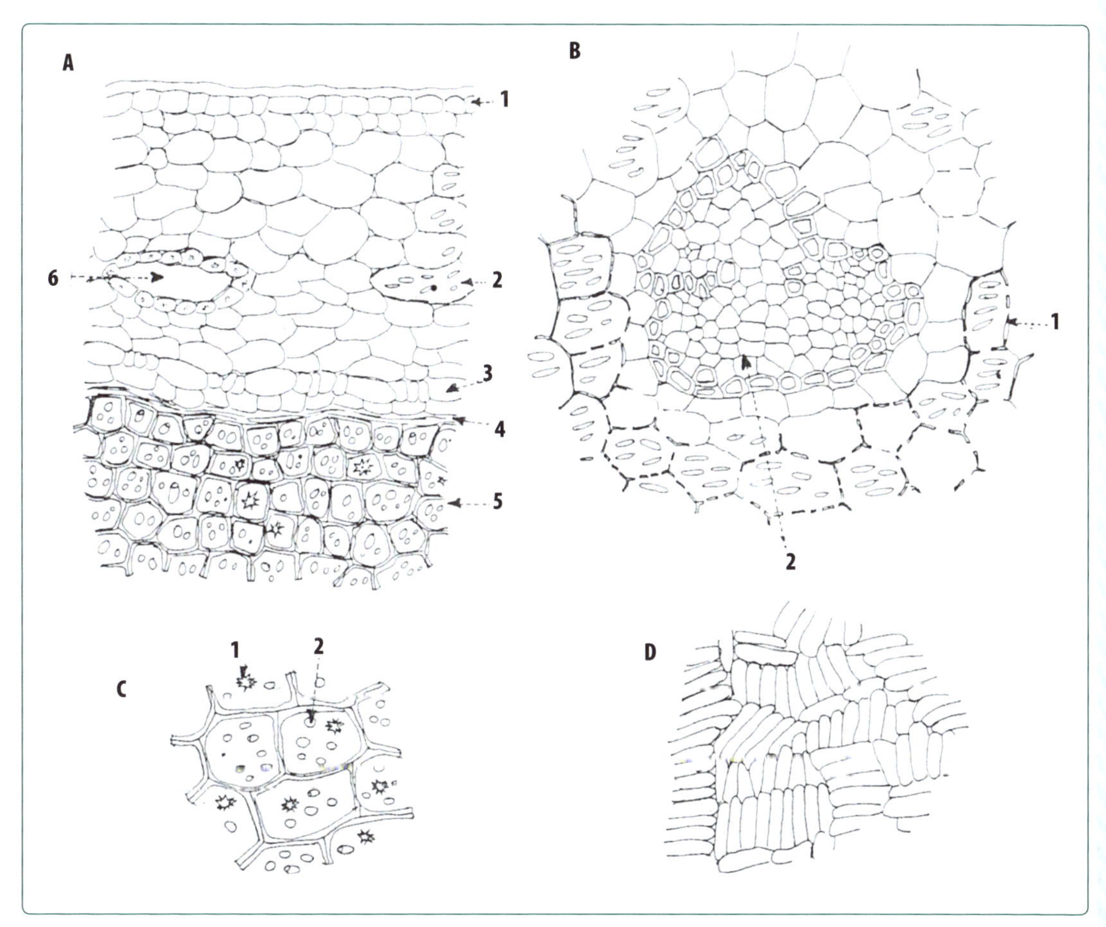

Fig. 6.40 – FUNCHO *(Foeniculum vulgare* Miller). **A.** Secção transversal efetuada ao longo da valécula: **1** – epicarpo; **2** – mesocarpo; **3** – endocarpo; **4** – tegumento da semente; **5** – endosperma; **6** – canal secretor. **B.** Secção transversal de feixe vascular localizado em região de uma aresta: **1** – células com paredes espessadas; **2** – feixe vascular. **C.** Fragmento de endosperma: **1** – drusa; **2** – gotícula de óleo. **D.** Endorcarpo visto de face.

Jatobá

Hymenaea stilbocarpa Hayne – *Leguminoseae*
Parte usada: Fruto.
Sinonímia vulgar: Árvore de copal; Jataí; Jaté; Jetaí; Getai; Gitaí; Jatobá-lágrima.
Sinonímia científica: *Hymenaea combaril* L.

O arilo do fruto é comestível, apresentando cheiro característico e sabor adocicado.

Descrição macroscópica

Fruto seco indeiscente, proveniente de ovário unicarpelar de forma subcilíndrica, achatado, apresentando uma das extremidades arredondada e a outra provida de pedúnculo curvo estirado. A superfície do fruto tem coloração amarronzada e aspecto verrucoso. Mede, geralmente, 12 cm de comprimento por 6 cm de largura e 3 cm de espessura. O pericarpo é bastante duro, sendo difícil de ser fragmentado. Cortado de maneira adequada, a secção transversal apresenta manchas claras correspondentes a grupo de células pétreas e manchas escuras nas quais se podem observar exsudatos em bolsas de resina.

A parte interna do fruto, quando exposta, apresenta coloração amarelada. O fruto contém algumas sementes subglobosas envoltas em arilo pulverulento (Fig. 6.41).

Descrição microscópica

O epicarpo, quando visto em corte paradérmico, apresenta-se constituído de células de contorno poligonal e de paredes espessadas. Estômatos do tipo anomocítico podem ser observados nessa região; a secção transversal do fruto mostra epicarpo formado por células de contorno retangular, alongadas no sentido radial e providas de paredes com espessamento em U. O mesocarpo pode ser dividido em três regiões: região externa, de natureza parenquimática, provida de células com paredes um tanto espessadas que envolvem numerosas bolsas secretoras de resina; região mediana, onde o parênquima esclerótico envolve numerosos grupos de células pétreas de parede bem espessada e lúmen reduzido; região interna representada por parênquima com células, de paredes espessadas, que envolvem numerosas bolsas resiníferas.

O endocarpo é constituído por uma fileira de escleritos alongados e dispostos em paliçada.

A semente apresenta tegumento formado por uma fileira de células em paliçada seguida de uma fileira de células colunares. Nessa região, pode-se observar a presença de cristais prismáticos. Seguem-se cerca de vinte camadas celulares do tipo parenquimático e duas ou três camadas de células obliteradas.

O cotilédone é recoberto por epiderme provida de células de contorno retangular, e o parênquima cotiledonar, bem desenvolvido, inclui substâncias de reserva e drusas de oxalato de cálcio (Figs. 6.42 e 6.43).

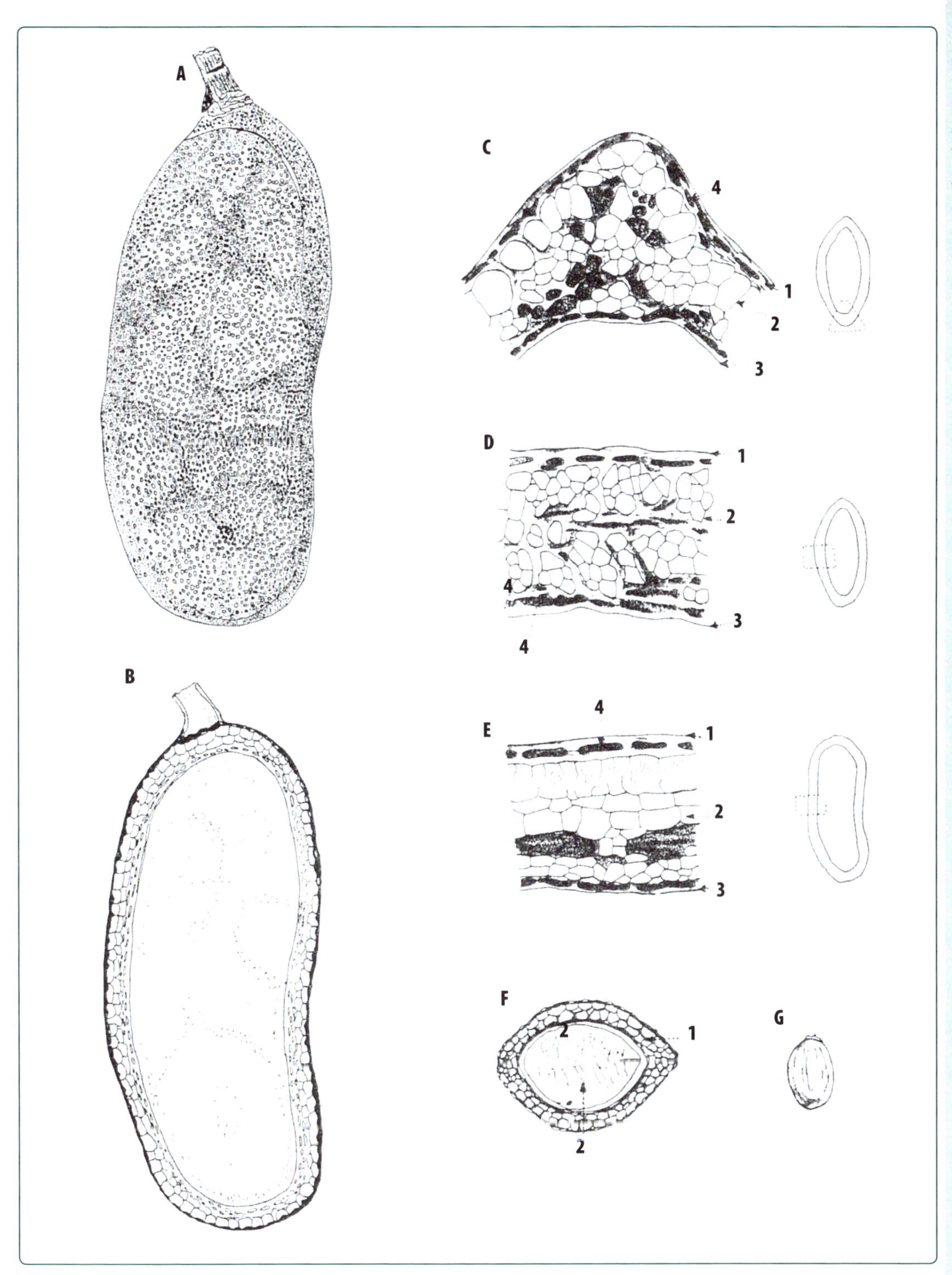

Fig. 6.41 – JATOBÁ *(Hymenaea stilbocarpa* Hayne). **A.** Fruto inteiro. **B.** Fruto seccionado longitudinalmente. **C.** Secção transversal do fruto ao longo da região de maior curvatura: **1** – epicarpo; **2** – mesocarpo contendo grupos de células pétreas; **3** – endocarpo; **4** – bolsa resinífera. **D.** Secção transversal do fruto ao longo da região de menor curvatura: **1** – epicarpo; **2** – mesocarpo contendo grupos de células pétreas; **3** – endocarpo; **4** – bolsas resiníferas. **E.** Secção longitudinal do fruto ao longo da região de menor curvatura: **1** – epicarpo; **2** – mesocarpo contendo grupos de células pétreas; **3** – endocarpo; **4** – bolsas resiníferas. **F.** Secção transversal do fruto passando por uma semente: **1** – pericarpo; **2** – semente recoberta por arilo pulverulento. **G.** Semente.

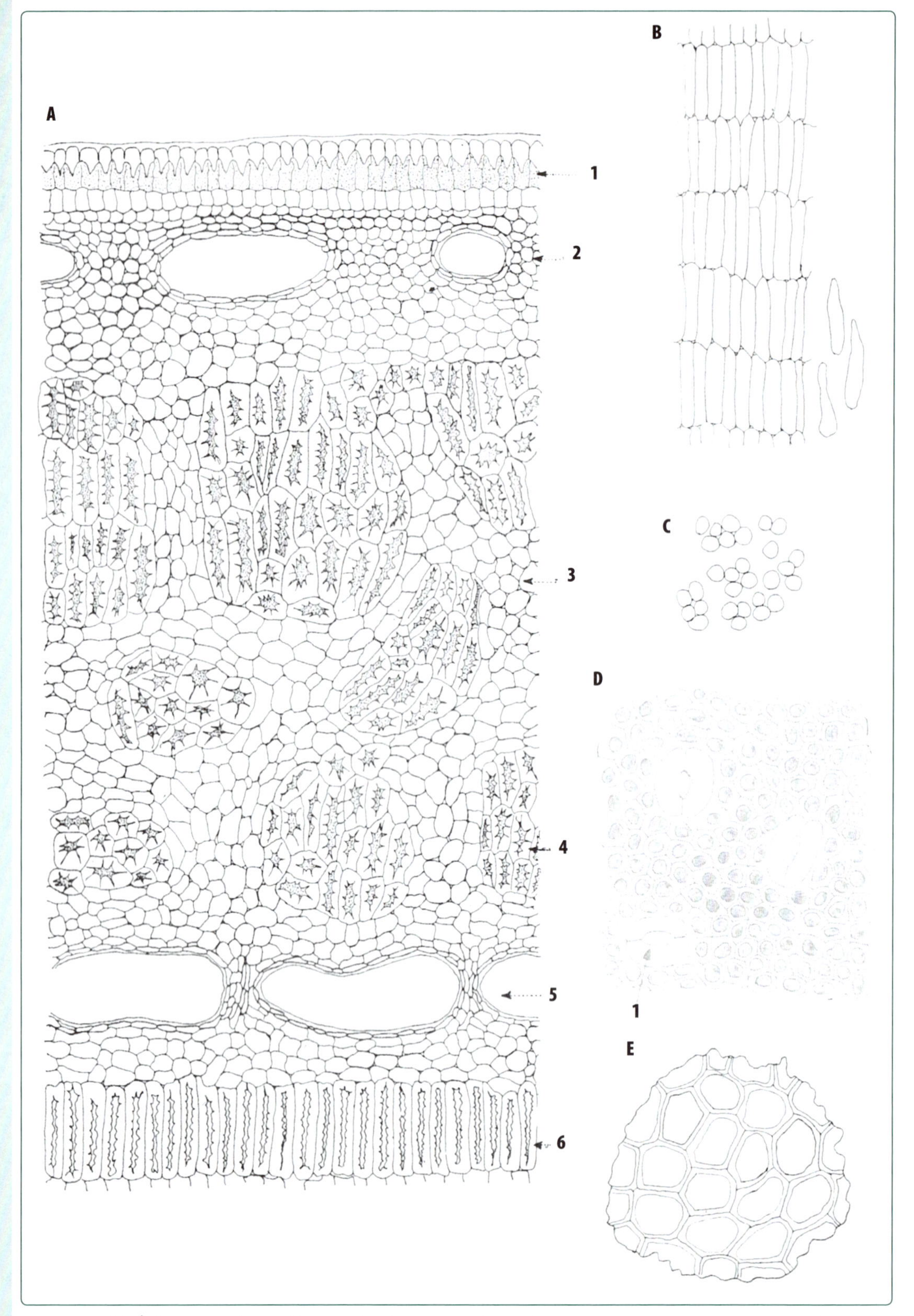

Fig. 6.42 – JATOBÁ *(Hymenaea stilbocarpa* Hayne). **A.** Secção transversal do fruto (pericarpo): **1** – epicarpo; **2** – região externa do mesocarpo contendo bolsas secretoras de resina; **3** – parênquima esclerótico do mesocarpo; **4** – grupos de células pétreas do mesocarpo; **5** – região interna do mesocarpo contendo bolsas secretoras de resina; **6** – endocarpo esclerótico e em forma de paliçada. **B** e **C.** Aspecto de arilo. **D.** Epicarpo visto de face: **1** – estômato. **E.** Fragmento de parênquima esclerótico do mesocarpo.

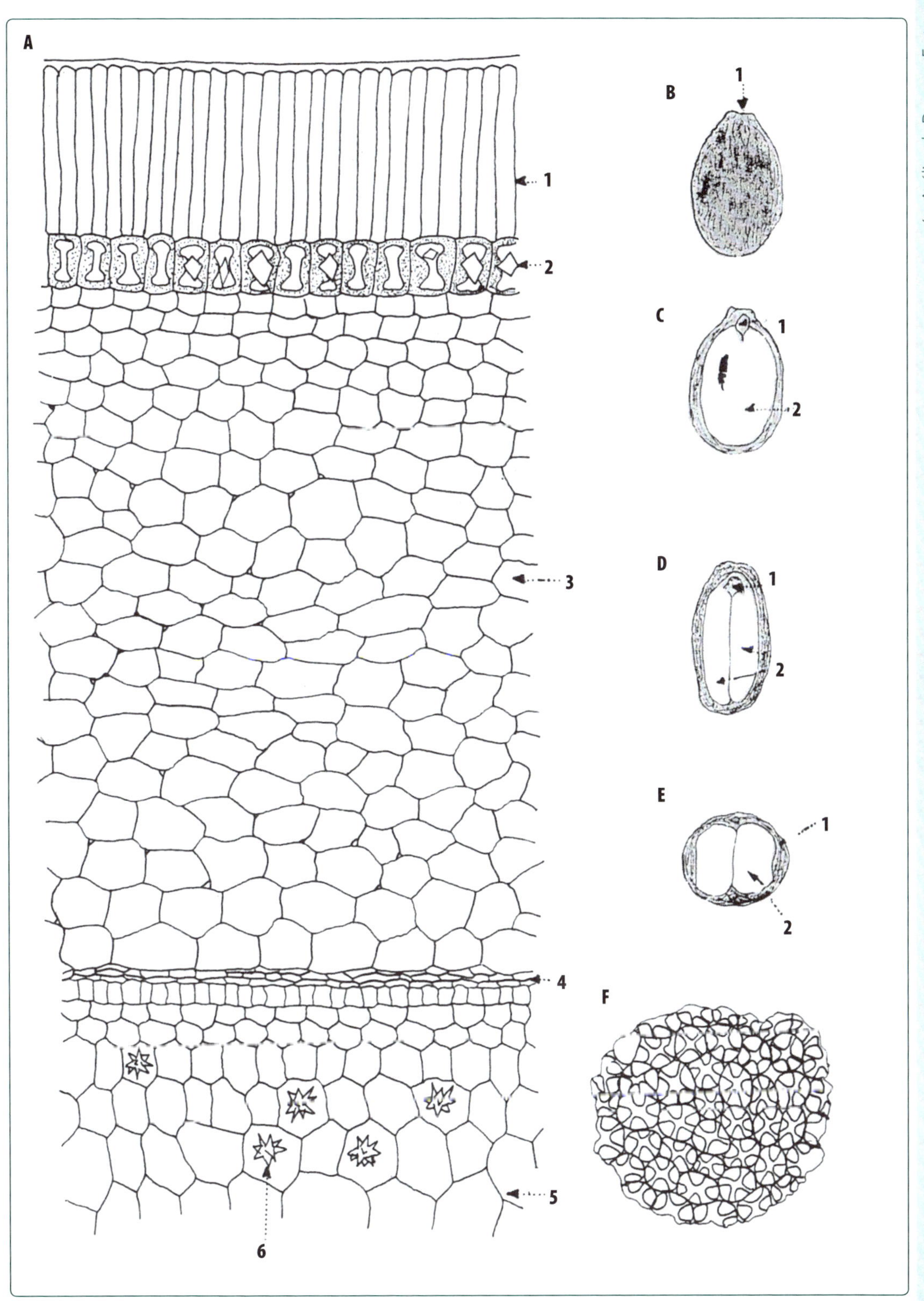

Fig. 6.43 – JATOBÁ *(Hymenaea stilbocarpa* Hayne) – Semente. **A.** Secção transversal da semente: **1** – camada paliçádica; **2** – camada colunar com algumas células portadoras de cristal prismático; **3** – camada parenquimática do tegumento; **4** – camada obliterada; **5** – parênquima cotiledonar; **6** – drusa. **B.** Semente inteira: **1** – região do hilo. **C.** Semente cortada longitudinalmente (paralelamente às folhas cotiledonares): **1** – eixo radículo-caulinar; **2** – cotilédone. **D.** Semente cortada longitudinalmente (perpendicularmente às folhas cotiledonares): **1** – eixo radículo-caulinar; **2** – cotilédones. **E.** Semente cortada transversalmente: **1** – tegumento; **2** – cotilédone. **F.** Camada paliçádica vista de topo.

Laranja-amarga

Citrus aurantium Linné – subespécie amara Linné – *Rutaceae*
Parte usada: Pericarpo do fruto.
Sinonímia vulgar: Laranja-azeda; Laranja-da-terra.
Sinonímia científica: *Citrus aurantium* var. bigaradia; *Citrus vulgaris.*

A droga possui odor forte, aromático, característico, e seu sabor é aromático e amargo.

Descrição macroscópica

A camada mais externa do fruto, representada por epicarpo e mesocarpo, apresenta-se nas farmácias cortadas em fatias espiraladas ou em pedaços losangulares, levemente convexos; sua superfície externa, denominada de flavedo, é de cor variável, da castanho-avermelhada ou castanho-amarelada à castanho-esverdeada, grosseiramente reticulada e pontuada por numerosos nódulos secretores; sua superfície interna é branco-amarelada e mais ou menos esponjosa. A camada branca, designada por albedo, é aderente ao flavedo e deve existir na droga em quantidade a mais diminuta possível.

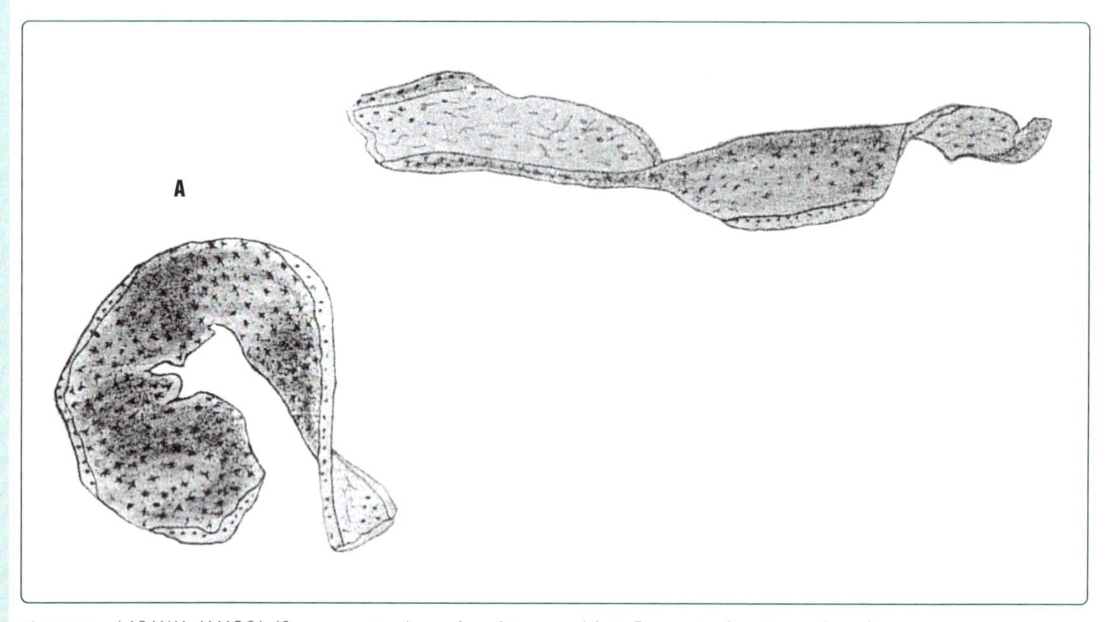

Fig. 6.44 – LARANJA-AMARGA *(Citrus aurantium* L. – subespécie amara L.). **A.** Fragmento de pericarpo (casca).

Descrição microscópica

O epicarpo é formado de células pequenas e com numerosos estômatos. O mesocarpo é constituído, externamente, de células pequenas de paredes mais ou menos espessas, onde, junto do epicarpo, são encontradas numerosas glândulas secretoras com até 1 mm de diâmetro, dispostas irregularmente ou em duas camadas. A porção mediana do mesocarpo apresenta células maiores, irregulares na forma e no tamanho. Algumas dessas células contêm cristais prismáticos de oxalato de cálcio, isolados ou entre massas de esperidina; este parênquima mostra, ainda, pequenos feixes vasculares (Fig. 6.45).

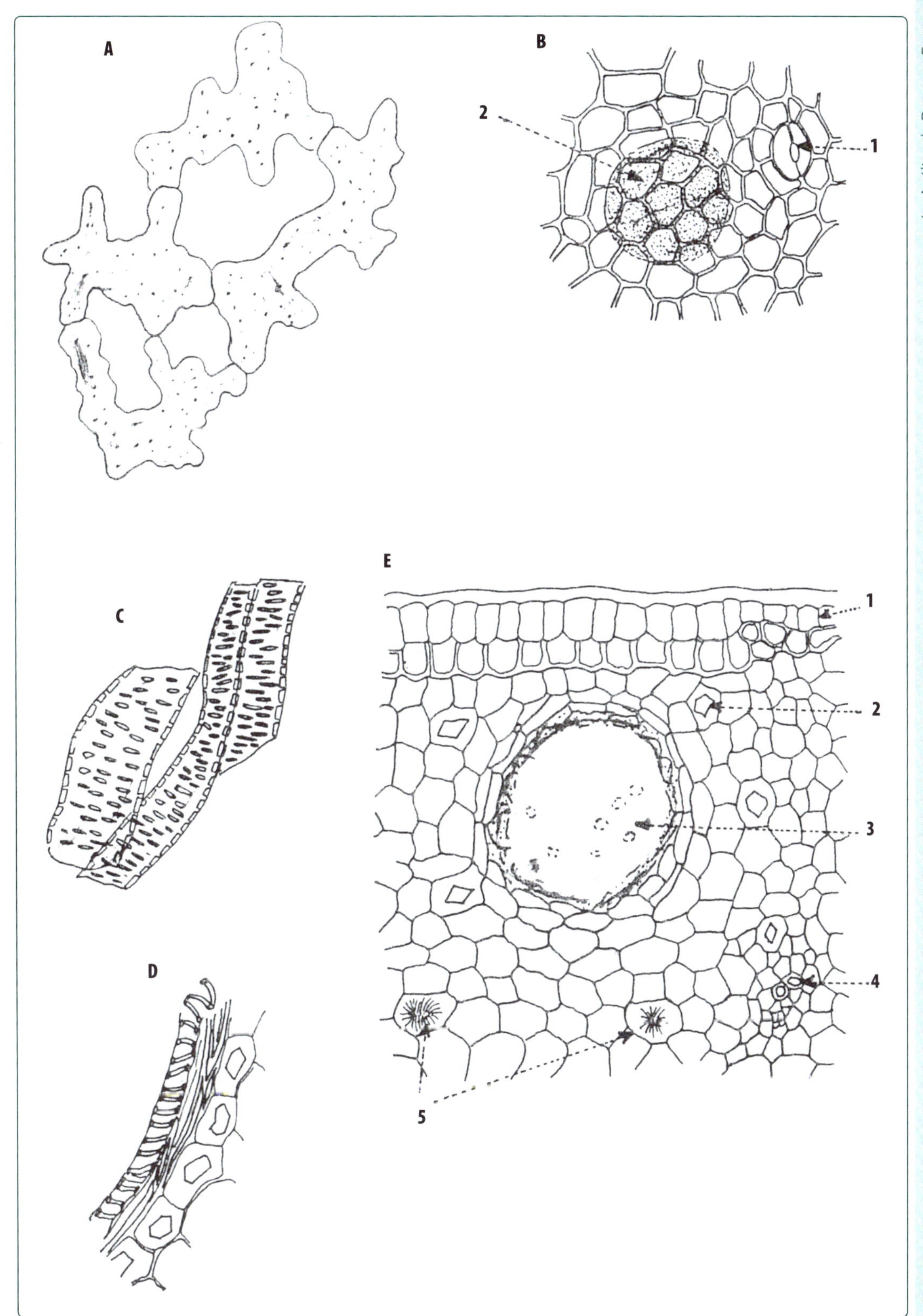

Fig. 6.45 – LARANJA-AMARGA *(Citrus aurantium* L. – subespécie amara L.). **A.** Parênquima esponjoso. **B.** Epicarpo visto de face: **1** – estômato; **2** – glândula vista por transparência. **C.** Vaso xilemático pontuado. **D.** Fragmento mostrando vaso xilemático espiralado, fibras e bainha cristalífera. **E.** Secção transversal: **1** – epicarpo; **2** – cristal prismático do mesocarpo; **3** – glândula do mesocarpo; **4** – feixe vascular do mesocarpo; **5** – cristal de esperidina do mesocarpo.

Pimentão

Capsicum annuum L. – *Solanaceae*

Parte usada: Fruto.

Sinonímia vulgar: Pimenta *hispanicum*; Pimenta-dos-jardins; Pimenta-da-Guiné; Pimenta-da-Índia; Pimenta-da-Cayena.

Sinonímia científica: *Capsicum indicum* (L.) Lobel.; *Capsicum longum* DC.; *Capsicum grossum* W.

O fruto apresenta odor característico e sabor ligeiramente adocicado, às vezes um tanto ardido.

Descrição macroscópica

Os frutos são bagas subcônicas que medem, geralmente, de 8 a 12 cm de comprimento por 4 a 6 cm de largura, na parte mais larga. Apresenta, aderidos à sua parte basal, remanescentes do cálice. Esses frutos apresentam-se internamente ocos e são providos de placentação central livre. Apresentam coloração variando entre o verde, amarelo e vermelho e são providos de pedúnculo curto, geralmente encurvado, de coloração verde-pardacenta. A parte basal do fruto costuma apresentar-se dividida em duas ou três lojas, não sendo a parte superior provida de divisão, mostrando a presença de saliências dispostas longitudinalmente. A placenta tem forma globosa e de coloração esbranquiçada e apresenta inúmeras sementes achatadas, alvinitentes, de forma discoide e reniforme.

A semente, quando cortada longitudinalmente, apresenta tegumento estreito, endosperma e embrião curvo. A região do hilo apresenta saliência evidente (Fig. 6.46).

Descrição microscópica

O epicarpo, quando visto de face, apresenta-se constituído por células de paredes pouco sinuosas, providas de espessamento, em que são bem visíveis as pontuações.

A secção transversal do pericarpo mostra epicarpo constituído por células de contorno retangular, alongadas no sentido tangencial e recobertas por cutícula lisa. A região do mesocarpo apresenta-se dividida em três partes: região externa formada de quatro a cinco camadas de células relativamente pequenas e de paredes espessadas; região mediana provida de células parenquimáticas maiores que as anteriores, com paredes pontuadas e envolvendo pequenos feixes vasculares e idioblastos contendo areia cristalina; região interna provida de grandes câmaras. O endocarpo é constituído por células pequenas e de paredes espessadas.

A secção transversal da sépala mostra epiderme constituída por células de contorno retangular, alongadas no sentido tangencial.

A epiderme externa apresenta pelos glandulares claviformes típicos das solanáceas e o mesofilo é frouxo, podendo conter bolsas com areia cristalina.

O tegumento da semente, quando visto em corte transversal, é formado por três camadas celulares: a mais externa apresentando parede espessada em forma de U; a mediana constituída de células parenquimáticas e a interna formada por células obliteradas (Figs. 6.47 e 6.48).

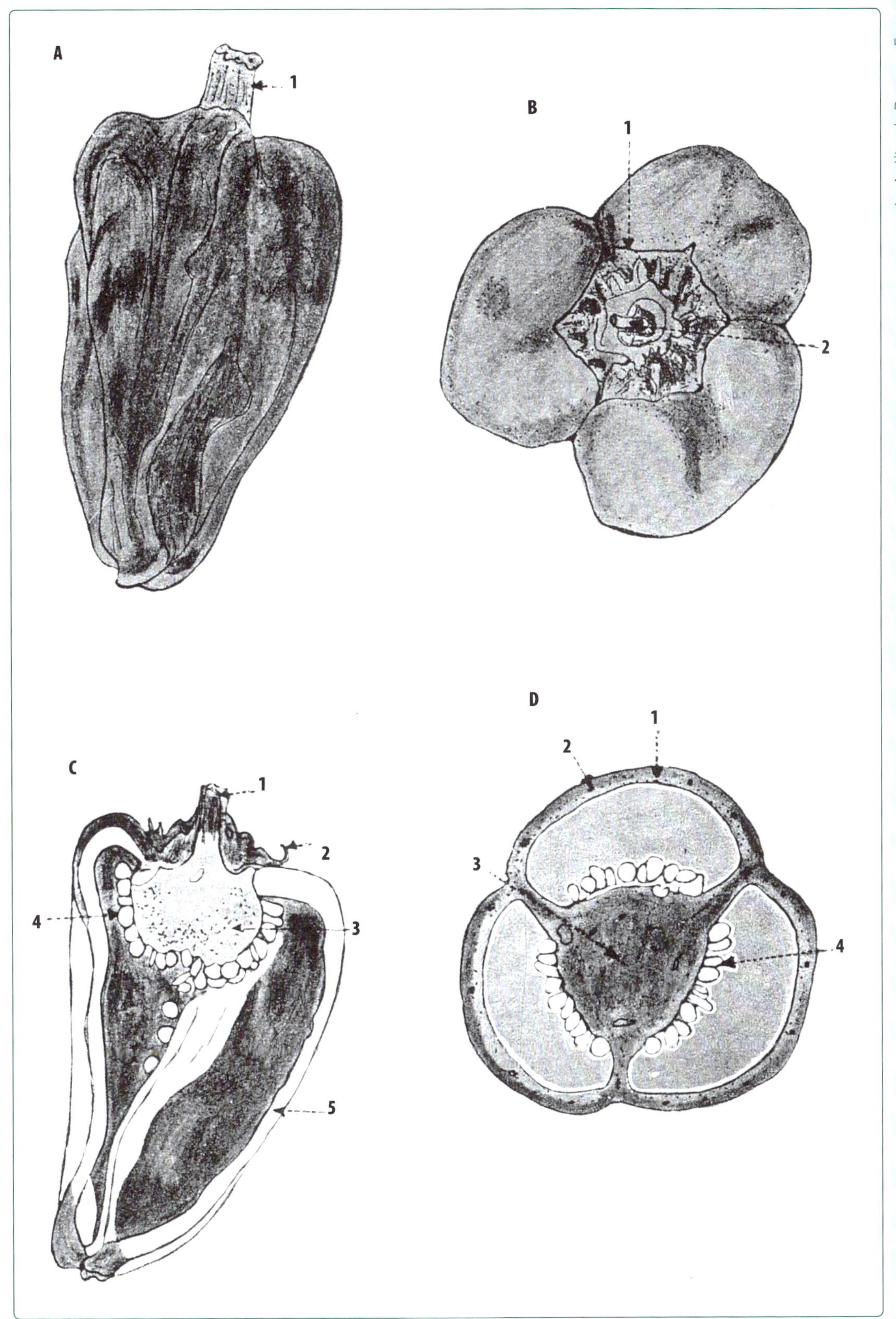

Fig. 6.46 – PIMENTÃO *(Capsicum annuum* L.). **A.** Fruto inteiro (visão lateral): **1** – pedúnculo. **B.** Visão basal do fruto: **1** – cálice; **2** – pedúnculo. **C.** Secção longitudinal: **1** – pedúnculo; **2** – cálice; **3** – placenta; **4** – semente; **5** – pericarpo. **D.** Secção transversal: **1** – pericarpo; **2** – feixe vascular; **3** – placenta; **4** – semente.

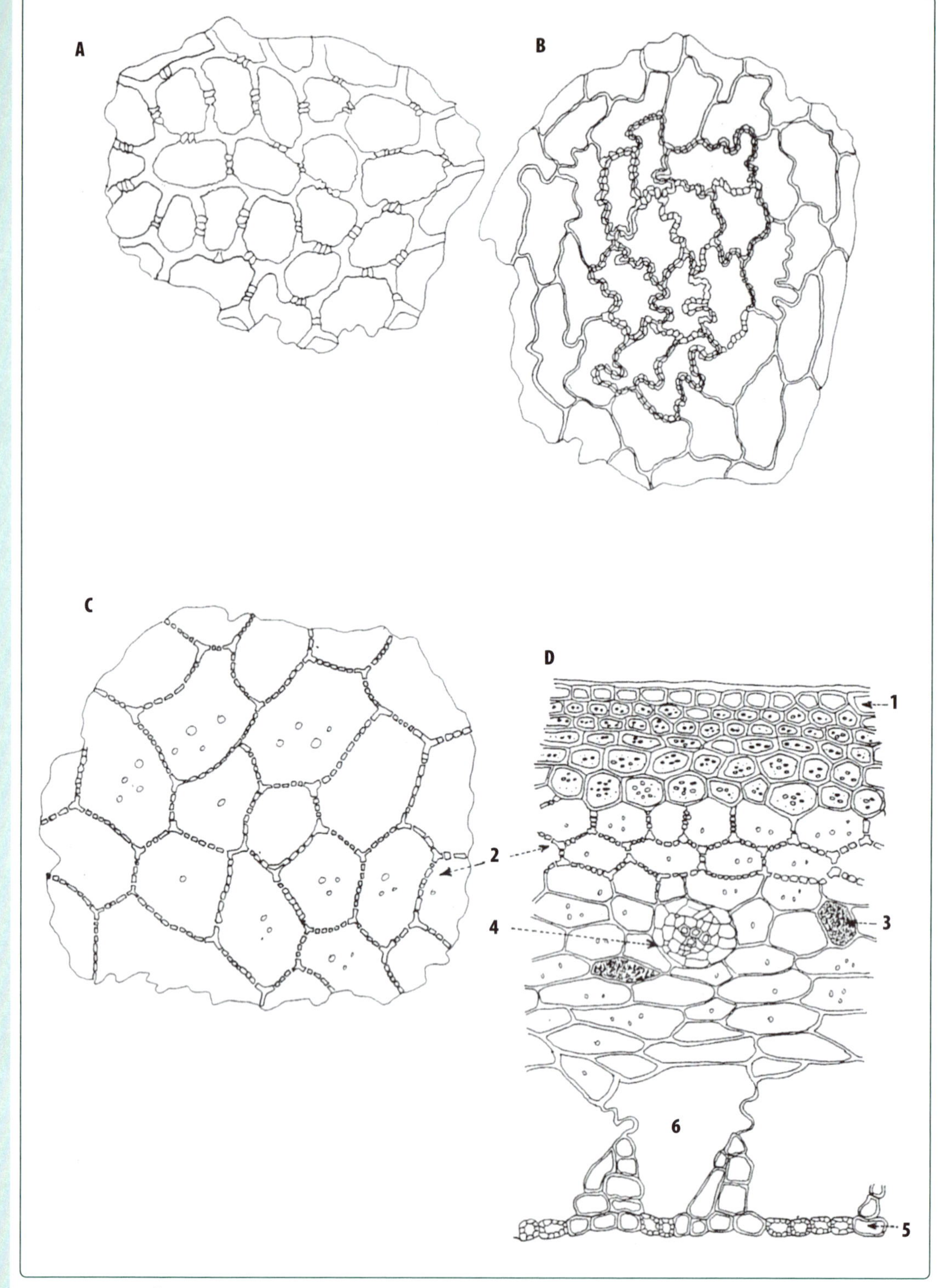

Fig. 6.47 – PIMENTÃO *(Capsicum annuum* L.). **A.** Fragmento de epicarpo visto de face mostrando espessamento celular típico. **B.** Fragmento de endocarpo visto de face mostrando células espessadas em grupos. **C.** Fragmento de mesocarpo. **D.** Secção transversal de pericarpo: **1** – epicarpo; **2** – mesocarpo; **3** – idioblasto contendo areias cristalinas do mesocarpo; **4** – feixe vascular do mesocarpo; **5** – endocarpo; **6** – câmara.

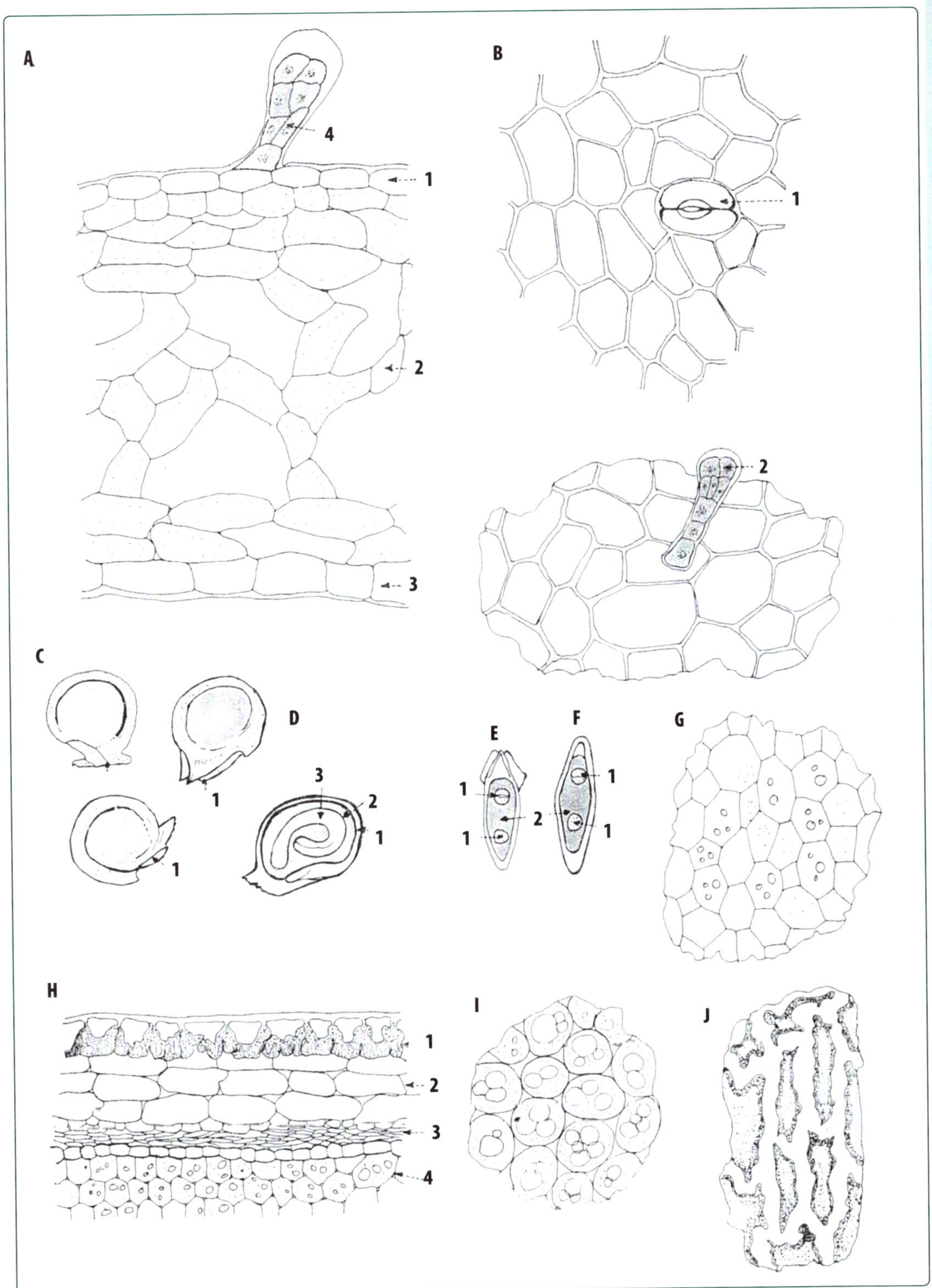

Fig. 6.48 – PIMENTÃO *(Capsicum annuum* L.). **A.** Secção transversal da sépala: **1** – epiderme ventral; **2** – parênquima clorofiliano; **3** – epiderme dorsal; **4** – pelo glandular. **B.** Epiderme das sépalas – visão facial: **1** – estômato; **2** – pelo glandular. **C.** Sementes inteiras: **1** – região do hilo. **D.** Secção longitudinal da semente: **1** – tegumento; **2** – endosperma; **3** – embrião curvo. **E.** Secção transversal perpendicular ao plano do hilo: **1** – embrião; **2** – endosperma. **F.** Secção transversal ao plano do hilo: **1** – embrião; **2** – endosperma. **G.** Fragmento de endosperma contendo reservas. **H.** Secção transversal da semente: **1** – epiderme do tegumento; **2** – camada parenquimática; **3** – camada obliterada; **4** – endosperma. **I.** Fragmento de embrião. **J.** Epiderme do tegumento da semente vista de face.

Romã

Punica granatum L – *Punicaceae*
Parte usada: Fruto.
Sinonímia vulgar: Granada; Granata; Romeira.

A romã apresenta coloração amarelo-avermelhada, odor característico pouco pronunciado e sabor ligeiramente amargo.

Descrição macroscópica

O fruto da romã é do tipo balaústa, uma forma de baga caracterizada por apresentar lojas ovarianas em dois tipos de conjuntos localizados em alturas diferentes do fruto. Seis lojas localizam-se próximas ao ápice, e três outras localizam-se próximas à base, ou seja, no local de inserção do pedúnculo floral. O fruto tem forma redonda, vagamente hexagonal e é coroado por cinco a seis resíduos calicinais. Internamente, o fruto é dividido por membranas em parte de origem endocárpica e em parte de origem placentária. Cada lóculo ovariano é repleto de sementes envoltas em arilo carnoso.

A droga é constituída de fragmentos da casca do fruto apartado das sementes e das membranas divisórias. Esses fragmentos externamente apresentam cor castanho-avermelhada ou castanho-amarelada. A superfície do fruto varia de quase lisa a granulosa e apresenta manchas esparsas escuras espalhadas irregularmente sobre ela. Internamente, a casca do fruto é irregular, apresentando saliências em forma de tabiques e pequenas cavidades locais onde as sementes se localizam. A parede do fruto mede cerca de 2 a 3 cm e é bastante dura.

Descrição microscópica

Secção transversal da parede do fruto mostra epicarpo formado por células de contorno retangular relativamente grandes, alongadas no sentido anticlinal.

Essa região é recoberta por cutícula granulosa espessa e, quando observada paradermicamente, é formada por células de contorno poligonal, mostrando pequenas protuberâncias pertencentes à cutícula granulosa. Estômatos do tipo anomocítico podem ser observados apresentando de quatro e seis células paraestomatais.

Abaixo do epicarpo ocorrem fileiras de células de paredes espessadas de contorno aproximadamente isodiamétrica. Em visão paradérmica, essa camada celular apresenta-se formada por células de contorno poligonal providas de paredes um pouco mais finas que a camada anterior. Esse detalhe é bem evidente em fragmentos microscópicos do pó da droga.

Por toda a região do mesocarpo, nota-se a presença de grupos de células pétreas com pontuações bem evidentes.

O parênquima do mesocarpo é bem desenvolvido e apresenta conteúdo amarelo ou amarelo-avermelhado. Envolve feixes vasculares colaterais delicados.

O endocarpo apresenta células que, quando vistas em corte paradérmico, apresentam aspecto que lembra tacos dispostos em assoalho.

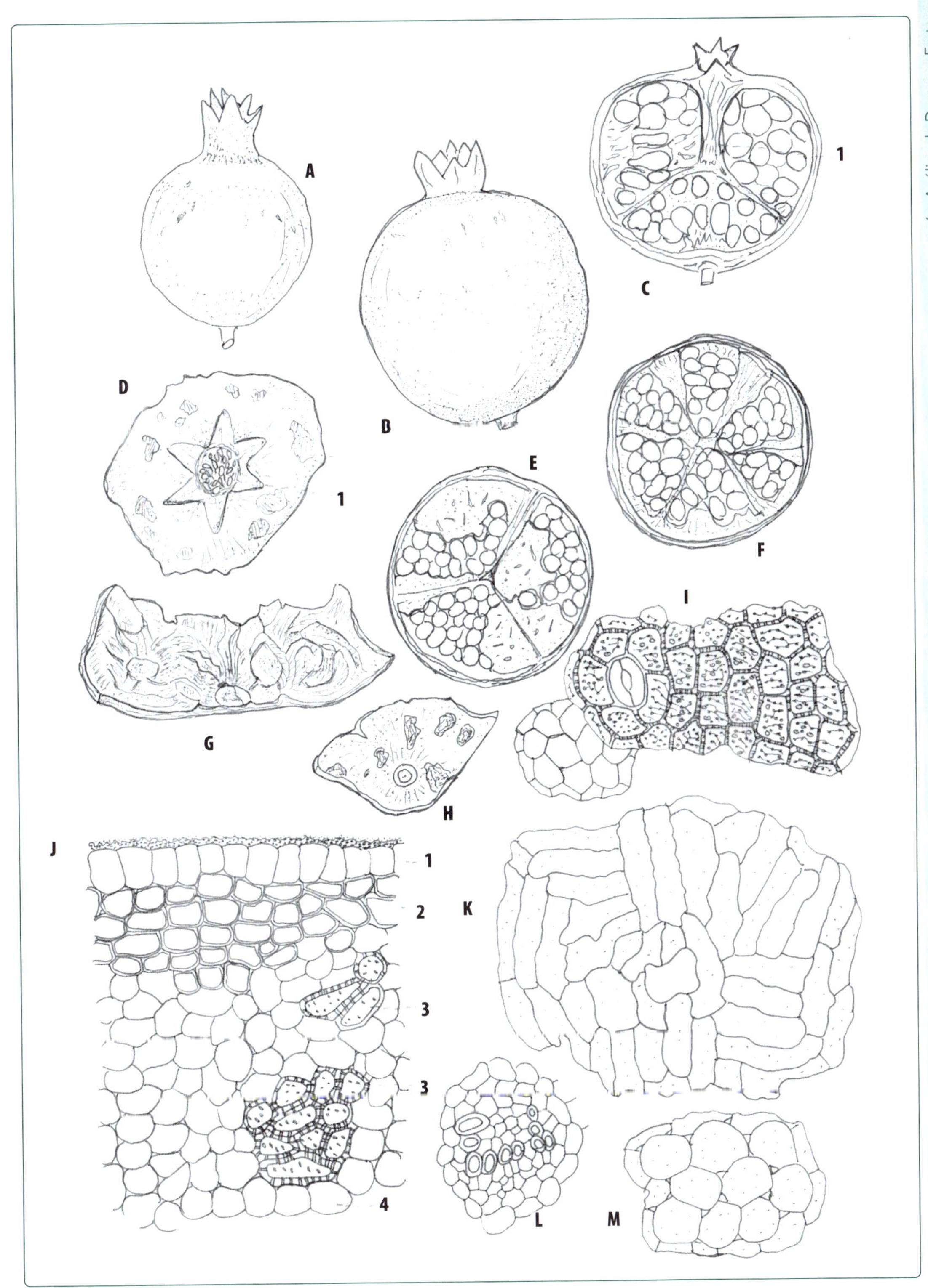

Fig. 6.49 – ROMÃ (*Punica granatum* L.). **A** e **B –** Frutos da ROMÃ. **C –** Secção longitudinal do fruto da ROMÃ. **1**- película divisória da loja ovariana. **D –** Fragmento da casca do fruto (visto de topo) **1** – cálice. **E, F –** Secção transversal do fruto: **E.** Região basal mostrando três lojas. **F** – Região apical do fruto, mostrando seis lojas. **G, H –** Fragmentos da casca do fruto: **G** – Visão da parte interna, mostrando saliências. **H** – Visão da parte externa mostrando cicatriz deixada pela separação do fruto do pedúnculo. **I –** Fragmento da casca do fruto observado na análise do pó mostrando epicarpo vista de face em estômato anomocítico e, em posição inferior, camada do mesocarpo localizada logo abaixo. **J –** Secção transversal do fruto: **1** – epicarpo; **2** – camada de células espessadas localizadas abaixo do epicarpo; **3** – grupo de células pétreas; **4** – células de mesocarpo. **K –** Células do endocarpo com disposição característica. **L –** Feixe vascular. **M –** Células do endocarpo.

Análise de Drogas – Sementes

GENERALIDADES

O óvulo fecundado e desenvolvido origina a semente. É claro que, para se entender a organização de uma semente a ponto de poder efetuar sua identificação, são necessários conhecimentos relacionados com a estrutura do óvulo que a originou. É preciso, ainda, conhecer as principais modificações que o óvulo sofre durante sua transformação em semente.

Diversos tipos de óvulos existem, como ortótropo ou reto, campilótropo, anfítropo, anátropo ou invertido e circinótropo.

O desenho esquemático seguinte corresponde a um óvulo anátropo, em que se encontra indicado o nome de cada uma de suas regiões. Na Fig. 7.2, há desenhos simplificados de cada um dos outros tipos de óvulos citados.

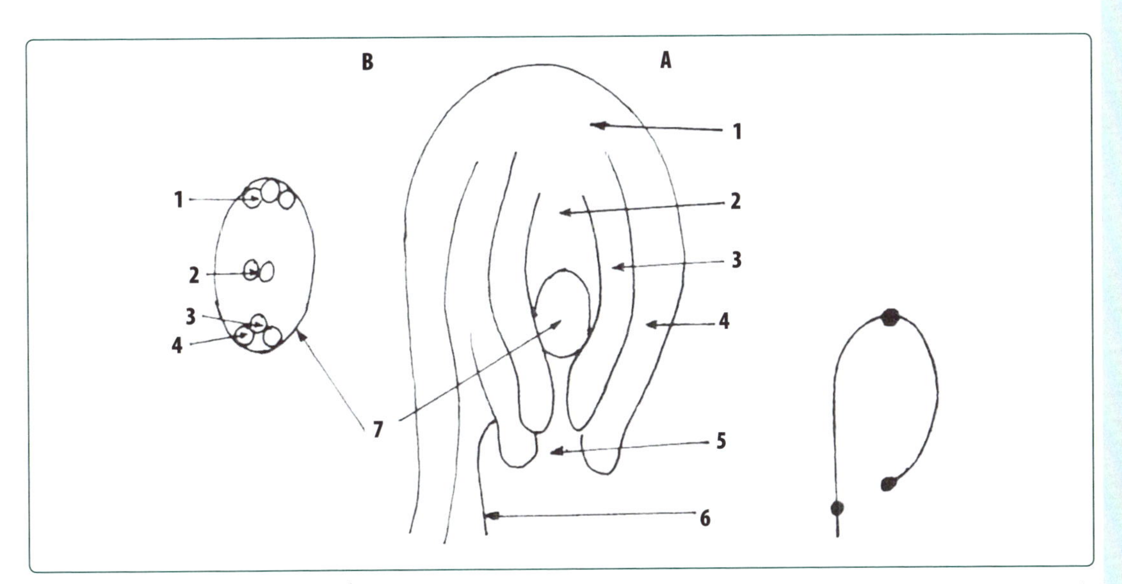

Fig. 7.1 – Constituintes de um óvulo. **A.** Óvulo anátropo: **1** – chalaza; **2** – nucela; **3** – tegumento interno; **4** – tegumento externo; **5** – micrópila; **6** – funículo; **7** – saco embrionário. **B.** Saco embrionário: **1** – antípodas; **2** – núcleos polares; **3** – oosfera; **4** – sinérgidas.

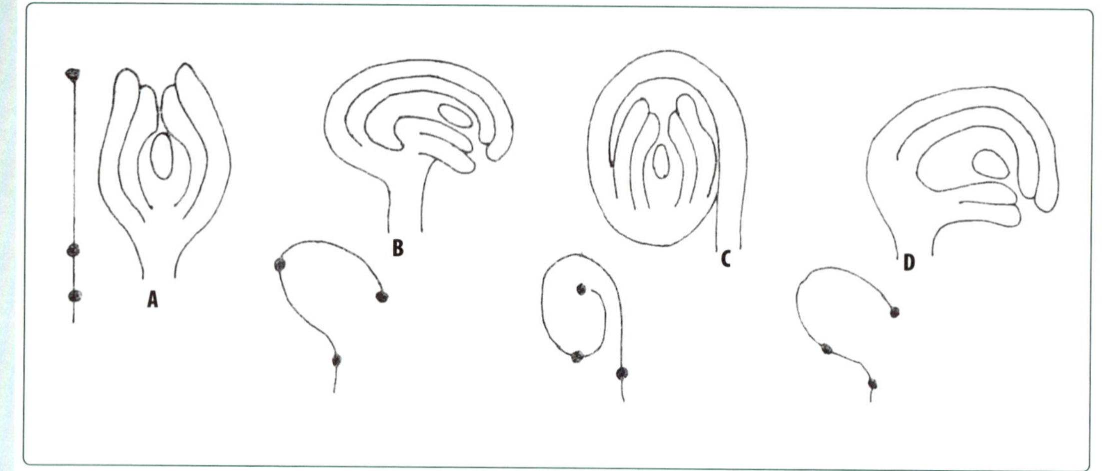

Fig. 7.2 – Tipos de óvulos. **A.** Ortótropo ou reto. **B.** Anfítropo. **C.** Circinótropo. **D.** Campilótropo.

DROGAS CONSTITUÍDAS DE SEMENTES

Formação da semente

Um grão de pólen adequado, alcançando a região estigmática de um gineceu, pertencente a uma planta de sua espécie, germina, originando o tubo polínico. Este progride rapidamente, endereçando-se para o saco embrionário localizado no óvulo. Durante esse percurso, o núcleo generativo sofre divisões, originando dois gametas masculinos que, junto com o núcleo vegetativo, vão localizar-se próximo da extremidade do tubo polínico.

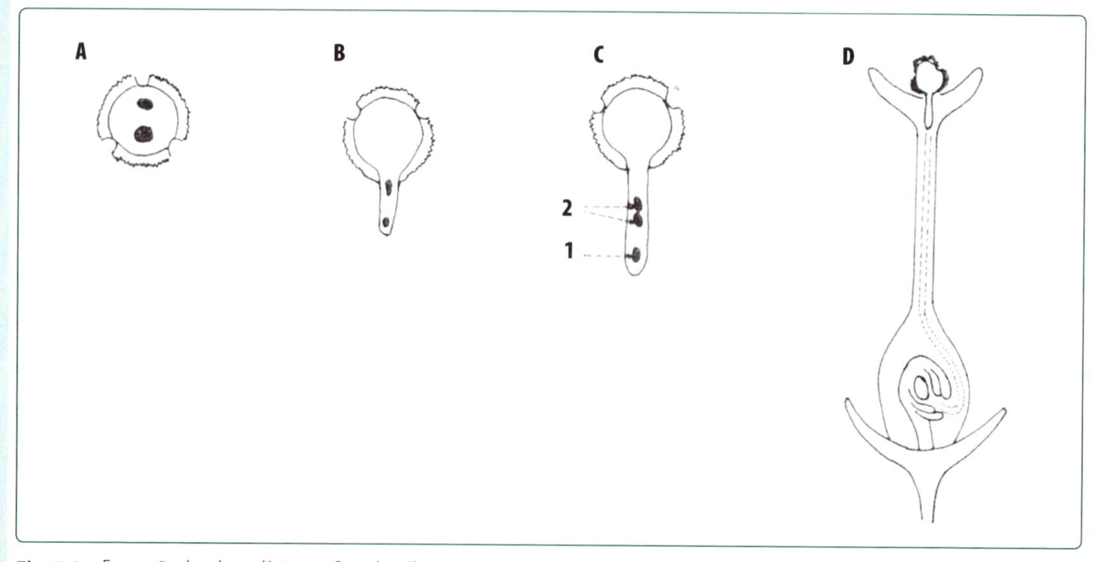

Fig. 7.3 – Formação do tubo polínico. **A.** Grão de pólen. **B.** Início da formação de tubo polínico. **C.** Tubo polínico contendo: **1** – núcleo vegetativo; **2** – gametas. **D.** Figura indicando caminho seguido pelos gametas.

Por ocasião da fecundação, os dois gametas masculinos fundem-se com núcleos existentes no saco embrionário. O primeiro deles se funde com a oosfera, originando a célula ovo ou zigoto (2n cromossomas). O segundo funde-se com os dois núcleos polares existentes na região mediana do saco embrionário, originando o núcleo do endosperma (3n cromossomas).

Ocorrida a fecundação, inúmeras divisões mitóticas ocorrem na região do saco embrionário, motivando o crescimento. O núcleo do endosperma sofre diversas divisões, originando o endosperma, que é um tecido de reserva. O zigoto, ou célula-ovo, irá originar o embrião. Os tegumentos do óvulo (integumento) também conhecidos como primina e secundina, originarão os tegumentos da semente.

Algumas vezes, células da nucela participam da formação dos tegumentos. O tecido que constitui a chalaza e aquele, de origem nucelar, que envolve o saco embrionário via de regra são reabsorvidos. Casos há, entretanto, em que a nucela não é reabsorvida, desenvolvendo-se a partir dela um tecido de reserva denominado perisperma.

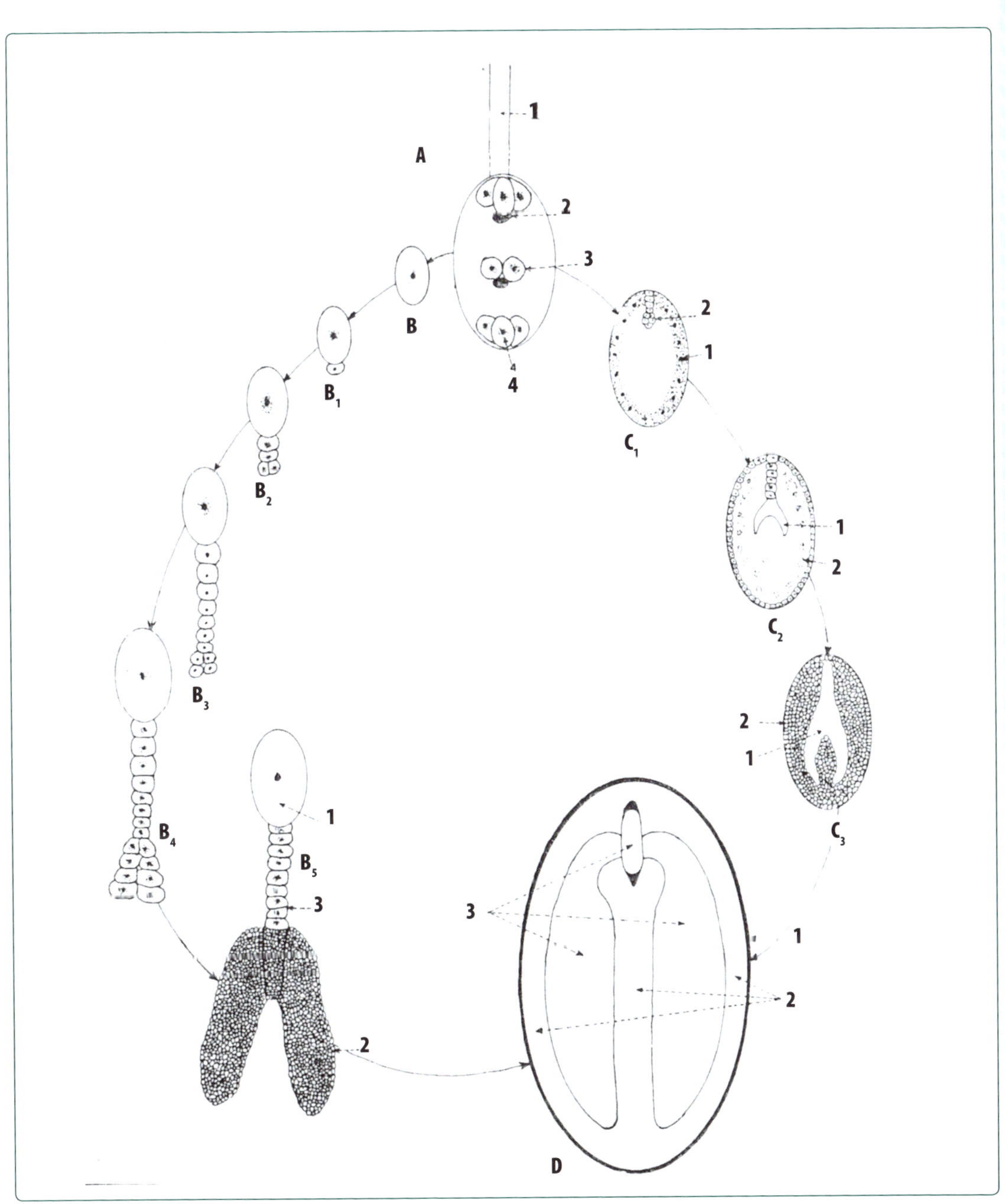

Fig. 7.4 – Fecundação e desenvolvimento da semente. **A.** Saco embrionário durante a fecundação: **1** – tubo polínico; **2** – formação do zigoto; **3** – formação da célula-madre do endosperma; **4** – antípodas. **B.** Zigoto: **B_1, B_1, B_3** e **B_4** – Formação do suspensor e do embrião; **B_5**: **1** – célula basal; **2** – embrião; **3** – suspensor; **C_1** – Início da formação do endosperma: **1** – núcleo do endosperma; **2** – embrião em desenvolvimento; **C_2** e **C_3**: **1** – embrião; **2** – endosperma. **D.** Semente formada: **1** – tegumento; **2** – endosperma; **3** – embrião.

Perisperma e endosperma, embora desempenhem a mesma função na semente, diferem quanto à origem. O endosperma provém do saco embrionário, ao passo que o perisperma é proveniente de tecidos da nucela.

Durante o desenvolvimento da semente, muitas vezes o embrião absorve todo o endosperma, passando, então, as reservas a serem acumuladas nos cotilédones.

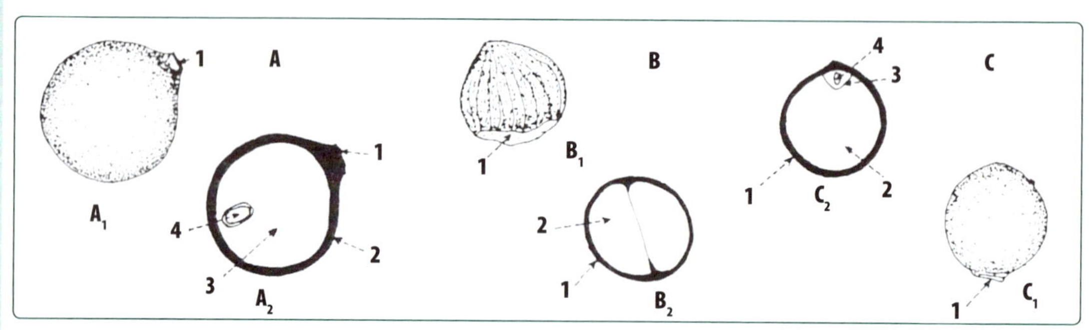

Fig. 7.5 – A. Semente albuminada – COLCHICO *(Colchicum autum nale* L.): A_1 – Semente inteira; A_2 – Semente cortada transversalmente: **1** – hilo; **2** – tegumento; **3** – endosperma; **4** – embrião. **B.** Semente exalbuminada – CASTANHEIRO-DA-ÍNDIA *(Aesculus hippocastanum* L.): B_1 – Semente inteira: **1** – hilo; B_2 – Semente cortada transversalmente: **1** – tegumento; **2** – cotilédone (embrião). **C.** Semente perispermada – CUBEBA *(Piper cubeba* Linné *filius)*: C_1 – Semente inteira: **1** – hilo; C_2 – Semente cortada transversalmente: **1** – tegumento; **2** – perisperma; **3** – endosperma; **4** – embrião.

Sementes de importância farmacêutica

A *Farmacopeia Brasileira*, em suas edições, inclui uma série de drogas constituídas exclusivamente de sementes. Ao lado dessas, inclui também outras, nas quais as sementes facilitam a identificação, embora não constituam a parte fundamental. São exemplos dessa assertiva o ANIS, o FUNCHO, a CICUTA e o COENTRO, drogas originárias de plantas pertencentes à família *Umbeliferae*. A BAUNILHA, o ANIS-ESTRELADO, a CUBEBA, o CARDAMOMO e o ZIMBRO constituem outros exemplos desse mesmo fato.

O "massis" da NOZ-MOSCADA e a NOZ-DE-COLA constituem exemplos de drogas constituídas de partes de semente. A parte utilizada no primeiro caso é o arilo, e, no segundo, os cotilédones.

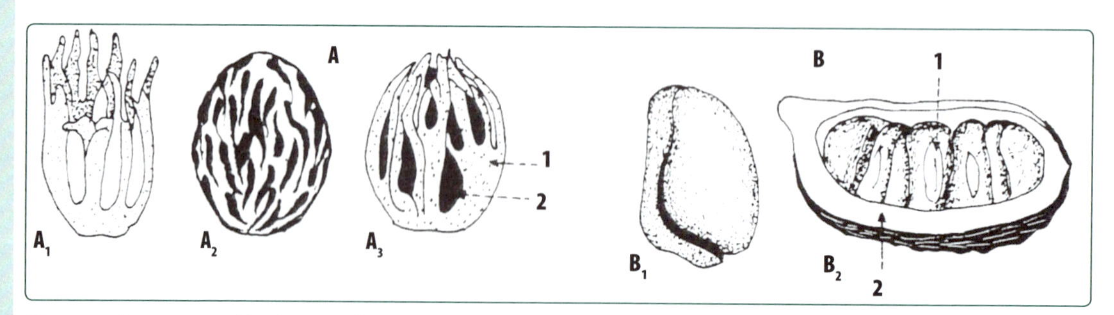

Fig. 7.6 – Drogas constituídas de partes de semente. **A.** NOZ-MOSCADA *(Myristica fragrans* Houttuyn): A_1 – Massis (arilo da semente); A_2 – Semente sem arilo; A_3 – Semente com arilo: **1** – arilo; **2** – semente. **B.** NOZ-DE-COLA *(Cola nitida (Ventenat) A. Chevalier)*: B_1 – NOZ-DE-COLA (cotilédones); B_2 – Fruto contendo sementes no seu interior: **1** – semente; **2** – pericarpo.

Caracterização macroscópica da semente

Na caracterização macroscópica de sementes, são feitas considerações acerca de sua superfície e de suas secções transversais e longitudinais. Essas observações são executadas à vista desarmada, ou com auxílio de lupa de pequeno aumento. O aspecto geral da droga, sua consistência, sua cor, sua forma, seu tamanho, seu odor, seu sabor e sua superfície constituem características importantes na diagnose. Na superfície das sementes costumam aparecer certas cicatrizes e excrescências que auxiliam a identificação.

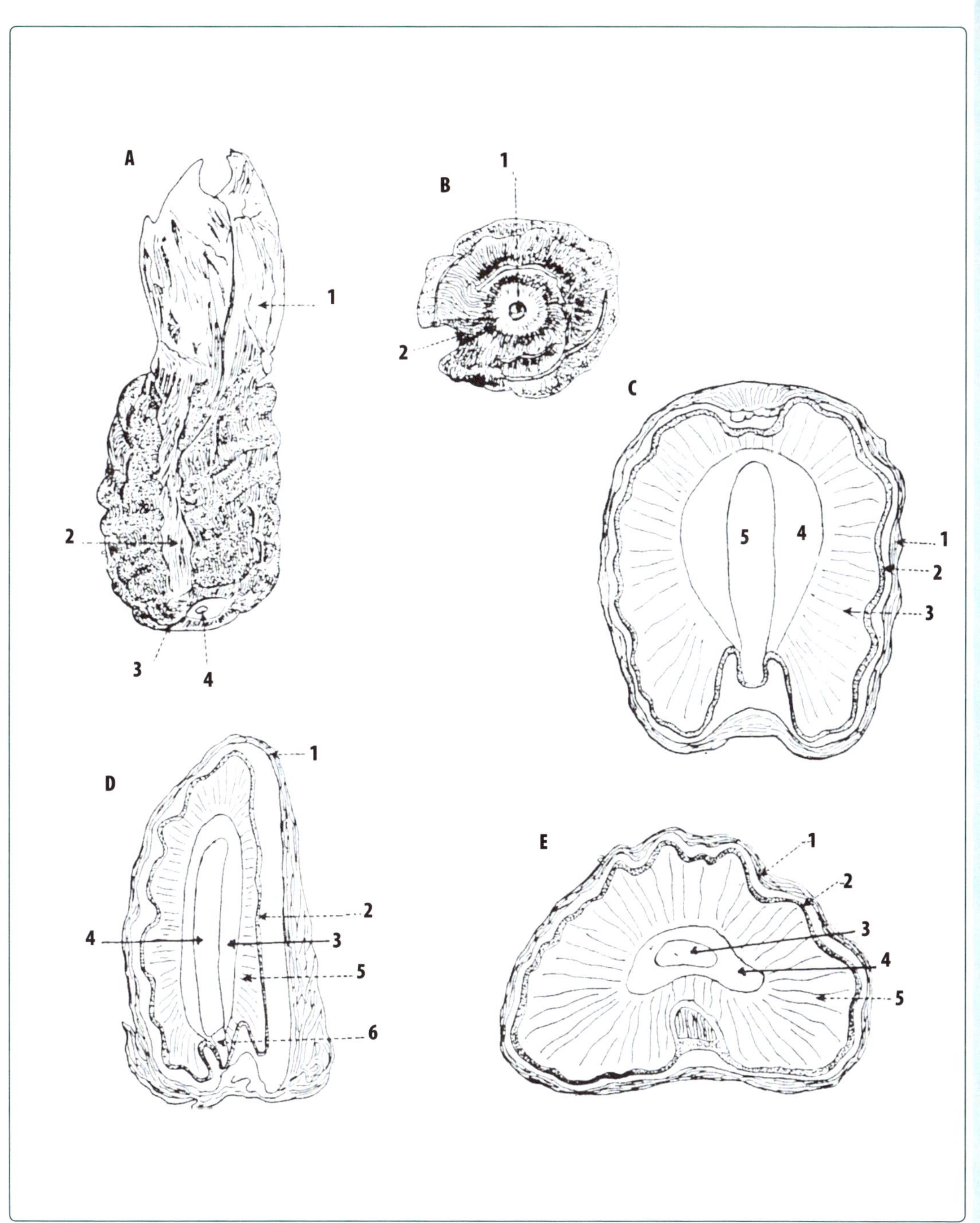

Fig. 7.7 – Aspecto macroscópico da semente de CARDAMOMO *(Elettaria cardamomum* Maton). **A.** Semente inteira: **1** – arilo; **2** – rafe; **3** – região do hilo; **4** – micrópila. **B.** Região da micrópila, vista de face: **1** – micrópila; **2** – hilo. **C.** Corte longitudinal perpendicular à rafe: **1** – arilo; **2** – tegumento; **3** – perisperma; **4** – endosperma; **5** – embrião. **D.** Secção longitudinal paralela à rafe: **1** – arilo; **2** – tegumento; **3** – endosperma; **4** – embrião; **5** – perisperma; **6** – radícula. **E.** Secção transversal: **1** – arilo; **2** – tegumento; **3** – embrião; **4** – endosperma; **5** – perisperma.

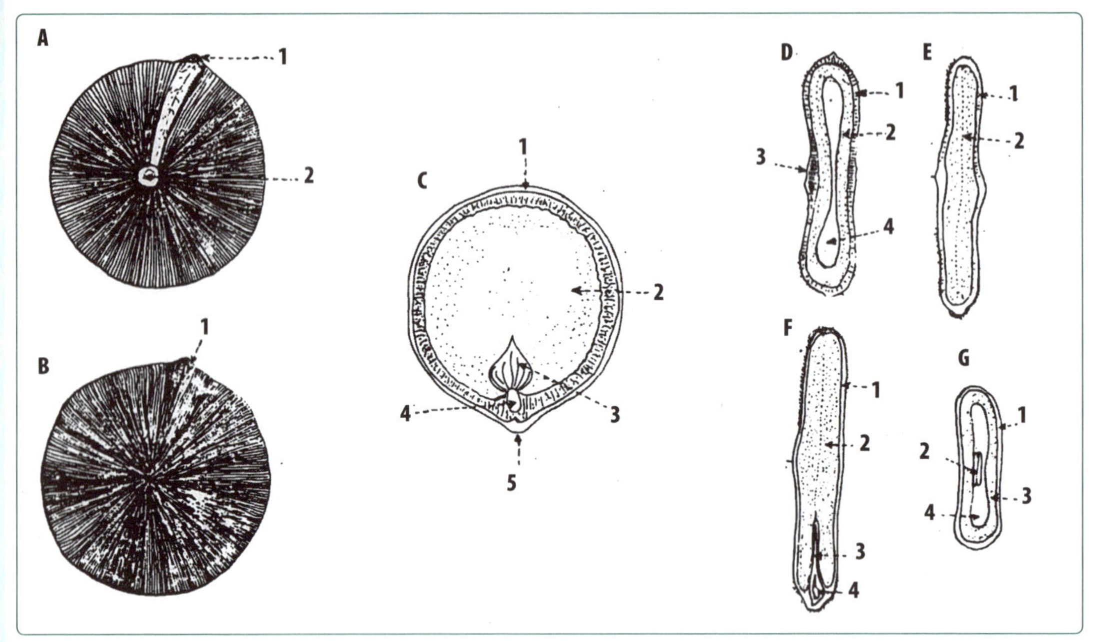

Fig. 7.8 – Aspecto macroscópico da semente de NOZ-VÔMICA *(Strychnos nux-vomica* L.). **A.** Semente inteira vista de um dos lados: **1** – micrópila; **2** – hilo. **B.** Outro lado da semente: **1** – micrópila. **C.** Secção longitudinal paralela às folhas cotiledonares: **1** – tegumento; **2** – endosperma; **3** – cotilédones; **4** – radícula; **5** – região da micrópila. **D.** Secção transversal equatorial mostrando espaços livres em algumas sementes: **1** – tegumento; **2** – endosperma; **3** – hilo; **4** – espaço oco. **E.** Secção transversal equatorial sem espaço oco: **1** – tegumento; **2** – endosperma. **F.** Secção transversal passando pela micrópila perpendicularmente ao plano das folhas cotiledonares: **1** – tegumento; **2** – endosperma; **3** – cotilédone; **4** – radícula. **G.** Secção transversal da região passando pelas folhas cotiledonares: **1** – tegumento; **2** – cotilédones; **3** – endosperma; **4** – espaço oco.

Morfologia externa das sementes

Basicamente, para efeito de diagnose de uma semente, considera-se a seguinte divisão: tegumento; cicatrizes e excrescências; reservas; e embrião.

Tegumento

Como visto, o tegumento da semente é proveniente do tegumento do óvulo (integumento) com a participação ou não de células da nucela. Algumas vezes, o tegumento é formado de duas partes bem distintas: testa (porção mais externa, geralmente dura e lignificada) e tegmina (porção mais interna, geralmente menos lignificada que a anterior).

O tegumento da semente também é chamado de episperma e espermoderma.

Cicatrizes e excrescências

Sobre o tegumento das sementes, podem-se observar cicatrizes e excrescências que ajudam a caracterizar certas drogas. As mais frequentes são hilo, micrópila ou cicatrícula, rafe, arilo, membranas aliformes, cristas e apêndice plumoso.

- Hilo: cicatriz originada pela separação da semente do funículo; possui forma variada e, geralmente, coloração diferente do resto da semente.
- Micrópila ou cicatrícula: corresponde à cicatriz formada em decorrência da abertura existente no integumento do óvulo, igualmente chamada de micrópila.
- Rafe: chama-se rafe, em uma semente, a cicatriz originada pela soldadura do funículo (que contém um feixe vascular) com o integumento do óvulo, quando este é do tipo anátropo ou anfítropo. Quando a semente provém de óvulo anátropo, a rafe é relativamente grande, sendo bem menor no caso de provir de óvulo anfítropo.

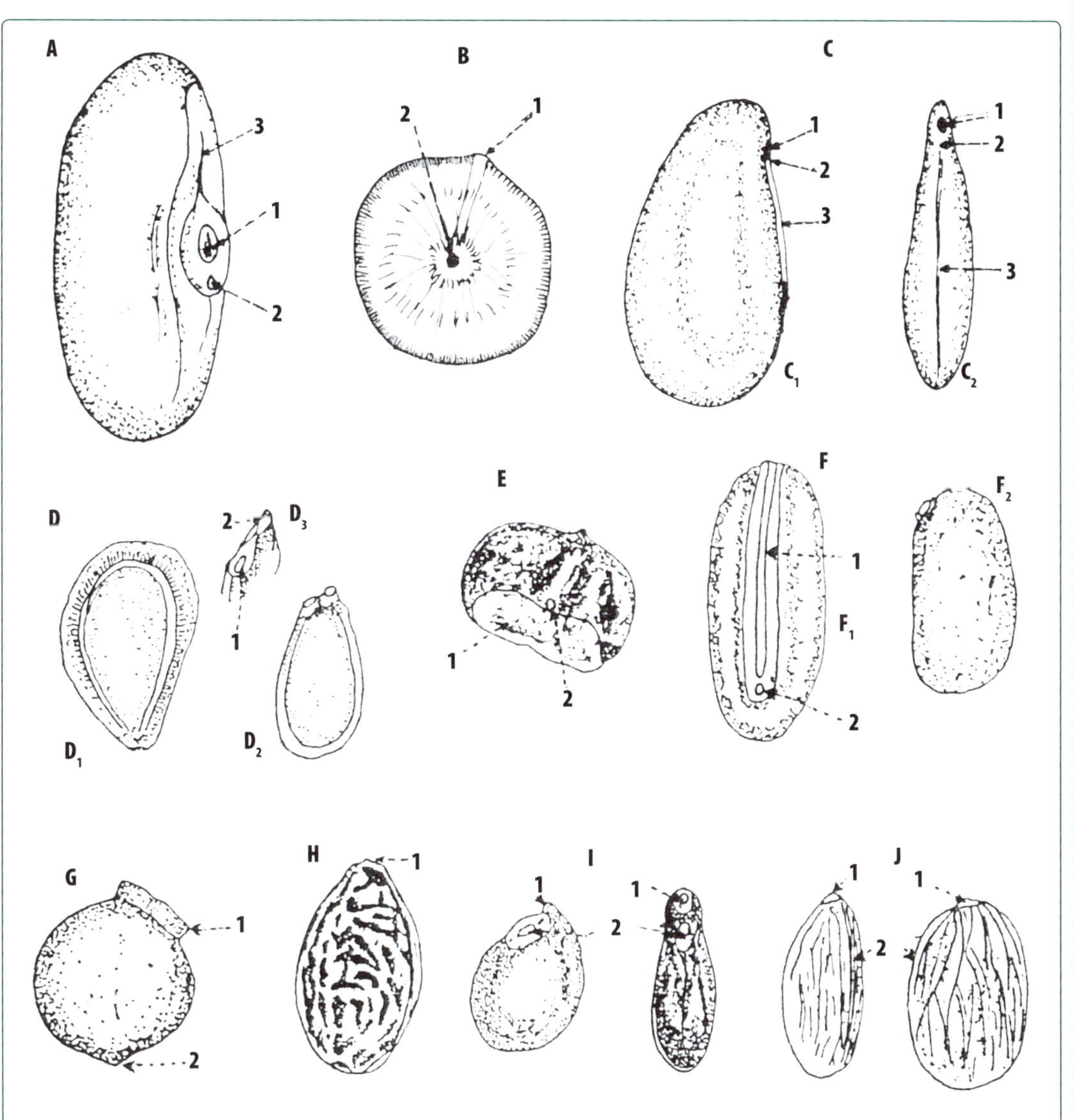

Fig. 7.9 – Cicatrizes seminais. **A.** Semente de FEIJÃO *(Phaseolus vulgaris* L.): **1** – hilo; **2** – micrópila; **3** – rafe. **B.** Semente de NOZ-VÔMICA *(Strychnos nux-vomica* L.): **1** – micrópila; **2** – hilo. **C.** Semente de LINHO *(Linum usitatissimum* L.): **C_1: 1** – micrópila; **2** – hilo; **3** – rafe; **C_2: 1** – micrópila; **2** – região do hilo; **3** – rafe. **D.** Semente de ABÓBORA *(Cucurbita pepo* (L.) *Duchesne*): **D_1: 1** – semente inteira; **D_2** e **D_3: 1** – hilo; **2** – micrópila. **E.** Semente de CASTANHEIRO-DA-ÍNDIA *(Aesculus hippocastanum* L.): **1** – hilo; **2** – micrópila. **F.** Semente de FAVA-DE-CALABAR *(Physostigma venenosum* Balfour): **F_1** – Semente vista de frente: **1** – hilo; **2** – micrópila; **F_2** – Semente vista de face. **G.** Semente de COLCHICO *(Colchicum autumnale* L.): **1** – hilo; **2** – micrópila. **H.** Semente de AMÊNDOA-AMARGA *(Prunus amygdalus* Batsch var. amara): **1** – micrópila. **I.** Semente de BADIANA *(Illicium verum* Hooker *filius*): **1** – micrópila; **2** hilo. **J.** Semente de CACAU *(Theobroma cacao* L.): **1** – hilo; **2** – rafe.

- Arilo: corresponde à excrescência carnosa que se desenvolve especialmente a partir do hilo. Alguns autores chamam de arilo, exclusivamente, às excrescências originárias do hilo. Reservam o termo ariloide para excrescências de outra procedência, especialmente para aquelas de origem micropilar ou perimicropilar. A carúncula da semente de MAMONA e o "massis" da NOZ-MOSCADA seriam classificados por eles como ariloides.
- Apêndice plumoso: a semente de ESTROFANTO desenvolve, a partir da região perimicropilar, uma excrescência afilada, provida de um tufo de pelos. Esse tipo de formação ocorre também em outras sementes das famílias *Asclepiadaceae* e *Apocynaceae*. Essa formação costuma ainda ser designada pelos nomes de estípite plumoso, arista plumosa e filamento plumoso.

Pelos, cristas e membranas aliformes constituem outros tipos de formações oriundas do tegumento seminal.

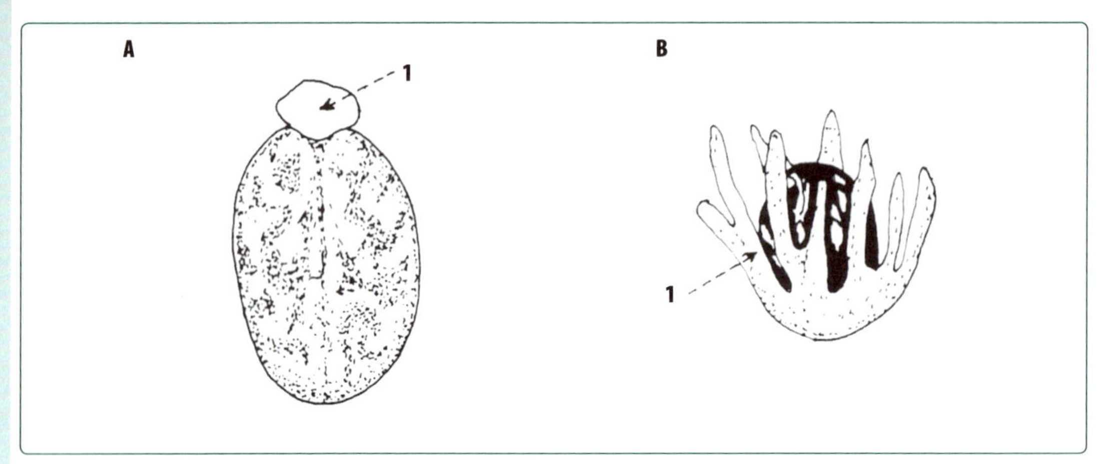

Fig. 7.10 – Arilo. **A.** Semente de MAMONA *(Ricinus communis* L.): **1** – carúncula (ariloide). **B.** Semente de NOZ-MOSCADA *(Myristica fragrans* Houttuyn): **1** – massis (ariloide).

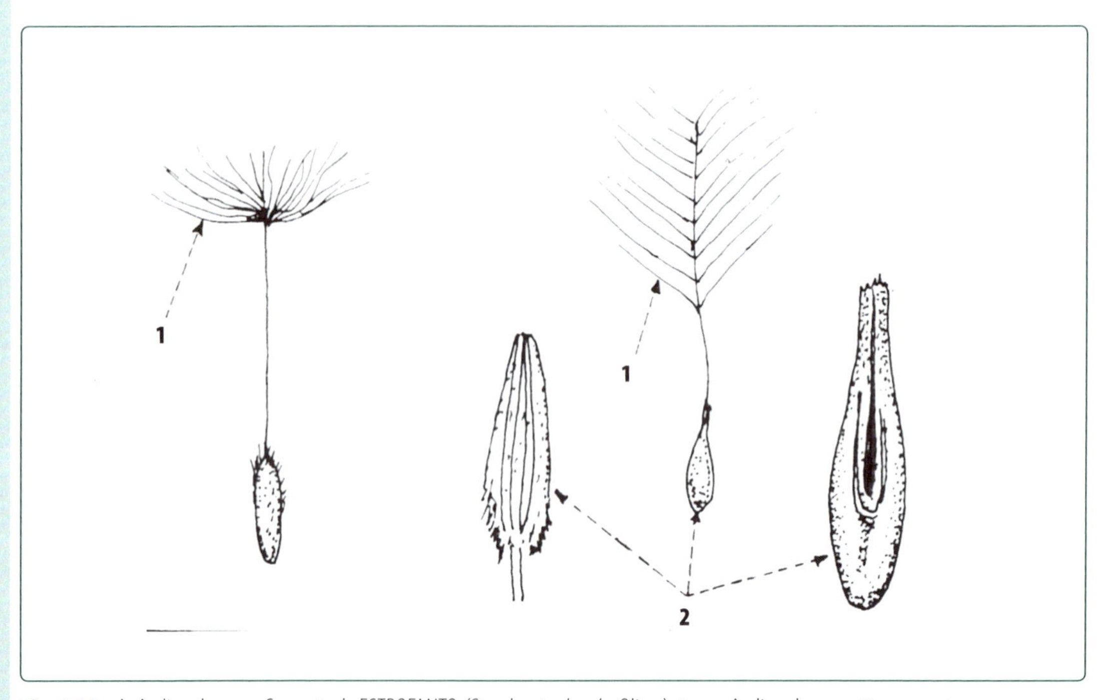

Fig. 7.11 – Apêndice plumoso. Semente de ESTROFANTO *(Strophantus kombe* Oliver): **1** – apêndice plumoso; **2** – semente.

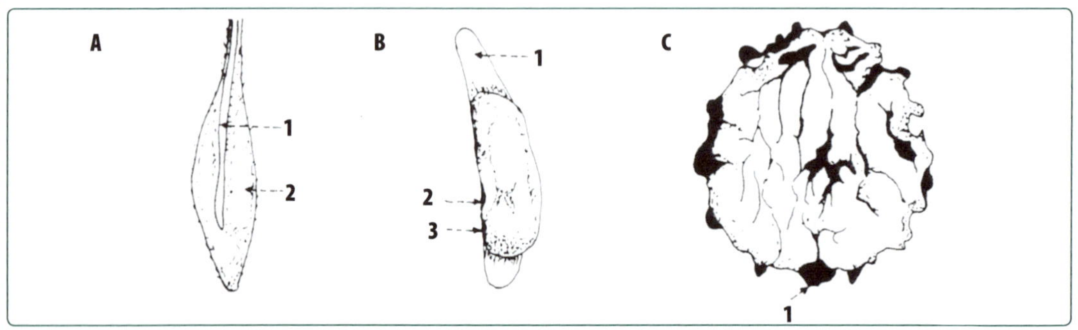

Fig. 7.12 – A. Semente de ESTROFANTO mostrando: **1** – rafe; **2** – pelo. **B.** Semente de CEVADILHA *(Schoenocaulon officinale* (Chamisso e Schlechtendahl) A. Gray ex Benthan): **1** – apêndice alado; **2** – hilo; **3** – micrópila. **C.** Semente de NHANDIROBA *(Fevillea trilobata* L.): **1** – crista (aresta).

Reservas

As substâncias de reserva de uma semente podem estar acumuladas no endosperma (albúmen), cotilédones do embrião e no perisperma.

Uma das classificações mais empregadas para semente fundamenta-se na localização de suas reservas.

Embrião

O embrião ou plântula, do ponto de vista biológico, constitui a parte fundamental da semente. Entretanto, do ponto de vista da Farmacognosia, apresenta valor relativamente pequeno. A forma do embrião, o número de cotilédones, seu tamanho, sua localização e as inclusões que ele possa conter constituem características que devem ser observadas na identificação de drogas constituídas de sementes.

Basicamente, o embrião é constituído de quatro partes: caulículo, radícula, cotilédone e plúmula.

A NOZ-DE-COLA, droga constituída principalmente pelos cotilédones, é usada como estimulante em função da cafeína que contém.

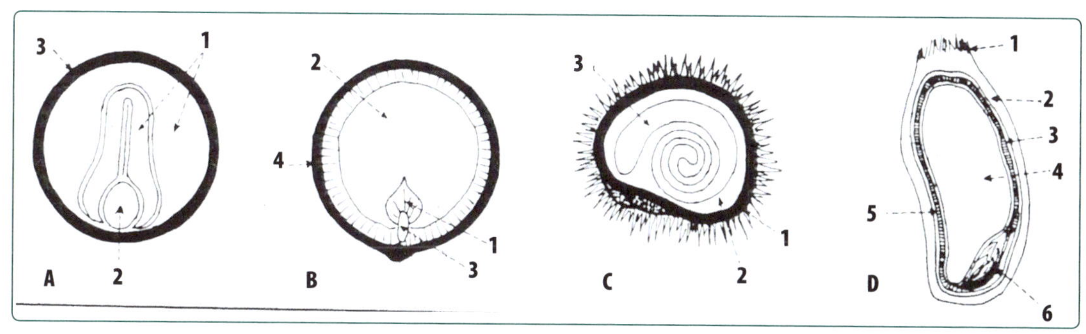

Fig. 7.13 – Forma e número de cotilédones. **A.** Semente de MOSTARDA-BRANCA *(Sinapis alba* L.) – Dicotiledônea: **1** – cotilédones imbricados; **2** – eixo radículo-caulinar; **3** – tegumento. **B.** Semente de NOZ-VÔMICA *(Strychnos nux-vomica* L.) – Dicotiledônea: **1** – cotilédone; **2** – endosperma; **3** – eixo radículo-caulinar; **4** – tegumento. **C.** Semente de TOMATE *(Lycopersicum esculentum* Miller) – Dicotiledônea: **1** – espermoderma; **2** – endosperma; **3** – embrião encaracolado. **D.** Fruto do TRIGO *(Triticum vulgare* Will) – Monocotiledônea: **1** – pincel de pelos; **2** – pericarpo; **3** – espermoderma; **4** – endosperma; **5** – camada aleurônica; **6** – embrião.

Caracterização microscópica da semente

Na caracterização microscópica de drogas constituídas de sementes, o tegumento assume papel relevante. Frequentemente, as células do espermoderma (tegumento) apresentam-se lignificadas. São portadoras de características morfológicas especiais que muito facilitam a identificação. A primeira camada de células do tegumento do GUARANÁ, por exemplo, aparece em corte transversal com o aspecto típico de uma paliçada. Essas células, quando vistas de face, mostram contorno sinuoso e parede fortemente espessada.

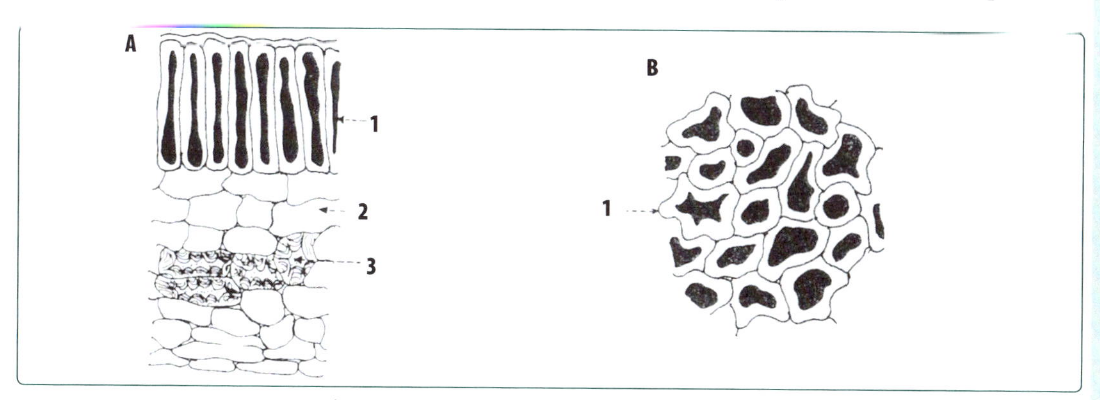

Fig. 7.14 – A. Tegumento de GUARANÁ *(Paullinia cupana* Kunth) em corte transversal: **1** – camada de células lignificada com aspecto de paliçada; **2** – células parenquimáticas; **3** – células pétreas. **B.** O mesmo tegumento visto de face (superior): **1** – células lignificadas de contorno sinuoso.

O episperma (tegumento, espermoderma) de sementes pertencentes à família *Leguminoseae* apresenta em corte transversal, com frequência, a camada mais externa de células em paliçada, seguindo-se outra em forma de coluna (camada colunar).

Na análise microscópica de drogas constituídas de sementes, é hábito efetuarem-se dois tipos de cortes: corte paradérmico, visando observar de face a camada mais externa e mais interna do tegumento; e corte transversal, com a finalidade de analisar toda a estrutura da semente.

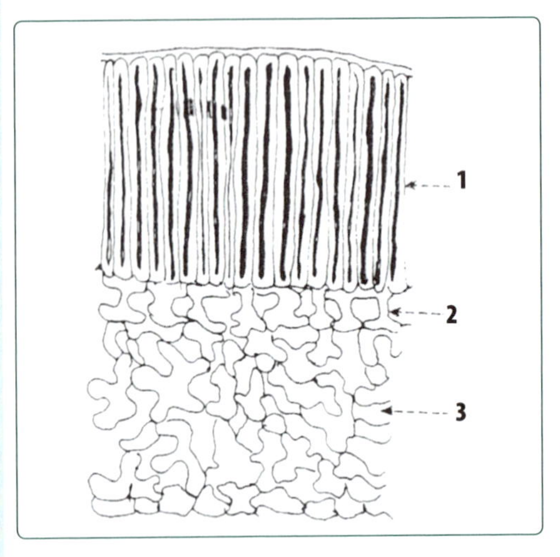

Fig. 7.15 – Tegumento de FEIJÃO *(Phaseolus vulgaris* L.) em corte transversal mostrando: **1** – células lignificadas em paliçadas; **2** – células com aspecto colunar; **3** – células parenquimáticas.

Análise microscópica do tegumento

O número de camadas celulares que constituem o tegumento pode variar muito. Pode ser constituído de uma só camada de células ou de muitas camadas celulares.

Algumas vezes, o tegumento pode ser dividido em duas capas bem distintas: a testa e a tegmina; porém, com maior frequência, não se consegue estabelecer bem essa divisão.

Não existe um padrão único de estrutura de tegumento de semente. Cada droga constitui um caso especial. Drogas existem contendo tegumento duro, formado por células lignificadas, como na FAVA-DE-CALABAR; outras existem, portadoras de tegumento delicado, constituído por células de paredes finas, contendo grande quantidade de mucilagens, como o LINHO.

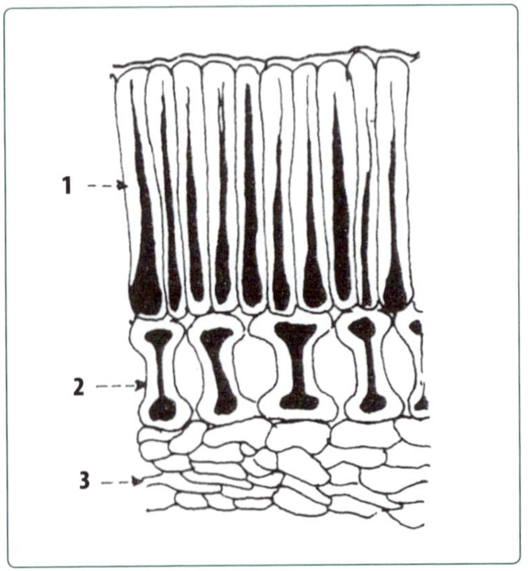

Fig. 7.16 – Tegumento da semente de FAVA-DE-CALABAR *(Physostigma venenosum* Balfour) em corte transversal mostrando: **1** – células lignificadas em paliçadas; **2** – camada colunar; **3** – células parenquimáticas.

Análise microscópica dos tecidos de reserva e do embrião

Os tecidos de reserva (albúmen e perisperma), do ponto de vista anatômico, pouco auxiliam na identificação de drogas. Eles nada mais são que parênquima de reserva.

A presença de inclusões citoplasmáticas, algumas vezes, pode ajudar. Assim, grãos de amido com formas especiais, grãos de aleurona e cristais ocorrem com certa frequência nesses parênquimas de reserva. Outras vezes, a parede celular apresenta-se espessada e é formada de hemicelulose, como no caso da NOZ-VÔMICA e do CAFÉ.

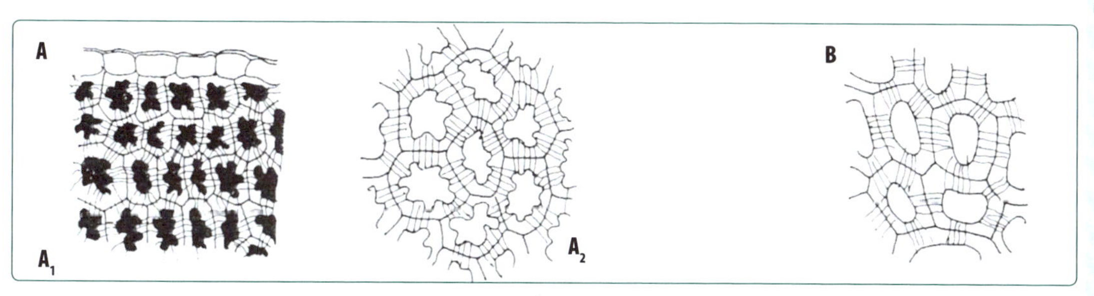

Fig. 7.17 – Endosperma hemicelulósico. **A.** Endosperma do CAFÉ *(Coffea arabica* L.): **A_1** – Corte transversal; **A_2** – Visão paradérmica. **B.** Endosperma da NOZ-VÔMICA *(Strychnos nux-vomica* L.) em corte transversal.

Nas sementes albúmen-perispermadas, isto é, naquelas sementes em que existem, concomitantemente, endosperma e perisperma (vide classificação das sementes), o perisperma sempre se localizará mais externamente que o endosperma.

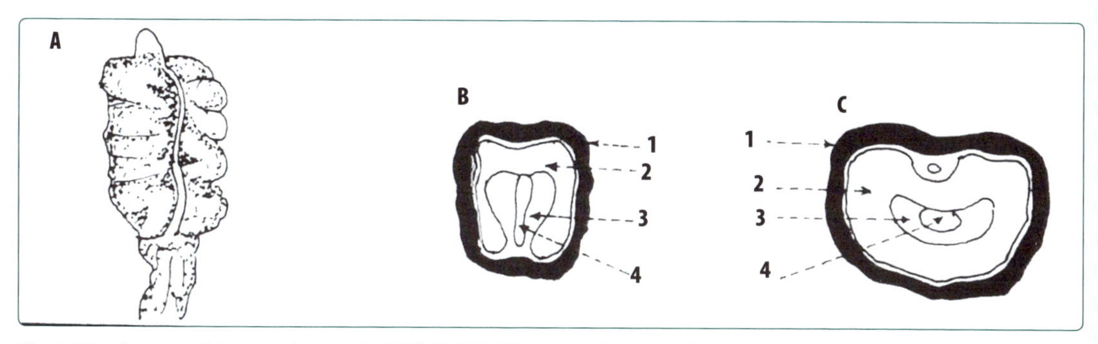

Fig. 7.18 – Semente albúmen-perispermada: CARDAMOMO (*Elettaria cardamomum* (Roxburgh) Maton). **A.** Semente inteira. **B.** Semente cortada longitudinalmente perpendicular à rafe: **1** – tegumento: **2** – perisperma; **3** – endosperma; **4** – embrião. **C.** Secção transversal da semente: **1** – tegumento; **2** – perisperma; **3** – endosperma; **4** – embrião.

A microscopia do embrião também é pouco empregada na identificação de sementes. Via de regra, ele é constituído de meristemas e, exceto no caso de sementes exalbuminadas, em que as reservas se acumulam nos cotilédones, fornece poucas informações utilizadas na identificação de drogas constituídas de semente.

Classificação das sementes

As sementes podem ser classificadas de diversas formas, entre as quais as mais comuns são:

- de acordo com a localização das reservas antes da germinação;
- de acordo com o tipo de reserva predominante;
- de acordo com o tipo de amêndoa.

De acordo com a localização das reservas antes da germinação

- Sementes exalbuminadas: quando as reservas acham-se localizadas exclusivamente nos cotilédones. Não existem nem endosperma nem perisperma. É o tipo mais comum de semente. A CASTANHA-DA-ÍNDIA, o GUARANÁ, a NOZ-DE-COLA são exemplos desse tipo de semente.
- Sementes albuminadas: as reservas localizam-se, de preferência, fora do embrião, em um tecido denominado endosperma. Nesse caso, com certa frequência, há também substâncias de reserva localizadas nos cotilédones do embrião. A NOZ-VÔMICA, o LINHO, a MAMONA, o CAFÉ são exemplos de drogas constituídas por esse tipo de semente.
- Sementes perispermadas: quando as reservas estão localizadas no perisperma, isto é, naquele tecido que se origina das células da nucela que ladeiam o saco embrionário. Esse tipo de semente é pouco comum, e a *Farmacopeia Brasileira* não inclui nenhuma droga representada por ele. Ocorre em algumas plantas da família *Cannaceae*.
- Sementes albúmen-perispermadas: quando as reservas estão localizadas no endosperma e no perisperma, concomitantemente. Esse tipo de semente é mais comum que a semente perispermada. Na *Farmacopeia Brasileira*, esse tipo de semente é representado pelas drogas CARDAMOMO, JEQUIRITI, NOZ-MOSCADA e PACOVÁ. As sementes de CUBEBA e de PIMENTA-DO-REINO, duas drogas constituídas de fruto-semente, pertencentes a plantas da família *Piperaceae*, são do tipo albúmen-perispermadas.

De acordo com o tipo de reserva predominante

Quanto ao tipo de reserva predominante, as sementes podem ser amiláceas, proteicas, oleaginosas e hemicelulósicas.

De acordo com o tipo de amêndoa

A amêndoa corresponde ao embrião e às reservas. Em outras palavras, a semente desprovida de seu tegumento constitui a amêndoa. Conforme a existência de endosperma e perisperma, as amêndoas podem ser:

- amêndoa simples – quando representada somente pelo embrião. As reservas acham-se acumuladas nos cotilédones. As sementes exalbuminadas são constituídas de amêndoa simples;
- amêndoa dupla – quando representada pelo embrião e endosperma ou embrião e perisperma. No primeiro caso corresponde às sementes albuminadas e no segundo caso, às perispermadas;
- amêndoa tripla – quando representada pelo embrião, endosperma e perisperma.

Morfodiagnose de drogas constituídas de sementes

Abóbora

Cucurbita pepo (Linné) Duchesne – *Cucurbitaceae*

Parte usada:	Semente fresca.
Sinonímia vulgar:	Jerimu; Gerumu; Veremu; Taqueira.
Sinonímia científica:	*Cucurbita protiro* Pers.

Esta semente tem sabor adocicado e oleoso.

Descrição macroscópica

A semente de ABÓBORA é oval-oblonga, achatada, mais afilada numa de suas extremidades, onde estão situados o hilo e a micrópila. Mede de 18 a 23 mm de comprimento por 8 a 10 mm de largura; e 2 a 3 mm de espessura. Tem coloração branca ou amarelada com reflexos esverdeados em ambas as faces, que são levemente convexas e margeadas por saliência cilíndrica circular de 1 a 2 mm de largura. É recoberta por película facilmente separável, deixando, então, a descoberto o espermoderma, que é bastante duro e de cor brancacenta. O embrião, além desse espermoderma espesso e cartilaginoso, é recoberto ainda por camada fina subjacente de cor branco-esverdeada e bastante aderente. O embrião tem dois cotilédones plano-convexos, esbranquiçados, oleosos e ligados nas suas partes mais afiladas por eixo radículo-caulinar delgado.

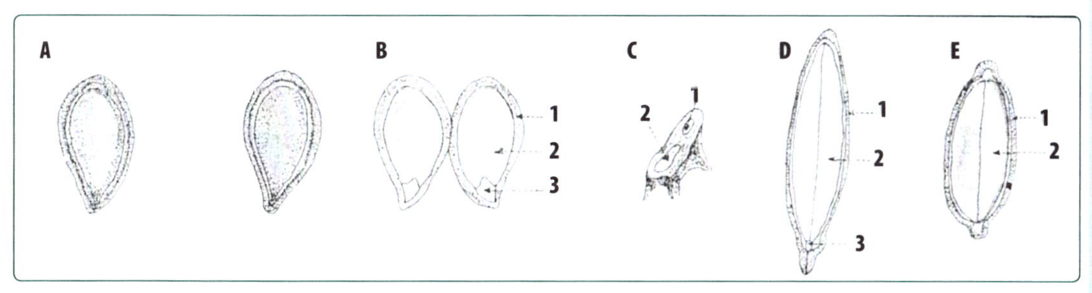

Fig. 7.19 – ABÓBORA *(Cucurbita pepo* (L) Duchesne). **A.** Sementes inteiras. **B.** Secção longitudinal paralela ao plano das folhas cotiledonais: **1** – tegumento (espermoderma); **2** – cotilédone; **3** – eixo radículo-caulinar. **C.** Região do hilo e da micrópila: **1** – micrópila; **2** – hilo. **D.** Secção longitudinal perpendicular ao plano das folhas cotiledonais: **1** – tegumento (espermoderma); **2** – cotilédones; **3** – radícula. **E.** Secção transversal: **1** – tegumento (espermoderma); **2** – cotilédone.

Descrição microscópica

A película que envolve a semente, quando vista de face, apresenta células de contorno poligonal e de paredes finas. O tegumento da semente é revestido por uma epiderme formada de uma fileira de células paliçádicas alongadas, com as paredes externas espessadas, podendo-se ver nas paredes radiais espessamentos delicados, em bastão; essas células epidérmicas mostram inclusões de grãos de amido que em geral faltam no resto da semente. Essa camada celular, quando vista de face, apresenta contorno poligonal e paredes pontuadas; seguem-se três a cinco fileiras de células pequenas arredondadas, com paredes finamente reticuladas. A terceira camada celular é formada por escleritos radialmente estriados, com paredes grossas e canaliculadas. Logo depois, localizam-se duas a três fileiras de células grandes e pequenas, de paredes semelhantes às das células da segunda camada, deixando entre si grandes espaços intercelulares. As três camadas seguintes são constituídas de células delicadas, deformadas por compressão.

O endosperma é reduzido, sendo representado por uma ou duas fileiras de células obliteradas. Os cotilédones são recobertos por fileira celular de contorno aproximadamente retangular, alongada no sentido tangencial. O parênquima cotiledonar é formado por células de paredes finas que encerram gotículas de óleo fixo e grãos de aleurona.

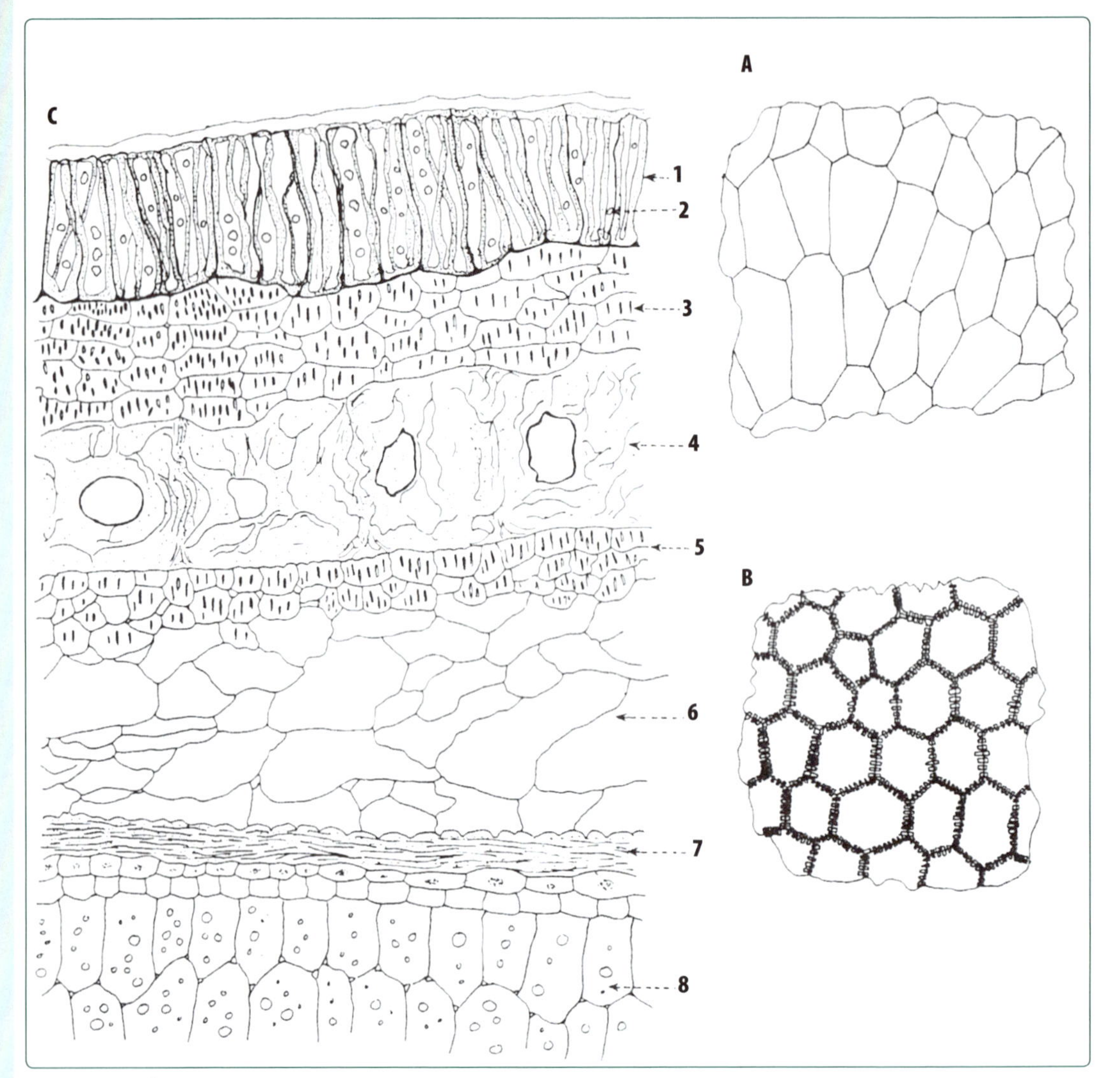

Fig. 7.20 – ABÓBORA *(Cucurbita pepo* (L) Duchesne). **A.** Película envolvente da semente. **B.** Epiderme da semente vista de face. **C.** Secção transversal da semente: **1** – camada paliçádica (epiderme); **2** – grão de amilo; **3** – camada reticular externa; **4** – camada esclerótica; **5** – camada reticular interna; **6** – camada parenquimática; **7 –** endosperma; **8** – cotilédone.

Cacau

Theobroma cacao Linné – *Sterculiaceae*

Parte usada: Sementes levemente torradas e parcialmente descorticadas.

Sinonímia vulgar: Cacao; Kakao; Cocoa.

A droga possui odor fraco, agradável, de chocolate, e sabor levemente amargo, agradável e aromático.

Descrição macroscópica

A semente é ovoide e mais ou menos achatada, medindo de 20 a 30 mm de comprimento, por 4 a 16 mm de largura e 4 a 8 mm de espessura. Sua superfície externa, cuja coloração varia de pardo-avermelhada a pardo-acinzentada, apresenta na extremidade mais dilatada, uma cicatriz oval e rugosa, correspondente ao hilo, de onde parte a rafe que percorre uma das margens da semente até alcançar a extremidade oposta. A micrópila localiza-se perto do hilo, é de tamanho reduzido e contorno circular. O espermoderma é quebradiço, papiráceo e percorrido longitudinalmente por estruturas lineares. É aderente à amêndoa, cuja cor varia da cinzenta à negro-azulada, podendo ainda ser vermelha ou violácea.

O embrião é formado por dois cotilédones volumosos, plano-convexos, que apresentam em sua superfície numerosas anfractuosidades que penetram mais ou menos profundamente em sua estrutura. Sobre sua face plana observam-se três grossos sulcos longitudinais, irregulares e separados por dobras salientes, dispostas de tal modo que os sulcos e as saliências das dobras de uma face se encaixam perfeitamente nas da face oposta. A cerca de um terço de sua parte inferior, no ponto para o qual convergem os três sulcos, distingue-se a radícula.

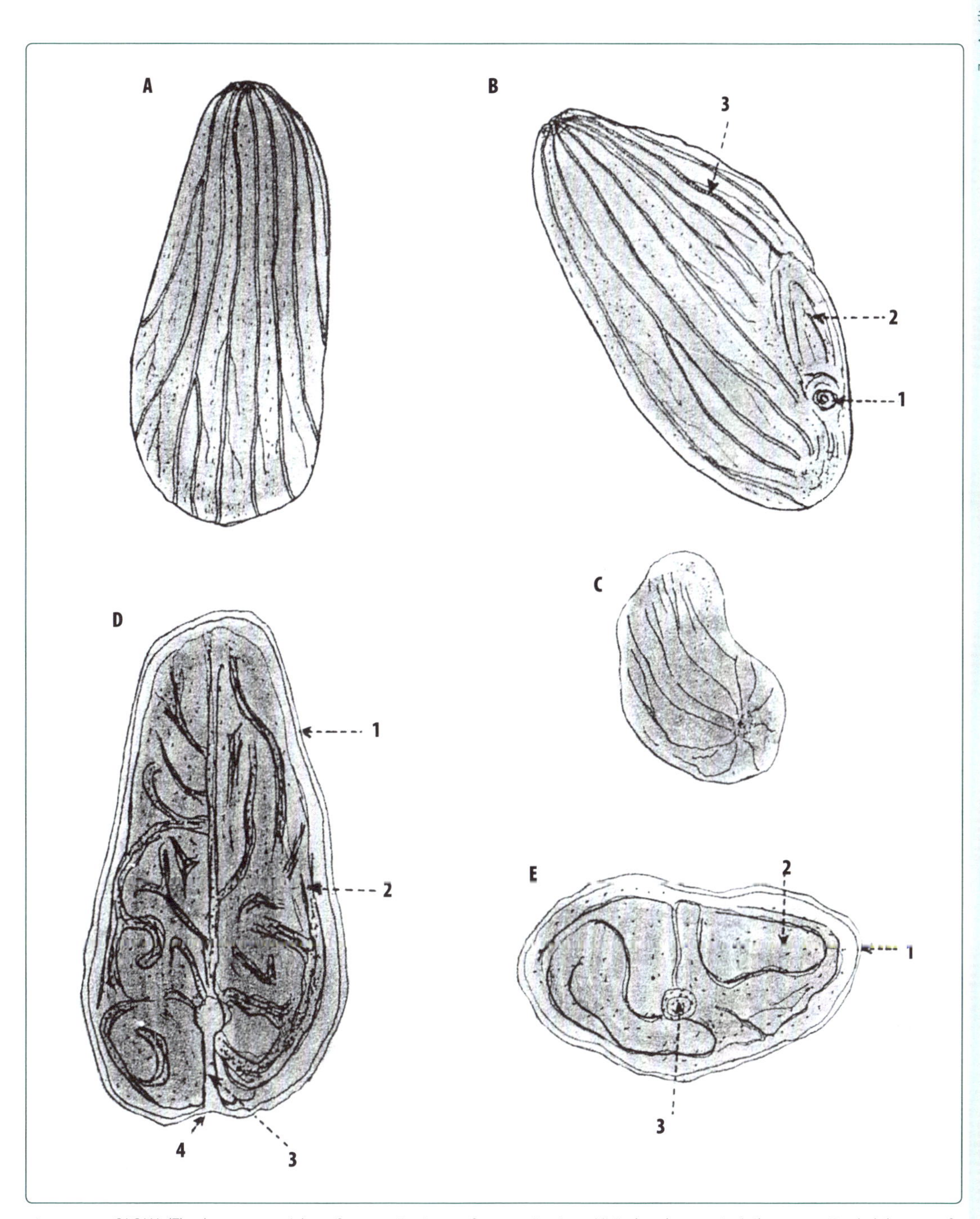

Fig. 7.21 – CACAU *(Theobroma cacao* L.). **A.** Semente inteira. **B.** Semente inteira – Visão basal: **1** – micrópila; **2** – região do hilo; **3** – rafe. **C.** Semente inteira – Visão apical. **D.** Secção longitudinal da semente: **1** – tegumento; **2** – cotilédone mostrando anfractuosidades; **3** – eixo radículo-caulinar; **4** – região da micrópila. **E.** Secção transversal da semente: **1** – tegumento; **2** – cotilédone mostrando anfractuosidade; **3** – eixo radículo-caulinar.

Descrição microscópica

A semente apresenta-se, frequentemente, acompanhada de restos de mesocarpo e do endocarpo.

O tegumento da semente de fora para dentro é constituído de espermoderma composto de uma fileira de células tabulares, recobertas por cutícula espessa; região média muito desenvolvida, formada de várias fileiras de células poliédricas, irregulares, alongadas tangencialmente e contendo, na parte externa, grandes glândulas mucilaginosas, e na parte interna dessa camada média encontram-se largos feixes fibrovasculares; camada de células esclerosas, com espessamento em forma de U; camada interna de cor parda, formada de oito a nove séries de células muito achatadas tangencialmente.

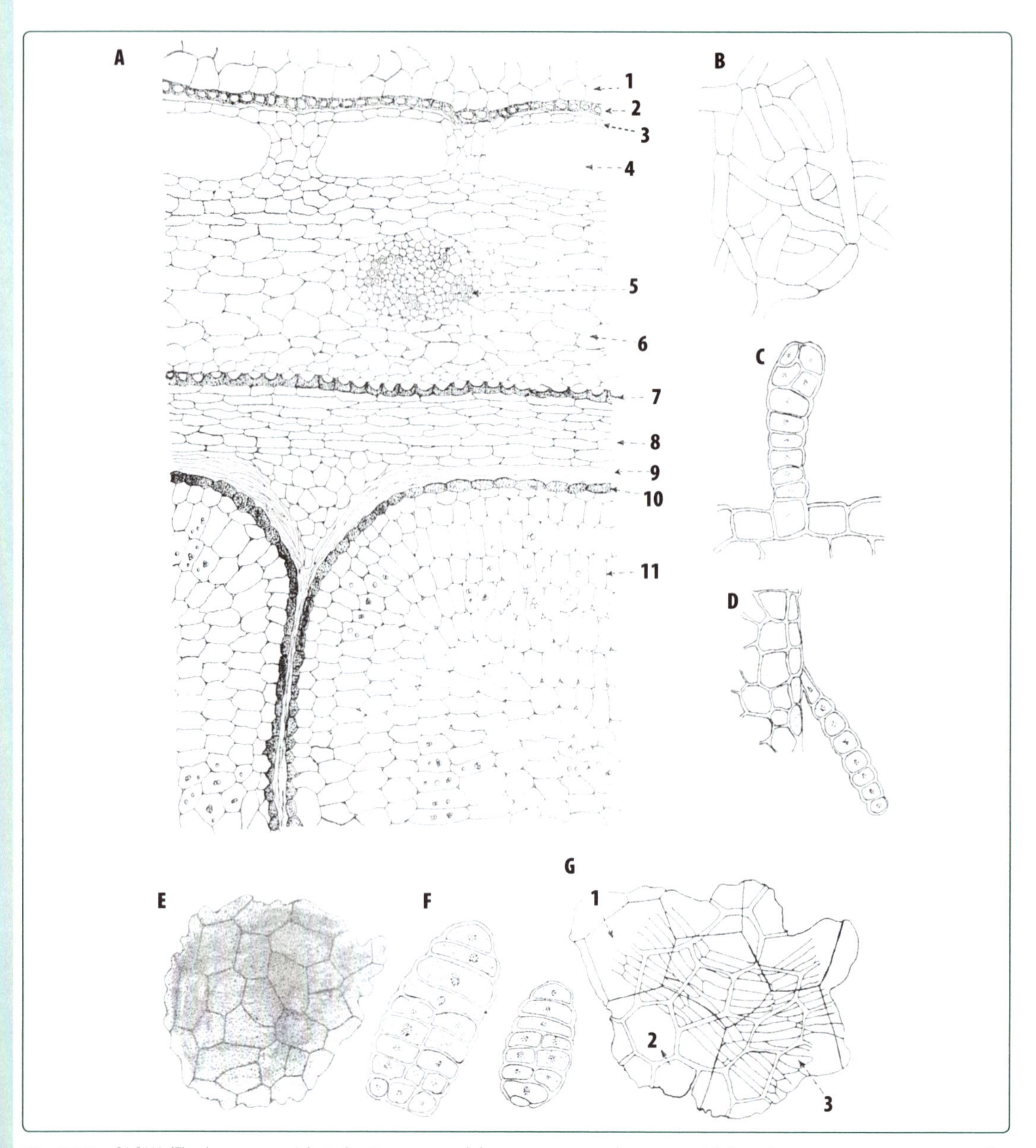

Fig. 7.22 – CACAU (*Theobroma cacao* L.). **A.** Secção transversal da semente, com cobertura parcial de pericarpo: **1** – mesocarpo; **2** – endocarpo; **3** – epiderme da semente; **4** – célula mucilaginosa; **5** – feixe vascular; **6** – camada parenquimática externa; **7 –** camada celular com espessamento em U; **8** – camada parenquimática interna; **9** – endosperma; **10** – epiderme do cotilédone: **11** – parênquima cotiledonal. **B.** Tecido do mesocarpo visto de face. **C, D.** Fragmentos de epiderme cotiledonar mostrando corpúsculos de Mitscherlich. **E.** Epiderme do cotilédone vista de face. **F.** Corpúsculos de Mitscherlich. **G.** Fragmento da porção externa de semente mostrando: **1** – célula mucilaginosa; **2** – epiderme da semente; **3** – endocarpo.

O endosperma é constituído por três a quatro camadas de células, exceto nos pontos em que penetra nas anfractuosidades dos cotilédones sob a forma de massa triangular que, à proporção que penetra, vai diminuindo de espessura e termina formando uma membrana muito delgada.

Os cotilédones são recobertos por uma epiderme muito delgada, com raros pelos pluricelulares chamados "corpúsculos de Mitscherlich", e as células epidérmicas estão cheias de uma substância granulosa, parda ou alaranjada.

As células de tecido cotiledonário são poligonais, de paredes delgadas e a maioria contém grânulos de amido e de aleurona, empastados em uma massa gordurosa amorfa; outras encerram um pigmento, e outras, ainda, conteúdo oleoso misturado com finas agulhas cristalinas de substância gordurosa. Os grãos de amido são muito pequenos, arredondados ou irregularmente ovoides, raramente isolados, geralmente agrupados em grupos de dois a três grãos.

Cardamomo

Elettaria cardamomum (Roxburgh) Maton. – *Zingiberaceae*

Parte usada:	Semente.
Sinonímia vulgar:	Cardomomo-de-Malabar; Cardamomo-de-Sião; Cardamomo-menor; Kardamomon.
Sinonímia científica:	*Apronum racemosum* Lamk.; *Amomum compactum* Roem. et Sch.; *Alpinia cardamomum* Roxburgh.

As sementes, quando trituradas, apresentam forte odor aromático e sabor levemente acre, aromático e característico.

Descrição macroscópica

As sementes frequentemente são vendidas junto com o fruto. Este é uma cápsula que, em secção transversal, apresenta-se obtuso-triangular e mede de 1 a 2 cm de comprimento por 5 a 10 mm de largura. Tem cor variando de amarelo-esverdeada a amarelo-acinzentada. A cápsula contém três lojas, cada uma das quais encerrando de quatro a sete sementes.

As sementes apresentam-se, geralmente, aglutinadas em massas contendo de duas a sete unidades. São ovoides, duras, triangulares ou subcilíndricas, com uma das faces convexa e a outra escavada. Medem de 3 a 4 mm de comprimento; externamente são de cor cinzento-parda ou avermelhada, grosseiramente rugosas, apresentando porções mais ou menos aderentes de arilo claro, delgado e membranoso que as envolve. A secção transversal observada com o auxílio de lupa mostra, de fora para dentro: arilo, tegumento, perisperma, endosperma e embrião.

Descrição microscópica

A secção transversal da semente apresenta arilo delgado, pardo-avermelhado; epiderme formada de uma fileira de células, quase quadradas ou retangulares, com paredes externas espessadas; uma camada de células retangulares, alongadas no sentido tangencial; uma camada de células grandes, cúbicas, de paredes delgadas, contendo óleo essencial; uma ou duas fileiras de células parenquimáticas pequenas de paredes delgadas; uma fileira de células fortemente coloridas de pardo, formada por células pétreas, cujas paredes laterais e basais são fortemente espessadas e circunscrevem uma pequeníssima cavidade em forma de U que contém uma pequena massa verrucosa de sílica; um perisperma branco, bastante desenvolvido, formado de grandes células poligonais cheias de pequeníssimos grãos de amido agregados em massas e que contém regularmente um ou alguns pequenos cristais prismáticos de oxalato de cálcio; um endosperma reduzido, esverdeado, envolvendo um pequeno embrião, ambos com células de paredes delgadas, com grãos de aleurona e gordura.

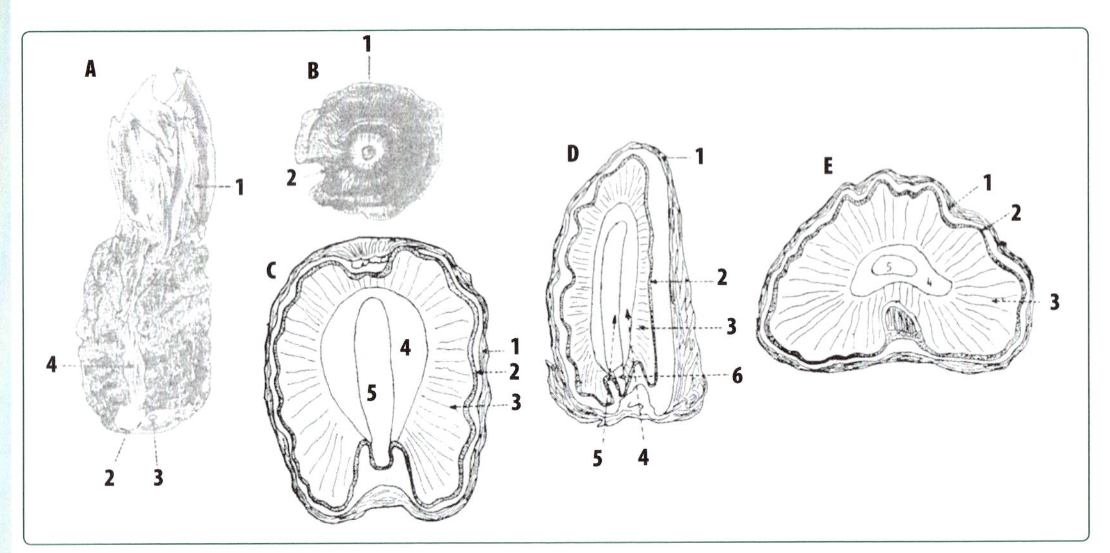

Fig. 7.23 – CARDAMOMO *(Elettaria cardamomum* (Roxburgh) Maton). **A.** Semente inteira: **1** – expansão membranosa do arilo; **2** – região do hilo; **3** – micrópila; **4** – rafe. **B.** Semente inteira – visão basal: **1** – micrópila; **2** – hilo. **C.** Secção longitudinal perpendicular à rafe: **1** – arilo; **2** – tegumento; **3** – perisperma; **4** – endosperma; **5** – embrião. **D.** Secção longitudinal paralela à rafe: **1** – arilo; **2** – tegumento; **3** – perisperma; **4** – endosperma; **5** – embrião; **6** – radícula. **E.** Corte transversal: **1** – arilo; **2** – tegumento; **3** – perisperma; **4** – endosperma; **5** – embrião.

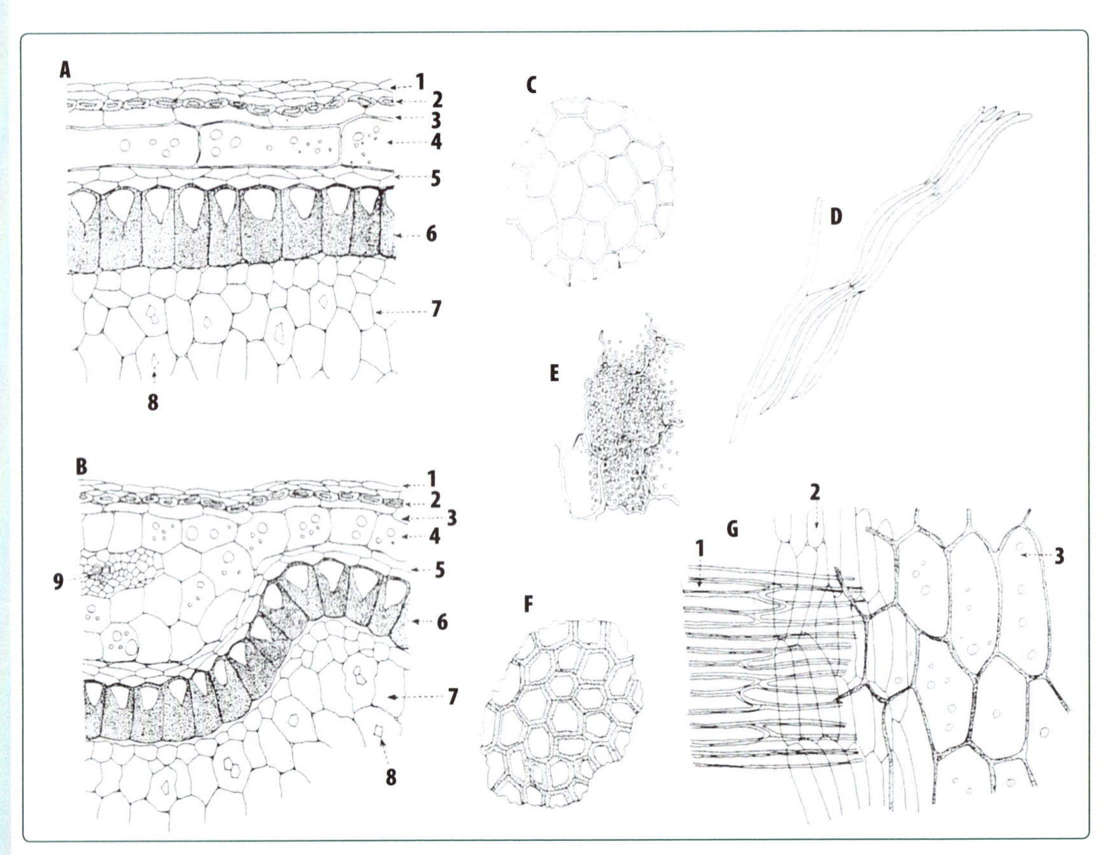

Fig. 7.24 – CARDAMOMO (*Elettaria cardamomum* (Roxburgh) Maton). **A.** Secção transversal: **1** – arilo; **2** – epiderme; **3** – camada parenquimática externa; **4** – camada oleífera; **5** – camada parenquimática interna; **6** – camada com espessamento em U; **7 –** perisperma; **8** – cristal prismático de oxalato de cálcio. **B.** Secção transversal passando pela região da rafe: **1** – arilo; **2** – epiderme; **3** – camada parenquimática externa; **4** – camada oleífera; **5** – camada parenquimática interna; **6** – camada com espessamento em U; **7 –** perisperma; **8** – cristal prismático; **9** – feixe vascular. **C.** Camada externa do perisperma – vista de face. **D.** Epiderme vista de face. **E.** Perisperma amilífero. **F.** Camada com espessamento em U vista de face. **G.** Fragmento da porção externa da semente mostrando: **1** – epiderme; **2** – camada parenquimática externa; **3** – camada oleífera.

Aesculus hippocastanum Linné – *Hippocastanaceae*

Parte usada: Semente.

Sinonímia vulgar: Castanha-da-Índia.

Sinonímia científica: *Hippocastanum vulgare* Tourn.; *Castanea equina* Ger.; *Haesculus castanea* Gelib.; *Aesculus procera* Salisb.

A semente inteira é inodora; quando partida, possui odor fraco, não característico. Sua casca tem sabor adstringente; o embrião apresenta sabor amargo e produz salivação quando mastigado.

Descrição macroscópica

A CASTANHA-DA-ÍNDIA apresenta-se como semente esférica e achatada de um só lado; seu maior diâmetro atinge, em média, 3 cm, e o menor, 2 cm. Sua superfície é lisa e apresenta suaves depressões pela dessecação. Sua cor é castanha, com fraco brilho; no lado achatado encontra-se uma grande mancha clara que corresponde ao hilo. Algumas vezes nota-se a presença de saliência disposta longitudinalmente devida à radícula. O tegumento é delgado, rígido, quebradiço, aderido em algumas partes aos cotilédones, dos quais pode ser facilmente separado. Os cotilédones são grandes e a radícula é pequena, curva, colocada sobre a superfície de um deles ou na comissura de ambos. Durante a dessecação perdem seu contorno plano-convexo, formando-se uma grande depressão; mostram-se na face externa, à qual podem aderir pequenos restos de tegumento interno, de cor pardacento-clara e, na fratura, cor quase branca.

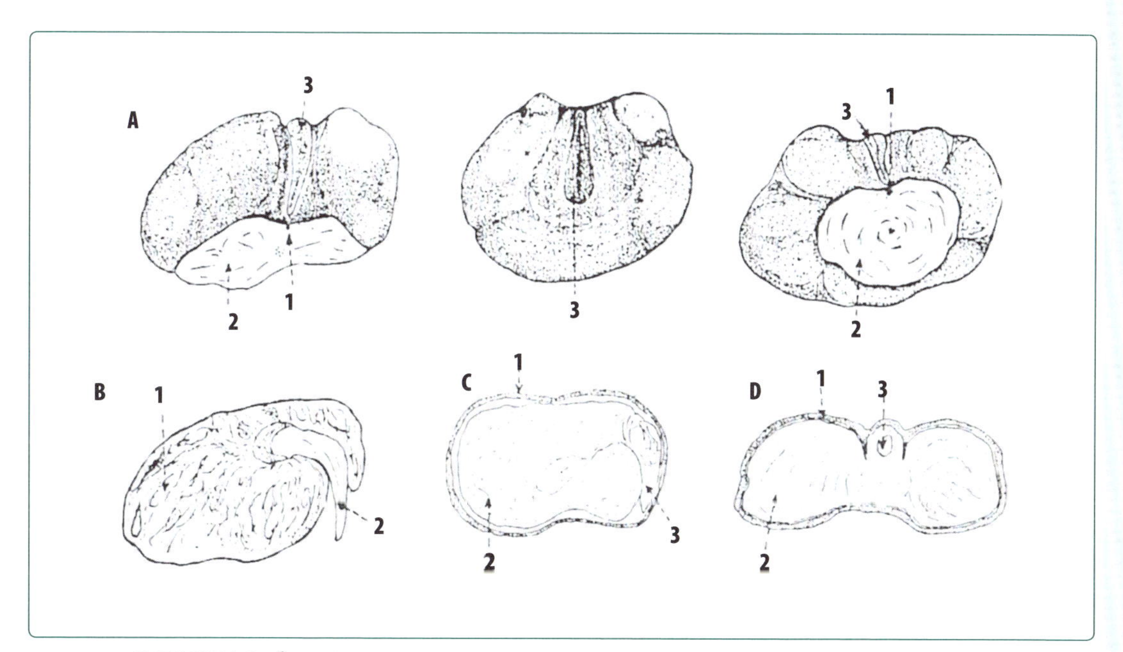

Fig. 7.25 – CASTANHEIRO-DA-ÍNDIA *(Aesculus hippocastanum* L.). **A.** Semente inteira: **1** – micrópila; **2** – hilo; **3** – saliência radicular. **B.** Embrião (amêndoa): **1** – cotilédone; **2** – radícula. **C.** Secção transversal paralela ao plano da radícula: **1** – tegumento; **2** – cotilédone; **3** – radícula. **D.** Secção transversal perpendicular ao plano da radícula: **1** – tegumento; **2** – cotilédone; **3** – radícula.

Descrição microscópica

O tegumento apresenta, em corte transversal, epiderme de células espessas, pardas, com contorno quase retangular e espessamento em forma de U invertido; região parenquimática formada por diversas fileiras celulares com paredes fortemente espessadas, pardacentas ou parcialmente brancas. A epiderme, vista de face, apresenta células poligonais ou poligonais-arredondadas; o parênquima encerra inclusões pardas. Os cotilédones são recobertos por uma epiderme de pequenas células, que vistas de frente aparecem poligonais, mostrando paredes com um delicado espessamento reticulado. Sob a epiderme, segue-se um parênquima que é constituído de pequenas células, na parte externa, as quais aumentam rapidamente em tamanho para o interior. Essas células são redondo-poliédricas e apresentam paredes brancas, espessadas, com pontuação pouco distinta; encerram amido e gordura. Os grãos de amido são simples, ovoides, periformes ou esféricos, com hilo dilacerado, às vezes estrelar; são acompanhados de grãos de tamanho menor.

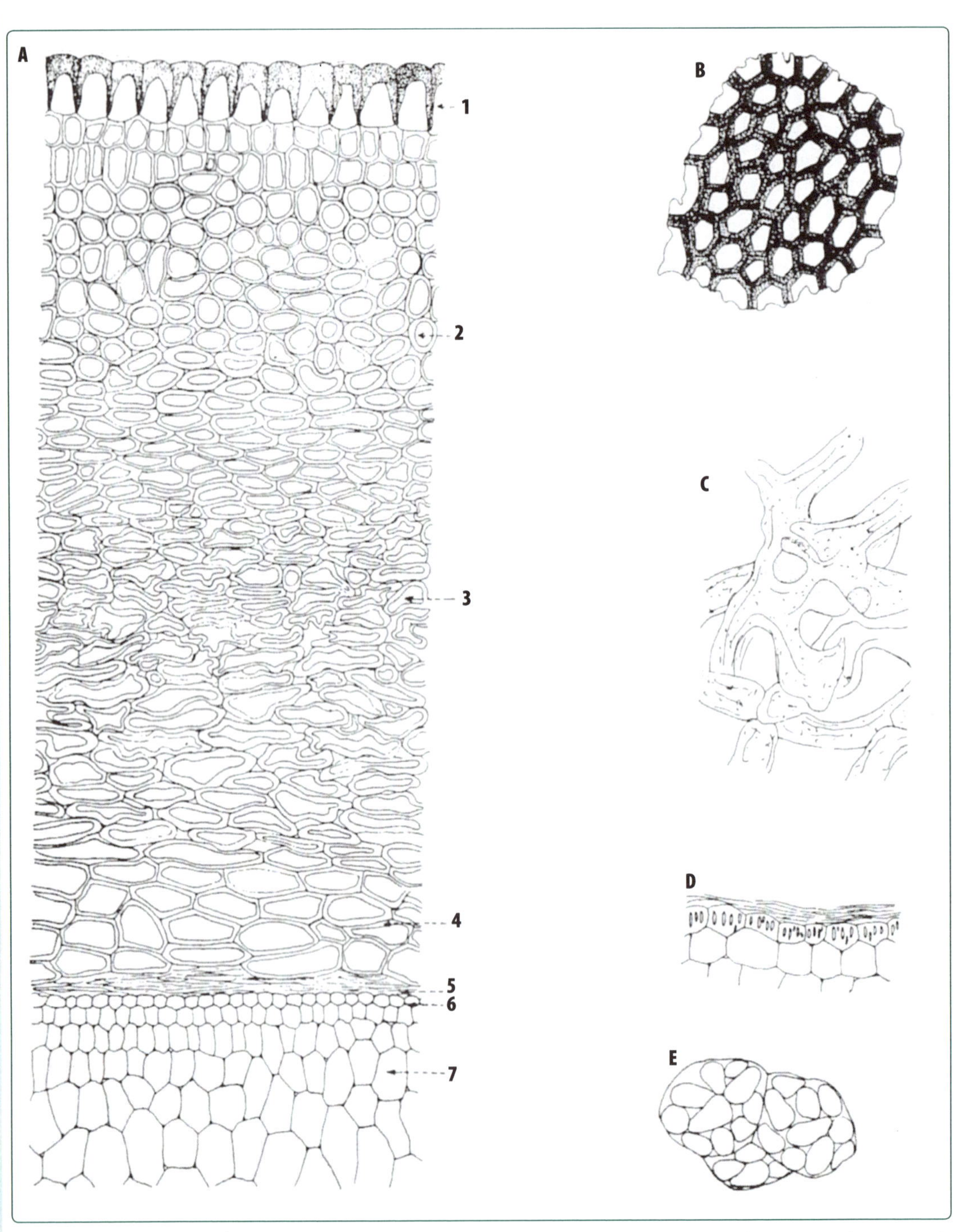

Fig. 7.26 – CASTANHEIRO-DA-ÍNDIA *(Aesculus hippocastanum* L.). **A.** Secção transversal da semente: **1** – epiderme; **2** – tecido parenquimático externo do tegumento; **3** – tecido parenquimático mediano do tegumento; **4** – tecido parenquimático interno do tegumento; **5** – restos do endosperma; **6** – epiderme do cotilédone; **7** – parênquima cotiledonar. **B.** Epiderme do tegumento visto de face. **C.** Tecido parenquimático mediano do tegumento visto de face. **D.** Epiderme do cotilédone, cortada transversalmente, mostrando espessamento reticular. **E.** Parênquima amilífero cotiledonar mostrando amilo piriforme.

Estrofanto

Strophantus gratus (Wallich et Hooker) Franchet. – *Apocynaceae*
Parte usada: Semente.
Sinonímia vulgar: Inea; Onaya; Kombé.
Sinonímia científica: *Roupellia grata* Wallich et Hooker.

A droga possui odor pouco pronunciado e sabor extremamente amargo e persistente.

Descrição macroscópica

A semente mede de 11 a 19 mm (geralmente de 12 a 15 mm) de comprimento, por 3 a 5 mm de largura e 1 a 1,3 mm de espessura. É fusiforme, achatada, com a extremidade inferior ogival, elíptica ou bruscamente truncada; sua margem mostra cantos agudos e é, às vezes, quase alada, mais raramente um tanto arredondada ou irregularmente achatada. Estreita-se para o vértice pouco a pouco, terminando em curto resto de estípito plumoso, que raramente se encontra na droga. Uma crista mediana amarela, delgada, representando o rafe desce do vértice até o meio da face ventral. A superfície externa apresenta-se de cor amarela ou pardo-amarela, glabra, às vezes com finíssimas rugas longitudinais. Amolecida em água, deixa facilmente separar o tegumento, ao qual se adere a fina película branca do endosperma e embrião. Este é formado de dois cotilédones planos, carnosos, oblongos, brancos e de curto eixo radículo-caulicular.

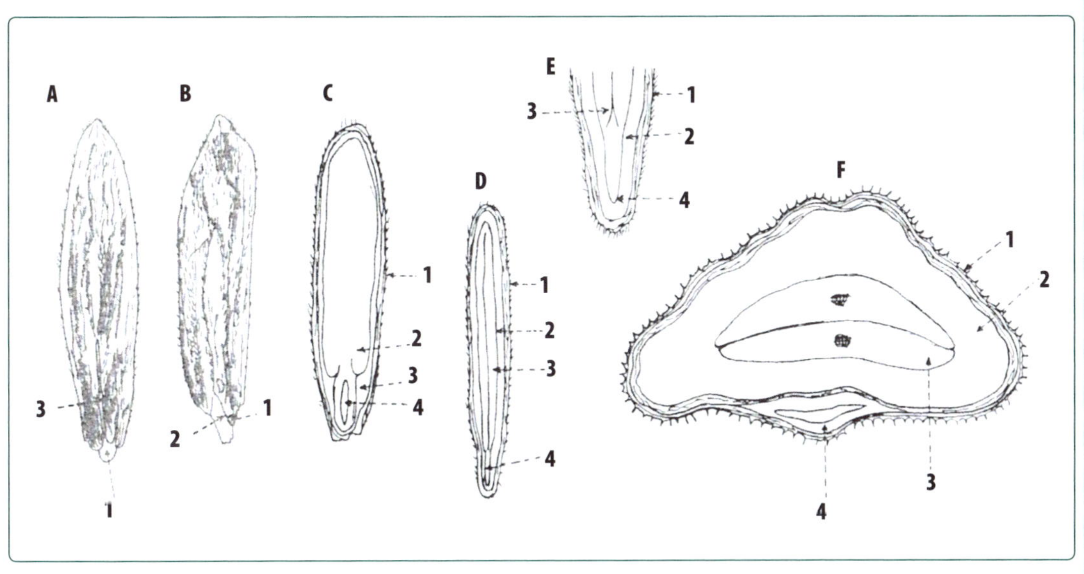

Fig. 7.27 – ESTROFANTO (*Strophantus kombe* Oliver). **A, B.** Sementes inteiras: **1** – micropila; **2** – hilo; **3** – rafe. **C.** Secção longitudinal paralela ao plano das folhas cotiledonais: **1** – tegumento; **2** – cotilédone; **3** – endosperma; **4** – eixo radículo-caulinar. **D.** Secção longitudinal perpendicular ao plano das folhas cotiledonais: **1** – tegumento; **2** – endosperma; **3** – cotilédone; **4** – eixo radículo-caulicular. **E.** Secção longitudinal perpendicular ao plano das folhas cotiledonais – Região do hilo e da micrópila: **1** – tegumento; **2** – endosperma; **3** – cotilédone; **4** – radícula. **F.** Secção transversal: **1** – tegumento; **2** – endosperma; **3** – embrião (cotilédone); **4** – região da rafe.

Descrição microscópica

Um corte transversal da semente apresenta as seguintes camadas: externamente, a epiderme do tegumento com grandes células tabulares, cujas paredes laterais exibem espessamento que, unido ao da célula vizinha, se assemelha a uma lente biconvexa, amarelada, com uma linha vertical de separação; algumas células epidérmicas prolongam-se em pelos cônicos. Seguem-se, para o interior, algumas fileiras de células parenquimáticas colabadas, pertencentes ao tegumento. O endosperma é constituído de numerosas camadas de células parenquimáticas, poliédricas, fracamente espessadas, contendo grãos de aleurona, pequenos grãos de amido e gotículas de óleo fixo. Ainda mais para o centro vê-se o embrião com os cotilédones, cujo tecido é formado de células parenquimatosas, poliédricas, muito pouco espessadas, providas de grãos de aleurona e raros grãos de amido. Esse parênquima contém alguns feixes fibrovasculares.

As células da epiderme do tegumento vistas de face mostram-se alongadas, em papilas curtas e cônicas, invisíveis a olho nu, porém de aspecto característico ao microscópio; a cutícula é verrucosa.

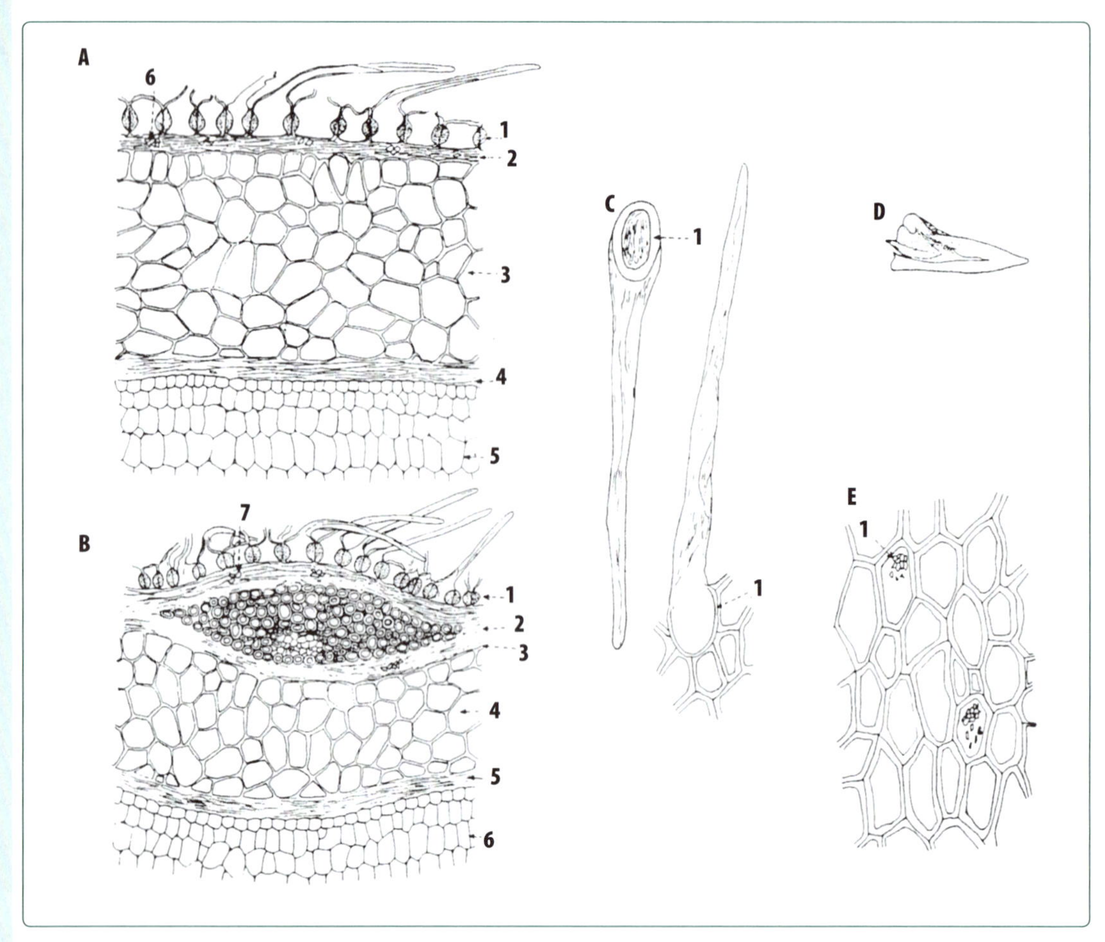

Fig. 7.28 – ESTROFANTO (*Strophantus kombe* Oliver). **A.** Secção transversal: **1** – epiderme com espessamento lenticular; **2** – camada de células colabadas; **3** – parênquima endospermático; **4** – camada obliterada; **5** – parênquima cotiledonar; **6** – cristais prismáticos. **B.** Secção transversal passando pela região da rafe: **1** – epiderme com espessamento lenticular; **2** – feixe fibrovascular; **3** – camada de células colabadas; **4** – endosperma; **5** – camada de células obliteradas; **6** – parênquima cotiledonar; **7** – cristais prismáticos. **C.** Pelos tectores cônicos e longos, existentes na epiderme da semente: **1** – base do pelo. **D.** Pelo tector cônico e curto. **E.** Epiderme vista de face: **1** – cristais.

Guaraná

Paullinia cupana Kunth - *Sapindaceae*

Parte usada:	Semente levemente torrada ou a pasta seca com ela preparada.
Sinonímia vulgar:	Varaná; Paulinia; Cupana; Brazilian cocos; Naranazeiro; Guaraná-uva.
Sinonímia científica:	*Paullinia sorbilis* Mart.

A semente apresenta cheiro pouco perceptível e seu sabor é fracamente adstringente e amargo, o qual lembra um pouco o do cacau.

Descrição macroscópica

A semente de GUARANÁ é globosa, de 1 a 2 cm de diâmetro, desigualmente convexa nos dois lados, às vezes encimada por um curto apículo. É glabra, luzidia, de cor pardo-purpurina ou pardo-negra e apresenta um largo hilo provido de protuberância na região central, que é guarnecida de um arilo carnoso, membranoso e esbranquiçado, retirado na ocasião da dessecação da semente. O tegumento se separa com facilidade do embrião. Este, desprovido de albúmen, tem um curto eixo radículo-caulinar inferior e espessos cotilédones, desiguais, carnosos, firmes, plano-convexos.

A pasta apresenta-se, geralmente, sob a forma de cilindros duros, de cerca de 3 a 5 cm de diâmetro e de 10 a 30 cm de comprimento, de cor pardo-avermelhada escura externamente; sua fratura é desigual e levemente luzidia, com fissuras no centro; internamente, é de cor pardo-avermelhada clara e apresenta fragmentos mais ou menos grossos da semente, e às vezes com seus tegumentos pardo-negros.

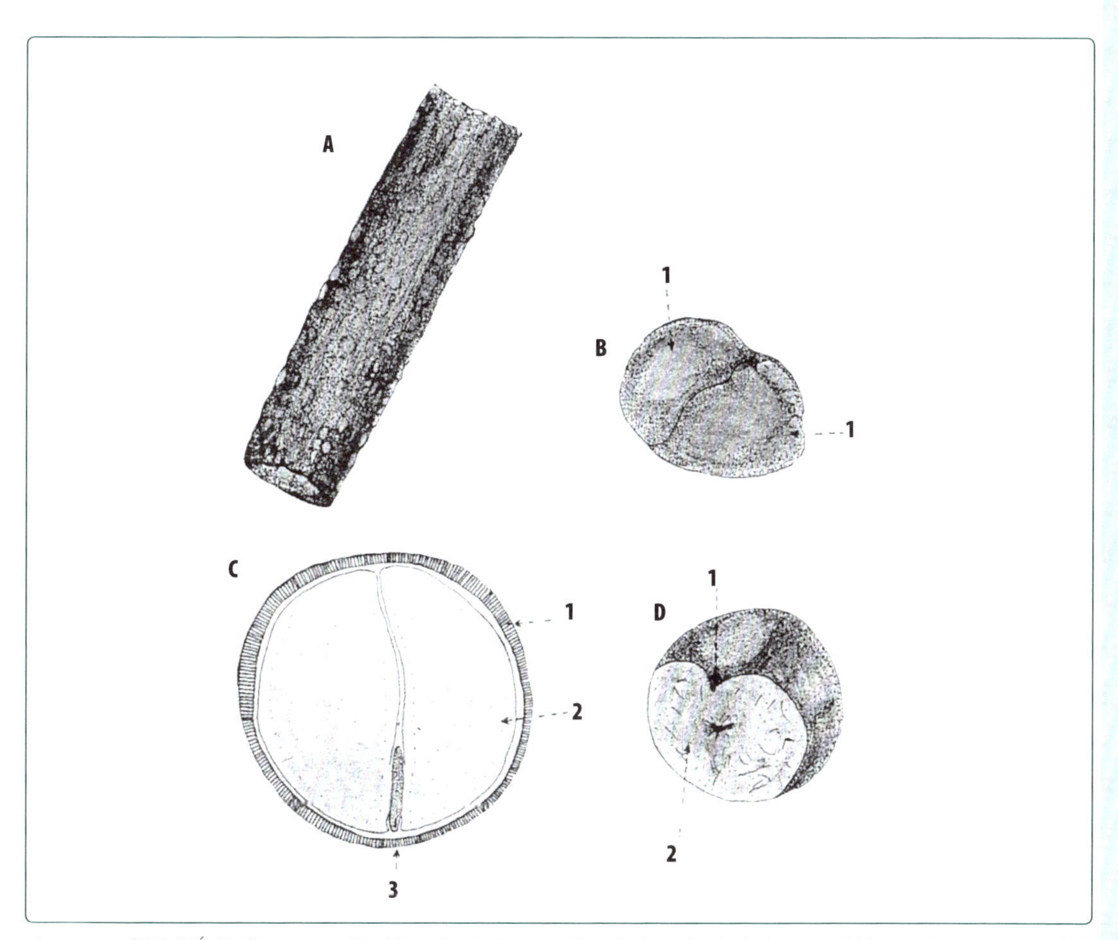

Fig. 7.29 – GUARANÁ *(Paullinia cupana* Kunth). **A.** Bastão de guaraná. **B.** Embrião (amêndoa): **1** – cotilédone. **C.** Secção transversal da semente: **1** – tegumento; **2** – cotilédone; **3** – eixo radículo-caulicular. **D.** Semente inteira: **1** – micrópila; **2** – hilo.

Descrição microscópica

O tegumento deixa ver, em cortes transversais, grossa epiderme, formada por grandes células paliçádicas, de paredes bastante espessas, as quais, vistas por cima, são sinuoso-ondeadas. Debaixo da epiderme encontra-se um parênquima pardo, tendo numerosas células pétreas, mais ou menos esclerosadas, de paredes espessas e canaliculadas. A camada mais interna do tegumento, quando vista de face, mostra células de contorno poligonal, geralmente alongadas transversalmente. A amêndoa é constituída por embrião cujo parênquima cotiledonar apresenta-se repleto de grãos de amido, mais ou menos alterados pela torrefação da semente. Os grãos de amido podem se apresentar isolados ou reunidos em grupos de até três elementos. São arredondados, cupuliformes ou em forma de capacete, providos de hilo central.

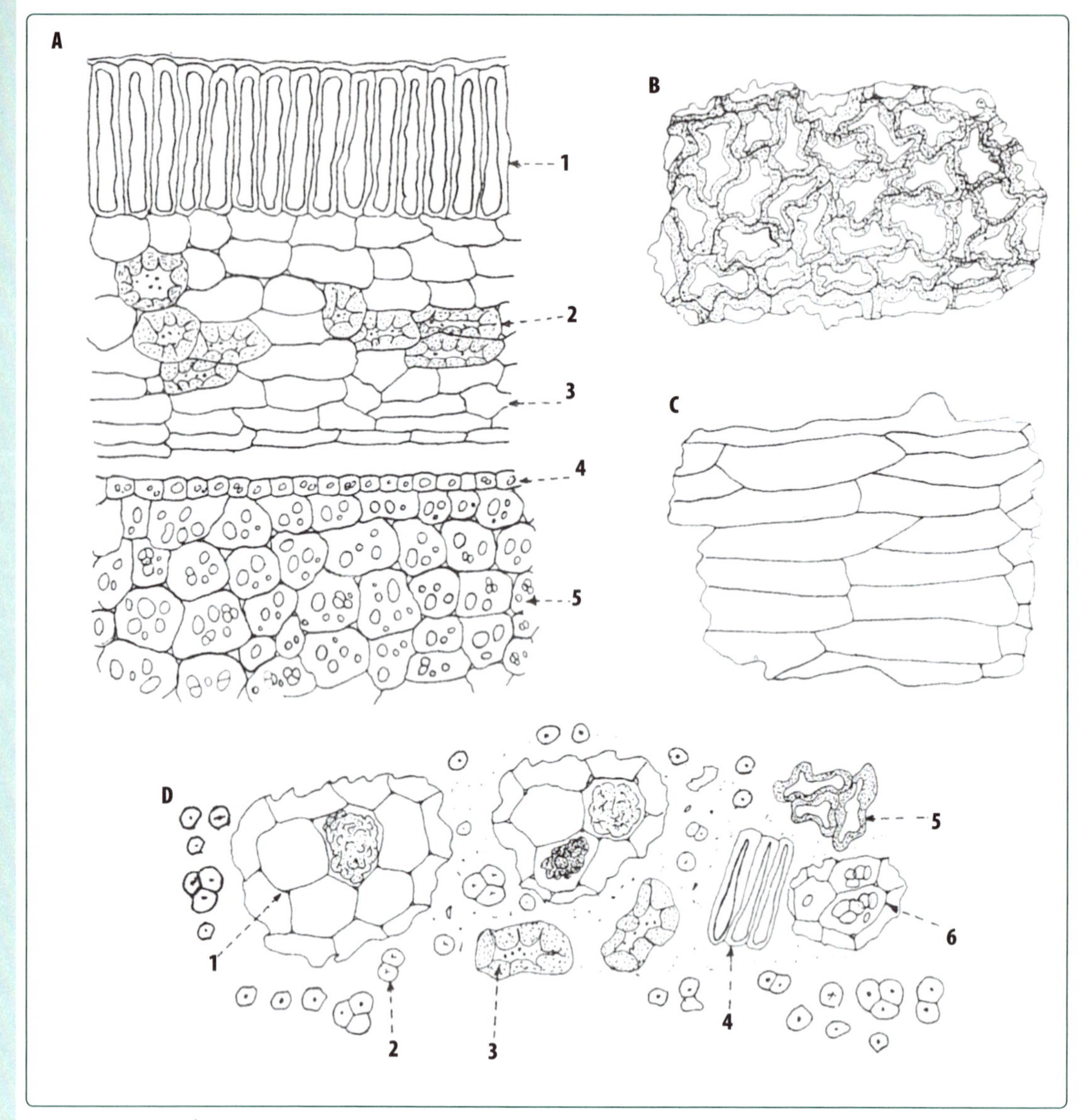

Fig. 7.30 – GUARANÁ *(Paullinia cupana* Kunth). **A.** Secção transversal da semente: **1** – camada paliçádica; **2** – grupos de células pétreas; **3** – parênquima; **4** – epiderme do cotilédone; **5** – parênquima amilífero cotiledonar. **B.** Camada paliçádica vista de face. **C.** Camada mais interna do tegumento vista de face. **D.** Elementos histológicos de pó: **1**- parênquima amilífero cotiledonar; **2** – grãos de amido; **3** – célula pétrea; **4** – paliçada vista em secção transversal; **5** – paliçada vista de face; **6** – parênquima cotiledonar, mostrando amilos íntegros.

Linho

Linum usitatissimum Linné – *Linaceae*
Parte usada: Semente.
Sinonímia vulgar: Linhaça.

Mergulhada na água, a semente de LINHO recobre-se de uma camada de mucilagem; reduzida a pó, apresenta cheiro oleoso, fraco e um sabor doce, mucilaginoso e oleaginoso ao mesmo tempo.

Descrição macroscópica

A semente é ovoide ou oblongo-lanceolada, achatada, obliquamente pontuada no hilo e arredondada na chalaza, parda, ou parda-avermelhada escura, luzidia, de 4 a 6 mm de comprimento por 2 a 3 mm de largura e cerca de 1 mm de espessura. Examinada com o auxílio de lupa, sua superfície parece finamente verrucosa. Quando se observa sua porção mais afilada, pode-se notar cicatriz pequena, alongada, representando a micrópila, e outra maior de tonalidade mais clara, representando o hilo. Nota-se, ainda, a presença de rafe, linha mais ou menos larga que quase alcança a extremidade. O espermoderma coriáceo é pouco resistente e recobre um albúmen oleoso, branco-amarelado, bastante delgado, sobretudo nas margens, o qual envolve dois cotilédones fixados pela sua extremidade afilada num eixo radículo-caulicular reto.

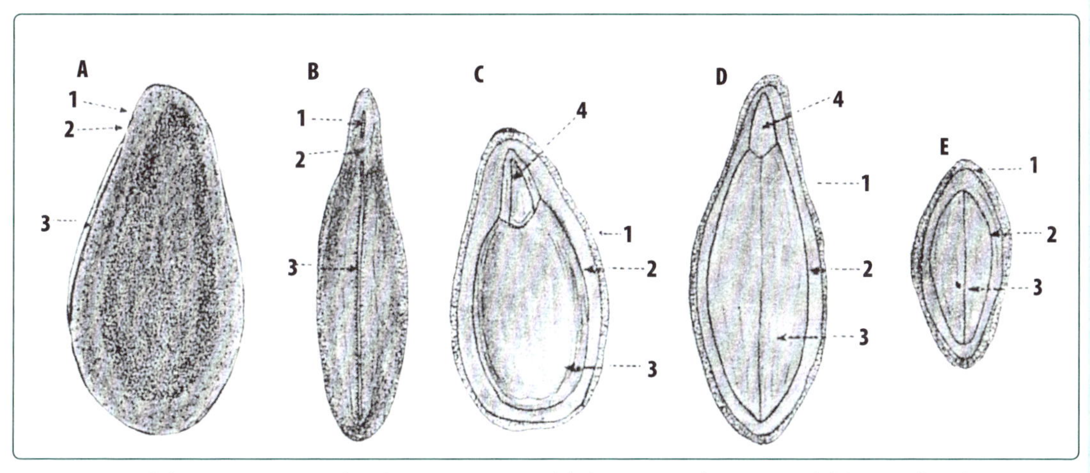

Fig. 7.31 – LINHO *(Linum usitatissimum* L.). **A.** Semente inteira vista de lado: **1** – micrópila; **2** – região de hilo; **3** – rafe. **B.** Semente inteira vista de frente: **1** – micrópila; **2** – hilo; **3** – rafe. **C** – Secção longitudinal paralela ao plano das folhas cotiledonais: **1** – tegumento; **2** – endosperma; **3** – cotilédone; **4** – radícula. **D.** Secção longitudinal perpendicular ao plano das folhas cotiledonais: **1** – tegumento; **2** – endosperma; **3** – cotilédone; **4** – radícula. **E.** Secção transversal: **1** – tegumento; **2** – endosperma; **3** – cotilédone.

Descrição microscópica

A secção transversal da semente examinada ao miscroscópio apresenta tegumento composto de cinco túnicas distintas: uma epiderme mucilaginosa formada por uma fileira de células cúbicas transparentes; invólucro parenquimatoso formado por duas ou três camadas de células poligonais achatadas no sentido tangencial; uma camada contínua de células esclerosadas, de paredes amareladas, espessas, canaliculadas e de lúmen largo. Essa camada celular, quando vista em secção longitudinal ou de face, por transparência, mostra sua natureza fibrosa. A camada hialina é formada por várias fileiras de células muito achatadas e alongadas tangencialmente, e o invólucro pigmentado é formado por uma camada de células retangulares, de conteúdo pardo-avermelhado. O endosperma é formado por seis a dez camadas de células poligonais, bastante largas e que envolvem os dois cotilédones, formados de células um pouco menores, mais ou menos retangularmente alongadas no sentido radial. Tanto as células do endosperma quanto as dos cotilédones contêm gotículas de óleo fixo e grãos de aleurona que encerram, em geral, globoides e cristaloides.

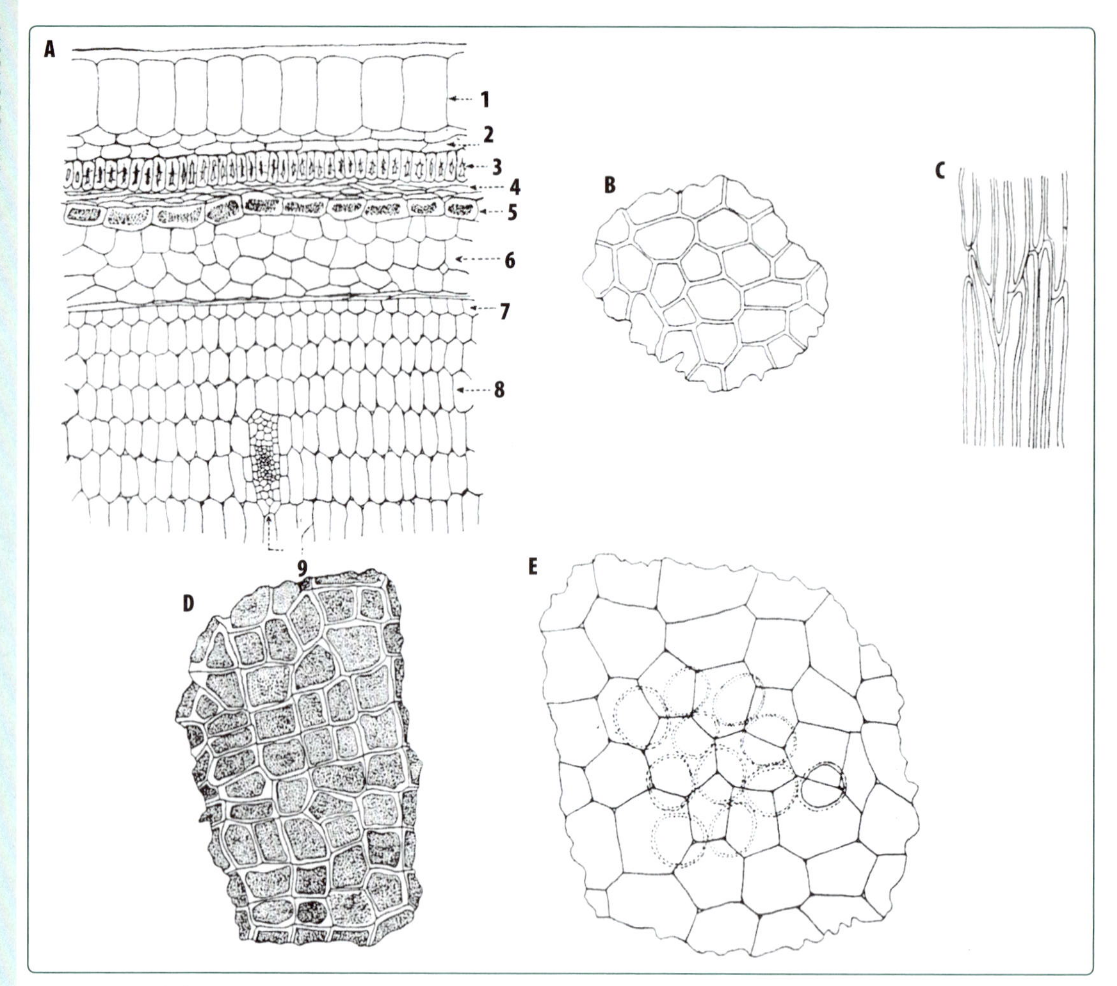

Fig. 7.32 – LINHO *(Linum usitatissimuni* L.). **A.** Secção transversal: **1** – epiderme; **2** – camada parenquimática; **3** – camada com células esclerosadas (fibras); **4** – camada hialina; **5** – camada pigmentar; **6** – endosperma; **7** – epiderme do cotilédone; **8** – parênquima cotiledonar; **9** – feixe vascular. **B.** Camada mais externa do endosperma visto de face. **C.** Camada esclerosada vista de face. **D.** Camada pigmentar vista de face. **E.** Epiderme vista de face mostrando, por transparência, células de camada parenquimática.

Mostarda negra

Brassica nigra (Linné) Koch – *Cruciferae*
Parte usada: Semente.
Sinonímia vulgar: Mostarda chinesa; Mostarda preta.

A droga é quase inodora, porém, sendo triturada e umedecida, exala odor especial, muito irritante. Seu sabor é oleoso, suave e levemente ácido, todavia, passa a ser amarga, acre e ardente prontamente.

Descrição macroscópica

A semente é, aproximadamente, globosa e mede de 1 a 1,6 mm de diâmetro; sua superfície externa é de cor castanho-avermelhada a castanho-negra e aparece à lupa com aspecto finamente retículo-faveolado. O hilo se destaca, em um dos lados, em forma de um pontinho branco. O embrião é amarelo-esverdeado ou amarelo-escuro e composto de dois cotilédones volumosos, dos quais um envolve completamente o outro, dobrados longitudinalmente, e cujas margens se levantam de cada lado, formando assim uma goteira na qual se aloja a rapícula (Fig. 7.33).

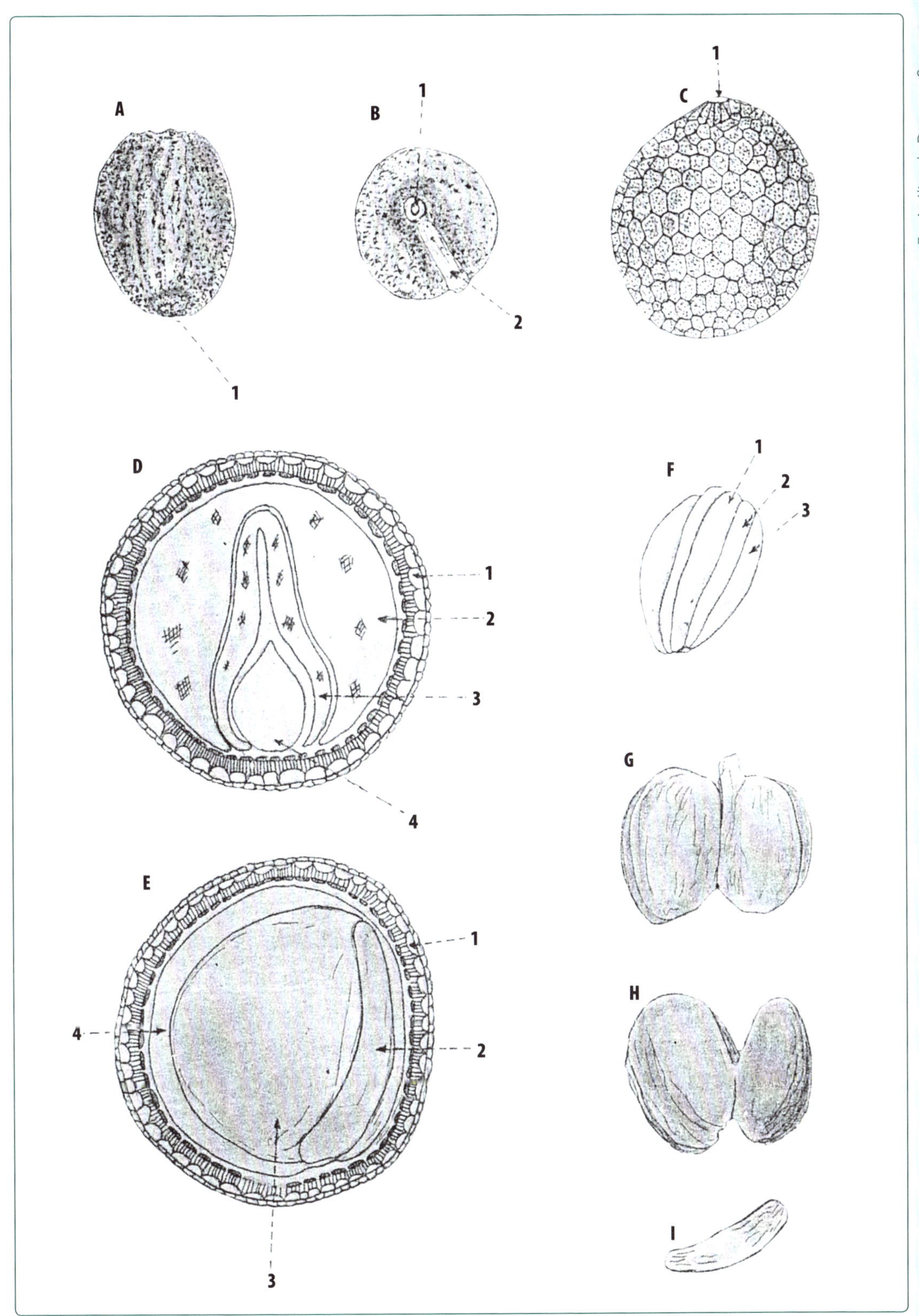

Fig. 7.33 – MOSTARDA NEGRA *(Brassica nigra* (L) Koch.). **A, B.** Sementes inteiras: **1** – hilo; **2** – saliência da radícula. **C.** Semente inteira: **1** – hilo. **D.** Secção transversal equatorial: **1** – tegumento; **2** – cotilédone externo; **3** – cotilédone interno; **4** – eixo radículo-caulicular. **E.** Secção longitudinal passando pela radícula: **1** – tegumento; **2** – eixo radículo-caulicular; **3** – cotilédone interno; **4** – cotilédone externo. **F.** Embrião (amêndoa): **1** – radícula; **2** – cotilédone interno; **3** – cotilédone externo. **G.** Cotilédone externo. **H.** Cotilédone interno. **I** – Eixo radículo-caulicular.

Descrição microscópica

Uma secção transversal de semente apresenta epiderme mucilaginosa de grandes células delgadas e alongadas tangencialmente; camada de grandes células de forma lenticular; camada esclerosa, formada de uma fileira de células de altura desigual, cujas paredes laterais, em sua parte inferior e paredes internas, são muito espessas, coloridas de amarelo-pardacento; camada de células de paredes delgadas, alongadas tangencialmente com conteúdo castanho uniforme (camada pigmentar); zona proteica, formada de uma fileira de células alongadas tangencialmente, munidas de paredes bastante espessas e cheias de uma substância granulosa de natureza proteica; lâmina nacarada, bastante espessa, cujas células, nitidamente achatadas, são frequentemente reduzidas às suas membranas, dificilmente visíveis. O embrião, em cujos tecidos encontram-se gotículas de óleo fixo e grande número de grãos de aleurona de forma muito irregular, apresenta células de contorno quase retangular, alongadas no sentido radial.

A secção paradérmica da semente apresenta como características principais a camada esclerosa, que aparece corada de castanho, com suas células espessadas e de contorno poligonal; levantando-se o tubo do microscópio, veem-se grandes polígonos escuros que correspondem às células da camada lenticular e às extremidades das células da camada esclerosa. Subindo-se mais ainda o tubo, veem-se grandes células de camada epidérmica, que dão reações de mucilagem (Fig. 7.34).

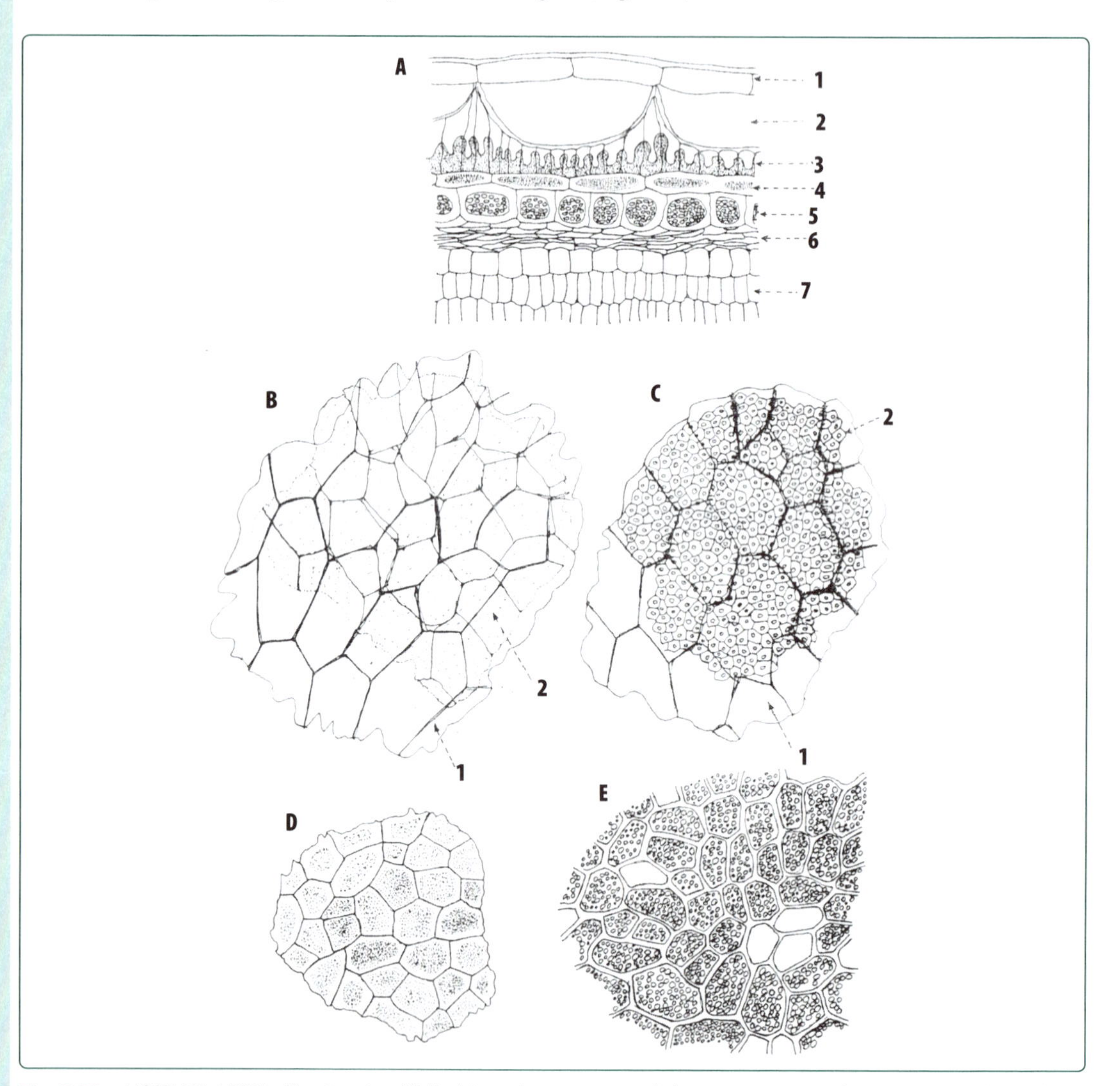

Fig. 7.34 – MOSTARDA NEGRA *(Brassica nigra* (L) Koch.). **A.** Secção transversal da semente: **1** – epiderme; **2** – camada semilunar; **3** – camada esclerosa; **4** – camada pigmentar; **5** – camada proteica; **6** – camada nacarada (aspecto perolado); **7** – parênquima cotiledonar. **B.** Fragmento mostrando: **1** – camada semilunar vista de face; **2** – camada epidérmica vista de face. **C.** Fragmento mostrando: **1** – camada semilunar vista de face; **2** – camada esclerosa. **D.** Camada pigmentar vista de face. **E.** Camada proteica vista de face.

Nhandiroba

Fevillea trilobata Linné – *Cucurbitaceae*
Parte usada: Semente.
Sinonímia vulgar: Fava-de-Santo-Inácio; Cipó-de-jabuti; Guapeva; Andiroba; Fruta-de-cutia.
Sinonímia científica: *Fevillea scandens* Poiret.; *Fevillea cordifolia* L.

As sementes de NHANDIROBA são inodoras e têm sabor oleoso, um tanto amargo e desagradável.

Descrição macroscópica

As sementes de NHANDIROBA são orbiculares, achatadas, de 3 a 4 cm de diâmetro por 10 a 15 mm de espessura máxima, recobertas por tegumento crustáceo, pouco espesso, formado de três camadas distintas: a externa é de cor de camurça, delgada, finamente esponjosa, fácil de destruir-se pelo atrito; a camada média é dura, quebradiça, parda escura, bastante verrucosa e guarnecida, nas margens, das sementes de duas ordens de cristas bastante salientes, de 1,5 a 2 mm de comprimento, as quais dão à semente uma vaga semelhança com uma roda denteada. Essas duas ordens de cristas são separadas, na aresta da semente, por uma lâmina branco-amarelada, que se projeta para o exterior, simulando uma asa membranosa em volta da semente, separando em duas partes o tegumento testáceo pardo-negro. Deixa então evidente que ela não é mais do que uma continuação do invólucro interno, que é branco-amarelado. O tegumento recobre dois cotilédones plano-convexos, amarelo-claro, oleosos, reunidos por eixo radículo-caulicular curto e afilado (Fig. 7.35).

Descrição microscópica

Um corte transversal do tegumento apresenta, de fora para dentro, as seguintes regiões: camada de espessura bastante variável, de tecido suberoso, constituída de células achatadas, de paredes delgadas, dispostas muito irregularmente; zona esclerosa, formada de várias fileiras de grandes células pétreas, de paredes muito espessas e canaliculadas, com lúmen largo; camada interna formada de numerosas fileiras de células de contorno poligonal-arredondado, de paredes muito espessas, pontuadas, estabelecendo assim comunicações recíprocas – a espessura das paredes dessas células vai diminuindo gradualmente em direção às camadas mais internas.

Os cotilédones são constituídos por tecido parenquimático de células providas de contorno poligonal, de paredes delgadas, cheias de grãos de aleurona e de gotículas de óleo fixo. Esse tecido é completamente desprovido de grãos de amido (Figs. 7.36 e 7.37).

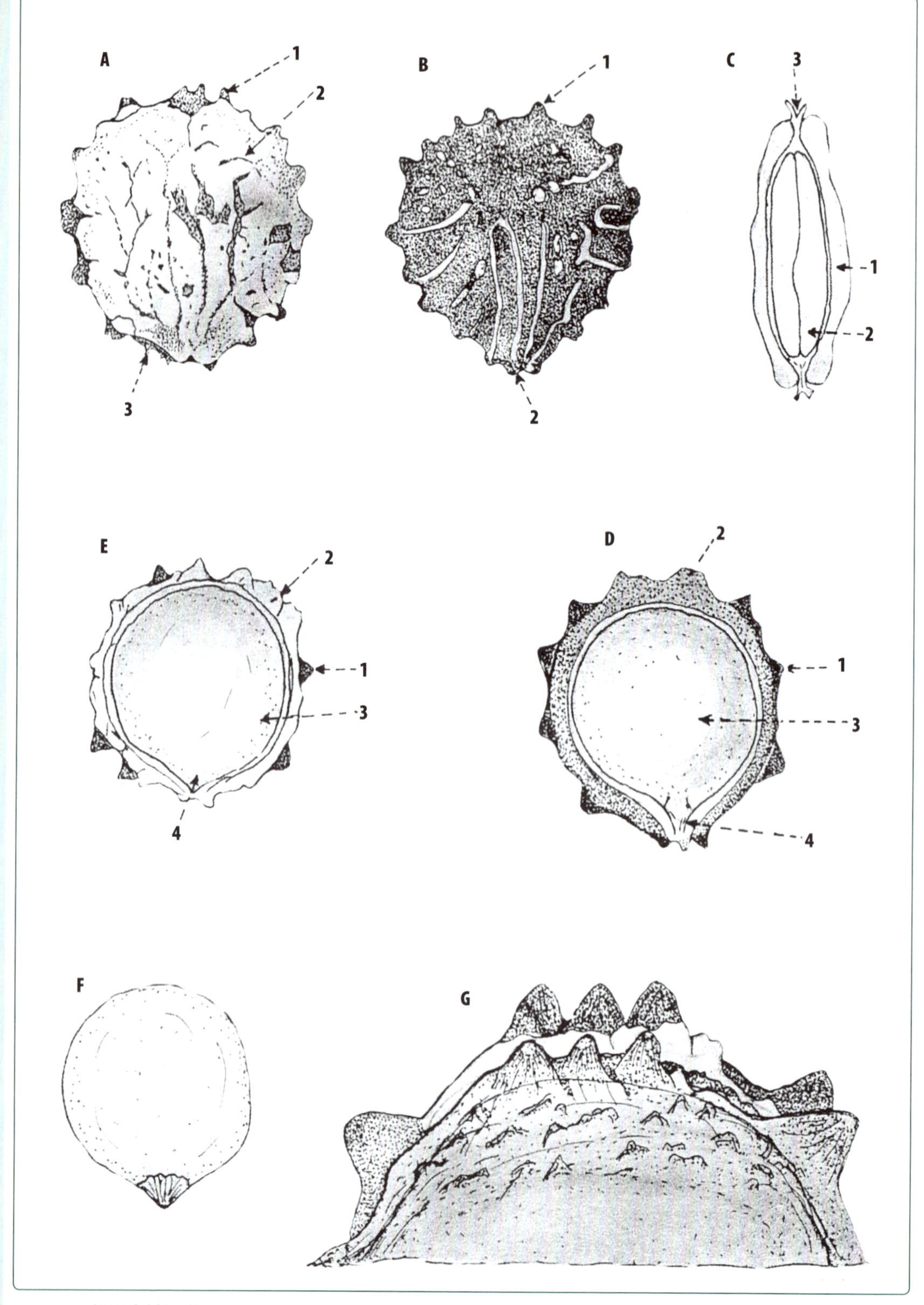

Fig. 7.35 – NHANDIROBA *(Fevillea trilobata* L.). **A.** Semente inteira: **1** – cristais (arestas); **2** – película externa do espermoderma; **3** – região da micrópila. **B.** Semente inteira sem a película externa: **1** – crista; **2** – região da micrópila. **C.** Corte transversal mostrando: **1** – tegumento; **2** – cotilédone; **3** – expansão membranosa do tegumento interno. **D**, **E.** Secção longitudinal paralela ao plano das folhas cotiledonais: **1** – aresta (crista); **2** – expansão membranosa do tegumento interno; **3** – cotilédone; **4** – radícula. **F.** Embrião. **G.** Detalhe da região do hilo e da micrópila mostrando três pares de cristas caracteristicamente menores do que as restantes.

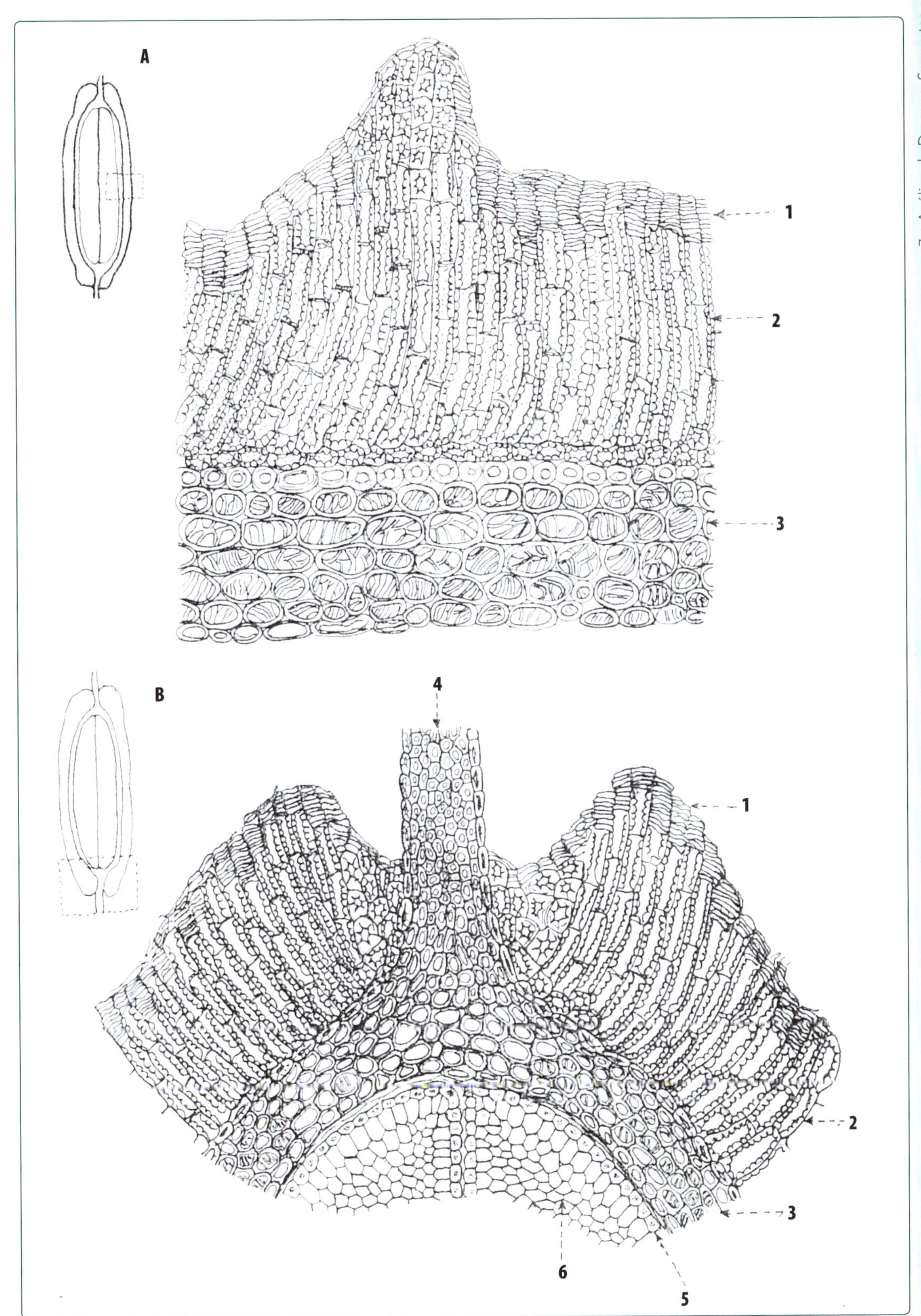

Fig. 7.36 – NHANDIROBA *(Fevillea trilobata* L.). **A.** Secção transversal: **1** – camada suberosa; **2** – camada esclerosada; **3** – camada com espessamento reticular (tegumento interno). **B.** Secção transversal ao nível da expansão membranosa do tegumento interno: **1** – camada suberosa; **2** – camada esclerosada; **3** – camada com espessamento reticular (tegumento interno); **4** – expansão membranosa do tegumento interno; **5** – epiderme do cotilédone **6** – parênquima cotiledonar oleífero.

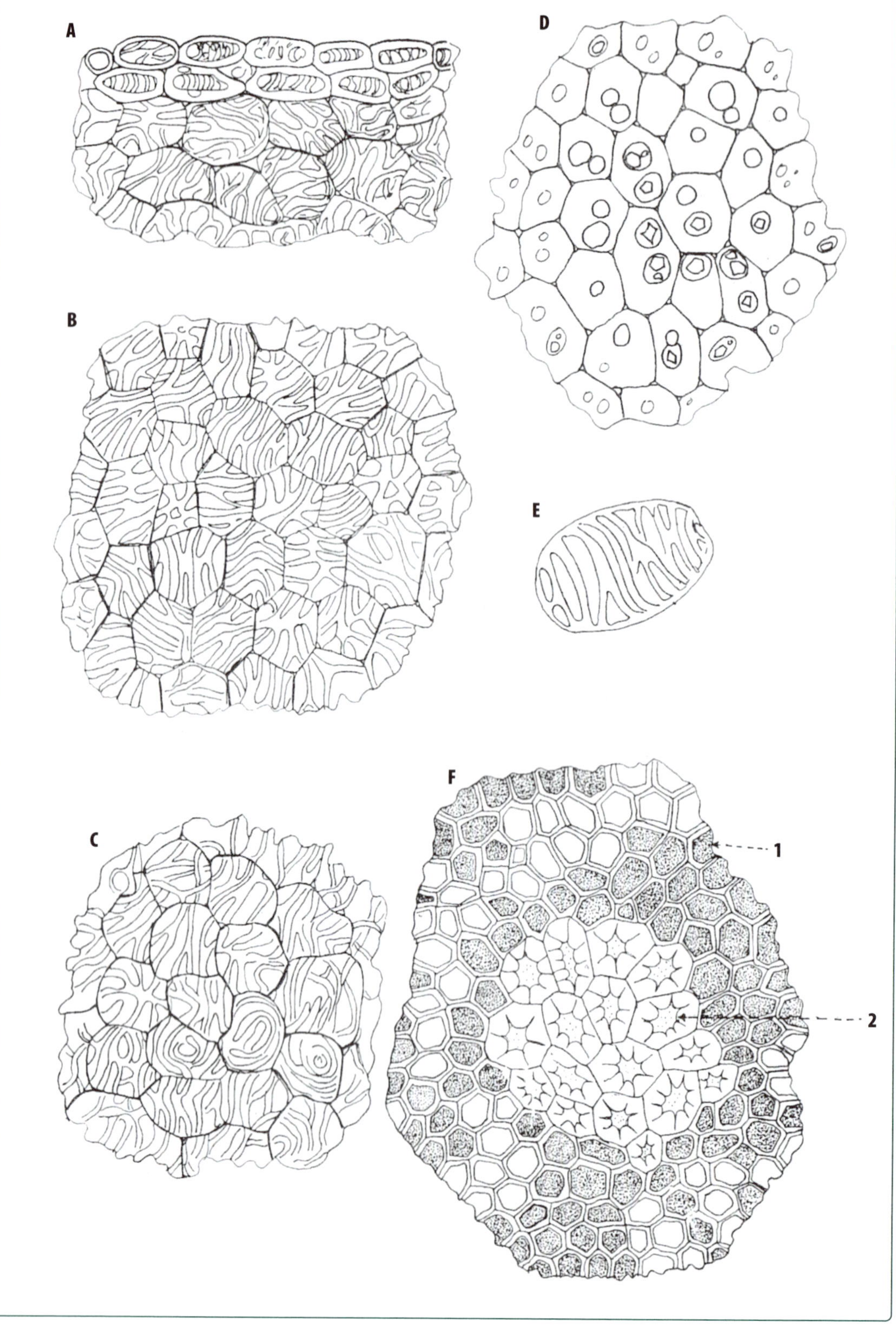

Fig. 7.37 – NHANDIROBA *(Fevillea trilobata* L.). **A.** Secção transversal da película do espermoderma. **B.** Secção transversal da película do espermoderma vista de face externa. **C.** Secção transversal da película do espermoderma vista de face interna. **D.** Parênquima cotiledonar mostrando grãos de aleurona e gotículas de óleo fixo. **E.** Célula com espessamento reticular. **F.** Porção externa da camada mediana do espermoderma, vista de face mostrando: **1** – células suberosas; **2** – células esclerosadas.

Noz-moscada

Myristica fragrans Houttuyn – *Myristicaceae*

Parte usada: Semente.

Sinonímia vulgar: Noz-moscadeira; Nuez-moscada; Noce-moscada.

Sinonímia científica: *Myristica moschata* Thumb.; *Myristica aromatica* Lam.; *Myristica officinalis* L. f.

A NOZ-MOSCADA possui cheiro forte, aromático, muito agradável e sabor picante e fracamente amargo.

Descrição macroscópica

A droga é constituída pela semente privada de seu tegumento e de seu arilo, reduzida, portanto, à sua amêndoa; esta é ovoide ou elipsoide, de 25 a 30 mm de comprimento por 15 a 20 mm de largura, de cor parda-clara a parda-escura, grosseiramente rugosa e sulcada em todos os sentidos; numa de suas extremidades acha-se uma larga verruga clara, que corresponde ao hilo, da qual parte uma fenda estreita que se prolonga até a chalaza. Seu corte transversal apresenta as dobras pardo-avermelhadas do perisperma periférico estriando o endosperma pardo-amarelado, acompanhadas das linhas esbranquiçadas do endosperma germinativo; a secção longitudinal mostra, próximo do hilo, um pequeno embrião, formado de eixo radículo-caulicular muito curto, encimado por uma gêmula e dois cotilédones em forma de taça.

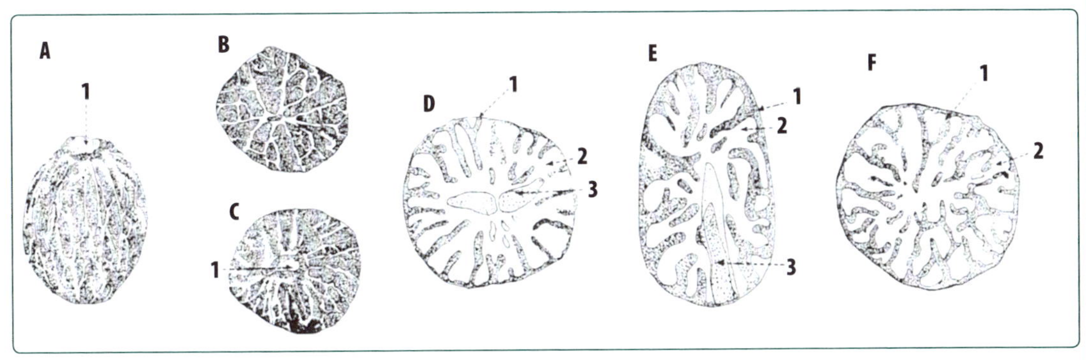

Fig. 7.38 – NOZ-MOSCADA (*Myristica fragrans* Houttuyn). **A, B** e **C.** Semente descorticada: **1** – região relacionada com o hilo. **D.** Secção transversal passando pelo embrião: **1** – perisperma; **2** – endosperma; **3** – cotilédone. **E.** Secção longitudinal mostrando: **1** – perisperma; **2** – endosperma; **3** – embrião. **F.** Secção transversal passando pela região mediana: **1** – perisperma; **2** – endosperma.

Descrição microscópica

Duas camadas distintas formam a parte exterior da droga: a mais externa, que representa o perisperma primário ou envolvente, é formada de um tecido frouxo de células irregulares, bastante grandes, achatadas, de paredes delgadas e pardas, lignificadas, algumas das quais encerram um conteúdo pardo--avermelhado e em geral numerosos cristais isolados; a interna, que representa o perisperma secundário, é constituída por um tecido mais denso de células achatadas e coloridas de pardo-escuro, sulcado por feixes fibrovasculares e com glândulas oleíferas; penetrando no endosperma, o episperma conserva sua forma nas margens e na parte média das fendas, porém no resto forma um tecido frouxo contendo numerosíssimas glândulas oleíferas, frequentemente isoladas ou às vezes agrupadas.

O endosperma é um parênquima de pequenas células poliédricas, de parede delgada, às vezes coloridas de pardo por tanino, e que contém óleo fixo, amido e grãos de aleurona; em algumas células disseminadas, o amido é disperso numa massa óleo-resinosa de cor vermelho-parda escura.

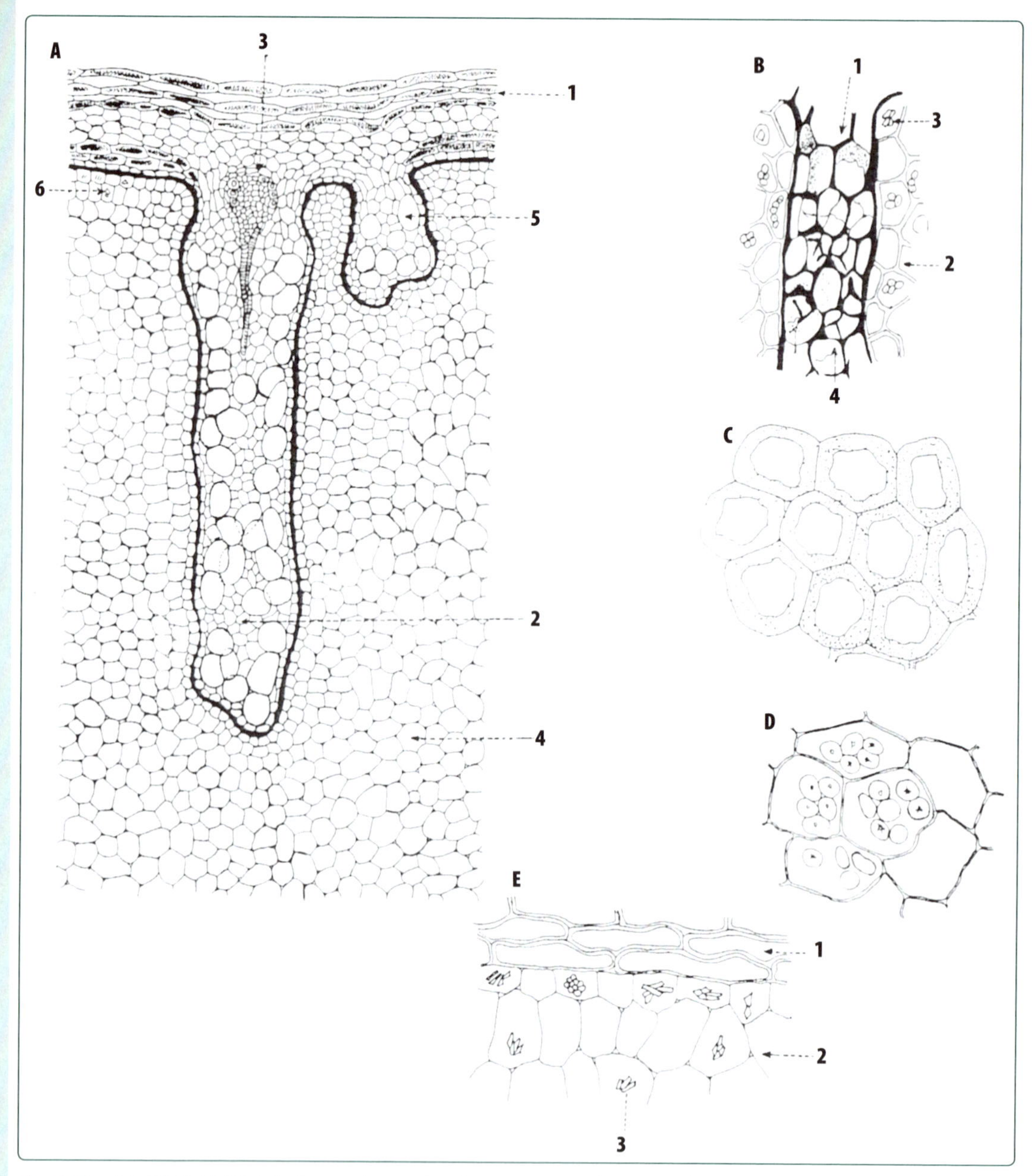

Fig. 7.39 – NOZ-MOSCADA *(Myristica fragrans* Houttuyn). **A.** Secção transversal da semente descorticada: **1** – perisperma externo; **2** – perisperma interno oleífero; **3** – feixe vascular; **4** – endosperma ruminado; **5** – célula oleífera; **6** – cristais prismáticos. **B.** Fragmento mostrando endosperma ruminado e perisperma: **1** – perisperma; **2** – endosperma; **3** – grão de amido; **4** – célula oleífera. **C.** Perisperma externo visto de face. **D.** Endosperma amilífero. **E.** Fragmento mostrando: **1** – perisperma; **2** – endosperma; **3** – cristais prismáticos.

Noz-vômica

Strychnos nux-vomica Linné – *Loganiaceae*

Parte usada: Semente.

Sinonímia vulgar: Nuez-vomica; Noce-vomica; Moix-vomique; Vimit-nut; Dog brutton; Poison nut; Quaker brutton.

A droga é inodora e de sabor extremamente amargo.

Descrição macroscópica

Semente de cor cinza-esverdeada, em forma de disco, com a margem engrossada, de 10 a 25 mm de diâmetro e 3 a 5 mm de espessura. O hilo apresenta posição central elevada, semelhante a uma pequena verruga, e é ligado à micrópila por uma linha saliente radial. A semente tem superfície sedosa, brilhante e, com exclusão do tegumento, é constituída por massa córnea, translúcida, cinzento-clara ou cinza-róseo, que corresponde ao endosperma, tendo uma cavidade central em forma de disco. Adjacente à micrópila, aparece o embrião, com dois cotilédones cordiformes, delicados, com cinco a sete nervuras e uma radícula claviforme.

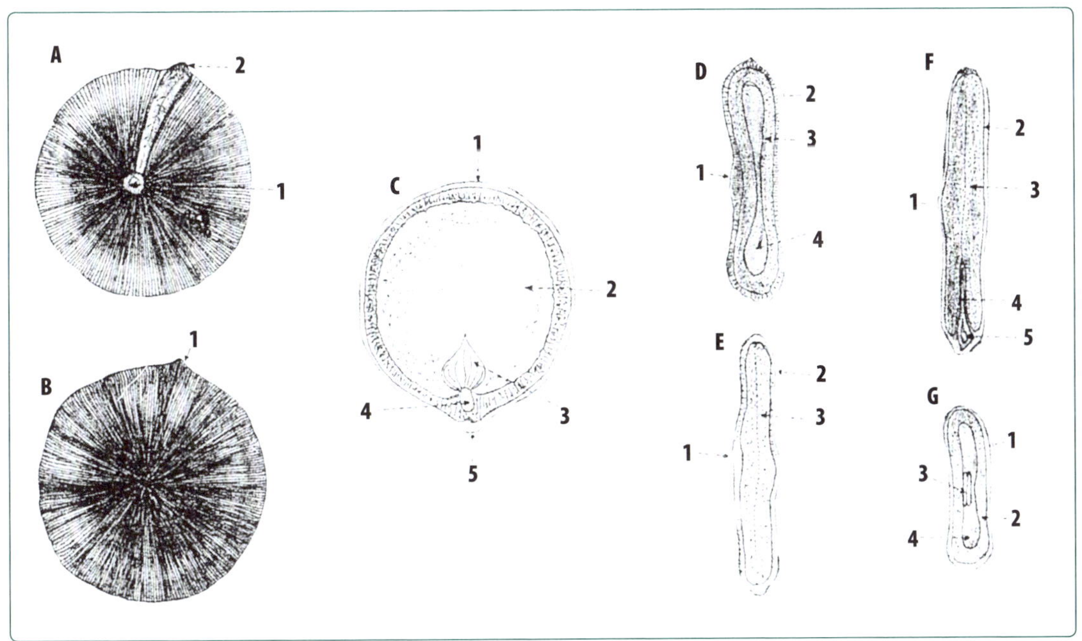

Fig. 7.40 – NOZ-VÔMICA *(Strychnos nux-vomica* L.). **A.** Semente inteira – visão lateral mostrando hilo: **1** – hilo; **2** – micrópila. **B.** Semente inteira – face oposta ao hilo: **1** – micrópila. **C.** Semente aberta, longitudinalmente paralela ao plano das folhas cotiledonais: **1** – tegumento; **2** – endosperma; **3** – cotilédone; **4** – radícula; **5** – região da micrópila. **D.** Secção transversal equatorial mostrando parte central oca: **1** – hilo; **2** – tegumento; **3** – endosperma; **4** – região oca. **E.** Secção transversal equatorial sem região oca: **1** – região de hilo; **2** – tegumento; **3** – endosperma. **F.** Secção transversal, passando pela micrópila perpendicularmente ao plano das folhas cotiledonais: **1** – região do hilo; **2** – tegumento; **3** – endosperma; **4** – cotilédone; **5** – radícula. **G.** Secção transversal da região contendo folhas cotiledonais: **1** – tegumento; **2**- endosperma; **3** – cotilédones em corte transversal; **4** – espaço oco.

Descrição microscópica

O tegumento consiste num tecido castanho, obliterado; apenas a epiderme é bem desenvolvida. Cada célula epidérmica forma um pelo de cerca de 1 mm de comprimento, dobrado em cotovelo e dilatado na base. Essa base assemelha-se a uma célula pétrea, da qual partem espessamentos filiformes que se anastomosam, estendendo-se até o vértice. A parte interna do tegumento consiste em células comprimidas e indistintas, de cor castanha. O endosperma é constituído de células mais ou menos isodiamétricas, com paredes fortemente espessadas, constituídas de hernicelulose. Essas células têm conteúdo gorduroso, grãos de aleurona esféricos ou poliédricos, com alguns globoides grandes. Na região do hilo, encontram-se alguns vasos espiralados muito pequenos. O embrião consiste de células parenquimáticas pequenas, gotículas de óleo e pequenos grãos de aleurona.

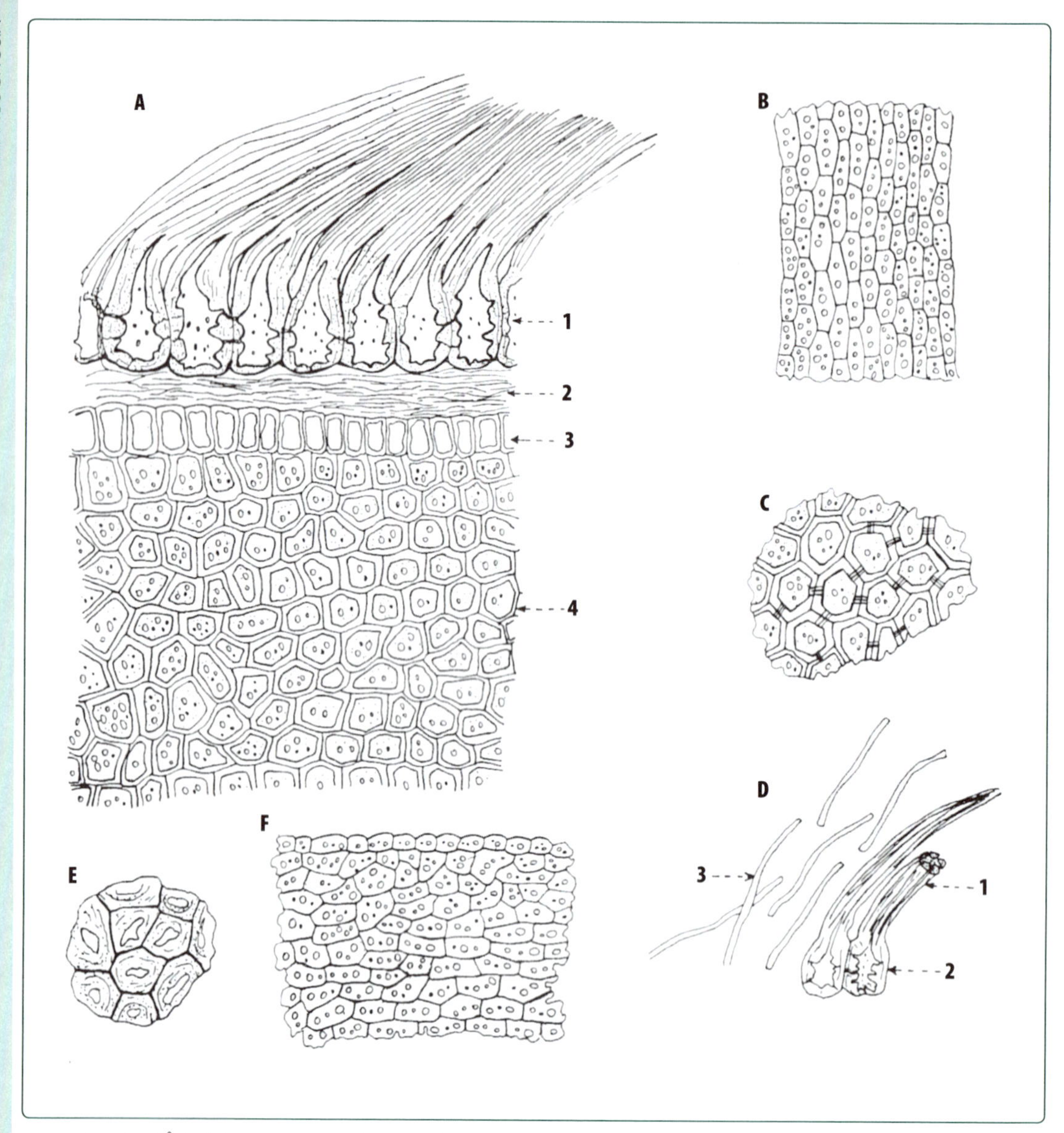

Fig. 7.41 – NOZ-VÔMICA *(Strychnos nux-vomica* L.). **A.** Secção transversal da semente: **1** – epiderme do tegumento; **2** – células colabadas; **3** – epiderme do endosperma; **4** – parênquima do endosperma. **B.** Região radicular vista de face. **C.** Parênquima do endosperma com plasma gorduroso e grãos de aleurona. **D.** Pelos: **1** – espessamento filiforme do tricoma; **2** – base do pelo; **3** – fragmento filiforme correspondente a espessamento lignificado do pelo. **E.** Endosperma com parede de hemicelulose entumecida. **F.** Cotilédone visto de face.

Pacová

Renealmia exaltata Linné – *Zingiberaceae*

Parte usada: Semente.

Sinonímia vulgar: Paco-serosa; Guité-açu; Pacová-do-Brasil; Cardamomo-do-Brasil; Pacová-catinga; Caeté-açu; Cana-do-brejo; Cana-do-mato.

A semente de PACOVÁ possui cheiro aromático não muito pronunciado e sabor aromático e picante.

Descrição macroscópica

Esta semente tem forma mais ou menos piramidal, com as arestas arredondadas, e mede, geralmente, de 3 a 4 mm de comprimento. Sua superfície externa é de cor pardo-acinzentada, lisa, luzidia, e apresenta, em sua parte inferior, um hilo mais claro e restos membranosos do funículo.

Sua secção longitudinal mostra, abaixo dos tegumentos seminais coloridos e pouco espessos, um desenvolvido perisperma esbranquiçado, amilífero, e um endosperma que envolve um embrião mais ou menos claviforme.

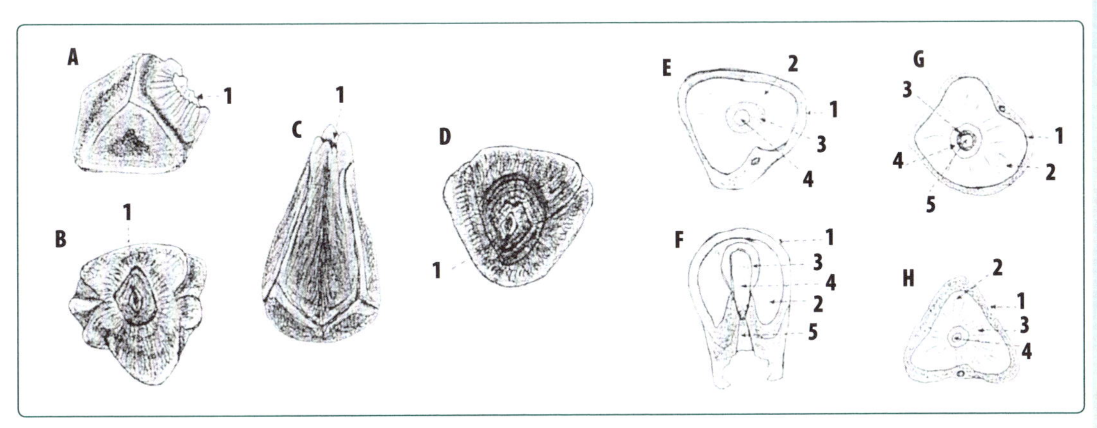

Fig. 7.42 – PACOVÁ *(Renealmia exaltata* L.). **A, B, C** e **D.** Sementes inteiras: **1** – região do hilo. **E.** Secção transversal: **1** – tegumento; **2** – perisperma; **3** – tegumento; **4** – micrópila. **F.** Secção longitudinal: **1** – tegumento; **2** – perisperma; **3** – endosperma; **4** – embrião; **5** – região da micrópila. **G.** Secção transversal: **1** – tegumento; **2** – perisperma; **3** – endosperma; **4**- tegumento; **5** – embrião. **H.** Secção transversal: **1** – tegumento; **2** – perisperma; **3** – endosperma; **4** – embrião.

Descrição microscópica

O tegumento apresenta, de fora para dentro, uma fileira de células retangulares, um tanto alongadas radialmente, de paredes bastante espessas; uma camada de células achatadas de conteúdo granuloso; uma fileira de células cúbicas, de paredes pouco espessas e de tamanho maior do que o das demais células constitutivas dos tecidos do tegumento; um parênquima constituído por quatro a cinco camadas de células poligonais irregulares, de paredes espessas, algumas das quais encerram óleo-resina; uma camada esclerosa, fortemente colorida de pardo e formada de esclereidas alongadas no sentido radial, cuja parede externa é muito delgada, enquanto as paredes laterais e internas, fortemente espessas e com estrias transversais, circunscrevem uma pequeníssima cavidade em forma de U. O perisperma é constituído de células repletas de amido e munidas de paredes muito finas; imediatamente abaixo do tegumento, essas células são poligonais, bastante pequenas, que, ao se afastarem da periferia, se alongam no sentido radial. O endosperma ou albúmen interno, assim como o embrião, é caracterizado por suas células menores, que contêm matéria granulosa nitrogenada.

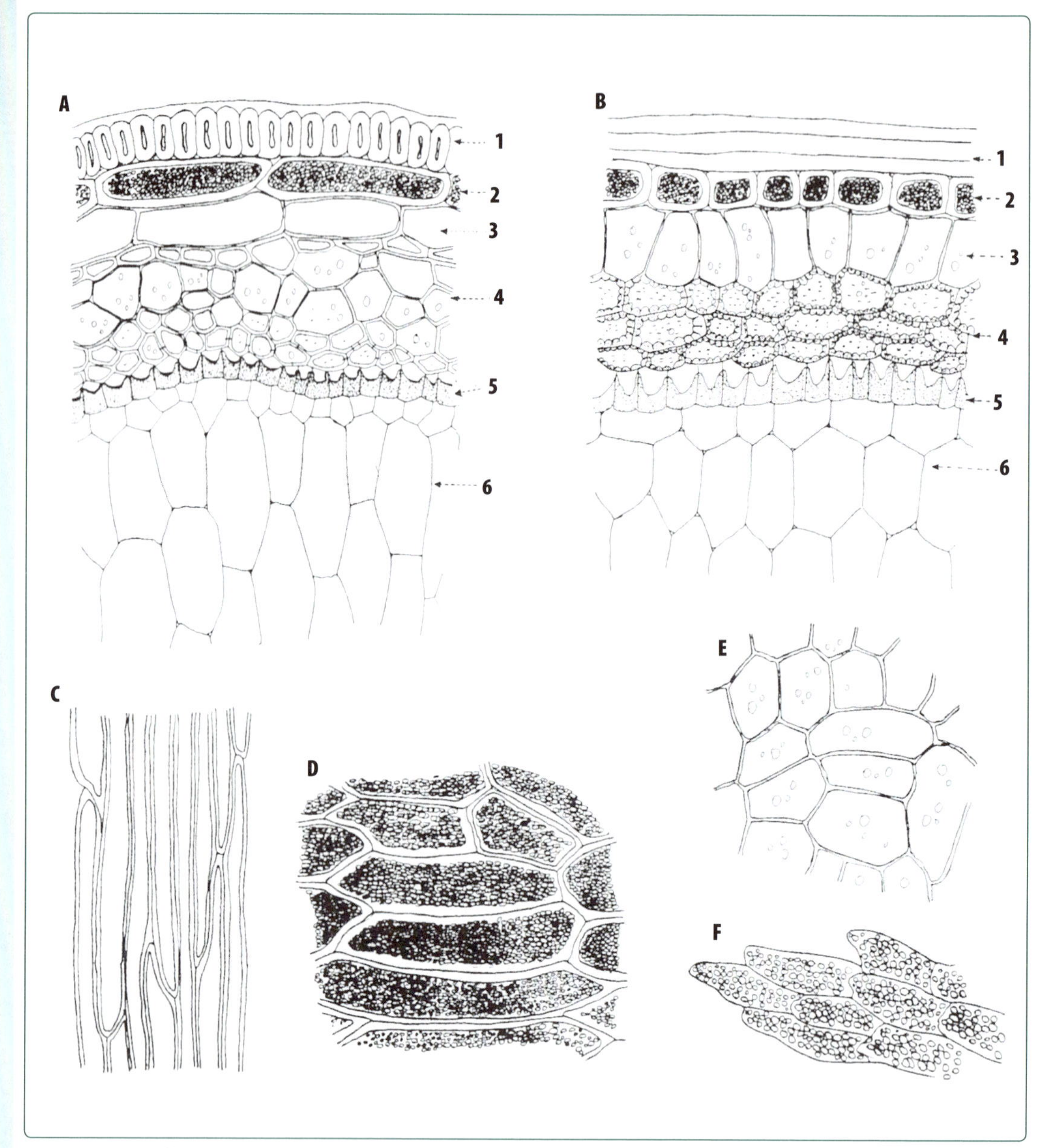

Fig. 7.43 – PACOVÁ *(Renealmia exaltata* L.). **A.** Secção transversal: **1** – epiderme fibrosa; **2** – camada parenquimática com conteúdo granuloso; **3** – camada parenquimática de células grandes com óleo essencial; **4** – camada oleífera; **5** – camada com espessamento em forma de U; **6** – perisperma. **B.** Secção longitudinal: **1** – epiderme fibrosa; **2** – camada parenquimática com conteúdo granuloso; **3** – camada parenquimática de células grandes com óleo essencial; **4** – camada esclerótica; **5** – camada com espessamento em forma de U; **6** – perisperma. **C.** Epiderme vista de face. **D.** Camada parenquimática com conteúdo granuloso vista de face. **E.** Camada parenquimática de células grandes com óleo essencial vista de face. **F.** Célula do perisperma com grão de amilo.

Urucum

Bixa orellana Linné – *Bixaceae*

Parte usada: Semente.

Sinonímia vulgar: Urucu; Roucou; Bija; Achiote.

Descrição macroscópica

A semente tem forma que varia de piramidal até quase cônica, sendo provida de depressão em suas faces; mede de 0,3 a 0,5 cm de comprimento por 0,2 a 0,3 cm de diâmetro, em sua região mais dilatada. Sua superfície é quase lisa e de coloração avermelhada, sendo percorrida longitudinalmente por um sulco pouco profundo. Em sua extremidade mais afilada localiza-se o hilo, representado por uma cicatriz de coloração um pouco mais clara que as regiões vizinhas. Na extremidade oposta ao hilo existe uma região circular de cor clara, algumas vezes localizada em uma pequena depressão e provida de um ponto escuro no centro. Essa região costuma ser denominada de região da coroa.

A secção longitudinal da semente mostra o embrião constituído pelo eixo radículo-caulicular e pelas folhas cotiledonares cordiformes, e a secção transversal mostra o tegumento relativamente fino, o endosperma volumoso e o embrião provido de dois cotilédones em forma de lâminas mais ou menos finas. A semente é quase totalmente envolvida por um arilo aderido ao tegumento (Fig. 7.44).

Descrição microscópica

A secção transversal da semente mostra o arilo, formado de células de secção retangular alongadas no sentido tangencial – a secção paradérmica dessa região mostra células de contorno arredondado repletas de substâncias coloridas de alaranjado; camada paliçádica integrada por células de paredes espessadas, de contorno retangular alongadas no sentido radial; as células dessa camada, quando vistas de face, apresentam contorno hexagonal e lúmen relativamente pequeno. As pontuações, representadas por canalículos, partem do lúmen em direção aos ângulos das células, dando ao conjunto um aspecto bastante característico; camada obliterada constituída por uma ou duas fileiras celulares amassadas e dispostas tangencialmente; camada colunar representada por uma fileira de células com espessamento tal que, em conjunto, assumem o aspecto de uma série de colunas; camada com espessamento em U constituída por células com espessamento nas paredes radiais e basais.

As camadas celulares citadas, excluindo-se a mais externa, representada pelo arilo, constituem o tegumento. O endosperma é representado por um parênquima provido de amido e de gotículas de óleo. As folhas cotiledonares, quando observadas de face, são revestidas de epiderme provida de células de contorno poligonal e mostram, por transparência, glândulas contendo óleo essencial (Fig. 7.45).

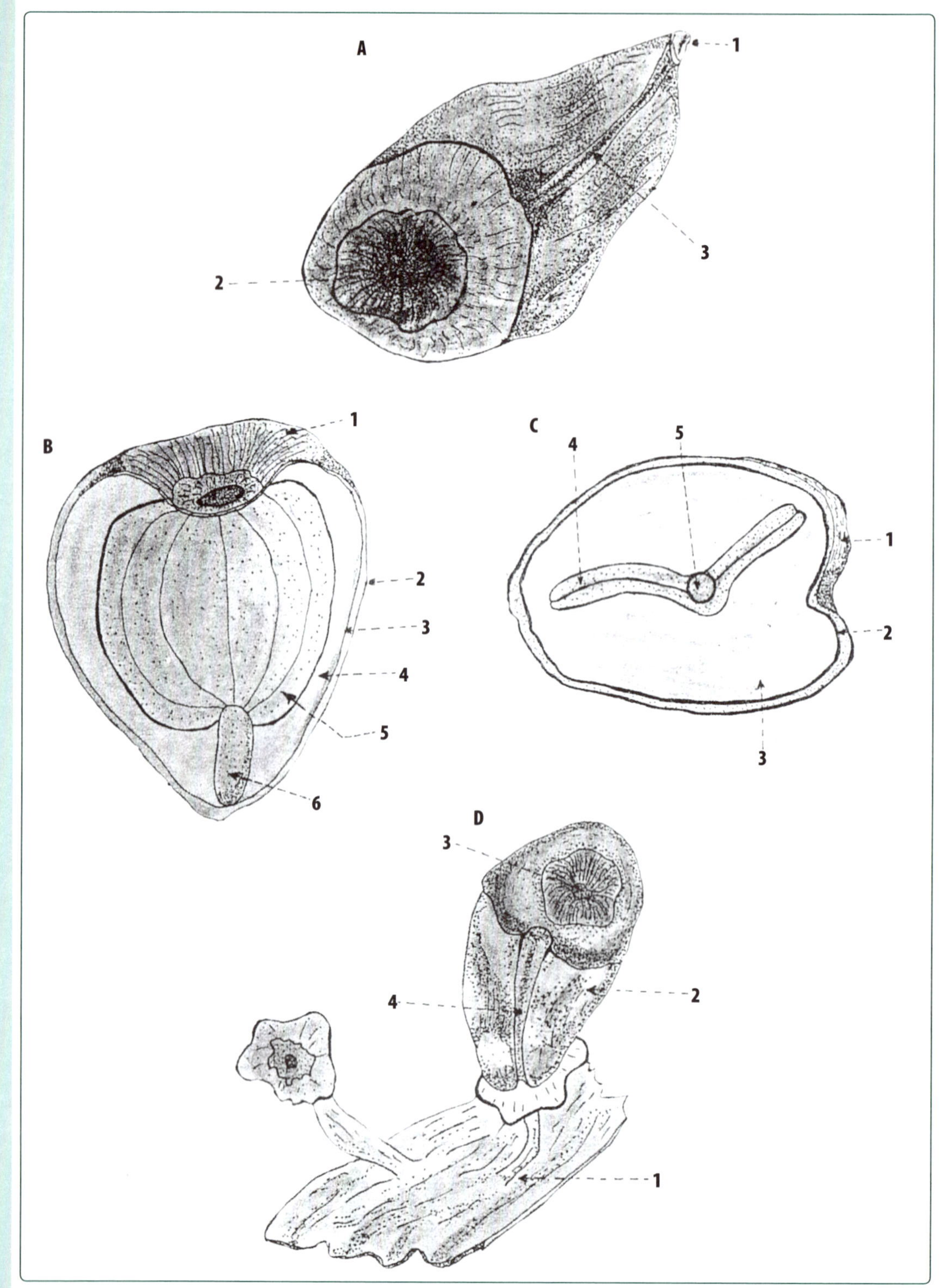

Fig. 7.44 – URUCUM *(Bixa orellana* L.). **A.** Semente inteira: **1** – região do hilo; **2** – região da coroa; **3** – sulco longitudinal. **B.** Secção longitudinal: **1** – região da coroa; **2** – arilo; **3** – tegumento; **4** – endosperma; **5** – cotilédone; **6** – radícula. **C.** Secção transversal: **1** – arilo; **2** – tegumento; **3** – endosperma; **4** – cotilédone; **5** – eixo radículo-caulinar. **D.** Fragmento da parede do fruto com semente: **1** – tecido placentar; **2** – semente; **3** – região da coroa; **4** – sulco longitudinal.

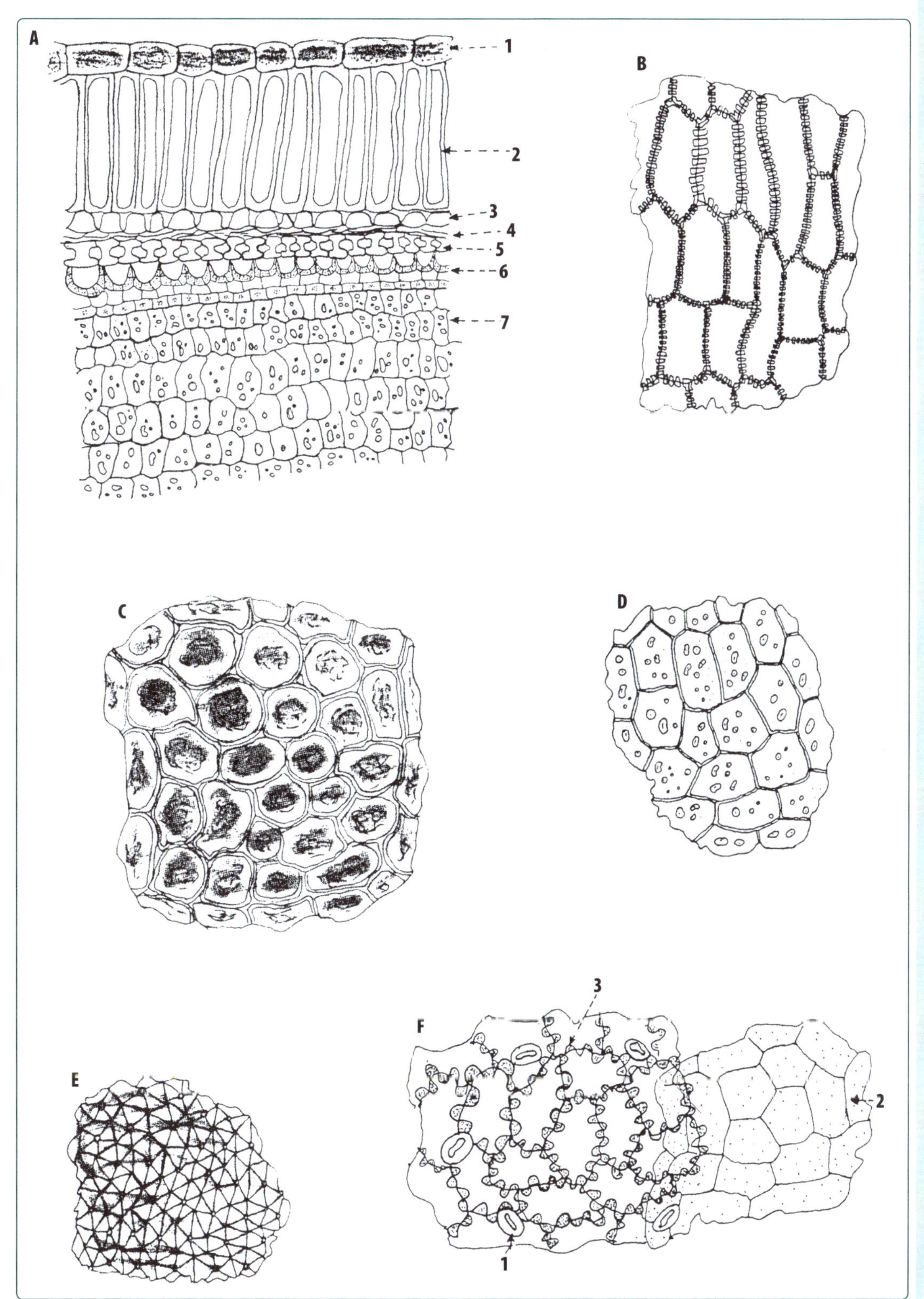

Fig. 7.45 – URUCUM *(Bixa orellana* L.). **A.** Secção transversal: **1** – arilo; **2** – camada paliçádica; **3** – camada mamilonar; **4** – camada obliterada; **5** – camada colunar; **6** – camada com espessamento em U; **7 –** endosperma. **B.** Célula da região da coroa vista de face. **C.** Arilo visto de face. **D.** Endosperma visto de face; **E.** Camada paliçádica vista de face. **F.** Fragmento mostrando: **1** – camada colunar; **2** – epiderme do endosperma; **3** – células da camada com espessamento em U.

8

Análise de Drogas – Cascas

GENERALIDADES

Em Farmacognosia, denomina-se de casca ao conjunto de tecido localizado externamente ao câmbio, nos caules e nas raízes.

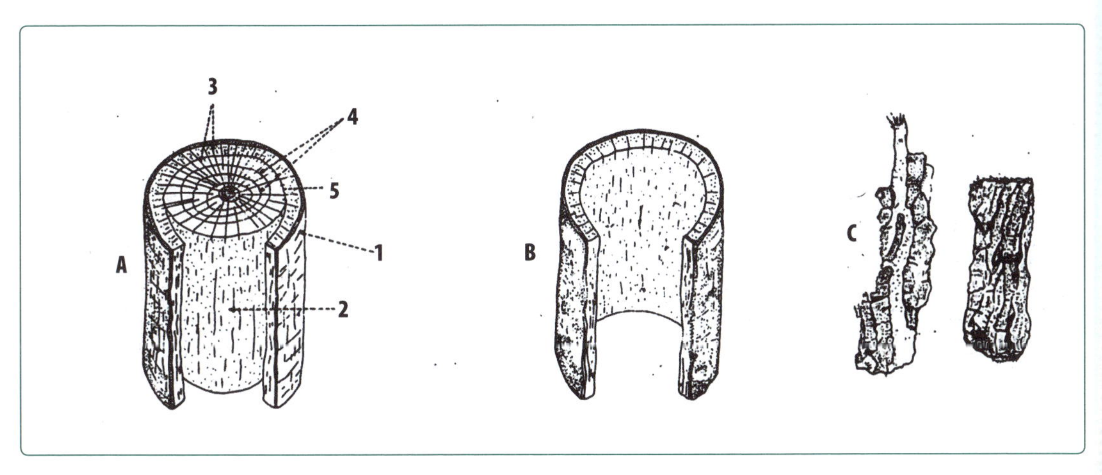

Fig. 8.1 – Casca. **A.** Fragmento de caule aberto longitudinalmente: **1** – casca; **2** – lenho; **3** – raio medular; **4** – anéis de crescimento; **5** – região do câmbio. **B.** Casca separada do lenho. **C.** Casca adulta com ritidoma.

Considerar o termo casca sinônimo de periderme constitui erro, pois ele deve incluir, além de súber, felógeno, feloderma e, obrigatoriamente, o floema. A casca inclui também, dependendo do seu grau de desenvolvimento, o parênquima cortical primário e o periciclo (Fig. 8.3).

Denomina-se de casca mondada aquela que, durante seu preparo, sofre remoção de suas camadas mais externas. Na análise desse tipo de droga não será encontrado súber.

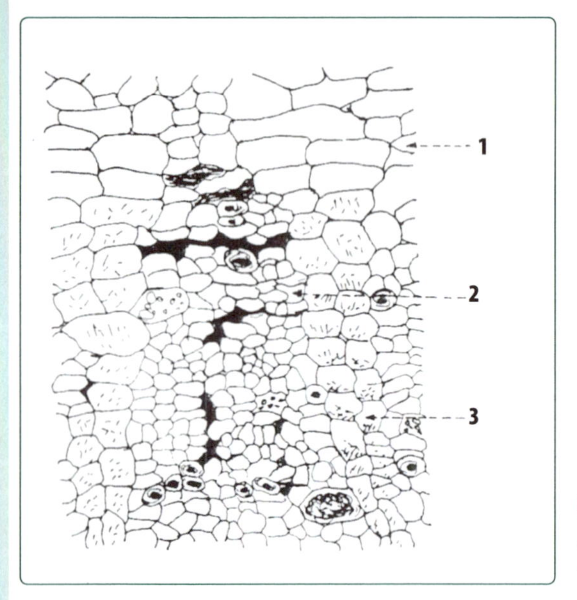

Fig. 8.2 – Desenho esquemático de uma casca mondada. Exemplo: a casca da CANELA-DO-CEILÃO (*Cinnamomum zeylanicum* Nees): **1** – parênquima cortical primário; **2** – floema; **3** – raio medular.

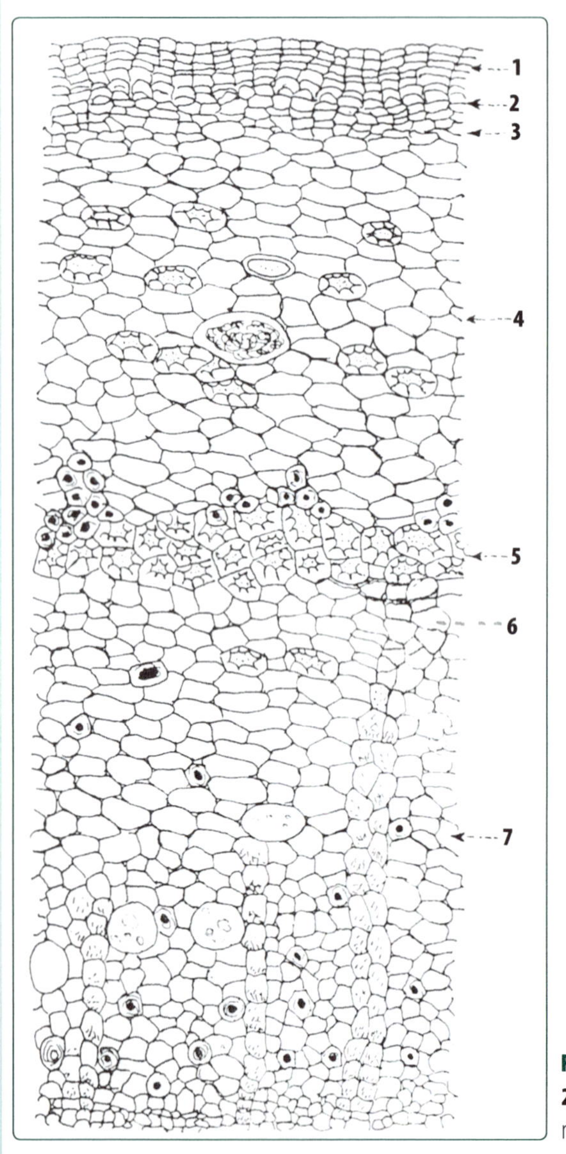

Fig. 8.3 – Desenho esquemático de uma casca adulta: **1** – súber; **2** – região do felógeno; **3** – feloderma; **4** – região cortical; **5** – periciclo; **6** – floema primário; **7** – floema secundário.

DROGAS CONSTITUÍDAS DE CASCAS

A *Farmacopeia Brasileira*, em suas cinco edições, inclui diversas drogas constituídas exclusivamente de cascas, mondadas ou não. Ao lado dessas, existem outras nas quais as cascas entram na constituição. A JURUBEBA e o CIPÓ-CRAVO são exemplos de drogas constituídas de caules, nas quais as porções mais externas são representadas por cascas. EVÔNIMO, SASSAFRAZ e ALGODOEIRO são drogas constituídas de cascas de raízes, e CANELA, CÁSCARA SAGRADA e QUINA são exemplos de drogas constituídas de cascas de caules.

Formação da casca

Nos caules e raízes jovens, próximos a suas extremidades, existem três tipos de meristemas responsáveis pela formação do corpo primário da planta. Esses meristemas são conhecidos pelos nomes de dermatógeno, procâmbio e meristema fundamental.

O dermatógeno dá origem à epiderme e seus anexos. O procâmbio origina o floema primário, o xilema primário e pode, ou não, originar o câmbio fascicular. O meristema fundamental, por sua vez, origina o parênquima cortical, a endoderme, o periciclo, o parênquima medular e os raios medulares primários.

A casca primária, ou seja, aquela que integra o corpo primário da planta, é constituída de epiderme, parênquima cortical, endoderme, periciclo e floema primário. Quando uma casca primária pertence a uma raiz, a endoderme e o periciclo geralmente são típicos. No caso de casca primária de caule, via de regra, isso não acontece. A endoderme não é típica, sendo representada, muitas vezes, por uma bainha amilífera, que se diferencia das outras camadas de células do parênquima cortical apenas pela localização e pela presença de grãos de amido em suas células. O periciclo nos caules quase sempre é descontínuo, aparecendo, em cortes transversais, em forma de calotas fibrosas localizadas externa e contiguamente aos feixes vasculares.

As imagens das figuras a seguir, correspondentes à casca primária de caule e raiz, ilustram o que foi dito. O termo casca é empregado em Farmacognosia com maior propriedade quando se refere à casca secundária.

No desenvolvimento da estrutura secundária de caules e raízes, com interesse farmacognóstico, podem-se considerar três casos: caule de estrutura descontínua (eustelo); caule de estrutura contínua (sifonostelo contínuo) e estrutura de raiz (actinostelo).

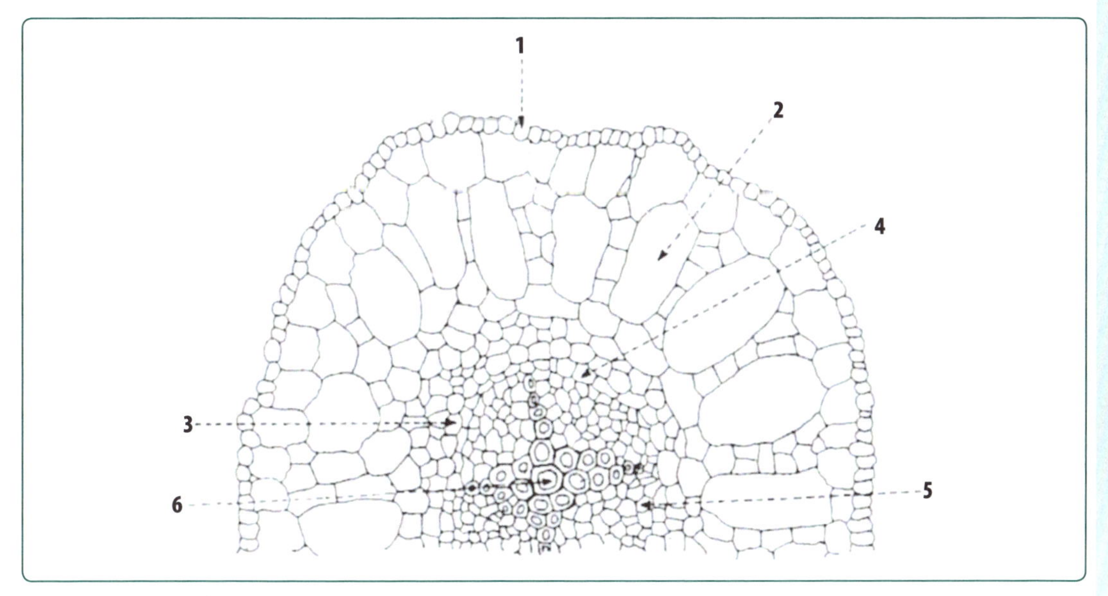

Fig. 8.4 – Raiz de AGRIÃO (*Nasturtium officinale* R. Br.): **1** – epiderme; **2** – parênquima cortical; **3** – endoderme; **4** – periciclo; **5** – floema; **6** – xilema.

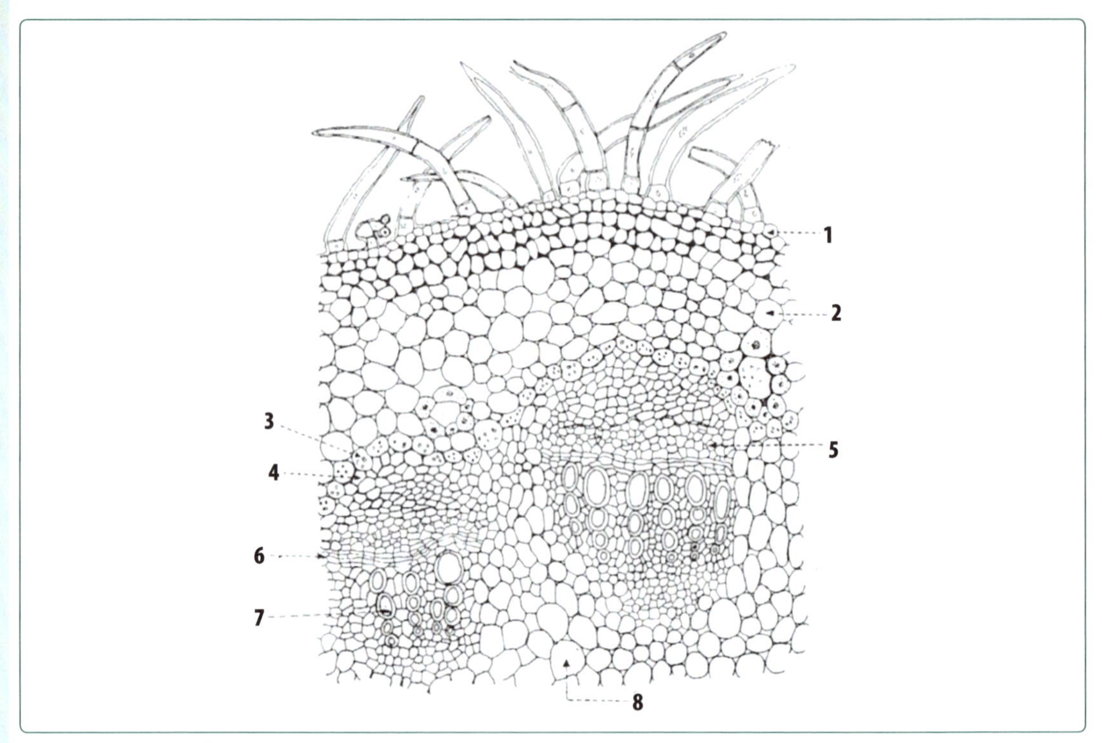

Fig. 8.5 – Caule de CIPÓ-CABELUDO (*Mikania hirsutissima* DC.): **1** – epiderme com seus anexos; **2** – parênquima cortical; **3** – endoderme; **4** – periciclo; **5** – floema; **6**- câmbio; **7** – xilema; **8 –** parênquima medular.

Caule de estrutura descontínua (eustelo)

O câmbio fascicular inicia seu funcionamento num determinado momento da vida vegetal, formando para o lado de fora, floema, e para o lado de dentro, xilema, reunidos em cordões ou feixes vasculares. Neste instante, nas regiões dos raios medulares localizadas entre os feixes vasculares, surge o câmbio interfascicular, que se une pelas extremidades ao câmbio fascicular, tornando a estrutura meristemática contínua. O cilindro central, em decorrência do funcionamento dos câmbios fascicular e interfascicular, começa a crescer. Em virtude desse acontecimento surge, para o lado da casca primária, uma pressão exercida de dentro para fora, que tende a aumentar, aparecendo então, na região da casca, um meristema secundário, chamado felógeno. Do funcionamento desse meristema resulta o crescimento da região externa do caule.

O felógeno forma para o lado de fora da estrutura, súber, e, para o lado de dentro, feloderma. Súber, felógeno e feloderma reunidos correspondem à periderme. Nem sempre o número de células suberosas formadas corresponde ao número de células felodérmicas. Geralmente, o felógeno forma mais súber que feloderma. As células suberosas, apresentando espessamento secundário de suberina impermeável à água, motivam a morte dos tecidos localizados mais externamente.

Felógeno e câmbio funcionam concomitantemente, fazendo a casca e o cilindro central crescerem.

O primeiro felógeno pode surgir em qualquer região da casca primária, todavia, com maior frequência, ele aparece logo abaixo da epiderme. Sua atividade pode ter duração longa ou não. Caso há em que permanece em atividade por diversos anos. Quando sua duração é curta, surgem outros felógenos cada vez mais internos. Assim, por exemplo, o primeiro felógeno pode aparecer logo abaixo da epiderme, o segundo na região do floema primário, o terceiro na região do floema secundário. Em decorrência disso, diversas peridermes aparecem, umas sobre as outras, deixando ainda entre elas tecidos diversos, que perdem a vitalidade, como parênquima cortical primário, parênquima cortical secundário ou feloderma, endoderma, periciclo, floema, grupos de fibras e grupos de células pétreas.

A esse conjunto de peridermes, acompanhadas de outros tecidos sem vitalidade, dá-se a denominação de ritidoma (do grego *rhutidoma*, que encerra a ideia de enrugado). Algumas vezes, as células suberosas podem sofrer também lignificação. Exemplo desses casos pode ser encontrado na AROEIRA e no CIPÓ-CABOCLO, em suas cascas caulinares.

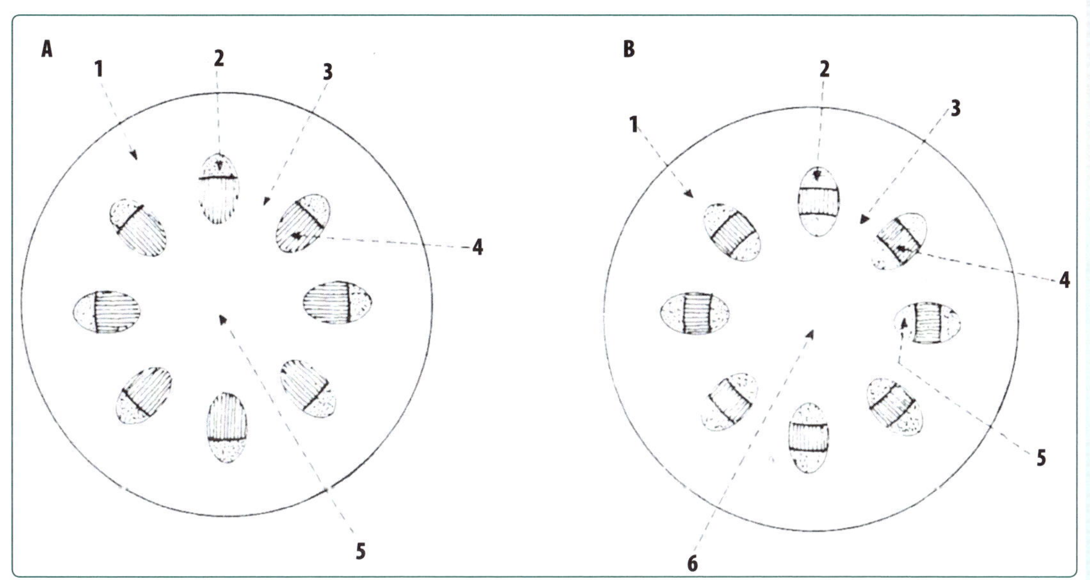

Fig. 8.6 – Caule de estrutura descontínua (eustelo). **A.** Estrutura sifonostélica descontínua ectofloica: **1** – região cortical; **2** – floema; **3** – raio medular; **4** – xilema; **5** – medula. **B.** Estrutura sifonostélica descontínua anfifloica: **1** – região cortical; **2** – floema; **3** – raio medular; **4** – xilema; **5** – floema; **6** – medula.

Caule com estrutura contínua (sifonostelo contínuo)

Nos caules com estrutura contínua, isto é, nos sifonostelos contínuos, em que não existem raios medulares primários, tudo se passa de maneira semelhante ao caso anteriormente descrito, com exceção da formação do câmbio interfascicular que, nesse caso, não existe. Nesse tipo de estrutura, desde o início, o anel meristemático é contínuo.

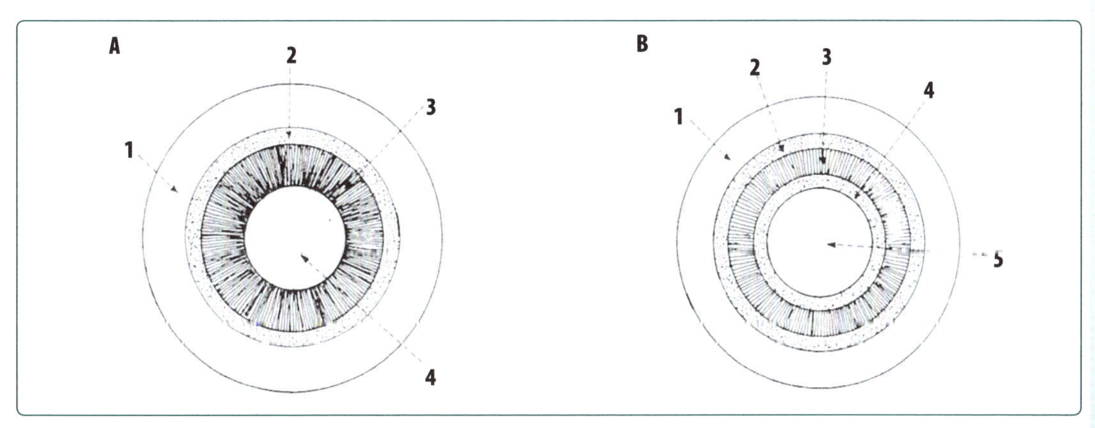

Fig. 8.7 – Caule de estrutura contínua (sifonostelo contínuo). **A.** Estrutura sifonostélica contínua ectofloica: **1** – região cortical; **2** – floema; **3** – xilema; **4** – medula. **B.** Estrutura sifonostélica contínua anfifloica (solenostelo): **1** – região cortical; **2** – floema; **3** – xilema; **4** – floema; **5** – medula.

Estrutura secundária de raiz (actinostelos)

Nas raízes, o crescimento secundário, no que tange à região do cilindro central, é um pouco diferente daquele descrito para os caules. O cordão de procâmbio, nas raízes, via de regra, é maciço. Em sua diferenciação origina xilemas dispostos em arcos, localizando-se o floema na abertura desses arcos. O câmbio nas raízes é de origem secundária, originando-se por desdiferenciação de células parenquimáticas localizadas entre o xilema primário e o floema primário.

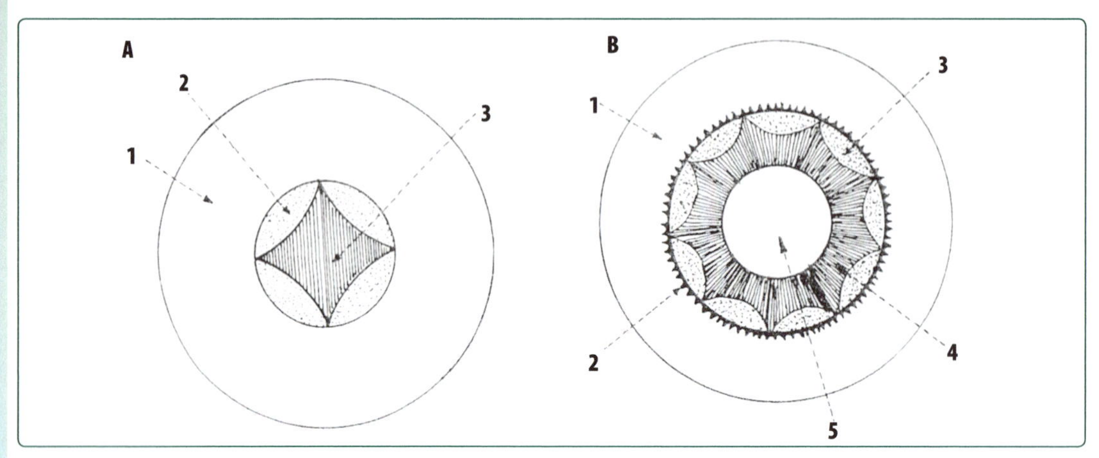

Fig. 8.8 – Actinostelo. **A.** Estrutura protostélica radiada: **1** – região cortical; **2** – floema; **3** – xilema. **B.** Estrutura actinostélica radiada medulada (estrutura poliarca): **1** – região cortical; **2** – endoderme-periciclo; **3** – floema; **4** – xilema; **5** – medula.

Em secção transversal, esse câmbio, quando atinge pleno desenvolvimento, apresenta aspecto de estrela. À medida que vai funcionando, esse aspecto vai tendendo cada vez mais ao aspecto circular, terminando por assumir essa forma com a colaboração de células do periciclo, vizinhas aos elementos de protoxilema. Daí por diante, o desenvolvimento se dá de maneira semelhante ao do caule, no estágio em que o câmbio fascicular e interfascicular se integram. O felógeno pode aparecer em qualquer região da casca primária da raiz.

Via de regra, o desenvolvimento da casca secundária nas raízes não é tão pronunciado quanto nos caules.

Caracterização macroscópica das cascas

A caracterização macroscópica das cascas quase sempre assume aspecto relevante em sua diagnose. Assim, é hábito iniciar-se a análise de drogas constituídas de cascas, fazendo-se observações acerca de seu aspecto global. A forma, as dimensões dos fragmentos, os aspectos externo e interno de suas superfícies, bem como de sua secção transversal, a cor, o odor e o sabor, constituem características importantes na identificação de drogas dessa natureza.

Forma

A forma adquirida pelas cascas depende muito da maneira pela qual elas são separadas dos caules ou das raízes. Sua maior ou menor contração durante a secagem relaciona-se com os tipos de tecidos dos quais ela é formada. As cascas, quase sempre, são encurvadas para o interior da estrutura e, dependendo do grau de curvatura, podem ser classificadas em cascas planas, cascas encurvadas (pequena curvatura), cascas canaletadas (forma de canal ou goteira) e cascas em forma de canudo (quando as margens se recobrem).

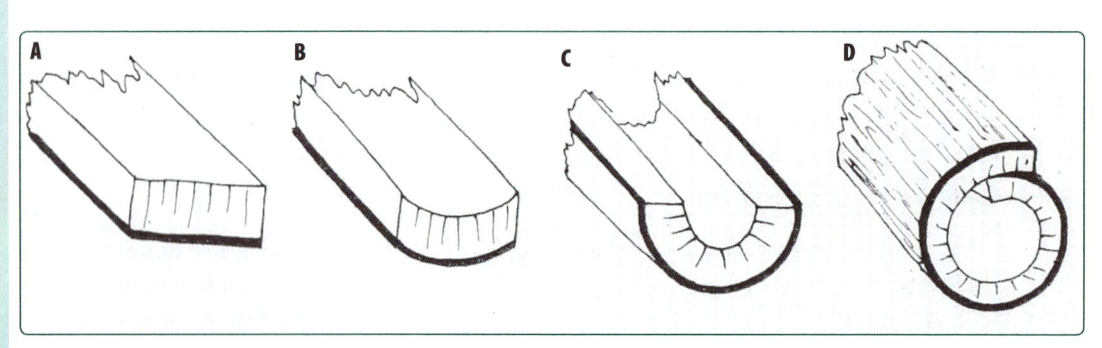

Fig. 8.9 – Forma do fragmento de casca. **A.** Casca plana. **B.** Casca encurvada. **C.** Casca canaletada. **D.** Casca em canudo.

Dimensão

Apresentam significado relativo. Dependendo da maneira como as drogas são coletadas, os fragmentos podem ser maiores ou menores. A CÁSCARA SAGRADA, por exemplo, quase sempre é encontrada em fragmentos de aproximadamente **1** cm². Já a FRÂNGULA se apresenta em fragmentos de tamanhos maiores, **3** a **4** cm de comprimento por 0,**3** a 0,**5** cm de largura. Quase sempre as dimensões das cascas são constantes nas drogas comercializadas.

Aspecto da superfície externa

A superfície externa de drogas constituídas de casca costuma variar muito. Assim, ela pode apresentar aspecto quase liso, mostrando apenas pequenas lenticelas. A forma e o número de lenticelas podem variar de uma droga para outra. Outras vezes, a superfície é bastante irregular, exibindo gretas ou fendas mais ou menos profundas. A superfície pode ainda exibir aspecto estriado ou apresentar acúleos. A casca de MULUNGU apresenta-se caracteristicamente provida de acúleos ou de cicatrizes deixadas pela queda desses anexos epidérmicos.

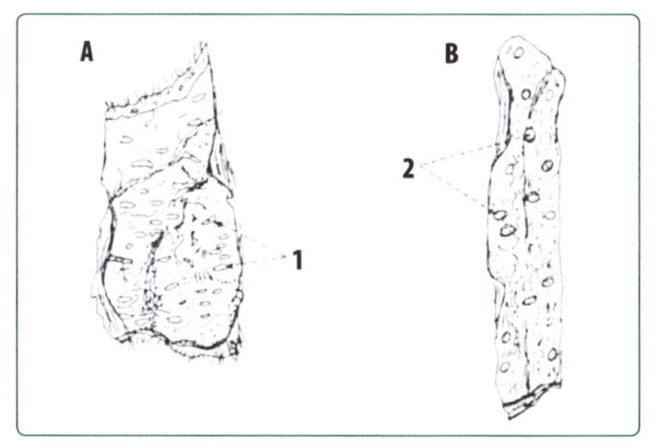

Fig. 8.10 – Lenticelas. **A** e **B.** Fragmentos de casca mostrando: **1** – lenticela lenticular; **2** – lenticela circular.

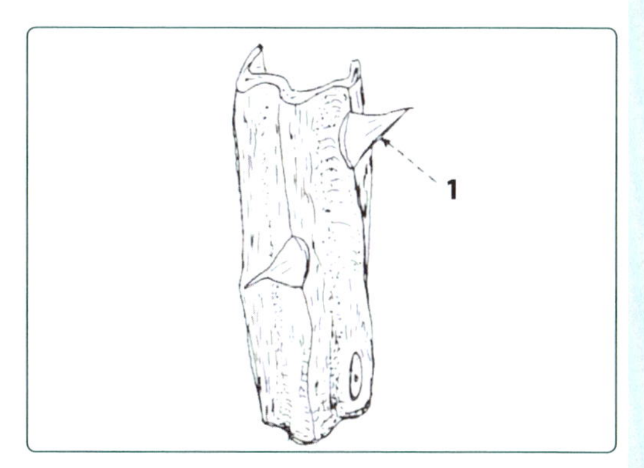

Fig. 8.11 – Acúleos. Fragmento de casca de caule de *Solanum* sp.: **1** – acúleo.

Quando o ritidoma se destaca em forma de lâmina, como na casca de *Eucalyptus*, recebe o nome de laminar, podendo ser bem desenvolvido em certas cascas; pode também assumir aspecto especial. Quando assume a forma de placas ou de escamas imbricadas, destacando-se da casca à maneira de escamas, como em *Pyrus*, é chamado escamoso. Quando se destaca em cilindros ocos semelhantes a anel, como ocorre em *Cupressus*, ele é intitulado de anular.

Sobre a superfície dessas cascas, muitas vezes são encontrados aderidos os líquens, os musgos e as hepáticas.

Os líquens geralmente são verde-esbranquiçados, de aspecto laminar liso. Os musgos têm eixo caulinar delicado e pequenas folhas dispostas em espiral. As hepáticas são constituídas de pequenos caules foliáceos sobre os quais estão inseridas pequenas folhas que se dispõem no mesmo plano que os caules (Fig. 8.12).

Aspecto da superfície interna

A superfície interna das cascas também apresenta características importantes para a identificação de drogas. As cascas podem aparecer fina ou grosseiramente estriadas. Outras vezes, elas se apresentam bastantes fibrosas, por exemplo, na casca de MULUNGU. Com o auxílio de uma pequena lupa, algumas vezes podem-se observar pontos refringentes indicadores de cristais localizados na casca floemática. Outras vezes, grupos de fibras se destacam parcialmente da superfície interna da droga. Esses "fiapos", por assim dizer, recebem o nome de esquirolas, as quais ocorrem, por exemplo, na casca de CONDURANGO.

Fig. 8.12 – Epífitas encontradas sobre as cascas: **A_1** – Casca com hepática; **A_2** – Pedaço de hepática isolada. **B_1** – Fragmento de casca com musgo; **B_2** – Musgo isolado. **C_1** – Fragmento de casca com líquen; **C_2** – Líquen isolado.

Aspecto da secção transversal

A secção transversal, observada à vista desarmada ou com o auxílio de uma lupa, pode apresentar-se homogênea ou não. Via de regra, observam-se duas regiões de coloração distinta. Podem-se, ainda, observar certas particularidades sobre a secção transversal, como pontos brilhantes, regiões mais claras ou mais escuras. Tratando-se a secção transversal pela floroglucina clorídrica, os elementos lignificados adquirem coloração vermelho-cereja. A localização de grupos de células pétreas ou de fibras assim evidenciadas pode ser característica. No IPÊ-ROXO, por exemplo, os grupos de fibras se dispõem paralelamente dando à casca o aspecto laminado.

Fratura

Este tipo de ensaio ajuda na identificação da droga. Os principais tipos de fratura são fibrosa, granulosa, nítida, folheada ou laminada e esquirosa.

- Fratura fibrosa: quando na região da fratura aparecem feixes fibrosos. A *Farmacopeia Brasileira* faz alusão a três tipos de fratura fibrosa: fratura fibrosa (AGONIADA, CAJUEIRO), fratura curtamente fibrosa (AMIEIRO-PRETO) e fratura longamente fibrosa (CONDURANGO).
- Fratura granulosa: quando na região da fratura aparecem pequenas saliências de ápice arredondado. O VIBURNO e a CANGERANA apresentam esse tipo de fratura.
- Fratura nítida: é conhecida por lisa ou curta, quando a superfície da fratura é praticamente lisa, como acontece na ANGOSTURA, de superfície lisa e resinosa. A ROMEIRA apresenta fratura nítida e compacta.
- Fratura folheada ou laminada: quando a região da fratura assume aspecto folheado. A SIMARUBA, a QUILAIA e o CASTANHEIRO-DA-ÍNDIA apresentam esse tipo de fratura.
- Fratura esquirolosa: quando na região da fratura aparecem fiapos, por exemplo, no CONDURANGO.

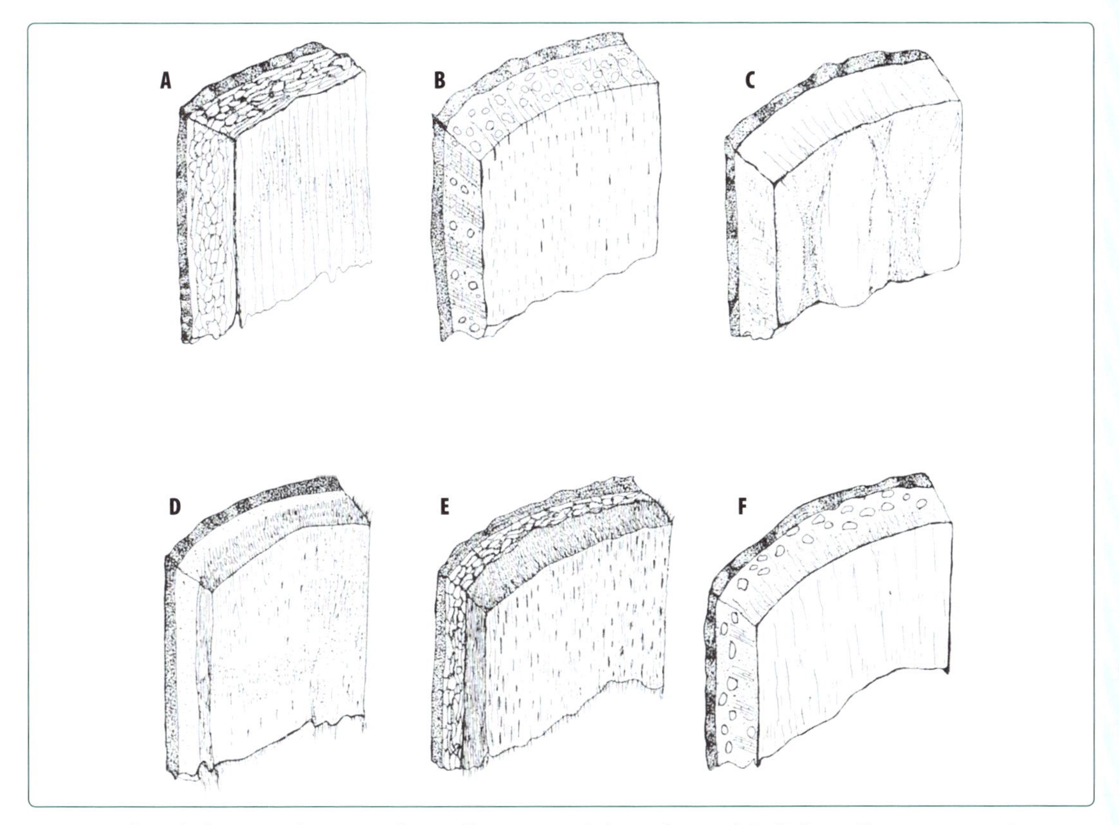

Fig. 8.13 – Tipos de fraturas: **A.** Fratura granulosa. **B.** Fratura com máculas. **C.** Fratura nítida (lisa). **D** – Fratura apresentando-se externamente lisa e internamente fibrosa. **E.** Fratura externa granulosa e interna fibrosa; **F.** Fratura apresentando-se externamente maculada e internamente lisa.

É importante frisar que a região externa e interna das cascas pode apresentar fraturas diferentes. Assim, a região externa de uma casca pode apresentar fratura nítida, ao passo que sua região interna, fratura fibrosa.

Odor e sabor

As características organolépticas são importantíssimas na identificação de certos tipos de cascas. A CANELA-DO-CEILÃO e CANELA-DA-CHINA, que não apresentam o cheiro característico do aldeído cinâmico, devem ser rejeitadas, pois esse odor é tão característico destas duas cascas que sua não verificação em drogas apresentadas como tal implica rejeição. A casca de SASSAFRAZ apresenta odor característico de safrol. Na SIMARUBA, no CONDURANGO e nas QUINAS predomina o sabor amargo.

Peculiaridades

Inúmeras outras características, em casos particulares, podem apresentar importância na diagnose de drogas constituídas de casca. Assim, a casca de QUINA verdadeira, quando molhada por ácido sulfúrico diluído, exibe, à lâmpada de Wood, fluorescência azul característica. A região externa da casca de MULUNGU, observada à luz ultravioleta, exibe coloração vermelha ou arroxeada em certas zonas. A densidade relativa de certas cascas pode auxiliar em sua identificação. Assim, certos tipos de cascas são mais densos que a água, outros, menos densos.

Caracterização microscópica das cascas

A análise microscópica de drogas constituídas de casca é precedida pela execução de cortes, os quais são orientados em três sentidos: corte transversal, corte longitudinal radial e corte longitudinal tangencial.

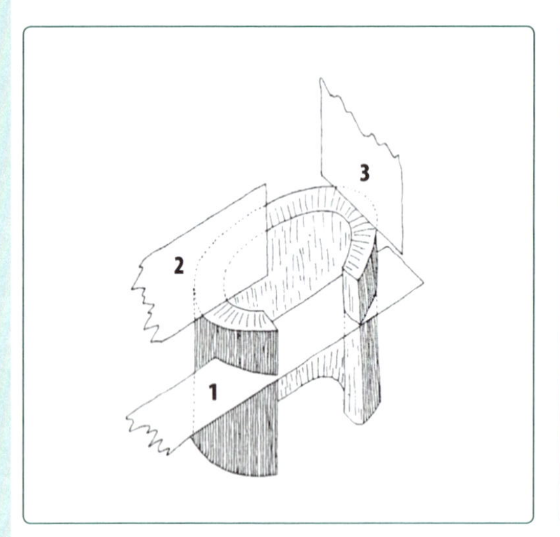

Fig. 8.14 – Orientação de cortes histológicos em uma casca: **1** – corte transversal; **2** – corte longitudinal radial; **3** – corte longitudinal tangencial.

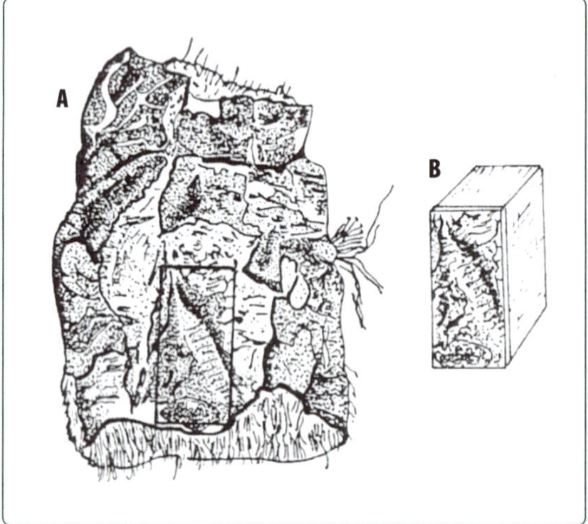

Fig. 8.15 – Corpo de prova. **A.** Pedaço de casca. **B.** Corpo de prova preparado a partir do material anterior.

A preparação do corpo de prova antecede aos cortes. Retira-se pequeno pedaço da casca e acerta-se a superfície de forma a obter pequeno paralelogramo.

Corte transversal

Via de regra, o corte transversal é o que fornece maior número de informações sobre a estrutura da droga. Efetuam-se os outros dois tipos de cortes somente quando o corte transversal se mostra insuficiente, para diagnose de certeza. A *Farmacopeia Brasileira* refere-se com muito maior ênfase a esse tipo de corte.

Uma casca completa, em secção transversal, apresenta as seguintes regiões: periderma (constituído de súber, felógeno e feloderma ou parênquima cortical secundário), parênquima cortical primário, periciclo, floema primário e floema secundário.

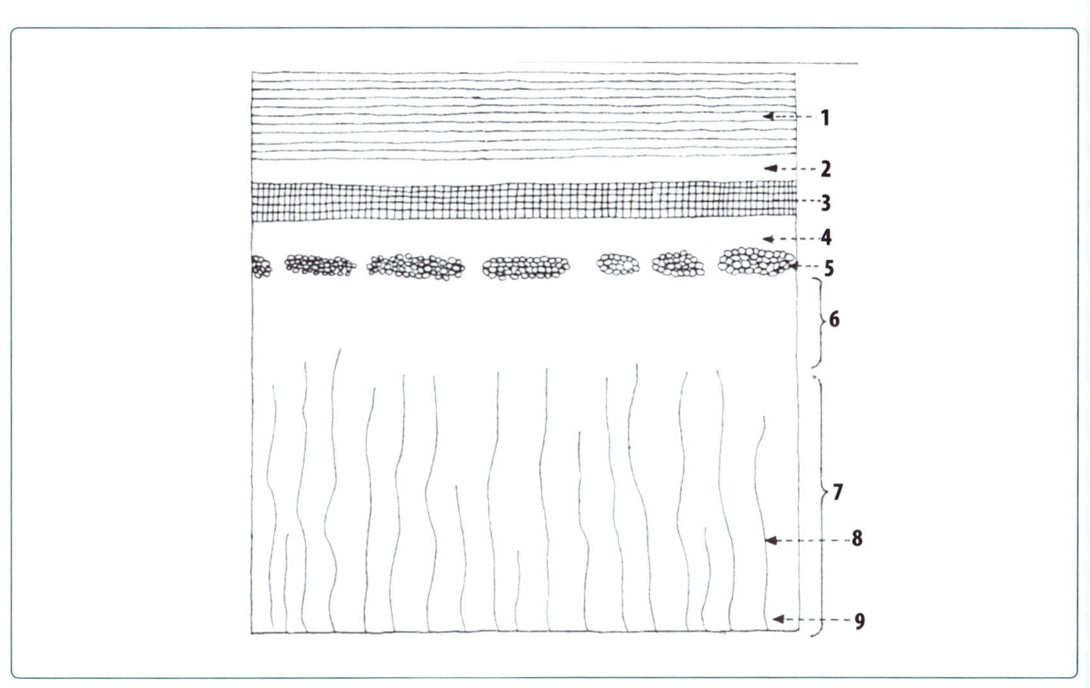

Fig. 8.16 – Desenho esquemático representativo de casca completa: **1** – súber; **2** – região do felógeno; **3** – feloderma; **4** – parênquima cortical primário; **5** – periciclo; **6** – floema primário; **7** – floema secundário; **8** – raio medular secundário; **9** – região cambial.

Periderma

As drogas constituídas de cascas podem apresentar um só periderma ou vários. Nesse último caso, a região mais externa da casca será representada por um ritidoma.

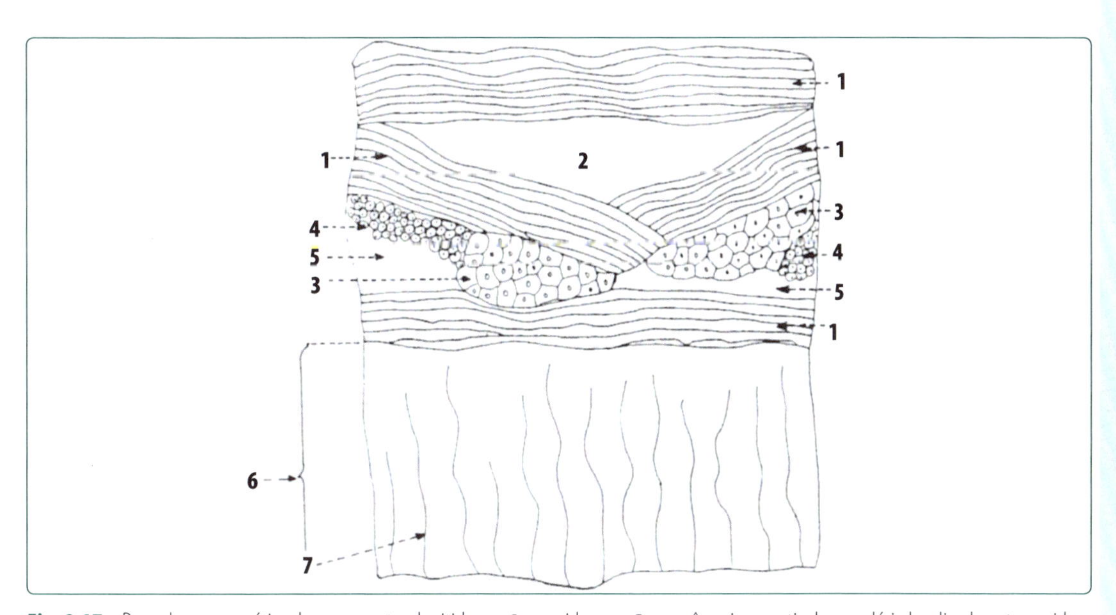

Fig. 8.17 – Desenho esquemático de casca contendo ritidoma: **1** – peridermes; **2** – parênquima cortical secundário localizado entre peridermes; **3** – grupo de células pétreas; **4** – grupo de fibras; **5** – floema; **6** – floema secundário; **7** – raio medular.

O súber quase sempre tem pouca importância na diagnose de drogas. Há, entretanto, casos em que a suberificação não acontece em todas as paredes celulares. As células suberosas podem exibir espessamento de suberina em U, fato este que as reveste de certo valor na diagnose; em outras vezes, também as células suberosas sofrem lignificação. A *Farmacopeia Brasileira* descreve a casca de AROEIRA indicando, como característica do súber dessa droga, a alternância de camada de células de paredes finas com camadas de células de paredes bem espessadas.

Felógeno e feloderma pouco apresentam de característico. O felógeno é um meristema secundário, formado de células de paredes finas, alongadas no sentido tangencial. O feloderma, ou parênquima cortical secundário, algumas vezes se torna característico pelo conteúdo celular. O feloderma do CONDURANGO é rico em cristais prismáticos de oxalato de cálcio.

Parênquima cortical primário

Nas cascas de uso farmacêutico, o parênquima primário quase sempre não existe. Isso porque, com o aparecimento de peridermas, esse tecido morre e se destaca da casca ou, às vezes, ele não se destaca, mas fica englobado no ritidoma. Quando o parênquima cortical primário persiste como tal, ele pode incluir grãos de amido, cristais e conteúdo amorfo colorido. Pode englobar, ainda, grupos de fibras e células pétreas.

Floema

Quase sempre é o floema que melhores características fornece à identificação. O floema primário é pouco aparente, podendo mesmo estar ausente; isso acontece quando o periderma se forma na região do floema secundário. Na casca, o floema primário pode ser representado por um grupo de células amassadas *(crushed phloem)*. O floema secundário, geralmente, é bem desenvolvido e em sua região são bem visíveis os raios medulares secundários (raios vasculares), que podem conter uma, duas, três, ou muitas células em largura (em maior número de casos, de uma a cinco células). Nessa região, podem-se encontrar cristais de oxalato de cálcio, fibras, células pétreas, células com conteúdo especial, estruturas secretoras, como canais secretores, glândulas (bolsas secretoras), tubos laticíferos.

Algumas vezes, o floema secundário inclui grupos de fibras dispostas em camadas paralelas, alternadas com parênquima de floema e elementos condutores da seiva elaborada (tubos crivados). Esse tipo de disposição anatômica leva à formação de casca floemática folheada (laminada), citada no caso das fraturas. Isso acontece em virtude de existirem, nessas cascas, zonas de maior resistência mecânica e zonas de menor resistência mecânica.

Outras vezes, ladeando o grupo de fibras, existe um conjunto de células, cada uma delas contendo um cristal de oxalato de cálcio. Essa formação recebe o nome de bainha cristalífera. A CÁSCARA SAGRADA, a FRÂNGULA e o IPÊ-ROXO são exemplos de drogas constituídas de cascas em que aparecem bainhas cristalíferas.

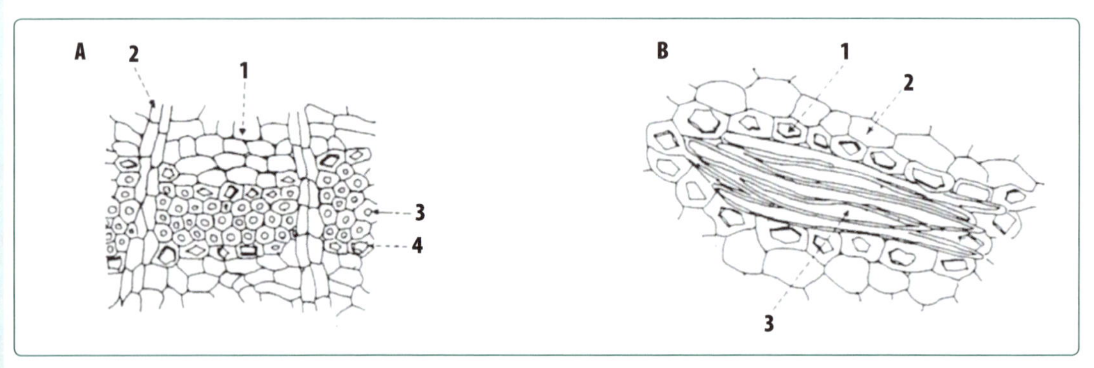

Fig. 8.18 – Bainha cristalífera. **A.** Corte transversal: **1** – célula parenquimática; **2** – raio medular; **3** – fibras; **4** – cristal prismático. **B.** Corte longitudinal: **1** – cristal; **2** – célula parenquimática; **3** – fibra.

Cortes longitudinais radiais e tangenciais

Os cortes longitudinais permitem observar grupos de fibras ou de células pétreas longitudinalmente. Permitem, ainda, verificar a presença de bainhas cristalíferas, estabelecer a diferença entre canal secretor e bolsas secretoras ou glândulas. Os cortes longitudinais tangenciais permitem a visualização dos raios medulares secundários (raios vasculares) em sua forma mais característica (quase sempre fusiforme). Esse tipo de corte permite observar as células suberosas de face.

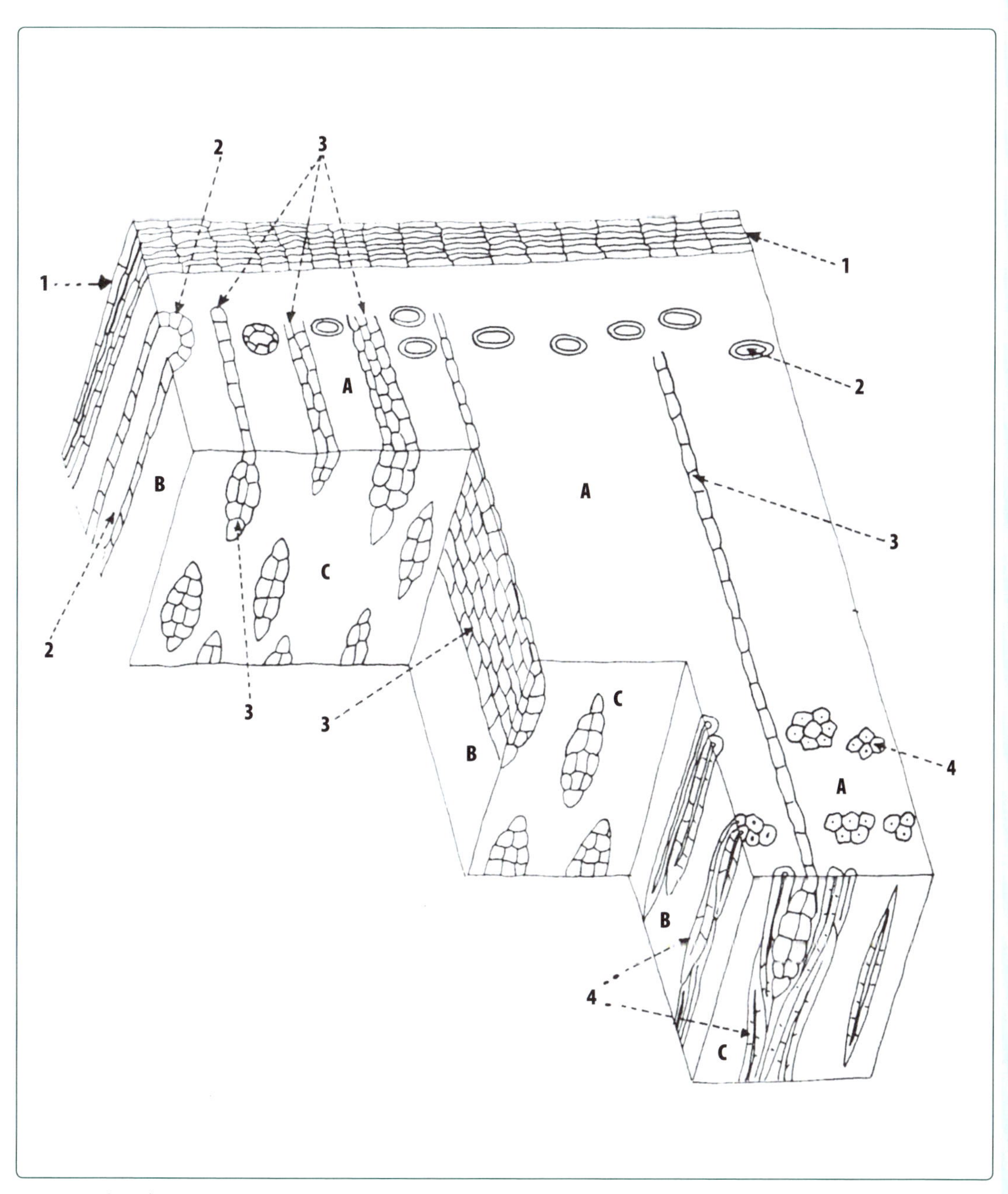

Fig. 8.19 – Desenho esquemático tridimensional de elementos constituintes de casca: **A.** Secção transversal: **1** – súber; **2** – canal secretor; **3** – raio medular; **4** – fibras. **B.** Secção longitudinal radial: **1** – súber; **2** – canal secretor; **3** – raio medular; **4** – fibras. **C.** Secção longitudinal tangencial: **3** – raio medular; **4** – fibras.

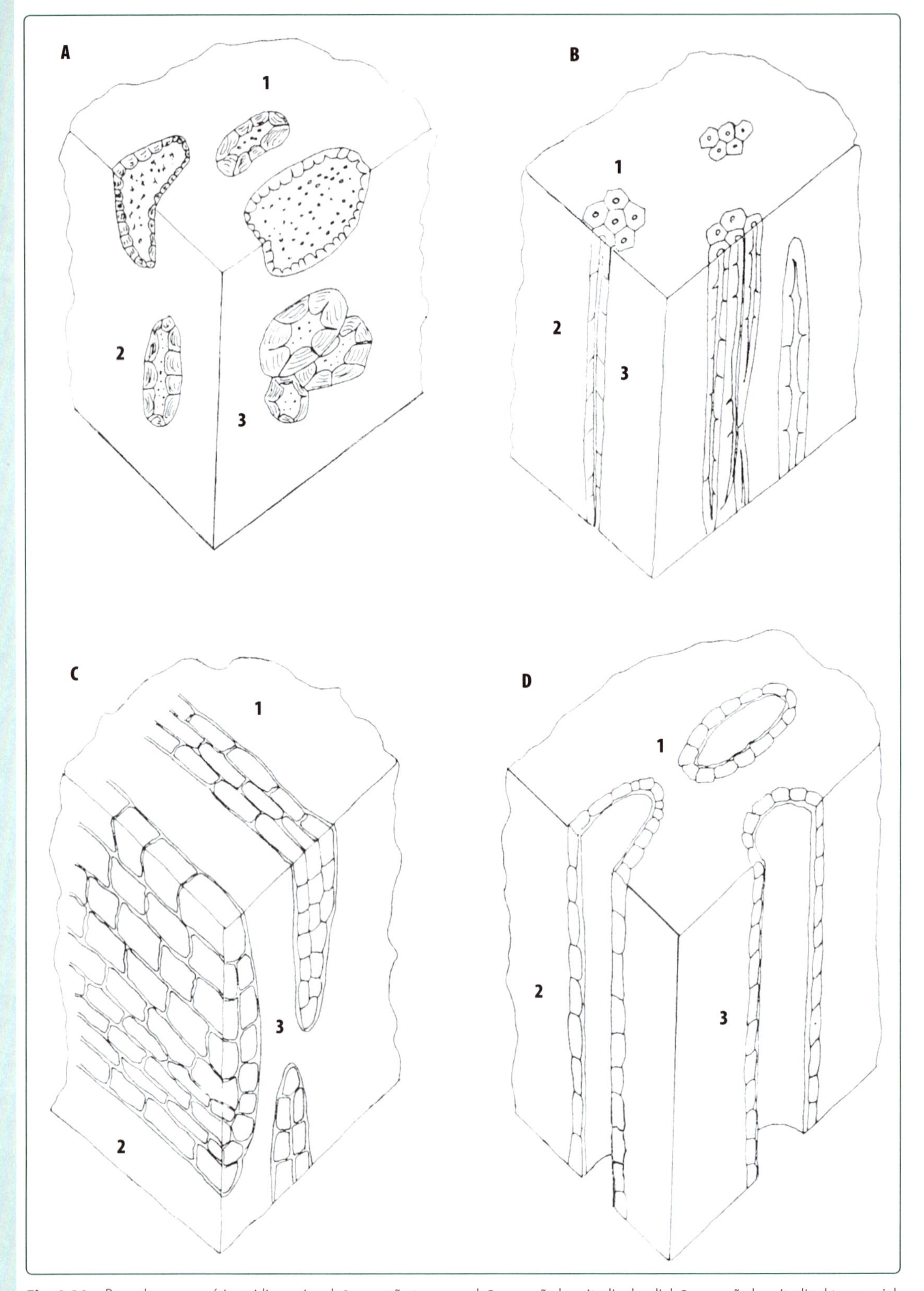

Fig. 8.20 – Desenho esquemático tridimensional: **1** – secção transversal; **2** – secção longitudinal radial; **3** – secção longitudinal tangencial. **A.** Células pétreas. **B.** Fibras. **C.** Raios medulares. **D.** Canais secretores.

Morfodiagnose de drogas constituídas de cascas

Amieiro preto

Rhamnus frangula Linné – *Rhamnaceae*

Parte usada: Casca.

Sinonímia vulgar: Frângula.

Sinonímia científica: *Rhamnus nemoralis* Saliab.; *Rhamnus pentapetala* Gilib.; *Rhamnus sanguino* Orlib.; *Franguld alnus* Mill.; *Frangula pentapetala* Gilib.; *Frangula vulgaris* Reichb.

Esta casca possui cheiro pouco pronunciado, sabor a princípio mucilaginoso e depois levemente amargo e adstringente.

Só deve ser empregada a casca colhida há mais de um ano.

Descrição macroscópica

A casca de AMIEIRO PRETO apresenta-se em fragmentos curvos ou enrolados em tubos, de comprimento e largura variáveis e de espessura variando entre 0,5 a 12 mm; sua superfície externa, de cor cinzento-parda ou preto-purpurina, apresenta numerosas rugas longitudinais pouco profundas e grande quantidade de lenticelas acinzentadas, alongadas no sentido transversal; sua superfície interna é de cor amarelo-avermelhada ou castanho-escura, luzidia e finamente estriada no sentido longitudinal.

A secção transversal da casca umedecida com floroglucina clorídrica e observada com o auxílio de lupa mostra região externa fina e escura. Abaixo dessa região, observa-se grande quantidade de manchas avermelhadas correspondentes a grupo de fibras e linhas claras dispostas radialmente, paralelas umas às outras. Quando umedecida com uma solução de hidróxido alcalino, adquire coloração avermelhada. Sua fratura é curta, levemente fibrosa na camada interna, de cor rósea ou avermelhada (Fig. 8.21).

Descrição microscópica

O súber é bastante espesso e formado por cerca de doze camadas de células tabulares, de paredes delgadas, coloridas de pardo-avermelhado; o parênquima cortical, recoberto externamente por um maciço desenvolvido de colênquima, é formado de células poliédricas e contém numerosos cristais estrelares de oxalato de cálcio e glândulas mucilaginosas alongadas no sentido transversal. O líber é constituído por células dispostas mais ou menos regularmente em filas radiais e caracterizado pela presença de numerosos grupos de fibras esclerenquimáticas de paredes muito espessas, dispostas em faixas tangenciais e acompanhadas de bainha cristalífera, com cristais prismáticos de oxalato de cálcio. Esse líber contém numerosos cristais estrelares e é atravessado por estreitos raios medulares secundários, formados de uma a duas ou raramente três fileiras de células; as células do parênquima e dos raios medulares encerram numerosos grãos de amido (Figs. 8.22 a 8.25).

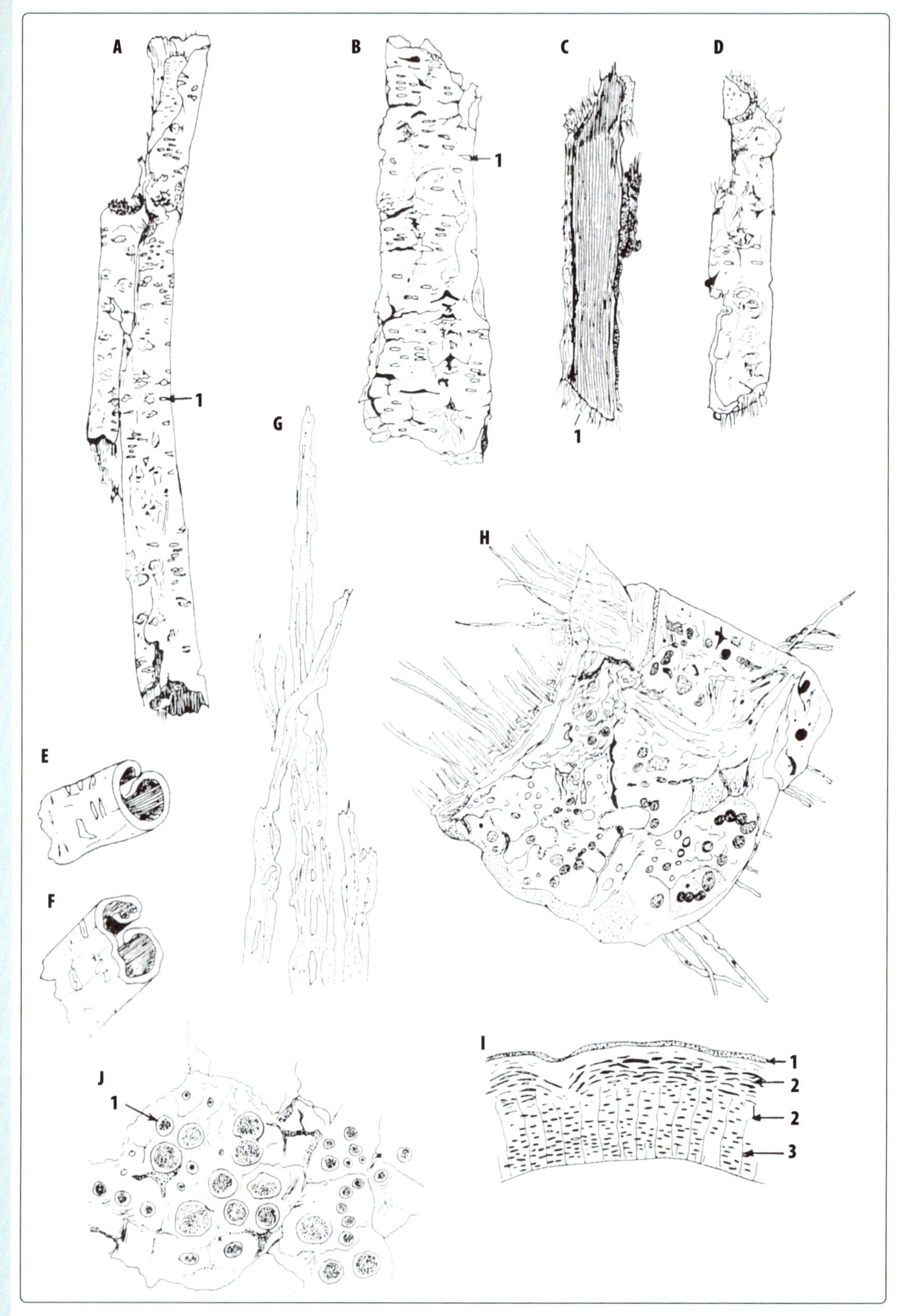

Fig. 8.21 – AMIEIRO PRETO (*Rhamnus frangula* L.). **A, B, D.** Pedaços de casca mostrando região externa: **1** – lenticela. **C.** Pedaço de casca mostrando parte interna nitidamente estriada: **1** – conjunto de fibras. **E**, **F.** Casca em forma de canudo. **G.** Fibras envoltas em bainhas cristalíferas. **H.** Fratura fibrosa. **I.** Secção transversal observada à lupa: **1** – súber; **2** – grupos de fibras; **3** – raio medular secundário. **J.** Fragmento de casca mostrando liquens: **1** – liquens.

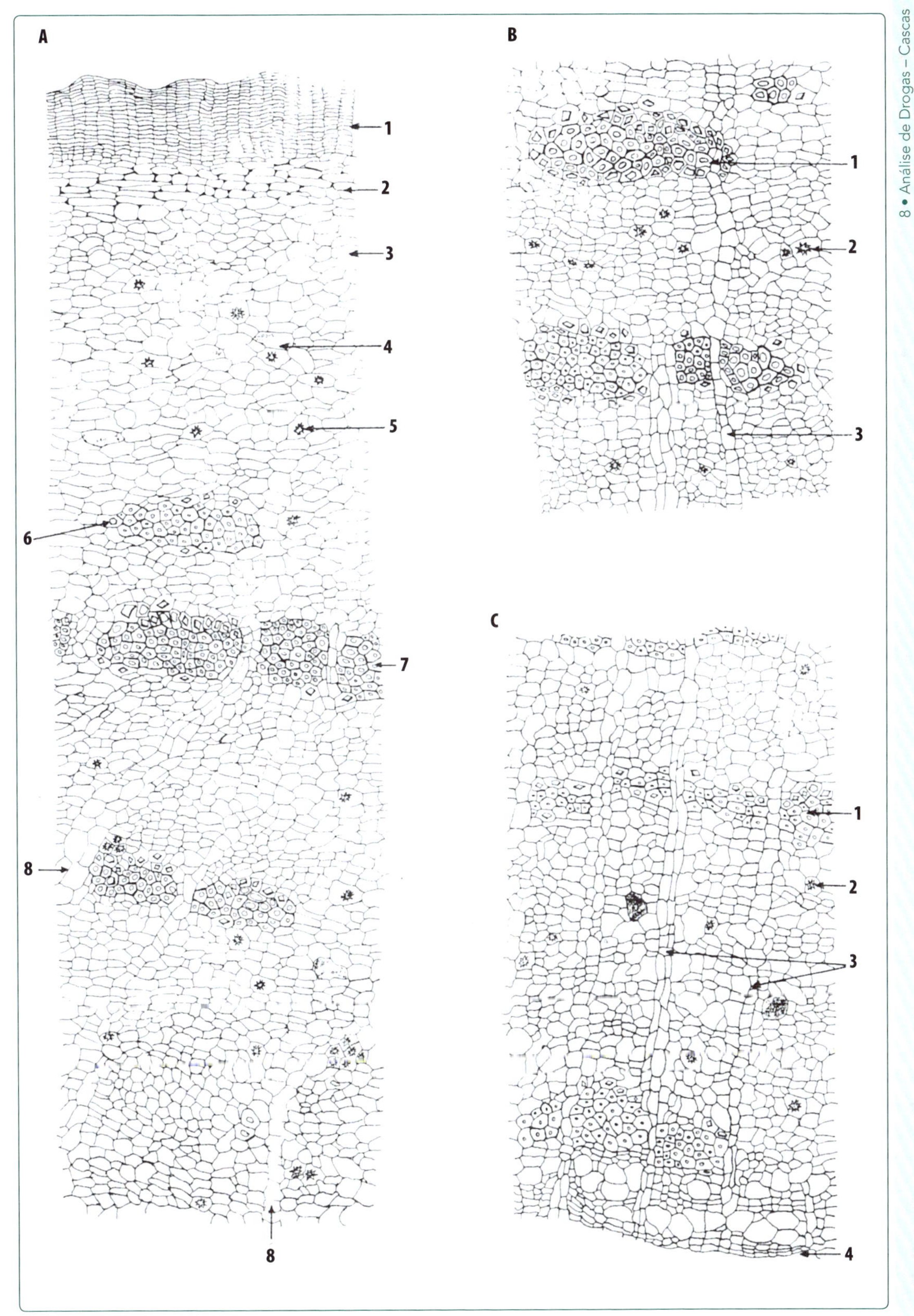

Fig. 8.22 – AMIEIRO PRETO (*Rhamnus frangula* L.). **A.** Secção transversal da casca (parte externa): **1** – súber; **2** – colênquima; **3** – parênquima cortical; **4** – célula de mucilagem; **5** – drusa; **6** – periciclo fibroso envolvido por bainha cristalífera; **7** – fibras do floema; **8** – raio medular secundário. **B.** Secção transversal da casca (região média): **1** – fibras do floema com bainha cristalífera; **2** – drusa; **3** – raio medular secundário. **C.** Secção transversal da casca (parte interna): **1** – fibras do floema com bainha cristalífera; **2** – drusa; **3** – raio medular secundário; **4** – região cambial.

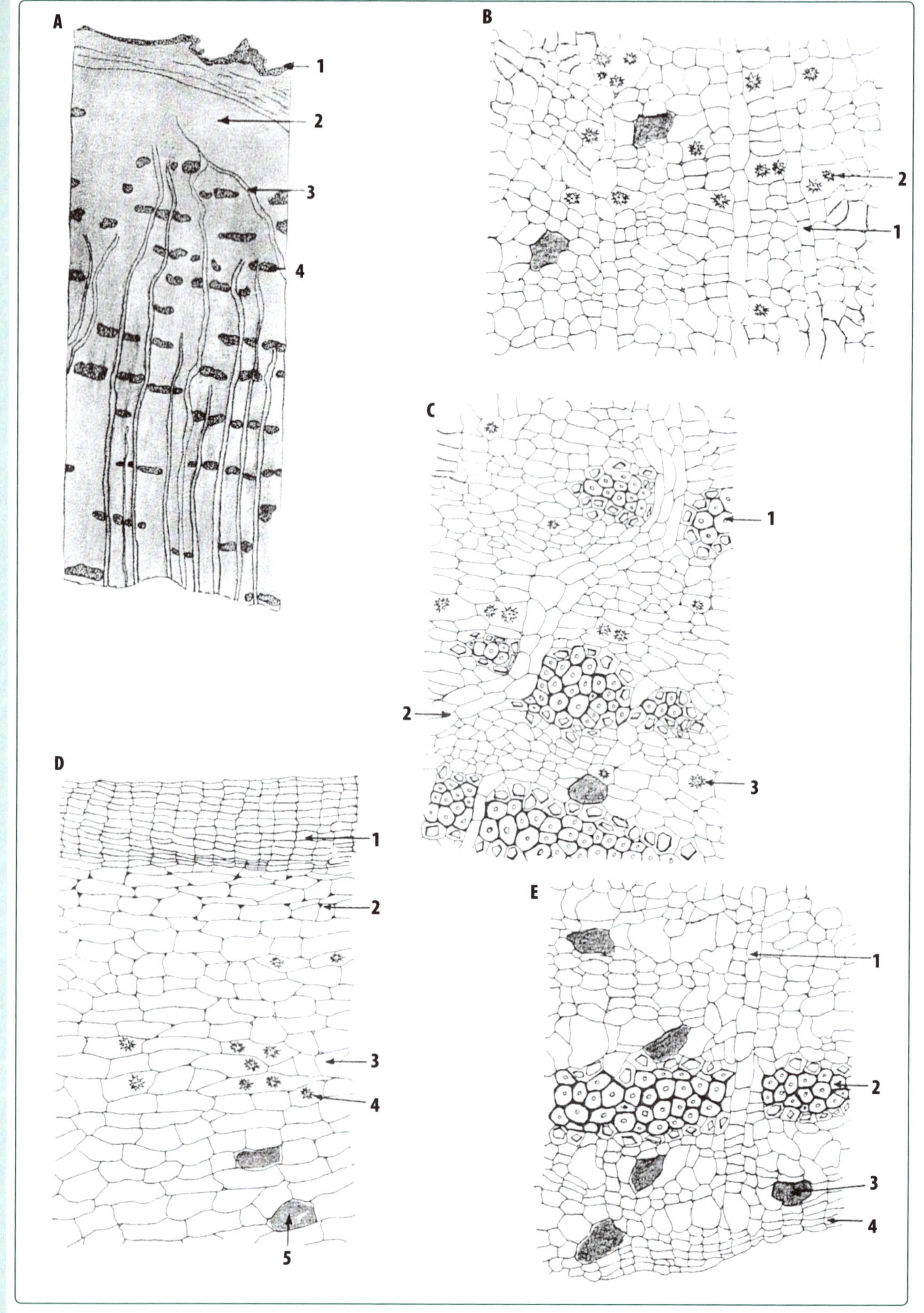

Fig. 8.23 – AMIEIRO PRETO (*Rhamnus frangula* L.). **A.** Secção transversal vista à lupa: **1** – súber; **2** – parênquima cortical; **3** – raio medular secundário; **4** – grupo de fibras. **B.** Secção transversal (região média inferior): **1** – raio medular secundário; **2** – drusa. **C.** Secção transversal (região média): **1** – fibras do floema envoltas em bainha cristalífera; **2** – raio medular secundário; **3** – drusa. **D.** Secção transversal (região externa): **1** – súber; **2** – colênquima; **3** – parênquima cortical; **4** – drusa; **5** – célula contendo mucilagem. **E.** Secção transversal (região interna): **1** – raio medular secundário; **2** – fibras do floema envoltas em bainhas cristalíferas; **3** – célula contendo mucilagem; **4** – região cambial.

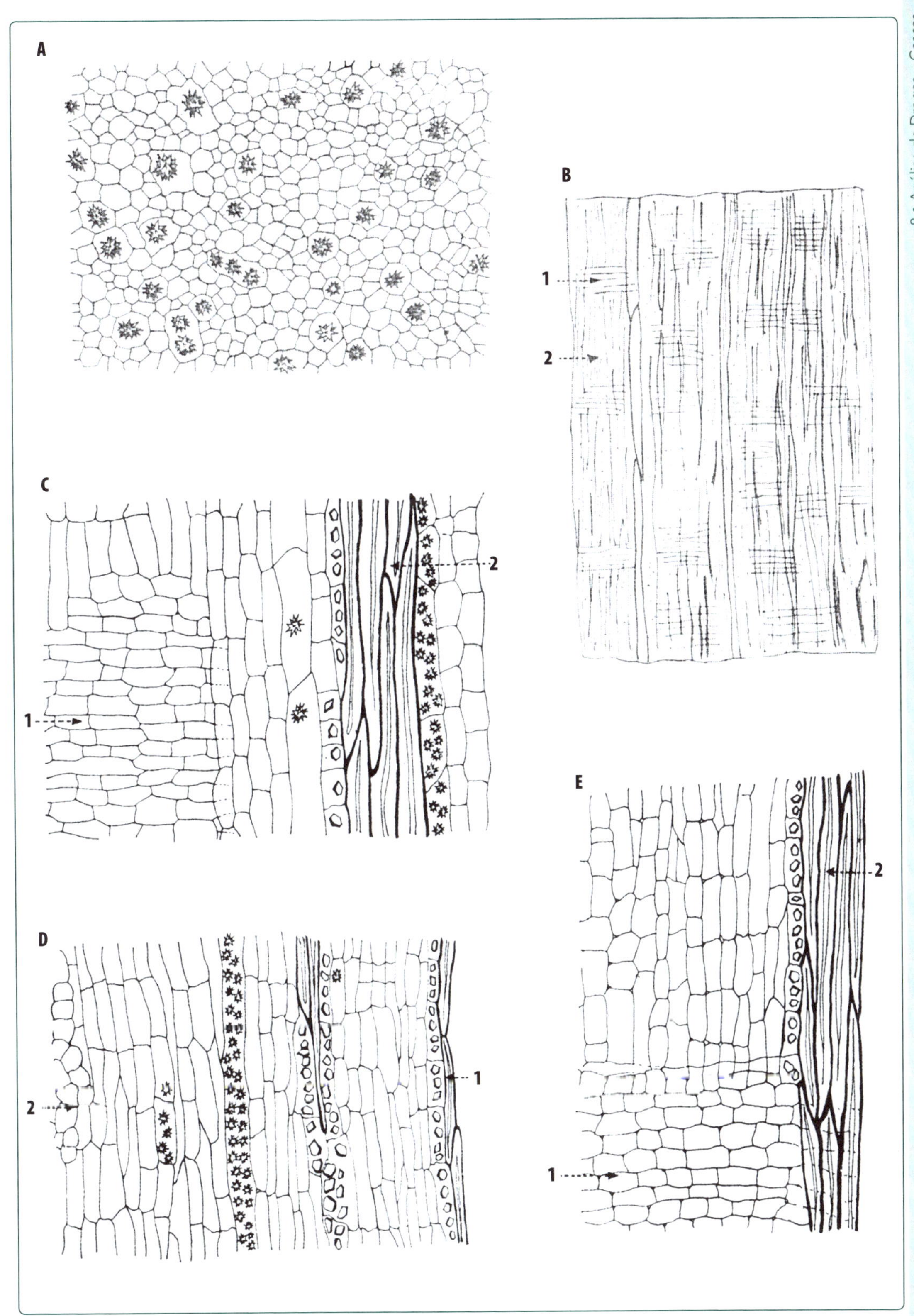

Fig. 8.24 – AMIEIRO PRETO (*Rhamnus frangula* L.). **A.** Secção longitudinal radial da região cortical mostrando drusas. **B.** Secção longitudinal radial vista à lupa: **1** – raio medular secundário; **2** – feixe de fibras com bainha cristalífera. **C.** Secção longitudinal radial: **1** – raio medular secundário; **2** – fibras com bainha cristalífera (cristais prismáticos e drusas). **D.** Secção longitudinal da região floemática: **1** – fibras com bainha cristalífera; **2** – raio medular secundário. **E.** Secção longitudinal radial da região floemática: **1** – raio medular secundário; **2** – grupo de fibras com bainha cristalífera.

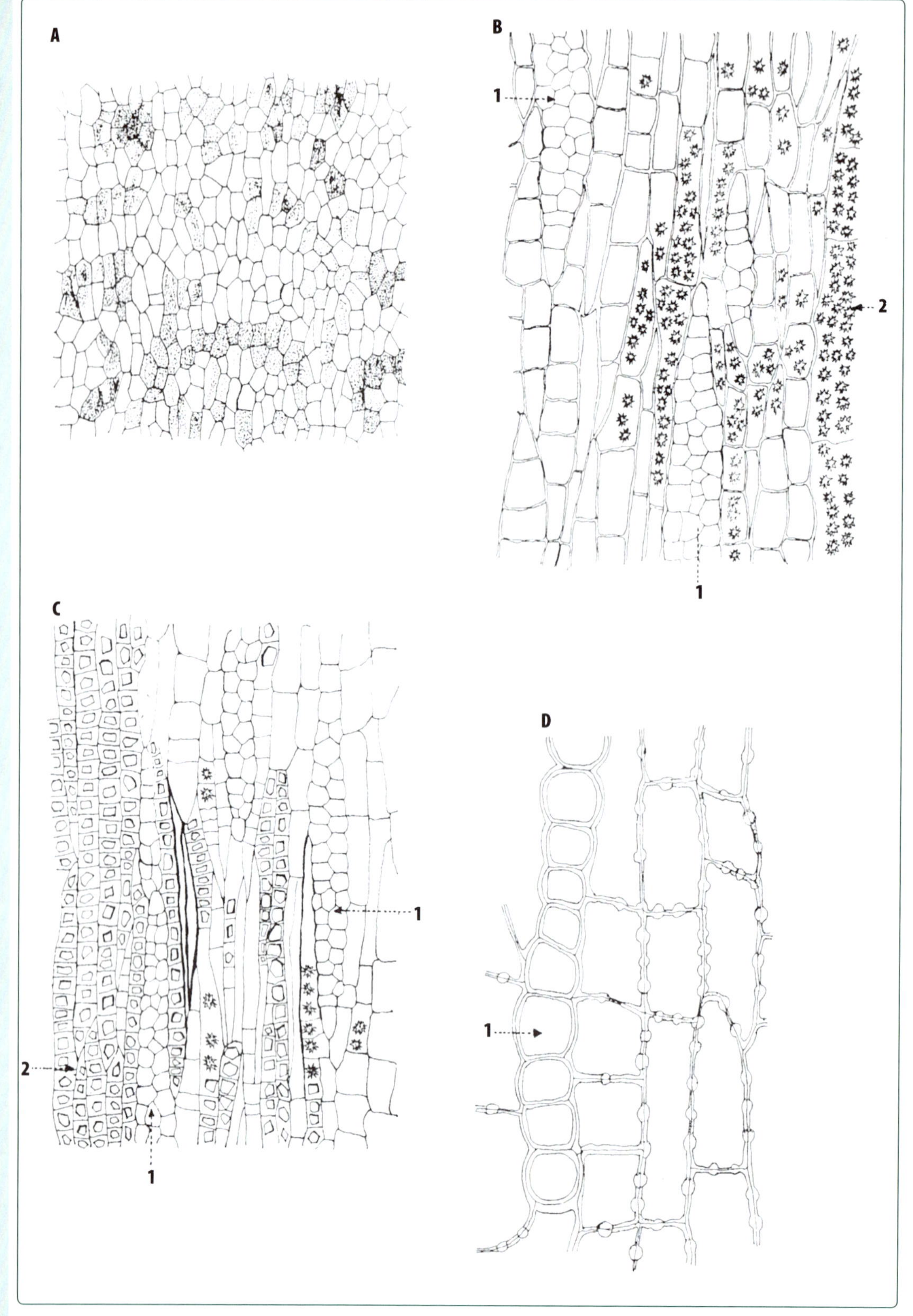

Fig. 8.25 – AMIEIRO PRETO (*Rhamnus frangula* L.). **A.** Secção longitudinal tangencial mostrando súber. **B.** Secção longitudinal tangencial da região floemática mostrando: **1** – raio medular secundário; **2** – célula contendo drusa. **C.** Secção longitudinal tangencial da região floemática mostrando: **1** – raio medular secundário; **2** – célula cristalífera contendo cristais prismáticos. **D.** Secção longitudinal tangencial da região floemática mostrando detalhe: **1** – raio medular secundário.

Aroeira

Schinus terebinthifolius Raddi. – *Anacardiaceae*
Parte usada: Casca.
Sinonímia vulgar: Aguará-yba; Cerneiba; Aroeira vermelha; Aroeira mansa; Cambuí; Cabuí; Fruto-de-sabiá.
Sinonímia científica: *Schinus aroeira* Vell.; *Schinus mucronulata* Mart.; *Schinus rhoifolius* Mart.; *Sarcotheca bahiensis* Turcz.

Esta casca possui cheiro resinoso, lembrando terebintina, sabor adstringente e um tanto balsâmico.

Descrição macroscópica

Essa casca apresenta-se em pedaços curvos ou enrolados em tubo, de comprimento variável, com **1** a **5** mm de espessura. Sua superfície externa é de cor pardo-acinzentada, profundamente fendida no sentido longitudinal e um tanto no sentido transversal; é muito rugosa, recoberta muito irregularmente de manchas mais claras, e apresenta, de espaço em espaço, placas de liquens. A face interna é estriada longitudinalmente e de cor pardo-avermelhada; essa casca é impregnada de matéria resinosa, que aparece frequentemente em sua superfície, sob a forma de lágrimas de tamanho variável. Sobre sua secção transversal distingue-se a presença de ritidoma, coberto exteriormente por periderma pardacento. O parênquima cortical não é nitidamente diferenciável. A camada liberiana, de cor mais escura, apresenta estrutura folheada (Fig. 8.26).

Descrição microscópica

O ritidoma apresenta, na parte externa, periderme com súber bastante desenvolvido formado de células tabulares dispostas em camadas irregulares. Peridermes mais internas se entrecruzam, em diferentes sentidos, englobando células parenquimáticas e grupos de fibras. O súber, formado geralmente por células de paredes delgadas, apresenta estreitas faixas de células de paredes grossas. A camada liberiana é bastante espessa e caracterizada pela presença de canais secretores, de fibra e de tecido crivoso obliterado, que, em seu conjunto, são dispostos em séries regularmente paralelas, que se alternam com faixas mais ou menos largas de parênquima liberiano, riquíssimo de cristais prismáticos de oxalato de cálcio; os canais secretores são bastante largos e arredondados; as fibras são pequenas, de paredes espessas e reunidas em grupos mais ou menos volumosos. Essa casca é atravessada em quase toda a sua espessura por estreitos raios medulares, formados de uma a três fileiras de células alongadas no sentido radial (Figs. 8.27 a 8.29).

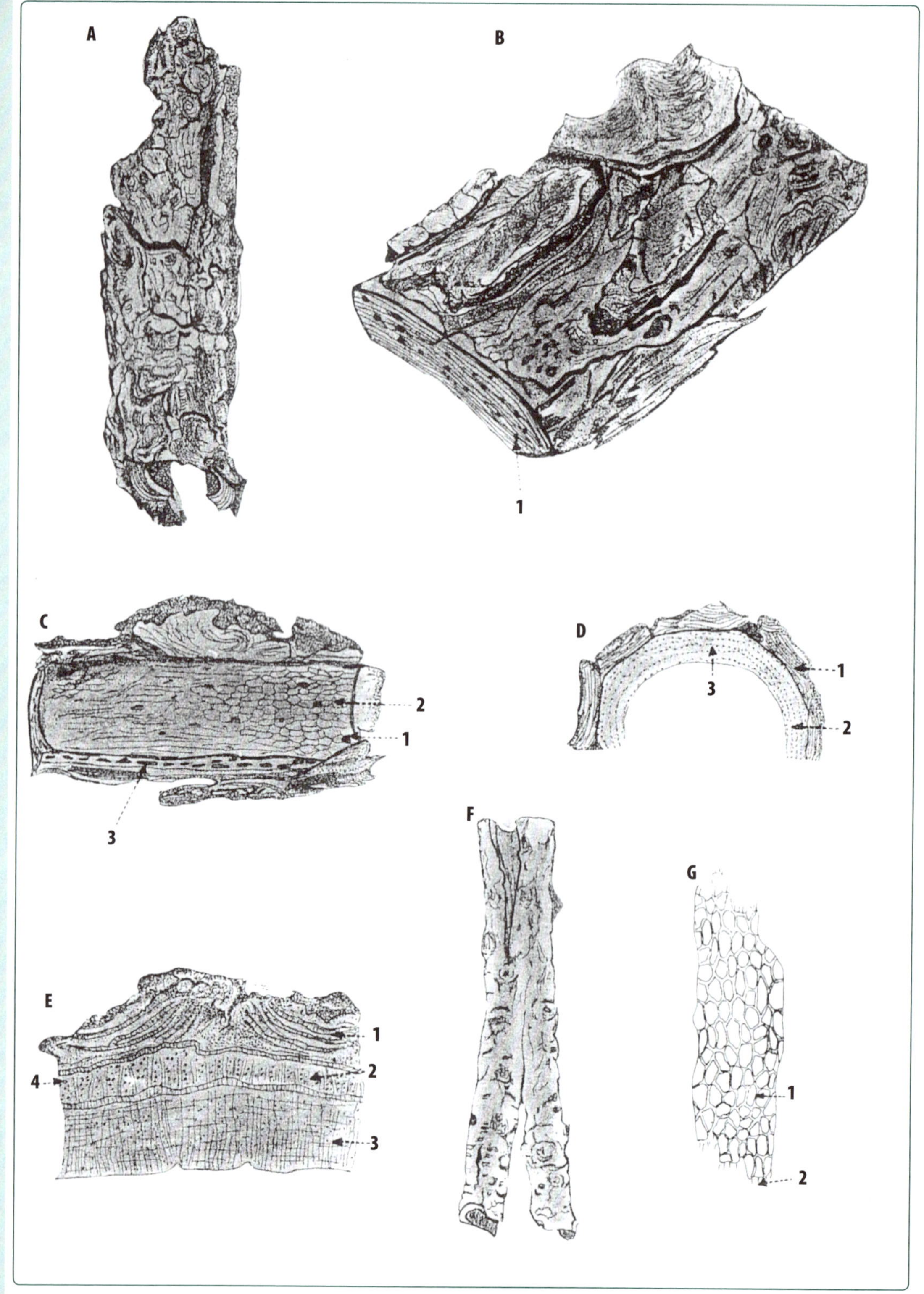

Fig. 8.26 – AROEIRA (*Schinus terebinthifolius* Raddi.). **A**, **B.** Pedaços de casca do tronco mostrando parte externa profundamente fendida (ritidoma): **1** – resina em forma de lágrima. **C.** Pedaço de casca mostrando região interna estriada longitudinalmente: **1** – resina em forma de lágrima; **2** – trama de canais resiníferos; **3** – fibras. **D.** Secção transversal de casca observada à lupa: **1** – ritidoma; **2** – casca floemática; **3** – canais resiníferos. **E.** Secção transversal de casca observada à lupa: **1** – ritidoma; **2** – casca floemática; **3** – raio medular secundário; **4** – canal resinífero. **F.** Pedaço de casca do ramo mostrando parte externa. **G.** Lâmina retirada da região interna da casca mostrando trama de canais resiníferos e pontas de fibra: **1** – canal resinífero; **2** – fibras.

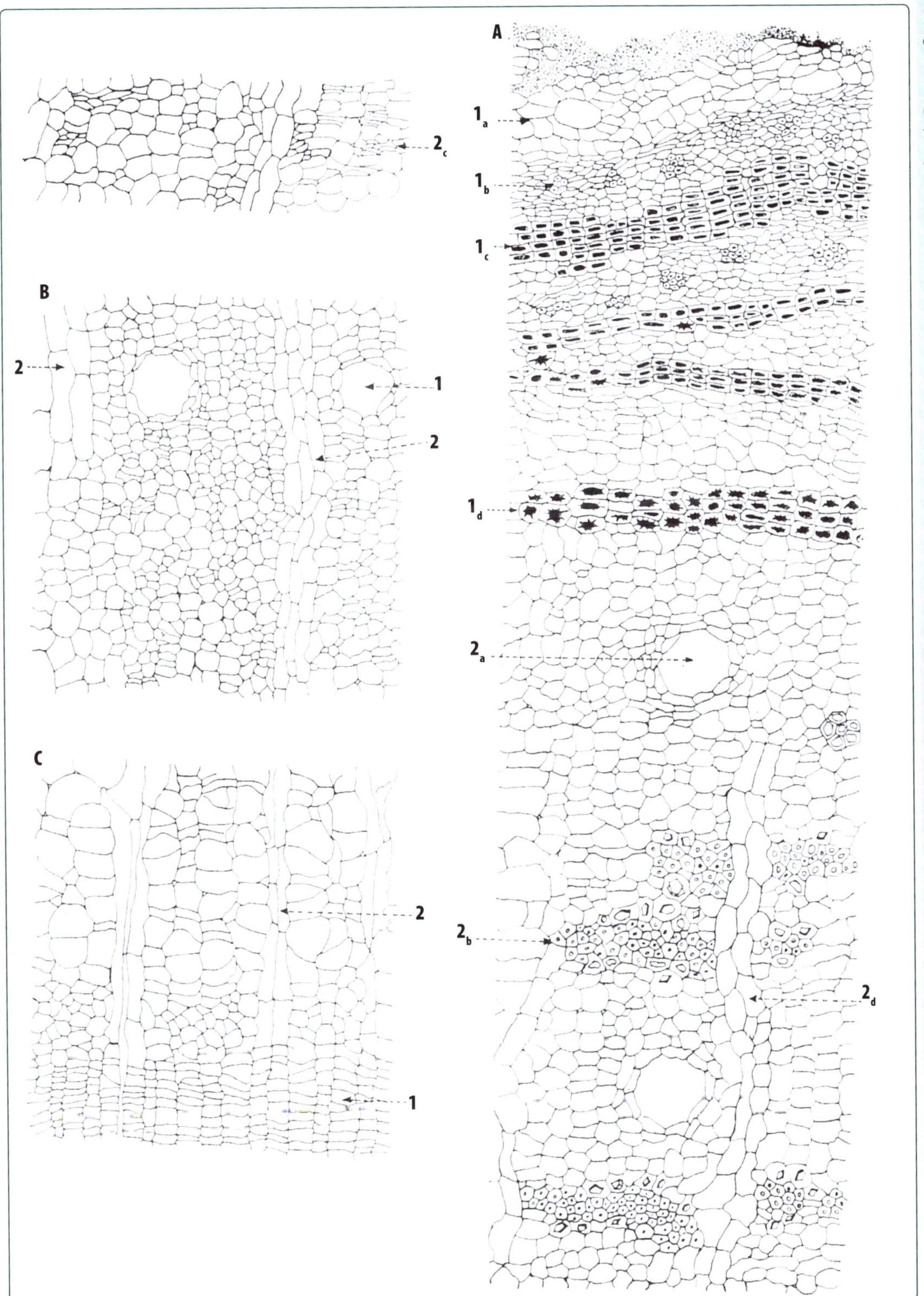

Fig. 8.27 – AROEIRA (*Schinus terebinthifolius* Raddi.). **A.** Secção transversal da casca (região externa): **1** – ritidoma: $\mathbf{1_a}$ – células do parênquima cortical; $\mathbf{1_b}$ – grupo de fibras; $\mathbf{1_c}$ – súber mostrando células de paredes estreitas e com conteúdo pardo-avermelhado; $\mathbf{1_d}$ – súber mostrando células de parede espessada. **2** – região floemática: $\mathbf{2_a}$ – canal secretor; $\mathbf{2_b}$ – fibras com cristais prismáticos; $\mathbf{2_c}$ – floema amassado; $\mathbf{2_d}$ – raio medular secundário. **B.** Secção transversal da casca (região floemática média): **1** – canal secretor; **2** – raio medular secundário. **C.** Secção transversal da casca (região floemática interna): **1** – região cambial; **2** – raio medular secundário.

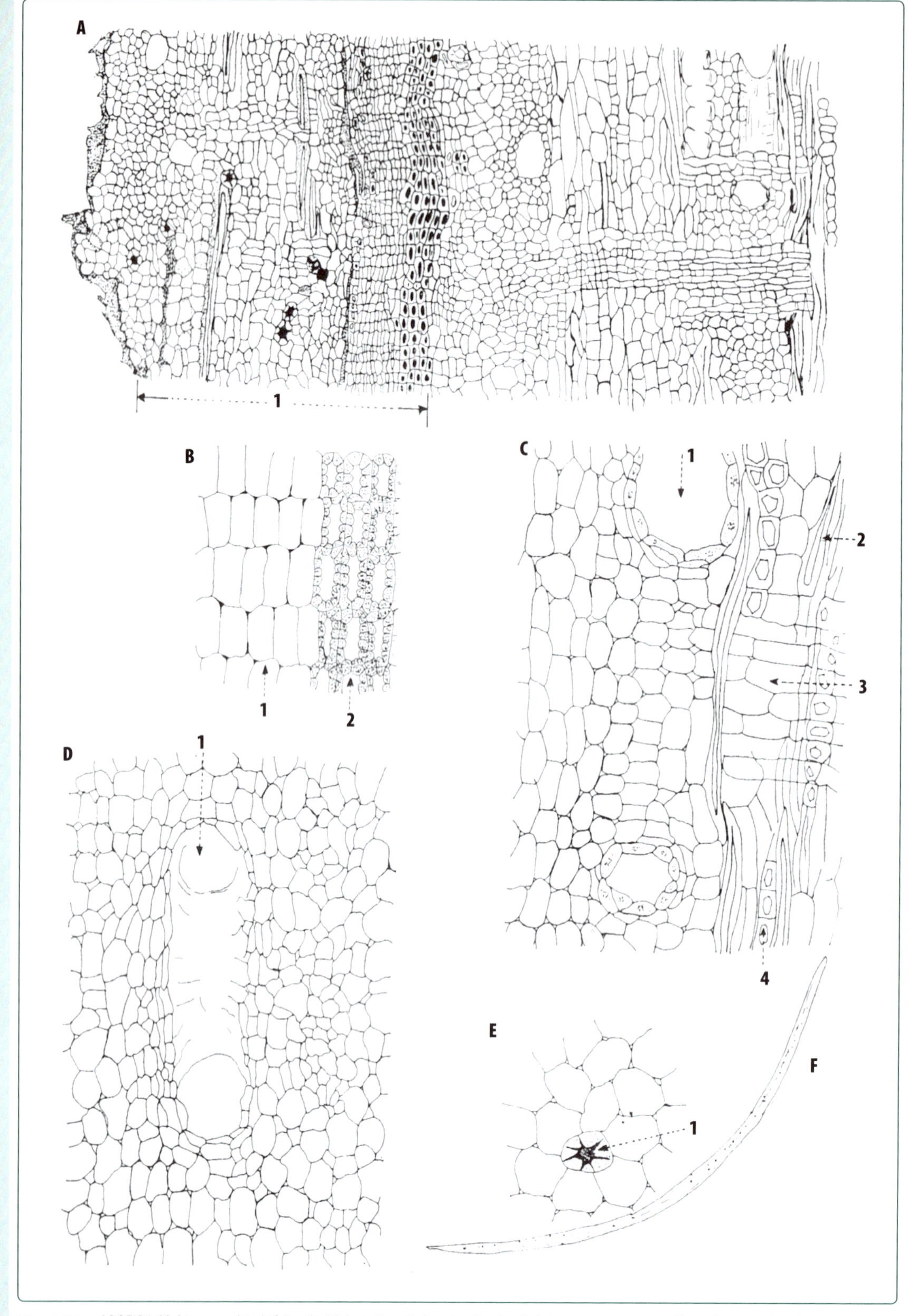

Fig. 8.28 – AROEIRA (*Schinus terebinthifolius* Raddi.). **A.** Secção longitudinal radial da casca: **1** – região do ritidoma incluindo porção de região floemática. **B.** Súber: **1** – células de parede delgada; **2** – células de parede espessada. **C.** Secção longitudinal radial da região floemática mostrando: **1** – canal secretor; **2** – fibras do floema; **3** – raio medular secundário; **4** – cristal prismático. **D.** Secção longitudinal radial de porção floemática incluída pelo ritidoma: **1** – canal secretor. **E.** Célula parenquimática envolvendo célula pétrea: **1** – célula pétrea. **F.** Fibras.

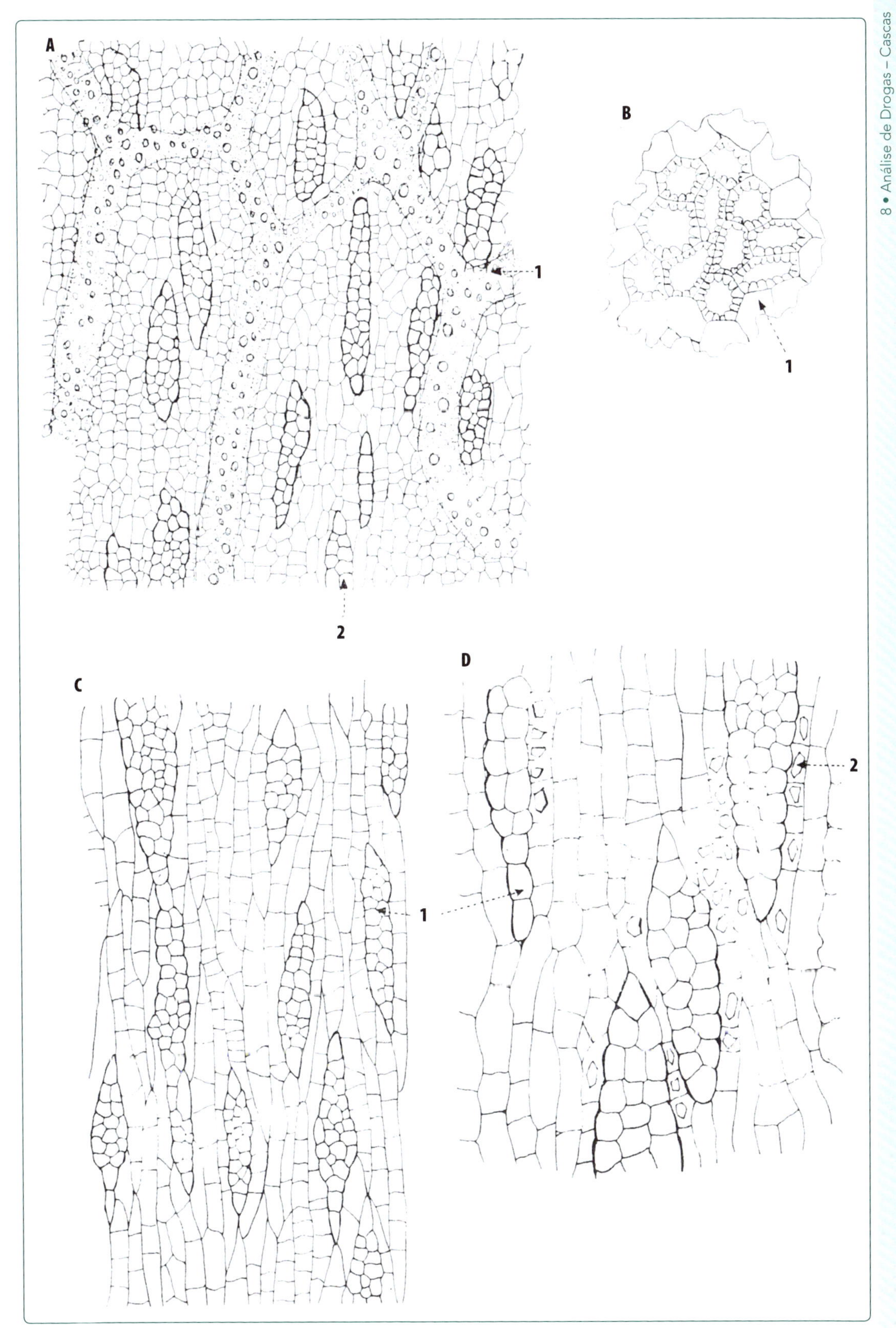

Fig. 8.29 – AROEIRA (*Schinus terebinthifolius* Raddi.). **A.** Secção longitudinal tangencial da casca: **1** – canais secretores anastomosados; **2** – raio medular secundário. **B.** Secção longitudinal tangencial de casca: **1** – células parenquimáticas envolvendo células pétreas. **C, D.** Secção longitudinal tangencial: **1** – raio medular secundário; **2** – cristais prismáticos.

Barbatimão

Stryphnodendron barbatimao Martius – *Leguminoseae-Mimosoideae*
Parte usada: Casca.
Sinonímia vulgar: Barba-de-timam; Uabatimó; Yba-timõ; Casca-de-virgindade (ou da-mocidade); Chorãozinho-roxo; Barbatimão verdadeiro.
Sinonímia científica: *Accacia adstringens* Mart.; *Stryphnodendron adstringens* (Martius) Coville.

A droga é inodora e de sabor nimiamente adstringente.

Descrição macroscópica

Esta casca apresenta-se em pedaços de forma e tamanho muito variáveis. A casca proveniente de tronco mostra-se recurvada no sentido transversal, medindo, em geral, 12 mm de espessura; a casca dos ramos apresenta-se enrolada no mesmo sentido medindo, em média, **4** mm de espessura.

A superfície externa da casca é de cor pardo-esverdeada e com placas esbranquiçadas quando recoberta de liquens; pode ser muito rugosa e profundamente escavada em todos os sentidos; sua superfície interna é de cor pardo-avermelhada viva a pardo-brancacenta, às vezes enrugada transversalmente e estriada longitudinalmente, pela presença de grandes feixes, de fibras (Fig. 8.30).

Descrição microscópica

O periderme dessa casca é muito espesso, de formação mais ou menos típica e, frequentemente, substituído por ritidoma. O parênquima cortical, muito desenvolvido, é constituído por células poligonais, alongadas no sentido tangencial, e cortado horizontalmente por uma zona contínua, formada de três a cinco camadas de células esclerosas, de paredes muito espessas e canaliculadas.

O floema é formado por tecido mais denso, atravessado por estreitos raios medulares, constituídos de uma a duas fileiras de células alongadas radialmente; apresenta numerosos feixes de fibras esclerenquimáticas de paredes muito espessas, mais ou menos regularmente dispostas em séries paralelas; encerra, ainda, numerosos grupos de cinco a sete células que se destacam por seu tamanho grande. Envolvendo as fibras, observa-se a presença de bainha repleta de cristais prismáticos de oxalato de cálcio (Figs. 8.31, 8.32 e 8.33).

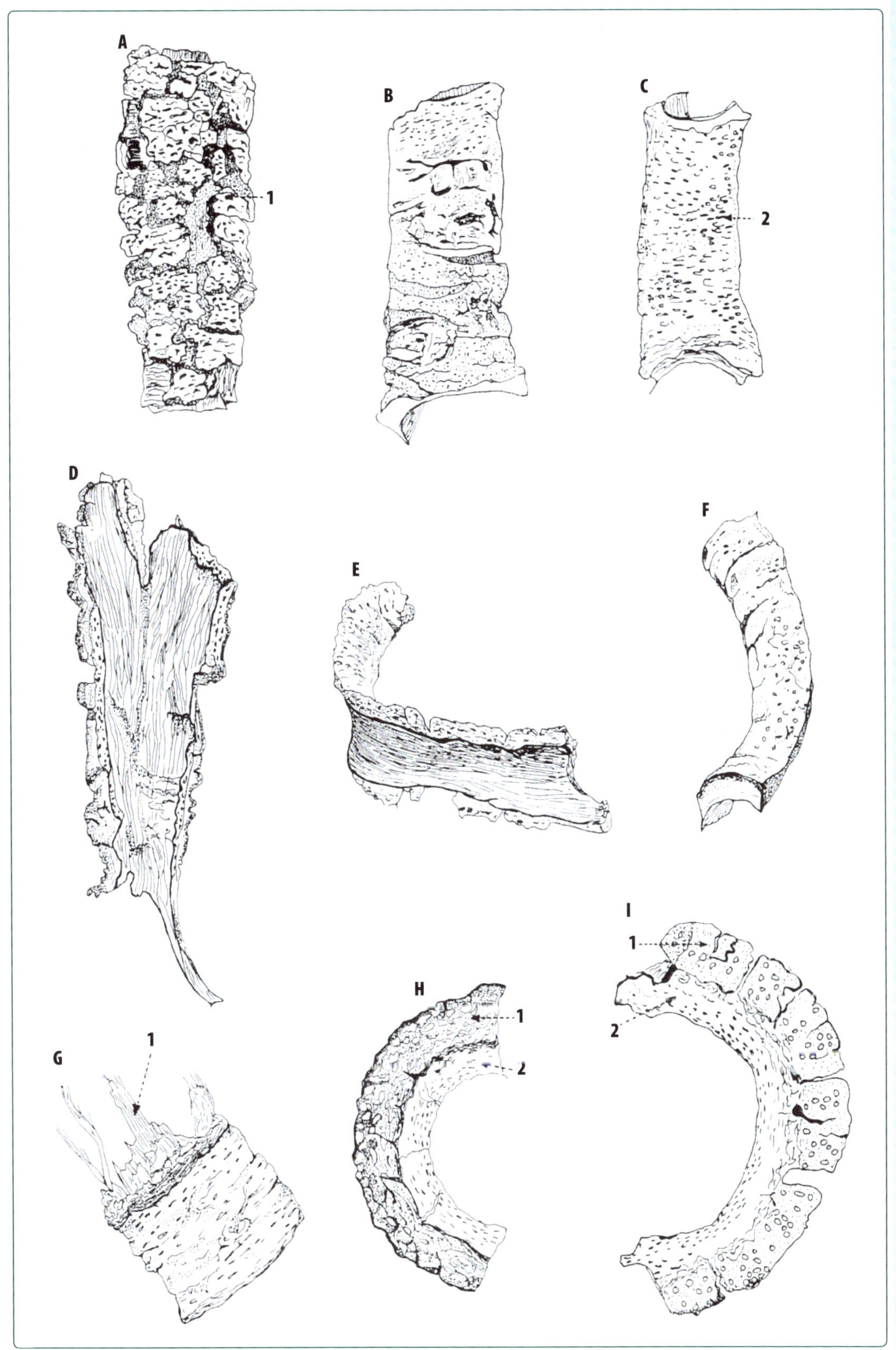

Fig. 8.30 – BARBATIMÃO (*Stryphnodendron barbatimao* Martius). **A, B, C** e **F.** Fragmentos de casca mostrando a parte externa sulcada em diversos sentidos: **1** – sulco; **2** – lenticela. **D**, **E.** Fragmentos de casca mostrando a região interna estriada longitudinalmente. **G.** Fragmento de casca mostrando fratura fibrosa: **1** – fibras. **H** e **I.** Secção transversal de casca mostrando: **1** – ritidoma; **2** – casca floemática.

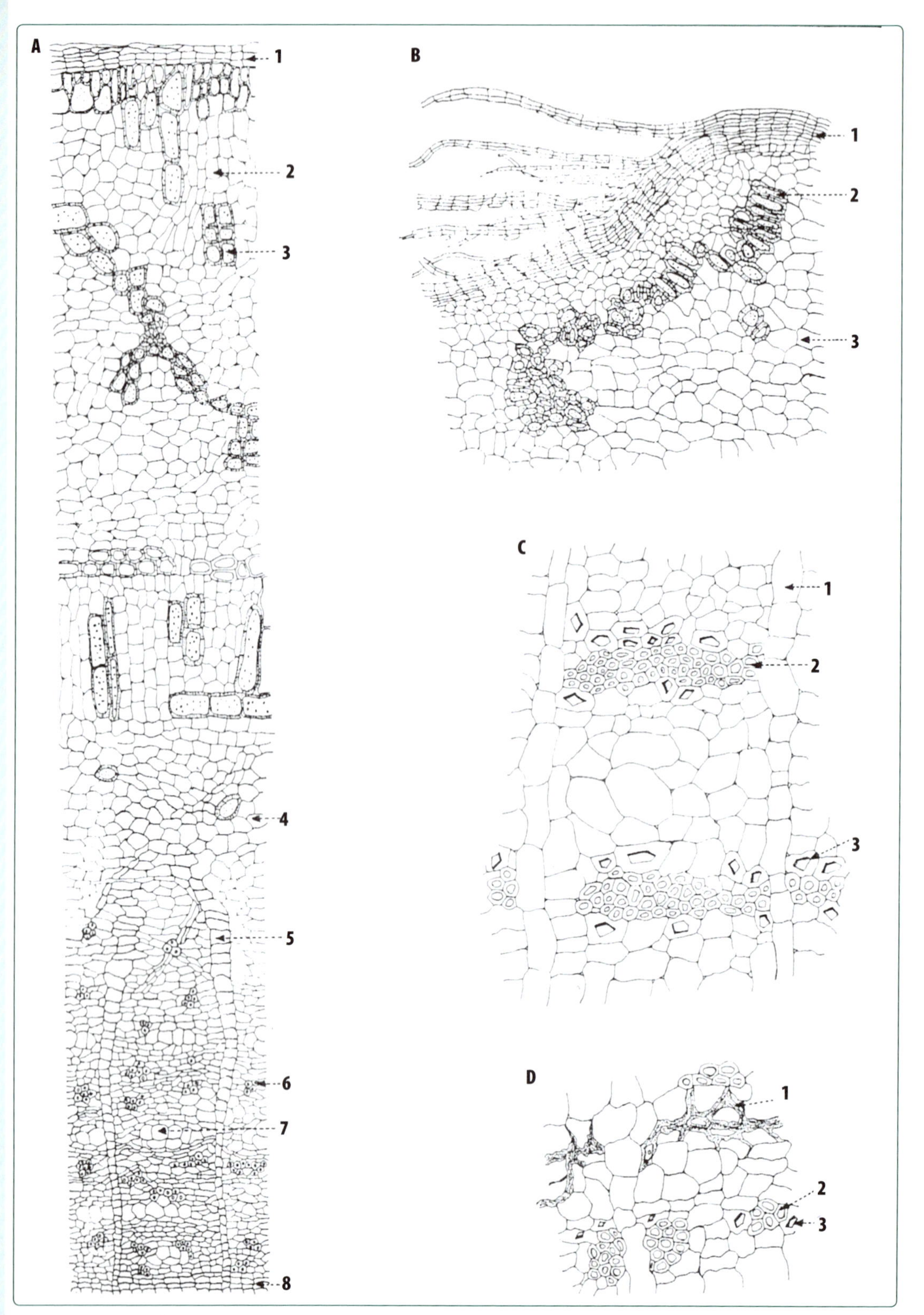

Fig. 8.31 – BARBATIMÃO (*Stryphnodendron barbatimao* Martius). **A.** Secção transversal da casca: **1** – súber; **2** – parênquima cortical; **3** – grupo de células pétreas; **4** – região floemática externa; **5** – raio medular secundário; **6** – fibras floemáticas; **7** – células gigantes; **8 –** região cambial. **B.** Secção transversal da casca: **1** – súber; **2** – células pétreas; **3** – parênquima cortical. **C.** Secção transversal da casca ao nível da região floemática secundária: **1** – raio medular secundário; **2** – grupo de fibras envolvido por bainha cristalífera; **3** – cristal prismático. **D.** Secção transversal da casca ao nível da região floemática secundária mostrando: **1** – floema obliterado; **2** – fibras do floema; **3** – cristal prismático.

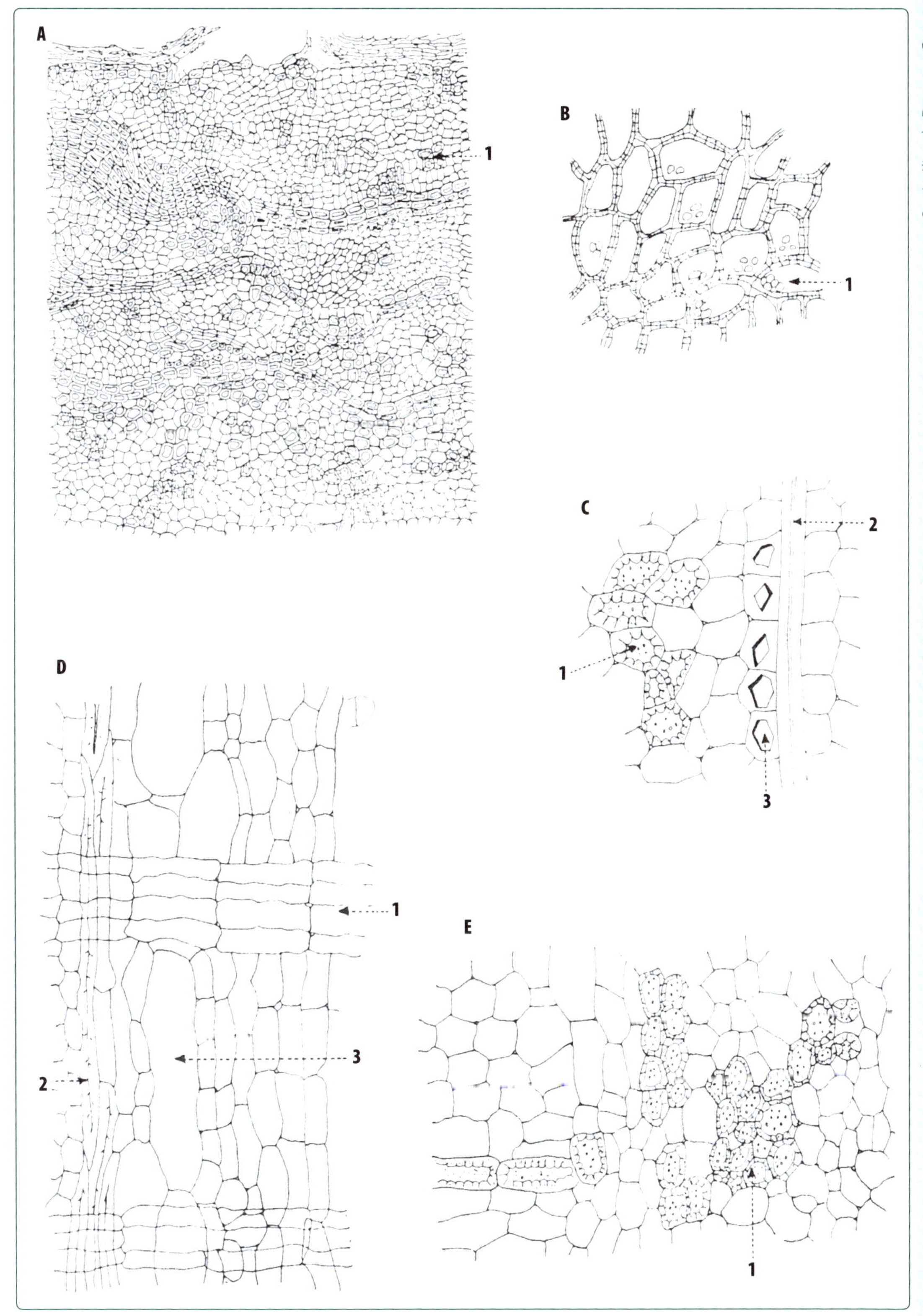

Fig. 8.32 – BARBATIMÃO (*Stryphnodendron barbatimao* Martius). **A.** Secção transversal da casca mostrando ritidomal: **1** – células pétreas. **B.** Secção transversal da casca: **1** – parênquima cortical contendo grãos de amido. **C.** Secção longitudinal radial da região floemática externa: **1** – grupo de células pétreas; **2** – fibras; **3** – cristal prismático. **D.** Secção longitudinal radial da região floemática: **1** – raio medular secundário; **2** – fibras; **3** – células gigantes. **E.** Corte longitudinal radial da região média da casca: **1** – células pétreas.

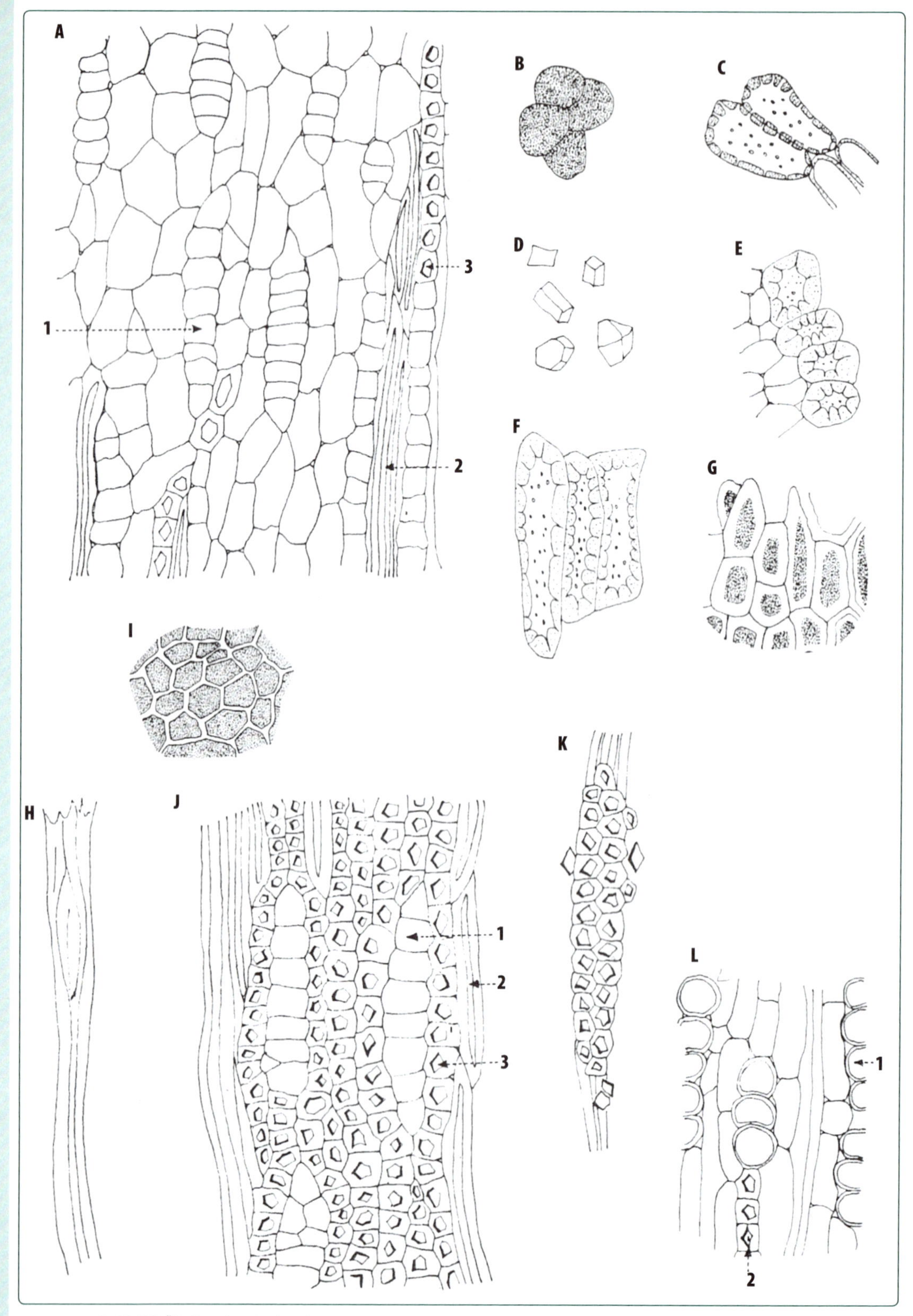

Fig. 8.33 – BARBATIMÃO *(Stryphnodendron barbatimao* Martius). **A.** Secção longitudinal tangencial de casca floemática: **1** – raio medular secundário; **2** – fibras; **3** – cristais prismáticos. **B.** Conteúdo celular. **C, E, F.** Células pétreas. **D.** Cristais de oxalato de cálcio. **G.** Células de paredes espessadas possuidoras de conteúdo pardo. **H.** Fibras. **1** – súber em secção longitudinal tangencial. **J.** Secção longitudinal tangencial de casca floemática: **1** – raio medular secundário; **2** – fibra; **3** – cristais prismáticos. **K**. Fragmento de região floemática mostrando: **1** – raio medular secundário; **2** – cristais.

Cajueiro

Anacardium occidentale Linné – *Anacardiaceae*
Parte usada: Casca.
Sinonímia vulgar: Acajuiba; Acajaiba; Caju-manso; Cacaju; Anacardo; Salsaparrilha-dos-pobres; Casca antidiabética; Acauba; Acaju-açu; Acaju-piranga; Acaju-pacoba.
Sinonímia científica: *Acajuba occidentalis* Gaertn.; *Cassuvium pommiferum* Lam.; *Anacardium subcordatum* Presl.; *Cassivium reniforme* Blanco.; *Cassivium solitarium* Stokes.

Seca, esta casca possui cheiro levemente aromático e sabor bastante adstringente.

Descrição macroscópica

A casca do CAJUEIRO apresenta-se, no comércio, em fragmentos de comprimento variável, mais ou menos curvos ou enrolados em tubos, e mede de **1** a **3** mm de espessura; sua superfície externa, de cor pardo-rósea, é provida de numerosas manchas escuras. Apresenta-se bastante rugosa e tem, de espaço em espaço, grandes fendas transversais, de margens bastante salientes; a face interna, de cor parda mais escura, é finamente estriada no sentido longitudinal. Sua fratura é muito fibrosa.

A secção transversal da casca, observada com o auxílio de lupa, mostra linhas dispostas radialmente, constituídas pelos raios medulares secundários, bem como região de canais secretores, alguns preenchidos de óleo-resina (Fig. 8.34).

Descrição microscópica

O súber é pouco desenvolvido, sendo constituído por fileiras de células de paredes finas, alternadas com células de paredes espessadas; o parênquima cortical, bastante espesso, contém células esclerosas com duas formas: umas têm paredes delgadas e outras têm as paredes muito espessas, canaliculadas e agrupadas em pequeno número; esse parênquima apresenta, outrossim, grandes canais secretores, dispostos sem regularidade. O líber é formado de um tecido mais denso e caracterizado pela presença de canais secretores arredondados, de fibras esclerenquimáticas de paredes pouco espessas e reunidas em grupos, de tamanho irregular, que são dispostos, em seu conjunto, em séries mais ou menos paralelas. Estas alternam-se com faixas de um parênquima liberiano, entremeado de tecido crivoso obliterado. Esse líber é atravessado por estreitos raios medulares formados de uma a duas fileiras de células, as quais se alargam subitamente ao se aproximarem da periferia, dividindo-o, assim, em cuneiformes um tanto inclinados. Os tecidos parenquimatosos são ricos em amido e apresentam cristais estrelares de oxalato de cálcio (Figs. 8.35 e 8.36).

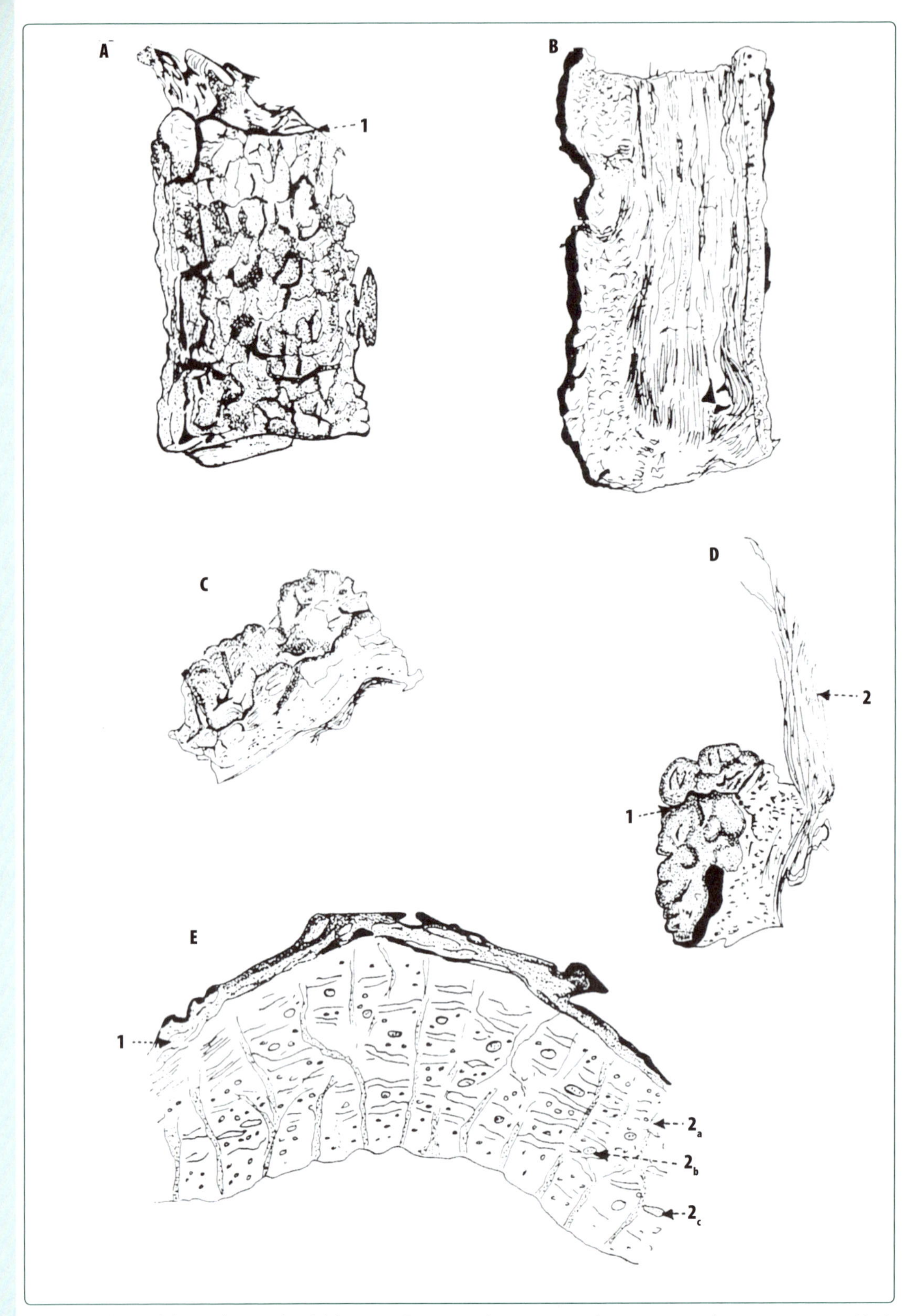

Fig. 8.34 – CAJUEIRO (*Anacardium occidentale* L.). **A, C, D.** Fragmentos de casca mostrando a parte externa bastante rugosa e provida de fendas transversais e longitudinais: **1** – região de fenda transversal; **2** – porção fibrosa localizada internamente. **B.** Fragmento de casca mostrando a região interna finamente estriada no sentido longitudinal. **E.** Secção transversal da casca observada com auxílio de lupa: **1** – súber; **2** – casca floemática: $\mathbf{2_a}$ – raio medular; $\mathbf{2_b}$ – canal secretor; $\mathbf{2_c}$ – grupo de células pétreas.

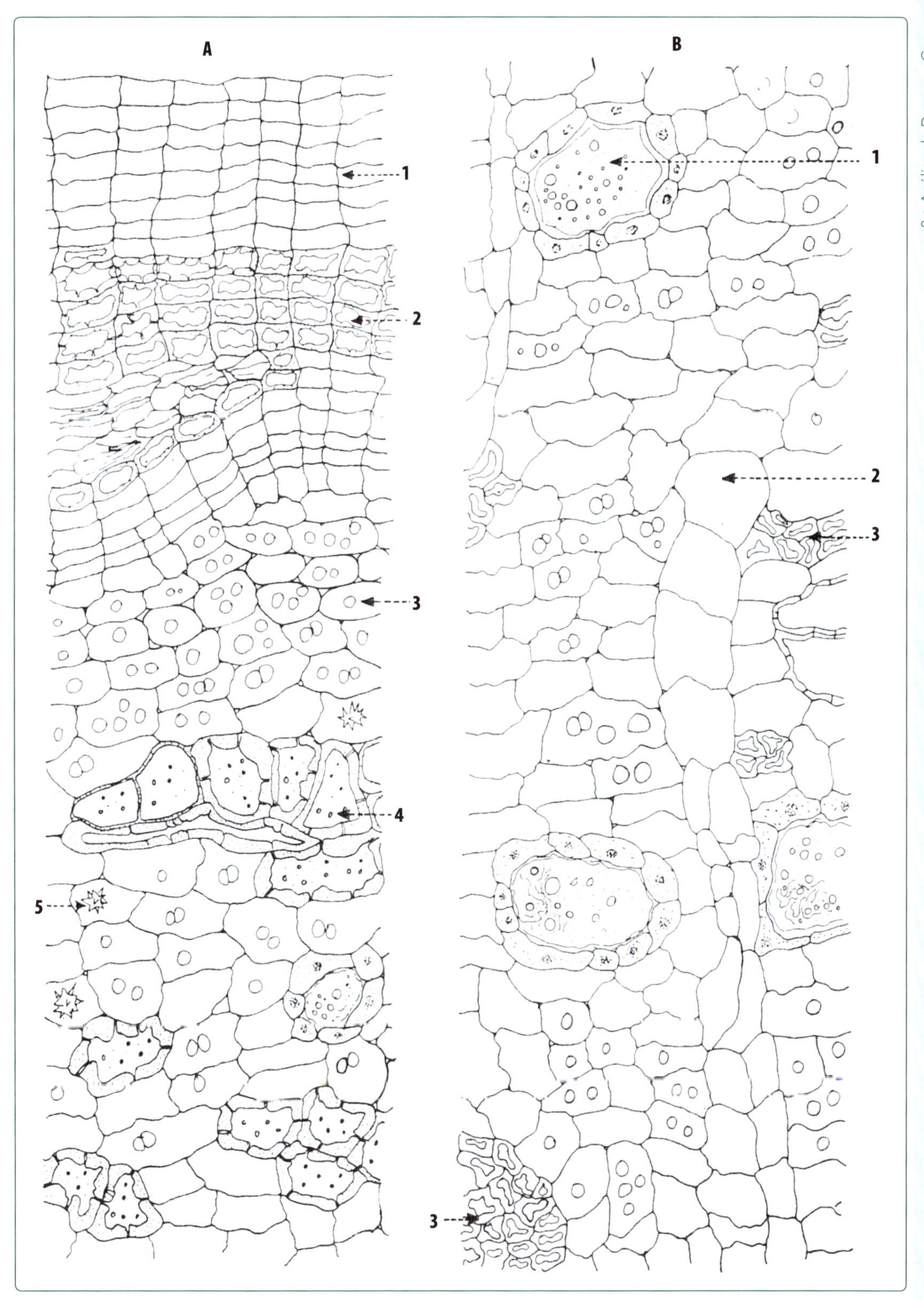

Fig. 8.35 – CAJUEIRO (*Anacardium occidentale* L.). **A.** Secção transversal da casca (região externa): **1** – súber mostrando células de paredes finas; **2** – súber mostrando células de paredes espessadas; **3** – parênquima cortical contendo grãos de amilo; **4** – células pétreas; **5** – drusa. **B.** Secção transversal da casca (região interna): **1** – canal secretor; **2** – raio medular secundário; **3** – grupos de fibras do floema.

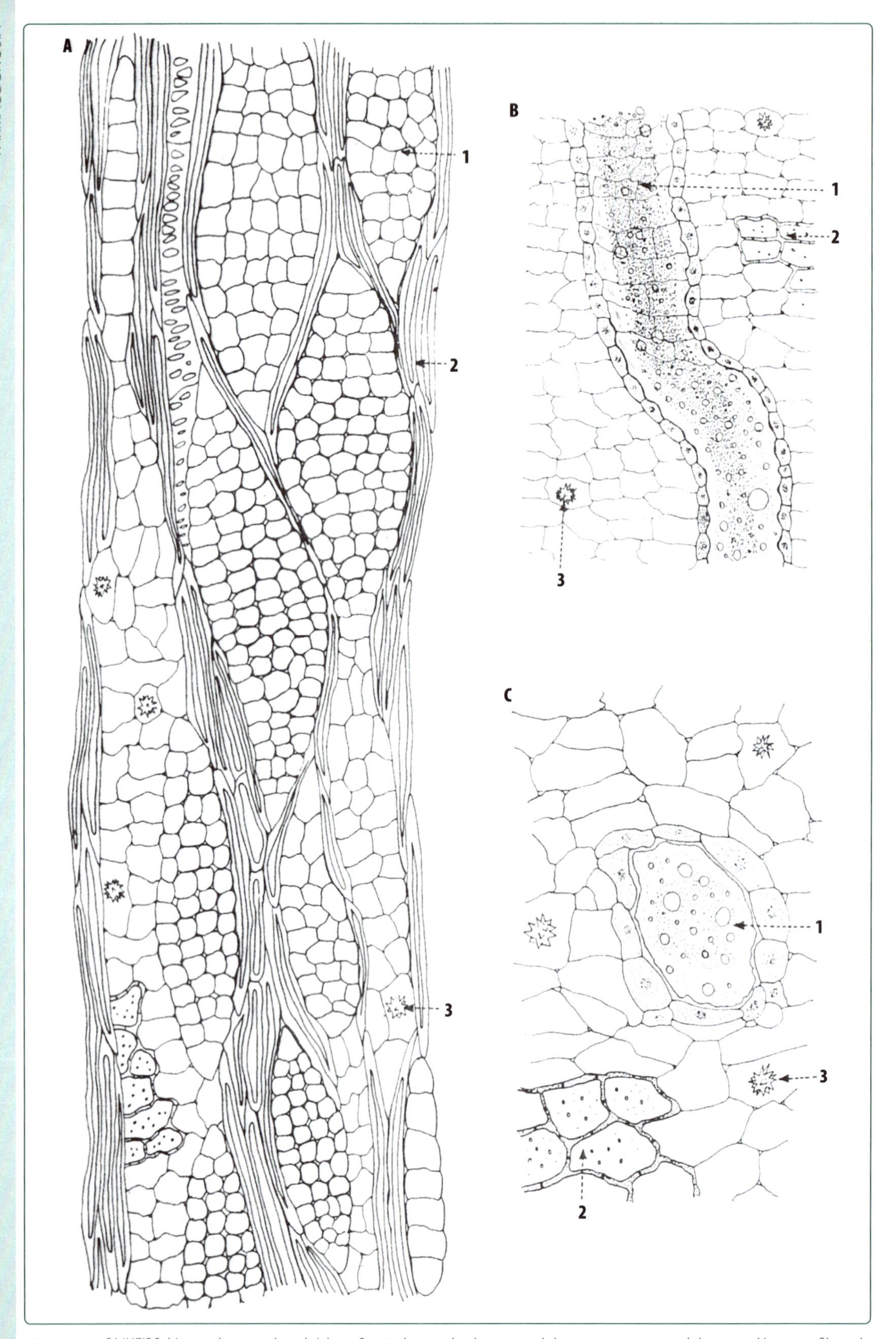

Fig. 8.36 – CAJUEIRO (*Anacardium occidentale* L.). **A.** Secção longitudinal tangencial da casca: **1** – raio medular secundário; **2** – fibras do floema; **3** – drusa. **B.** Secção longitudinal radial da casca: **1** – canal secretor; **2** – células esclerosadas; **3** – drusa. **C.** Secção transversal da casca: **1** – canal secretor; **2** – grupo de células esclerosadas; **3** – drusa.

Canela-do-Ceilão

Cinnamomum zeylanicum Nees. – *Lauraceae*

Parte usada:	Casca.
Sinonímia vulgar:	Canela-rainha; Canela-de-tubo; *Ceylon cinnamon.*
Sinonímia científica:	*Laurus cinnamomum* L.

A droga possui odor característico, aromático. Seu sabor é um pouco adocicado, quente, muito aromático e agradável.

Descrição macroscópica

Esta casca apresenta-se, no comércio, em tubos ou canudos enrolados para dentro nas duas margens, embutidos uns dentro dos outros, de comprimento variável, podendo atingir até 1 m de comprimento e, em geral, de 1 a 3 cm de diâmetro; a espessura é de cerca de 1 mm. É privada das camadas celulares externas pela raspagem. Sua superfície externa é de cor pardo-amarelada, fosca e apresenta um certo número de cicatrizes arredondadas, que correspondem aos pontos de inserção das folhas e dos brotos axilares, assim como longas estrias esbranquiçadas, sinuosas, dispostas longitudinalmente. Sua superfície interna é lisa e de cor pardo-escura. Sua fratura é curta, esquirolosa e apresenta um certo número de fibras esbranquiçadas e salientes (Fig. 8.37).

Descrição microscópica

A casca mondada é desprovida de súber e de parênquima cortical. Sua secção transversal mostra periciclo misto, com vestígios de parênquima cortical. Na região do periciclo ocorre um anel contínuo, constituído de até cinco fileiras de células esclerosas que apresentam, externamente, grupos isolados de fibras de paredes espessas. As células pétreas têm paredes grossas, muito canaliculadas e espessamento regular. Somente algumas têm espessamento em forma de U. O floema é constituído, na parte externa, por um tecido frouxo, e internamente apresenta células dispostas com regularidade; mostra numerosas células com mucilagem ou com óleo essencial e é atravessado por faixas transversais de tecido crivoso obliterado; apresenta, ainda, numerosos grupos de fibras liberianas, de paredes espessas não canaliculadas. As células do floema contêm grãos e amidos simples e compostos. Os raios medulares, que separam o floema em faixas cuneiformes, são largos na parte externa, estreitando-se internamente, onde apresentam duas fileiras de células; essas células encerram numerosas e minúsculas agulhas de oxalato de cálcio e raros grãos de amido (Figs. 8.38 a 8.40).

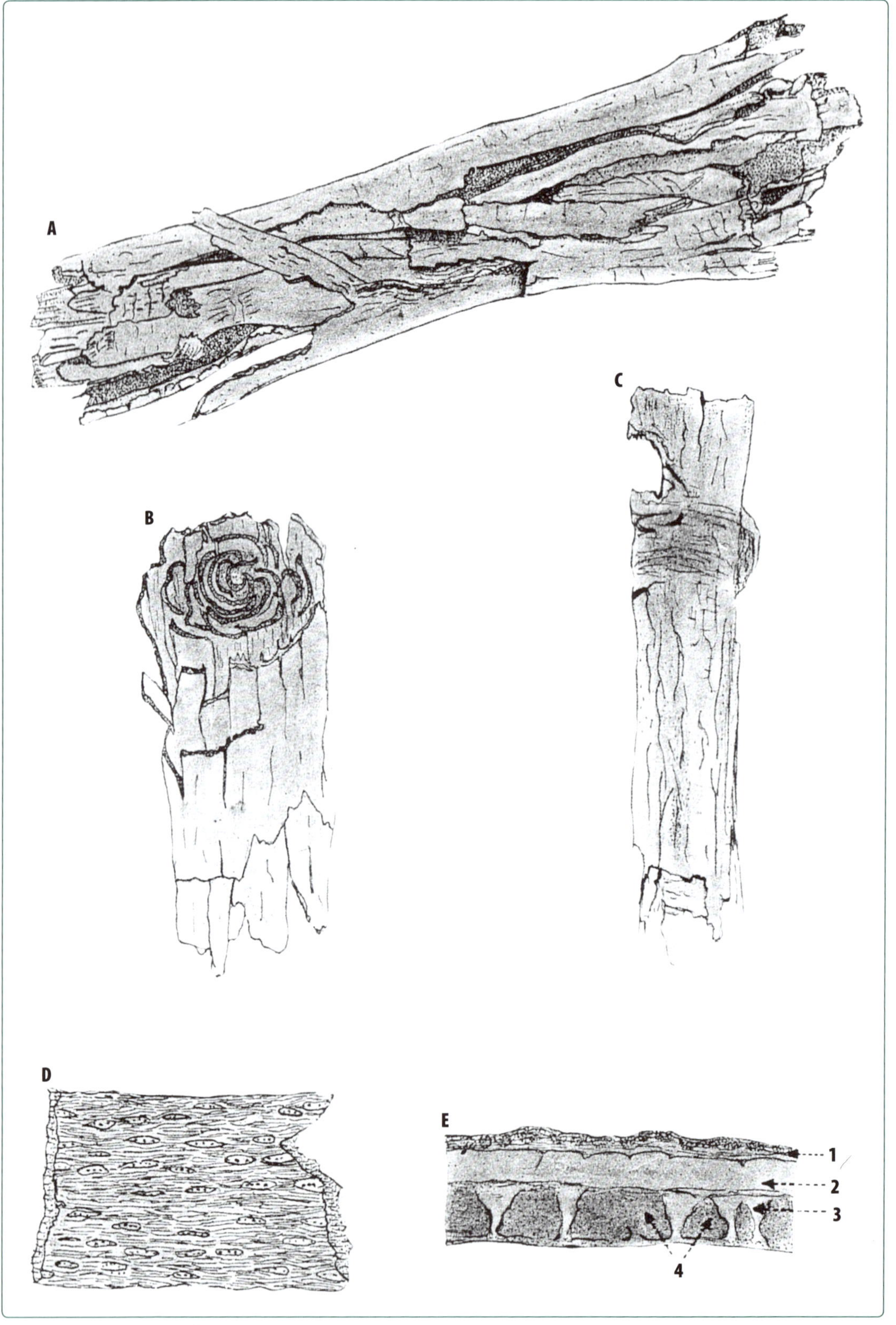

Fig. 8.37 – CANELA-DO-CEILÃO (*Cinnamomum zeylanicum* Nees.). **A** e **B.** Conjunto de cascas em forma de canudos embutidas umas dentro das outras. **C.** Fragmento de casca visto pelo lado externo. **D.** Fragmento de casca visto pelo lado interno. **E.** Secção transversal de casca observado à lupa: **1** – periciclo; **2** – floema frouxo; **3** – raio medular; **4** – floema denso.

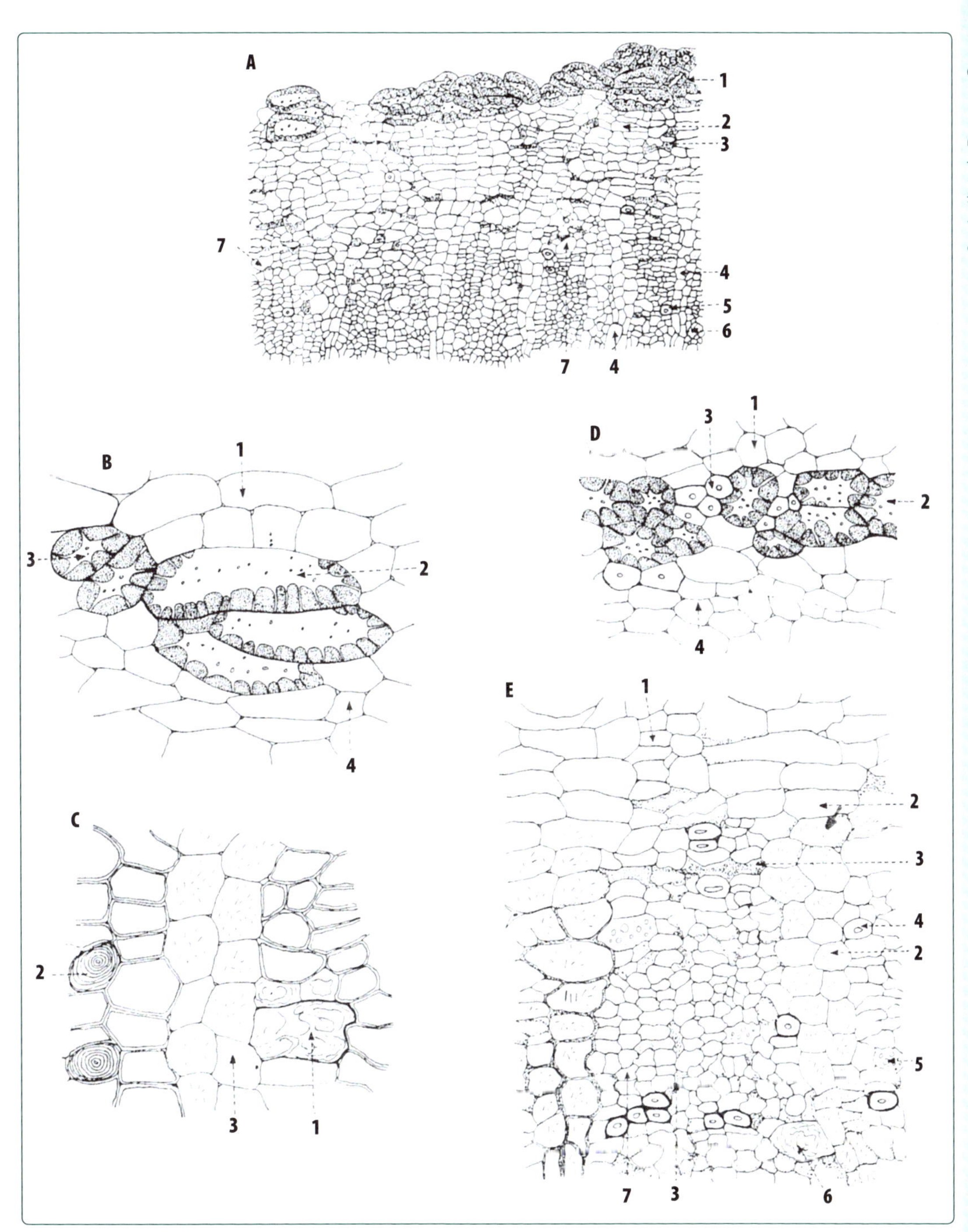

Fig. 8.38 – CANELA-DO-CEILÃO (*Cinnamomum zeylanicum* Nees.). **A.** Secção transversal da casca: **1** – periciclo; **2** – região de floema frouxo (região externa); **3** – célula de floema obliterado; **4** – raio medular; **5** – fibra; **6** – célula mucilaginosa; **7** – célula de óleo essencial. **B.** Secção transversal da casca ao nível da região pericíclica mostrando: **1** – restos de tecido cortical; **2** – célula pétrea com espessamento em U; **3** – célula pétrea comum; **4** – região de floema frouxo (região externa). **C.** Secção transversal ao nível da região floemática: **1** – célula contendo mucilagem; **2** – fibra; **3** – raio medular contendo rafídeo. **D.** Secção transversal da casca ao nível da região pericíclica mostrando: **1** – restos de tecido cortical; **2** – célula pétrea; **3** – grupo de fibra; **4** – floema frouxo (região externa). **E.** Secção transversal da casca ao nível da região floemática: **1** – floema frouxo (região externa); **2** – raio medular com rafídeo; **3** – célula de floema obliterado; **4** – fibra; **5** – célula contendo óleo essencial; **6** – célula contendo mucilagem; **7** – região floemática interna mostrando células dispostas regularmente.

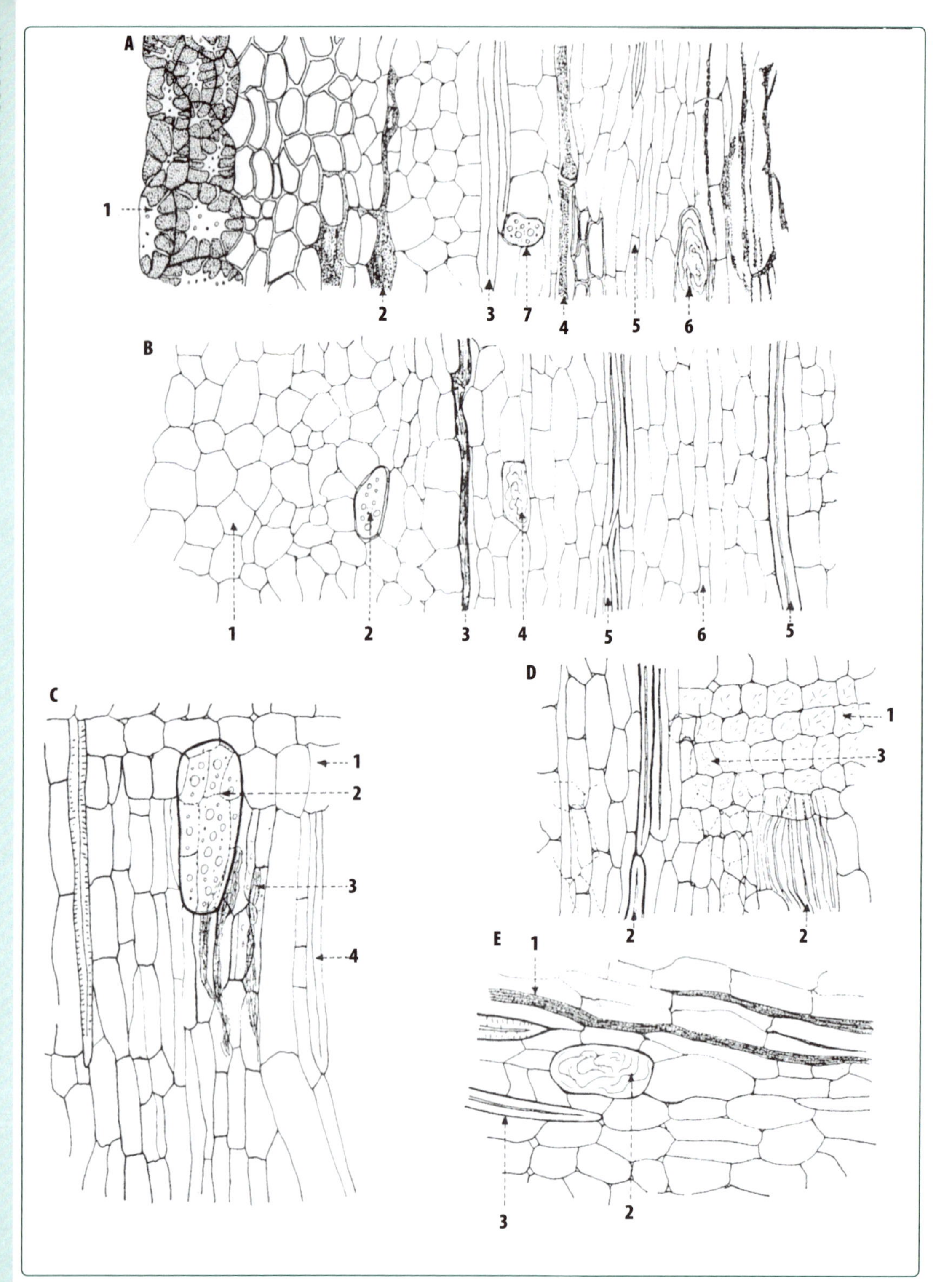

Fig. 8.39 – CANELA-DO-CEILÃO *(Cinnamomum zeylanicum* Nees.). **A.** Secção longitudinal radial da casca: **1** – periciclo pétreo; **2** – células floemáticas obliteradas; **3** – fibra; **4** – tubo crivado obliterado; **5** – região floemática interna; **6** – célula mucilaginosa; **7** – célula com óleo essencial. **B.** Secção longitudinal radial da casca: **1** – região floemática externa; **2** – célula oleífera; **3** – tubo crivado obliterado; **4** – célula mucilaginosa; **5** – fibras; **6** – região floemática interna. **C.** Secção longitudinal radial da região floemática interna: **1** – raio medular; **2** – célula oleífera; **3** – células obliteradas; **4** – fibras. **D.** Secção longitudinal radial da região floemática interna mostrando: **1** – rale medular com rafídeo; **2** – fibras; **3** – célula oleífera localizada em nível inferior. **E.** Fragmento da casca em secção longitudinal radial: **1** – tubo crivado obliterado; **2** – célula contendo mucilagem; **3** – fibra.

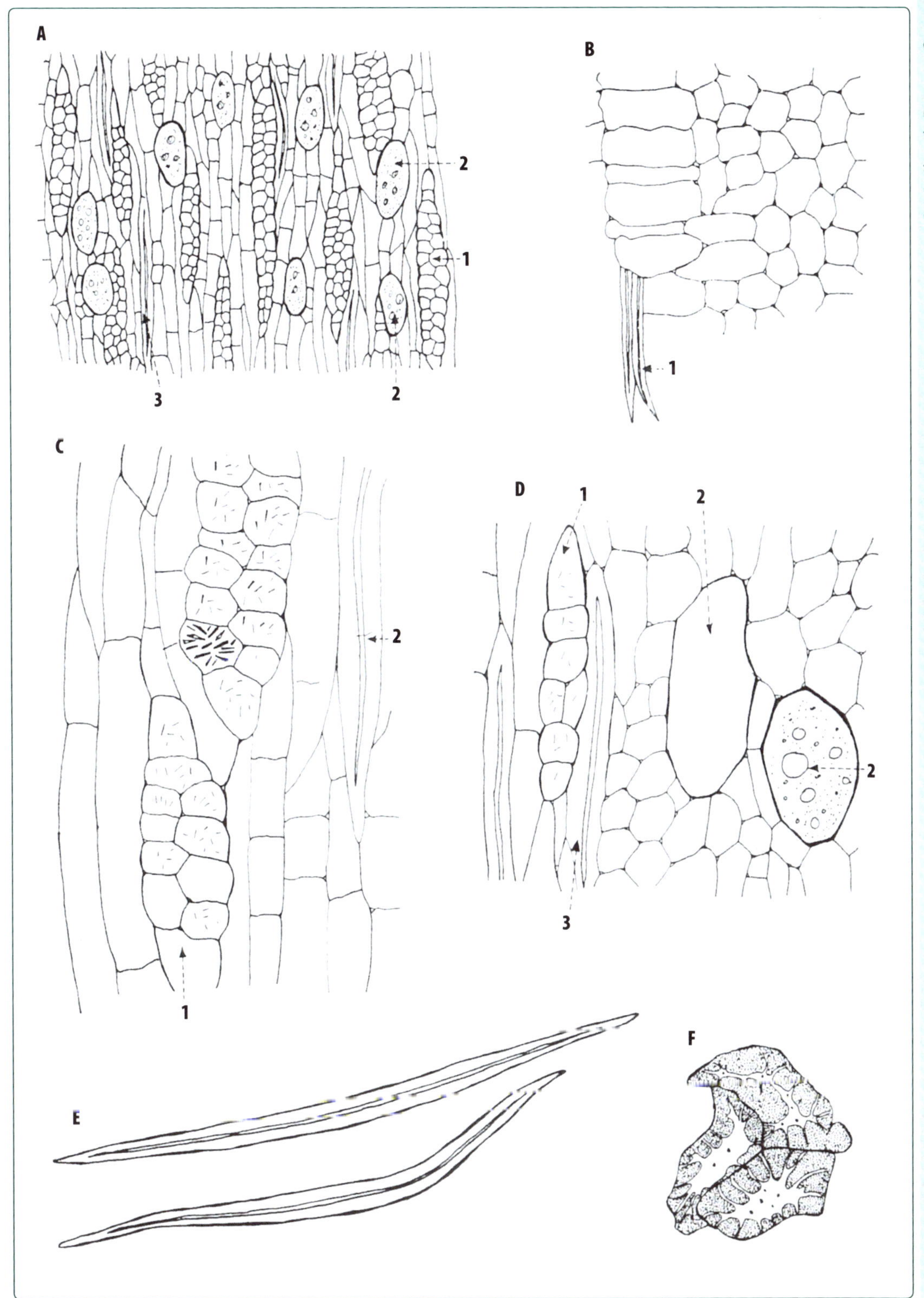

Fig. 8.40 – CANELA-DO-CEILÃO (*Cinnamomum zeylanicum* Nees.). **A.** Secção longitudinal tangencial da casca passando pela região interna: **1** – raio medular; **2** – célula oleífera; **3** – fibra. **B.** Secção longitudinal da região externa da casca: **1** – fibra. **C.** Secção longitudinal tangencial da casca floemática: **1** – raio medular secundário mostrando cristais aciculares; **2** – fibra. **D.** Secção longitudinal tangencial da casca floemática mostrando: **1** – raio medular; **2** – célula oleífera; **3** – fibra. **E.** Fibras. **F.** Grupo de células pétreas.

Canela-da-China

Cinnamomum cassia (Nees) Blume – *Lauraceae*
Parte usada: Casca.
Sinonímia vulgar: Cinamomo chinês; Canela comum.
Sinonímia científica: *Cinnamomum obtusifolium* var. *cassia* Perrot e Eberhardt.

A droga possui odor característico e aromático. Seu sabor é menos doce, um pouco mucilaginoso e menos aromático que o da CANELA-DO-CEILÃO.

Descrição macroscópica

A casca de CANELA-DA-CHINA apresenta-se em canudos ou semicanudos, com comprimento de até 50 cm e com largura de até 3 cm. As cascas medem até 3 mm de espessura. Sua superfície externa é de cor pardo-amarelada escura, com manchas pardo-acinzentadas que representam restos de súber; não se observam estrias esbranquiçadas e longitudinais. A face interna é pardacenta, lisa e sua fratura é ligeiramente fibrosa (Fig. 8.41).

Descrição microscópica

O súber, bastante espesso, é formado de células tabulares. As células mais internas apresentam paredes de espessamento regular ou espessamento em forma de U. O parênquima cortical, bastante desenvolvido, mostra numerosos grupos de células pétreas, de paredes canaliculadas, desigualmente espessadas. O periciclo é descontínuo, constituído de grupos de células pétreas, de paredes canaliculadas, com espessamento em forma de U e, externamente, por raros grupos de fibras também de paredes espessadas. O floema apresenta mais ou menos a mesma estrutura da CANELA-DO-CEILÃO, diferenciando-se por conter poucas fibras, isoladas, grãos de amido simples e compostos. Os raios medulares, de duas fileiras de células, contêm cristais de oxalato de cálcio em forma de agulhas (Figs. 8.42, 8.43 e 8.44).

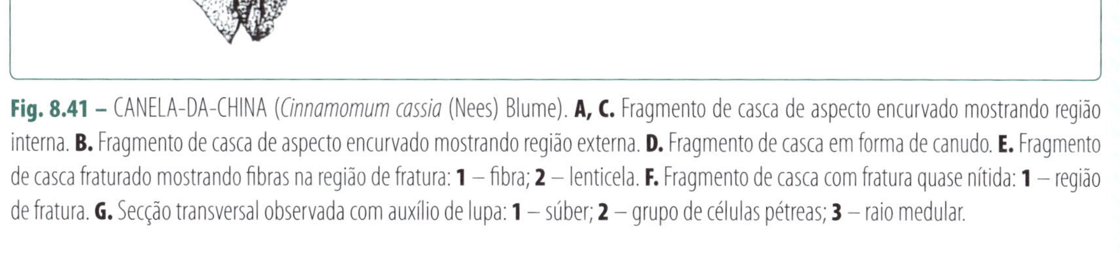

Fig. 8.41 – CANELA-DA-CHINA (*Cinnamomum cassia* (Nees) Blume). **A, C.** Fragmento de casca de aspecto encurvado mostrando região interna. **B.** Fragmento de casca de aspecto encurvado mostrando região externa. **D.** Fragmento de casca em forma de canudo. **E.** Fragmento de casca fraturado mostrando fibras na região de fratura: **1** – fibra; **2** – lenticela. **F.** Fragmento de casca com fratura quase nítida: **1** – região de fratura. **G.** Secção transversal observada com auxílio de lupa: **1** – súber; **2** – grupo de células pétreas; **3** – raio medular.

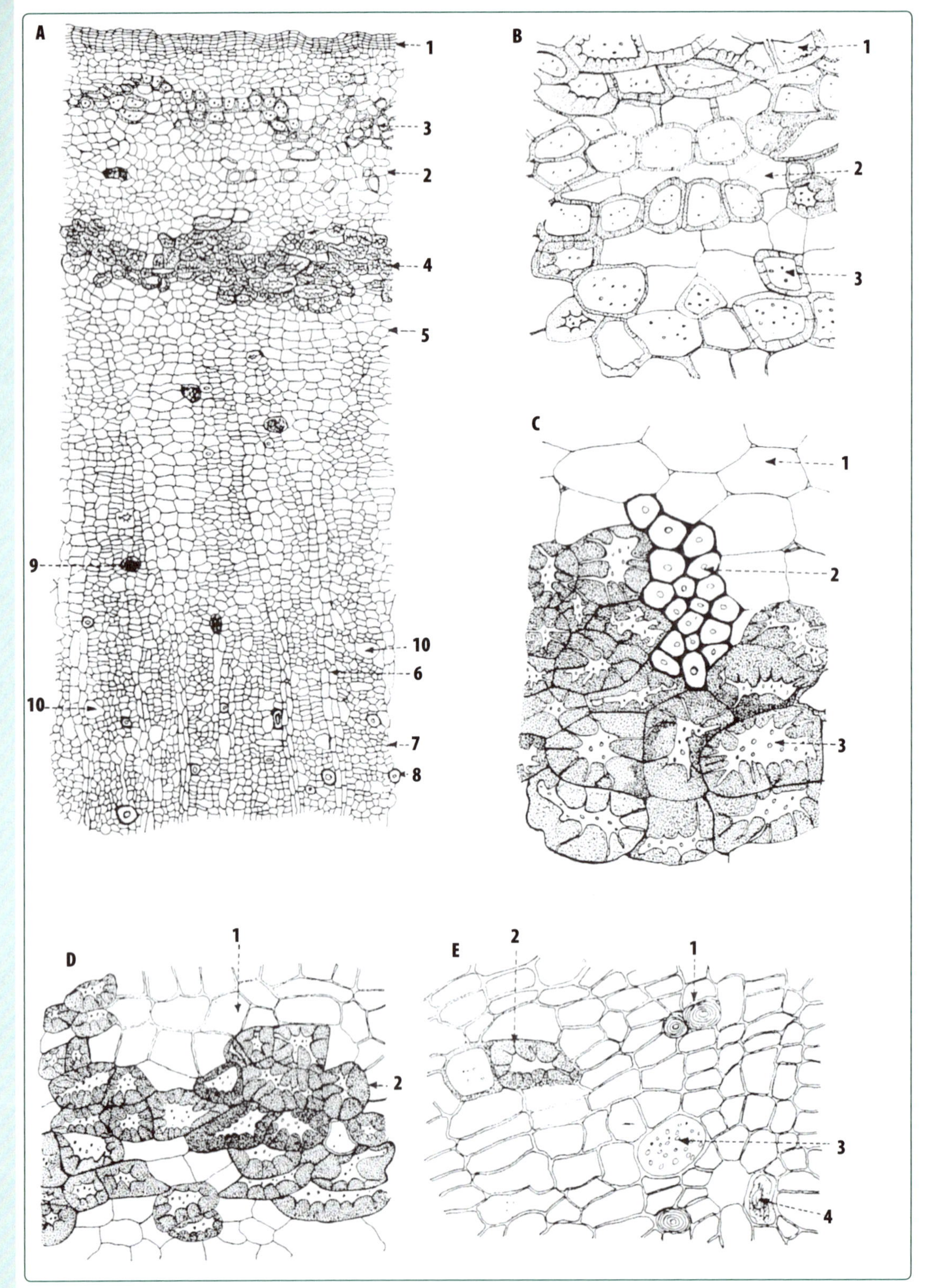

Fig. 8.42 – CANELA-DA-CHINA (*Cinnamomum cassia* (Nees) Blume). **A.** Secção transversal: **1** – súber; **2** – parênquima cortical; **3** – grupo de células pétreas; **4** – periciclo; **5** – região floemática externa; **6** – raio medular; **7** – região floemática interna; **8** – fibra; **9** – célula de mucilagem; **10** – célula oleífera. **B.** Secção transversal da região externa da casca: **1** – célula com espessamento em U; **2** – parênquima cortical; **3** – célula pétrea da região cortical. **C.** Secção transversal ao nível do periciclo: **1** – células da região cortical; **2** – grupo de fibras; **3** – célula pétrea. **D.** Secção transversal ao nível do periciclo: **1** – células da região cortical interna; **2** – grupo de células pétreas entre as quais algumas com espessamento em U. **E.** Secção transversal da casca floemática: **1** – fibra; **2** – célula pétrea; **3** – célula oleífera; **4** – célula mucilaginosa.

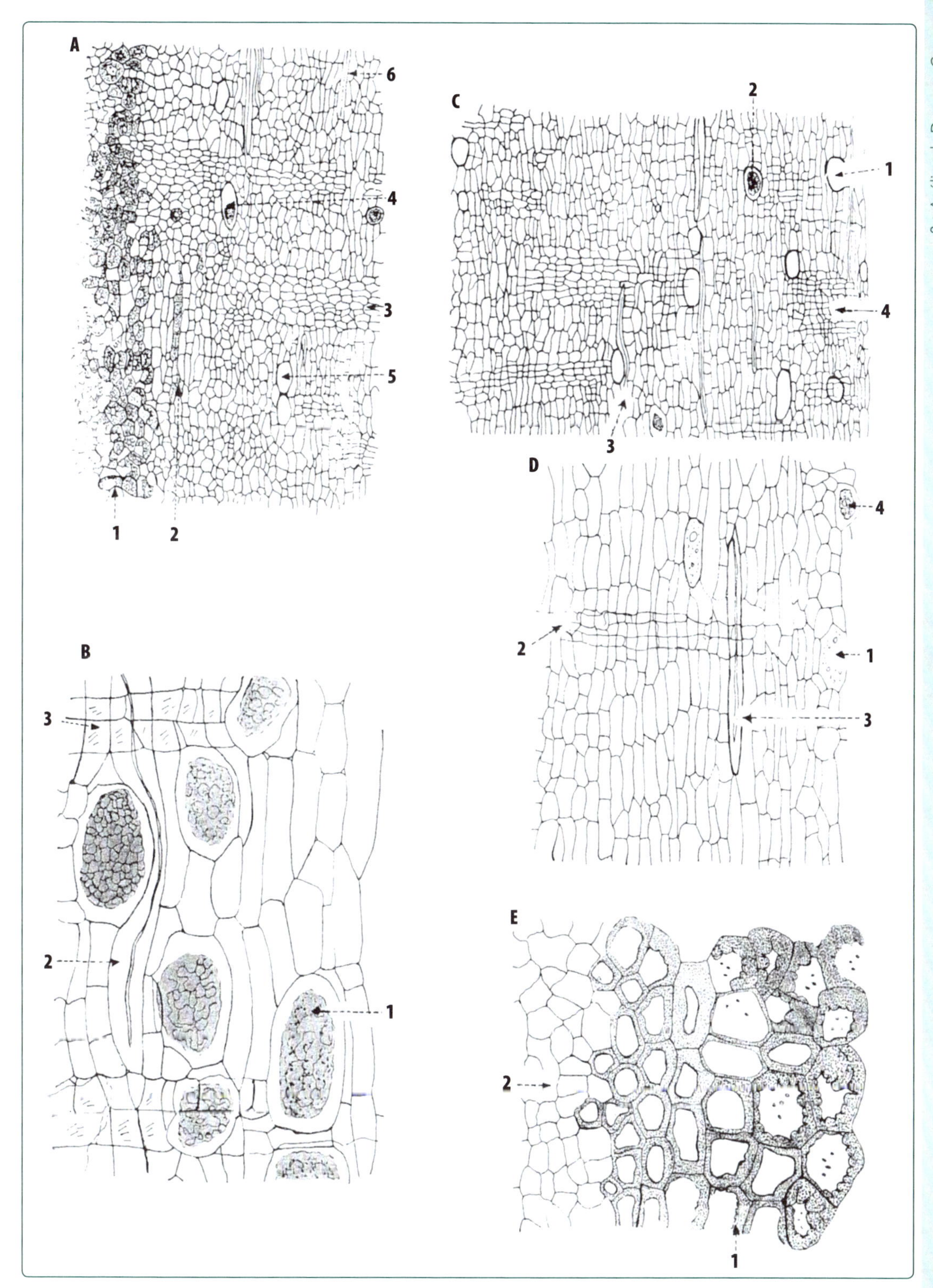

Fig. 8.43 – CANELA-DA-CHINA (*Cinnamomum cassia* (Nees) Blume). **A.** Secção longitudinal radial: **1** – periciclo pétreo; **2** – células floemáticas obliteradas; **3** – raio medular; **4** – célula mucilaginosa; **5** – célula oleífera; **6** – fibra. **B.** Secção longitudinal radial da casca floemática: **1** – célula mucilaginosa; **2** – fibra; **3** – raio medular. **C.** Secção longitudinal radial da casca floemática: **1** – célula oleífera; **2** – célula mucilaginosa; **3** – fibra; **4** – raio medular. **D.** Secção longitudinal radial mostrando detalhe da casca floemática: **1** – célula oleífera; **2** – raio medular; **3** – fibra; **4** – célula mucilaginosa. **E.** Secção longitudinal radial da região de periciclo: **1** – periciclo pétreo; **2** – floema externo.

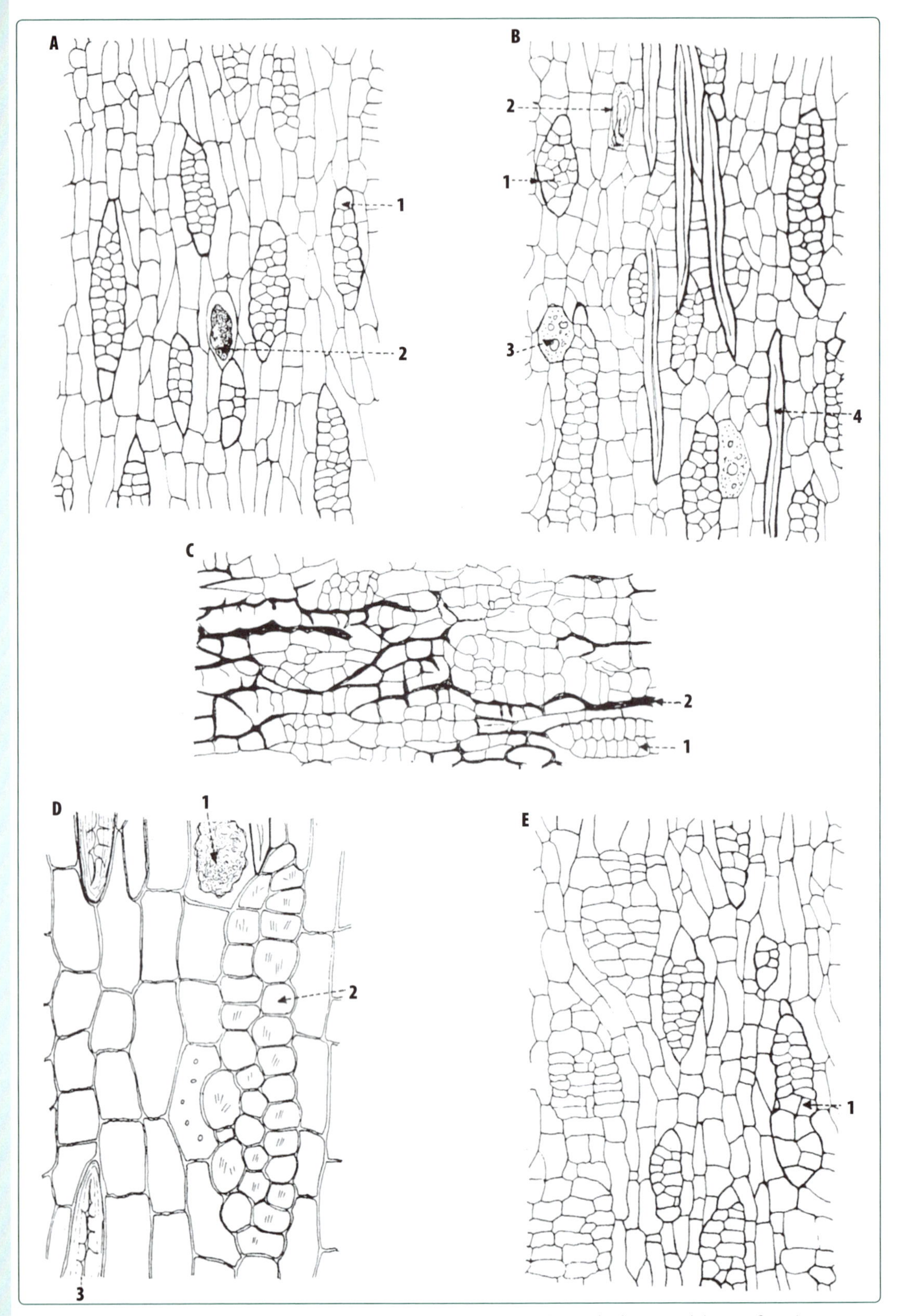

Fig. 8.44 – CANELA-DA-CHINA (*Cinnamomum cassia* (Nees) Blume). **A** e **B.** Secção longitudinal tangencial da casca floemática: **1** – raio medular secundário; **2** – célula mucilaginosa; **3** – célula oleífera; **4** – fibra. **C, E.** Secção longitudinal tangencial da casca floemática – região externa: **1** – raio medular secundário; **2** – células floemáticas amassadas. **D.** Secção longitudinal tangencial da casca floemática: **1** – célula mucilaginosa; **2** – raio medular secundário; **3** – fibra.

Cáscara sagrada

Rhamnus purshiana D.C. – *Rhamnaceae*

Parte usada: Casca.

Sinonímia vulgar: Córtex sagrado; Casca sagrada; Cáscara.

A droga é de fraco odor característico e sabor amargo, mucilaginoso e levemente acre.

Descrição macroscópica

Esta casca apresenta-se em fragmentos planos ou recurvados, sem se mostrarem completamente enrolados, de comprimento e largura variáveis e medindo de 1 a 5 mm de espessura. Sua superfície externa é constituída por um súber quase liso, de cor branco-acinzentada e, às vezes, lenticelas alongadas transversalmente; os fragmentos dos ramos mais idosos mostram-se bastante rugosos e, frequentemente, com liquens foliáceos e eventualmente com restos de musgos. O súber, pouco aderente, descobre, ao destacar-se, o parênquima cortical, de cor castanho-amarelada ou castanho-escura, finamente estriado no sentido longitudinal. A superfície interna é de cor pardo-amarelada, pardo-avermelhada ou parda.

A secção transversal da casca umedecida com floroglucinol clorídrica mostra externamente região fina escura correspondente ao súber, numerosas ilhotas vermelhas correspondentes a grupos de células pétreas e, internamente, diversas linhas finas de disposição quase radial e faixas claras de tecido em forma de cunha (Fig. 8.45).

Descrição microscópica

Súber bastante espesso, formado por dez, quinze ou mais camadas de células tabulares, delgadas e achatadas. O parênquima cortical é bem desenvolvido, contendo grupos de células pétreas irregularmente dispostas, envolvidas por bainhas cristalíferas providas de cristais prismáticos e grãos de amido esferoides. O floema apresenta-se, igualmente, bem desenvolvido e contém grupo de fibras envolvidas por bainha cristalífera. Tanto a região do parênquima cortical quanto a região do floema apresentam grande quantidade de drusas de oxalato de cálcio. Os raios medulares são estreitos, formados por uma a quatro fileiras de células e contêm cristais de oxalato de cálcio (Figs. 8.46 a 8.49).

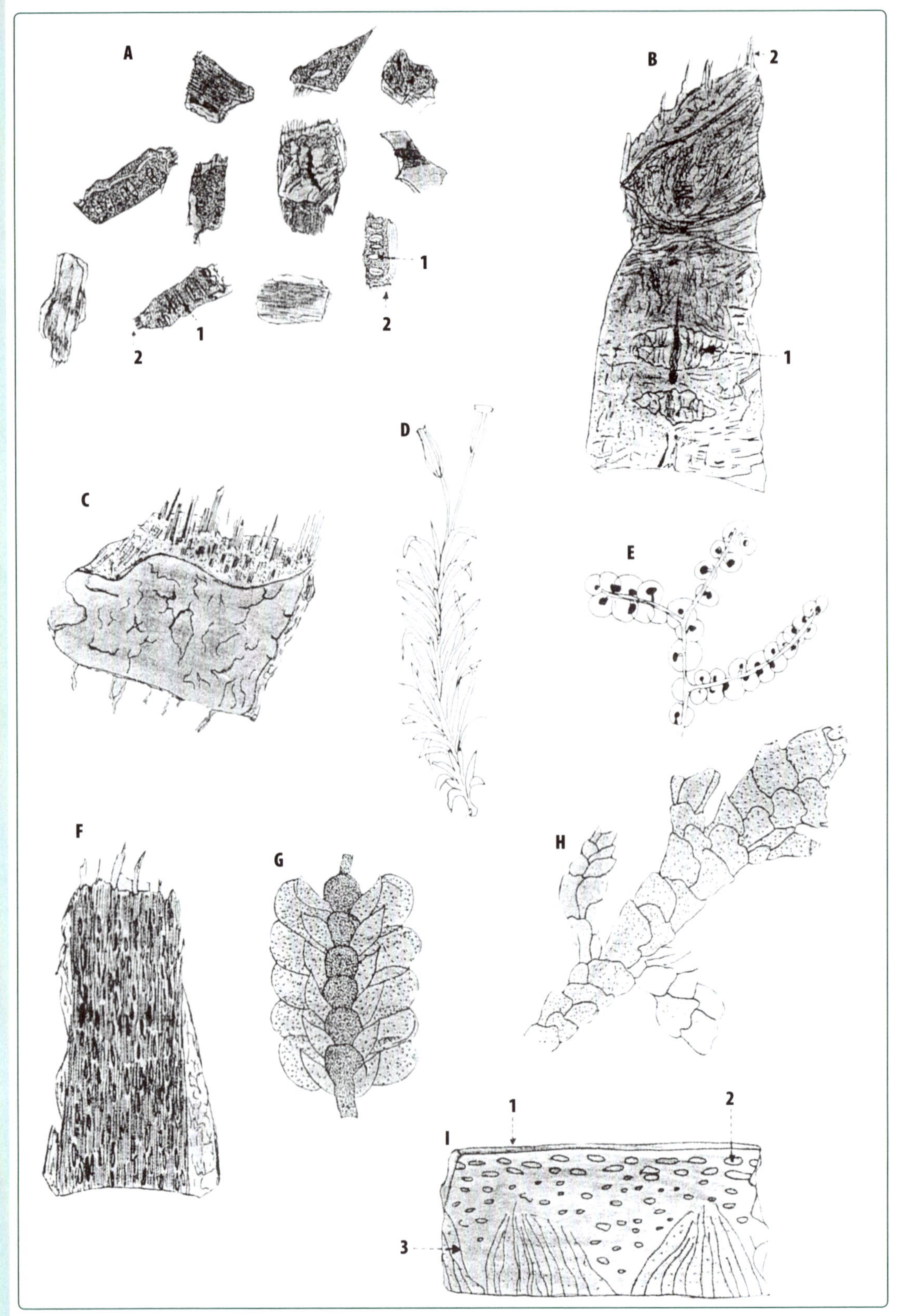

Fig. 8.45 – CÁSCARA SAGRADA (*Rhamnus purshiana* DC.). **A.** Fragmentos de casca: **1** – lenticela; **2** – fibras. **B.** Fragmento mostrando detalhe (observado à lupa): **1** – lenticela; **2** – fibras. **C.** Fragmento mostrando fratura fibrosa observada à lupa. **D, E, G** e **H.** Musgos e hepáticas que ocorrem com frequência sobre as cascas: **D.** Musgo. **E, G, H.** Hepáticas. **F.** Fragmento mostrando a face interna da casca observada à lupa. **I.** Secção transversal da casca observada à lupa: **1** – súber; **2** – grupo de células pétreas; **3** – raio medular.

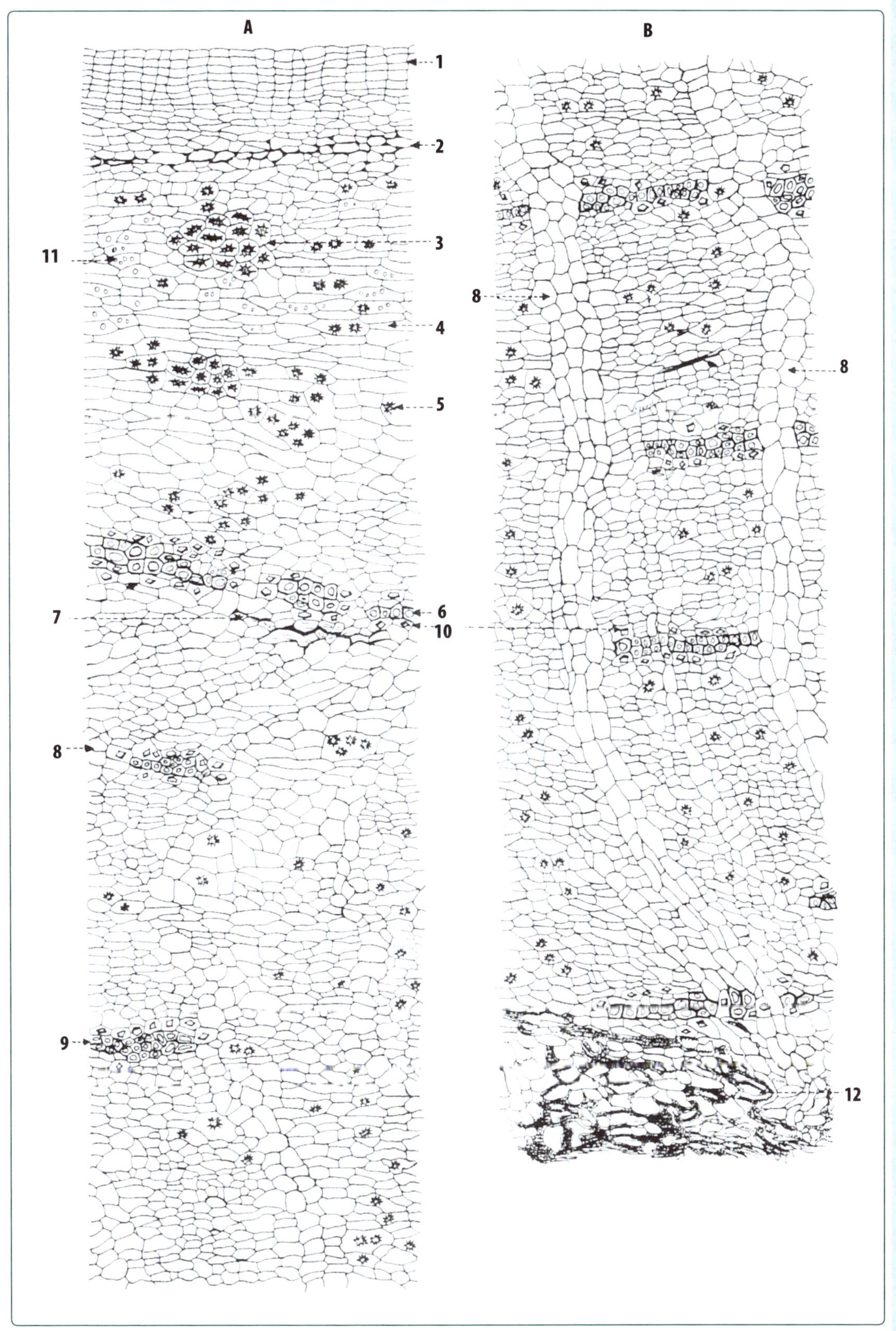

Fig. 8.46 – CÁSCARA SAGRADA (*Rhamnus purshiana* DC.). **A** e **B.** Secção transversal da casca. **A.** Região externa; **B.** Região interna: **1** – súber; **2** – região colenquimática; **3** – grupo de células pétreas; **4** – região cortical; **5** – drusa; **6** – periciclo fibroso; **7** – floema primário obliterado; **8** – raio medular; **9** – grupo de fibras floemáticas envoltos em bainha cristalífera; **10** – cristal prismático; **11** – grão de amido; **12** – região floemática adjacente ao câmbio mostrando células amassadas em função de processo de conservação.

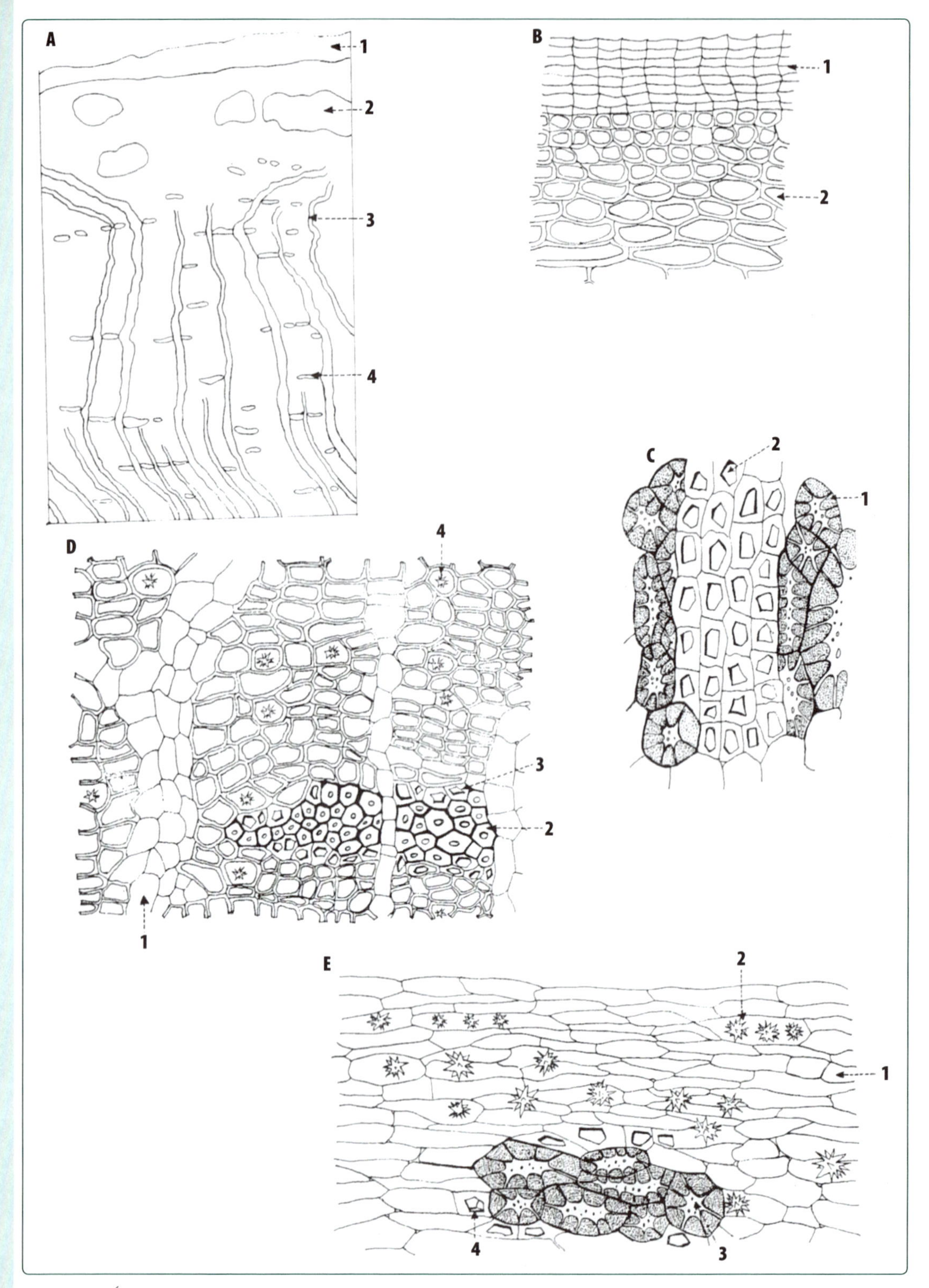

Fig. 8.47 – CÁSCARA SAGRADA (*Rhamnus purshiana* DC.). **A.** Secção transversal da casca: **1** – súber; **2** – grupo de células pétreas; **3** – raio medular; **4** – grupo de fibras. **B.** Secção transversal da região mais externa da casca: **1** – súber; **2** – colênquima. **C.** Detalhe mostrando conjunto de células pétreas e bainha cristalífera: **1** – célula pétrea; **2** – cristal prismático. **D.** Secção transversal da casca ao nível da região floemática mostrando: **1** – raio medular; **2** – grupo de fibras; **3**- bainha cristalífera de cristais prismáticos; **4** – drusa. **E.** Secção transversal da região externa da casca mostrando grupo de células pétreas: **1** – parênquima cortical; **2** – drusa; **3** – grupo de células pétreas; **4** – cristal prismático.

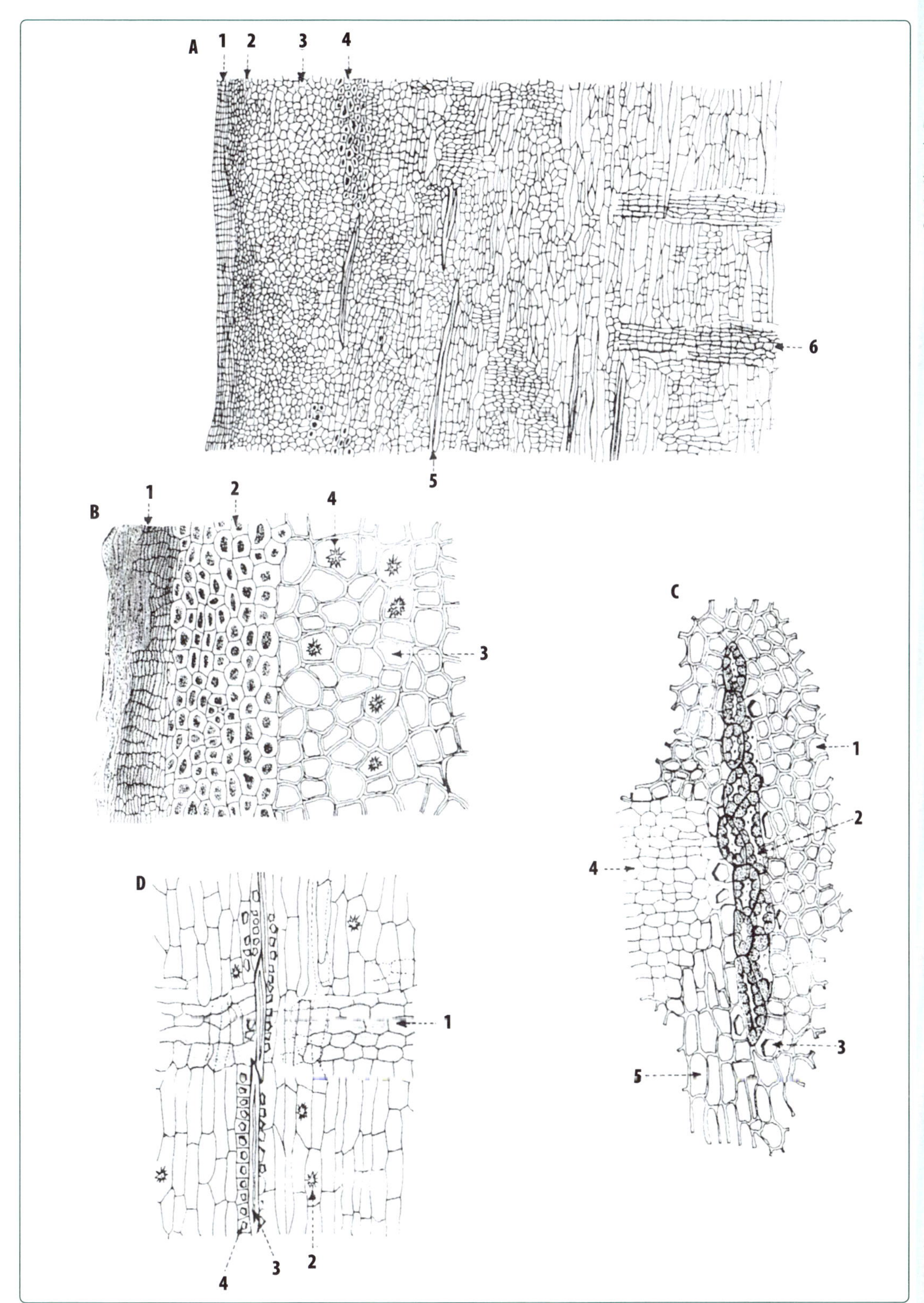

Fig. 8.48 – CÁSCARA SAGRADA (*Rhamnus purshiana* DC.). **A.** Secção longitudinal radial: **1** – súber; **2** – colênquima; **3** – parênquima cortical; **4** – grupo de células pétreas; **5** – fibra; **6** – raio medular secundário. **B.** Secção longitudinal radial ao nível da casca externa: **1** – súber; **2** – colênquima; **3** – parênquima cortical; **4** – drusa. **C.** Secção longitudinal radial da casca mostrando grupo de células pétreas: **1** – parênquima cortical; **2** – grupo de células pétreas; **3** – cristal prismático; **4** – raio medular secundário; **5** – região floemática. **D.** Secção longitudinal radial da casca floemática: **1** – raio medular secundário; **2** – drusa; **3** – fibra; **4** – bainha cristalífera contendo cristais prismáticos.

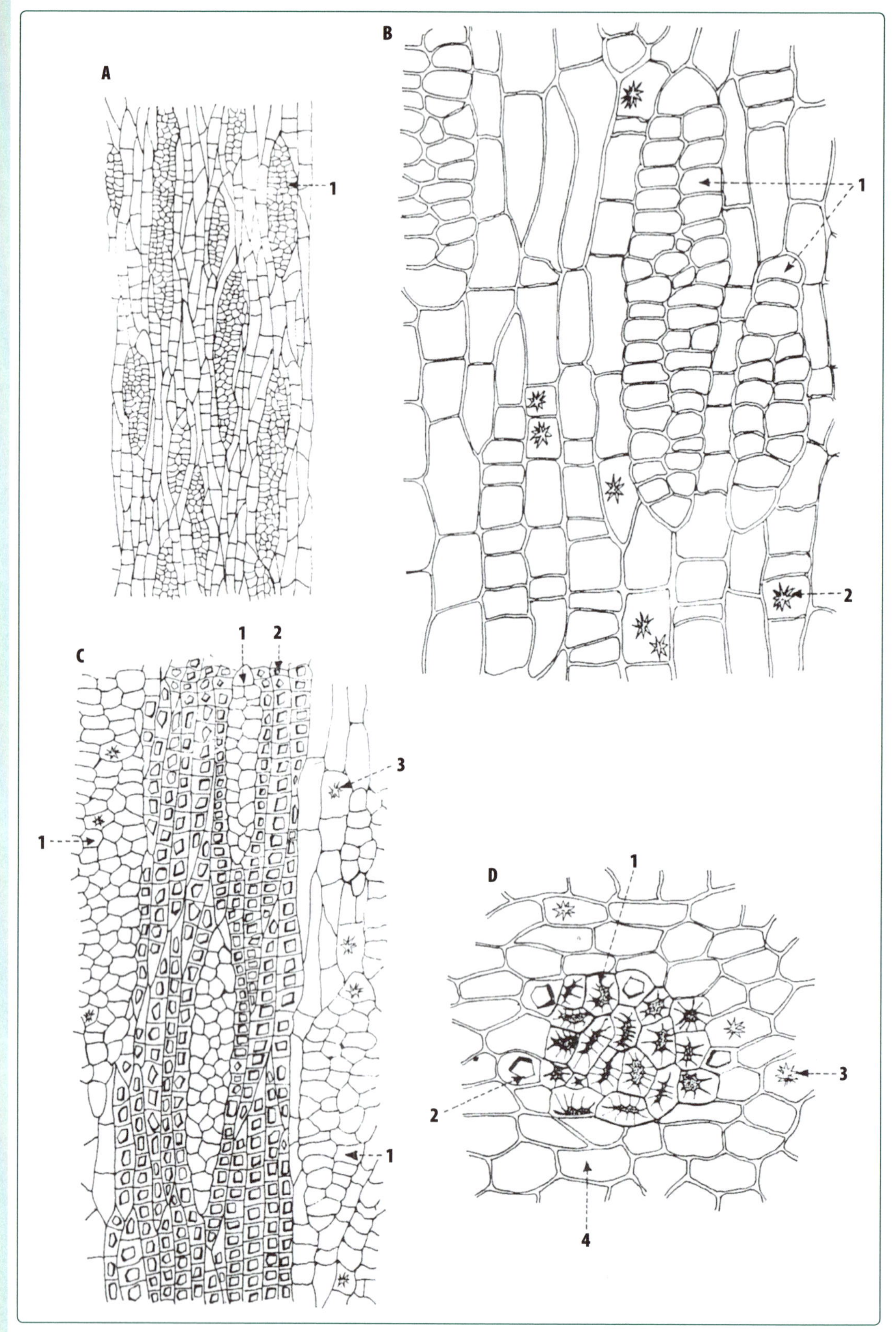

Fig. 8.49 – CÁSCARA SAGRADA (*Rhamnus purshiana* DC.). **A** e **B.** Secção longitudinal tangencial da região floemática: **1** – raio medular secundário; **2** – drusa. **C.** Secção longitudinal tangencial da região floemática: **1** – raio medular; **2** – bainha cristalífera com cristais prismáticos; **3** – drusa. **D.** Secção longitudinal tangencial da região floemática externa: **1** – células pétreas: **2** – bainha cristalífera com cristais prismáticos; **3** – drusa; **4** – parênquima floemático.

Catuaba casca

Trichilia catigua A. Juss. – *Meliaceae*
Parte usada: Casca do caule.
Sinonímia vulgar: Catuaba do Norte; Catiguá; Angelim-rosa; Cataguá; Canela-catigua.

A droga possui odor fracamente aromático característico e sabor amargo bem perceptível. Fragmentos da droga, quando fervida com água, liberam substâncias que conferem à água tonalidade amarela ou amarelo-avermelhada.

Descrição macroscópica

A droga apresenta-se em fragmentos de casca de tamanho e espessuras variáveis, conforme a origem seja de caules finos ou de caule provenientes de troncos ou de ramos grandes. Medem geralmente de 6 a 16 cm de espessura.

A superfície externa apresenta coloração castanha com manchas amarelas ou amarelo-avermelhada. É finamente estriada no sentido longitudinal e apresenta pequenas protuberâncias esparsas. Lenticelas arredondadas ou elípticas podem ser notadas espalhadas ao longo da superfície.

A superfície interna apresenta coloração castanho-amarelada ou alaranjada e exibe aspecto esfoliativo característico motivado pela liberação de casca finíssima floemática.

Essas lâminas, observadas ao microscópio ou com auxílio de lupa estereoscópica, exibem miríades de pontos translúcidos quando vistas de face indicativa da presença de cristais. Menos frequentemente se observa na face interna resíduos de xilema que motivam o aparecimento de aspecto fibroso.

Descrição microscópica

Secção transversal da casca apresenta súber constituído de diversas camadas celulares de contorno tabular com maior frequência de quinze a vinte camadas. O comprimento das células suberosas corresponde de cinco a sete vezes a sua largura. Abaixo da periderme ocorre a presença de algumas fileiras de células corticais, nas quais pode ser observada a presença de drusas. Essas células apresentam-se fortemente coradas de amarelo mesmo após diafanização com cloral. O periciclo não é bem evidente, sendo representado por grupo de fibras. A região floemática é constituída por uma sucessão de faixas duras e moles. As regiões duras são constituídas por faixas de grupos de fibras constituídos por uma a três fileiras de fibras de lúmem reduzido, às vezes exibindo aspecto de alvo. Bainhas cristalíferas envolvem os grupos de fibras que são separadas entre si por raios vasculares constituídos geralmente por uma única camada celular. As células do raio localizadas entre os grupos contíguos de fibras apresentam-se esclerificadas (braquiesclereides).

A região mole é integrada por tubos crivados e células companheiras, bem como abundante parênquima do floema. Nessa região pode ser observada a presença de drusas e de floema obliterado.

Os raios medulares secundários apresentam gotículas de material lipófilo. Toda a casca é rica em grãos de amido simples esféricos, especialmente os raios vasculares.

Os raios medulares secundários são bastante característicos. Quando observados em cortes longitudinais tangenciais, apresentam-se constituídos de uma única fileira de célula, raramente duas, e têm forma fusiforme. Frequentemente algumas de suas células apresentam-se lignificadas em forma de braquiescleritos de lúmem largo. Possuem geralmente de cinco a quinze células de comprimento. Células secretoras de conteúdo alaranjado são frequentes em toda estrutura.

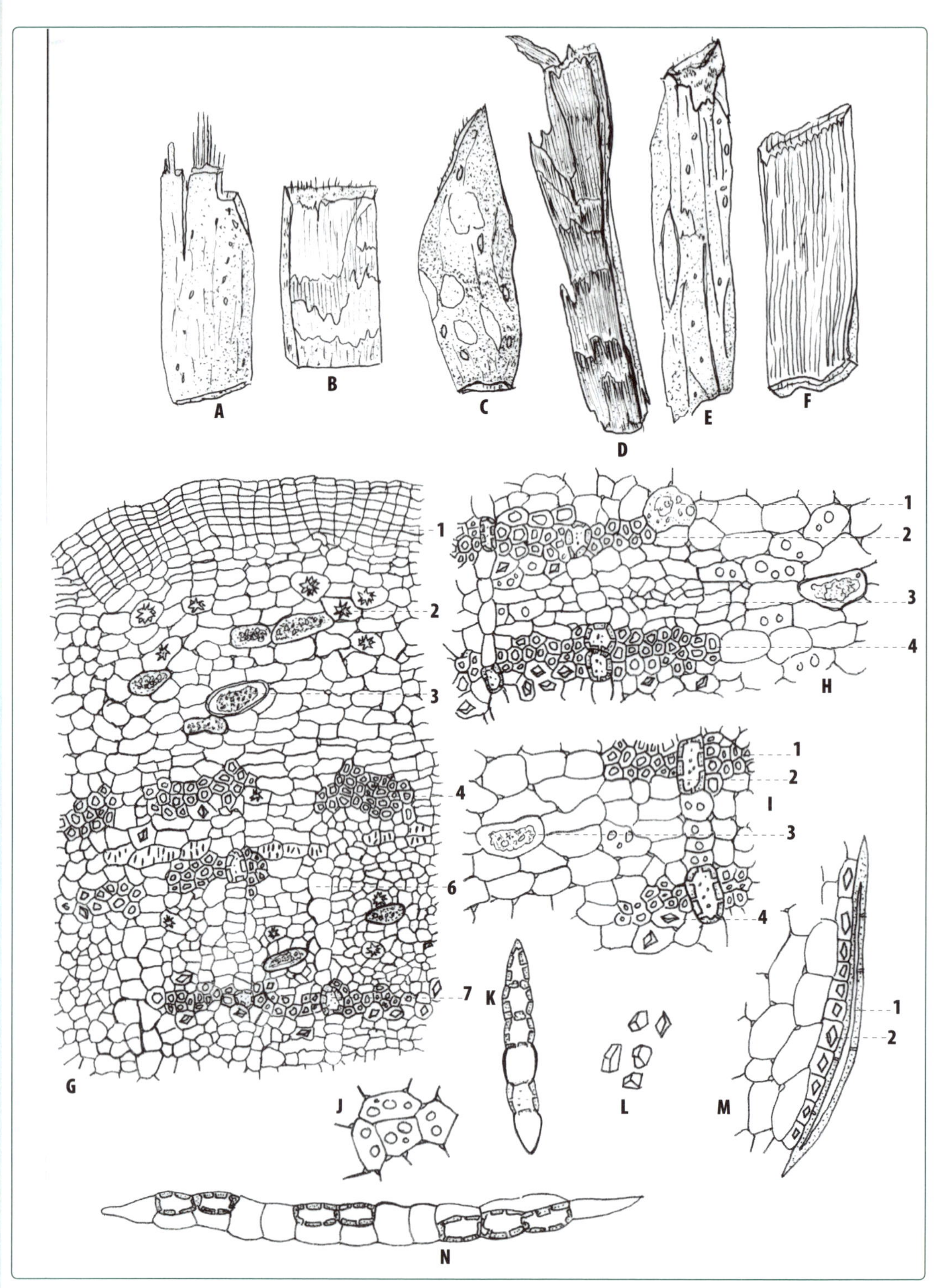

Fig. 8.50 – CATUABA (*Trichilia catigua* A. Juss.). **A** e **C** – Fragmentos de casca vistos do lado externo. **B** e **D** – Fragmentos de casca vistos do lado interno. **E** – Fragmento de casca visto do lado externo, mostrando do lado interno vestígio de lenho. **F** – Fragmento de casca visto do lado interno, mostrando resíduo de lenho de aspecto fibroso. **G** – Secção transversal mostrando: **1** – súber; **2** – região cortical contendo drusas e células secretoras; **3** – célula secretora; **4** – grupo de fibras; **5** – células com paredes pontudas; **6** – raio vascular; **7** – esclerito de raio vascular. **H** – Secção transversal da região floemática: **1** – célula secretora; **2** – fibras; **3** – região floemática "mole"; **4** – região floemática "dura". **I** – Secção transversal da região floemática: **1** – fibras; **2** – braquiescleritos da região do raio vascular (raio medular secundário); **3** – célula secretora; **4** – cristal prismático. **J** – Parênquima com grãos de amido. **K** e **H** – Raio vascular (raio medular secundário) em visão longitudinal tangencial. **L** – Cristais. **M** – Fragmento mostrando: **1** – fibra; **2** – bainha cristalífera.

Condurango

Marsdenia condurango (Triana) Reichenbach *filius*. – *Asclepiadaceae*

Parte usada: Casca.

Sinonímia vulgar: Liana de condor.

Sinonímia científica: *Gonolobus condurango* Triana.

Seu cheiro é particular, aromático, e seu sabor, amargo e acre.

Descrição macroscópica

Esta casca apresenta-se, geralmente, em fragmentos muito irregulares, às vezes achatados, porém mais frequentemente enrolados em forma de tubos, de **2** a **5** mm de espessura, recobertos externamente por um súber pardo ou cinzento-pardo, às vezes rugoso; sua face interna é de cor amarelo-acinzentada clara, pouco ou não estriada. Sua fratura é esquirolosa nas camadas externas e granulosa nas internas; sua secção transversal é finamente estriada radialmente, em sua região interna, e maculada de pontuações esbranquiçadas bem visíveis externamente (grupo de células pétreas) (Fig. 8.51).

Descrição microscópica

O súber, bastante espesso, é formado de várias camadas de células tabulares achatadas, de paredes delgadas e dispostas em filas radiais; o parênquima cortical secundário ou feloderma é constituído de quatro a seis fileiras de células suberosas em sua camada externa, que, por sua vez, contém numerosos cristais de oxalato de cálcio em forma de prisma. Abaixo dessa região, notam-se fileiras de células remanescentes da região colenquimática, que encerram muitos grãos de amido. O parênquima cortical é constituído de células poligonais e possui cristais estrelares de oxalato de cálcio, sendo caracterizado também pela presença de tubos laticíferos muito longos. O floema é limitado, externamente, por vários grupos de fibras pericíclicas, esclerenquimáticas, incolores, muito compridas e de aparência nacarada. Esse tecido é constituído por um parênquima muito denso, atravessado por estreitos raios medulares contendo numerosos cristais estrelares de oxalato de cálcio e caracterizado pela presença de tubos laticíferos e grande quantidade de células esclerosas amarelas, de paredes espessas, canaliculadas e reunidas em grupos às vezes muito volumosos (Figs. 8.52 a 8.54).

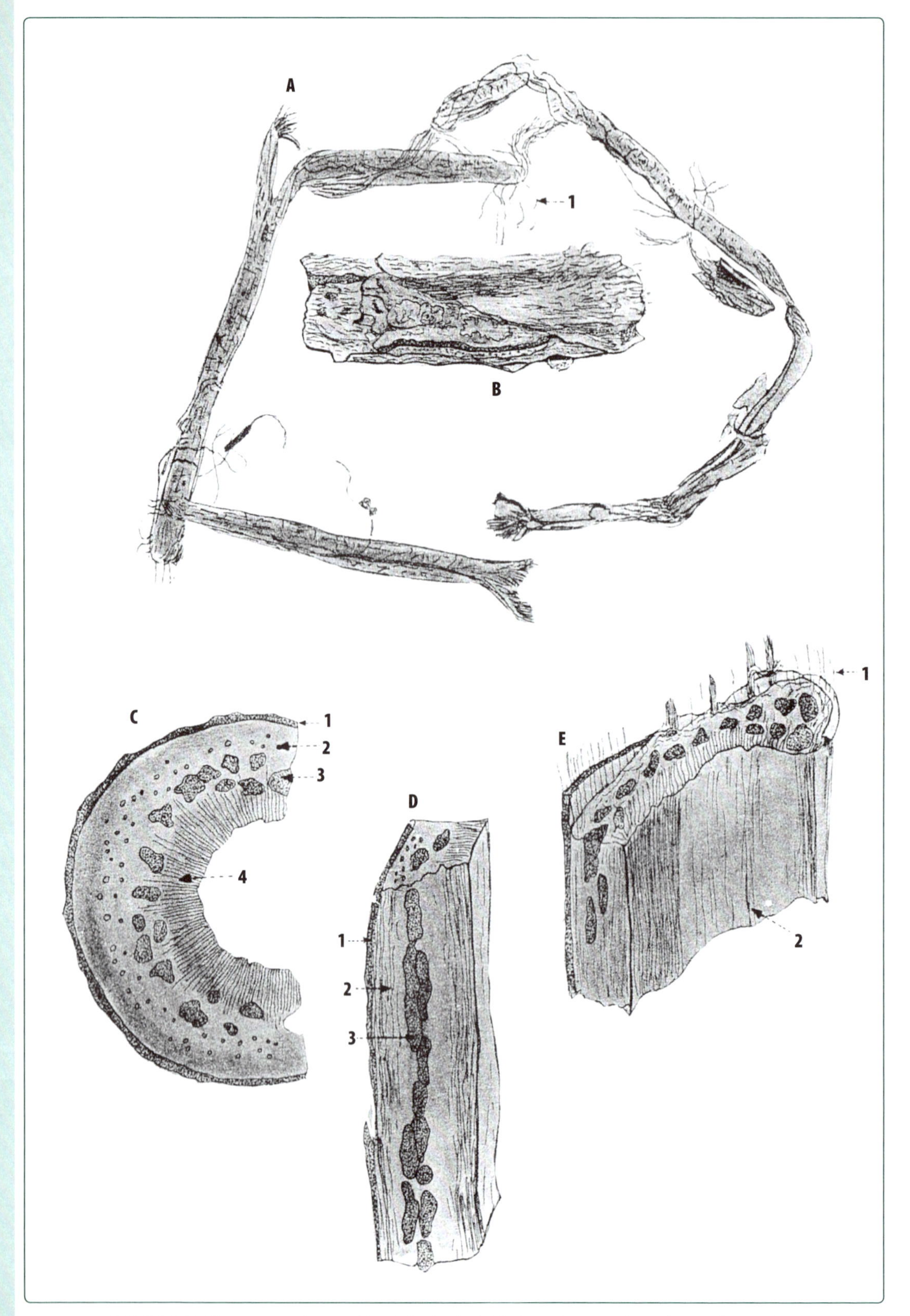

Fig. 8.51 – CONDURANGO (*Marsdenia condurango* (Triana) Reichenbach *filius*). **A.** Casca em forma de canudo ou tubo: **1** – esquirola. **B.** Fragmento de casca em forma encurvada. **C.** Secção transversal observada à lupa: **1** – súber; **2** – grupo de fibras; **3** – grupo de células pétreas; **4** – raios medulares. **D.** Secção longitudinal observada à lupa: **1** – súber; **2** – fibras; **3** – grupo de células pétreas. **E.** Casca fraturada mostrando fibras longas: **1** – fibras (esquirolas); **2** – face interna pouco estriada.

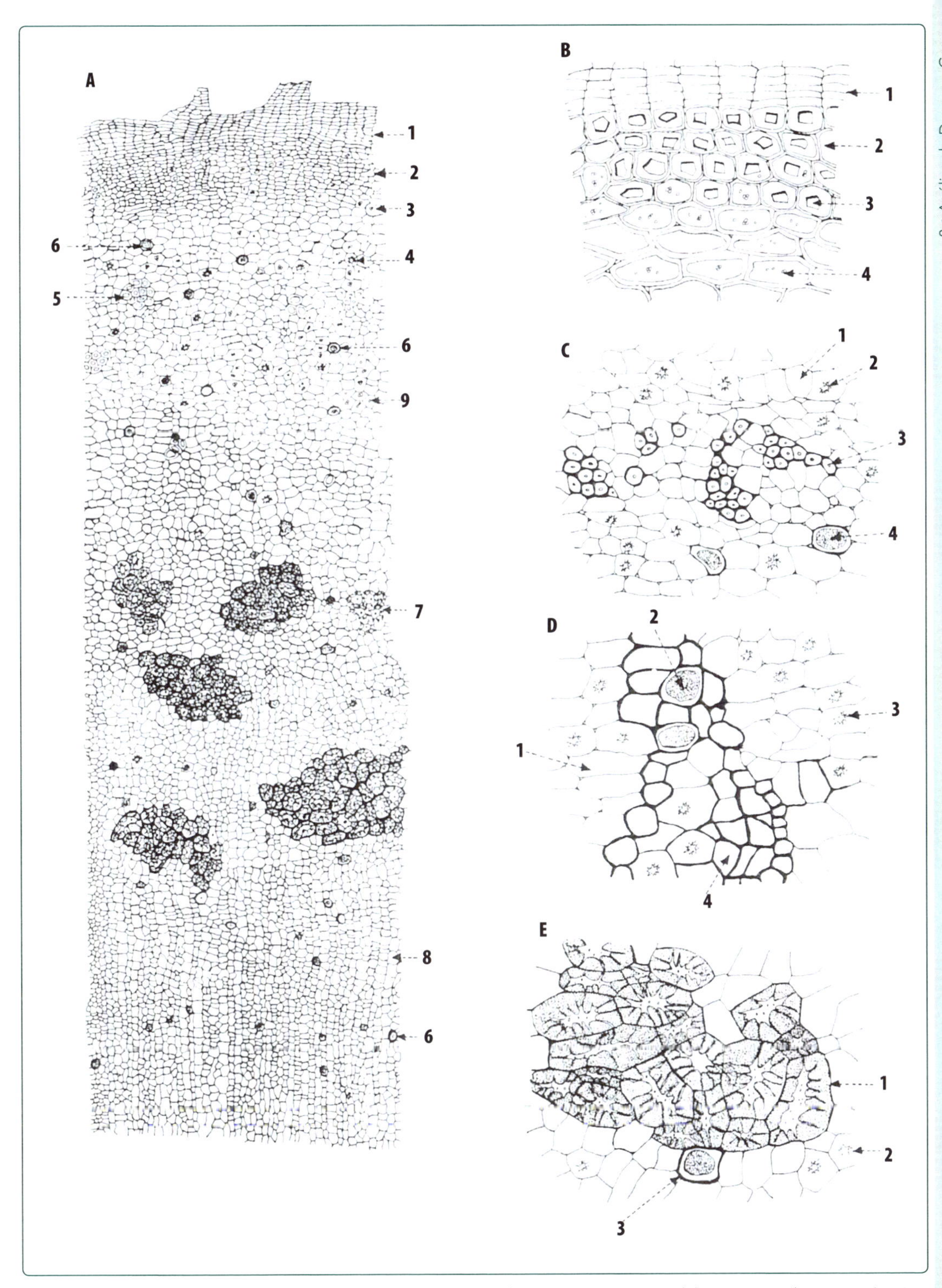

Fig. 8.52 – CONDURANGO (*Marsdenia condurango* (Triana) Reichenbach *filius*). **A.** Secção transversal da casca: **1** – súber; **2** – parênquima cortical secundário (feloderma); **3** – região colenquimática; **4** – drusa; **5** – fibras pericíclicas; **6** – canal laticífero; **7** – grupo de células pétreas na região floemática; **8** – raio medular secundário; **9** – grãos de amido. **B.** Secção transversal ao nível da periderme: **1** – súber; **2** – feloderma contendo cristais prismáticos; **3** – cristal prismático; **4** – colênquima. **C.** Secção transversal ao nível da região pericíclica: **1** – parênquima cortical; **2** – drusa; **3** – grupo de fibras pericíclicas; **4** – canal laticífero. **D.** Secção transversal ao nível da região floemática secundária: **1** – raio medular secundário; **2** – canal laticífero; **3** – drusa; **4** – região de elementos crivosos e do parênquima floemático axial. **E.** Secção transversal ao nível da região de células pétreas: **1** – célula pétrea; **2** – drusa; **3** – canal laticífero.

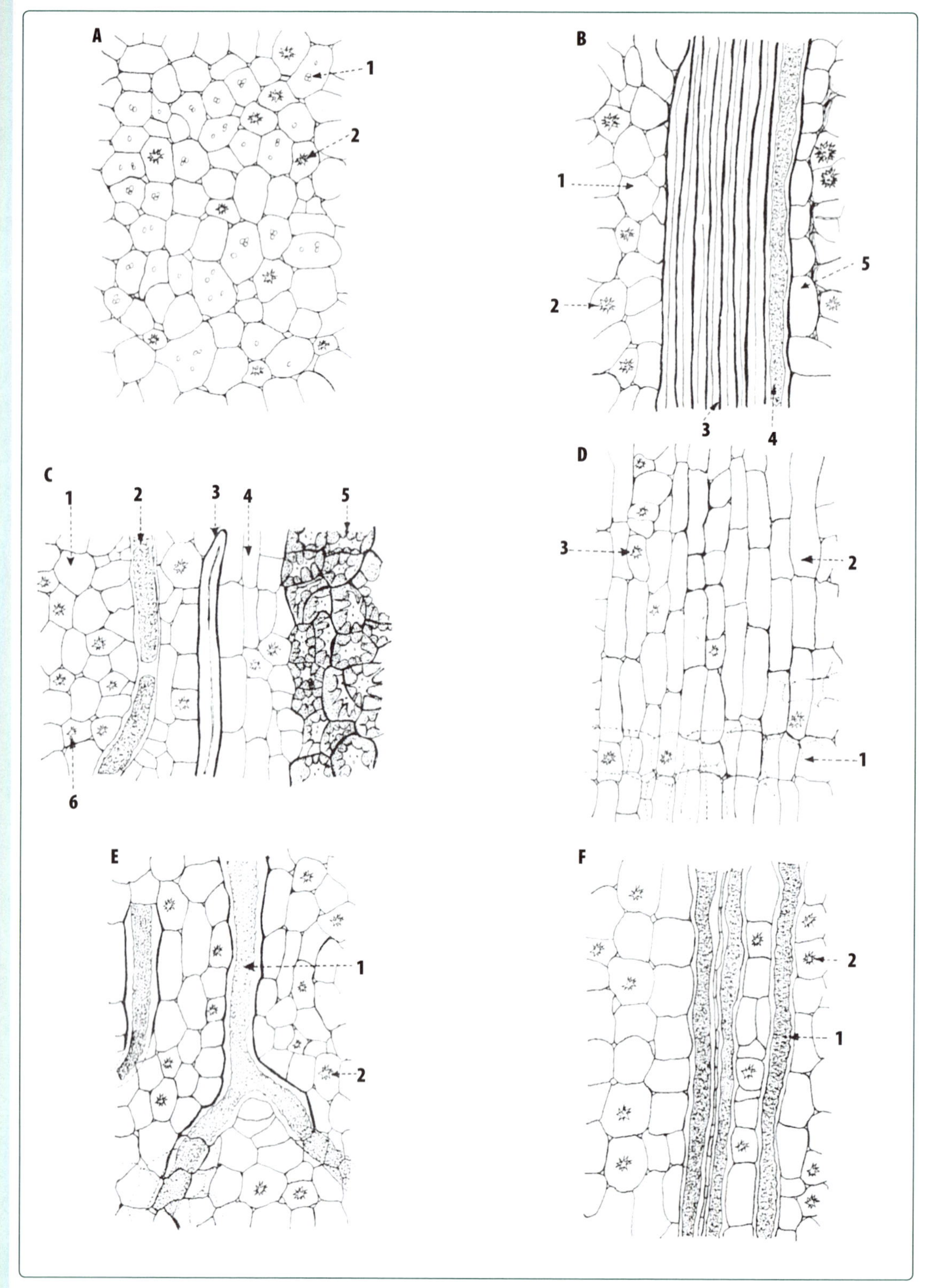

Fig. 8.53 – CONDURANGO (*Marsdenia condurango* (Triana) Reichenbach *filius*). **A.** Secção longitudinal radial ao nível do parênquima cortical: **1** – grãos de amido; **2** – drusa. **B.** Secção longitudinal radial ao nível do periciclo: **1** – parênquima cortical; **2** – drusa; **3** – fibras pericíclicas; **4** – canal laticífero; **5** – região floemática externa. **C.** Secção longitudinal radial ao nível da região floemática e cortical: **1** – parênquima cortical; **2** – canal laticífero; **3** – fibra pericíclica; **4** – região floemática externa; **5** – grupo de células pétreas; **6** – drusa. **D.** Secção longitudinal radial da casca floemática interna: **1** – raio medular; **2** – tubo crivado; **3** – drusa. **E** e **F.** Secção longitudinal radial da casca mostrando: **1** – canal laticífero; **2** – drusa.

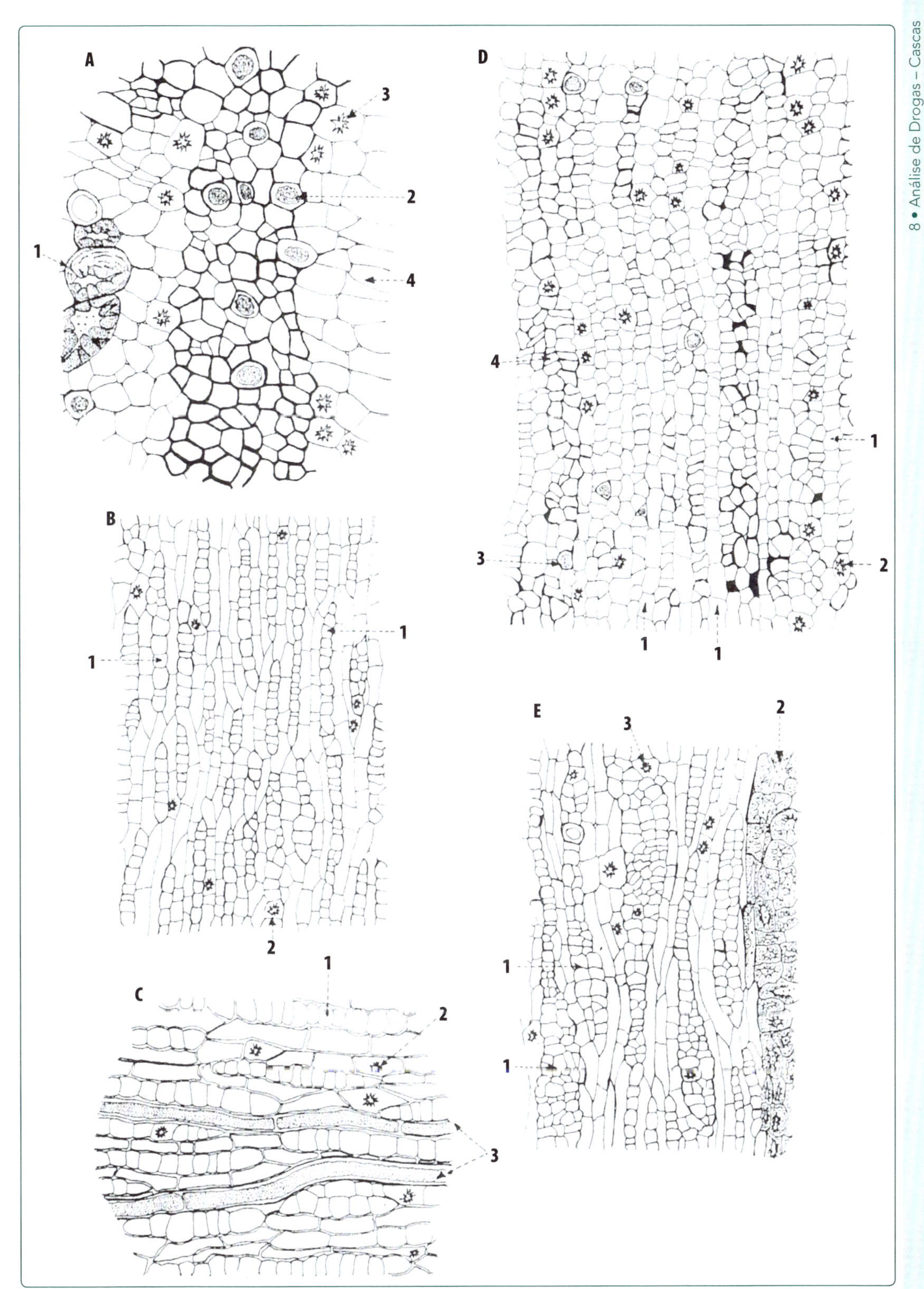

Fig. 8.54 – CONDURANGO (*Marsdenia condurango* (Triana) Reichenbach *filius*). **A.** Secção transversal da casca ao nível da região floemática: **1** – células pétreas; **2** – canal laticífero; **3** – drusa; **4** – raio medular. **B** e **C.** Secção longitudinal tangencial da casca floemática interna: **1** – raio medular secundário; **2** – drusa; **3** – canal laticífero. **D.** Secção transversal da casca (região interna): **1** – raio medular; **2** – drusa; **3** – canal laticífero; **4** – região de tubos crivados e do parênquima floemático axial. **E.** Secção longitudinal tangencial da casca floemática externa: **1** – raio medular; **2** – grupo de células pétreas; **3** – drusa.

Ipê-roxo

Tabebuia avellanedae Lor. ex Griseb. – *Bignoniaceae*
Parte usada: Casca.
Sinonímia vulgar: Pau d'arco roxo.

As cascas não possuem odor pronunciado e apresentam sabor ligeiramente amargo.

Descrição macroscópica

A casca de IPÊ-ROXO apresenta-se em fragmentos achatados, quase planos, de coloração acinzentada-escura ou cinzento-amarelada. Sua superfície externa é bastante rugosa, apresentando fendas tanto no sentido longitudinal como no sentido transversal. Sua superfície interna, de coloração arroxeada, é esfoliativa, separando-se com facilidade em finas lâminas transparentes repletas de pontos brilhantes.

A secção transversal, quando observada à lupa, mostra região externa de coloração escura e gretada ao lado de região interna de coloração arroxeada, com disposição laminada e sulcada radialmente por finas linhas representativas de raios medulares secundários (Fig. 8.55).

Descrição microscópica

A região externa da casca do IPÊ-ROXO é constituída por ritidoma que engloba remanescentes de região cortical e porções de região floemática. O súber, localizado mais externamente, apresenta sucesso de camadas de células suberosas espessadas, ao lado de células suberosas de paredes finas. A região localizada entre peridermes apresenta forte coloração acastanhada e engloba grupos de fibras, envoltas em bainhas, contendo cristais prismáticos de oxalato de cálcio.

A região floemática bem desenvolvida é formada por grupos de fibras dispostos paralelamente e separados por região parenquimática. Células obliteradas podem ser observadas nessa região. Os raios medulares são estreitos, via de regra, com duas ou três células de largura; os grupos de fibras são sempre envolvidos por bainha cristalífera provida de cristais prismáticos.

Quando observados os fragmentos de lâmina da região mais interna ao microscópio, em visão tangencial, nota-se a presença de raios medulares fusiformes com sete a oito células em altura por duas a três em largura. Observa-se, ainda, grande quantidade de cristais de oxalato de cálcio (Figs. 8.56 a 8.58).

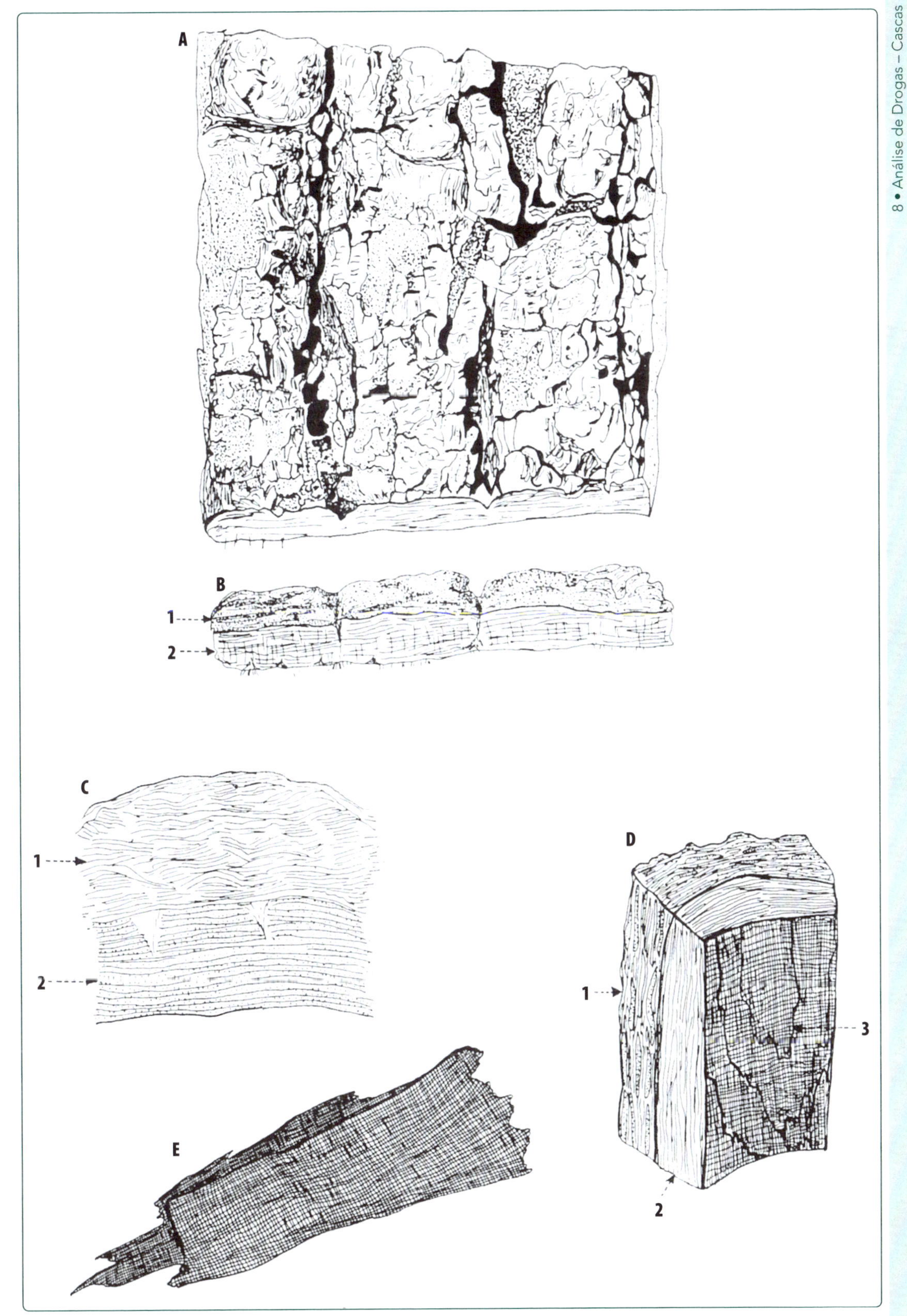

Fig. 8.55 – IPÊ-ROXO (*Tabebuia avellanedae* Lor. ex Griseb). **A.** Pedaço de casca mostrando a face externa bastante rugosa e apresentando fendas longitudinais e transversais. **B** e **C.** Secção transversal observada à lupa: **1** – ritidoma; **2** – casca floemática. **D.** Aspecto tridimensional de um fragmento da casca: **1** – ritidoma; **2** – casca floemática; **3** – aspecto foliativo. **E.** Lâmina retirada da região floemática.

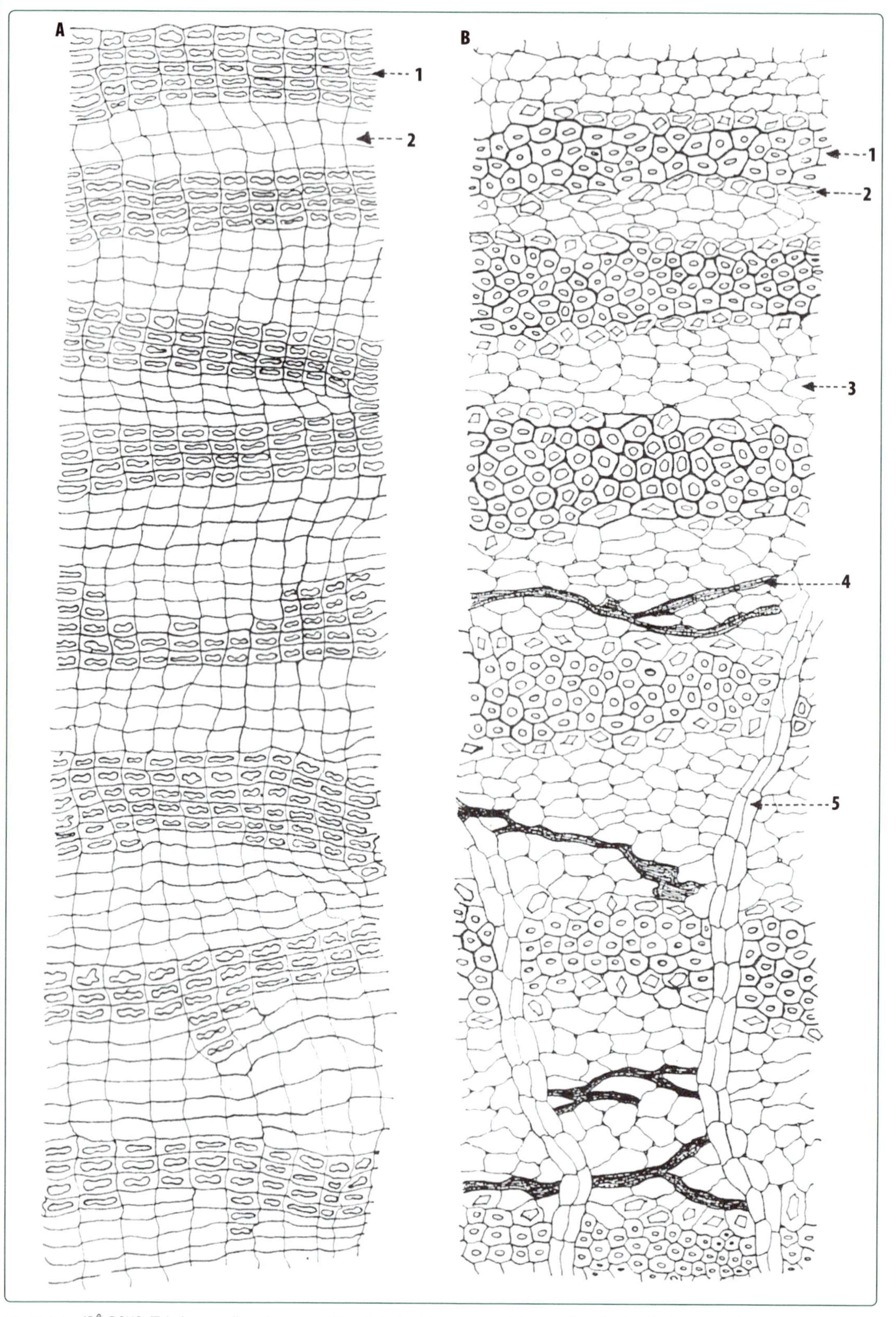

Fig. 8.56 – IPÊ-ROXO *(Tabebuia avellanedae* Lor. ex Griseb). **A.** Secção transversal da casca (região do súber): **1** – células suberosas espessadas; **2** – célula suberosa de parede fina. **B.** Secção transversal localizada internamente à região do ritidoma: **1** – grupo de fibras; **2** – bainha cristalífera de cristais prismáticos; **3** – região dos elementos crivados e parênquima floemático; **4** – ceratênquima (células obliteradas); **5** – raio medular.

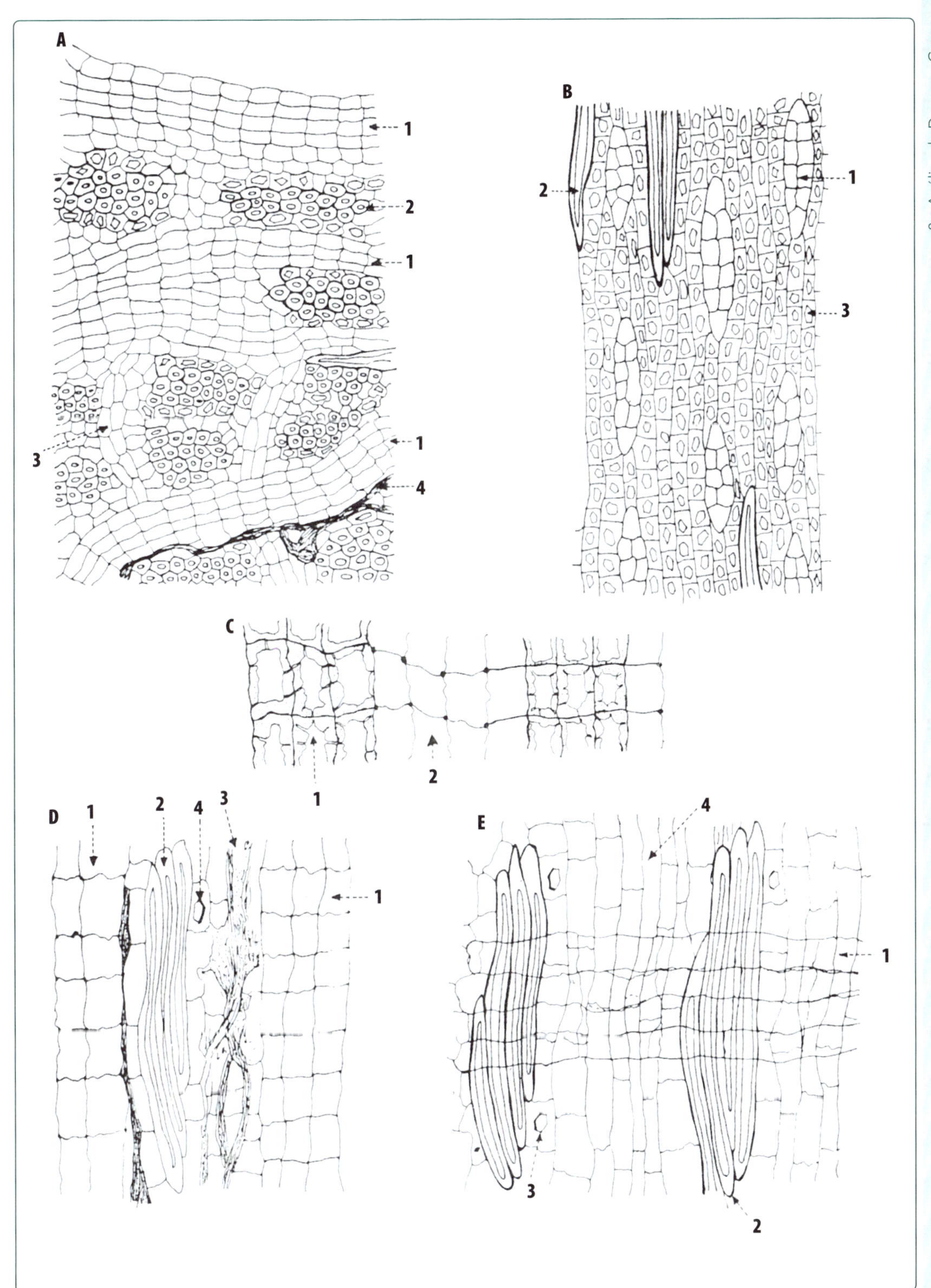

Fig. 8.57 – IPÊ-ROXO (*Tabebuia avellanedae* Lor. ex Griseb). **A.** Secção transversal da região do ritidoma: **1** – periderme; **2** – grupo de fibras envolvido por bainha cristalífera; **3** – raio medular secundário; **4** – ceratênquima. **B.** Secção longitudinal tangencial: **1** – raio medular; **2** – fibra; **3** – cristal prismático pertencente à célula da bainha cristalífera. **C.** Secção longitudinal radial do súber: **1** – célula suberosa de paredes espessadas; **2** – célula suberosa de paredes finas. **D.** Secção longitudinal radial da região do ritidoma: **1** – células suberosas; **2** – conjunto de fibras; **3** – ceratênquima; **4** – cristal prismático. **E.** Secção longitudinal radial da casca floemática interna: **1** – raio medular secundário; **2** – grupo de fibras; **3** – cristal prismático; **4** – região de elementos crivados e parênquima floemático.

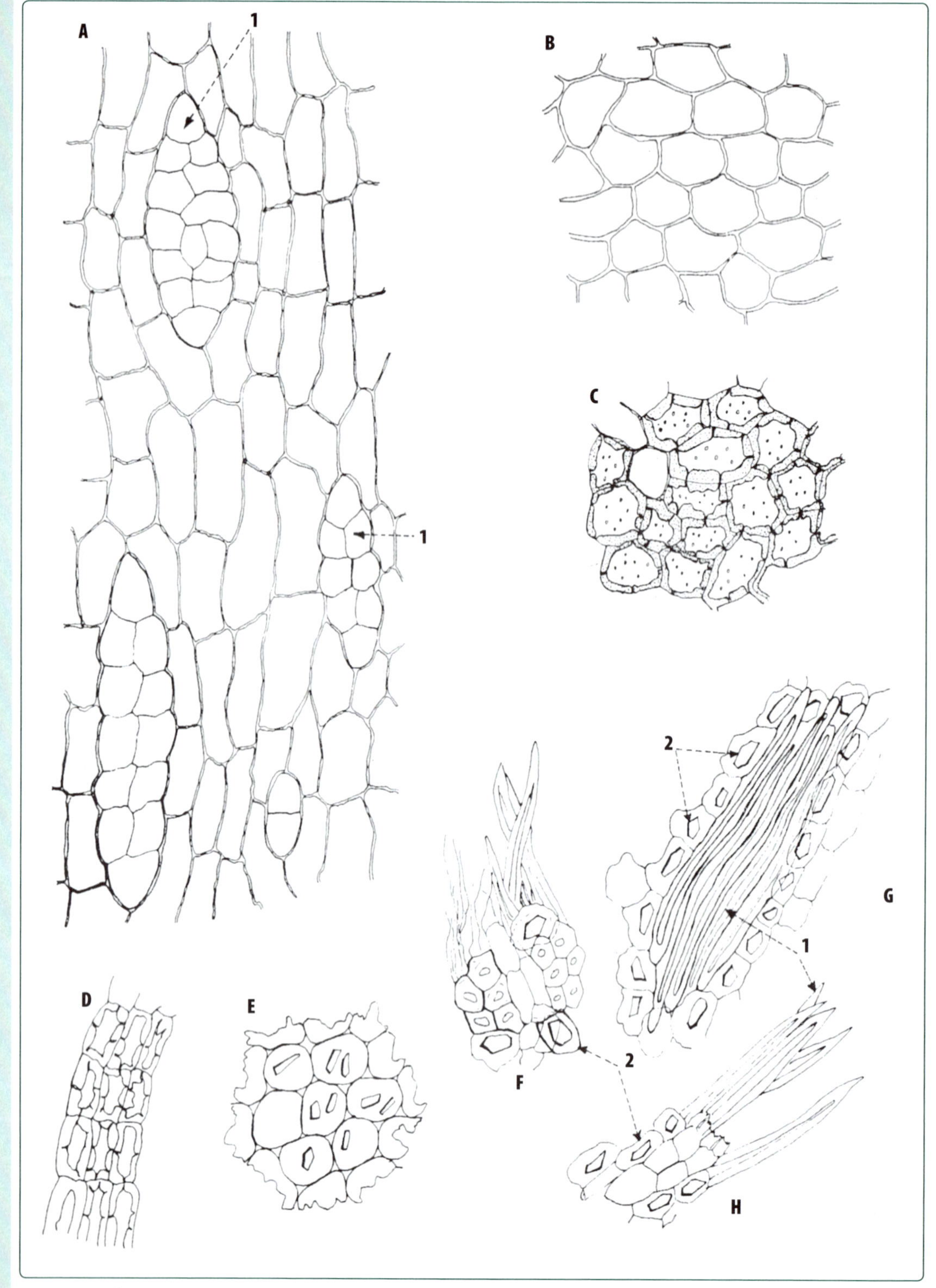

Fig. 8.58 – IPÊ-ROXO (*Tabebuia avellanedae* Lor. ex Griseb). **A.** Secção longitudinal tangencial da casca floemática interna: **1** – raio medular secundário. **B.** Elementos de pó: súber visto de face (células de parede fina). **C.** Elementos de pó: súber visto de face (células de parede espessada). **D.** Elementos de pó: súber visto transversalmente com células de parede espessada. **E.** Elementos de pó: células parenquimáticas contendo cristais prismáticos. **F, G** e **H.** Elementos de pó: fibras e bainha cristalífera: **I.** fibra; **2** – bainha cristalífera.

Mulungu

Erythrina verna Velloso – *Papilionatae*

Parte usada: Casca.

Sinonímia vulgar: Guinã; Murungu; Suinã; Sapatinho-de-judeu; Bico-de-papagaio.

Sinonímia científica: *Erythrina corallodendron* L.; *Erythrina mulungu* Martius.

A droga possui sabor amargo e cheiro desagradável, semelhante ao de maresia, que diminui muito pela dessecação.

Descrição macroscópica

A casca do MULUNGU apresenta-se em fragmentos achatados, pouco recurvados, de cor pardo-esverdeada externamente e pardo-clara amarelada internamente, com espessura de até 2 mm e comprimento variável. A superfície externa é muito enrugada longitudinalmente, mostrando, de espaço em espaço, fendas transversais. Observam-se cicatrizes de ramos emergentes removidos; essas cicatrizes são crateriformes e medem até 1 cm de diâmetro. Numerosas saliências verrucosas são observadas, irregularmente dispostas na superfície da casca, assim como pequenos espinhos cônicos e lisos. A face interna da casca, finamente estriada no sentido longitudinal, é com frequência recoberta de placas lenhosas de cor amarelada. A secção transversal mostra uma linha escura correspondente ao súber, seguindo-se um parênquima cortical pardacento com pequeníssimas manchas alvinitentes e restos de lenho amarelado com estrias esbranquiçadas. A casca do tronco é recoberta de numerosas placas de liquens (Fig. 8.59).

Descrição microscópica

A casca mostra súber de cor pardo-clara com várias camadas de células tabulares. As células da primeira porção desse súber têm suas paredes finas, seguindo-se uma faixa de células espessadas e, finalmente, o feloderma de células de paredes finas. O parênquima cortical encerra células pétreas, dispostas em pequenos grupos ou isoladas, de paredes pouco ou fortemente espessadas e canaliculadas. No periciclo descontínuo, veem-se fibras espessadas de contorno angular; ao redor dessas fibras, reunidas em pequenos grupos, existem bainhas cristalíferas. Os floemas primários e secundários mostram faixas de ceratênquima, tubos crivados e grandes células com inclusões incolores na casca jovem, e pardacentas na casca velha; na casca nova, coram-se fortemente com hematoxilina SR e dão cor vermelha com p-dimetilaminobenzaldeído SR a 50% v/v; na casca velha essas inclusões dão cor róseo-âmbar com referido reativo ou mesmo não dão mais reação. No floema secundário, aparecem fibras isoladas ou em pequenos grupos, envoltas por bainhas cristalíferas. Os raios medulares secundários são formados de duas a cinco fileiras de células de largura, por muitas em altura e são ricos em amido (Figs. 8.60 a 8.62).

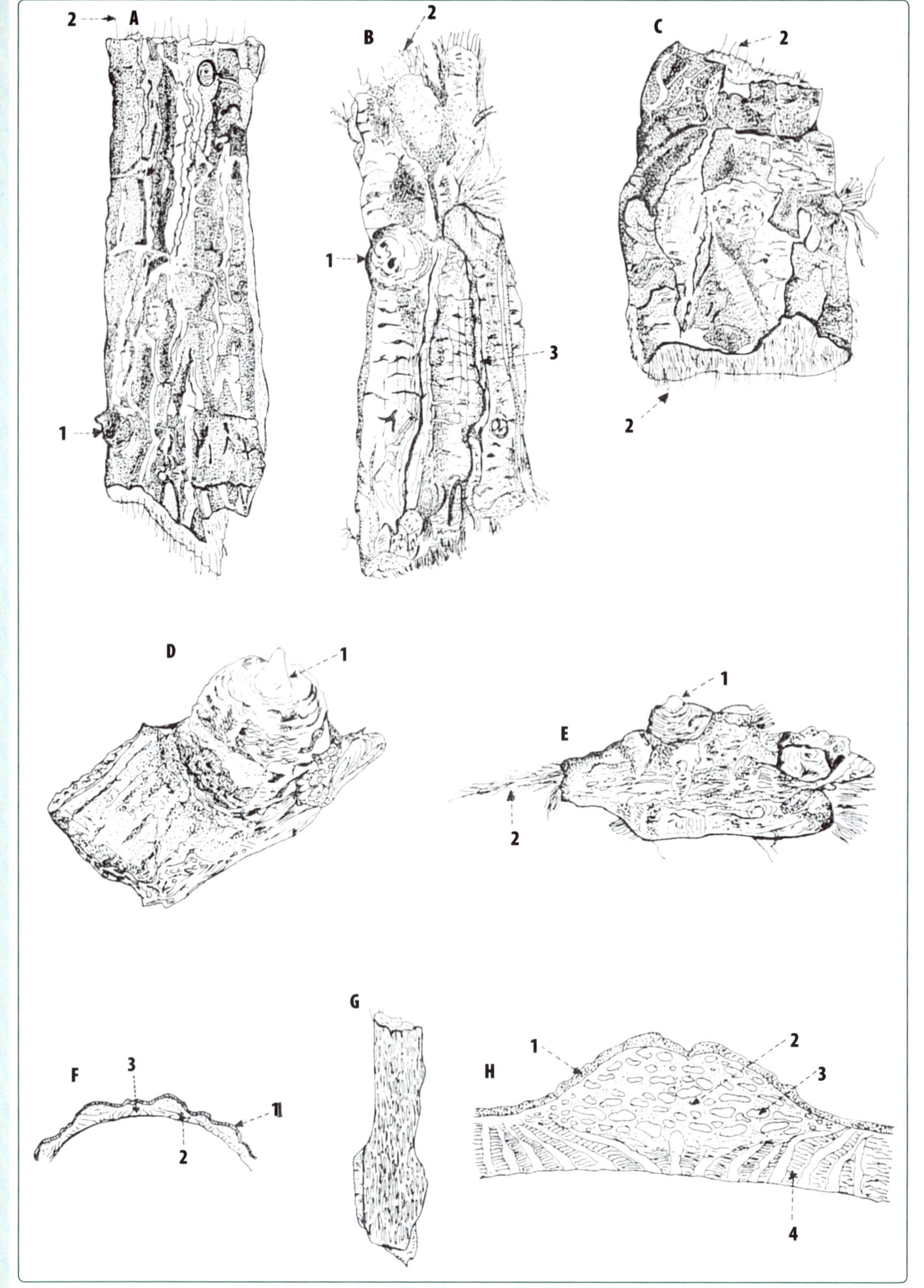

Fig. 8.59 – MULUNGU *(Erythrina verna* Velloso). **A.** Fragmento de casca jovem, quase plano, apresentando rugas longitudinais: **1** – acúleo; **2** – fibras. **B.** Fragmento de casca mais antigo que o primeiro: **1** – acúleo; **2** – fibras; **3** – rugas longitudinais. **C, D** e **E.** Fragmento de casca velha: **1** – acúleo; **2** – fibras. **F.** Secção transversal de casca jovem observada à lupa: **1** – súber; **2** – casca floemática; **3** – raio medular secundário. **G.** Fragmento de casca mostrando a face interna. **H.** Secção transversal de casca passando por uma crista observada à lupa: **1** – súber; **2** – região da crista; **3** – grupo de células pétreas; **4** – raios medulares.

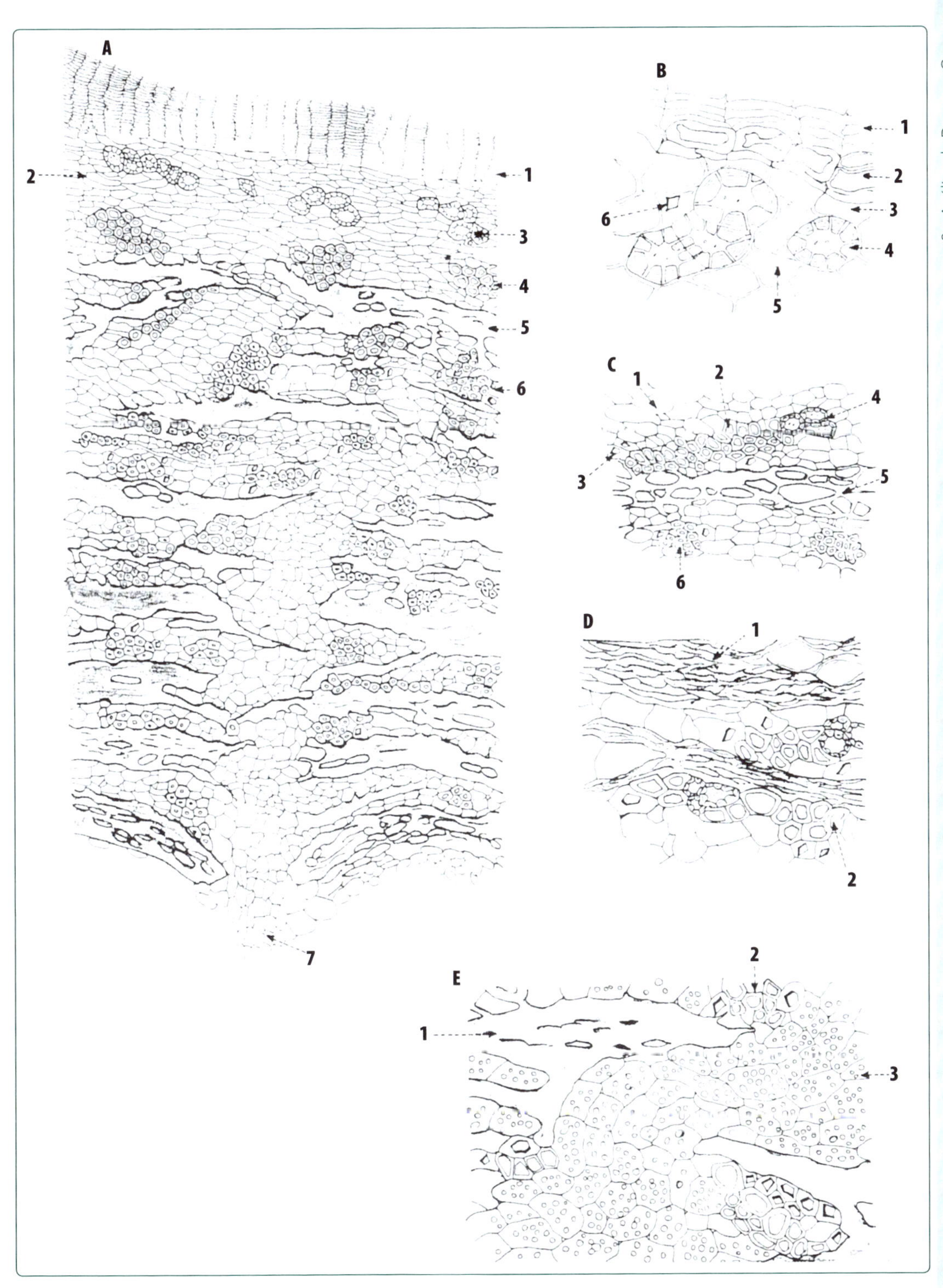

Fig. 8.60 – MULUNGU *(Erythrina verna* Velloso). **A.** Secção transversal: **1** – súber; **2** – parênquima cortical; **3** – células pétreas; **4** – periciclo fibroso; **5** – ceratênquima; **6** – grupo de fibras envoltas em bainha cristalífera; **7** – raio medular secundário. **B.** Secção transversal da região mais externa da casca: **1** – súber com células de paredes finas; **2** – súber com células de paredes espessadas; **3** – feloderma; **4** – células pétreas; **5** – parênquima cortical; **6** – cristal prismático. **C.** Secção transversal da casca ao nível do periciclo: **1** – parênquima cortical; **2** – fibras pericíclicas; **3** – cristal prismático; **4** – célula pétrea; **5** – ceratênquima; **6** – grupo de fibras floemáticas envolvidas por bainha cristalífera. **D** e **E.** Secção transversal da casca floemática: **1** – ceratênquima; **2** – grupo de fibras floemáticas envolvidas por bainha cristalífera; **3** – raio medular contendo grãos de amido.

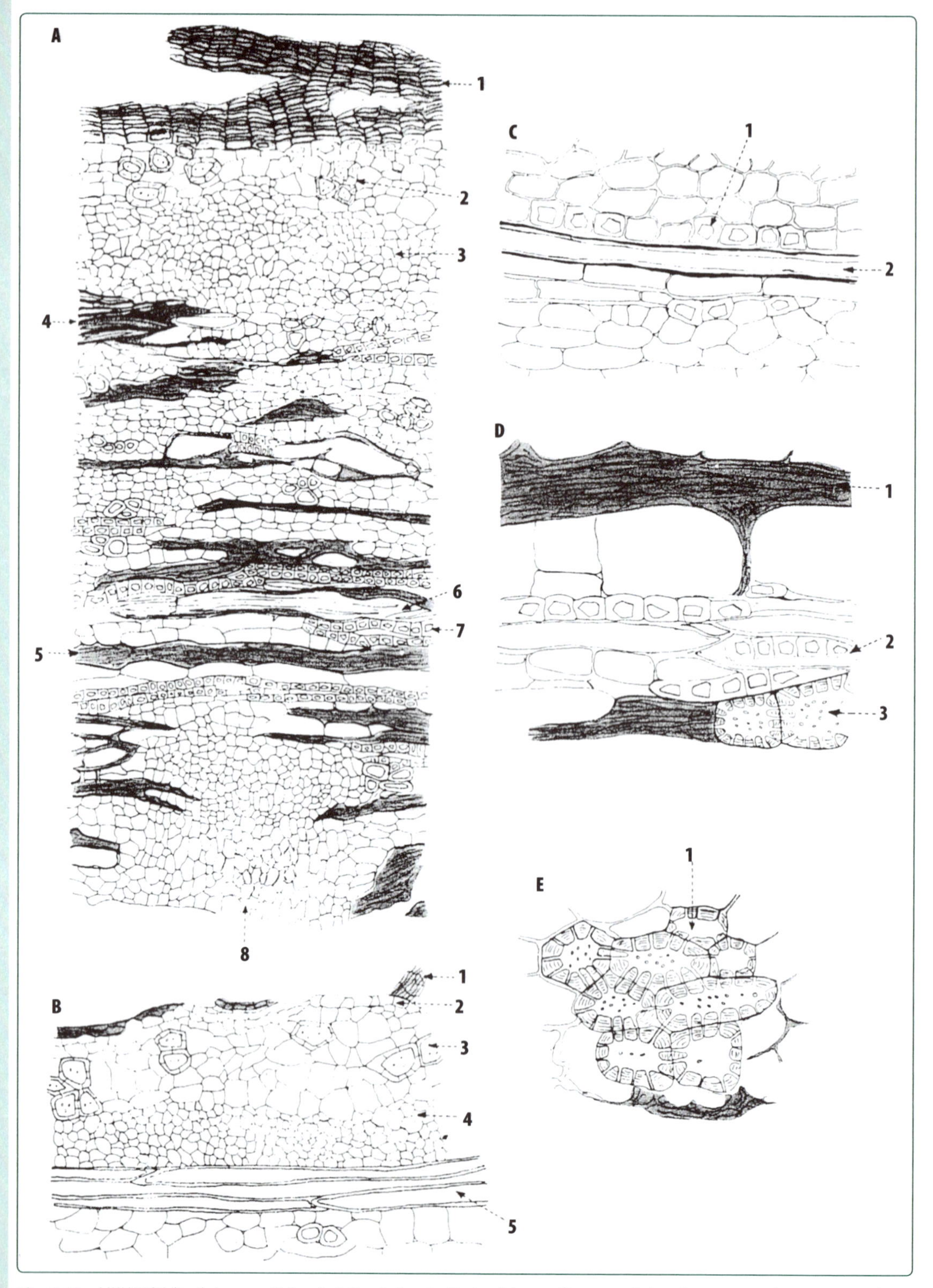

Fig. 8.61 – MULUNGU *(Erythrina verna* Velloso). **A.** Secção longitudinal radial: **1** – súber; **2** – células pétreas; **3** – parênquima cortical; **4** – fibras pericíclicas; **5** – ceratênquima; **6** – fibras do floema; **7** – bainha cristalífera; **8** – raio medular. **B.** Secção longitudinal radial ao nível do periciclo: **1** – súber; **2** – feloderma; **3** – células pétreas; **4** – parênquima cortical; **5** – periciclo. **C.** Secção longitudinal radial ao nível da região floemática mais externa: **1** – bainha cristalífera; **2** – fibra. **D.** Secção longitudinal radial ao nível da região floemática: **1** – ceratênquima; **2** – bainha cristalífera; **3** – células pétreas. **E.** Grupo de células pétreas da região cortical: **1** – grupo de células pétreas.

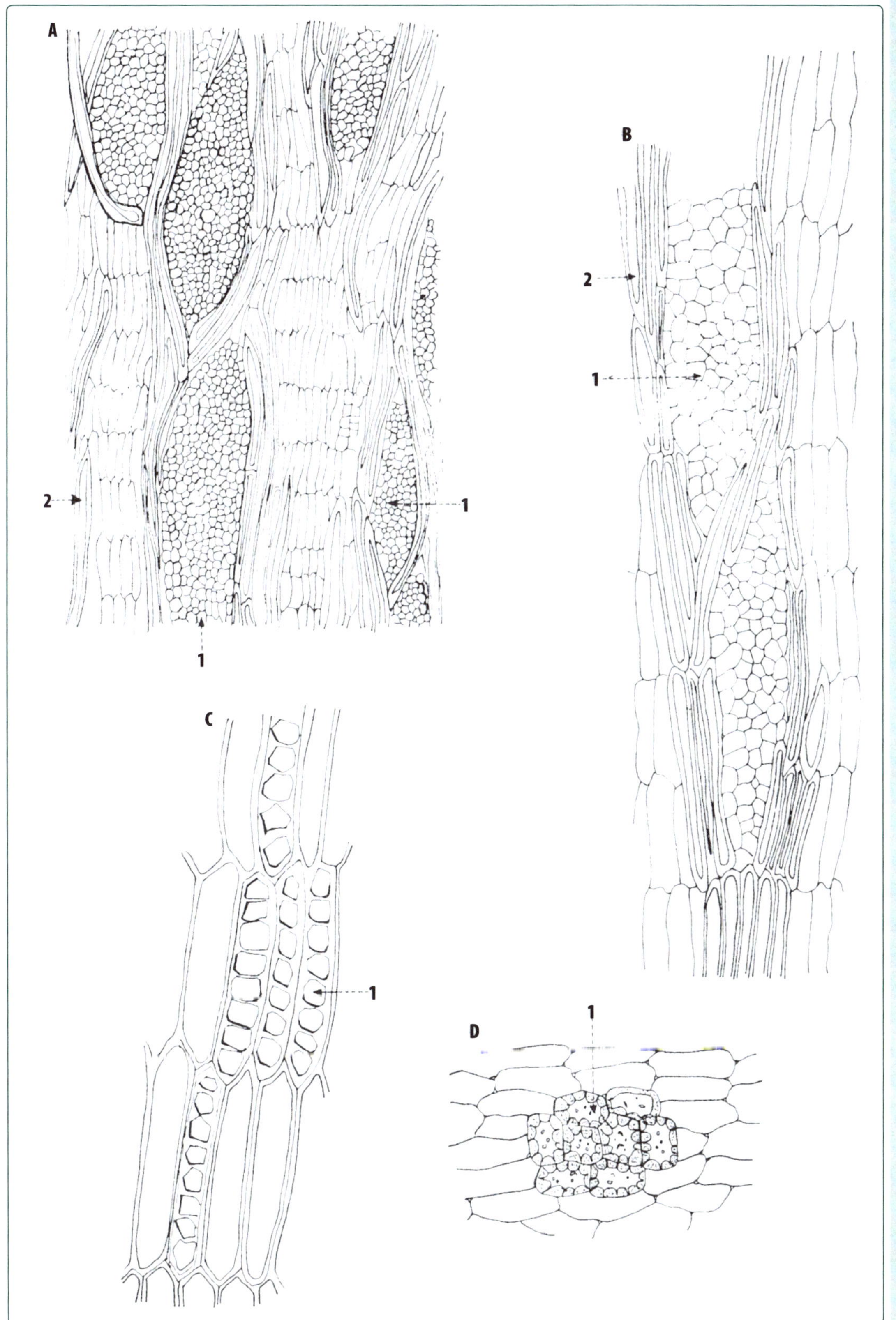

Fig. 8.62 – MULUNGU *(Erythrina verna* Velloso). **A** e **B.** Secção longitudinal tangencial: **1** – raio medular; **2** – fibras. **C.** Secção longitudinal tangencial, passando por bainha cristalífera: **1** – célula contendo cristais prismáticos. **D.** Secção longitudinal tangencial, passando por um grupo de células pétreas, localizadas na região cortical: **1** – células pétreas.

Quina amarela

Cinchona calisaya Wedell e seus híbridos – *Rubiaceae*

Parte usada: Casca.

Sinonímia vulgar: Quina calisaia.

Sinonímia científica: Variedades: *Cinchona calisaya* Wedell var. *ledgeriana* Howard.; *Cinchona ledgeriana* Moens.

A droga possui odor fracamente aromático, porém característico e de sabor muito amargo, um tanto adstringente.

Descrição macroscópica

Esta casca apresenta-se em tubos ou pedaços curvos, de comprimento e largura variável e com 3 a 5 mm de espessura ou pequenos fragmentos partidos, ou, ainda, em pedaços transversalmente encurvados de 3 a 7 mm de espessura; sua superfície externa é cinzento-acastanhada e apresenta numerosos sulcos transversais, longitudinais e placas de liquens. Quando falta o periderme, sua cor externa é castanho-canela. Sua face interna é de cor castanho-amarelada e finamente estriada. A fratura da periderme é curta e granulosa e a da camada liberiana, finamente fibrosa.

A secção transversal, observada com o auxílio de lupa, permite evidenciar três regiões: a mais externa, fina, e de coloração castanho-acinzentada; a região média de coloração amarelada provida de máculas arredondadas; e a região interna, sulcada radialmente por numerosas linhas paralelas (Fig. 8.63).

Descrição microscópica

Em corte transversal, a casca de QUINA apresenta o súber com características comuns, formado por cerca de quinze camadas celulares, as quais possuem substância castanha; o parênquima cortical é formado de células alongadas, tangencialmente caracterizado pela presença de células ovais de grande diâmetro e por bolsas contendo areia cristalina; a região floemática compreende os raios medulares formados de uma a três células em largura e um parênquima denso, no qual as fibras liberianas, simulando células pétreas, são isoladas ou reunidas em pequenos grupos ou, ainda, dispostas em séries radiais curtas. Os parênquimas encerram grãos de amido esféricos ou plano-convexos. As células ovais de grande diâmetro, em corte transversal, aparecem alongadas quando vistas longitudinalmente.

Os raios medulares, quando vistos em secção longitudinal tangencial, são fusiformes terminados por células ogivais e possuem, geralmente, vinte células de altura por três a quatro de largura, contendo, muitas vezes, areia cristalina de oxalato de cálcio (Figs. 8.64 a 8.66).

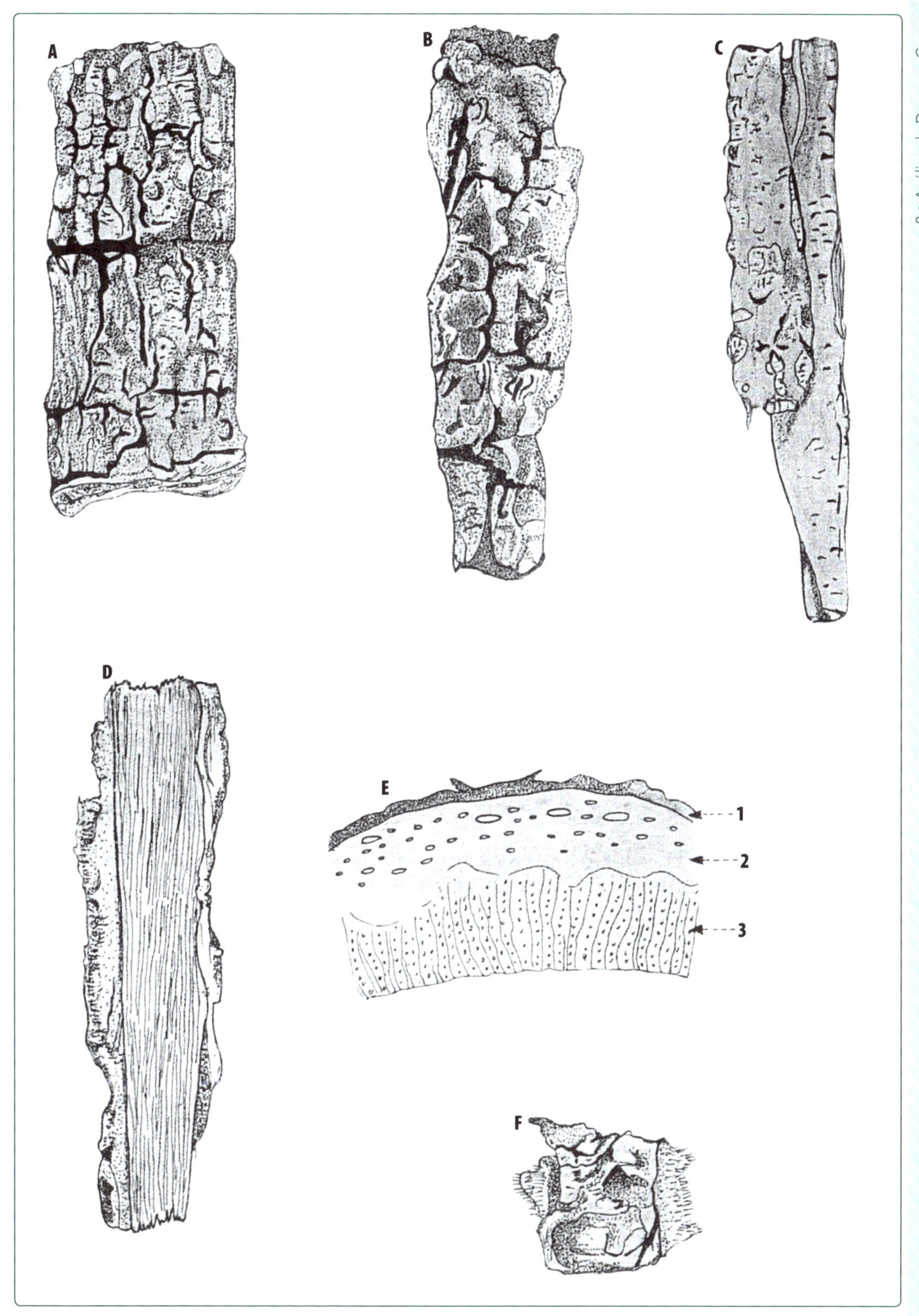

Fig. 8.63 – QUINA AMARELA *(Cinchona calisaya* Wedell e seus híbridos). **A** e **B.** Fragmento de casca mostrando superfície externa rugosa com numerosos sulcos transversais e longitudinais. **C.** Fragmento de casca em forma de tubo (canudo). **D.** Fragmento de casca encurvada mostrando face interna nitidamente estriada. **E.** Secção transversal de casca observada com o auxílio de lupa: **1** – súber; **2** – parênquima cortical; **3** – região floemática. **F.** Fragmento de casca mostrando fratura fibrosa.

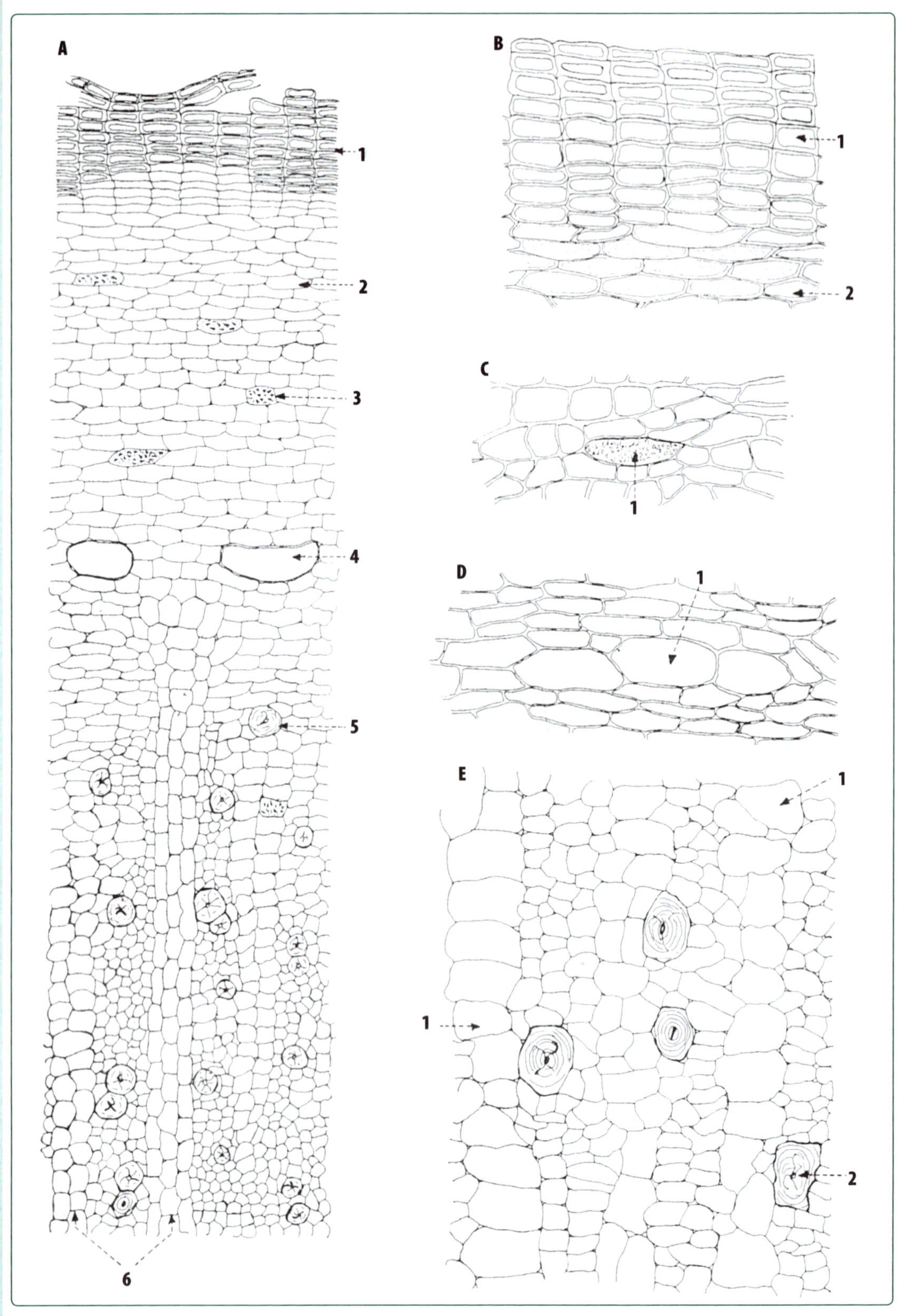

Fig. 8.64 – QUINA AMARELA *(Cinchona calisaya* Wedell e seus híbridos). **A.** Secção transversal: **1** – súber; **2** – parênquima cortical; **3** – célula com areia cristalina; **4** – célula gigante; **5** – fibra; **6** – raio medular secundário. **B.** Secção transversal da região externa da casca: **1** – súber; **2** – colênquima. **C.** Secção transversal ao nível do parênquima cortical mostrando células com areia cristalina: **1** – célula contendo areia cristalina. **D.** Secção transversal ao nível do parênquima cortical mostrando células gigantes: **1** – célula gigante. **E.** Secção transversal da região floemática mostrando: **1** – raio medular; **2** – fibra.

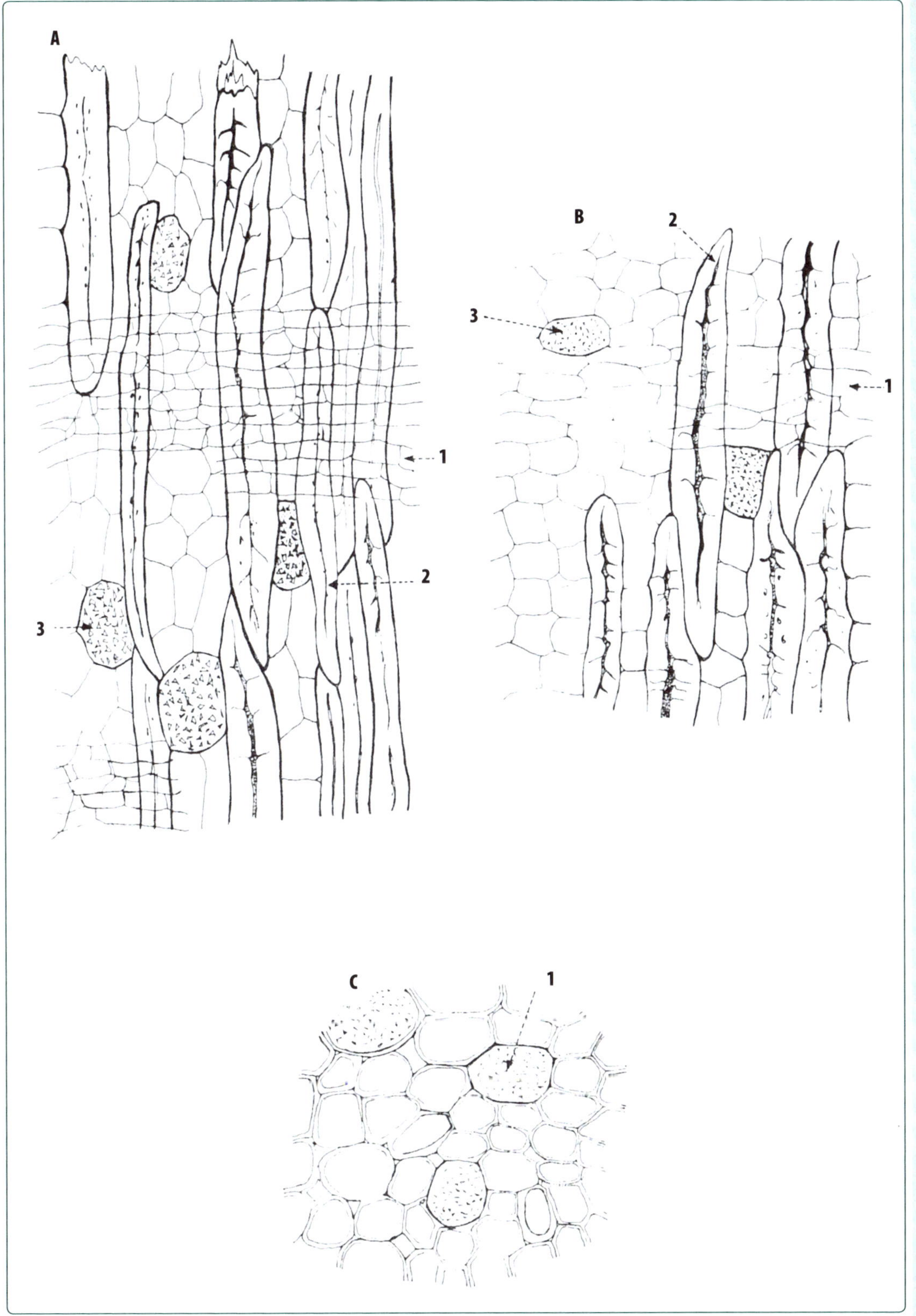

Fig. 8.65 – QUINA AMARELA *(Cinchona calisaya* Wedell e seus híbridos). **A** e **B.** Secção longitudinal radial da região floemática: **1** – raio medular secundário; **2** – fibra; **3** – célula contendo areia cristalina. **C.** Secção longitudinal radial passando pela região cortical mostrando células com areia cristalina: **1** – células com areia cristalina.

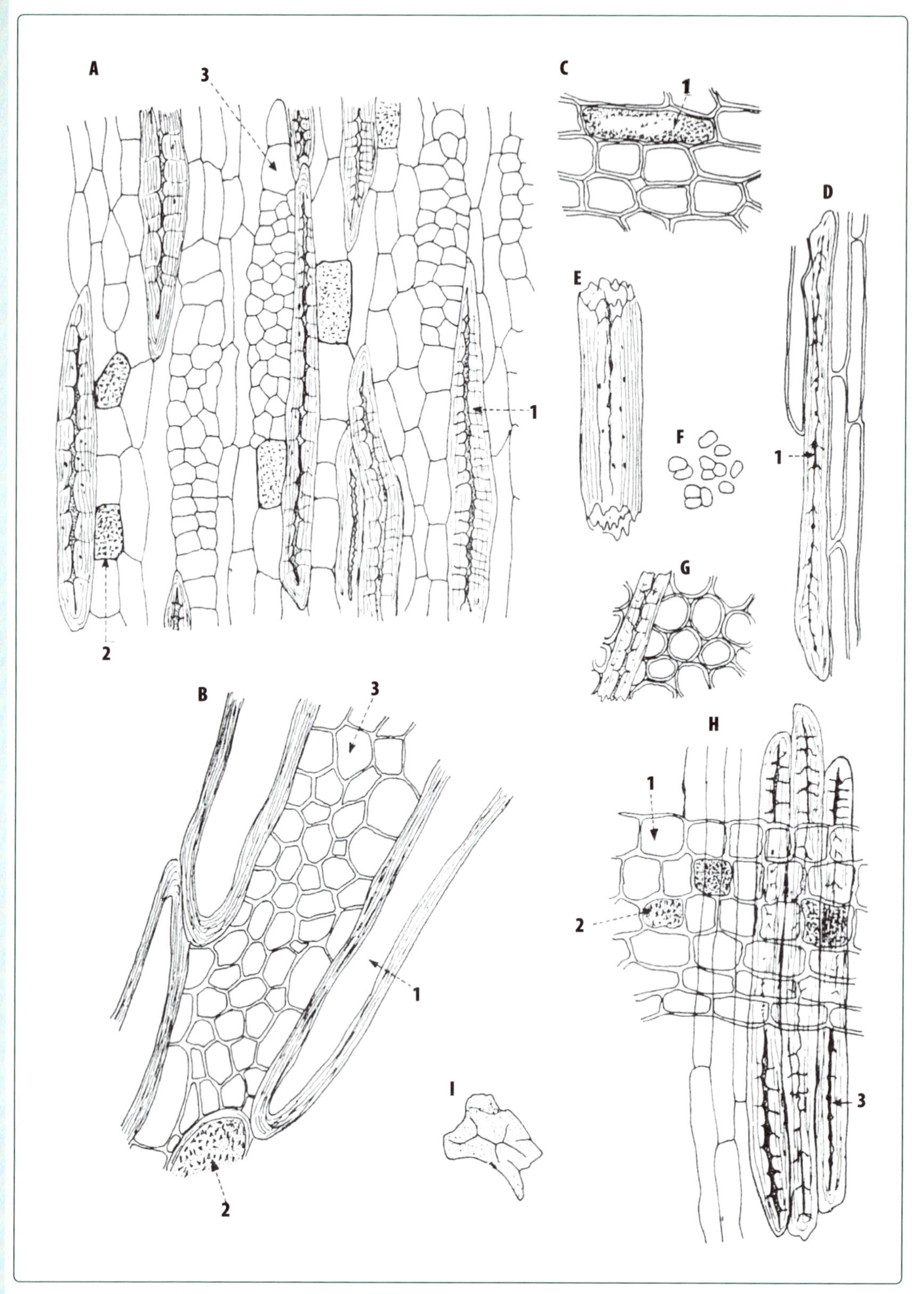

Fig. 8.66 – QUINA AMARELA *(Cinchona calisaya* Wedell e seus híbridos). **A** e **B.** Secção longitudinal tangencial da casca ao nível da região floemática: **1** – fibra; **2** – célula com areia cristalina; **3** – raio medular secundário. **C, D, E, F, G, H** e **I.** Elementos histológicos do pó: **C.** Fragmento da região cortical mostrando célula com areia cristalina: **1** – célula com areia cristalina. **D.** Fragmento da região floemática mostrando fibra associada ao parênquima floemático: **1** – fibra. **E.** Fragmento de fibra. **F.** Grão de amido. **G.** Fragmento de fibra associada a tecido parenquimático. **H.** Fragmento mostrando fibras floemáticas associadas a raio medular: **1** – raio medular secundário; **2** – células contendo areia cristalina; **3** – fibras. **I.** Súber.

Viburno

Viburnum prunifolium Linné – *Caprifoliaceae*
Parte usada: Casca.
Sinonímia vulgar: Espinheiro preto.
Sinonímia científica: *Viburnum lentago* L.

A droga possui odor característico, mais intenso quando umedecida, lembrando a VALERIANA. Tem sabor amargo e adstringente.

Descrição macroscópica

Apresenta-se em fragmentos irregulares, transversalmente curvos ou enrolados, de 1,5 a 9 cm de comprimento por 0,5 a 3,5 mm de espessura; sua superfície externa é castanho-acinzentada ou, quando desprovida de sua camada suberosa, vermelho-pardacenta, enrugada, com fendas pouco profundas, tanto no sentido transversal quanto no sentido longitudinal. A face interna é castanho-avermelhada, estriada longitudinalmente. Sua fratura é curta e granulosa. Cortada transversalmente, apresenta zona interna castanho-negra, casca externa vermelho-pardacenta e zona interna esbranquiçada, com numerosas pontuações amarelas dispersas irregularmente, e que representam os elementos esclerenquimáticos. Aderentes à casca, encontram-se às vezes fragmentos de lenho branco-amarelado (Fig. 8.67).

Descrição microscópica

Súber formado de várias fileiras de células tabulares achatadas, sendo as fileiras localizadas mais internamente providas de paredes espessadas por lignina; parênquima cortical constituído de células poliédricas, com células pétreas amarelas, de paredes bem espessas e canaliculadas, geralmente em grupos. O periciclo contém poucas fibras espessadas, em grupos ou isoladas. O floema é desprovido de fibras e com células pétreas iguais às do parênquima cortical. É atravessado por estreitos raios medulares de uma a duas fileiras de células. Tanto o parênquima cortical quanto o floema e os raios medulares apresentam muitos cristais estrelares de oxalato de cálcio e pequenos grãos de amido.

Os raios medulares, quando vistos em corte longitudinal tangencial, são fusiformes, terminados por células ogivais e geralmente possuem dez células em altura por duas de largura. Quando um corte é tratado com ácido sulfúrico R, as células parenquimáticas, especialmente as dos raios medulares, tornam-se vermelhas (Figs. 8.68 a 8.70).

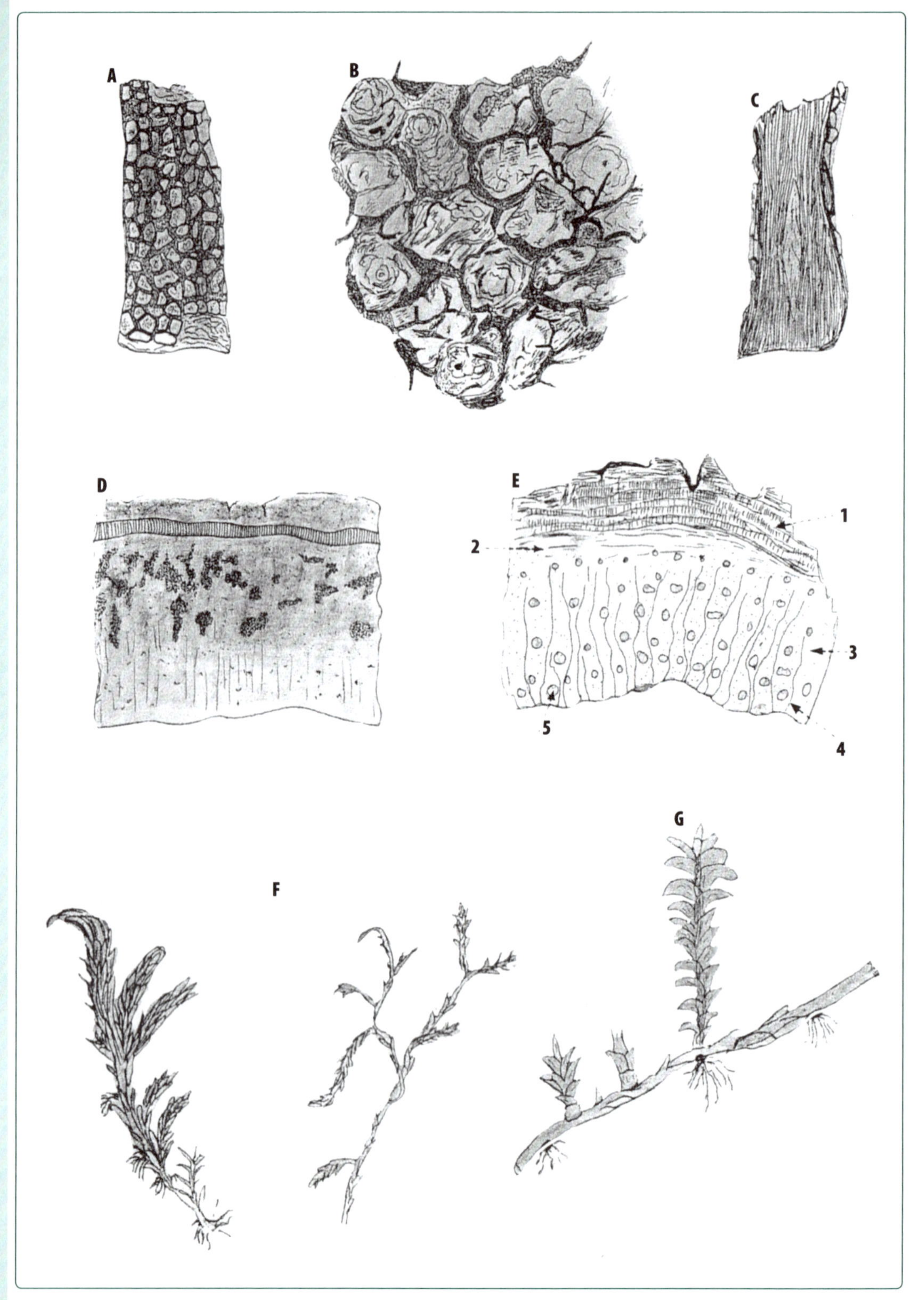

Fig. 8.67 – VIBURNO *(Viburnum prunifolium* L.). **A** e **B.** Fragmento de casca aproximadamente plano, bastante rugoso, mostrando fendas longitudinais e transversais. **C.** Fragmento de casca encurvado mostrando face interna estriada. **D.** Fragmento mostrando a região de fratura curta e granulosa. **E.** Secção transversal observada com o auxílio de lupa: **1** – súber; **2** – parênquima cortical; **3** – casca floemática; **4** – raio medular secundário; **5** – grupo de células pétreas. **F** e **G.** Musgos.

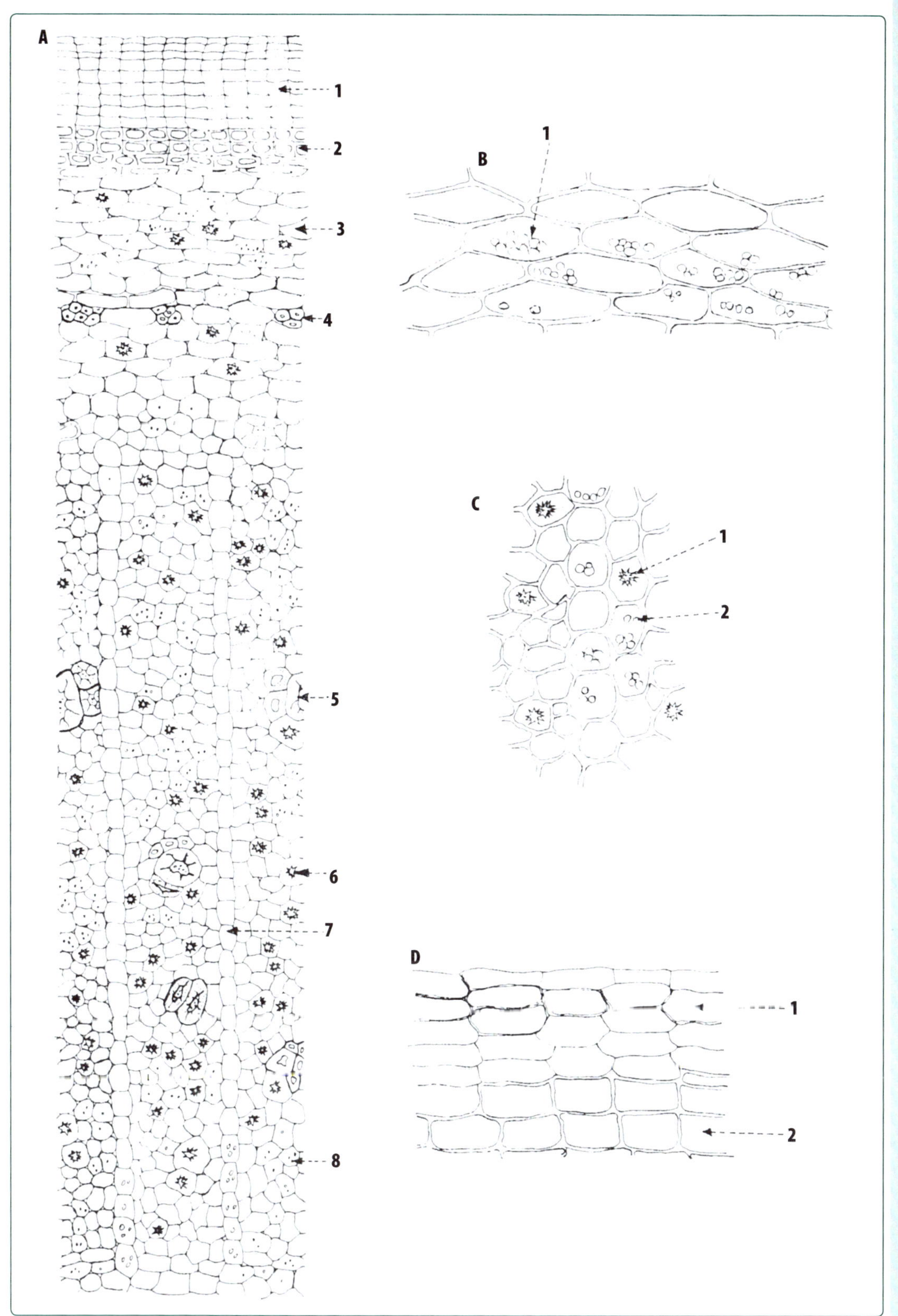

Fig. 8.68 – VIBURNO *(Viburnum prunifolium* L.). **A.** Secção transversal: **1** – células suberosas; **2** – células suberosas com parede lignificada; **3** – parênquima cortical; **4** – periciclo fibroso; **5** – grupo de células pétreas; **6** – drusa; **7** – raio medular secundário; **8** – grãos de amido. **B.** Secção transversal do parênquima cortical mostrando: **1** – grãos de amido. **C.** Secção transversal da região floemática: **1** – drusa; **2** – grãos de amido. **D.** Secção transversal da região externa: **1** – célula suberosa; **2** – célula suberosa com paredes lignificadas.

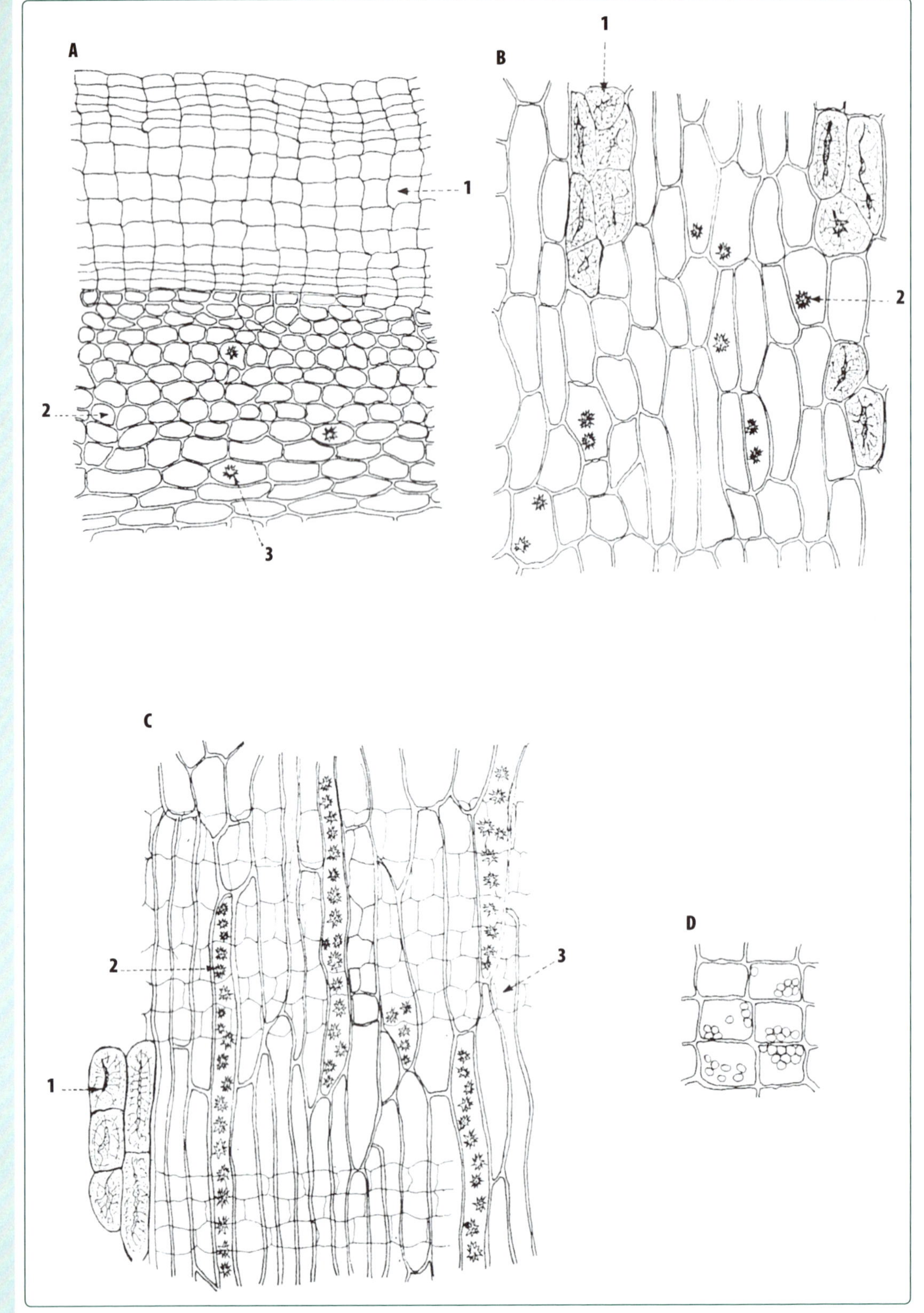

Fig. 8.69 – VIBURNO *(Viburnum prunifolium* L.). **A.** Secção longitudinal radial: **1** – súber; **2** – parênquima cortical; **3** – drusa. **B** e **C.** Secção longitudinal radial ao nível da casca floemática: **1** – grupo de células pétreas; **2** – drusa; **3** – raio medular. **D.** Células parenquimáticas contendo amido.

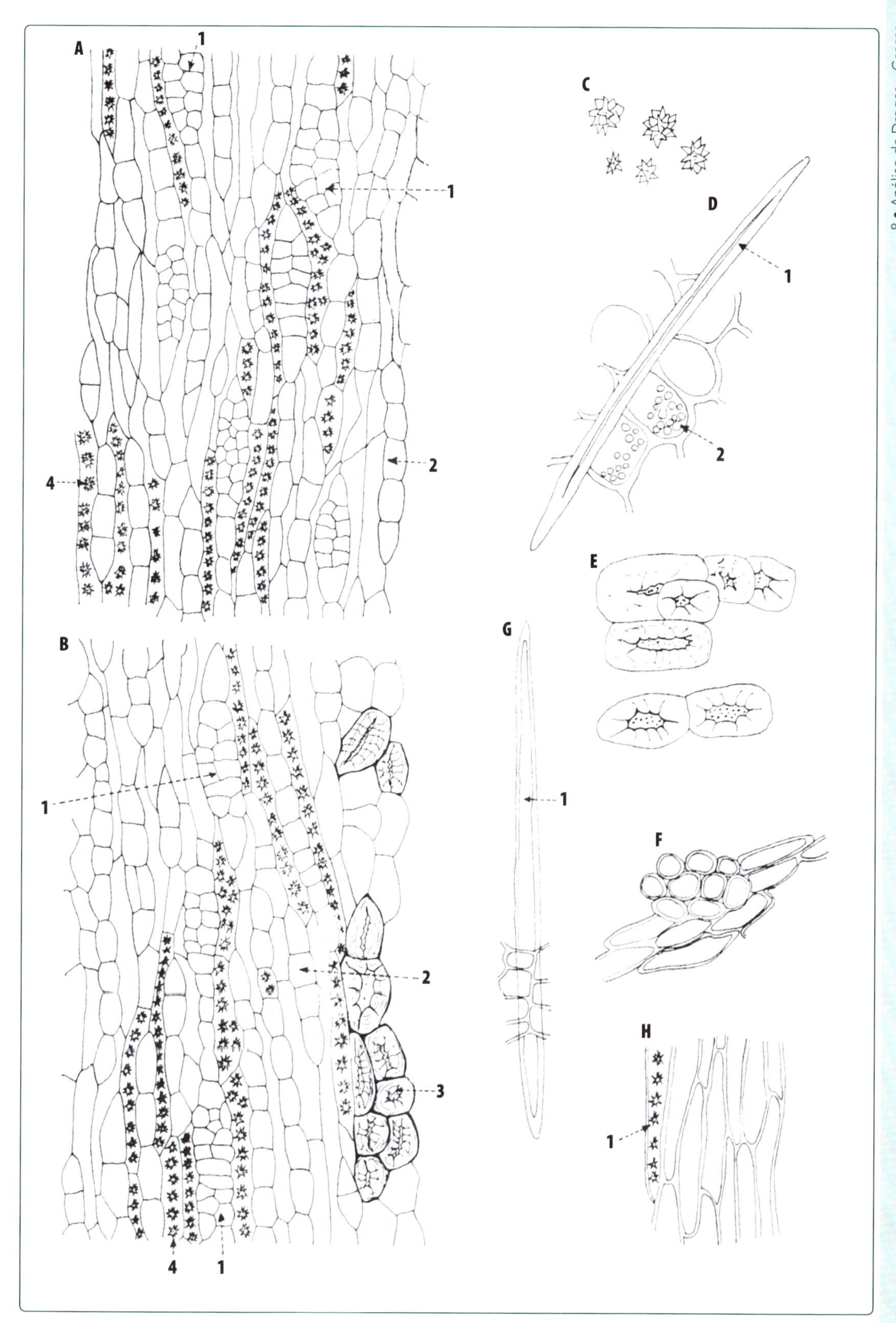

Fig. 8.70 – VIBURNO *(Viburnum prunifolium* L.). **A** e **B.** Secção longitudinal tangencial ao nível da região floemática: **1** – raio medular heterogêneo; **2** – raio medular homogêneo; **3** – grupo de células pétreas; **4** – células contendo drusa. **C, D, E, F, G** e **H.** Elementos histológicos do pó: **C.** Drusa. **D**, **G.** Parênquima associado à fibra: **1** – fibra; **2** – célula parenquimática contendo amido. **E.** Grupo de células pétreas. **F.** Fragmento de tecido parenquimático. **H.** Fragmento de tecido floemático contendo drusas.

Análise de Drogas – Lenhos

GENERALIDADES

Denomina-se lenho, em Farmacognosia, o conjunto de tecidos localizados internamente ao câmbio nos caules e raízes, providos de crescimento secundário. Na região central do lenho podem existir tecidos não pertencentes ao xilema - parênquima medular. Todavia, a maior parte dos tecidos que integram drogas constituídas de lenho é representada por xilema secundário.

A *Farmacopeia Brasileira*, em suas cinco edições, inclui apenas três tipos de lenho: GUAIACO, QUÁSSIA e SÂNDALO-CITRINO. Outros lenhos integram drogas estudadas sob o título de caules, como o CASSAU, o CIPÓ-CRAVO, a DOCE-AMARGA e a JURUBEBA. O lenho de MUIRAPUAMA e o de SASSAFRAZ, embora não constem da *Farmacopeia Brasileira*, são muito utilizados. O primeiro é usado em função de seu efeito afrodisíaco, e o segundo, em função do óleo essencial que contém. Os lenhos de SAPOON, PAU CAMPECHE, GUAIACO e PINHO constituem outros exemplos.

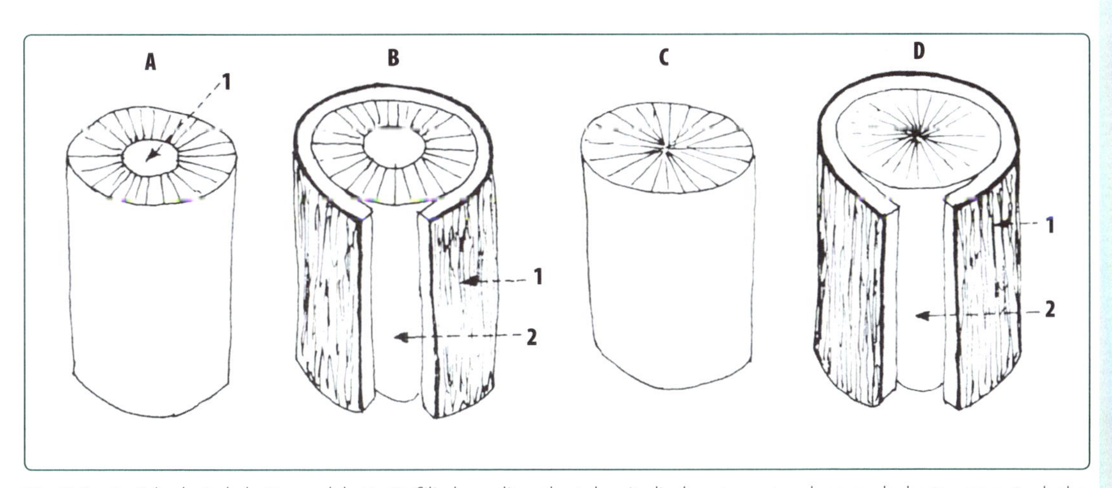

Fig. 9.1 – A e **C.** Lenho isolado: **1** – medula. **B** e **D.** Cilindro caulinar aberto longitudinalmente mostrando casca e lenho: **1** – casca; **2** – lenho.

DROGAS CONSTITUÍDAS DE LENHOS

Formação do lenho

No estudo da casca viu-se que o procâmbio originava do lado de fora da estrutura, o floema e, do lado de dentro, o xilema. Observou-se, ainda, que o crescimento secundário de caules e raízes na região do cilindro central era motivado pelo câmbio primário ou secundário. Nas cascas, o floema formado por último é o que se localiza mais internamente. Nos lenhos, ao contrário, o último xilema formado localiza-se mais externamente.

Nos caules, a região mais interna do xilema é constituída de tecidos mortos. Geralmente, essa região possui coloração mais escura devida à acumulação de substâncias elaboradas pelo parênquima do xilema, fenômeno denominado de cernificação. Essa região recebe o nome de cerne ou durâmen. O tecido xilemático mais externo, isto é, localizado próximo ao câmbio, é de coloração mais clara e se chama alburno.

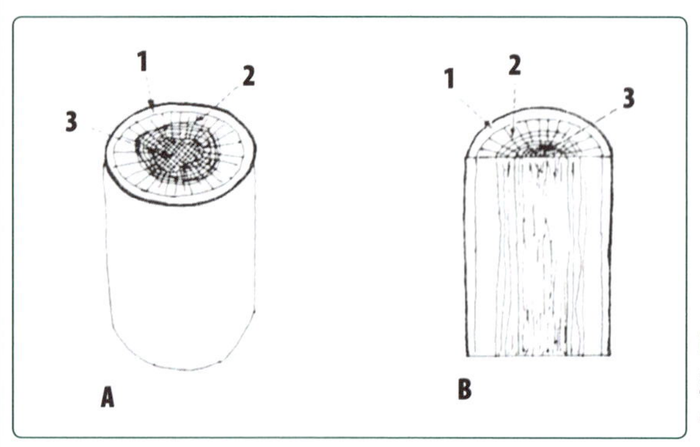

Fig. 9.2 – A. Cilindro caulinar mostrando: **1** – casca; **2** – alburno; **3** – durâmen. **B.** O mesmo cilindro cortado longitudinalmente: **1** – casca; **2** – alburno; **3** – durâmen.

Caracterização macroscópica do lenho

Na análise de lenhos, as características mais importantes na diagnose não são as macroscópicas. Via de regra, a cor, o sabor, a densidade e os aspectos das secções transversais e longitudinais podem contribuir para a identificação de lenhos; porém, costuma-se atribuir maior importância aos detalhes microscópicos.

A observação macroscópica de lenho geralmente é precedida da elaboração de "corpo de prova". Retira-se um pedaço da droga e, com o auxílio de uma faca de aço, prepara-se um paralelepípedo com aproximadamente 3 cm de comprimento por 1,5 cm de profundidade, e 1,0 cm de largura. Assim, procura-se delimitar os três sentidos a serem analisados: secção transversal, secção longitudinal tangencial e longitudinal radial.

Os diferentes tipos de drogas constituídas de lenho apresentam variação na composição da forma de cada uma das secções, o que auxilia a identificação.

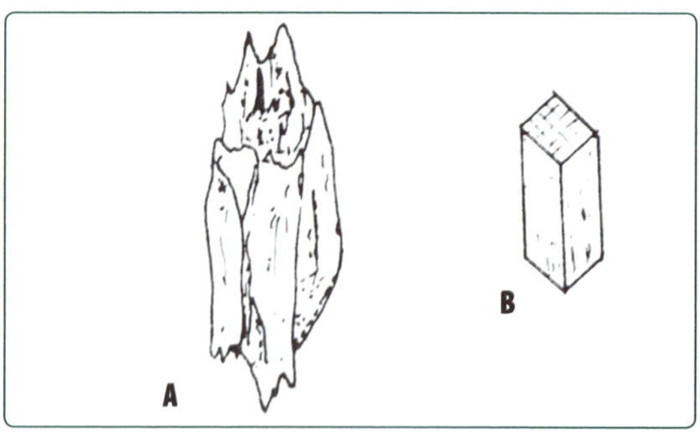

Fig. 9.3 – Corpo de prova. **A.** Pedaço de lenho. **B.** Corpo de prova preparado a partir do material anterior.

Observação macroscópica das secções transversais

Quando se observam secções transversais de lenhos, com frequência verifica-se a presença de anéis mais claros e mais escuros; são os chamados anéis anuais, ou, mais genericamente, anéis de crescimento. Esse tipo de formação é decorrente de períodos de tempo mais favoráveis ao desenvolvimento do vegetal, alternados com períodos de tempo menos favoráveis.

Nos períodos de tempo mais favoráveis, os elementos traqueais (vasos e traqueídes) apresentam maior abertura que nos períodos de tempo menos favoráveis. Essa diferença de diâmetro de abertura dos elementos traqueais motiva o aparecimento de anéis de crescimento.

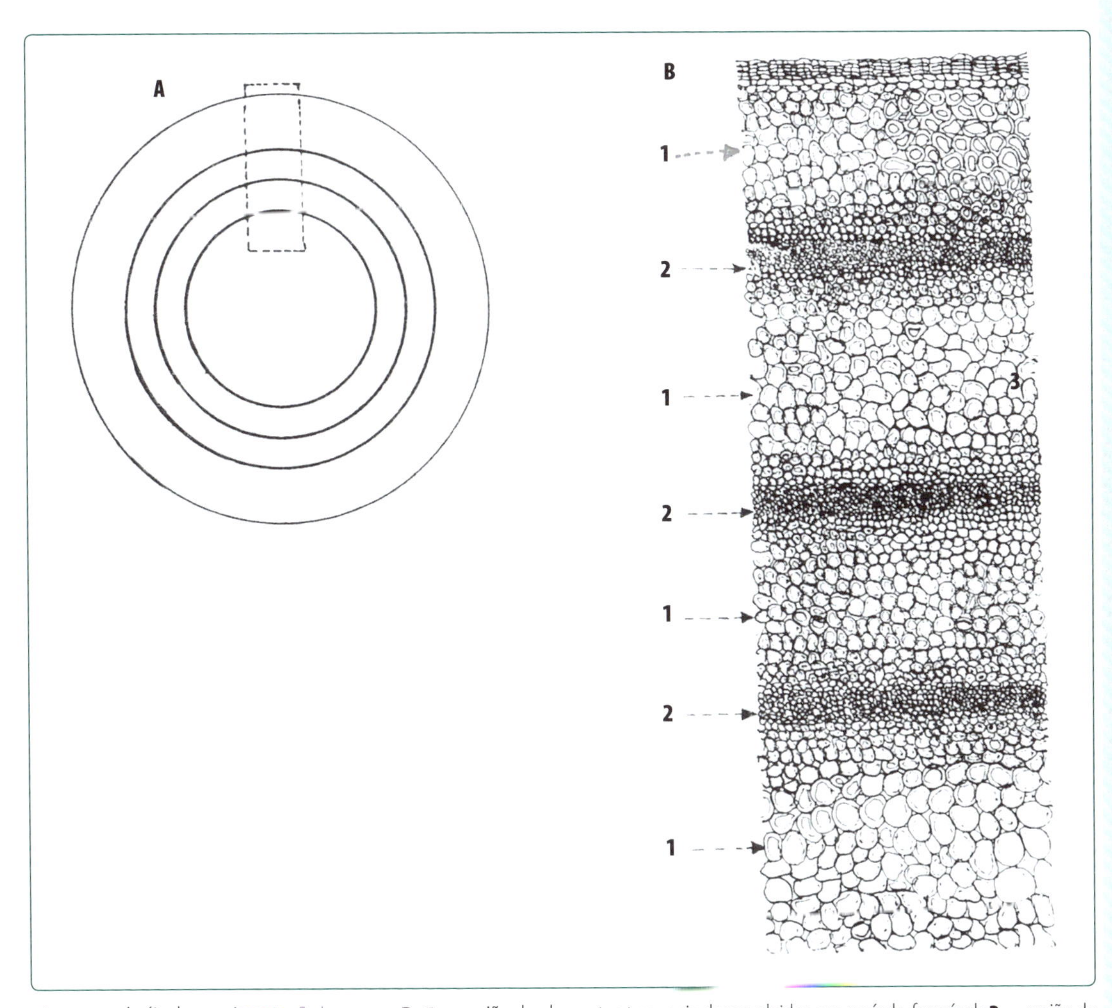

Fig. 9.4 – Anéis de crescimento. **A.** Esquema. **B. 1** – região de elementos traqueais desenvolvidos em período favorável; **2** – região de elementos traqueais desenvolvidos em período desfavorável da vida da planta.

Sulcando radialmente o lenho, observam-se linhas de diversos comprimentos. São os raios medulares secundários.

Pode-se, ainda, observar ou não a presença de poros. Nos lenhos de gimnospermas eles não existem. Nesses lenhos, os elementos traqueais são representados por traqueídes, que lhes dão aspecto homogêneo.

Nos lenhos de dicotiledôneas, quase sempre os poros são visíveis (traqueias), podendo se encontrar distribuídos difusamente (poros difusos) ou em anéis concêntricos (poros anulares) (Fig. 9.5).

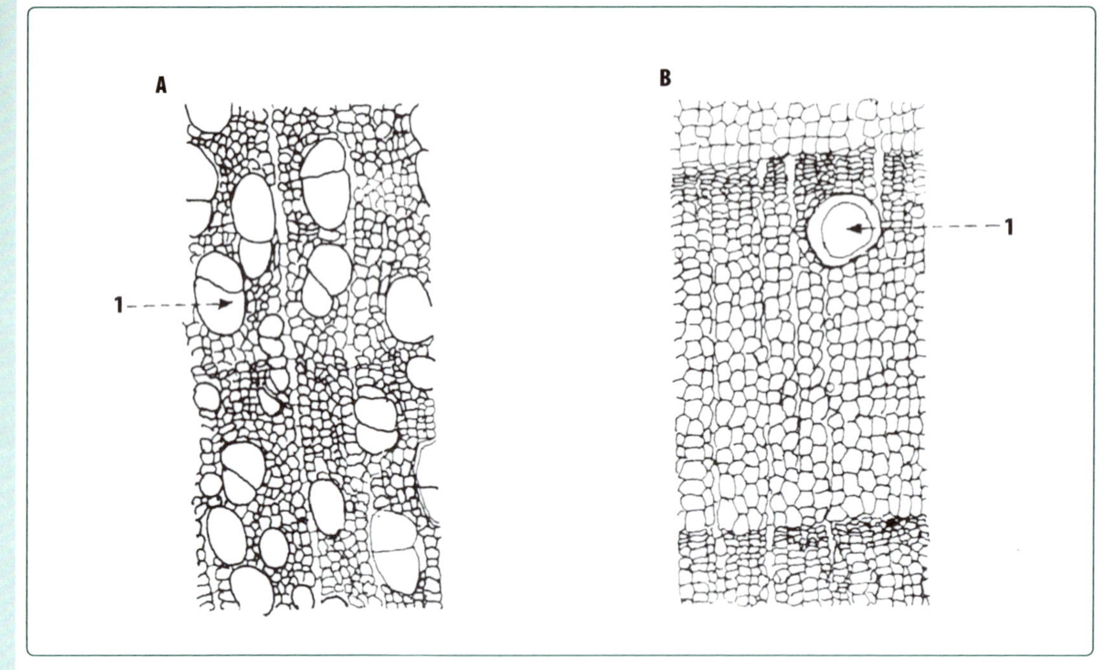

Fig. 9.5 – A. Lenho da dicotiledônea: **1** – poros (vasos). **B.** Lenho de gimnosperma *(Pinus* sp). – observar a ausência de poros: **1** – canal secretor.

Caracterização macroscópica das secções longitudinais (radiais e tangenciais)

Os raios medulares, em secção longitudinal radial, aparecem como faixas perpendiculares aos vasos. Em cortes longitudinais tangenciais, eles aparecem em forma fusiforme. Grupos de fibras aparecem nos dois tipos de cortes como linhas retas ou curvas, dispostas longitudinalmente. Essas linhas podem ter disposição paralela ou entrecruzada.

Tanto nos cortes transversais quanto longitudinais podem ser observadas formações brilhantes (refringentes) indicadoras de cristais. Em lenhos de gimnosperma *(Pinus* sp), muitas vezes são vistos pontos escuros indicadores de canais secretores (resiníferos).

Caracterização microscópica do lenho

Para se efetuar adequadamente a caracterização microscópica de um lenho, é necessária a elaboração de três tipos de cortes: corte transversal, corte longitudinal radial e corte longitudinal tangencial. Esses cortes são obtidos a partir do "corpo de prova" já mencionado.

Efetuados os cortes, executa-se a análise dos seguintes elementos: elementos traqueais (traqueídes e vasos), fibras do xilema (fibra traqueíde e fibras libriformes) e parênquima do xilema; este, divide-se em parênquima do sistema axial (apotraqueal e paratraqueal) e parênquima do sistema horizontal (raios medulares secundários).

Elementos traqueais

Os elementos traqueais podem ser divididos em dois grupos: traqueídes - existentes nas gimnospermas e que são constituídos de uma única célula; e vasos ou traqueias - existentes nas dicotiledôneas, constituídos de conjuntos de células enfileiradas longitudinalmente e desprovidas, pelo menos parcialmente, de suas paredes transversais (lâmina perfurada), de maneira a originar um tubo (vaso).

As traqueídes são constituídas de células altamente especializadas (condução de seiva bruta) de paredes lignificadas e desprovidas de lâmina perfurada. Elas ocorrem nas gimnospermas. Suas pontuações são areoladas e providas de toros.

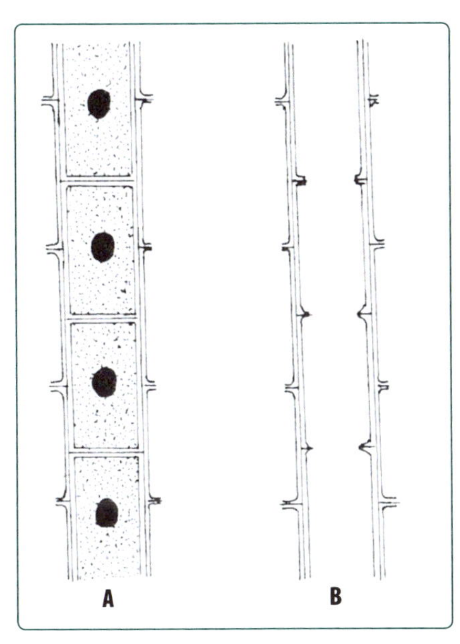

Fig. 9.6 – Esquema mostrando enfileiramento longitudinal de células na formação de vaso ou traqueia. **A.** Vaso em formação. **B.** Vaso já formado.

As traqueias ou vasos apresentam as paredes caracteristicamente espessadas de lignina. Conforme o tipo de espessamento de lignina que suas paredes possuem, elas são classificadas em aneladas, espiraladas ou helicoidais, pontuadas, escalariformes e reticuladas.

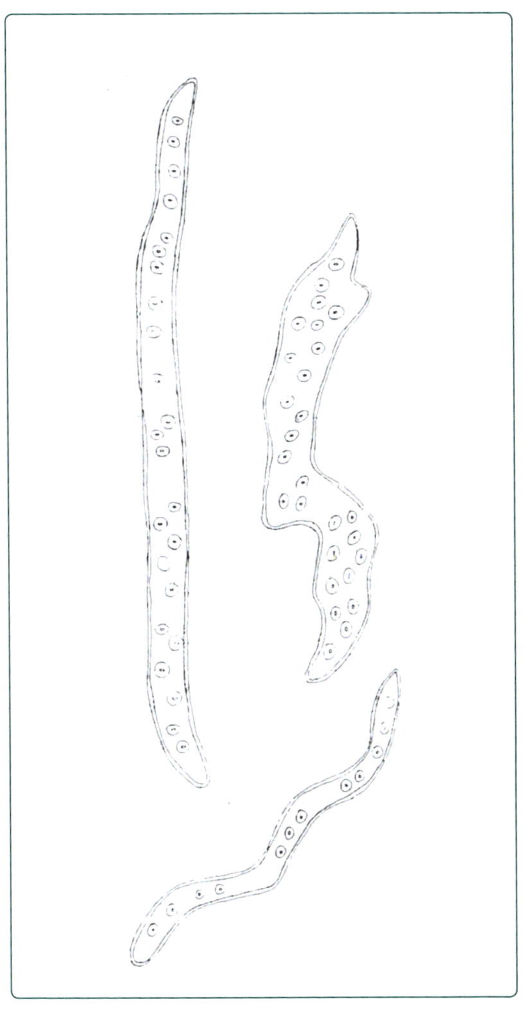

Fig. 9.7 – Traqueídes.

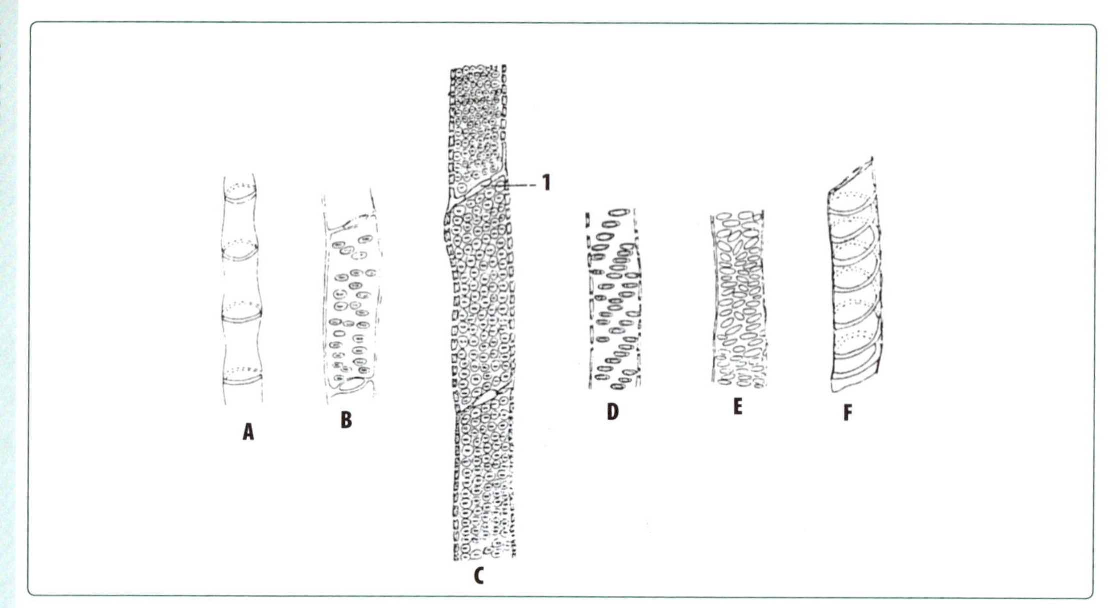

Fig. 9.8 – Vários tipos de vasos. **A.** Anelado. **B** e **C.** Pontuado: **1** – perfuração. **D.** Escalariforme. **E.** Reticulado. **F.** Espiralado.

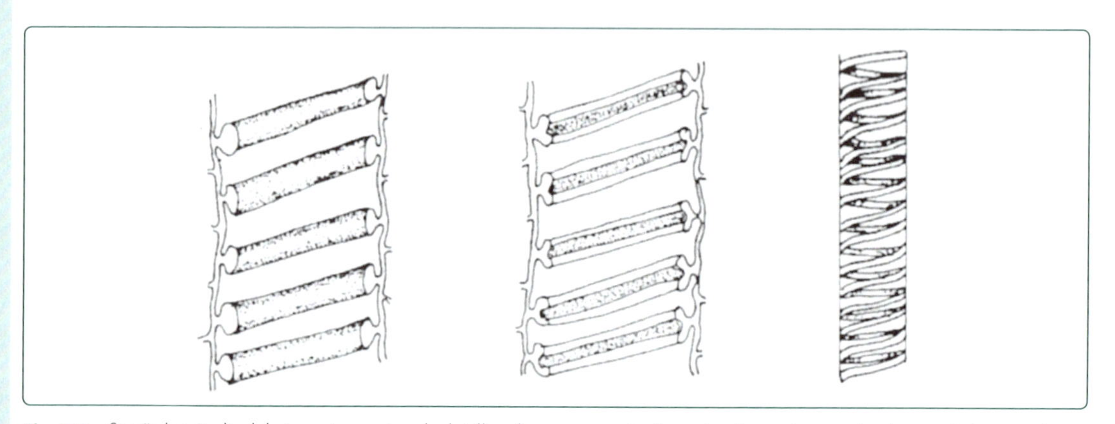

Fig. 9.9 – Secção longitudinal de traqueias mostrando detalhes de espessamento. As pontuações podem ser simples, areoladas e semiareoladas ou mistas.

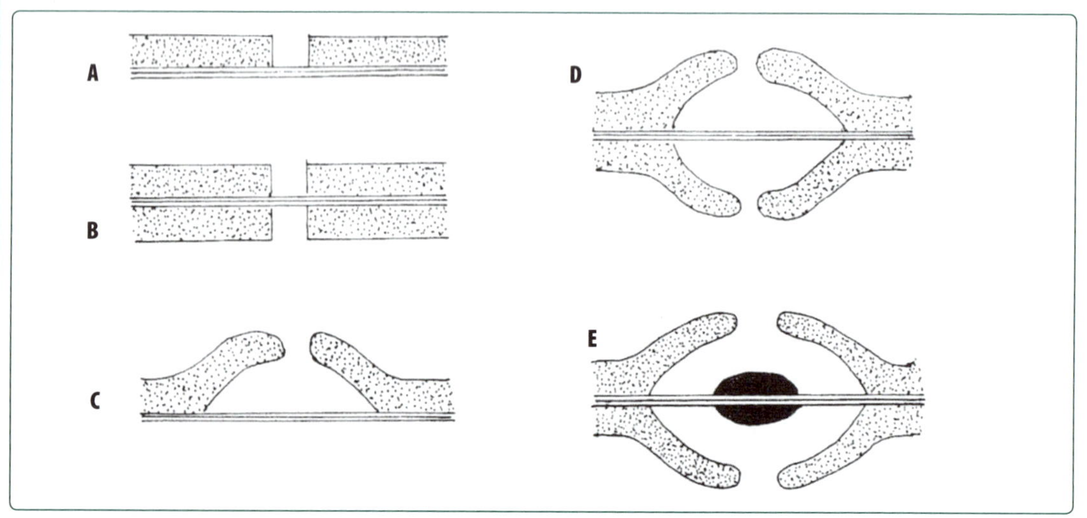

Fig. 9.10 – Pontuações. **A.** Pontuação simples. **B.** Par de pontuações simples. **C.** Pontuação areolada. **D.** Par de pontuação areolada. **E.** Par de pontuação areolada provida de toros.

Fibras do xilema

As fibras do xilema são prosenquimatosas de paredes espessadas secundariamente de lignina. Geralmente, as secções transversais desses elementos exibem contorno poligonal e as paredes podem se apresentar pouco ou muito espessadas de lignina.

Basicamente, dois tipos de fibras ocorrem no xilema: as fibras libriformes e as fibras traqueídes.

- Fibras libriformes: são, geralmente, estreitas e têm paredes bem espessadas, providas de pontuações simples.
- Fibras traqueídes: representam, no que se refere à forma, uma transição entre fibra e traqueíde. Elas têm pontuação areolada (Fig. 9.11).

Algumas fibras do xilema podem ser portadoras de finos septos transversais, recebendo, por isso, o nome de fibras tabicadas.

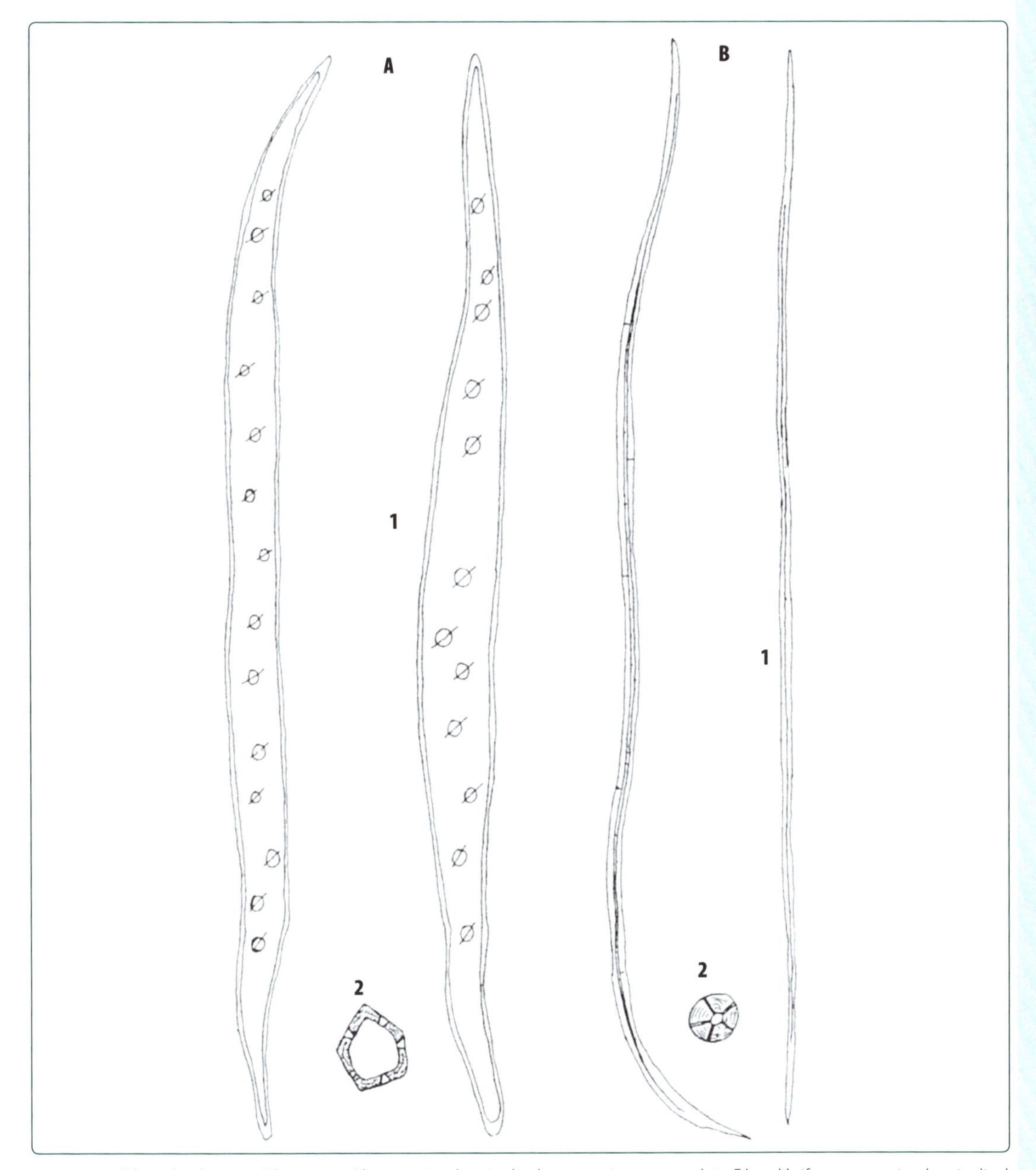

Fig. 9.11 – Fibras do xilema. **A.** Fibras traqueídes: **1** – vista longitudinal; **2** – secção transversal. **B.** Fibras libriformes. **1** – vista longitudinal. **2** – secção transversal.

Parênquima do xilema

O parênquima do xilema pode ser dividido em dois tipos: parênquima do sistema axial e parênquima do sistema horizontal.

- Parênquima do sistema axial: segundo a relação que mantém com os vasos ou traqueias, pode ser dividido em dois grandes grupos: parênquima apotraqueal e parênquima paratraqueal.
- Parênquima apotraqueal: as células parenquimáticas não se encontram associadas diretamente aos elementos traqueais. Segundo a sua disposição na estrutura, pode ser de três tipos:
  - parênquima apotraqueal difuso – quando esparso desordenadamente por toda a estrutura em pequenos grupos;
  - parênquima apotraqueal agregado-difuso – semelhante ao anterior, mas constituído por pequenas faixas de parênquima;
  - parênquima apotraqueal concêntrico – quando dispostos em faixas concêntricas.

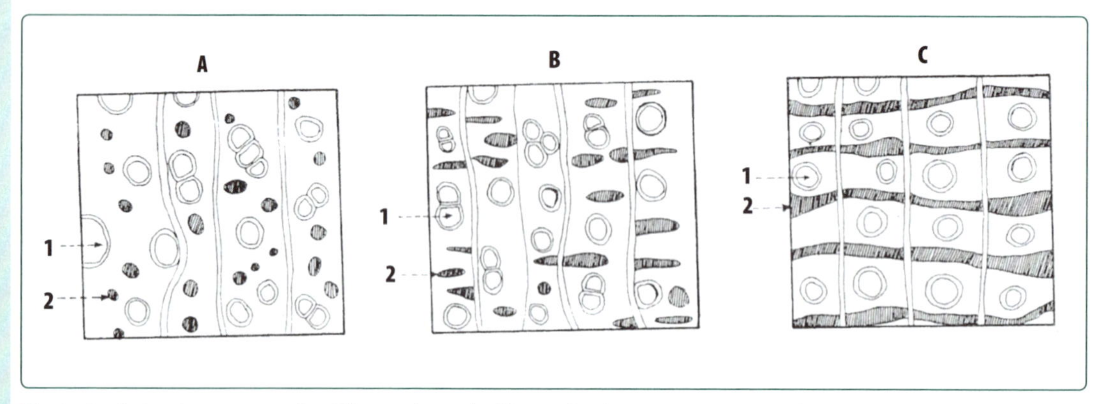

Fig. 9.12 – Parênquima apotraqueal. **A.** Difuso. **B.** Agregado difuso. **C.** Concêntrico: **1** – vaso; **2** – parênquima.

- Parênquima paratraqueal: o parênquima é paratraqueal quando se encontra associado diretamente aos elementos traqueais. Também nesse caso podem-se considerar três tipos: parênquima paratraqueal vasocêntrico, quando se desenvolve à maneira de anel, ladeando os vasos; parênquima paratraqueal aliforme, quando envolve os vasos emitindo alas; e parênquima paratraqueal confluente, quando disposto em faixas confluentes que envolvem os vasos.

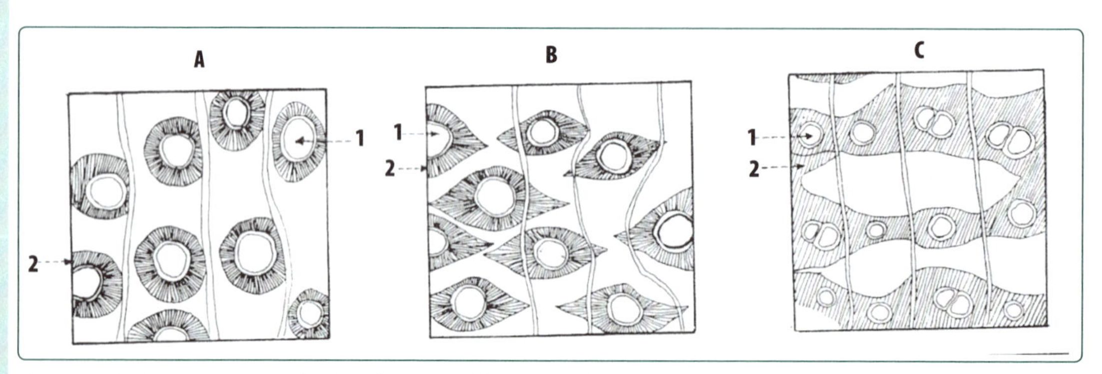

Fig. 9.13 – Parênquima paratraqueal. **A.** Vasocêntrico; **B.** Aliforme; **C.** Confluente: **1** – vaso; **2** – parênquima.

Parênquima do sistema horizontal

O parênquima do sistema horizontal é representado pelos raios medulares secundários ou raios do xilema.

Os raios medulares secundários, conforme o tipo de corte, assumem forma característica. Em corte transversal, assumem forma de fileira de células que atravessam radialmente a estrutura. Em corte longitudinal radial aparecem em forma de largas faixas parenquimáticas dispostas perpendicularmente aos vasos. Em corte longitudinal tangencial, assumem o aspecto fusiforme.

Os raios medulares secundários, conforme sejam formados por células iguais ou não, podem ser classificados em raios medulares secundários homogêneos e raios medulares heterogêneos.

Quando todas as células são aproximadamente iguais, recebem o nome de raios medulares secundários homogêneos, e quando existem células de dois ou mais tipos recebem a denominação de raios medulares secundários heterogêneos.

Os parênquimas dos raios medulares podem, de modo geral, conter inclusões, como cristais, amidos e glândulas.

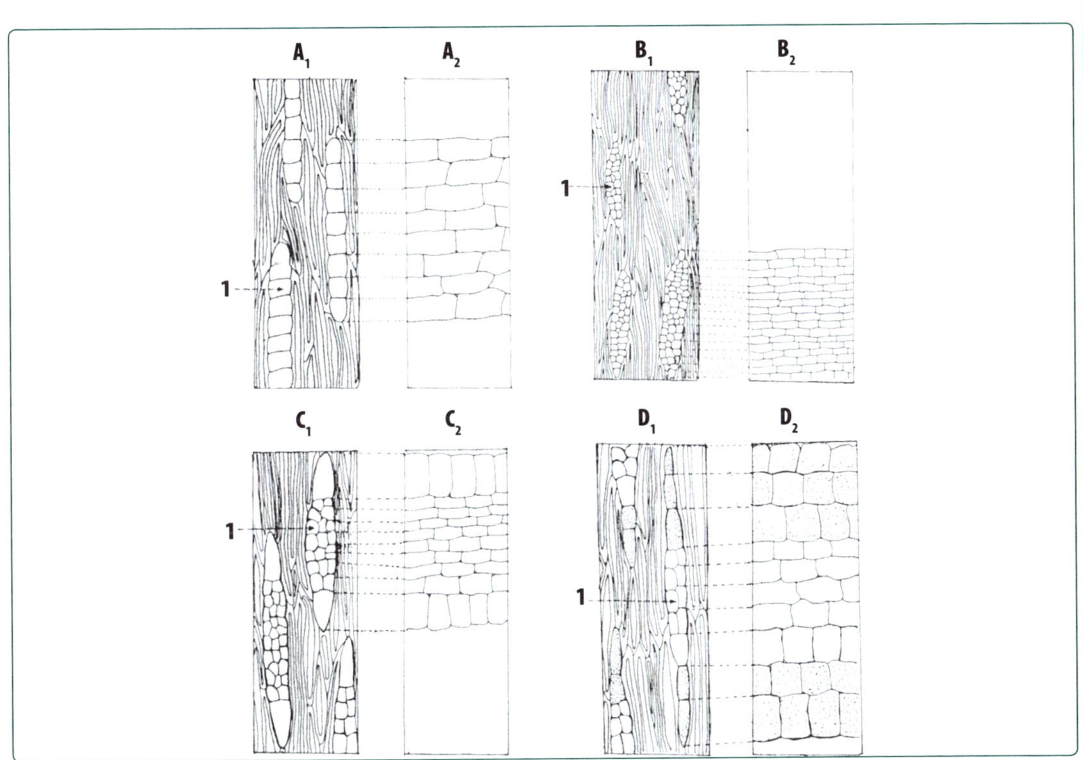

Fig. 9.14 – Parênquima do xilema (sistema horizontal) – Raios medulares homogêneos: **A_1-B_1** – Raios medulares vistos em cortes tangenciais: **1** – raio medular; **A_2-B_2** – A mesma estrutura vista em corte longitudinal radial (observe a projeção). Parênquima do xilema (sistema horizontal) – Raios medulares heterogêneos: **C_1-D_1** – Raios medulares vistos em cortes tangenciais: **1** – raio medular. **C_2-D_2** – A mesma estrutura vista em corte longitudinal radial (observe a projeção).

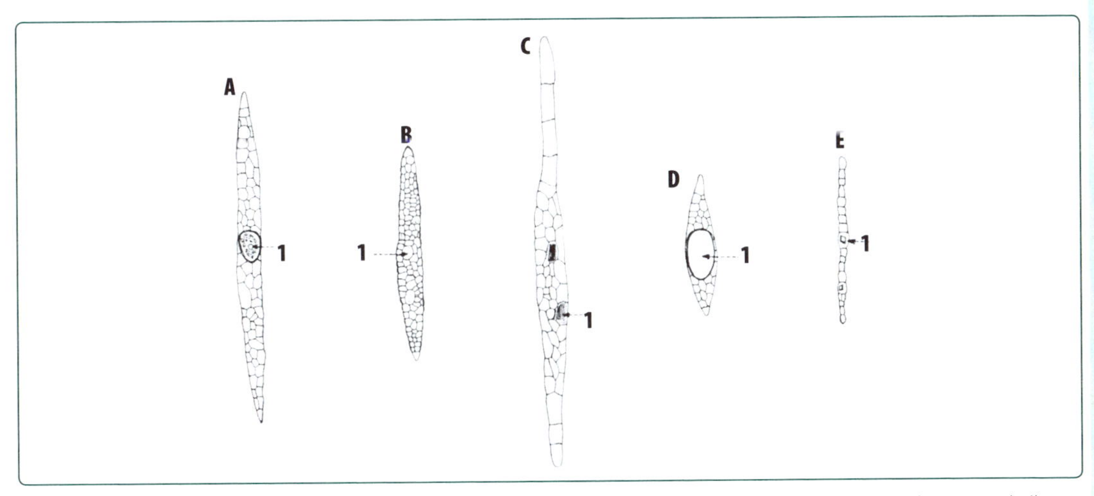

Fig. 9.15 – Diversos tipos de raios medulares secundários vistos em secção longitudinal tangencial. **A.** Raio contendo célula secretora de óleo essencial: **1** – célula secretora. **B.** Raio contendo células mucilaginosas: **1** – idioblasto contendo mucilagem. **C.** Raio contendo rafídeos: **1** – idioblasto contendo rafídeo. **D.** Raio contendo canal secretor: **1** – canal secretor. **E.** Raio contendo cristal prismático: **1** – idioblasto contendo cristal prismático.

Dissociação dos elementos histológicos do lenho

Nem sempre a observação microscópica das diversas secções de um lenho é suficiente no que se refere à sua identificação. Algumas vezes, é necessário lançar mão de macerados destinados a dissolver o cimento intercelular, de modo a dissociar os diversos elementos celulares integrantes da estrutura. Como macerante costuma-se empregar o reativo de Schultz, constituído de alguns cristais de clorato de potássio e ácido nítrico. Colocam-se diversos cortes grossos do material em estudo em um pequeno béquer ou em uma cápsula de porcelana e juntam-se alguns cristais de clorato de potássio; verte-se, a seguir, sobre o conjunto, quantidade suficiente para cobrir os fragmentos de ácido nítrico. Aquece-se em capela por alguns minutos, enquanto houver desprendimento de gás. Decanta-se o líquido ácido, a seguir, e lava-se bem o material com água. Com o auxílio de um estilete procede-se à dissociação. Caso haja conveniência, podem-se submeter os fragmentos a processo de coloração. Algumas gotas de solução aquosa de violeta de genciana a 1% diluída em álcool se prestam para a coloração dos elementos histológicos. Lavam-se convenientemente as peças e montam-se em lâmina para observação ao microscópio.

Outro reativo que tem mostrado boa utilidade na obtenção de elementos de lenho dissociado é o reativo de Jeffrey, constituído de uma mistura, em volumes iguais, de solução de ácido crômico a 10% e ácido sulfúrico ou nítrico a 10%. Os fragmentos de lenho são deixados no reativo de Jeffrey durante duas horas. A seguir, decanta-se o líquido ácido, lavam-se os fragmentos com água, procedendo-se depois como no caso anterior.

Morfodiagnose de drogas constituídas de lenho

Quássia-do-Brasil

Picrasma crenata (Vell). Engl. – *Simarubaceae*

Parte usada: Lenho.
Sinonímia vulgar: Quássia amarga; Pau-tenente; Pau-amarelo; Pau-quássia.
Sinonímia científica: *Aeschrion crenata* Vell.

A droga é praticamente inodora e de sabor extremamente amargo.

Descrição macroscópica

O lenho da QUÁSSIA-DO-BRASIL aparece no comércio em forma de fragmentos de 5 a 10 cm de comprimento, provido de forma irregular ou, às vezes, em pedaços maiores, cilíndricos, de 10 a 15 cm de diâmetro. Os fragmentos podem estar recobertos por casca fina e de coloração escura, com manchas mais claras. A presença de anéis de crescimento pode ser muito bem observada na secção transversal, especialmente quando os pedaços possuem forma cilíndrica. A droga, quando observada com o auxílio de lupa, apresenta poros largos, reunidos aos pares ou em grupos de três, raramente mais (Fig. 9.16).

Descrição microscópica

O PAU-TENENTE ou QUÁSSIA-DO-BRASIL, quando vista em secção transversal ao microscópio, evidencia vasos com grande abertura, reunidos em pequenos grupos envolvidos por parênquima paratraqueal confluente, no qual se observa, com frequência, a presença de cristais prismáticos. Os raios medulares aparecem nitidamente constituídos por fileiras de uma a três células de largura. O xilema, quando visto em secção longitudinal, mostra vasos pontuados e raios medulares providos de uma a três células de largura por, geralmente, nove a onze células de altura (Figs. 9.17 e 9.18).

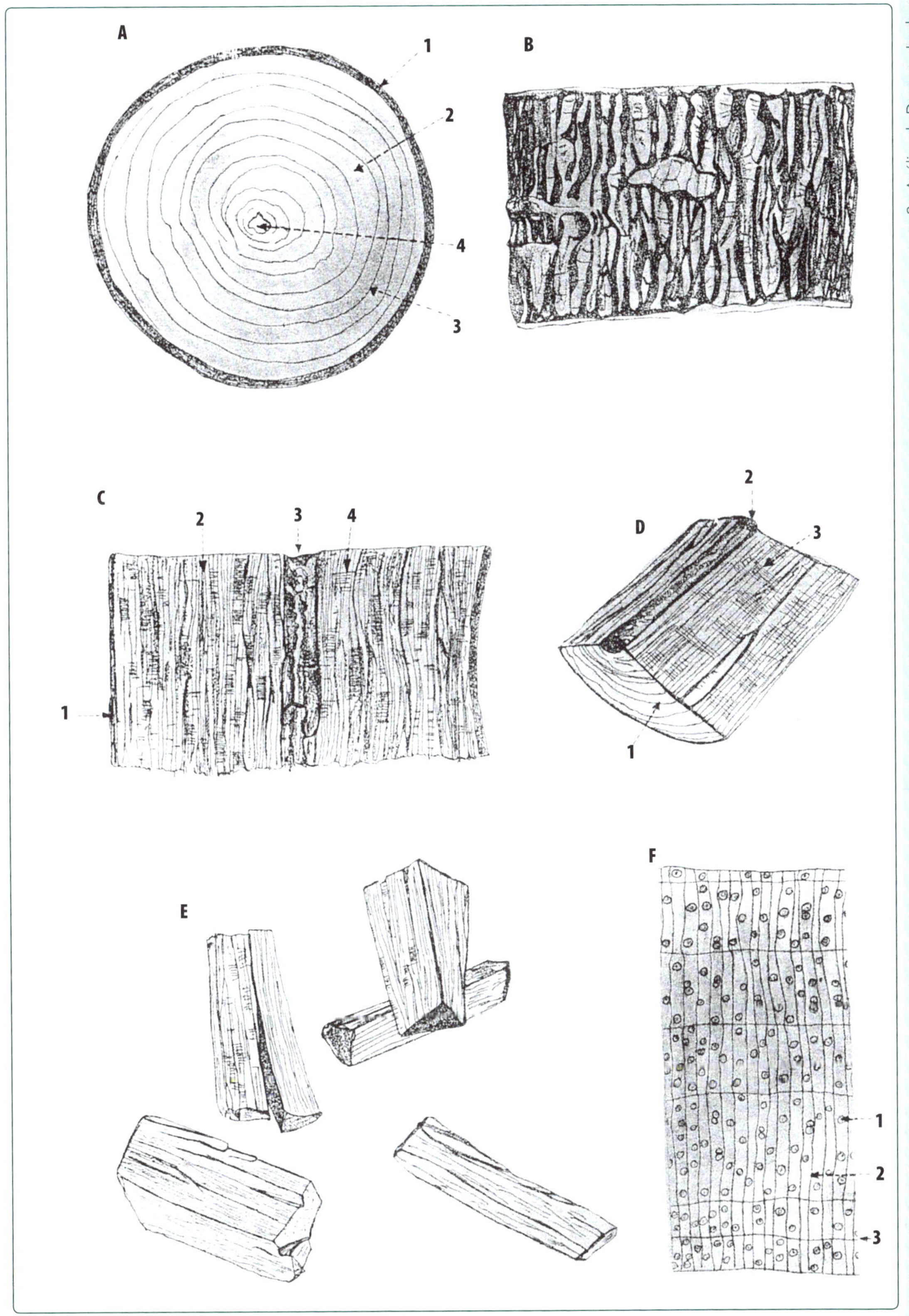

Fig. 9.16 – QUÁSSIA-DO-BRASIL *(Picrasma crenata* (Vell). Engl). **A.** Secção transversal de um caule: **1** – casca; **2** – lenho; **3** – anel de crescimento; **4** – medula. **B.** Casca vista de face (lado externo). **C.** Secção longitudinal radial vista com auxílio de lupa: **1** – casca; **2** – lenho; **3** – medula; **4** – raio medular secundário. **D.** Fragmento de lenho mostrando: **1** – anéis anuais vistos na secção transversal; **2** – medula; **3** – raio medular secundário visto na face tangencial radial. **E.** Fragmentos do lenho. **F.** Secção transversal observada com o auxílio de lupa: **1** – vaso; **2** – raio medular secundário; **3** – anel de crescimento.

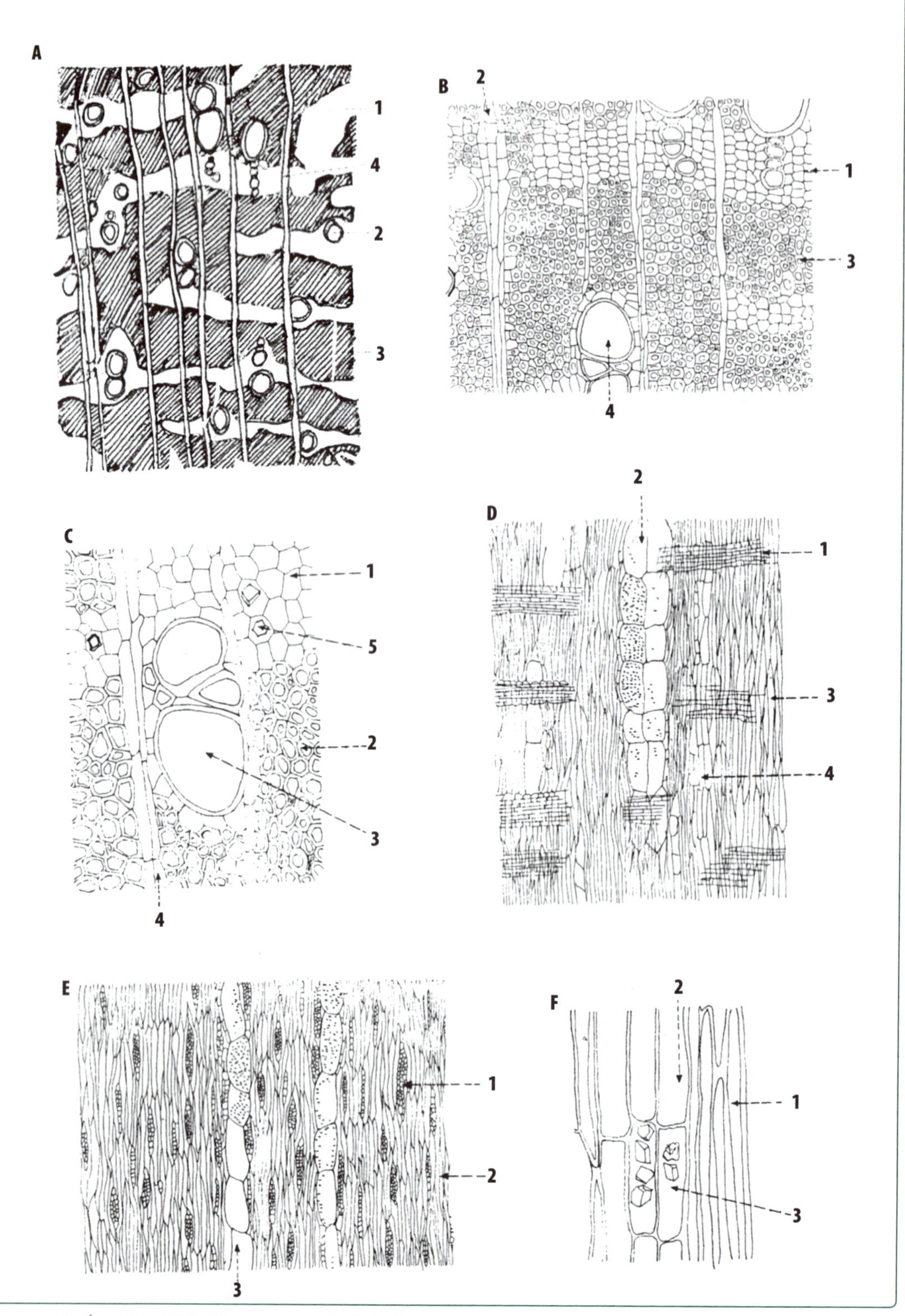

Fig. 9.17 – QUÁSSIA-DO-BRASIL *(Picrasma crenata* (Vell). Engl). **A.** Desenho esquemático do lenho em corte transversal: **1** – parênquima paratraqueal confluente; **2** – vaso; **3** – fibras; **4** – raio medular secundário. **B.** Secção transversal do lenho: **1** – parênquima paratraqueal; **2** – raio medular secundário; **3** – fibra; **4** – vaso. **C.** Secção transversal do lenho (detalhe): **1** – parênquima paratraqueal; **2** – fibras; **3** – vaso; **4** – raio medular secundário; **5** – cristais prismáticos. **D.** Secção longitudinal radial: **1** – raio medular secundário; **2** – vaso; **3** – fibras; **4** – parênquima. **E.** Secção longitudinal tangencial: **1** – raio medular secundário; **2** – fibras; **3** – vaso. **F.** Secção longitudinal: **1** – fibras; **2** – parênquima; **3** – célula parenquimática contendo cristais prismáticos de oxalato de cálcio.

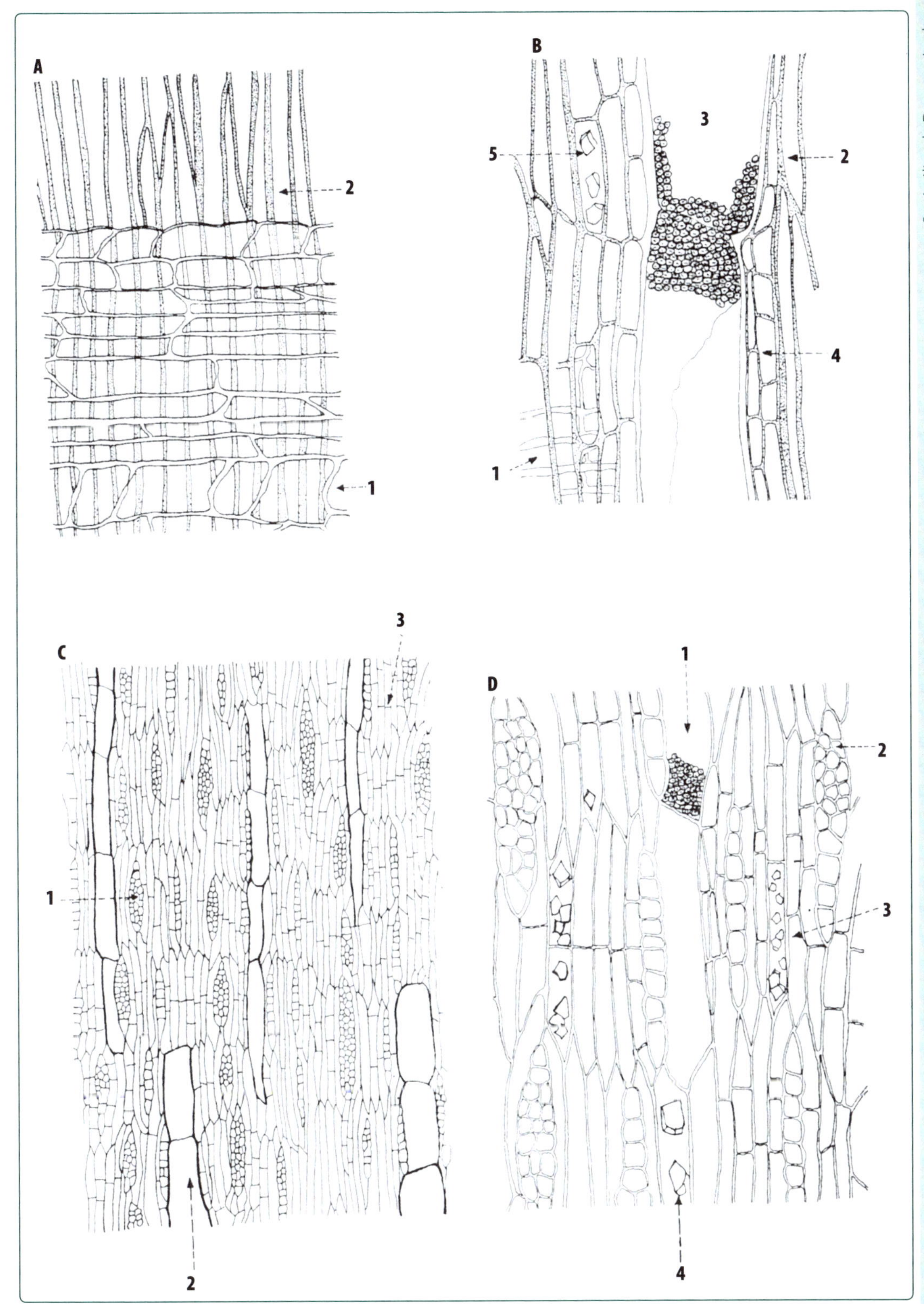

Fig. 9.18 – QUÁSSIA-DO-BRASIL *(Picrasma crenata* (Vell). Engl). **A.** Secção longitudinal radial (detalhe): **1** – raio medular secundário; **2** – fibra. **B.** Secção longitudinal radial (detalhes): **1** – raio medular secundário; **2** – fibra; **3** – vaso; **4** – parênquima; **5** – cristais prismáticos de oxalato de cálcio. **C.** Secção longitudinal tangencial: **1** – raio medular secundário; **2** – vaso; **3** – fibras tabicadas. **D.** Secção longitudinal tangencial (detalhes): **1** – vaso; **2** – raio medular secundário; **3** – fibra tabicada; **4** – célula contendo cristais prismáticos de oxalato de cálcio.

Quássia-da-Jamaica

Picrasma excelsa (Swartz). Planchon – *Simarubaceae*
Parte usada: Lenho.
Sinonímia vulgar: Quássia-das-Antilhas; Quássia-nova; Lenho-de-San-Martin.

O lenho da QUÁSSIA é quase inodoro e possui sabor muito amargo.

Descrição macroscópica

O lenho da *Picrasma excelsa* (Swartz). Planchon, conhecida no comércio por QUÁSSIA-DA-JAMAICA, apresenta-se em cilindros de comprimento variável, inteiros ou partidos que atingem até 30 cm de diâmetro. Quando fragmentados, os pedaços alcançam geralmente de 15 a 20 cm de comprimento. Às vezes, a droga é recoberta de uma casca muito aderente, de cerca de 1 cm de espessura, de cor cinzento-parda. Esse lenho é de cor branco-amarelado, de vez em quando manchado de amarelo-esverdeado; sua fratura é difícil, fibrosa e sua secção transversal apresenta estrias radiais, que representam os raios medulares e numerosas camadas concêntricas irregulares (Fig. 9.19).

Descrição microscópica

Examinado ao microscópio, o lenho da QUÁSSIA-DA-JAMAICA aparece composto de um tecido de fibras libriformes sulcados pelos raios medulares, formados de duas a cinco fileiras de células de largura, por 10 a 25 fileiras de altura, células essas cujas paredes são pouco espessas e pontuadas; os raios medulares são margeados por fibras cristalíferas, com prismas de oxalato de cálcio. O tecido lenhoso é formado de fibras de paredes pouco espessas e com poros oblíquos; é entrecortado bastante regularmente por faixas de parênquima lenhoso, dispostas em seu conjunto em séries concêntricas. É imediatamente contra essas faixas parenquimatosas que estão localizadas as traqueias, bastante largas, desiguais, isoladas ou reunidas em número de duas a cinco, com as paredes grossas crivadas de numerosos poros areolados, pequenos; elas contêm, geralmente, uma substância amarelada. Os grãos de amido são raros, esféricos ou elipsoides, medindo de 10 a 15 micra de diâmetro (Figs. 9.20 a 9.22).

✓ *Observação*

O lenho de *Quassia amara* Linné, conhecido comercialmente como QUÁSSIA-DESURINAME, é frequentemente encontrado em substituição ao QUÁSSIA-DA-JAMAICA. Essa droga é bastante parecida com a anteriormente descrita, diferindo daquela por apresentar diâmetro menor e por sua casca ser mais fina, medindo, geralmente, de 1 a 2 mm de espessura. A casca destaca-se facilmente do lenho, que é bastante compacto e provido de estrias radiais mais finas do que as encontradas na droga descrita. Anatomicamente, a QUÁSSIA-DE-SURINAME difere da anterior por apresentar traqueias isoladas ou reunidas em pares ou, mais raramente, em grupos de três a quatro. Os raios medulares são formados por uma ou duas células de largura por três a seis de altura, raramente mais. Praticamente não ocorrem cristais de oxalato de cálcio.

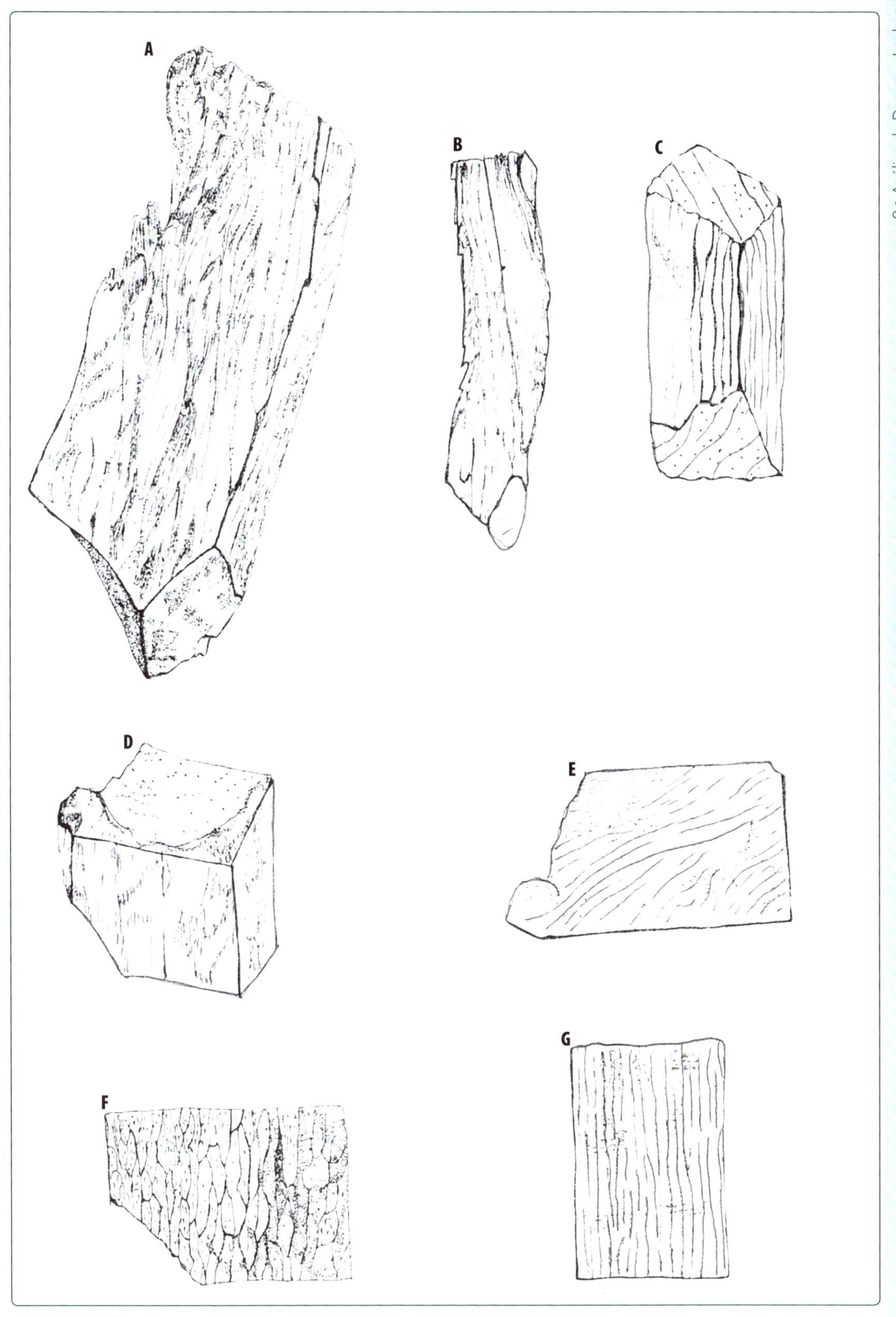

Fig. 9.19 – QUÁSSIA-DA-JAMAICA *(Picrasma excelsa* (Swartz) Planchon). **A, B** e **C.** Fragmentos de lenho. **D.** Fragmento de lenho (corpo de prova). **E.** Secção transversal observada com o auxílio de lupa. **F.** Secção longitudinal tangencial observada com o auxílio de lupa. **G.** Secção longitudinal radial observada com o auxílio de lupa.

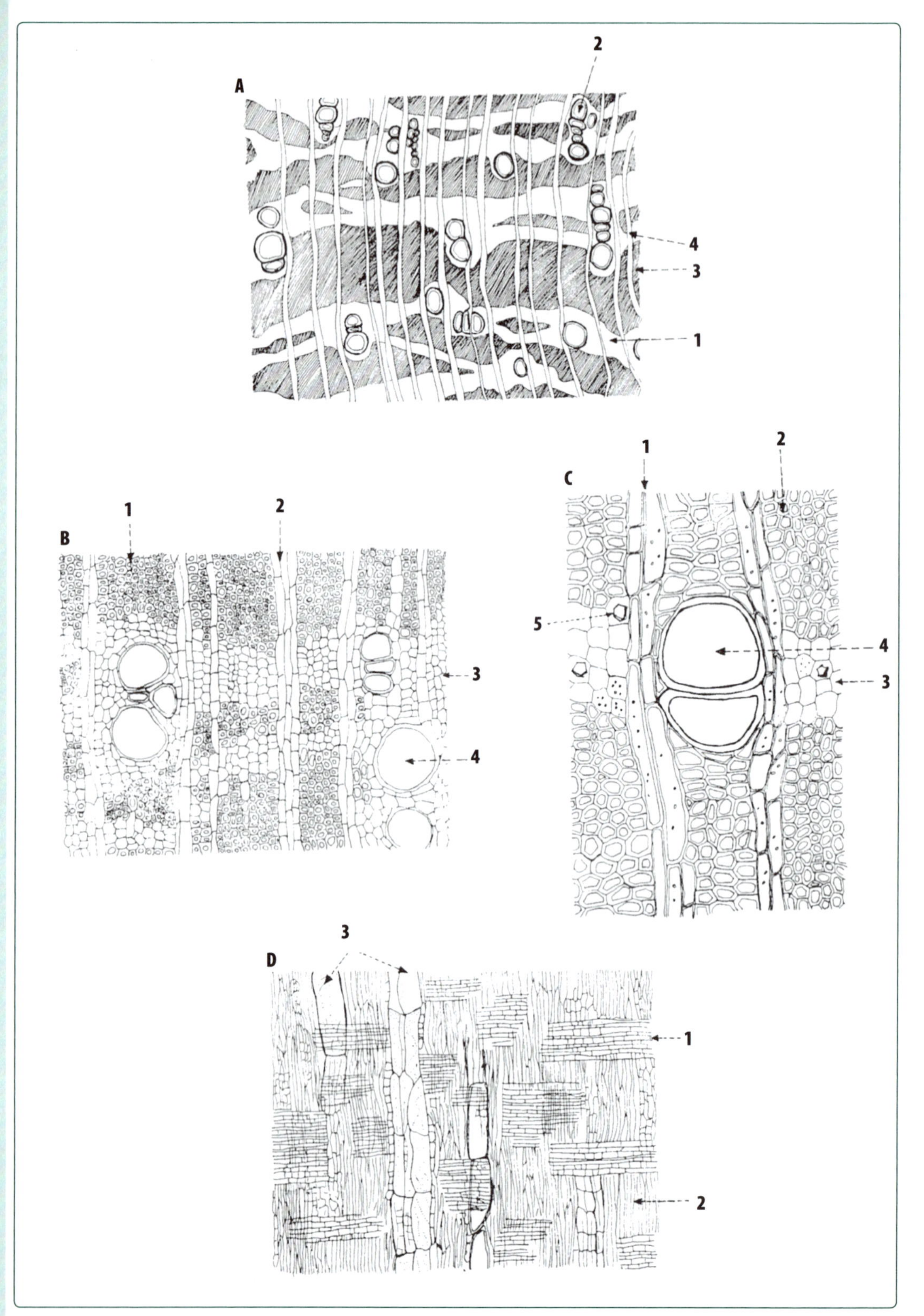

Fig. 9.20 – QUÁSSIA-DA-JAMAICA *(Picrasma excelsa* (Swartz) Planchon). **A.** Desenho esquemático da secção transversal: **1** – parênquima paratraqueal confluente; **2** – vasos; **3** – fibras; **4** – raio medular secundário. **B.** Secção transversal: **1** – fibras; **2** – raio medular secundário; **3** – parênquima paratraqueal confluente; **4** – vaso. **C.** Secção transversal do lenho em detalhe: **1** – raio medular secundário; **2** – fibras; **3** – parênquima paratraqueal confluente; **4** – vasos; **5** – cristal prismático de oxalato de cálcio. **D.** Secção longitudinal radial: **1** – raio medular secundário; **2** – fibras; **3** – vaso.

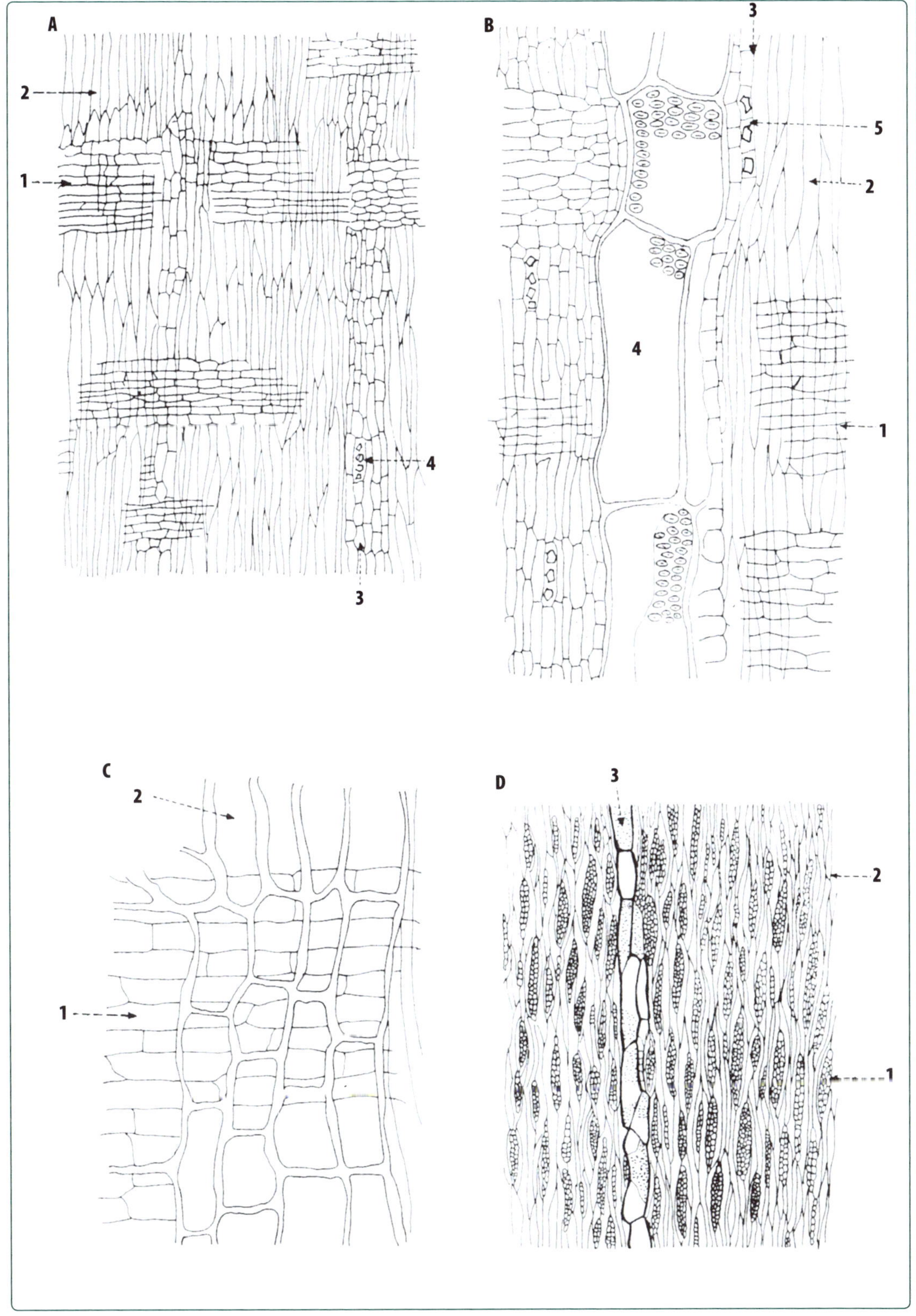

Fig. 9.21 – QUÁSSIA-DA-JAMAICA *(Picrasma excelsa* (Swartz) Planchon). **A.** Secção longitudinal radial: **1** – raio medular secundário; **2** – fibras; **3** – parênquima; **4** – cristais prismáticos. **B.** Secção longitudinal radial: **1** – raio medular secundário; **2** – fibra; **3** – parênquima; **4** – vasos; **5** – cristais prismáticos. **C.** Secção longitudinal radial (detalhe): **1** – raio medular secundário; **2** – parênquima. **D.** Secção longitudinal tangencial: **1** – raio medular secundário; **2** – fibras; **3** – vasos.

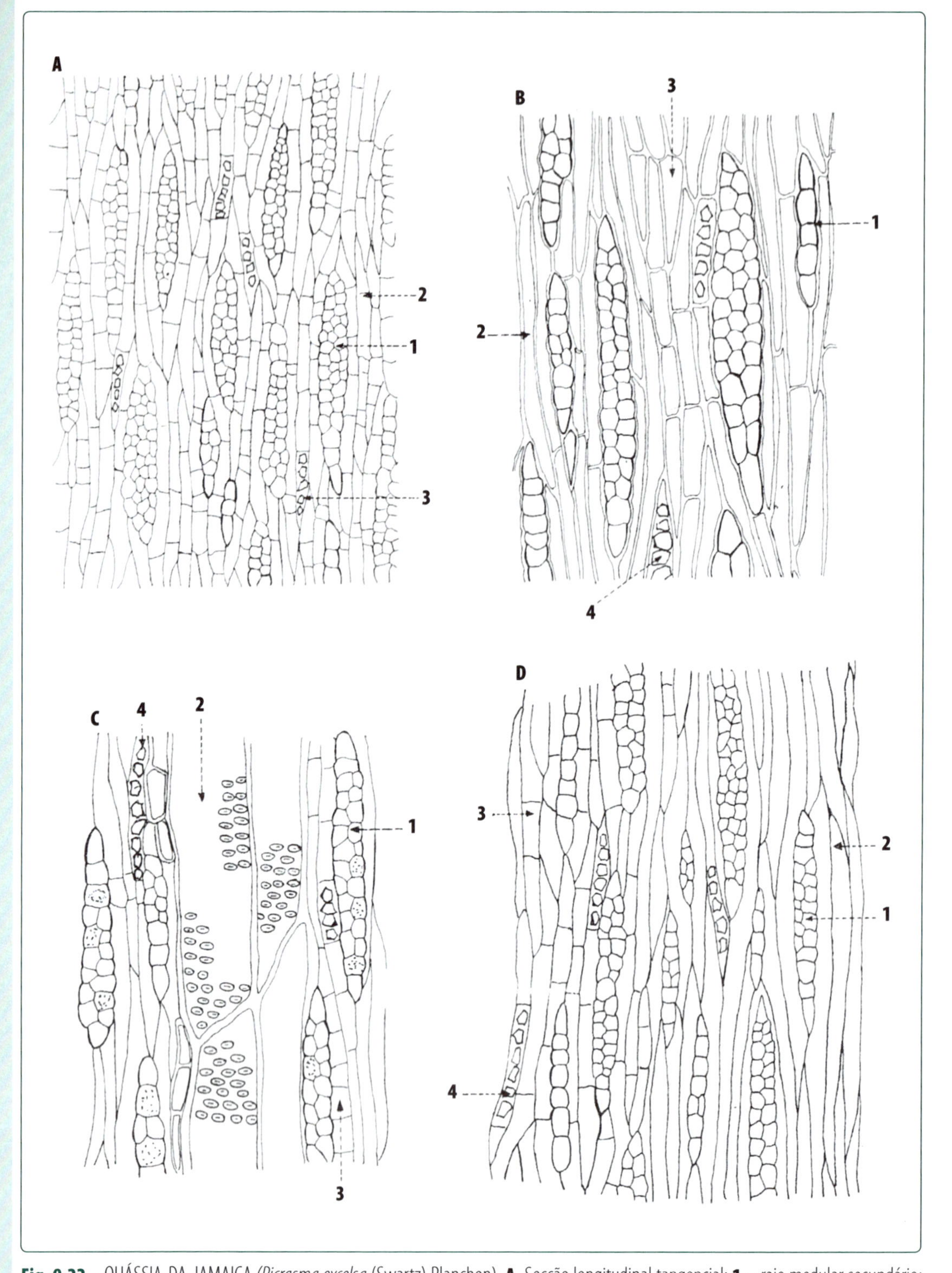

Fig. 9.22 – QUÁSSIA-DA-JAMAICA *(Picrasma excelsa* (Swartz) Planchon). **A.** Secção longitudinal tangencial: **1** – raio medular secundário; **2** – fibras tabicadas; **3** – cristais prismáticos. **B.** Secção longitudinal tangencial: **1** – raio medular secundário; **2** – fibra; **3** – parênquima; **4** – cristais prismáticos. **C.** Secção longitudinal tangencial: **1** – raio medular secundário; **2** – vaso; **3** – parênquima; **4** – cristais prismáticos. **D.** Secção longitudinal tangencial: **1** – raio medular secundário; **2** – fibras não tabicadas; **3** – fibras tabicadas; **4** – cristais prismáticos.

Sândalo citrino

Santalum album Linné – *Santalaceae*
Parte usada: Lenho.
Sinonímia vulgar: Sândalo-branco; Sândalo-amarelo; Sândalo-da-Índia; Lenho de sândalo.

O SÂNDALO CITRINO possui cheiro característico, muito aromático, persistente e sabor peculiar, fortemente aromático.

Descrição macroscópica

Este lenho geralmente se apresenta no comércio em achas cilíndricas de 1 a 1,5 cm de comprimento e 15 a 16 cm de diâmetro, muito pesadas, de superfície externa irregular e cor amarelo-clara; sua secção transversal, de cor variável – do amarelo ao pardo-avermelhado claro –, apresenta várias zonas concêntricas, alternadamente claras e escuras, com numerosos poros, atravessadas por grande número de estrias radiais muito próximas umas das outras (Fig. 9.23).

Descrição microscópica

O lenho é composto por um conjunto de fibras de paredes espessadas, alongadas e terminadas em bisel, o qual é atravessado por estreitos raios medulares. Estes, quando vistos em corte longitudinal tangencial, são formados de uma a quatro fileiras de células de largura e de sete a doze células de altura, de paredes grossas e com poros grosseiros. Em toda espessura dessa estrutura observam-se numerosas células cúbicas cheias de óleo-resina de coloração parda e vasos porosos, bastante largos, em geral isolados, que contêm óleo-resina sob a forma de glóbulos aderentes às suas paredes e das células dos raios medulares principalmente (Figs. 9.24 e 9.25).

Sândalo roxo

Pterocarpus santalinus L. Fil. – *Leguminoseae*
Parte usada: Lenho.
Sinonímia vulgar: Lenho de Sândalo roxo; Lenho roxo; Sândalo vermelho.
Sinonímia científica: *Pterocarpus indicus.*

Descrição macroscópica

A droga é constituída por fragmentos de lenho de forma e tamanho irregulares. O lenho apresenta coloração arroxeada e, quando visto em secção transversal com o auxílio de lupa, apresenta vasos de grande abertura geralmente isolados, mais raramente formando pequenos grupos. O parênquima do sistema axial envolve os vasos e apresenta coloração de tonalidade diferente. Os raios medulares são bem visíveis, assumindo, assim, a secção transversal aspecto bem característico.

A secção longitudinal radial, quando observada com o auxílio de lupa, também é bem característica, mostrando uma série de linhas horizontais indicativas de raios medulares (Fig. 9.26).

Descrição microscópica

A secção transversal do lenho mostra a presença de grandes vasos isolados ou reunidos em pequenos grupos envolvidos por parênquima paratraqueal confluente. Os raios medulares são bem evidentes, constituídos por uma fileira ou, mais raramente, duas fileiras de células. As células do raio medular são providas de pontuação bem evidente e o parênquima do sistema axial contém cristais prismáticos de oxalato de cálcio. Observam-se, ainda, fibras de lúmen estreito alternando-se com o parênquima axial.

Os raios medulares são bem evidentes tanto em corte longitudinal radial quanto em corte longitudinal tangencial, em que aparecem respectivamente formando largas faixas de células e figuras fusiformes de sete a dez células de altura por uma a duas células de largura (Figs. 9.27 a 9.29).

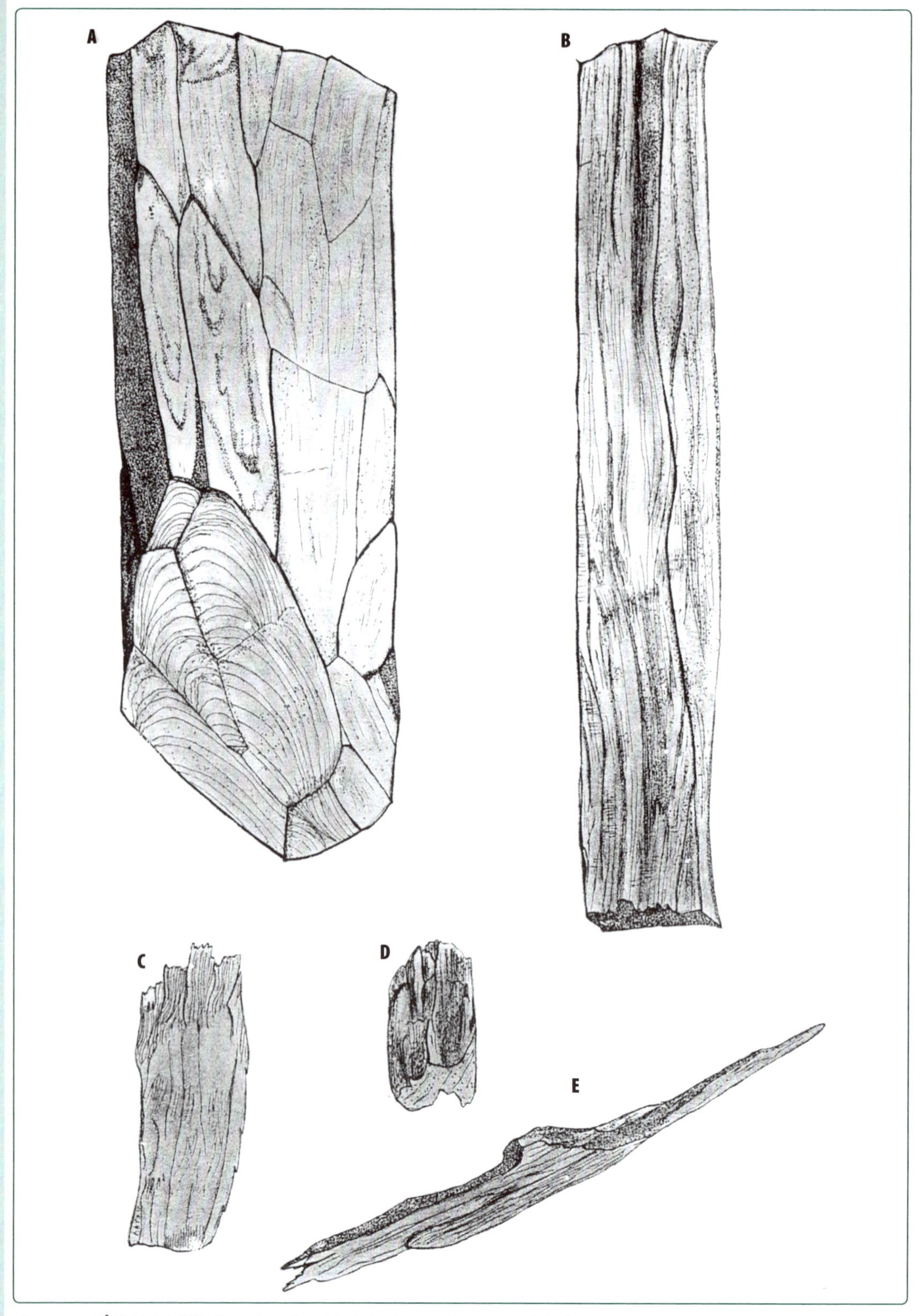

Fig. 9.23 – SÂNDALO CITRINO *(Santalum album* L.). **A, B, C, D** e **E.** Fragmentos do lenho.

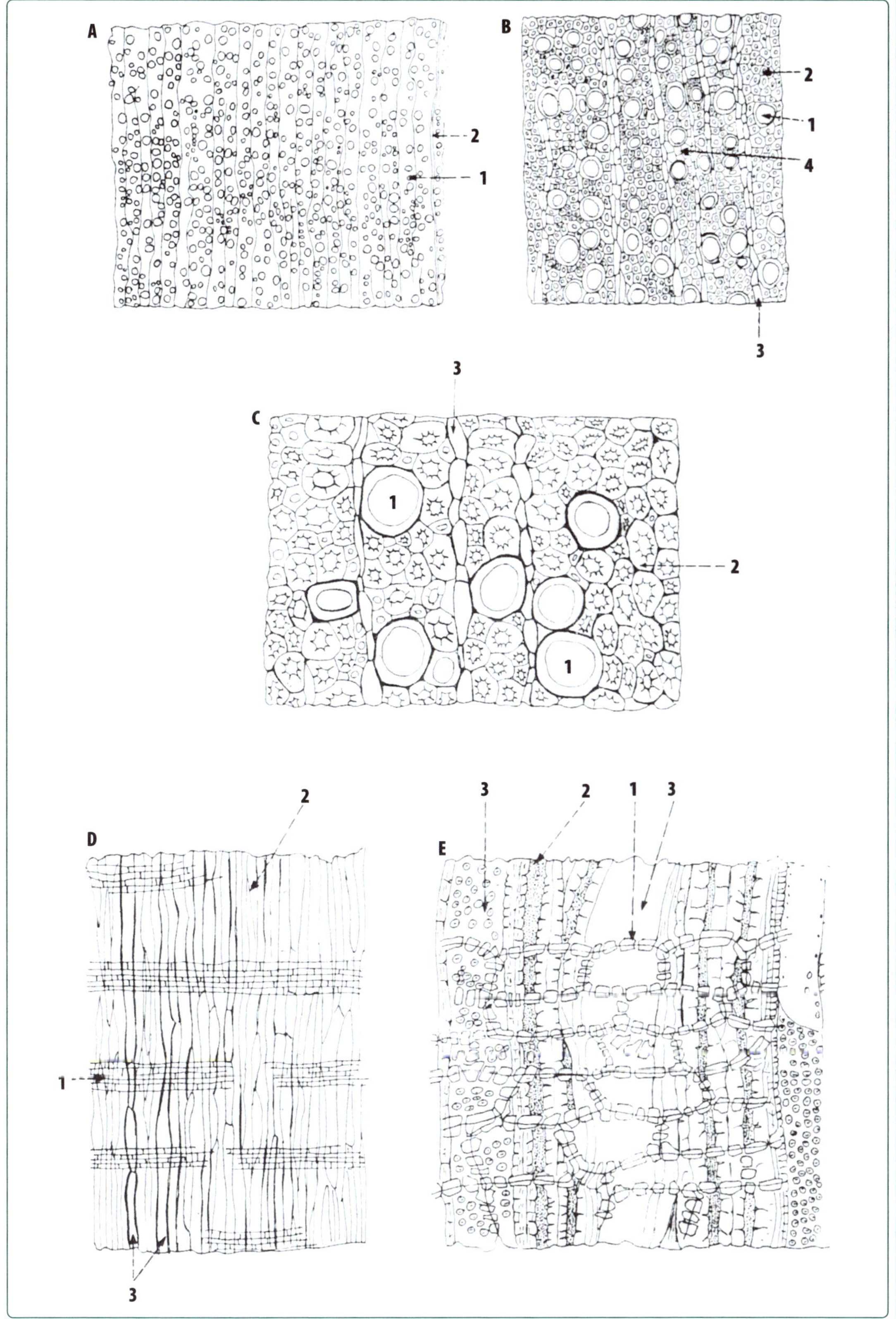

Fig. 9.24 – SÂNDALO CITRINO *(Santalum album* L.). **A.** Secção transversal observada com o auxílio de lupa: **1** – vaso (poro); **2** – raio medular secundário. **B.** Secção transversal do lenho: **1** – vaso; **2** – fibra; **3** – raio medular secundário; **4** – parênquima. **C.** Secção transversal do lenho (detalhe): **1** – vaso; **2** – fibra; **3** – raio medular secundário. **D.** Secção longitudinal radial: **1** – raio medular secundário; **2** – fibras; **3** – vaso. **E.** Secção longitudinal radial: **1** – raio medular secundário; **2** – fibras; **3** – vaso.

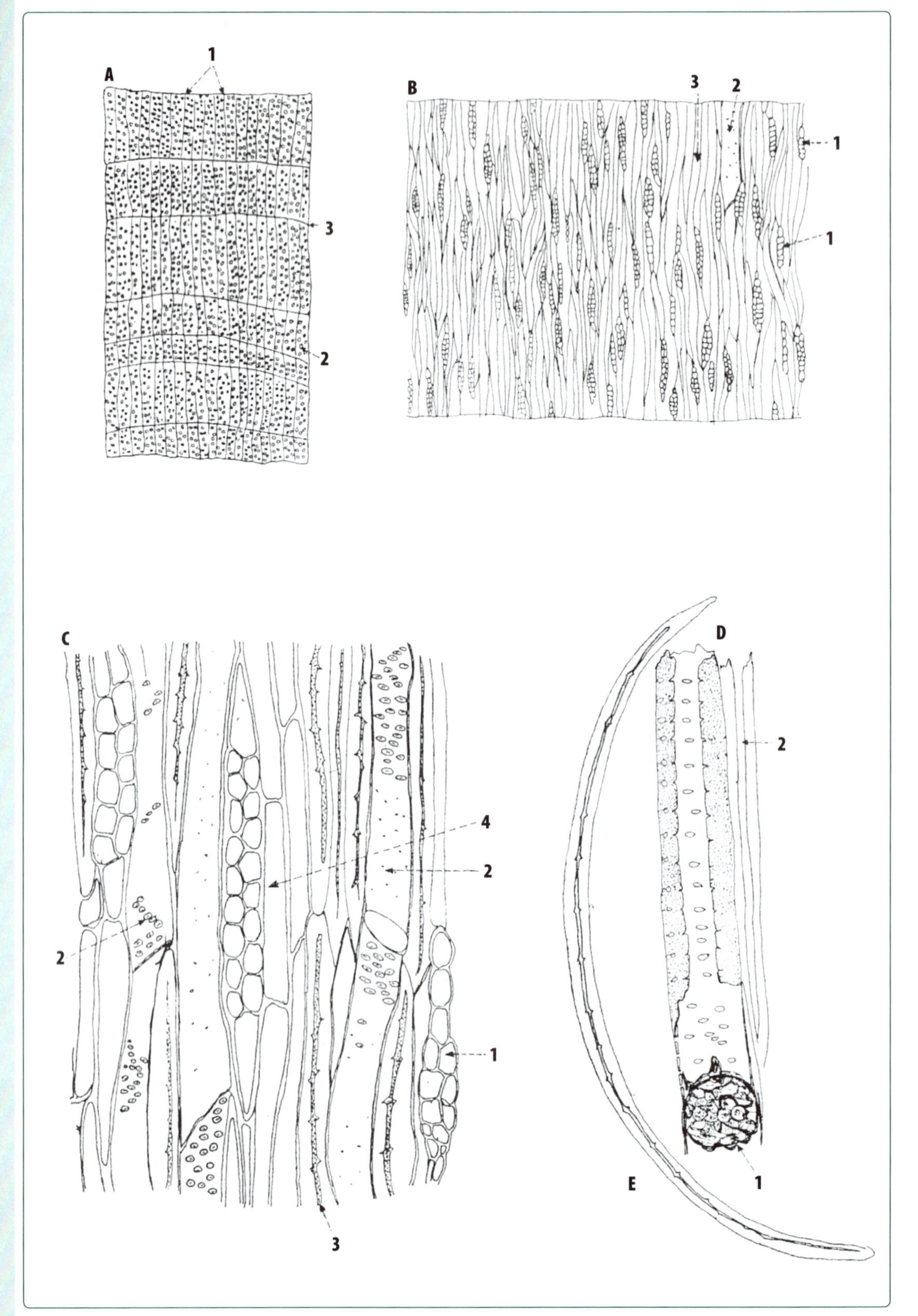

Fig. 9.25 – SÂNDALO CITRINO *(Santalum album* L.). **A.** Desenho esquemático da secção transversal observada à lupa: **1** – raio medular secundário; **2** – poro (vaso); **3** – anel de crescimento. **B.** Secção longitudinal tangencial: **1** – raio medular secundário; **2** – vaso; **3** – fibra. **C.** Secção longitudinal tangencial: **1** – raio medular secundário; **2** – vaso; **3** – fibra; **4** – parênquima. **D.** Fragmento de vaso: **1** – resina; **2** – fragmento de fibra justaposta. **E.** Fibra.

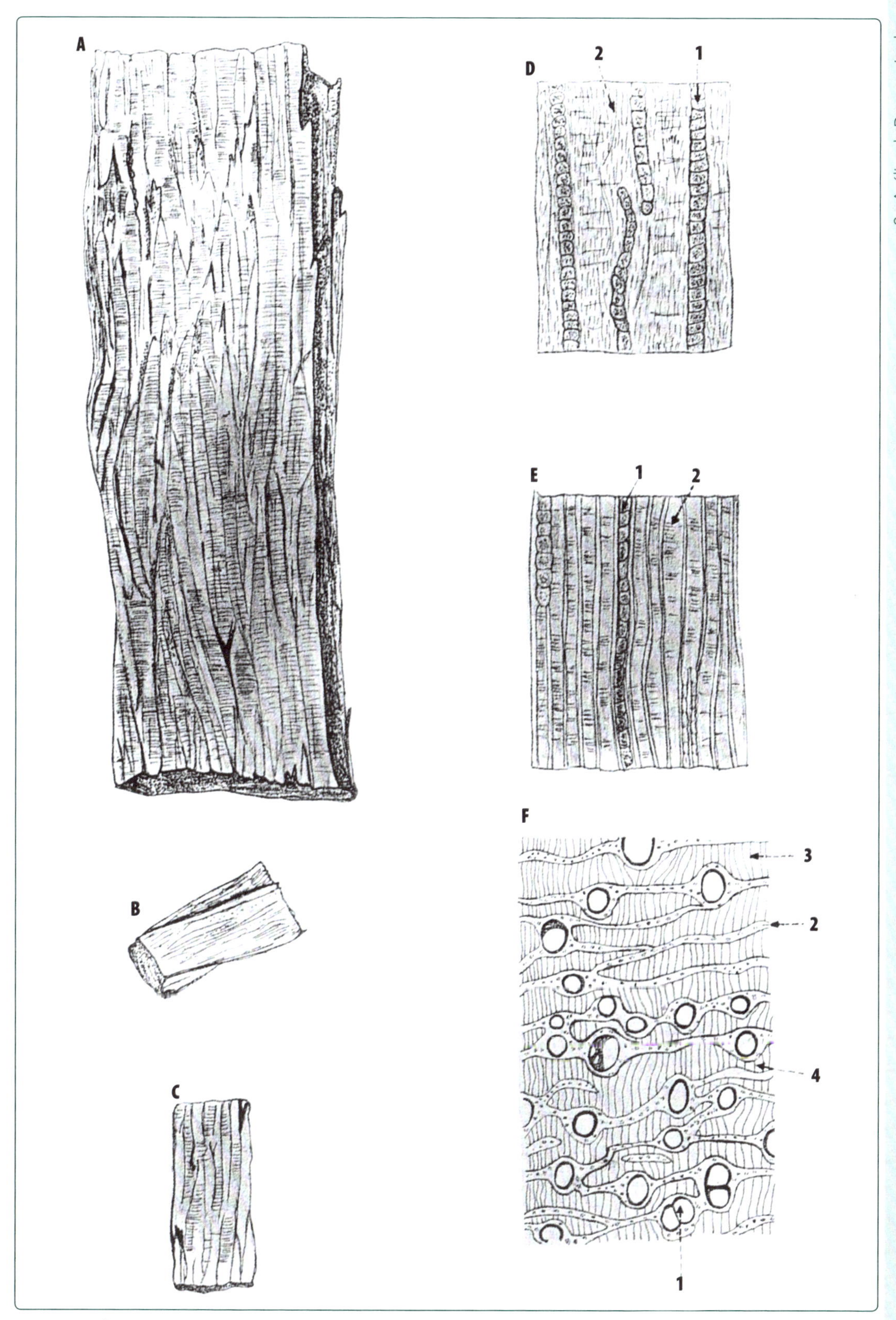

Fig. 9.26 – SÂNDALO ROXO *(Pterocarpus santalinus* Linné *filius*). **A, B** e **C.** Fragmentos de lenho. **D.** Secção longitudinal tangencial vista com o auxílio de lupa: **1** – vaso contendo substâncias resinosas; **2** – raio medular secundário. **E.** Secção longitudinal radial vista com o auxílio de lupa: **1** – vaso contendo substâncias resinosas; **2** – raio medular secundário. **F.** Secção transversal do lenho observada com o auxílio de lupa: **1** – vaso; **2** – parênquima; **3** – raio medular secundário; **4** – fibras.

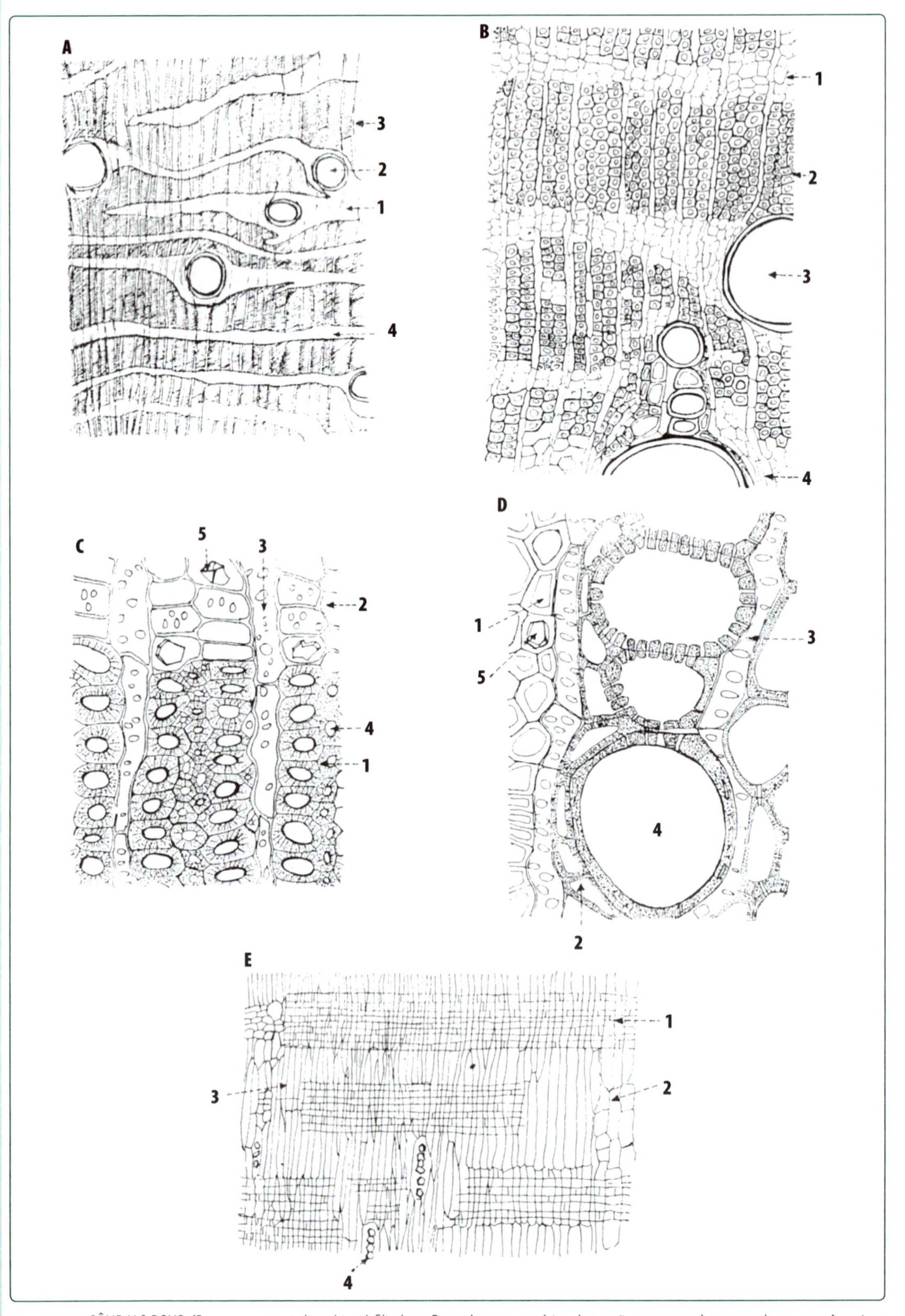

Fig. 9.27 – SÂNDALO ROXO *(Pterocarpus santalinus* Linné *filius*). **A.** Desenho esquemático da secção transversal mostrando: **1** – parênquima paratraqueal confluente; **2** – vaso; **3** – fibras; **4** – raio medular secundário. **B.** Secção transversal do lenho: **1** – parênquima paratraqueal; **2** – fibras; **3** – vaso; **4** – raio medular secundário. **C** e **D.** Secção transversal do lenho (detalhes): **1** – fibras; **2** – parênquima; **3** – raio medular secundário mostrando pontuações; **4** – vaso; **5** – células do parênquima contendo cristais prismáticos de oxalato de cálcio. **E.** Secção longitudinal radial do lenho: **1** – raio medular secundário; **2** – parênquima: **3** – fibra; **4** – cristais prismáticos.

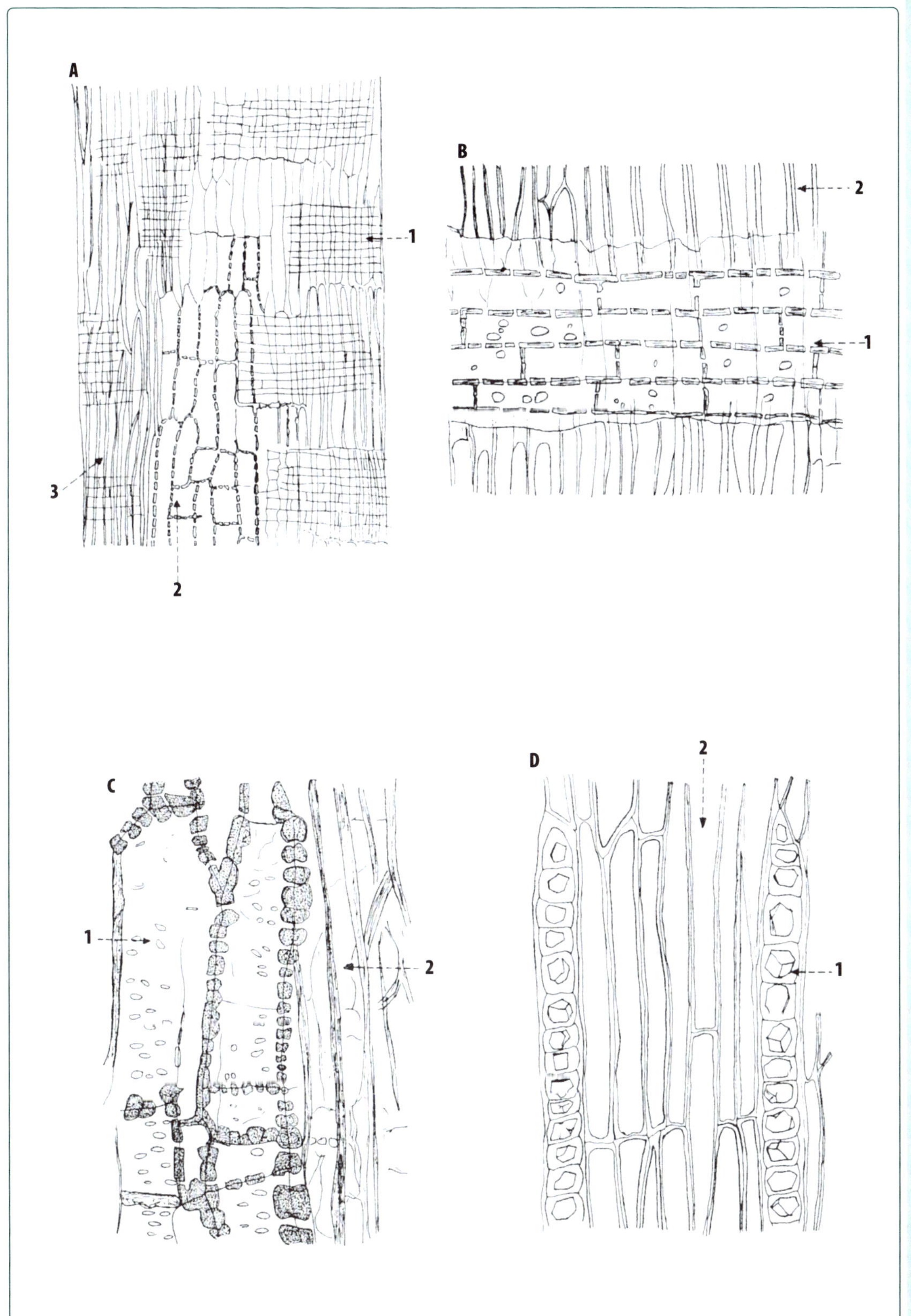

Fig. 9.28 – SÂNDALO ROXO *(Pterocarpus santalinus* Linné *filius*). **A.** Secção longitudinal radial: **1** – raio medular secundário; **2** – parênquima; **3** – fibras. **B.** Secção longitudinal radial: **1** – raio medular; **2** – fibras. **C.** Secção longitudinal radial: **1** – parênquima mostrando pontuações; **2** – fibras. **D.** Secção longitudinal radial: **1** – célula contendo cristais prismáticos de oxalato de cálcio; **2** – parênquima.

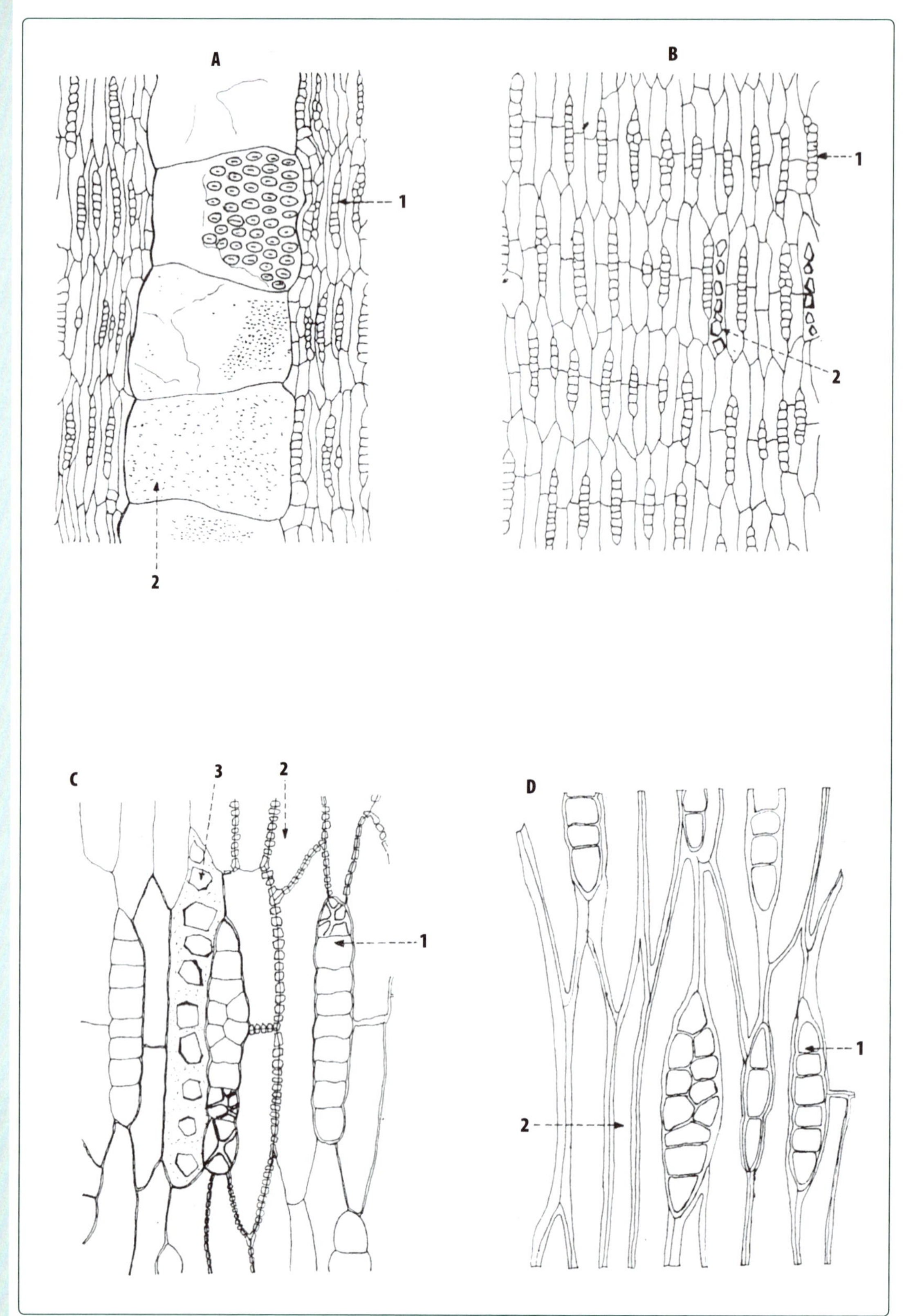

Fig. 9.29 – SÂNDALO ROXO *(Pterocarpus santalinus* Linné *filius)*. **A.** Secção longitudinal tangencial: **1** – raio medular secundário; **2** – vaso. **B.** Secção longitudinal tangencial: **1** – raio medular secundário; **2** – célula contendo cristais prismáticos. **C.** Secção longitudinal tangencial: **1** – raio medular secundário com perfuração reticular; **2** – parênquima; **3** – célula contendo cristais prismáticos. **D.** Secção longitudinal tangencial: **1** – raio medular secundário; **2** – fibras.

Sassafrás-do-Brasil

Ocotea pretiosa Mez. – *Lauraceae*

Parte usada: Lenho.

Sinonímia vulgar: Caneleira; Canela-Sassafrás.

O lenho da SASSAFRÁS possui cheiro característico, forte e aromático, e sabor aromático e um tanto acre.

Descrição macroscópica

O lenho de *Ocotea pretiosa* Mez. aparece no comércio em forma de fragmentos de tamanho e forma irregulares. Algumas vezes são encontrados pedaços cilíndricos de troncos e de ramos mais grossos. A coloração do lenho é amarelada, apresentando regiões que podem ter cor marrom-arroxeada. A secção transversal mostra, frequentemente, a presença de linhas mais escuras indicativas de períodos diferentes de crescimento do lenho do vegetal. Com o auxílio de lupa pode-se observar a presença de poros geralmente isolados.

A secção longitudinal tangencial, quando observada à lupa, mostra a presença de grande quantidade de manchas pequenas escuras fusiformes representadas por raios medulares, ao passo que a secção longitudinal radial mostra linhas paralelas indicativas da mesma estrutura. Os fragmentos do lenho apresentam aspecto de algo fibroso e são bastante aromáticos (Fig. 9.30).

Descrição microscópica

A observação microscópica da droga mostra vasos de grande abertura isolados ou, mais frequentemente, reunidos em grupos de dois ou três elementos. O parênquima lenhoso é do tipo paratraqueal. O lenho é percorrido por raios medulares secundários constituídos de uma a três células de largura, geralmente duas. Os vasos, vistos longitudinalmente, são do tipo areolado, e a abertura da pontuação se dispõe no sentido transversal. As células com essência são distribuídas no parênquima lenhoso. A massa principal do lenho é constituída de fibras que, em corte transversal, mostram contorno arredondado ou angular (Fig. 9.31).

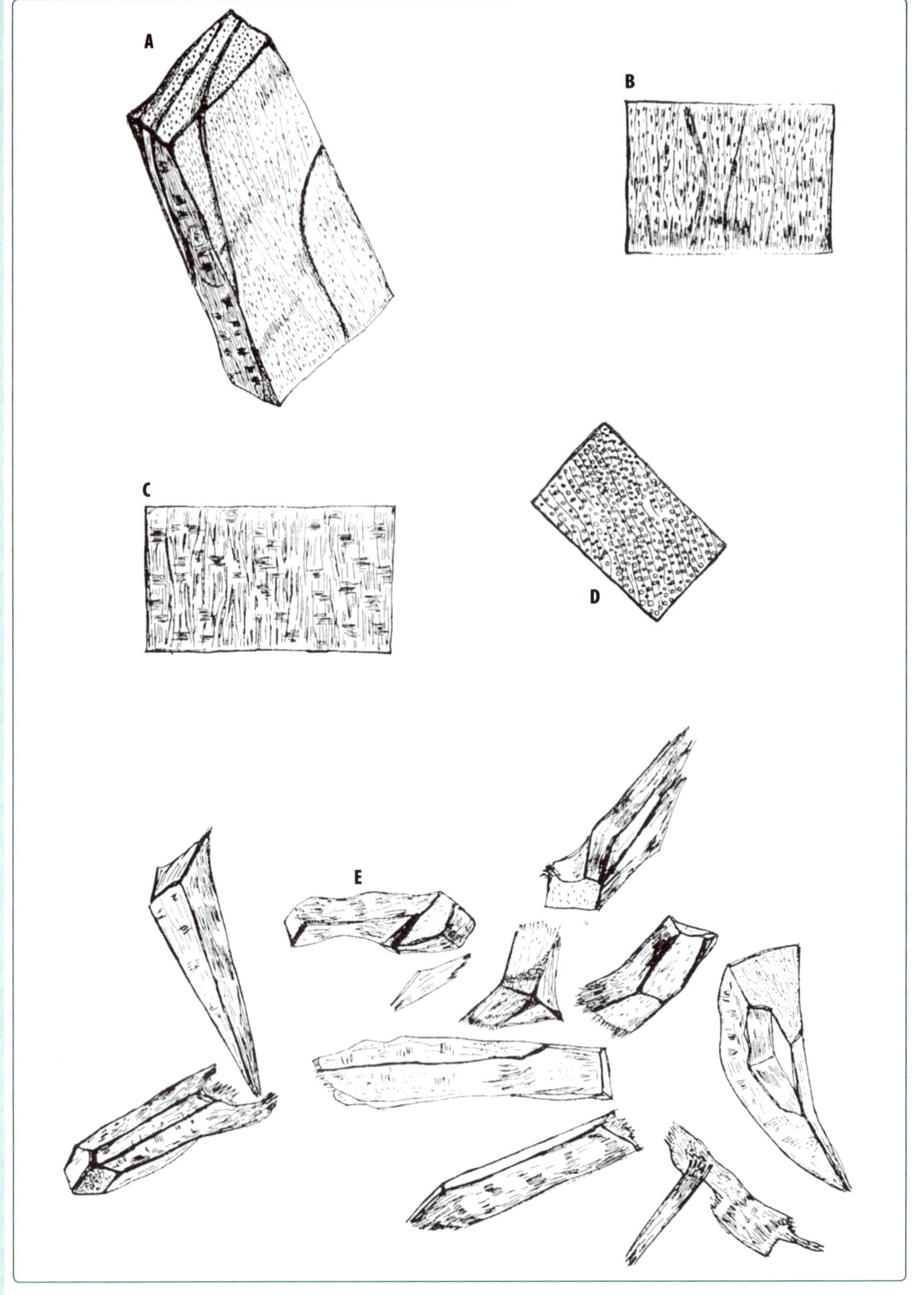

Fig. 9.30 – SASSAFRÁS-DO-BRASIL *(Ocotea pretiosa* Mez). **A.** Fragmento de lenho (corpo de prova). **B.** Secção longitudinal tangencial observada com auxílio de lupa. **C.** Secção longitudinal radial observada com auxílio de lupa. **D.** Secção transversal observada com auxílio de lupa. **E.** Fragmento de lenho como aparece na droga comercializada.

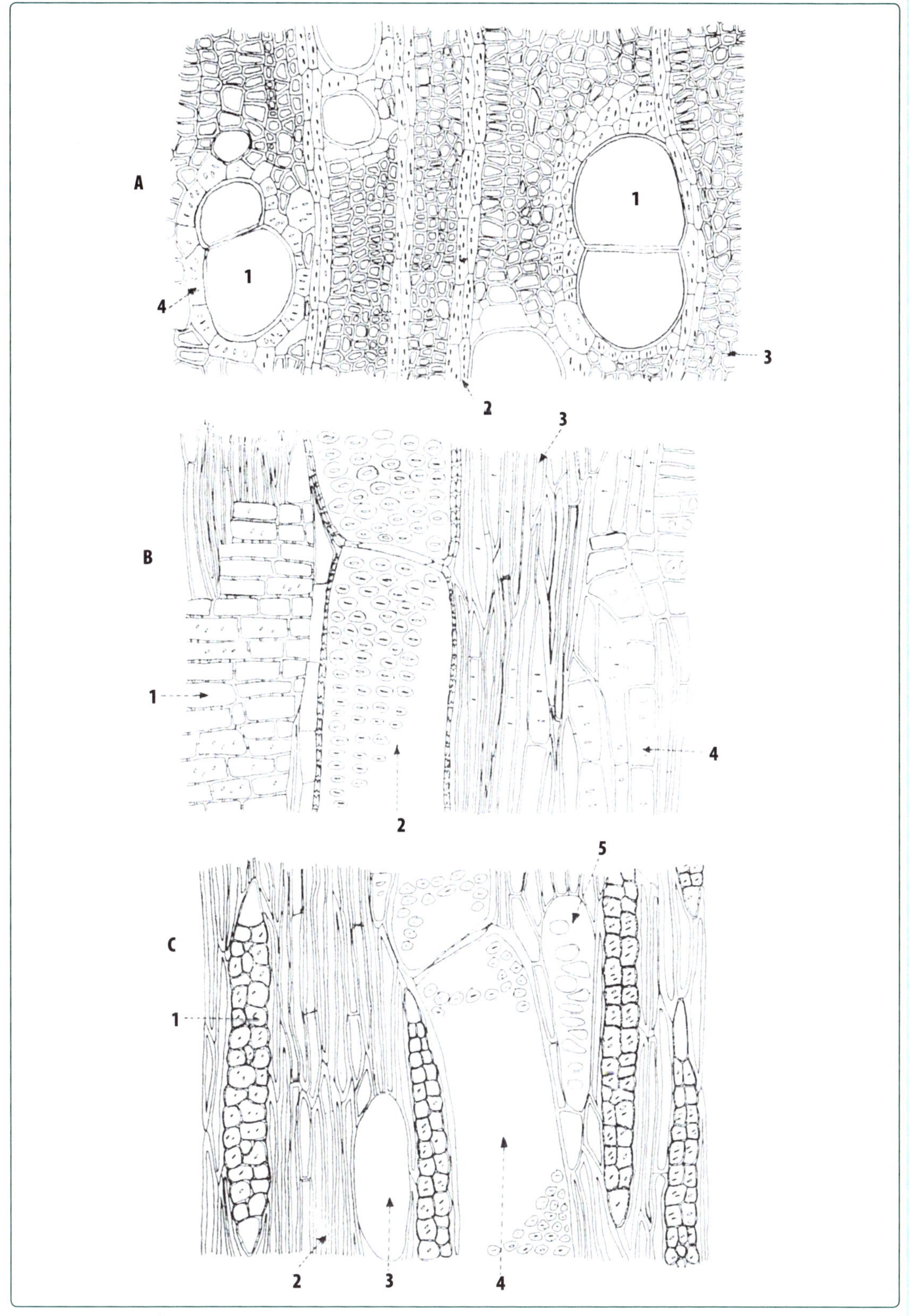

Fig. 9.31 – SASSAFRÁS-DO-BRASIL *(Ocotea pretiosa* Mez). **A.** Secção transversal: **1** – vaso; **2** – raio medular secundário; **3** – fibras do xilema; **4** – parênquima do xilema (paratraqueal). **B.** Secção longitudinal radial: **1** – raio medular secundário; **2** – vaso pontuado; **3** – fibras do xilema; **4** – parênquima do xilema mostrando pontuações. **C.** Secção longitudinal tangencial: **1** – raio medular secundário; **2** – fibras do xilema; **3** – células oleíferas; **4** – vasos; **5** – célula parenquimática com pontuações típicas.

10

Análise de Drogas – Órgãos Subterrâneos

GENERALIDADES

É hábito em Farmacognosia reunir o estudo de drogas formadas de raízes, rizomas e bulbos sob o título de drogas constituídas de órgãos subterrâneos. O número de drogas incluídas neste título é grande. Assim, inclui a *Farmacopeia Brasileira* cerca de 60 monografias referentes a esses tipos de drogas.

As drogas constituídas de órgãos subterrâneos, de acordo com sua natureza, podem ser classificadas da seguinte forma: natureza radicial, natureza caulinar e natureza complexa.

- Natureza radicial: não apresentam gemas, nem folhas modificadas e, de acordo com o maior ou menor acúmulo de reservas, podem ser de dois tipos: raízes tuberosas e raízes não tuberosas.
- Natureza caulinar: apresentam gemas e folhas modificadas e, conforme o tipo de crescimento que apresentam – definido ou indefinido –, são denominadas respectivamente de túberas e rizomas.
- Natureza complexa: sob esta denominação são incluídos órgãos subterrâneos chamados genericamente de bulbos e que apresentam partes de natureza radicial, caulinar e foliar. Os bulbos costumam ser classificados em três tipos: tunicado, escamoso e sólido ou cormo.

A diferenciação entre raiz e rizoma, após a transformação desses órgãos em drogas, nem sempre é fácil. Entretanto, inúmeras drogas são constituídas concomitantemente por raízes e rizomas. A GENCIANA, o HIDRASTIS, o RUIBARBO e o VERATRO-VERDE são exemplos de drogas integrantes da *Farmacopeia Brasileira* e que são constituídas tanto de raízes quanto de rizomas. Os tubérculos de origem caulinar, as raízes tuberosas e os bulbos sólidos constituem exemplos de órgãos de origem diferente, porém de aspecto parecido, especialmente quando transformados em drogas.

Para o farmacognosta interessa a identificação. Neste mister, certos detalhes referentes à origem dos órgãos suprarreferidos podem ser utilizados, embora as características que permitam estabelecer com certeza a natureza do órgão nem sempre sejam bem evidentes. É por isso muito mais fácil estudar em conjunto raízes, rizomas e bulbos.

Existe mais interesse, por exemplo, em verificar numa estrutura de droga proveniente de órgãos subterrâneos se há predominância ou não de tecidos de reservas, se os grãos de amido têm ou não certa forma característica, se está ou não presente certo tipo de cristal do que em certos casos e estabelecer a origem radicial ou caulinar da droga.

DROGAS CONSTITUÍDAS DE ÓRGÃOS SUBTERRÂNEOS

Para melhor entender a caracterização macroscópica e microscópica de drogas constituídas de órgãos subterrâneos, é conveniente recapitular, de maneira simples, o significado dos termos raiz, rizoma e bulbo.

- Raízes (natureza radicial): é a parte do eixo da planta, quase sempre subterrânea e adaptada às funções de fixação e absorção de nutrientes, desprovida de gemas, de folhas e suas modificações. As raízes, quando originadas da radícula da semente, chamam-se raízes normais; quando não, são denominadas adventícias. Para a identificação farmacognóstica, é hábito dividir as raízes em dois grupos: raízes tuberosas e raízes não tuberosas. Quando a raiz principal de uma planta se torna tuberosa, lembrando a forma de um nabo, é denominada napiforme. As raízes de ACÔNITO, da JALAPA, são frequentemente napiformes. Outras vezes, as raízes principais ou secundárias assumem a forma de um fuso, recebendo, por isso, o nome de fusiformes, como acontece na ERVA-TOSTÃO.
- Rizomas e túberas (natureza caulinar): os rizomas são caules subterrâneos que, pelo aspecto geral, lembram a forma de raízes. Esse tipo de caule apresenta gemas e folhas modificadas denominadas catafilos. Com frequência, eles se apresentam ramificados, segundo o sistema monopodial ou simpodial, e mostram, ao longo de sua estrutura, regiões correspondentes aos nós e entrenós. Existem ainda, frequentemente, nas drogas constituídas de rizomas, cicatrizes originadas quer pela queda de hastes caulinares ou de folhas, quer pela queda de raízes. Os rizomas, via de regra, têm crescimento indefinido. Quando num caule subterrâneo o crescimento é definido e há acúmulo de grande quantidade de reservas, ele é denominado tubérculo. Esse tipo de caule subterrâneo assume, frequentemente, forma globoide. Os tubérculos e rizomas diferenciam-se das raízes tuberosas e raízes normais, principalmente por apresentar gemas e folhas modificadas.
- Bulbos: os bulbos são órgãos com estruturas complexas. Em sua constituição podem ser evidenciados o prato, peça sólida de natureza caulinar; as gemas ou rebentos; as raízes localizadas na região basal do prato; conjunto de catafilos ou folhas modificadas. O bulbo pode ser de três tipos: bulbo sólido, bulbo tunicado e bulbo escamoso. Na maior parte dos bulbos, caracteristicamente, as reservas acumulam-se nos catafilos. Existe, entretanto, um caso especial, no qual as reservas se acumulam na região do prato, sendo os catafilos pouco desenvolvidos e quase sempre membranáceos. Esse tipo de bulbo costuma ser chamado de bulbo sólido. Alguns autores o chamam de cormo, reservando o nome de bulbo para aquelas formações em que as reservas se acumulam nos catafilos. É preferível a expressão bulbo sólido a cormo, palavra reservada ao corpo dos cormófitos. Os bulbos tunicados, por exemplo, a "cabeça" da CEBOLA e os "dentes" do ALHO, são constituídos, principalmente, pelos catafilos que acumulam reservas e se dispõem em camadas mais ou menos concêntricas, de tal forma que os localizados mais externamente recobrem integralmente os que se localizam mais para dentro. Nos bulbos escamosos também a parte mais desenvolvida é a dos catafilos, diferindo do primeiro pelo arranjo dessas folhas modificadas. Os catafilos externos, nesse caso, são menores que os internos e se dispõem de forma imbricada à maneira de escamas de peixe. Os catafilos mais externos recobrem parcialmente os mais internos.

Caracterização macroscópica de raízes, rizomas e bulbos

O aspecto macroscópico de órgãos subterrâneos transformados em drogas possui grande valor em sua diagnose. O aspecto global, a forma, o aspecto externo, a secção transversal, as dimensões, a fratura, a cor, o odor e o sabor sempre devem ser considerados.

A forma das drogas constituídas de raízes normais não tuberosas, via de regra, é cilíndrica, arqueada ou tortuosa. As raízes tuberosas geralmente são napiformes ou fusiformes. Algumas vezes, entretanto, as raízes adquirem aspectos especiais, por exemplo, a IPECACUANHA caracteristicamente anelada, e a POLÍGALA, frequentemente carenada. As raízes tuberosas de ACÔNITO apresentam forma característica. Ao lado da raiz principal se desenvolve outra de tamanho menor e que igualmente se tuberifica.

Os rizomas possuem também forma cilíndrica, diferindo entre eles as características das regiões de nós e as cicatrizes.

Raízes

As raízes costumeiramente se apresentam estriadas ou sulcadas em sentido longitudinal, e com menor frequência podem apresentar sulcos ou ranhuras transversalmente. Sobre sua superfície observam-se, ainda, raízes secundárias ou cicatrizes deixadas pela queda destas.

As raízes tuberosas são napiformes ou fusiformes, aparecendo sobre sua superfície os mesmos tipos de estruturas citadas para as não raízes tuberosas.

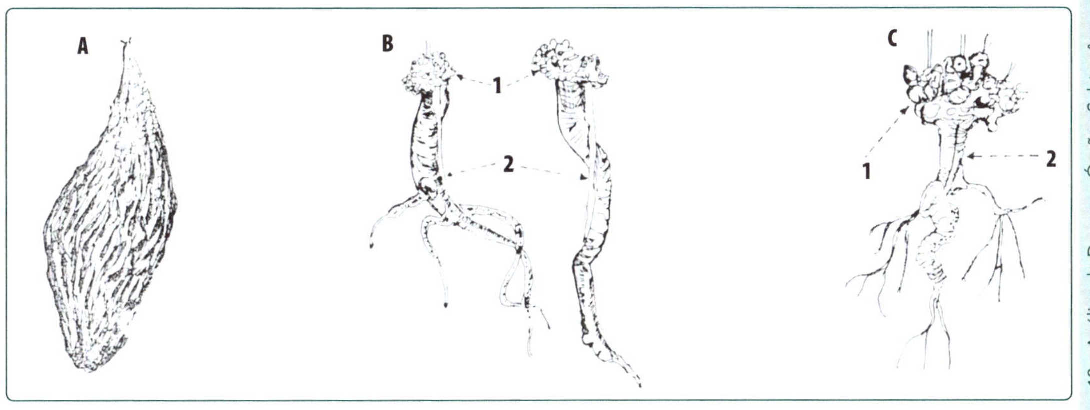

Fig. 10.1 – Raízes tuberosas e não tuberosas. **A.** Raiz tuberosa de JALAPA *(Exogonium purga* (Wenderoth) Bentham). **B** e **C.** Raízes não tuberosas de POLÍGALA *(Polygala senega* L.): **1** – cepa; **2** – carena.

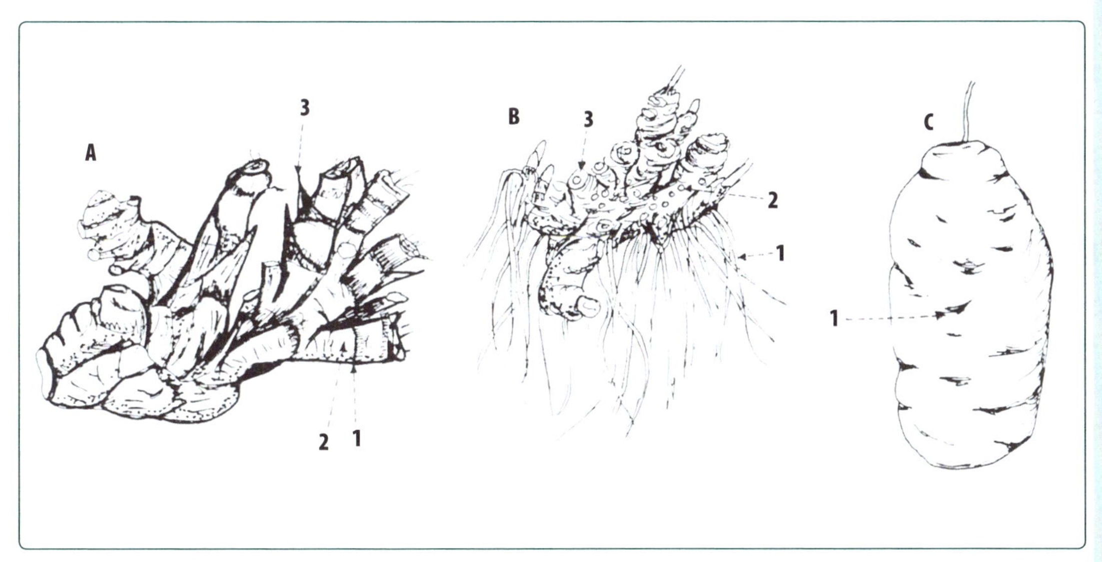

Fig. 10.2 – Aspecto externo de rizomas e túberas. **A.** Rizoma mostrando: **1** – região de nó; **2** – região de entrenó; **3** – catafilo. **B.** Rizoma de HIDRASTE *(Hydrastis canadensis* L.): **1** – raízes; **2** – cicatriz deixada pela queda de raiz; **3** – cicatriz deixada pela queda de caule aéreo. **C.** Túbera de BATATA *(Solanum tuberosum* L.): **1** – gema.

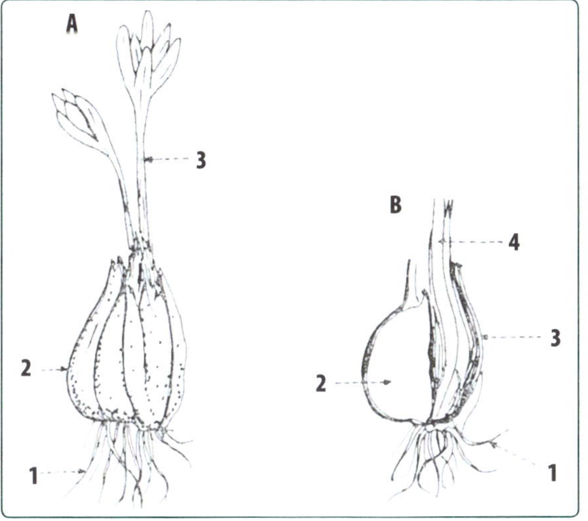

Fig. 10.3 – Bulbo sólido de COLCHICO *(Colchicum autumnale* L.). **A.** Bulbo inteiro mostrando: **1** – raízes; **2** – catafilos; **3** – haste. **B.** Bulbo seccionado longitudinalmente: **1** – raízes; **2** – região do prato; **3** – catafilo; **4** – haste.

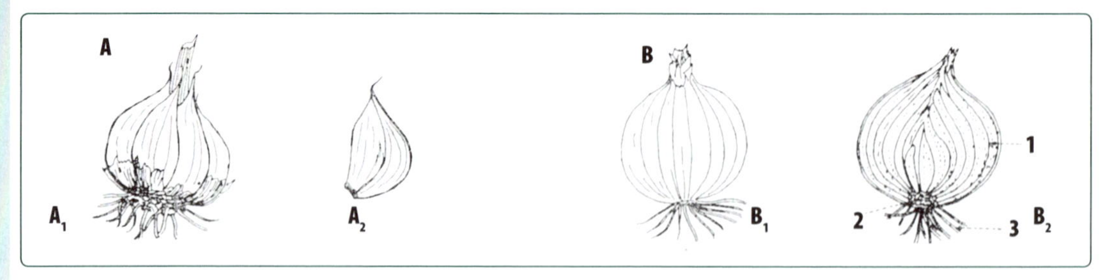

Fig. 10.4 – Bulbos tunicados. **A.** Bulbo composto de ALHO *(Allium sativum* L.). A_1 – bulbo inteiro; A_2 – bulbilho isolado. **B.** Bulbo de CEBOLA *(Allium cepa* L.): B_1 – bulbo inteiro; B_2 – bulbo cortado longitudinalmente: **1** – catafilo; **2** – prato; **3** – raízes.

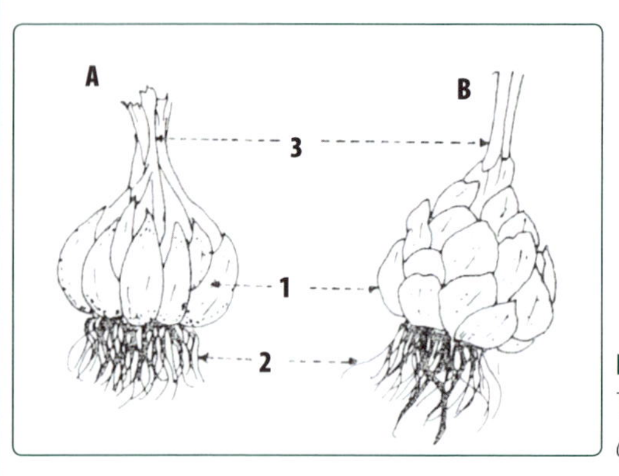

Fig. 10.5 – Bulbo escamoso. **A.** Bulbo de LÍRIO *(Lilium longiflorum* Thumb). **1** – catafilo; **2** – raízes; **3** – broto. **B.** Bulbo de AÇUCENA *(Lilium candidum* L.): **1** – catafilo; **2** – raízes; **3** – broto.

A secção transversal de uma raiz, observada com o auxílio de uma pequena lupa, ou mesmo à vista desarmada, fornece uma série de informações que podem auxiliar a diagnose. No caso das raízes normais, não tuberosas, via de regra, a região central não apresenta medula, sendo ocupada pelo xilema primário. Raios vasculares (raios medulares secundários) sulcam radialmente a estrutura, podendo o xilema aparecer em forma de cunhas. Nas raízes tuberosas há predominância de tecidos parenquimáticos de reserva, o que torna a secção transversal pouco característica. Algumas vezes, molhando-se essa secção com floroglucina clorídrica e observando-se, a seguir, com o auxílio de uma lupa, estruturas características podem ser vistas. No caso do ACÔNITO, observa-se o aspecto de estrela motivado pelo xilema derivado de câmbio disposto em cinco arcos.

As drogas constituídas de raízes tuberosas muitas vezes aparecem no comércio cortadas em forma de rodelas.

Rizomas

O aspecto macroscópico dos rizomas difere daquele das raízes, principalmente por permitir, em grande número de casos, a observação de nós e entrenós. A região do nó quase sempre assume aspecto anelado e, com frequência, evidencia restos de escamas membranáceas.

A superfície externa dos rizomas mostra, frequentemente, cicatrizes relativamente grandes, deixadas pela queda de ramos aéreos ou de folhas. Podem evidenciar, ainda, vestígios de raízes adventícias.

A secção transversal de rizoma tem a região central ocupada por medula. No caso de rizoma proveniente de plantas monocotiledôneas, o cilindro central pode aparecer separado da casca por um anel constituído pela endoderme e pelo periciclo. Os feixes vasculares acham-se distribuídos desordenadamente no cilindro central (estrutura atactostélica) e podem-se observar pequenos feixes vasculares (traços foliares) na região do parênquima cortical (Fig. 10.7).

O rizoma de pteridófita, representado pela droga FETO-MACHO, mostra os feixes vasculares típicos quase dispostos em círculo (estrutura polistélica). Esses feixes vasculares são envolvidos individualmente por endoderme provida de células com espessamento nas paredes radiais e basais, dando a elas formato de letra U (Fig. 10.8).

Os rizomas de drogas pertencentes ao grupo das dicotiledôneas apresentam geralmente estrutura eustélica ou sifonostélica descontínua (Fig. 10.9).

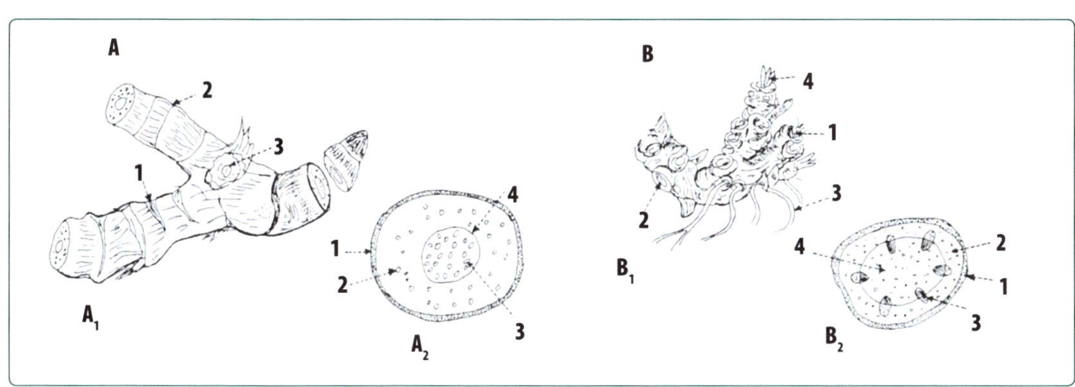

Fig. 10.6 – Caracterização de rizomas. **A** – Rizoma de GALANGA *(Alpinia officinarum* Hance): $\mathbf{A_1}$ – Aspecto externo: **1** – cicatriz foliar; **2** – região do nó; **3** – cicatriz caulinar; $\mathbf{A_2}$ – Desenho esquemático de secção transversal: **1** – epiderme; **2** – feixe vascular da região cortical; **3** – feixe vascular do cilindro central; **4** – periciclo. **B.** Rizoma de HIDRASTE *(Hydrastis canadensis* L.): $\mathbf{B_1}$ – Aspecto externo: **1** – cicatriz caulinar; **2** – cicatriz radicial; **3** – raiz; **4** – gema. $\mathbf{B_2}$ – Desenho esquemático de secção transversal: **1** – súber; **2** – parênquima cortical; **3** – feixe vascular; **4** – medula.

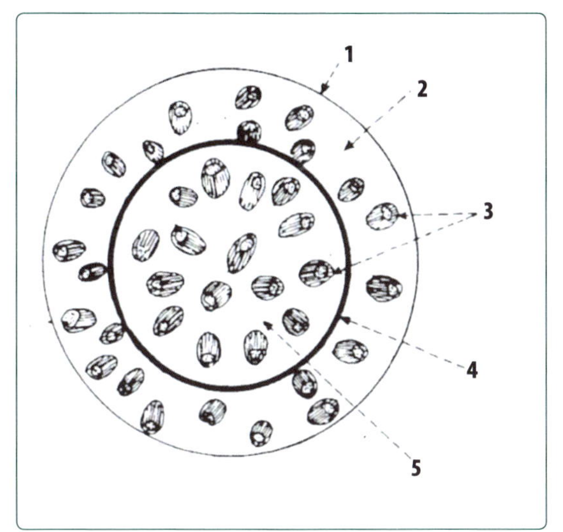

Fig. 10.7 – Desenho esquemático em estrutura atactostélica: **1** – epiderme; **2** – região cortical; **3** – feixe vascular; **4** – periciclo; **5** – cilindro central.

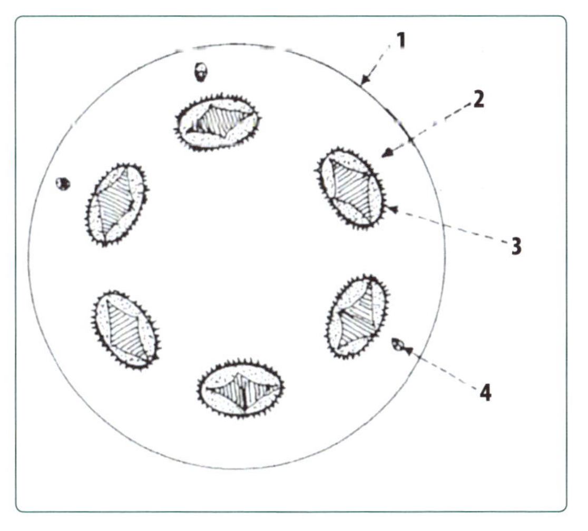

Fig. 10.8 – Desenho esquemático de estrutura polistélica: **1** – epiderme; **2** – parênquima fundamental; **3** – feixe vascular anficrival (esteio); **4** – traço foliar.

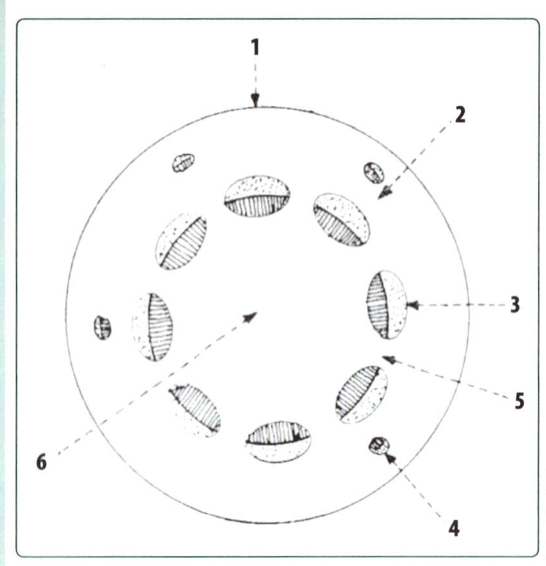

Fig. 10.9 – Desenho esquemático de estrutura custélica: **1** – epiderme; **2** – região cortical; **3** – feixe vascular; **4** – traço foliar; **5** – raio medular; **6** – medula.

Bulbos

As escamas do bulbo de SCILA são as únicas representantes deste tipo de órgão subterrâneo na *Farmacopeia Brasileira*. A droga é representada, via de regra, por fragmentos de escamas, as quais devem ser analisadas como folhas modificadas que são. O bulbo de COLCHICO (bulbo sólido), o bulbo de CEBOLA (bulbo tunicado) e os bulbilhos de ALHO constituem exemplos extrafarmacopeicos.

Caracterização microscópica de raízes, rizomas e bulbos

Na análise microscópica de raízes e rizomas de dicotiledôneas, as considerações feitas nos estudos de cascas e de lenhos são válidas. Assim, por exemplo, quando se analisa microscopicamente a raiz de IPECACUANHA ou a raiz de CALUMBA, observam-se características das cascas e dos lenhos dessas raízes.

Nas raízes e rizomas de monocotiledôneas e nos rizomas de pteridófitas não existe câmbio, não havendo, portanto, casca verdadeira nesses tipos de vegetais.

Raízes

Raízes de dicotiledôneas

As raízes utilizadas como drogas dificilmente são de natureza primária. Quase sempre essas raízes são caracterizadas microscopicamente pelos seguintes tipos de tecidos: periderme (súber, felógeno e feloderma), parênquima cortical, endoderme, periciclo, floema, xilema e raios medulares secundários.

Nas drogas constituídas de raízes podem existir ou não parênquima cortical e endoderme. Essas estruturas não existem quando o felógeno se desenvolve na região do periciclo, o que acontece com certa frequência.

Na raiz de IPECACUANHA, o felógeno aparece na região do periciclo, formando internamente na estrutura uma feloderma bem desenvolvida. A presença de medula em raízes dedicotiledôneas ocorre apenas excepcionalmente.

As raízes podem conter, em seus parênquimas, diversos tipos de inclusões; entre as inclusões costumeiras estão, por exemplo, os grãos de amido. São encontrados, ainda, inulina e mucilagens, entre as inclusões orgânicas, e cristais de oxalato de cálcio entre as inorgânicas. Inclusões teciduais também podem ocorrer. Canais secretores, laticíferos, glândulas, grupos de fibras e de células pétreas ocorrem com frequência.

Algumas raízes de dicotiledôneas apresentam grande quantidade de tecidos de reserva e pequena quantidade de tecidos vasculares. É o que acontece, por exemplo, em raízes tuberosas, como o ACÔNITO e as JALAPAS. A forma do grão de amido, algumas vezes, pode ajudar na identificação da droga.

Quando se observa ao microscópio um corte de raiz com estrutura primária, notam-se de imediato duas regiões: uma externa ou cortical, e outra interna ou cilindro central. A zona externa é constituída de epiderme, parênquima cortical e endoderme, na qual, com frequência, observam-se as chamadas estrias de Caspary. O cilindro central da raiz ou região interna, também denominado estelo, é constituído por periciclo, floema primário e xilema primário.

O xilema primário caracteristicamente se dispõe em forma de arcos, critério no qual se baseia um tipo de classificação de raízes. Assim, o número de arcos do xilema pode variar de dois a muitos; as raízes, respectivamente, são chamadas de diarca, triarca, tetrarca, pentarca e poliarca. O floema localiza-se entre os arcos do xilema. As raízes com pequeno número de arcos do xilema com frequência não apresentam medula (parênquima medular), sendo o centro da estrutura ocupado pelo xilema; geralmente, as raízes poliarcas apresentam parênquima medular.

As raízes que não possuem, em sua região central, medula e que têm os xilemas dispostos em arcos se enquadram no tipo de estrutura chamada de actinostélica ou protostélica radiada.

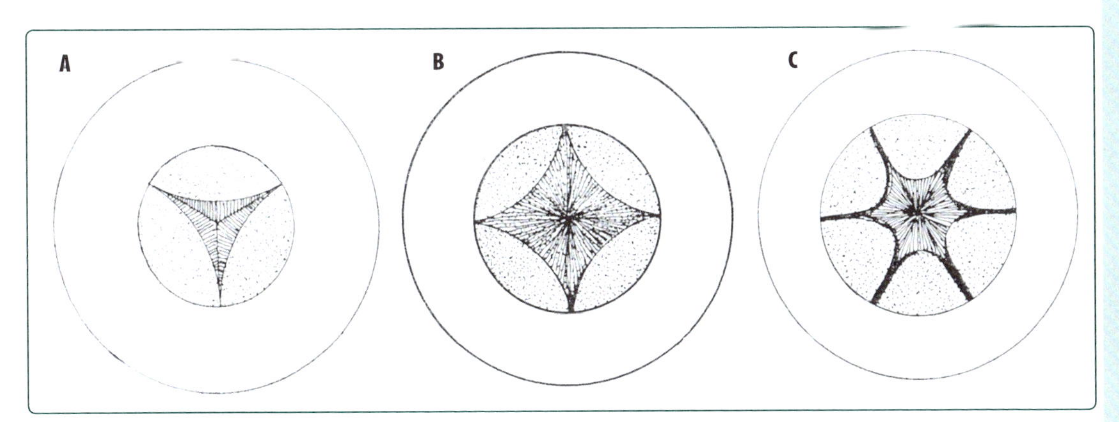

Fig. 10.10 – Desenho esquemático de raízes com estruturas actinostélicas.

Raízes de monocotiledôneas

São caracterizadas microscopicamente pelos seguintes tipos de tecidos: epiderme, hipoderme, parênquima cortical, endoderme, periciclo, xilema, floema e medula.

As drogas constituídas de raízes de monocotiledôneas, como SALSAPARRILHA e VERATRUM, não possuem estrutura secundária. As epidermes dessas raízes permanecem por tempo relativamente longo, terminando por suas paredes sofrerem, algumas vezes, lignificação (Fig. 10.11).

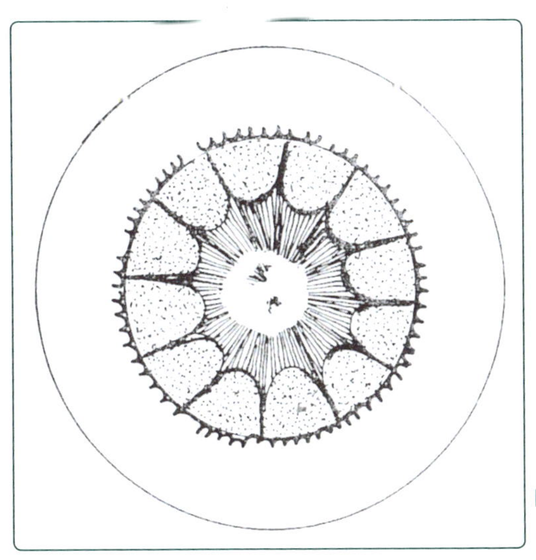

Fig. 10.11 – Desenho esquemático de raiz com estrutura policarca com medula.

Logo abaixo da epiderme observa-se a presença de hipoderme, a qual apresenta, geralmente, células com paredes espessadas. O parênquima cortical frequentemente é bem desenvolvido e rico em grãos de amido. A endoderme assume forma característica graças ao espessamento das paredes radiais e basais de suas células, o que lhe confere a forma de U. O periciclo quase sempre é parenquimático, podendo ser constituído de uma ou mais fileiras de células. O xilema apresenta a forma de arcos entre os quais se localizam pequenos grupos de floema. Geralmente, o número de arcos do xilema é grande, tendo a raiz estrutura poliarca. A região central da estrutura é ocupada pela medula.

Inclusões de oxalato de cálcio aparecem especialmente sob a forma de rafídeos. Células secretoras ocorrem com certa frequência em drogas com esse tipo de órgão.

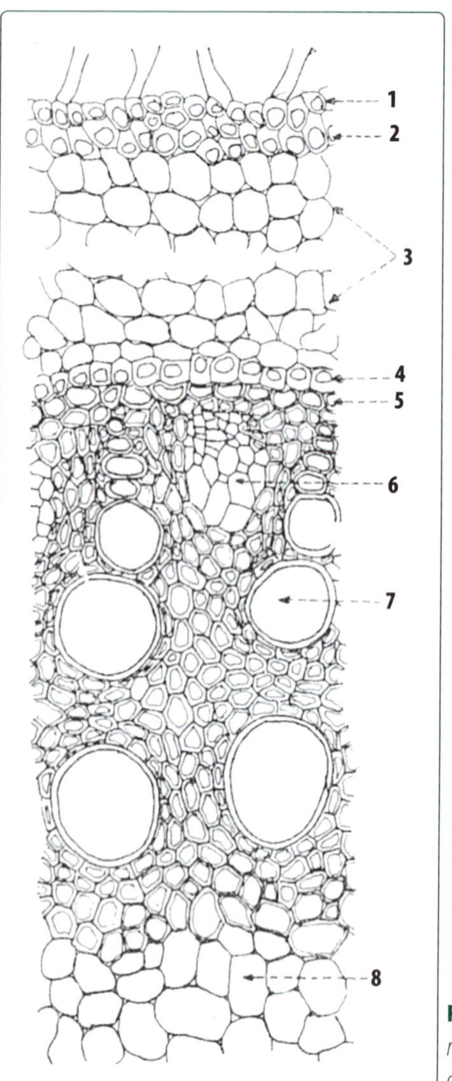

Fig. 10.12 – Desenho de secção transversal de raiz de SALSAPARRILHA *(Smilax medica* Charnisso Schlechtendahl): **1** – epiderme; **2** – hipoderme; **3** – região cortical; **4** – endoderme; **5** – periciclo; **6** – floema; **7** – xilema; **8** – medula.

Rizomas

Rizomas de dicotiledôneas

São constituídos pelos seguintes tecidos: periderme, parênquima cortical, endoderme, periciclo, feixes vasculares, raios medulares e medula.

A periderme nos rizomas costuma ser pouco desenvolvida. O parênquima cortical pode apresentar pequenos feixes vasculares (traços foliares) e inclusões diversas, celulares ou teciduais.

A endoderme não é típica, assim como o periciclo, que quase sempre é descontínuo. Os feixes vasculares podem ser colaterais ou bicolaterais e são separados entre si por faixas de tecido parenquimático que ligam a medula à região cortical, denominadas de raios medulares. Esse tipo de estrutura é chamado de eustelo ou de sifonostelo descontínuo. Os rizomas são geralmente pobres em tecidos esclerificados.

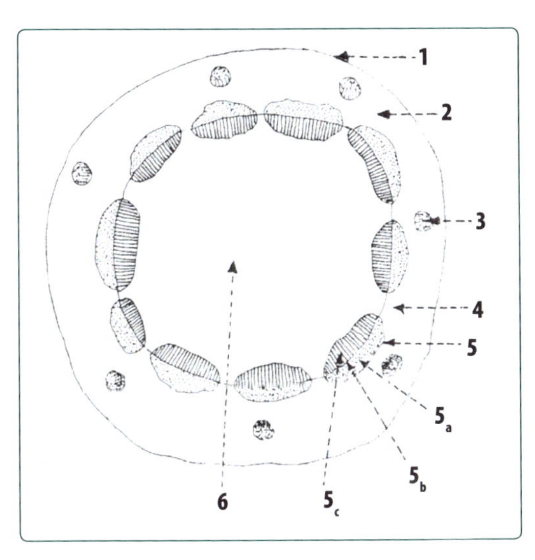

Fig. 10.13 – Desenho esquemático de eustelo ou sifonostelo ectofoico descontínuo: **1** – epiderme; **2** – região cortical; **3** – feixe vascular da região cortical (traço foliar); **4** – raio medular; **5** – feixe vascular: **5_a** – floema; **5_b** – câmbio; **5_c** – xilema; **6** – parênquima medular.

Rizomas de monocotiledôneas

Os rizomas de monocotiledôneas são recobertos externamente ou por uma epiderme seguida de hipoderme, em geral provida de células de paredes espessas, ou por um tipo especial de súber – súber estratificado. Nas monocotiledôneas não ocorre a formação de felógeno típico. Na região cortical podem ser encontrados também feixes vasculares (traços foliares). A endoderme apresenta, caracteristicamente, células com paredes radiais e basais espessadas (espessamento em U). O periciclo, geralmente multisseriado, é fibroso. Na região do cilindro central encontram-se inúmeros feixes vasculares típicos envolvidos por tecido parenquimático. Esse tipo de estrutura é denominado atactostélico.

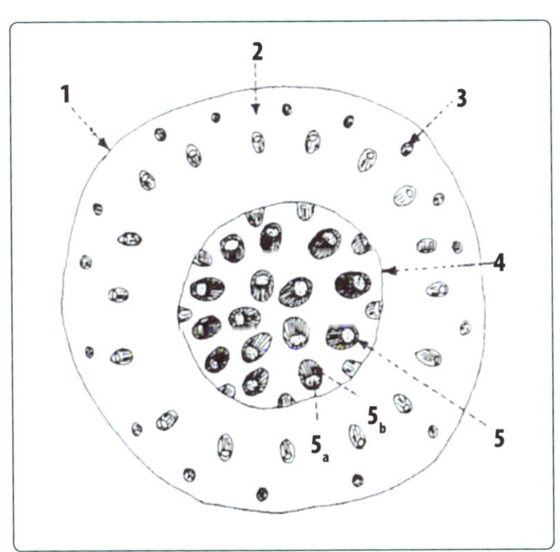

Fig. 10.14 – Desenho esquemático de atactostele: **1** – epiderme; **2** – região cortical; **3** – feixe vascular da região cortical; **4** – periciclo; **5** – feixe vascular: **5_a** – floema; **5_b** – xilema.

Rizoma de pteridófita

A *Farmacopeia Brasileira* inclui somente um rizoma de pteridófita – o rizoma de FETO-MACHO.

Esse rizoma é formado por epiderme, hipoderme, parênquima fundamental e feixes típicos anficrivais. A estrutura desse rizoma é do tipo polistélica. A ERVA-SILVINA corresponde a outro exemplo de droga formada por rizoma de pteridófita frequentemente utilizada.

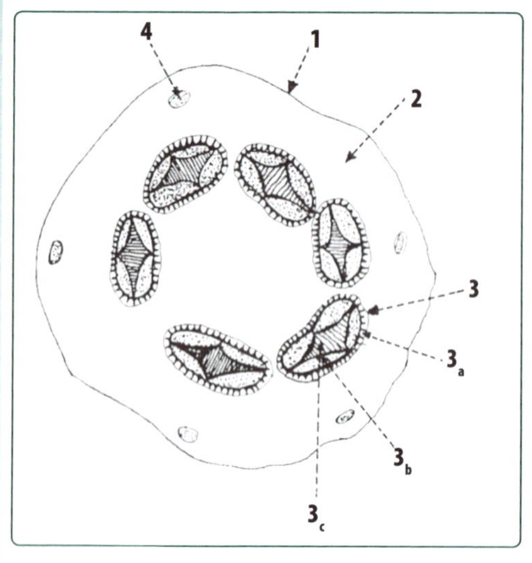

Fig. 10.15 – Desenho esquemático de polistelo: **1** – epiderme; **2** – parênquima fundamental; **3** – feixe vascular: $\mathbf{3_a}$ – endoderme; $\mathbf{3_b}$ – floema; $\mathbf{3_c}$ – xilema; **4** – traço foliar.

Bulbos

A *Farmacopeia Brasileira* somente inclui o bulbo de CILA. Esse bulbo é constituído principalmente por catafilos. Estes nada mais são que folhas modificadas, devendo ser analisadas como tal.

Morfodiagnose de drogas constituídas de órgãos subterrâneos

Acônito

Aconitum napellus Linné – *Ranunculaceae*
Parte usada: Raiz.
Sinonímia vulgar: Carruagem-de-Vênus; Raiz de acônito.
Sinonímia científica: *Aconitum vulgaris* DC.; *Napellus vulgaris* Foure.

O ACÔNITO apresenta odor e sabor fraco e produz na boca uma sensação levemente picante e persistente, seguida de entorpecimento.

Descrição macroscópica

Raiz tuberosa, obcônica, de coloração cinzenta a cinzento-parda; normalmente de 4 a 10 cm de comprimento por 1 a 3 cm de largura na parte superior, a qual está unida à base do caule ou resto de brotos com numerosas raízes secundárias, filamentosas ou cicatrizes deixadas por estas; observa-se, frequentemente, a presença de outra raiz menor tuberosa. Soldada na parte superior por um pedículo delgado, sua fratura é curta e, internamente, sua cor é branca, cinza-clara ou castanho-escura. A parte externa da raiz é de cor pardo-escura, algo suberificada; nela se observam cicatrizes deixadas pela queda de raízes secundárias.

A secção transversal da raiz de ACÔNITO, quando umedecida com floroglucina clorídrica, mostra figura de aspecto estrelar constituída pelo xilema em decorrência da disposição cambial.

Descrição microscópica

A secção transversal, ao nível do terço superior, mostra córtex estreito de parênquima celulósico, pontuado, com células pétreas isoladas e limitado externamente por uma a quatro camadas de células de cor castanha, algo suberificadas, retangulares, alongadas no sentido transversal. A região cortical é limitada interiormente por endoderme que apresenta células com paredes radiais suberificadas.

O floema primário apresenta de cinco a oito grupos de tubos crivados, envoltos por abundante parênquima de células dispostas no sentido transversal; o floema secundário é formado de abundante parênquima de células alongadas radialmente que envolvem grupos de tubos crivados, distribuídos em fileiras tangenciais. Os parênquimas do floema primário e secundário contêm amido sob forma de grãos simples redondos, e grãos compostos de duas a seis unidades, ambos os tipos com 2 a 20 micra (geralmente 15 micra de diâmetro). O câmbio apresenta-se em forma de estrela, mostrando abaixo de seus ângulos grupos de elementos do xilema primário com vasos do tipo espiralado. Lateralmente ao xilema primário são encontrados elementos do xilema secundário, com vasos do tipo pontuado e reticulado; nas depressões formadas pelos ângulos do câmbio, encontram-se grupos de elementos do xilema secundário. Os raios medulares são pouco diferenciados; a medula é formada de células mais ou menos arredondadas, com abundantes grãos de amido.

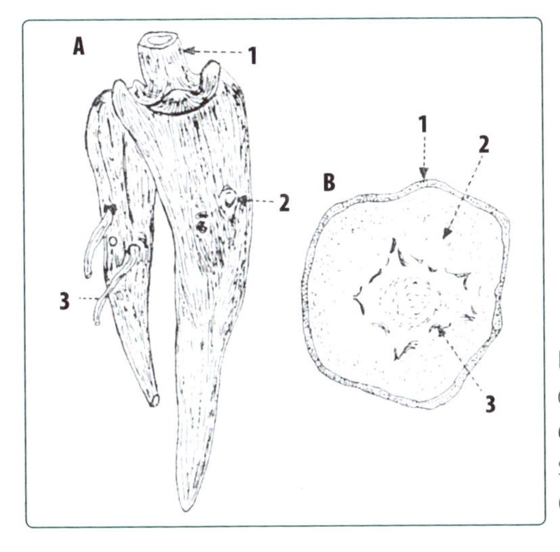

Fig. 10.16 – ACÔNITO *(Aconitum napellus* L.). **A.** Raiz tuberosa: **1** – cepa caulinar; **2** – cicatriz deixada pela queda de raiz secundária; **3** – raiz secundária. **B.** Desenho de raiz umedecida pela floroglucina clorídrica: **1** – súber; **2** – parênquima; **3** – figura de estrela derivada da disposição do câmbio em arcos.

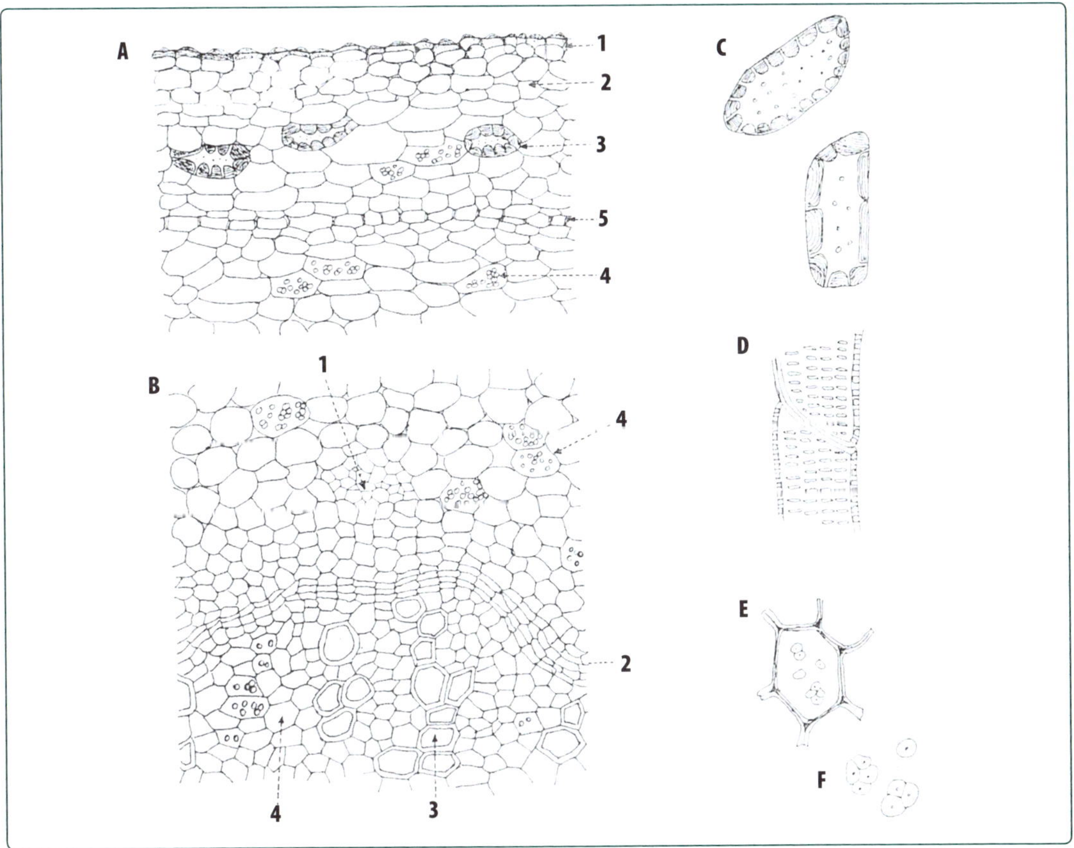

Fig. 10.17 – ACÔNITO *(Aconitum napellus* L.). **A.** Secção transversal (parte externa): **1** – epiderme; **2** – camada cortical externa; **3** – célula pétrea; **4** – célula contendo amido; **5** – endoderme. **B.** Secção transversal (região vascular): **1** – floema; **2** – câmbio; **3** – xilema; **4** – parênquima amilífero. **C.** Células pétreas. **D.** Fragmento de vaso. **E.** Célula parenquimática contendo amido. **F.** Amidos.

Cálamo aromático

Acorus calamus Linné – *Araceae*

Parte usada: Rizoma.

Sinonímia vulgar: Acoro verdadeiro; Tunco da cobra; Cana odorífera.

Sinonímia científica: *Acorus americanus* Farin.; *Acorus angustifolius* Schott.; *Acorus aromaticus* Salib.; *Acorus casia* Bertol.; *Acorus elatus* Lam.; *Acorus terrestris* Spreng.

Esta droga possui cheiro aromático agradável e sabor picante, amargo e também aromático.

Descrição macroscópica

Esta droga apresenta-se em pedaços levemente tortuosos, mais ou menos cilíndricos ou achatados, de 20 a 25 cm de comprimento por 1 a 3 cm de diâmetro. Muitas vezes, esse rizoma é cortado longitudinalmente e depois dividido em pequenos pedaços de 2 a 3 cm de comprimento. Sua superfície externa é rugosa, de cor amarelo-parda a pardo-avermelhada, provida de saliências anulares numerosas, oblíquas e espaçadas de 1 a 2 cm; na parte superior apresenta cicatrizes agudas triangulares, às vezes finamente fibrosas, bastante próximas e alternadas, deixadas pela base das folhas; na parte inferior nota-se um grande número de cicatrizes arredondadas, um tanto salientes, deixadas pela secção das raízes e dispostas vagamente em linhas ziguezagueadas. Esse rizoma apresenta internamente uma estrutura porosa; sua secção transversal mostra, a 1 ou 1,5 mm de sua margem, uma linha pontuada que separa nitidamente a zona cortical do cilindro central; este, de cor mais pálida, apresenta numerosas pontuações, que são sobretudo confluentes na periferia.

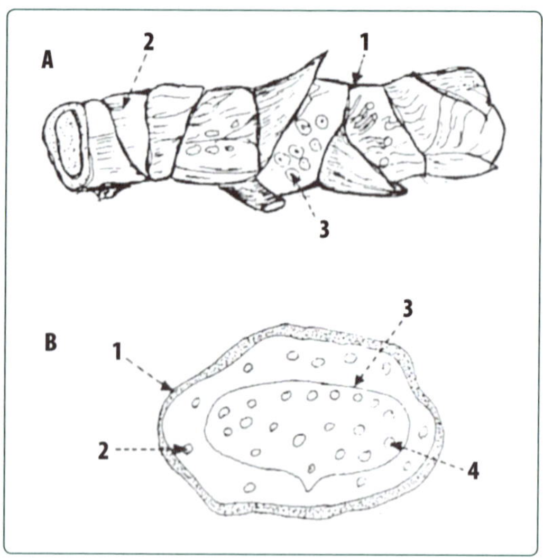

Fig. 10.18 – CÁLAMO AROMÁTICO *(Acorus calamus* L.). **A.** Aspecto do rizoma: **1** – região do nó; **2** – região de entrenó; **3** – cicatriz deixada pela queda de raiz. **B.** Secção transversal do rizoma umedecida pela floroglucina clorídrica: **1** – tecido suberoso; **2** – feixe vascular da região cortical; **3** – periciclo; **4** – feixe vascular do cilindro central.

Descrição microscópica

A camada cortical é recoberta por uma epiderme parda ou por um tecido suberoso formado de várias fileiras de células tabulares achatadas. À exceção da camada cortical, o tecido fundamental é formado de células parenquimáticas, dispostas em uma só fileira, formando lâminas que envolvem grandes lacunas cheias de ar; no ângulo das lacunas observam-se grandes glândulas arredondadas, unicelulares, suberificadas, cheias de essência parda.

O endoderma é formado por uma camada de células sensivelmente retangulares, desprovidas de amido. Os feixes liberolenhosos, repartidos na região cortical e no cilindro central, são arredondados, anfivasais, bastante próximos uns dos outros, principalmente nas vizinhanças da parte interna do endoderma. As células do parênquima contêm amido ou colorem-se de vermelho por um soluto de vanilina em ácido clorídrico.

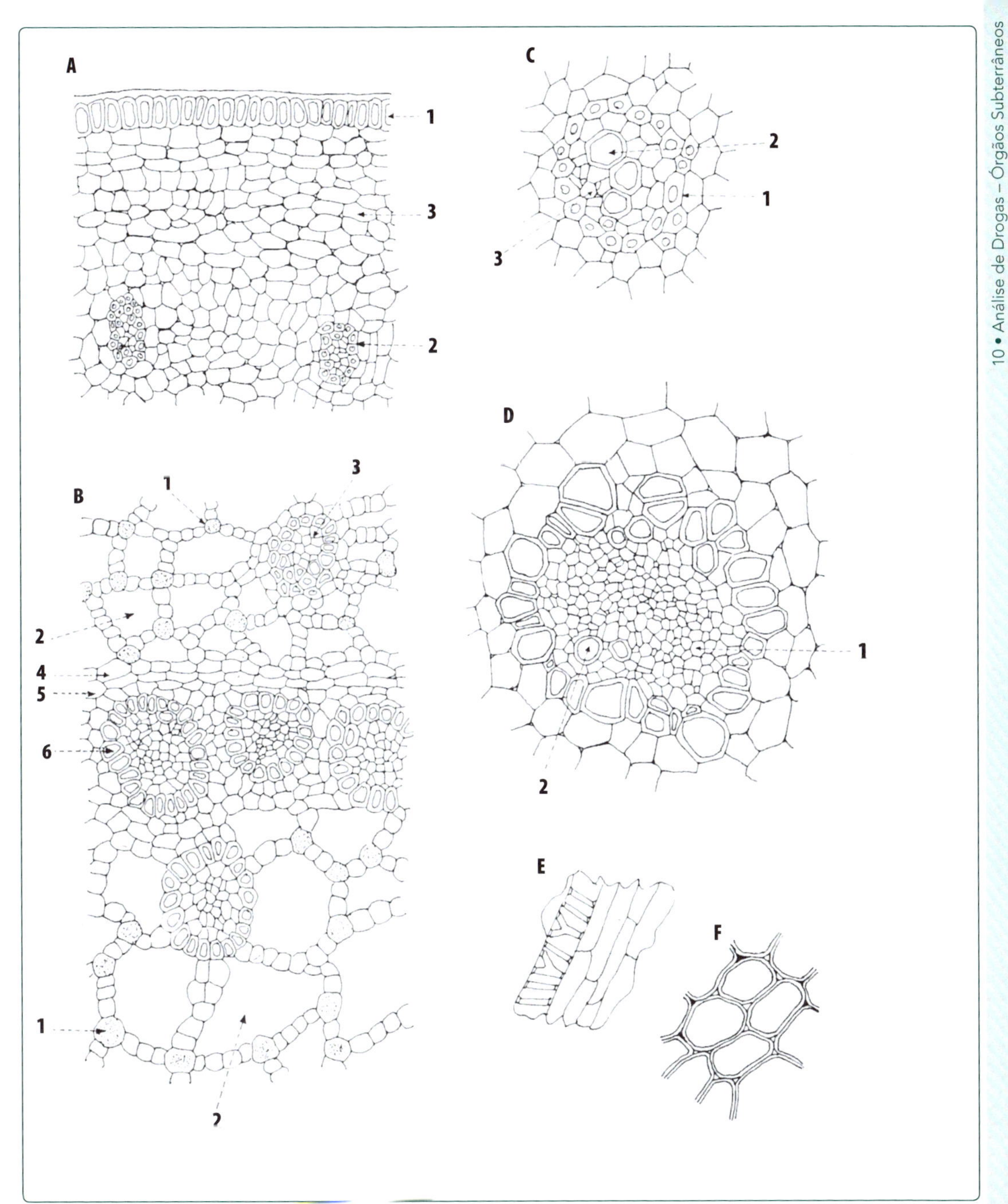

Fig. 10.19 – CÁLAMO AROMÁTICO *(Acorus calamus* L.). **A.** Secção transversal da parte externa: **1** – epiderme; **2** – feixe vascular; **3** – parênquima cortical externo. **B.** Secção transversal da parte interna: **1** – célula oleífera; **2** – câmara; **3** – feixe vascular da região cortical; **4** – endoderme; **5** – periciclo; **6** – feixe vascular do cilindro central. **C.** Secção transversal do feixe fibrovascular: **1** – fibra esclerenquimática; **2** – xilema; **3** – região floemática. **D.** Secção transversal de feixe vascular do cilindro central: **1** – floema; **2** – xilema. **E.** Fragmento de feixe vascular. **F.** Fragmento de tecido parenquimático.

Feto-macho

Dryopteris filix-mas (Linné) Schott. – *Polypodiaceae*

Parte usada: Rizoma.

Sinonímia vulgar: Denterrura.

Sinonímia científica: *Nephrodium filix-mas* Fich.; *Aspidium filix-mas; Dryopteris albreviata* Newm.; *Dryopteris afinis* Newm.; *Dryopteris aduata* Vavr. Mal.; *Dryopteris paleacea* C. Chr.; *Polypodium elongatum* Ait; *Polypodium filix-mas* L.

A droga possui odor fraco, porém característico, e um sabor primeiro adocicado e adstringente, depois amargo e acre.

Descrição macroscópica

A droga consiste em rizomas inteiros ou pedaços cilíndricos, cortados transversalmente ou, às vezes, longitudinalmente; o rizoma inteiro mede até 30 cm de comprimento e até 8 cm de largura. Ao redor do rizoma partem as bases recurvadas das frondes aéreas, em média de 3 cm de comprimento, e entremeadas de escamas pardo-amareladas, escariosas e raízes delgadas, pardas e duras. As escamas e as raízes devem ser retiradas tanto quanto possível da droga, bem como as partes mais velhas e mortas do rizoma por ocasião da colheita. As bases de frondes e o rizoma mostram superfície externa de cor pardo-escura. Um corte transversal do rizoma, cujo diâmetro mede aproximadamente 2 cm, apresenta um contorno irregular com sinuosidades, por causa das bases de frondes, e, no centro, um círculo de seis a doze grandes feixes vasculares em forma de nódoas amarelas, redondas ou ovais, e, fora desse círculo, outros feixes menores. As bases das frondes aparecem semicilíndricas, irregularmente angulosas, com um diâmetro de 5 a 10 mm, apresentando, no corte transversal, cinco a nove feixes dispostos em semicírculo. A cor da sua secção transversal, assim como a cor da secção do rizoma, varia de verde-pardacento rósea a pardo-escura. As fraturas do rizoma e das bases das frondes são lisas. A escama tem contorno ovoide-lanceolado, estirado em ponta afilada e com finos dentes nas margens.

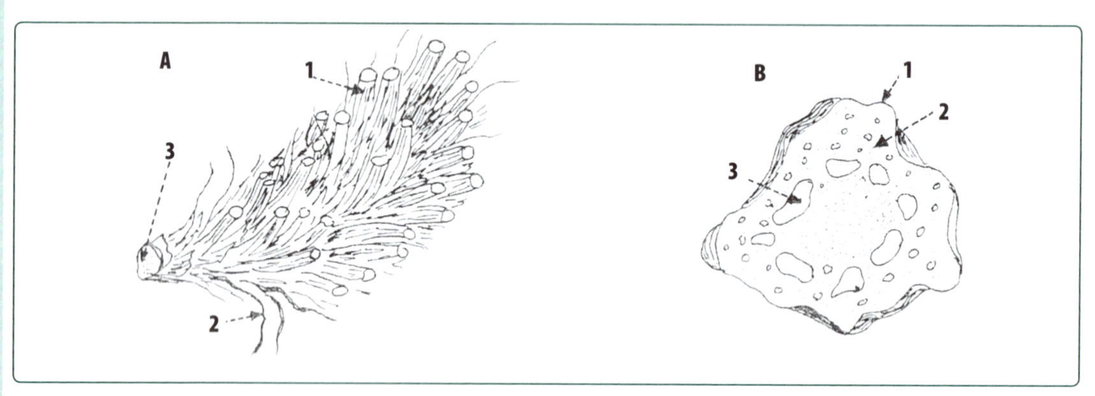

Fig. 10.20 – FETO-MACHO *(Dryopteris filix-mas* (L.). Schott). **A.** Rizoma provido de base de frondes: **1** – base de fronde; **2** – escamas escariosas; **3** – secção do rizoma. **B.** Secção transversal do rizoma: **1** – epiderme; **2** – parênquima fundamental; **3** – feixe vascular.

Descrição microscópica

O rizoma e as bases das frondes apresentam estruturas semelhantes. Um corte transversal mostra os seguintes elementos, de fora para dentro: hipoderme formada de quatro a cinco camadas de células com paredes espessadas, intensamente coloridas de pardo; parênquima fundamental formado de células redondas com paredes espessadas e fracamente pontuadas, contendo grãos de amido simples, arredondados, de 10 micra de tamanho médio e incluídos em conteúdo oleoso. Esse parênquima contém glândulas internas que lembram pelos e feixes vasculares. As glândulas encontram-se em lacunas intercelulares; mostram contorno piriforme, com um pedículo muito curto e conteúdo pardo-esverdeado. Os feixes anficrivais apresentam estrutura concêntrica com um endoderma formado de células de paredes com espessamento em U, seguida de uma a duas fileiras de células do periciclo que envolvem o floema e, no centro, o xilema. Várias células do parênquima encerram substâncias tânicas que se coram em vermelho com uma solução de 1% p/v de p-dimetilaminobenzaldeído em ácido sulfúrico R a 50% v/v. Em cortes longitudinais aparecem o hipoderma, constituído de células libriformes com poros oblíquos, e o xilema formado de traqueídes prismáticos escalariformes, cujo diâmetro vai até 75 micra; poucas traqueídes mostram espessamento espiralado. As escamas apresentam, na base, no máximo duas glândulas em forma de pelo com um pedículo unicelular; os dentes das margens são constituídos de duas células (Fig. 10.21).

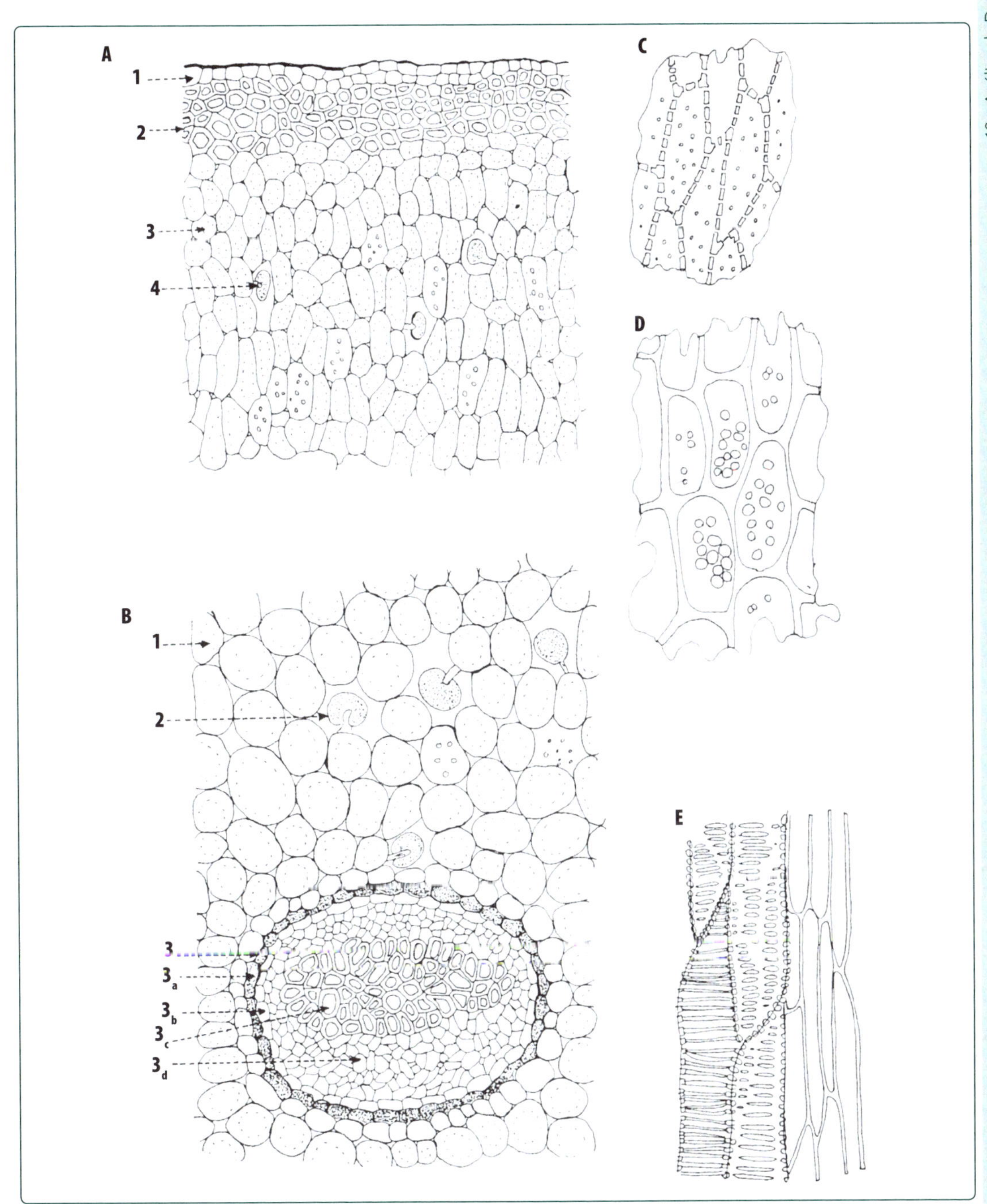

Fig. 10.21 – FETO-MACHO *(Dryopteris filix-mas* (L.). Schott). **A.** Secção transversal da parte externa: **1** – epiderme; **2** – hipoderme; **3** – parênquima fundamental; **4** – lacuna contendo "pelo" glandular. **B.** Secção transversal da parte interna: **1** – parênquima fundamental; **2** – lacuna contendo "pelo" glandular; **3** – feixe vascular típico: 3_a – endoderme; 3_b – periciclo; 3_c – xilema; 3_d – floema. **C.** Fragmento da região de hipoderme em corte paradérmico mostrando células esclerenquimáticas com pontuações. **D.** Fragmento do parênquima fundamental contendo amido. **E.** Fragmento de feixe vascular mostrando elementos traqueais.

Genciana

Gentiana lutea Linné – *Gentianaceae*
Parte usada: Rizoma e raiz.
Sinonímia vulgar: Argençana.
Sinonímia científica: *Gentiana pannonica* Scopoli.; *Gentiana purpurea* L.; *Gentiana punctata* L.

A droga possui odor forte característico e sabor a princípio levemente adocicado e depois muito amargo, persistente.

Descrição macroscópica

O rizoma e a raiz da GENCIANA são de cor castanho-avermelhada, frequentemente coroados pelos restos dos ramos aéreos, em geral fendidos longitudinalmente, medindo de 20 a 60 cm de comprimento e de 2 a 4 cm de largura. O rizoma é curto e apresenta numerosos sulcos anelares; as raízes cilíndricas são frequentemente arqueadas ou torcidas, de cor castanho-amarelada, dotadas de rugas longitudinais bastante profundas e, via de regra, enroladas em espiral, apresentando, de espaço em espaço, pequenas cicatrizes ovais deixadas pela secção das ramificações secundárias. Ambos são quebradiços quando bem secos e podem ser cortados facilmente quando mantidos por curto tempo em ar úmido; sua fratura é quase nítida, não farinácea, nem fibrosa; a secção transversal, de cor castanho-avermelhada, apresenta zona cortical nitidamente separada por linha mais escura representada pela zona lenhosa, que é porosa, de cor castanho-amarelada e finamente estriada radialmente.

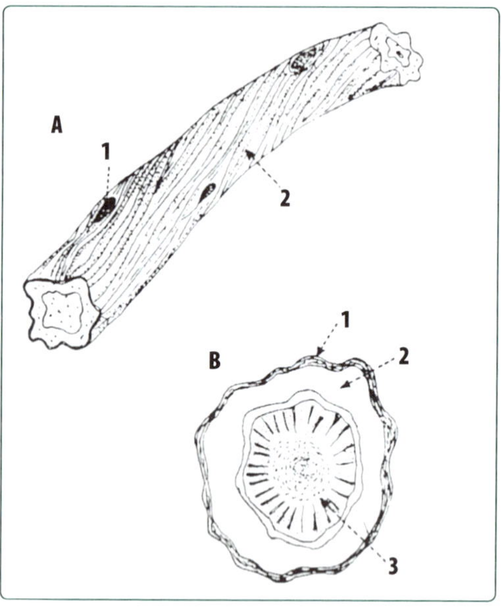

Fig. 10.22 – GENCIANA *(Gentia na lutea* L.). **A.** Pedaço de raiz: **1** – cicatriz deixada pela queda de raiz secundária; **2** – estria. **B.** Secção transversal da raiz umedecida pela floroglucina clorídrica: **1** – súber; **2** – região cortical; **3** – cilindro central.

Descrição microscópica

O súber do rizoma é bastante espesso; recobre zona colenquimatosa, que se confunde gradualmente com o parênquima cortical. Interpostos irregularmente entre essas células, encontram-se feixes vasculares, de tamanho variável; o sistema vascular, separado da zona cortical, tem câmbio bem aparente e é constituído por abundante parênquima lenhoso, atravessado por numerosos vasos escalariformes ou reticulados, isolados ou agrupados, e por faixas de tubos crivados maiores ou menores. O eixo do rizoma é constituído por uma medula bastante desenvolvida. As células dos tecidos parenquimatosos mostram paredes que se intumescem fortemente em líquidos aquosos; não contêm amido, mas gotículas de aspecto gorduroso e frequentemente grupos de pequeníssimos cristais de oxalato de cálcio.

A estrutura do rizoma e a das raízes é mais ou menos idêntica. A parte central da raiz é ocupada por um grupo de vasos que representam o lenho primário das raízes.

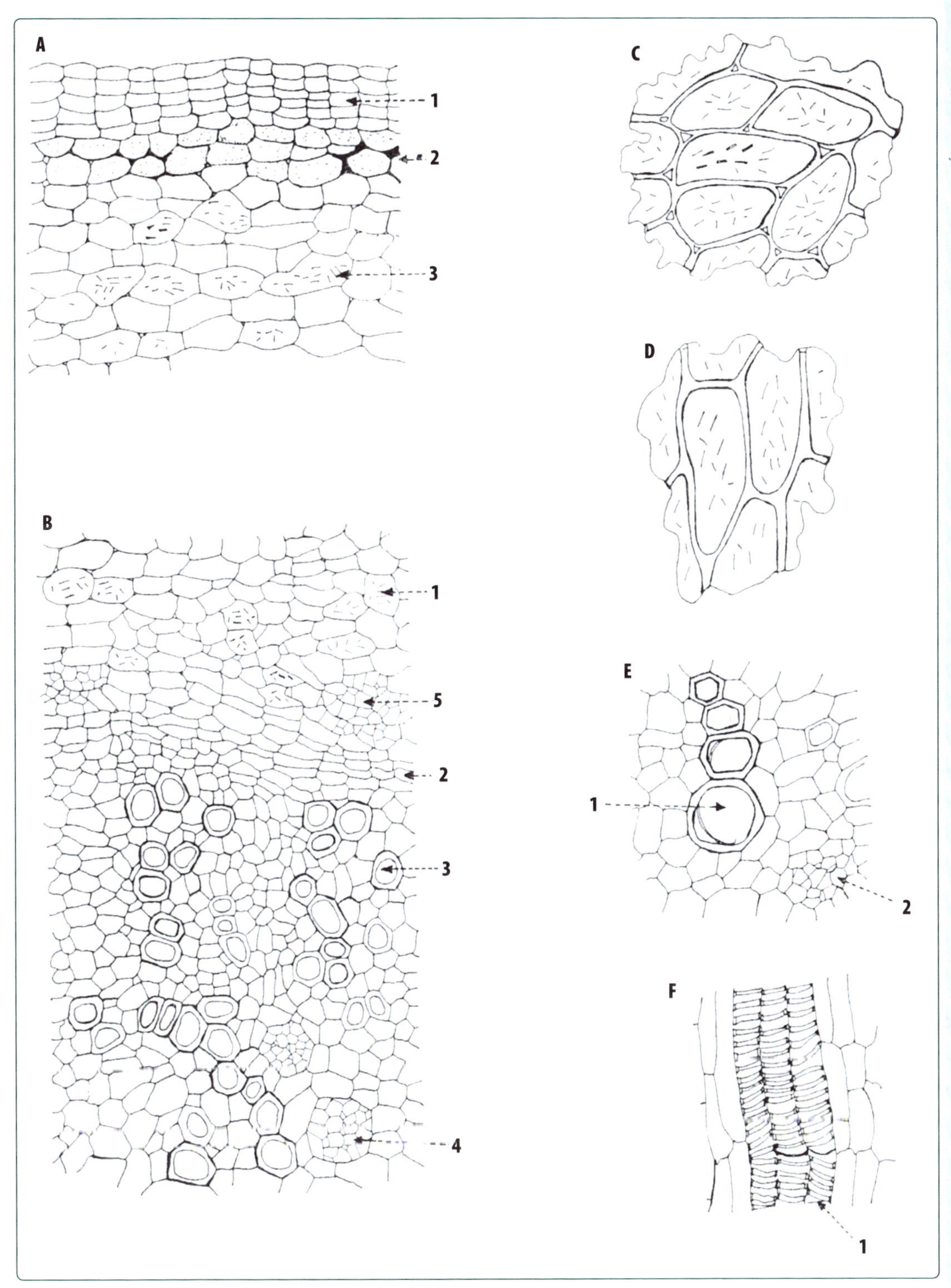

Fig. 10.23 – GENCIANA *(Gentiana lutea* L.). **A.** Secção transversal da raiz (parte externa): **1** – súber; **2** – região colenquimática; **3** – células com rafídeos. **B.** Secção transversal da raiz (parte interna): **1** – células com rafídeos; **2** – câmbio; **3** – vasos; **4** – floema interno; **5** – floema externo. **C, D, E** e **F.** Elementos do pó. **C.** Tecido parenquimático da casca em secção transversal mostrando células com rafídeos. **D.** Tecido parenquimático da casca em secção longitudinal mostrando células com rafídeos. **E.** Fragmento de tecido em secção transversal mostrando: **1** – traqueia; **2** – floema interno. **F.** Fragmento de tecido em secção longitudinal mostrando traqueias: **1** – traqueia.

Ipecacuanha

Cephaelis ipecacuanha (Brotero) Richard – *Rubiaceae*

Parte usada:	Raiz.
Sinonímia vulgar:	Poaia; Ipeca; Ipecacuanha preta; Ipecacuanha anelada; Picacuanha; Raiz preta; Cipó de camelos; Cipó emético; Poaia-do-mato; Poaia legítima; Ipeca-do-Rio; Ipeca-de-Cuiabá; Poaia das boticas; Ipeca-de-Mato Grosso.
Sinonímia científica:	*Evea ipecacuanha* (Brotem) Standley; *Uragoga ipecacuanha* Bail.; *Psychotria ipecacuanha* Mull. Arg.; *Calicocca ipecacuanha* Brot.; *Cephaelis emetica* Pers.; *Ipecacuanha officinalis* An. Can.

A droga possui odor característico e sabor muito amargo, também característico.

Descrição macroscópica

A raiz é cilíndrica, simples ou, mais raramente, ramificada, irregularmente flexuosa, medindo de 5 a 20 cm de comprimento por 2 a 4 mm de diâmetro; sua superfície externa, pardo-avermelhada, cinzenta ou pardo-negra, apresenta numerosos anéis rugosos, distintos, separados entre si por depressões mais ou menos profundas e irregulares, que chegam, às vezes, a atingir a zona lenhosa, deixando-a a descoberto. Sua secção transversal apresenta casca muito espessa, cinzento-clara, córnea, semitranslúcida, que a separa facilmente da parte central lenhosa, de cor branco-amarelada, pouco espessa, uniforme, densa, sem poros e muito dura.

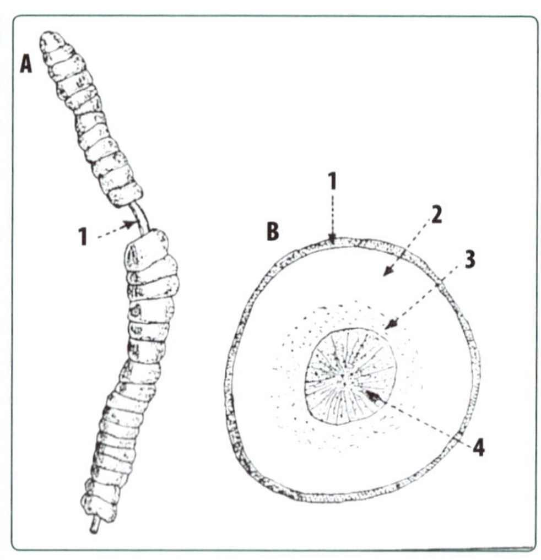

Fig. 10.24 – IPECACUANHA *(Cephaelis ipecacuanha* (Brotero) Richard). **A.** Pedaço de raiz: **1** – cilindro lenhoso. **B.** Secção transversal da raiz umedecida pela floroglucina clorídrica: **1** – súber; **2** – parênquima cortical; **3** – região floemática; **4** – cilindro lenhoso.

Descrição microscópica

O súber é formado por três a quatro camadas de células tabulares achatadas, de paredes delgadas e coloridas de pardo. O parênquima cortical, muito desenvolvido, é constituído por um tecido de células repletas de grãos de amido; encontram-se nesse tecido células maiores com rafídeos de oxalato de cálcio. Os grãos de amido são simples ou, mais frequentemente, compostos de duas a oito unidades, apresentando um diâmetro de até 24 micra; os grãos trigêmeos mostram, muitas vezes, um componente menor, e os quadrigêmeos, dois componentes menores. O floema é muito reduzido, não mostra raios medulares distintos, mas, o parênquima, que é semelhante ao cortical, mostra grupos de tubos crivosos. A zona lenhosa não mostra raios medulares distintos; suas células aparecem fibrosas, com poros oblíquos e encerram grãos de amido, não sendo estes maiores de 12 micra; as demais partes da zona lenhosa são constituídas, na secção transversal, de elementos muito uniformes. Em cortes longitudinais, veem-se traqueias apresentando pontuações areoladas e, finalmente, um parênquima lenhoso.

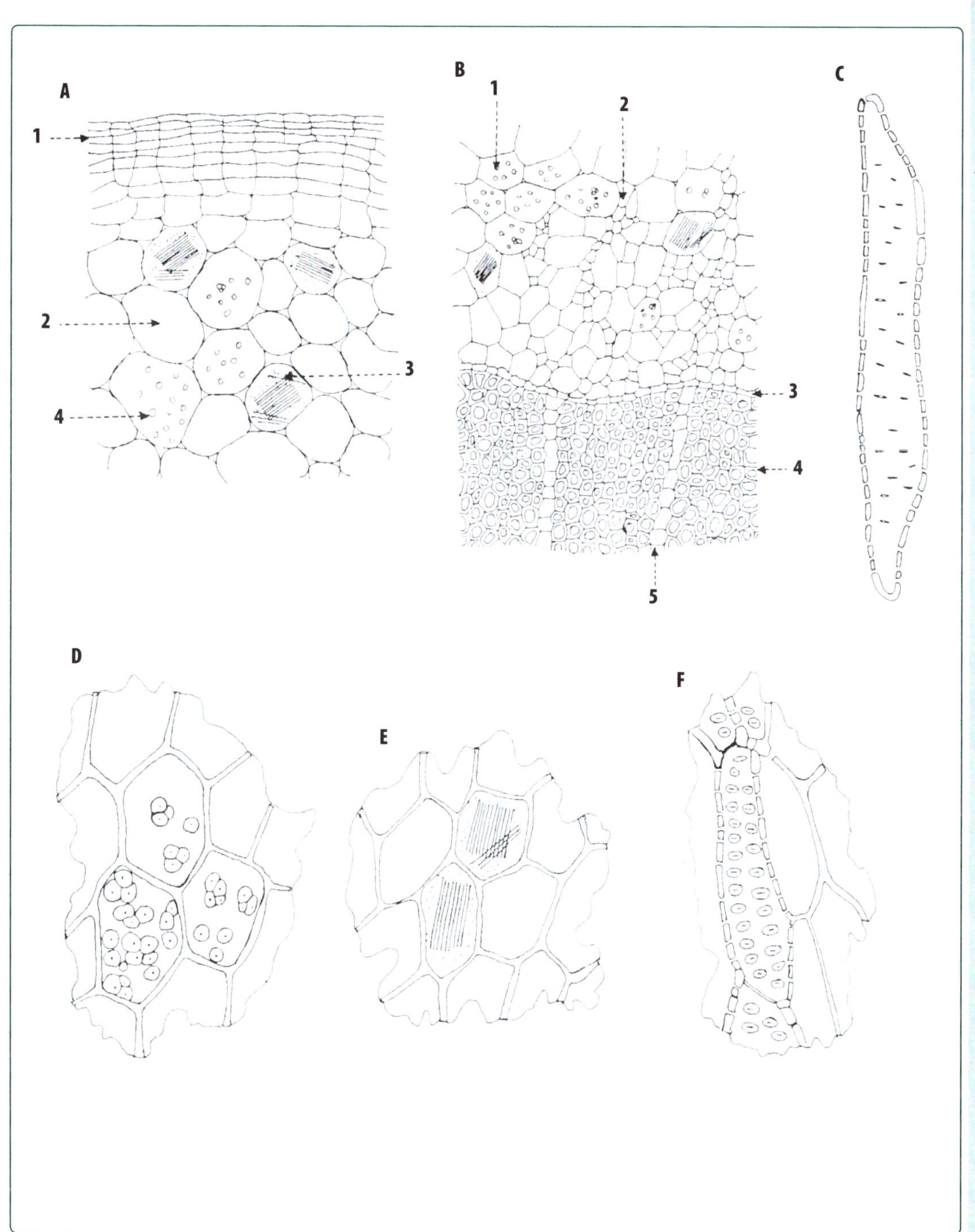

Fig. 10.25 – IPECACUANHA *(Cephaelis ipecacuanha* (Brotero) Richard). **A.** Secção transversal da raiz (parte externa): **1** – súber; **2** – parênquima cortical; **3** – célula mucilaginosa contendo rafídeos; **4** – célula contendo amilos. **B.** Secção transversal da raiz (parte interna): **1** – célula contendo amilo; **2** – floema; **3** – câmbio; **4** – xilema; **5** – raio medular. **C.** Fibra do xilema. **D.** Fragmento de parênquima com células amilíferas. **E.** Fragmento de parênquima com células mucilaginosas contendo rafídeos. **F.** Fragmento de xilema mostrando traqueia com pontuações areoladas.

Scila

Urginea maritima (Linné) Baker – *Liriaceae*

Parte usada: Escamas do bulbo.

Sinonímia vulgar: Abanã branca; Cebola de Albanã; Cebola marítima.

Sinonímia científica: *Squilla insular* Jor. e Four.; *Squilla maritima* Steinh.; *Squilla numidica* Jord. e Four.; *Urginea Scilla* Steinh.; *Scilla antherieoides* Willd.; *Scilla lanceolata* Viv.; *Scilla maritima* L.; *Scilla pancration* NYN.

Seu cheiro é fraco e seu sabor, mucilaginoso, amargo, acre e desagradável.

Descrição macroscópica

A droga é constituída por escamas médias do bulbo, da variedade branca da SCILA, cortadas em fatias transversais e secas. As fatias são mais ou menos curvas, irregulares, às vezes achatadas, medindo de 0,5 a 5 cm de comprimento por 3 a 8 cm de largura, branco-amareladas, flexíveis, translúcidas, quase lisas e lustrosas e quebradiças quando bem secas.

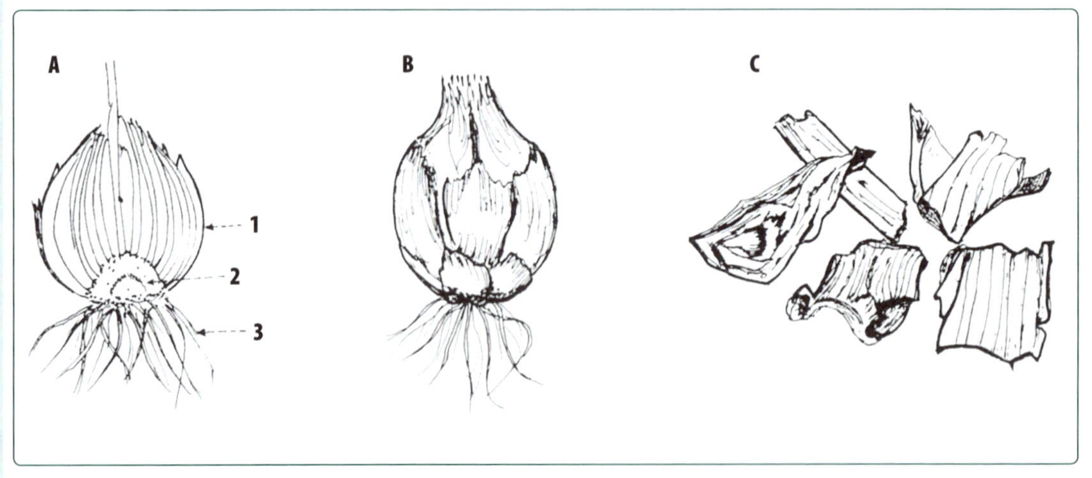

Fig. 10.26 – SCILA *(Urginea maritima* (Linné) Baker. **A.** Bulbo seccionado longitudinalmente: **1** – escamas; **2** – prato; **3** – raízes. **B.** Bulbo. **C.** Pedaços de catafilos.

Descrição microscópica

A epiderme, guarnecida sobre ambas as faces de grandes estômatos, é recoberta por cutícula bastante espessa e estriada. O mesofilo, que é constituído por grandes células poligonais, quase isodiamétricas, de paredes delgadas, é percorrido por feixes liberolenhosos colaterais, isolados. Numerosas células de contorno mais ou menos retangular, cheias de mucilagem, providas de finos cristais aciculares, e outras muito longas, com cristais prismáticos isolados ou reunidos a rafídeos que atingem até 1.000 micra de comprimento e 20 micra de largura, envolvidos de mucilagem, podem ser vistas na região do mesofilo. Na vizinhança dos feixes liberolenhosos, encontram-se alguns pequenos grãos de amido isolados (Fig. 10.27).

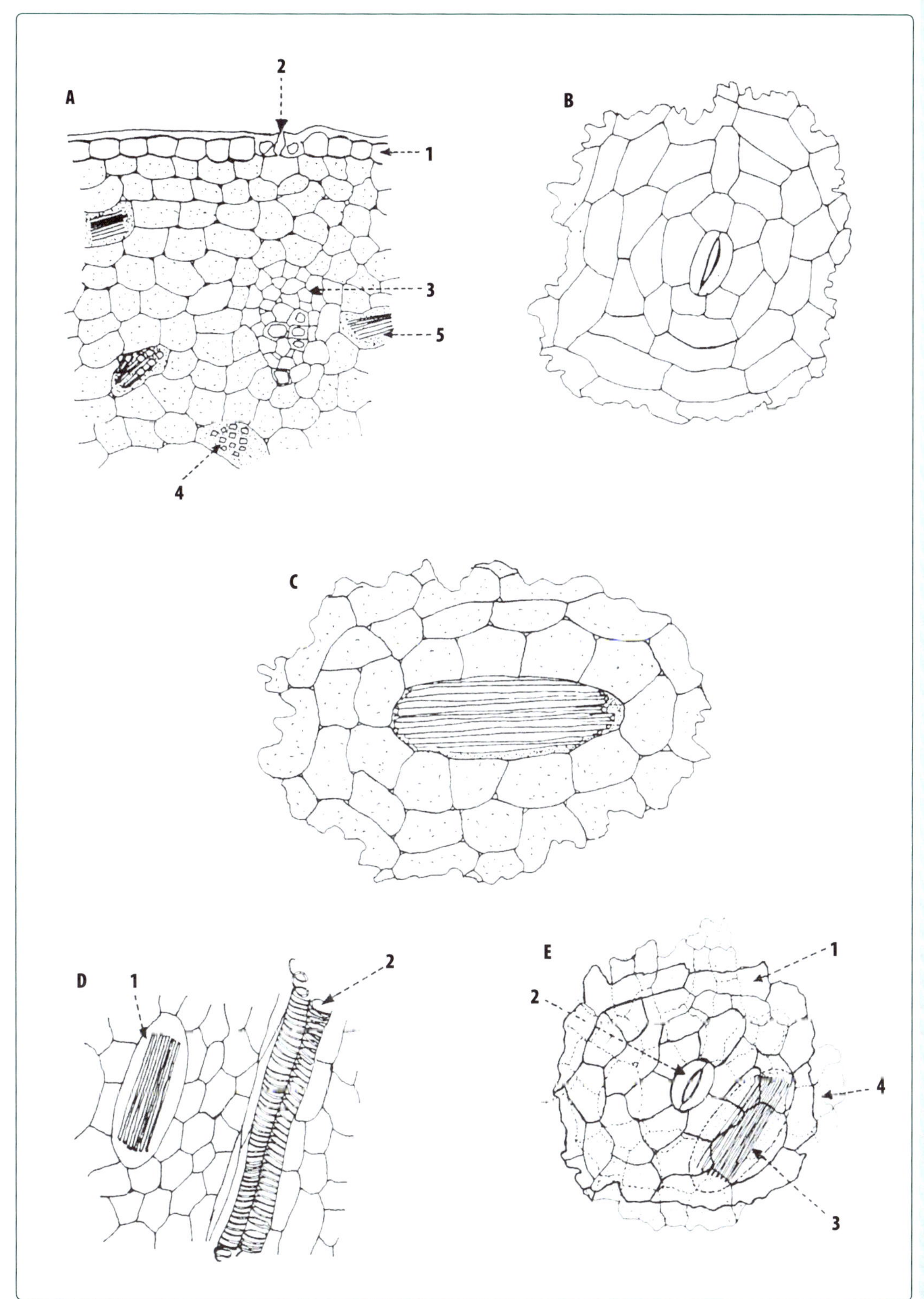

Fig. 10.27 – SCILA *(Urginea marítima* (Linné) Baker). **A.** Secção transversal da escama: **1** – epiderme; **2** – estômato; **3** – feixe vascular; **4** – feixe de rafídeo cortado transversalmente; **5** – idioblasto contendo rafídeo. **B.** Secção paradérmica da escama mostrando epiderme com estômato. **C.** Secção paradérmica da escama mostrando idioblasto contendo rafídeos. **D.** Secção paradérmica da escama mostrando: **1** – idoblasto contendo rafídeos; **2** – feixe vascular mostrando elemento traqueal espiralado. **E.** Fragmento de escama observado por transparência: **1** – epiderme; **2** – estômato; **3** – idioblasto contendo rafídeo; **4** – parênquima fundamental.

Valeriana

Valeriana officinalis Linné – *Valerianaceae*
Parte usada: Rizoma e raiz.
Sinonímia vulgar: Baldriana.
Sinonímia científica: *Valeriana sylvestris* Black. Dod.

A droga apresenta odor característico e sabor aromático, adocicado-amargo, também característico.

Descrição macroscópica

O rizoma primário é cônico-truncado, medindo de 2 a 3 cm de diâmetro, geralmente cortado longitudinalmente em dois a quatro pedaços; externamente é de cor castanho-amarelada, ou castanho-escura; os rizomas secundários são menores; na parte superior aparecem restos de folhas e caules e, na inferior, numerosas raízes de 2 a 3 mm de diâmetro, estriadas longitudinalmente, que se entrelaçam e se enrolam ao redor do rizoma.

Frequentemente existe um ramo horizontal subterrâneo, estoloniforme, cilíndrico, de diâmetro medindo mais ou menos duas vezes o das raízes, com nós nos quais se originam raízes e folhas radiciais. A secção transversal do rizoma é de contorno irregular, com uma casca pouco espessa e câmbio bem visível; com o auxílio de lupa podem ser vistos feixes liberolenhosos, especialmente na região lenhosa visualizada como pontos, abaixo da linha cambial. Os rizomas velhos muitas vezes se apresentam ocos na parte central. As raízes mostram na secção transversal uma casca espessa e uma diminuta zona lenhosa, central, filiforme.

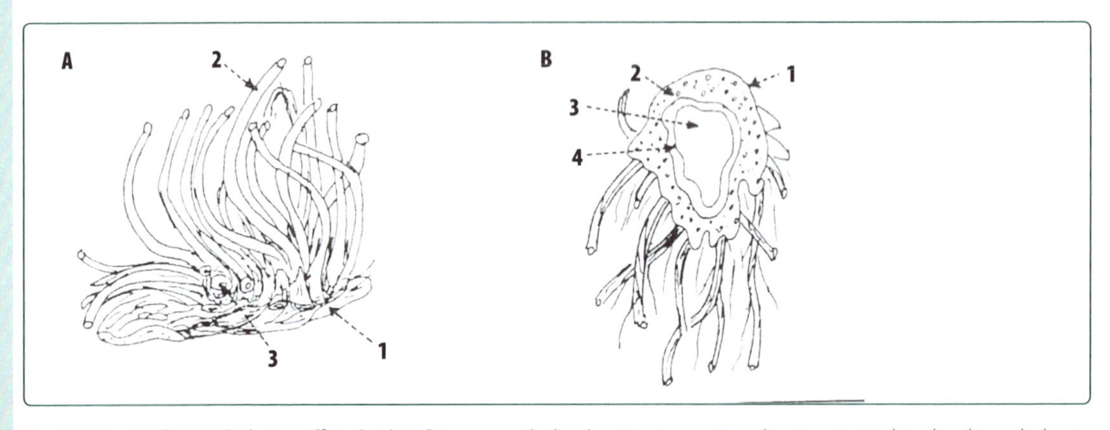

Fig. 10.28 – VALERIANA (*Valeriana officinalis* L.). **A.** Rizoma provido de raízes: **1** – rizoma; **2** – raízes; **3** – cicatriz deixada pela queda de raiz. **B.** Secção transversal do rizoma: **1** – súber; **2** – região cortical; **3** – medula; **4** – lenho.

Descrição microscópica

A região externa do rizoma é constituída por periderme formada por estreita zona suberosa, felógeno e feloderma pouco desenvolvidos. A região cortical é formada por células parenquimáticas que contêm, em sua maioria, grãos de amido e gotículas de substâncias resinosas. Feixes vasculares delicados podem ser observados nessa região, bem como, com menor frequência, grupos de células pétreas. A endoderme é bem visível e contém gotículas de óleo essencial. Os feixes vasculares são do tipo colateral aberto e a região medular é bem desenvolvida, contendo células pétreas e grãos de amido.

A secção transversal da raiz mostra epiderme provida de células papilosas, hipoderme provida de células algumas vezes com paredes suberificadas e com gotículas de óleo essencial; pequenos cristais de oxalato de cálcio, às vezes, podem ser vistos nessa região. O parênquima cortical é bem desenvolvido e contém grãos de amido simples e compostos. A endoderme, bem visível, apresenta estrias de Caspary. O floema alterna-se com os arcos do xilema, o qual apresenta, caracteristicamente, o elemento de metaxilema localizado mais para o interior da estrutura. O centro é ocupado por parênquima medular.

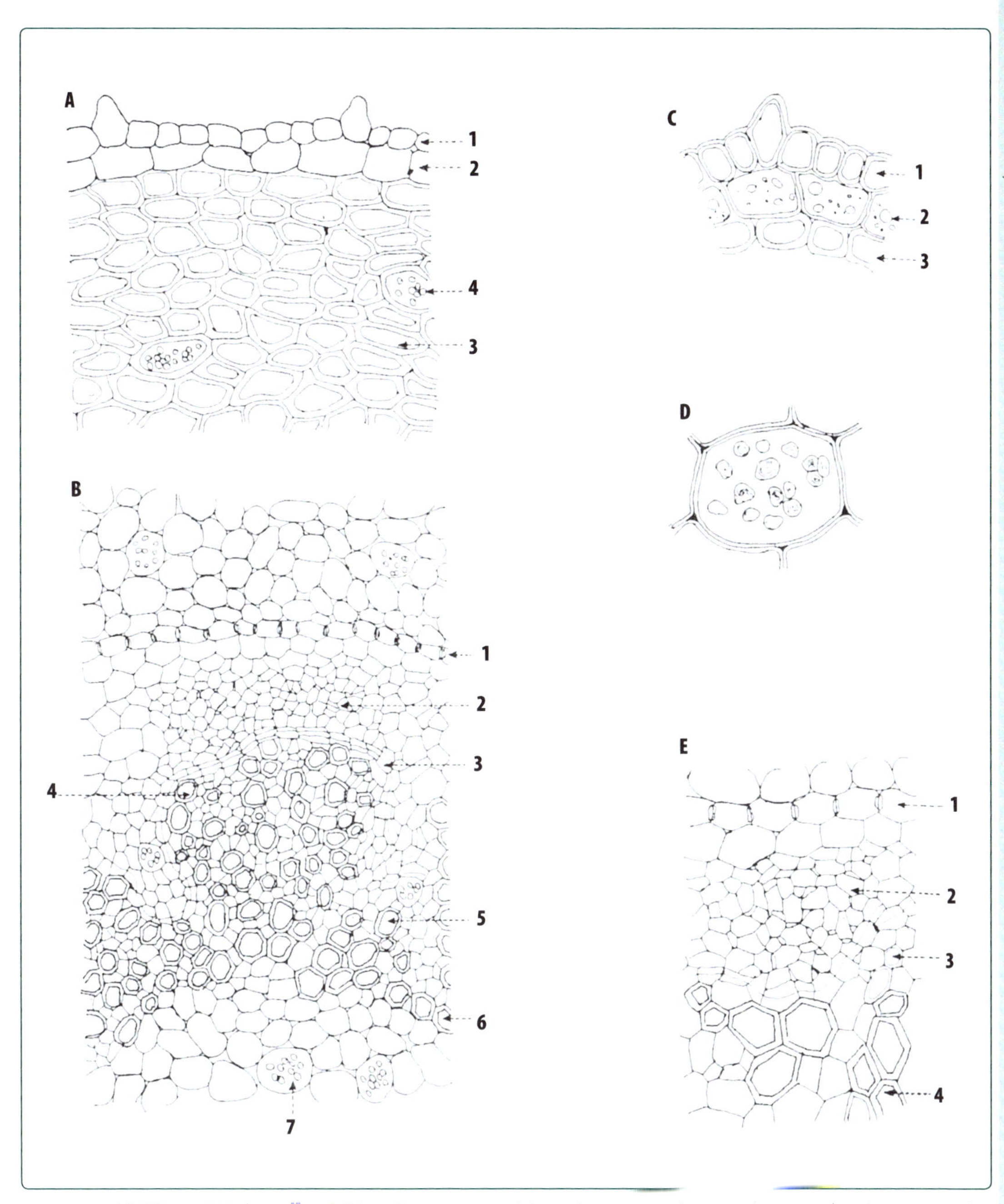

Fig. 10.29 – VALERIANA (*Valeriana officinalis* L.). **A.** Secção transversal da raiz (região externa): **1** – epiderme; **2** – hipoderme; **3** – parênquima da casca; **4** – célula com amido. **B.** Secção transversal da raiz (região interna): **1** – endoderme; **2** – floema; **3** – câmbio; **4** – vasos; **5** – metaxilema; **6** – protoxilema; **7** – células com amido. **C.** Secção transversal da região de epiderme e hipoderme: **1** – epiderme; **2** – hipoderme com gotículas de óleo essencial; **3** – parênquima da casca. **D.** Célula parenquimática com amidos. **E.** Secção transversal ao nível do cilindro central: **1** – endoderme; **2** – floema; **3** – protoxilema; **4** – metaxilema.

11

Análise de Drogas – Diversas Partes

GENERALIDADES

Sob a denominação drogas constituídas de diversas partes, está incluída uma série de drogas vegetais de cuja composição morfológica participam geralmente mais de um órgão vegetal. São exemplos drogas constituídas pela planta inteira, como o QUEBRA-PEDRA *(Phyllanthus tenellus* Rouxburgh), por partes aéreas, como o CIPÓ-CABELUDO (*Mikania hirsutissima* DC.) e a ERVA-DE-MACAÉ *(Leonurus sibiricus)*, e por sumidades floridas, como o CRATAEGO *(Crataegus oxycantha* L.).

Logicamente, todas as considerações feitas sobre folhas, flores, frutos e sementes são importantes na identificação de drogas incluídas neste capítulo.

Em alguns livros, essas drogas costumam ser reunidas sob a denominação de ervas, o que não nos parece muito adequada, visto que inúmeras delas apresentam caules bem desenvolvidos e lignificados.

Consideram-se ervas as plantas não lenhosas, ou pouco lenhosas, cujas partes aéreas vivem geralmente menos que um ano e cujo porte é relativamente pequeno.

Nas plantas herbáceas, o colênquima assume importância como tecido de sustentação. Embora a maioria das plantas tidas como herbáceas seja anual, algumas vivem mais que um ano, podendo mesmo ser perenes.

DROGAS CONSTITUÍDAS DE DIVERSAS PARTES

Caracterização macroscópica

O aspecto global da droga, ou seja, o aspecto assumido pela droga quando espalhada numa superfície plana, é muito importante. Características como tamanho, forma das folhas, das flores, tipo de inflorescência, formato de anteras e de frutos são fundamentais na orientação da conduta da análise.

O caule, às vezes, assume importância maior na diagnose dessas drogas. Assim, os caules obtuso-quadrangular das drogas pertencentes à família *Labiatae* são muito característicos. A CARQUEJA AMARGA *(Baccharis trimera* (Lessing) DC apresenta caule alado do tipo cladódio de forma muito característica. Os caules da ARUCA *(Calea pinnatifida Banks*) são caracteristicamente obtuso-poligonais. Aliada à forma do caule, a distribuição dística das folhas fornece características essenciais na diagnose dessa categoria de drogas.

Outro caráter é representado pela maior ou menor incidência de pelos nas epidermes.

O aspecto da superfície dos caules pode colaborar para a diagnose adequada da droga. Assim, muitas vezes, durante o processo de secagem de uma planta, a superfície caulinar assume aspecto estriado; outras vezes, pode adquirir forma torcida, característica, ou simplesmente apresenta aspecto esfoliativo. É óbvio que cada caso é único e as características mais importantes devem ser buscadas pelo analista.

Outra verificação importante que se faz com peças caulinares é umedecer a superfície transversal com floroglucina clorídrica e observar com o auxílio de lupa. Os desenhos que nessas condições aparecem sobre a superfície são característicos para cada droga.

Caracterização microscópica

As características microscópicas de folhas, flores, frutos, sementes e órgãos subterrâneos foram, em capítulos anteriores, já detalhadas. Falta complementar o estudo do caule, embora inúmeras características desse órgão já tenham sido vistas no estudo da casca e do lenho.

O estudo do caule pode ser dividido em duas partes: estrutura primária e estrutura secundária. Nem todos os vegetais apresentam estrutura secundária.

Caule de estrutura primária

Os caules com estrutura primária de maneira geral podem ser distribuídos em quatro estruturas básicas: sifonostelos, eustelos, atactostelos e polistelos. Entende-se por eustelo o cilindro central do eixo dos vegetais (conjunto de xilema, floema e parênquima). Nos três primeiros casos citados existe um único cilindro central; já nas estruturas polistélicas, frequentes em pteridófitas, ocorre a presença de diversos cilindros centrais. Nessas estruturas sempre é possível se considerar uma região externa denominada de região cortical, e uma região interna portadora dos feixes vasculares chamada de cilindro central. É bem verdade que nem sempre a região do cilindro central encontra-se bem delimitada (Fig. 11.1).

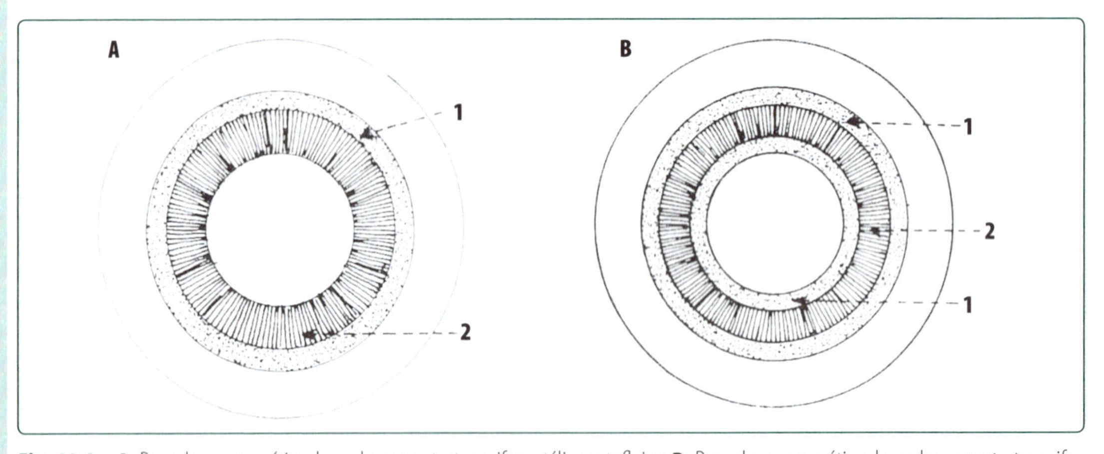

Fig. 11.1 – **A.** Desenho esquemático de caule com estrutura sifonostélica ectofloica. **B.** Desenho esquemático de caule com estrutura sifonostélica anfifloica: **1** – floema; **2** – xilema.

As estruturas sifonostélicas podem ser de dois tipos, de acordo com a distribuição do floema. Nos sifonostelos ectofloicos, o floema localiza-se exclusivamente do lado de fora da estrutura em relação ao xilema. Essa estrutura é encontrada em drogas pertencentes às dicotiledôneas e às gimnospermas. Nas estruturas sifonostélicas anfifloicas, o floema ocorre tanto do lado de fora da região xilemática quanto do lado de dentro. Algumas drogas pertencentes às dicotiledôneas denotam esse tipo de estrutura.

A estrutura eustélica é frequente nas dicotiledôneas, sendo considerada o tipo de estrutura mais evoluída. Essa estrutura caracteriza-se por apresentar o xilema e o floema reunidos em feixes vasculares, separados entre si por raios medulares. Esse tipo de estrutura é derivado das estruturas sifonostélicas por aparecimento de raios parenquimáticos (raios medulares separando o floema e o xilema em cordões ou feixes vasculares). Os feixes vasculares resultantes podem ser de dois tipos: feixes vasculares colaterais (abertos) e feixes vasculares bicolaterais.

As drogas pertencentes ao grupo das monocotiledôneas apresentam estrutura atactostélica, ao passo que as das pteridófitas são do tipo poliestélica.

A camada celular mais externa de todas essas estruturas é representada pela epiderme. Segue-se a região cortical, que pode ser dividida em região externa e região interna, ou não. Algumas vezes, abaixo da epiderme nota-se a presença de hipoderme. A camada mais interna da região cortical é a endoderme, que pode se apresentar diferenciada, ou não. Geralmente essa camada celular nas pteridófitas e nas monocotiledôneas apresenta suas células com espessamento em U. Frequentemente nas dicotiledôneas essa camada celular assume o aspecto de bainha amilífera.

O periciclo pode ser característico como nas pteridófitas e monocotiledôneas, ou não. A região vascular e a medular fornecem também boas características à diagnose de drogas.

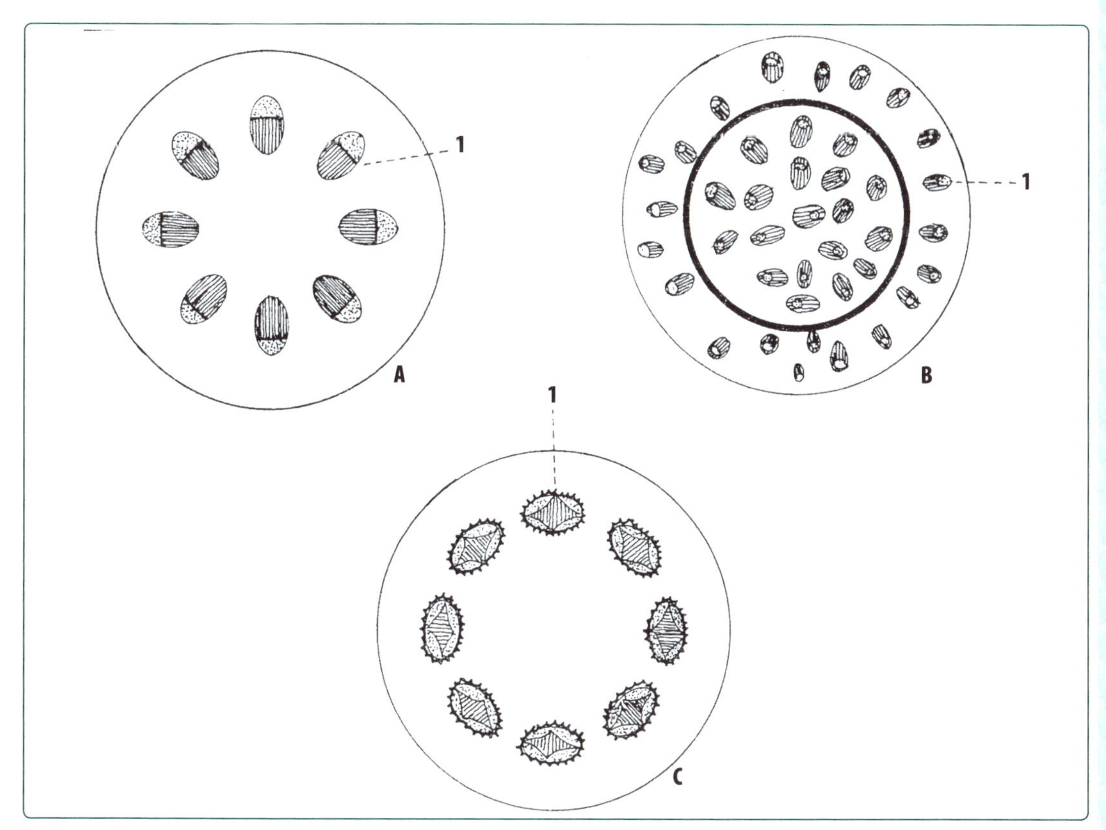

Fig. 11.2 – A. Desenho esquemático de caule com estrutura eustélica. **B.** Desenho esquemático de caule com estrutura atactostélica **C.** Desenho esquemático de caule com estrutura poliestélica: **1** – feixe vascular.

Caules com estrutura secundária

Inúmeras drogas apresentam em sua constituição caules com estrutura secundária.

As gimnospermas apresentam estrutura do tipo sifonostélica. Nela ocorre cilindro contínuo de floema e de xilema. O câmbio localizado entre o xilema e o floema forma xilema secundário para o lado de dentro e floema secundário para o lado de fora. O felógeno aparece, geralmente, logo abaixo da epiderme, formando a periderme.

Nas dicotiledôneas a estrutura pode ser do tipo sifonostélico (ectofloico ou anfifloico) ou do tipo eustélico (anfifloico ou ectofloico). Quando a estrutura é do tipo sifonostélico, o crescimento secundário é bastante semelhante ao das gimnospermas. O câmbio localizado entre o floema e o xilema é contínuo. Quando a estrutura da dicotiledônea é do tipo eustélico, o anel cambial é completado pelo aparecimento do câmbio interfascicular de natureza secundária.

Uma vez completado o anel cambial, tudo acontece como nos casos anteriores.

Morfodiagnose de drogas constituídas de diversas partes

Agrião

Nasturtium officinale R. Br. – *Cruciferae*

Parte usada: Partes aéreas.

Sinonímia vulgar: Agrião-das-fontes; Agrião-de-água; Berro; Berro-d'água; Agrião oficinal.

Sinonímia científica: *Roripa nasturtium* (L.) Rusbi; *Sisymbrium nasturtium* Thunb.; *Sisymbrium nasturtium-aquaticum* L.; *Sisymbrium fluviatile* Vell.; *Radicula nasturtium* (Thunb,) Ca.; *Nasturtium nasturtium* Cockerell; *Radicula nasturtium-aquaticum* Britt.

O AGRIÃO tem cheiro fraco característico, tornando-se mais intenso pela contusão da planta, apresentando sabor picante e fracamente amargo.

Descrição macroscópica

O AGRIÃO é planta herbácea, vivaz. Seu caule apresenta coloração verde, algumas vezes arroxeado na base. É flexível, glabro, fistuloso, semicilíndrico e provido de sulcos longitudinais pouco profundos. Mede de 15 a 30 cm de comprimento por até 1 cm de diâmetro na base. Ao nível dos nós origina finas raízes adventícias de coloração brancacenta.

Apresenta folhas alternas, compostas, pecioladas, emparipinadas providas de três a onze folíolos membranosos, glabros, de forma variando entre oval, elíptica até orbicular. O folíolo terminal geralmente apresenta tamanho maior e base subcordiforme. A margem dos folíolos é inteira ou levemente crenada.

As flores são alvinitentes, pequenas, dispostas em espigas terminais ou opostas às folhas. A corola é actinomorfa, crucífera e o cálice é dialissépalo regular formado de quatro sépalas. O androceu é tetradínamo e o ovário apresenta-se súpero-bicarpelar.

O fruto é uma siliqua curta, um pouco recurvada, mais comprida que o pedúnculo. As valvas são munidas de nervura dorsal distinta (Fig. 11.3).

Descrição microscópica

O caule apresenta estrutura eustélica, sendo os feixes vasculares do tipo colateral aberto. A epiderma caulinar, quando vista em secção transversal, é formada por células de contorno retangular alongada no sentido radial. Quando vista em secção paradérmica apresenta células alongadas no sentido longitudinal. Os estômatos localizam-se, com maior frequência, ao longo dos sulcos longitudinais. A região colenquimática subepidérmica é pouco desenvolvida. Tanto a região cortical quanto a região medular, onde aparece uma fístula, são providas de lacunas e câmaras constituindo aerênquima.

A secção transversal da folha apresenta limbo com mesofilo heterogêneo e assimétrico. As epidermes são constituídas por células irregulares na forma e no tamanho. Não apresentam pelos e os estômatos ocorrem em ambas as faces. As células epidérmicas, vistas de face, apresentam contorno levemente sinuoso, e os estômatos do tipo anisocítico acham-se distribuídos irregularmente. O parênquima paliçádico é formado por uma única fileira de células, ao passo que o parênquima lacunoso é bem desenvolvido. Na região do mesofilo ocorrem feixes vasculares do tipo colateral.

A planta não apresenta cristais de oxalato de cálcio.

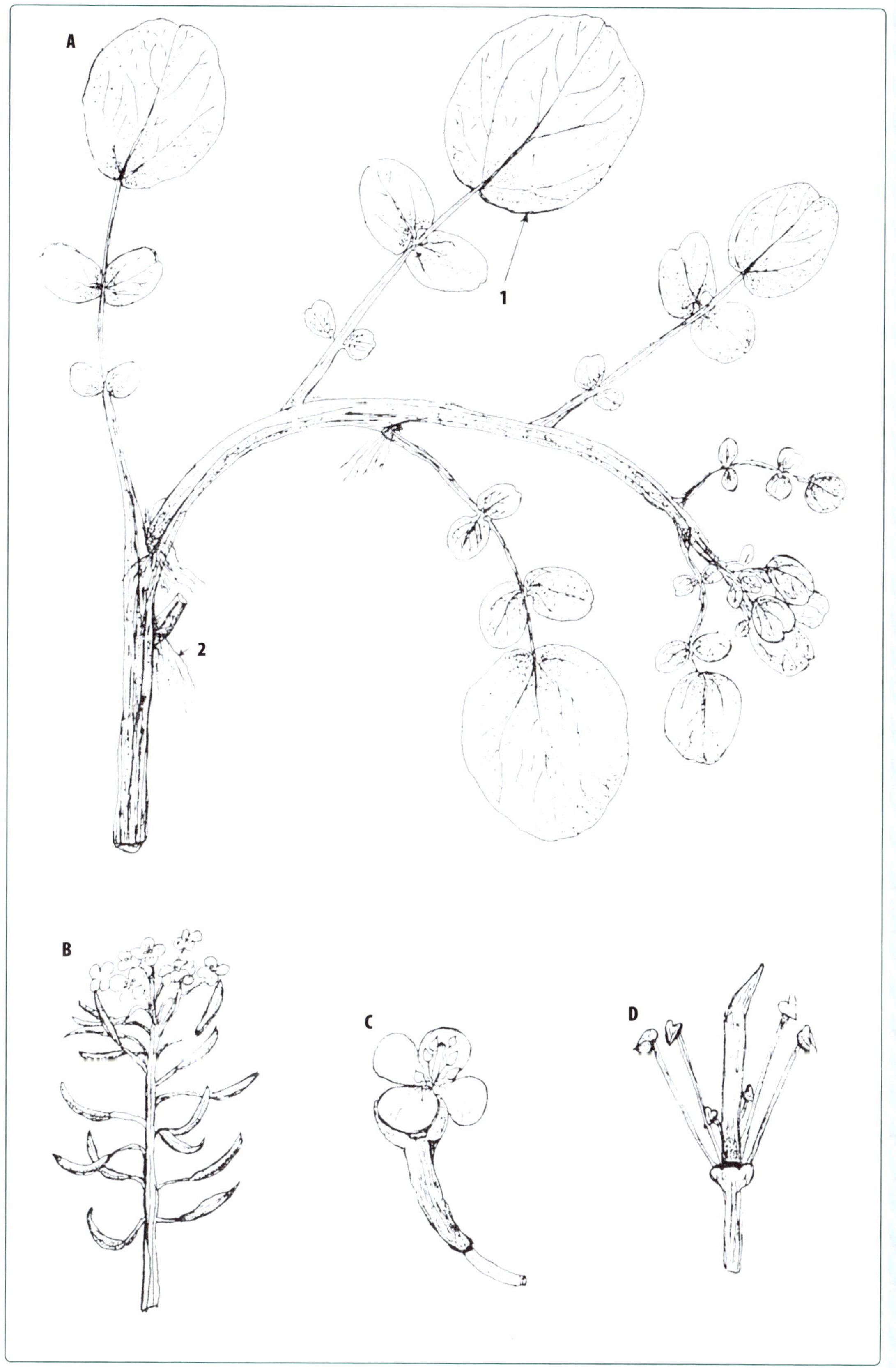

Fig. 11.3 – AGRIÃO *(Nasturtium officinale* R. Br.). **A.** Ramo com folhas e raízes adventícias: **1** – folha; **2** – raízes adventícias. **B.** Inflorescência com frutos e flores. **C.** Flor isolada. **D.** Flor isenta de cálice e corola mostrando androceu com estames tetradínamos e gineceu.

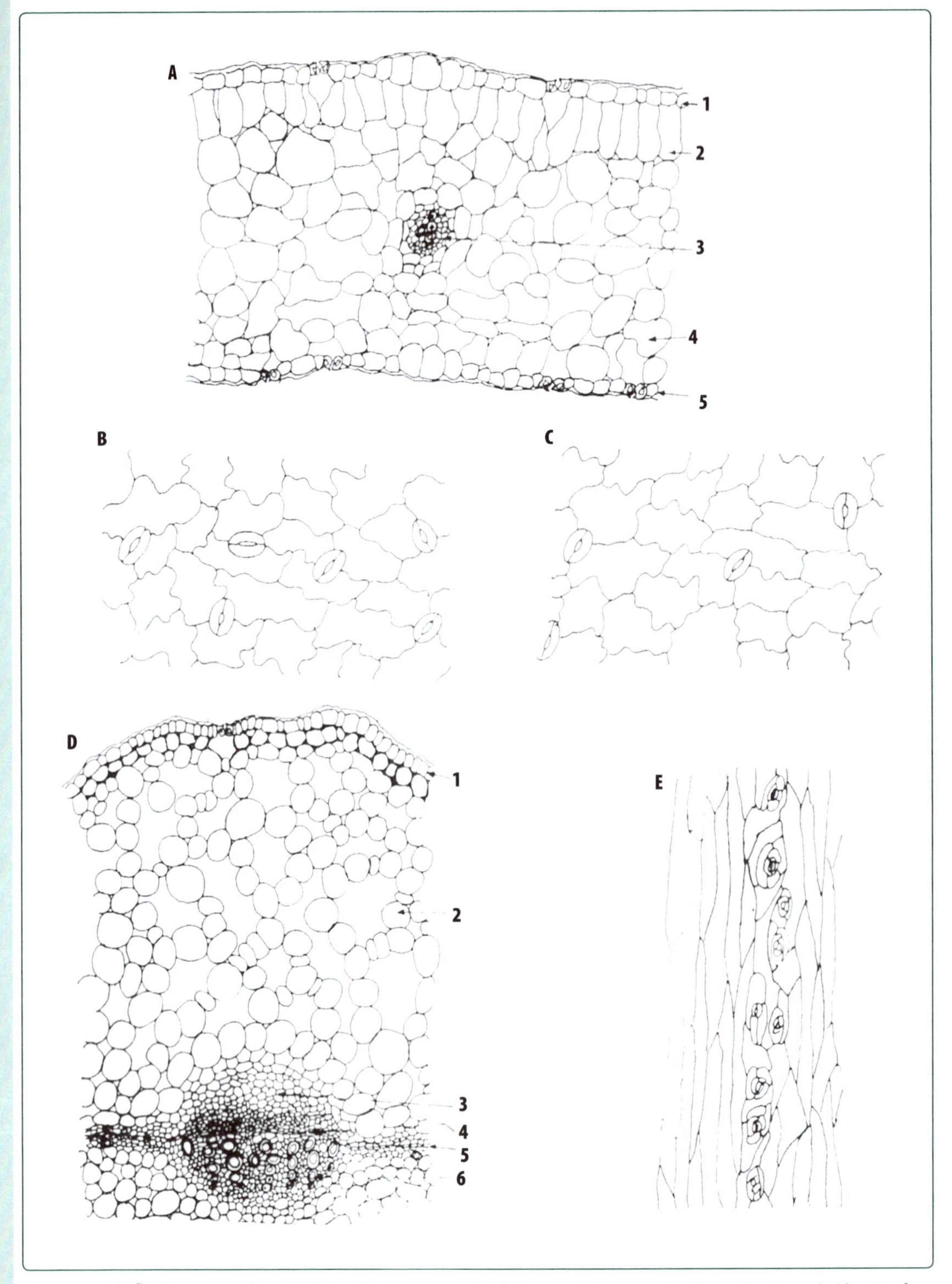

Fig. 11.4 – AGRIÃO *(Nasturtium officinale* R. Br.). **A.** Secção transversal da folha: **1** – epiderme superior; **2** – parênquima paliçádico; **3** – feixe vascular; **4** – parênquima lacunoso; **5** – epiderme inferior. **B.** Epiderme superior da folha vista de face. **C.** Epiderme inferior da folha vista de face. **D.** Secção transversal do caule: **1** – epiderme; **2** – parênquima cortical; **3** – floema; **4** – câmbio fascicular; **5** – câmbio interfascicular; **6** – xilema. **E.** Epiderme do caule vista de face.

Alecrim

Rosmarinus officinalis L. – *Labiatae*

Parte usada: Folha e sumidade florida.

Sinonímia vulgar: Rosmarino; Rosmarinho; Alecrim-de-jardim; Alecrim-de-cheiro.

Sinonímia científica: *Rosmarinus latifolius* Miller; *Rosmarinus angustifolius* Miller; *Rosmarinus chilensis* Molina.

O ALECRIM possui cheiro aromático canforado e sabor um tanto amargo.

Descrição macroscópica

Subarbusto, bastante ramoso e densamente foliado, cujo caule geralmente mede de 1 a 2 metros de altura e apresenta secção transversal obtuso tetragonal. Apresenta ramos geralmente opostos e um tanto pubescentes.

As folhas são sésseis, lineares, inteiras, coriáceas e persistentes. Apresentem disposição oposta e margens fortemente revolutas; na página superior são verdes e pontuado-rugosas, ao passo que na página inferior são brancas tomentosas. Medem de 2 a 3,5 cm de comprimento por 2 a 4 mm de largura. A nervura mediana é bastante proeminente do lado da página inferior.

As flores acham-se reunidas em pequenos rácimos axilares; são pouco numerosas e curtamente pediceladas. O cálice é tomentoso-pubescente e possui coloração variando de verde até tonalidades purpúreas. A corola é bilabiada e de coloração azulada sobre a qual se inserem dois estames providos de uma única teca fértil e a outra transformada em alavanca. O gineceu apresenta ovário súpero-bicarpelar e falsamente tetralocular por invaginação dos carpelos. O estilete é inserido ginobasicamente. O ovário se assenta sobre um disco glandular unilateralmente expandido e saliente.

Fruto seco separando-se caracteristicamente em quatro frutículos ou núculas (Fig. 11.5).

Descrição microscópica

A epiderme superior é formada de células de contorno retangular alongadas no sentido tangencial. Essas células, quando vistas de face, têm contorno poligonal e paredes espessadas. Apresenta pelos tectores unicelulares e cônicos. A epiderme inferior, quando vista de face, apresenta células de contorno sinuoso e estômatos do tipo diacítico. Sobre essa epiderme, pode-se observar também a presença de pelos tectores ramificados pluricelulares. Tanto a epiderme superior quanto a inferior apresentam pelos glandulares capitados suportados por pedicelo bicelular. A epiderme inferior possui, ainda, pelos glandulares do tipo das labiadas, providas de quatro ou oito células formando a glândula.

Abaixo da epiderme superior existe hipoderme formada de várias camadas de células poligonais grandes, bastante visíveis na região do feixe vascular. O mesofilo é heterogêneo e assimétrico, formado de uma ou duas camadas de células paliçádicas, e de poucas camadas de células formando o parênquima lacunoso.

A secção transversal da folha mostra margem revoluta e nervura mediana bastante saliente do lado da epiderme inferior. O feixe vascular é do tipo colateral e envolvido por parênquima fundamental.

O caule em secção transversal apresenta estrutura eustélica (Fig. 11.6).

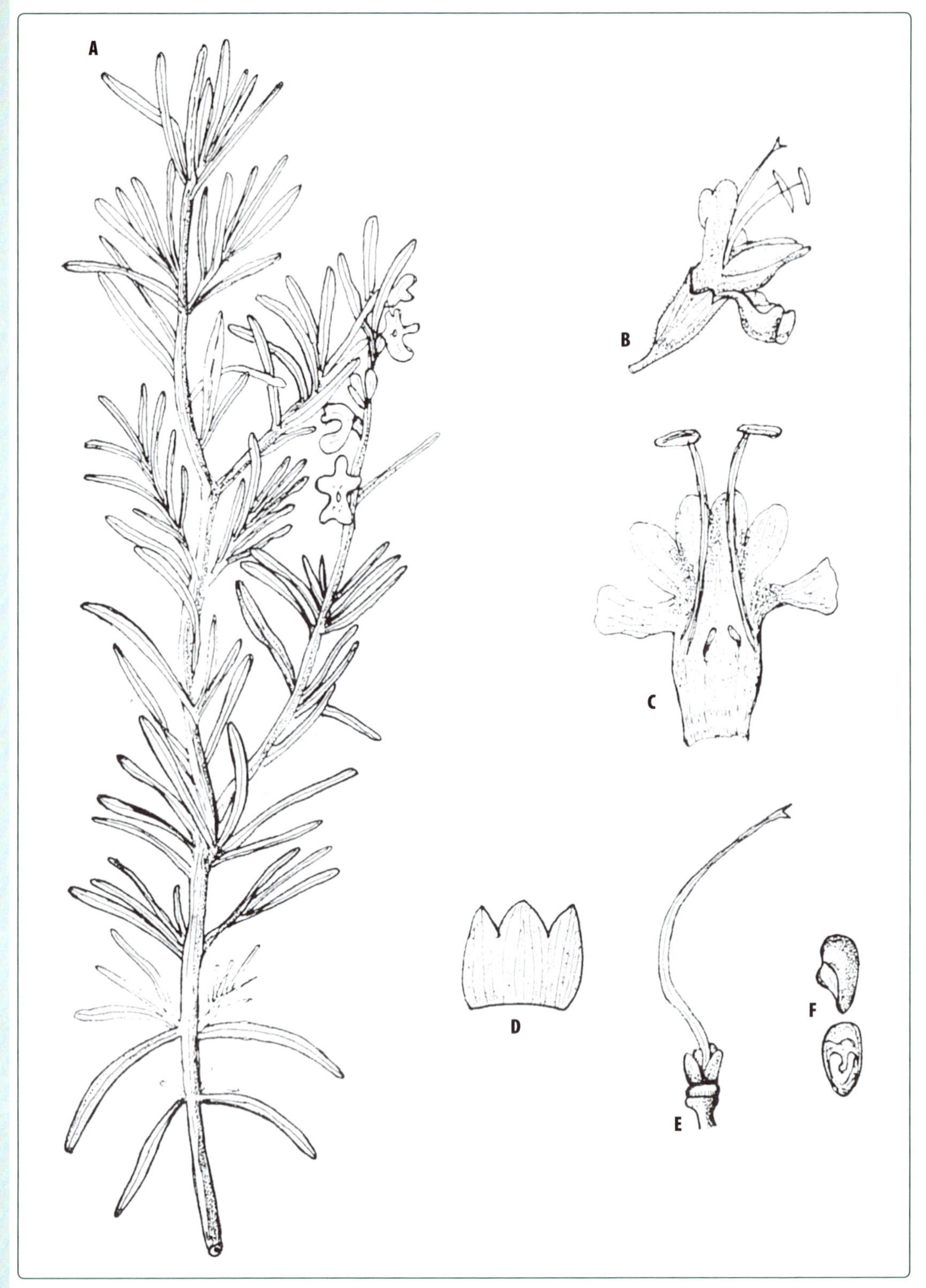

Fig. 11.5 – ALECRIM *(Rosmarinus officinalis* L.). **A.** Ramo florido. **B.** Flor bilabiada. **C.** Corola aberta mostrando estames didínamos. **D.** Cálice aberto. **E.** Gineceu mostrando estilete ginobásico e ovário tetralocular (tetranúculas). **F.** Núculas.

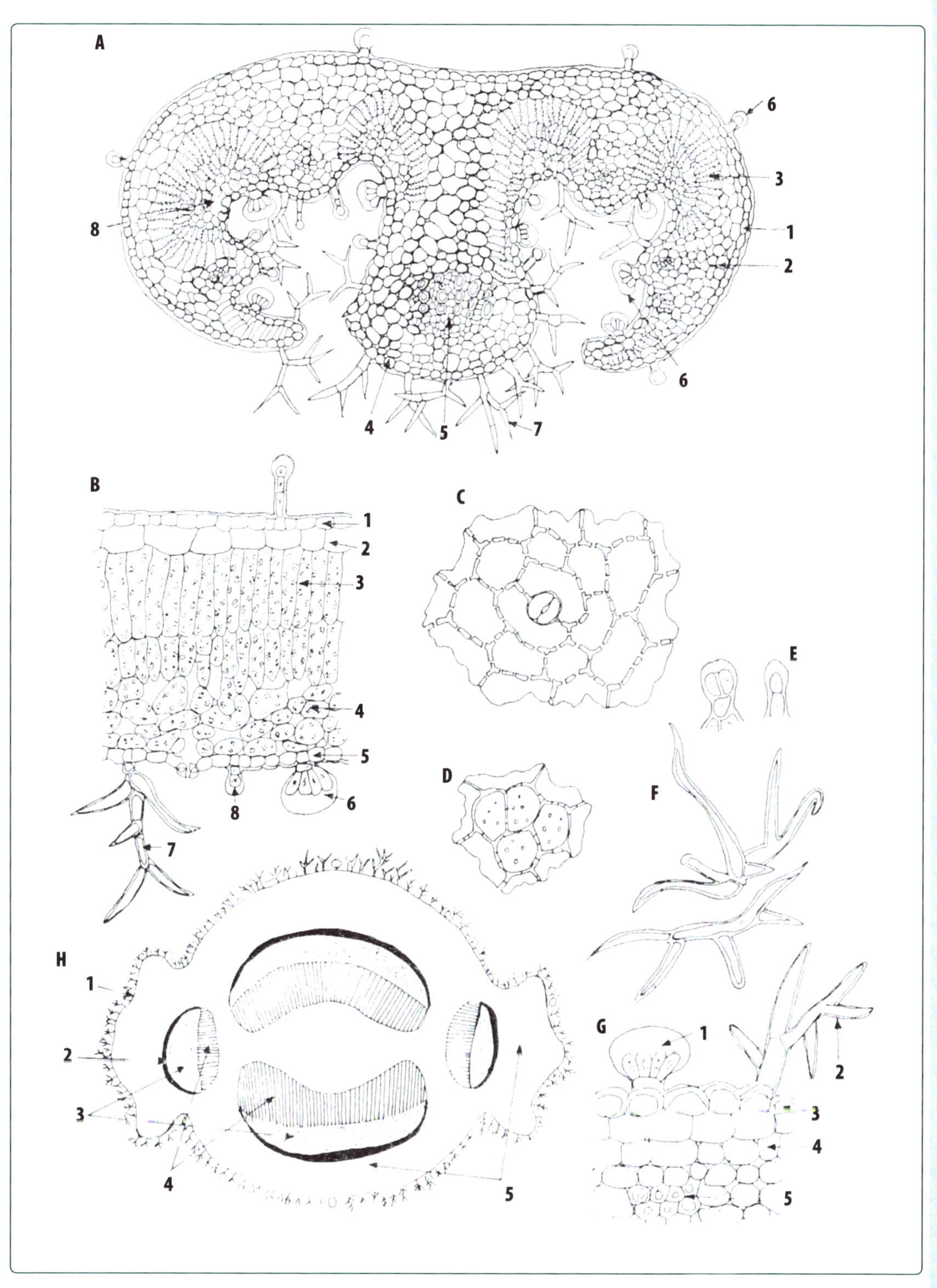

Fig. 11.6 – ALECRIM *(Rosmarinus officinalis* L.). **A.** Secção transversal da folha mostrando: **1** – epiderme superior; **2** – hipoderme adjacente ao parênquima fundamental; **3** – parênquima paliçádico; **4** – epiderme inferior; **5** – feixe vascular; **6** – pelo glandular; **7** – pelo tector ramificado; **8** – parênquima lacunoso. **B.** Secção transversal da folha ao nível da região mediana: **1** – epiderme superior; **2** – hipoderme; **3** – parênquima paliçádico; **4** – parênquima lacunoso; **5** – epiderme inferior; **6** – pelo glandular tipo *Labiatae;* **7** – pelo tector ramificado; **8** – pelo glandular capitado. **C.** Epiderme inferior mostrando estômato diacítico. **D.** Hipoderme (visão paradérmica por transparência). **E.** Pelos glandulares. **F.** Pelos tectores ramificados. **G.** Desenho esquemático de secção transversal do caule: **1** – pelo glandular tipo *Labiatae;* **2** – pelo tector ramificado; **3** – epiderme; **4** – parênquima cortical; **5** – fibras. **H.** Desenho esquemático de secção transversal de caule: **1** – epiderme; **2** – periciclo; **3** – floema; **4** – xilema; **5** – região cortical.

Arnica-do-Brasil

Solidago microglossa DC – *Compositae*

Parte usada: Folha; partes aéreas floridas; sumidades floridas.

Sinonímia vulgar: Arnica; Erva-lanceta; Arnica-silvestre; Espiga-de-ouro; Lanceta; Macela-miúda; Marcela-miúda; Rabo-de-rojão; Sapé-macho.

Sinonímia científica: *Solidago marginella* DC; *Solidago nitidula* Martius; *Solidago odora* Hook et Arn.; *Solidago polyglossa* DC; *Solidago vulneraria* Martius.

A droga possui odor fracamente aromático e sabor um pouco amargo.

Descrição macroscópica

Vegetal ereto que mede geralmente cerca de 1 metro de altura, quando florido, por até 1,5 cm de diâmetro na base. O caule é simples, não ramificado, de coloração verde-clara na parte superior e verde-acinzentada na inferior, pubescente e de forma cilíndrica. Apresenta fratura fibrosa.

As folhas são sésseis, alternas, inteiras e membranosas. O limbo das folhas localizadas na parte superior do caule apresenta forma linear, ao passo que aqueles localizados na parte inferior são lanceolados. Medem até 10 cm de comprimento por até 1,5 cm de largura. A margem foliar é ligeiramente serrilhada na porção apical e quase lisa na porção basal.

As folhas são viridescentes, sendo a face inferior mais clara que a superior. Da parte mediana da nervura principal, que é deprimida na página superior e saliente na inferior, partem duas nervuras secundárias que se dirigem para o ápice foliar anastomosando-se com outras nervuras secundárias.

As flores acham-se reunidas em grandes panículas que alcançam, algumas vezes, 20 cm de comprimento. Os capítulos apresentam cor amarela e são constituídos de oito a dez floretas tubulosas e dezoito a vinte floretas liguladas. As brácteas que envolvem os capítulos variam de lineares a lanceoladas, medindo o invólucro, que é campanular, cerca de 3 mm de comprimento. As floretas externas do capítulo são femininas e as floretas internas são hermafroditas.

O fruto é do tipo aquênio; mede cerca de 1 mm de comprimento e apresenta pequenas elevações em sua superfície. Mostra base ligeiramente aguda e ápice truncado e encimado pelo papo (Fig. 11.7).

Descrição microscópica

A folha apresenta mesofilo de estrutura heterogênea e simétrica. As epidermes, vistas em secção transversal, apresentam células de contorno retangular, alongadas no sentido periclinal. As células da epiderme inferior são um pouco menores que as da epiderme superior. Ambas as epidermes são providas de pelos tectores unisseriados, geralmente formados por duas a quatro células, sendo frequentemente a célula terminal alongada e fina. Os estômatos ocorrem em ambas as epidermes e são do tipo anomocítico.

As epidermes, vistas em secção paradérmica, apresentam células de paredes finas e contorno aproximadamente poligonal. O parênquima paliçádico é formado por duas fileiras de células tanto do lado da epiderme superior quanto do lado da epiderme inferior. A região mediana do mesofilo é constituída por uma ou duas fileiras de células parenquimáticas grandes e de paredes finas, as quais estão em continuidade com a bainha dos feixes vasculares que apresentam, caracteristicamente, a região floemática relacionada com o canal secretor.

A região da nervura mediana apresenta secção transversal biconvexa com a parte relacionada com a epiderme inferior bastante proeminente. Essa região possui três feixes vasculares, envolvidos pelo parênquima fundamental, relacionados com o canal secretor. Logo abaixo das epidermes, nas regiões adjacentes aos feixes vasculares, nota-se a presença de colênquima angular.

O caule apresenta estrutura eustélica. A epiderme apresenta anexos semelhantes àqueles descritos para a folha. A região colenquimática subepidérmica é pouco desenvolvida e os feixes vasculares são do tipo colateral aberto relacionados com canais secretores e protegidos por grupo de fibras. As regiões parenquimáticas são bem desenvolvidas.

A droga não apresenta cristais de oxalato de cálcio (Figs. 11.8 e 11.9).

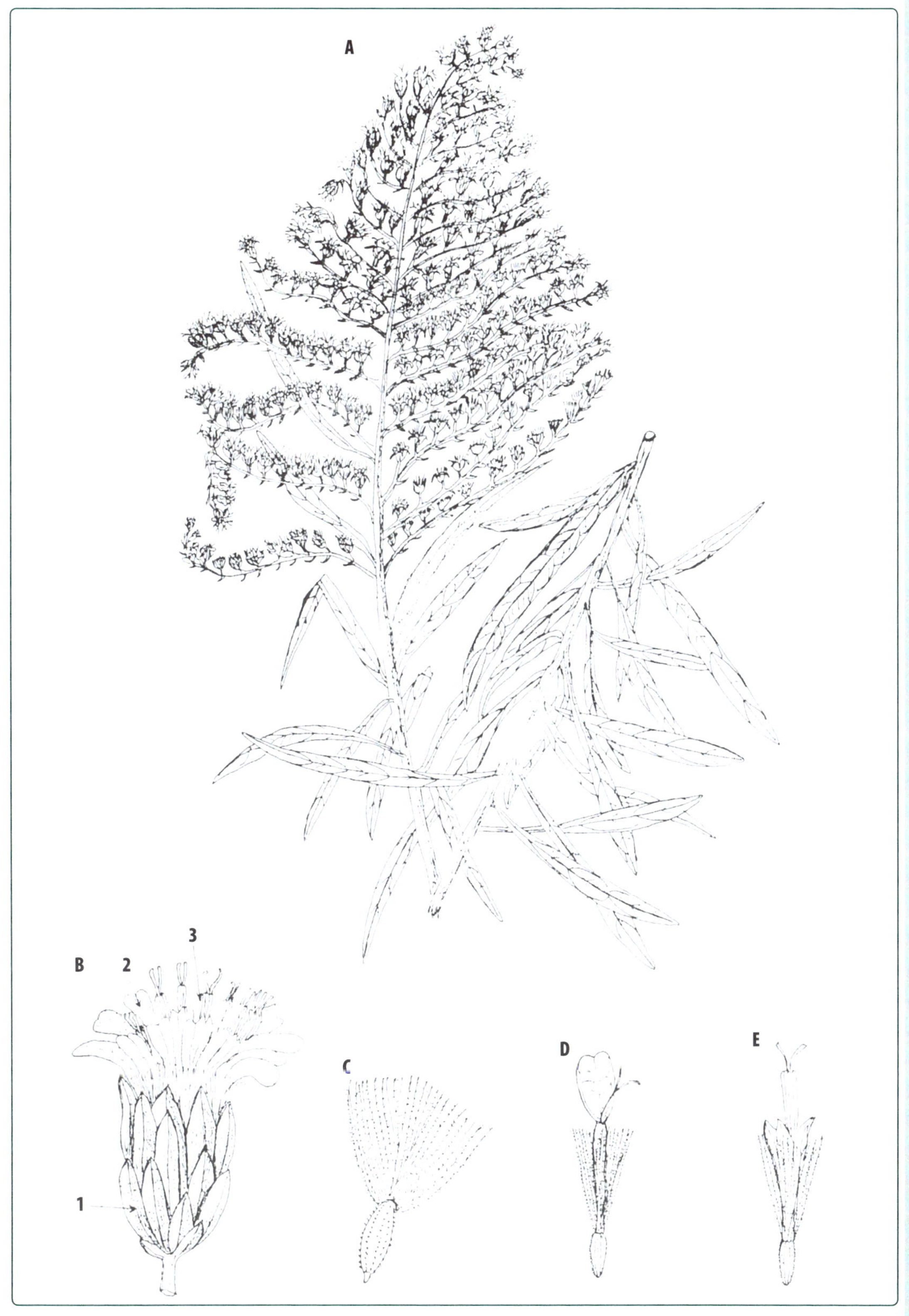

Fig. 11.7 – ARNICA-DO-BRASIL *(Solidago microglossa* DC). **A.** Ramo florido. **B.** Capítulo: **1** – bráctea involucral; **2** – floreta ligulada; **3** – floreta tubulosa. **C.** Aquênio. **D.** Floreta ligulada. **E.** Floreta tubulosa.

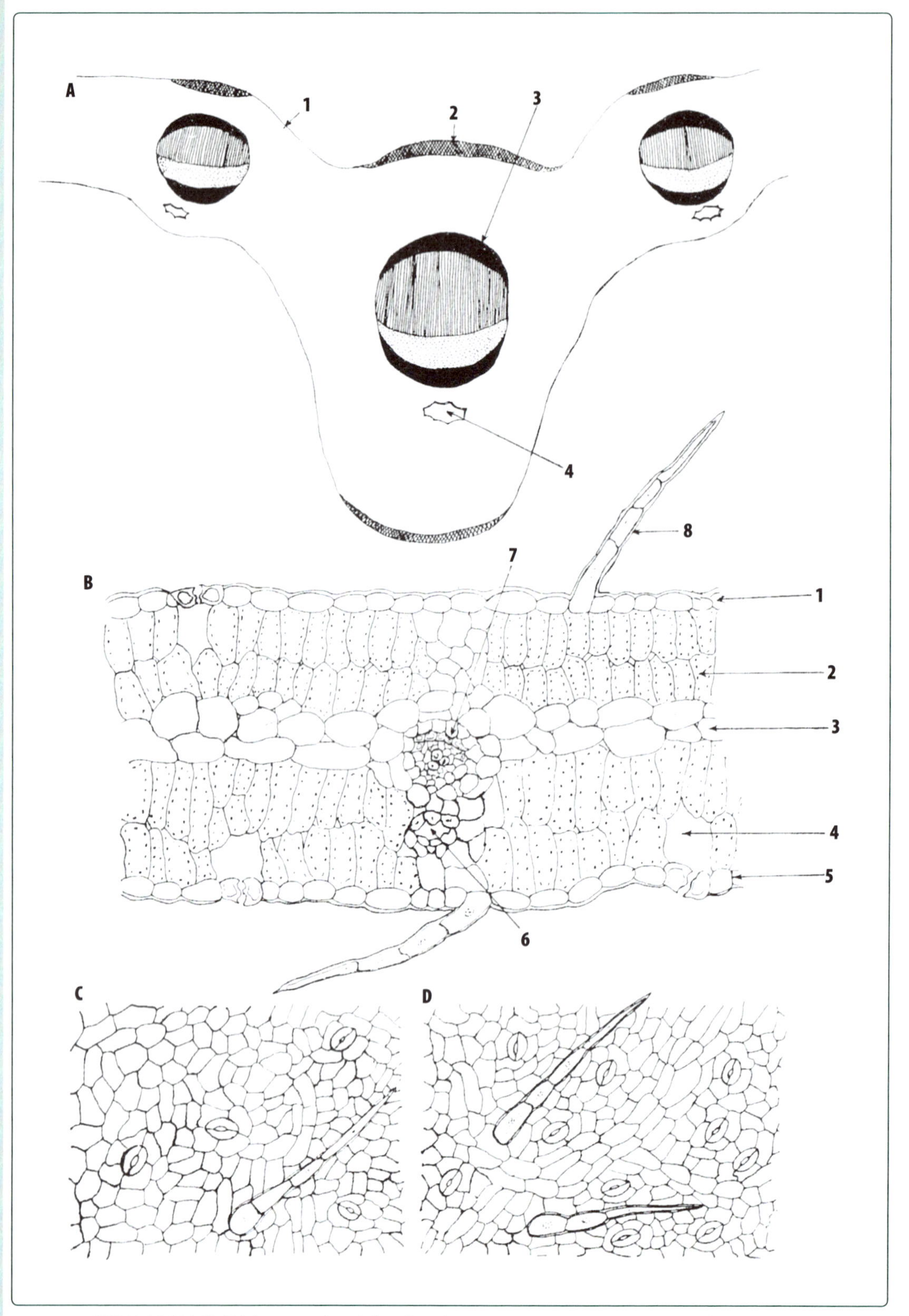

Fig. 11.8 – ARNICA-DO-BRASIL *(Solidago microglossa* DC). **A.** Desenho esquemático de secção transversal da folha ao nível do terço médio inferior: **1** – epiderme; **2** – colênquima; **3** – feixe vascular; **4** – canal secretor. **B.** Secção transversal da região do limbo: **1** – epiderme superior; **2** – parênquima paliçádico; **3** – parênquima lacunoso; **4** – câmara subestomática; **5** – epiderme inferior; **6** – canal secretor; **7** – feixe vascular; **8** – pelo tector. **C.** Epiderme superior vista de face. **D.** Epiderme inferior vista de face.

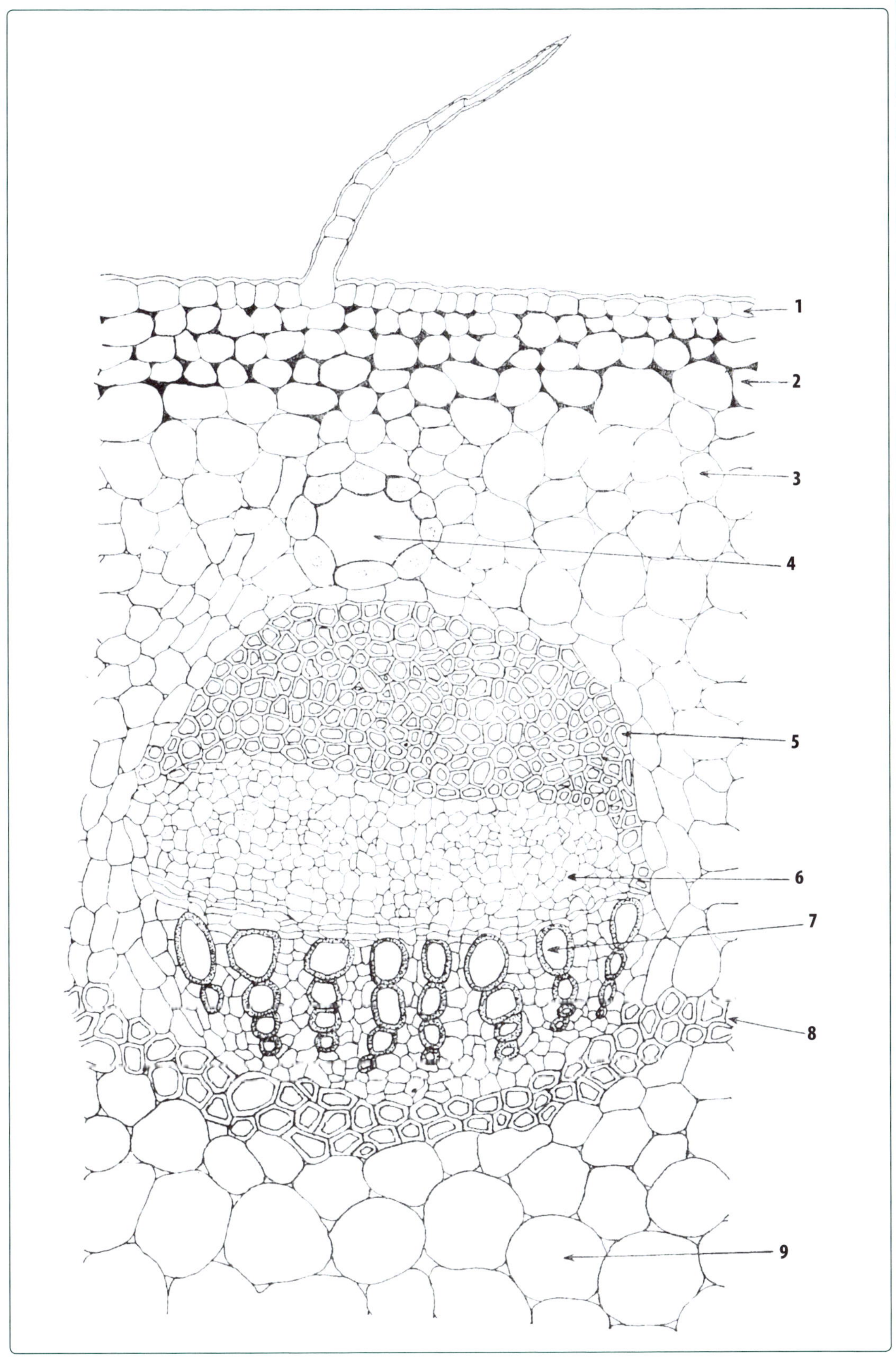

Fig. 11.9 – ARNICA-DO-BRASIL *(Solidago microglossa* DC). – Secção transversal do caule: **1** – epiderme; **2** – colênquima; **3** – parênquima cortical; **4** – canal secretor; **5** – periciclo fibroso; **6** – floema; **7** – xilema; **8** – bainha fibrosa; **9** – parênquima medular.

Aruca

Calea pinnatifida (R. Brown). Banks ex Steudel – *Compositae*

Parte usada: Partes aéreas e partes aéreas floridas.

Sinonímia vulgar: Jasmim-do-mato; Erva-de-lagarto-falsa; Arnica-falsa; Mata-paca; Erva-de-cobra.

Sinonímia científica: *Caleacte pinnatifida* R. Brown (basônimo); *Mocinna brasiliensis* Spreng; *Actinea commutata* Spreng; *Calea pinnatifida* Lessing.

A droga possui odor aromático e sabor amargo.

Descrição macroscópica

Subarbusto sarmentoso provido de caule bastante ramificado de contorno hexagonal, tendendo a cilíndrico nas partes mais velhas. Apresenta partes jovens com coloração esverdeada com mais frequência, podendo ser também arroxeada. As regiões mais velhas apresentam coloração castanha ou acinzentada. As regiões dos nós são bem evidentes e as regiões dos entrenós apresentam-se estriadas longitudinalmente.

As folhas são opostas; medem de 3 a 10 cm de comprimento por 1,5 a 8 cm de largura. Apresentam limbo recortado com profundidade diversa, sendo geralmente dissecadas, ou quase, na região localizada próxima à base. O contorno é oval lanceolado, o ápice é acuminado e a base varia de arredondada a subcordada. Os capítulos apresentam cor amarela e são pedunculados axiliares ou terminais, apresentando forma campanulada.

As floretas marginais são liguladas e femininas, ao passo que as florestas centrais são tubulosas e hermafroditas. O receptáculo é constituído por aproximadamente 25 brácteas involucrais.

O fruto é do tipo aquênio e possui forma angulosa, sendo provido de cerdas lineares integrando o papo.

Descrição microscópica

A folha apresenta mesofilo de estrutura heterogênea e assimétrica. As epidermes, vistas em secção transversal, apresentam células de contorno aproximadamente retangular alongadas no sentido tangencial. As células da epiderme inferior têm tamanho um pouco menor do que as células da epiderme superior. A epiderme superior, quando vista de face, apresenta células providas de contorno aproximadamente poligonal e de paredes pouco sinuosas. Essa epiderme não apresenta estômatos e é provida de pelos tectores unisseriados formados por duas a cinco células, sendo a terminal, em algumas delas, mais longa e afilada. A epiderme superior apresenta ainda pelos glandulares com pedicelo pluricelular unisseriado e glândula unicelular, os quais, caracteristicamente, apresentam forma encurvada. A epiderme inferior é semelhante à epiderme superior, diferindo desta por apresentar células de tamanho menor e de paredes mais sinuosas. Apresenta estômatos do tipo anomocítico e, além dos pelos já descritos, outros, do tipo glandular, formados por duas séries de três ou quatro células.

O parênquima paliçádico é constituído de uma única camada celular e que corresponde a mais ou menos um terço da largura do mesofilo. O parênquima lacunoso é frouxo e formado por quatro a seis camadas celulares. Feixes vasculares delicados podem ser observados na região do mesofilo sempre relacionados com canais secretores. A região da nervura mediana é biconvexa e encerra de três a cinco feixes vasculares do tipo colateral envolvidos pelo parênquima fundamental, no qual pode ser notada a presença de inúmeros canais secretores. O colênquima localizado subepidermicamente é mais desenvolvido do lado da epiderme superior.

O caule apresenta estrutura eustélica. Sua secção transversal é obtuso-hexagonal. A epiderme em secção transversal apresenta células de contorno aproximadamente retangular alongadas no sentido anticrinal. Pelos tectores e glandulares dos tipos já descritos anteriormente podem ser observados sobre essa epiderme. O colênquima é do tipo angular, sendo mais desenvolvido nas regiões salientes do caule. Canais secretores ocorrem tanto na região cortical quanto na região medular. Os feixes vasculares são do tipo colateral aberto, sendo protegidos por calota fibrosa do lado do floema e unidos por anel esclerenquimático do lado do xilema (Figs. 11.11 e 11.12).

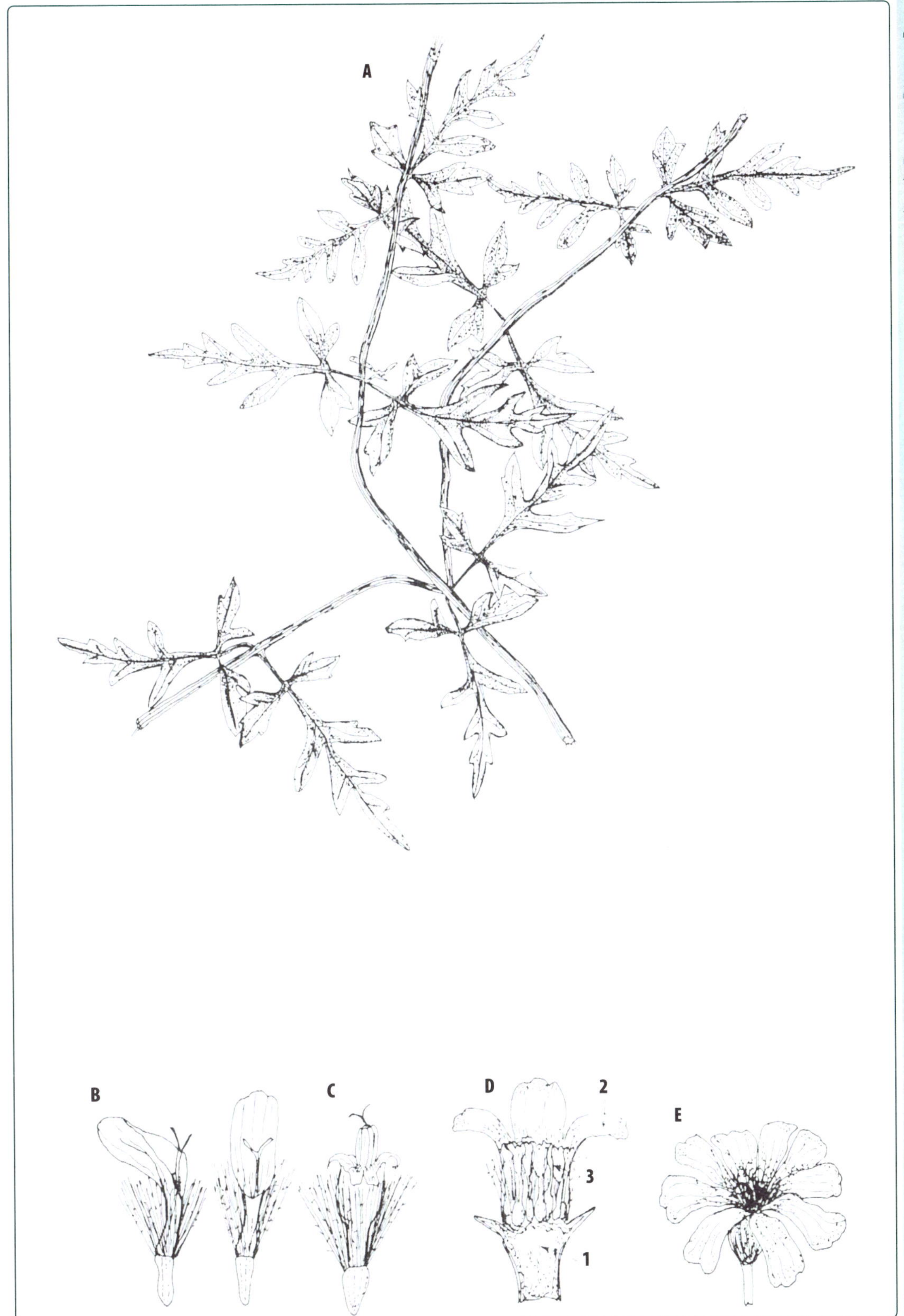

Fig. 11.10 – ARUCA *(Calea pinnatifida* (R. Brown) Banks ex Steudel). **A.** Ramo. **B.** Floretas liguladas. **C.** Floreta tubulosa. **D.** Capítulo cortado longitudinalmente: **1** – receptáculo; **2** – floreta ligulada; **3** – floreta tubulosa. **E.** Capítulo inteiro.

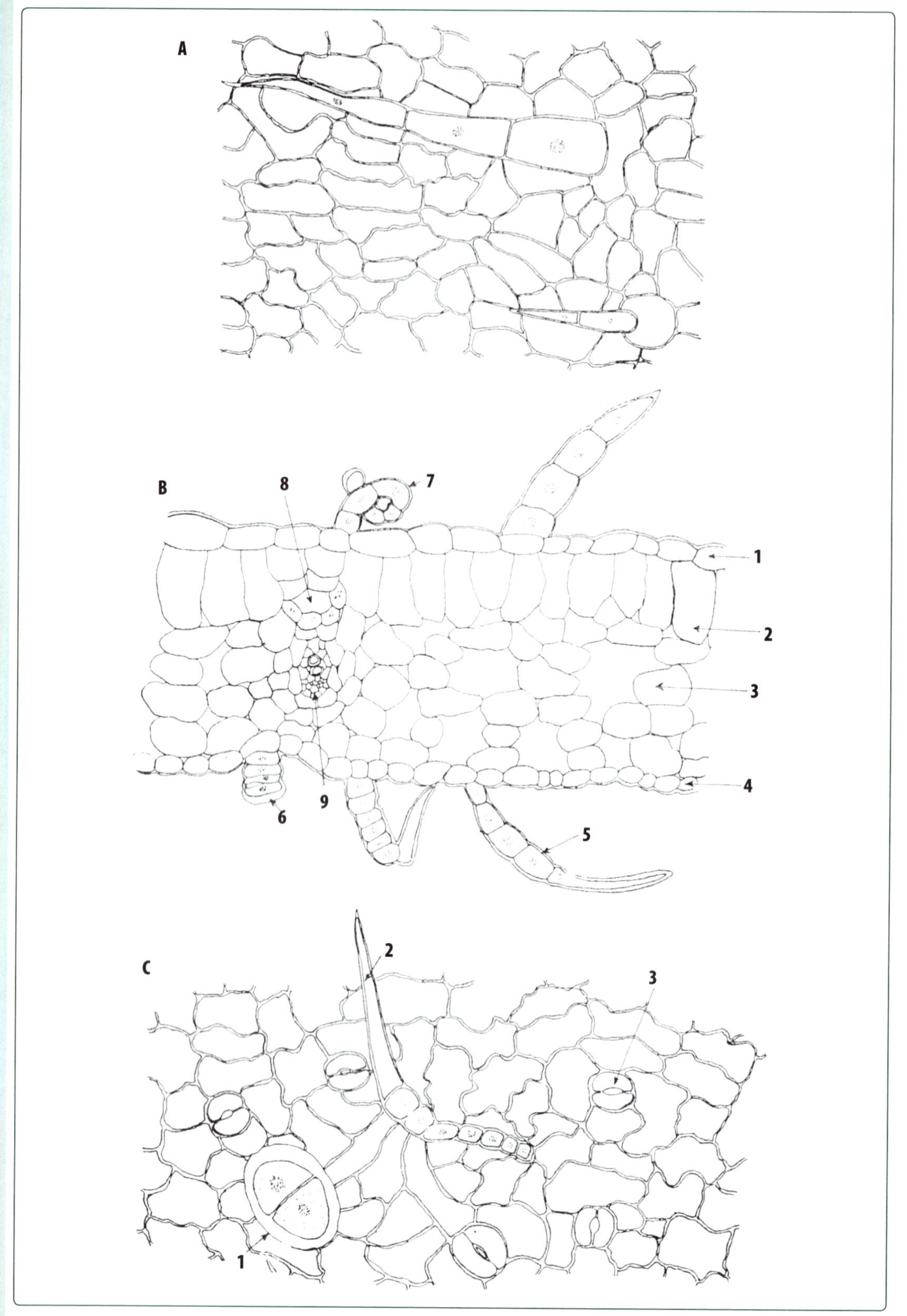

Fig. 11.11 – ARUCA *(Calea pinnatifida* (R. Brown) Banks ex Steudel). **A.** Epiderme superior vista de face mostrando pelos tectores cônicos unisseriados. **B.** Secção transversal da folha: **1** – epiderme superior; **2** – parênquima paliçádico; **3** – parênquima lacunoso; **4** – epiderme inferior; **5** – pelo tector; **6** – pelo glandular; **7** – pelo glandular torcido; **8** – canal secretor; **9** – feixe vascular. **C.** Epiderme inferior vista de face mostrando: **1** – pelo glandular; **2** – pelo tector; **3** – estômato anomocítico.

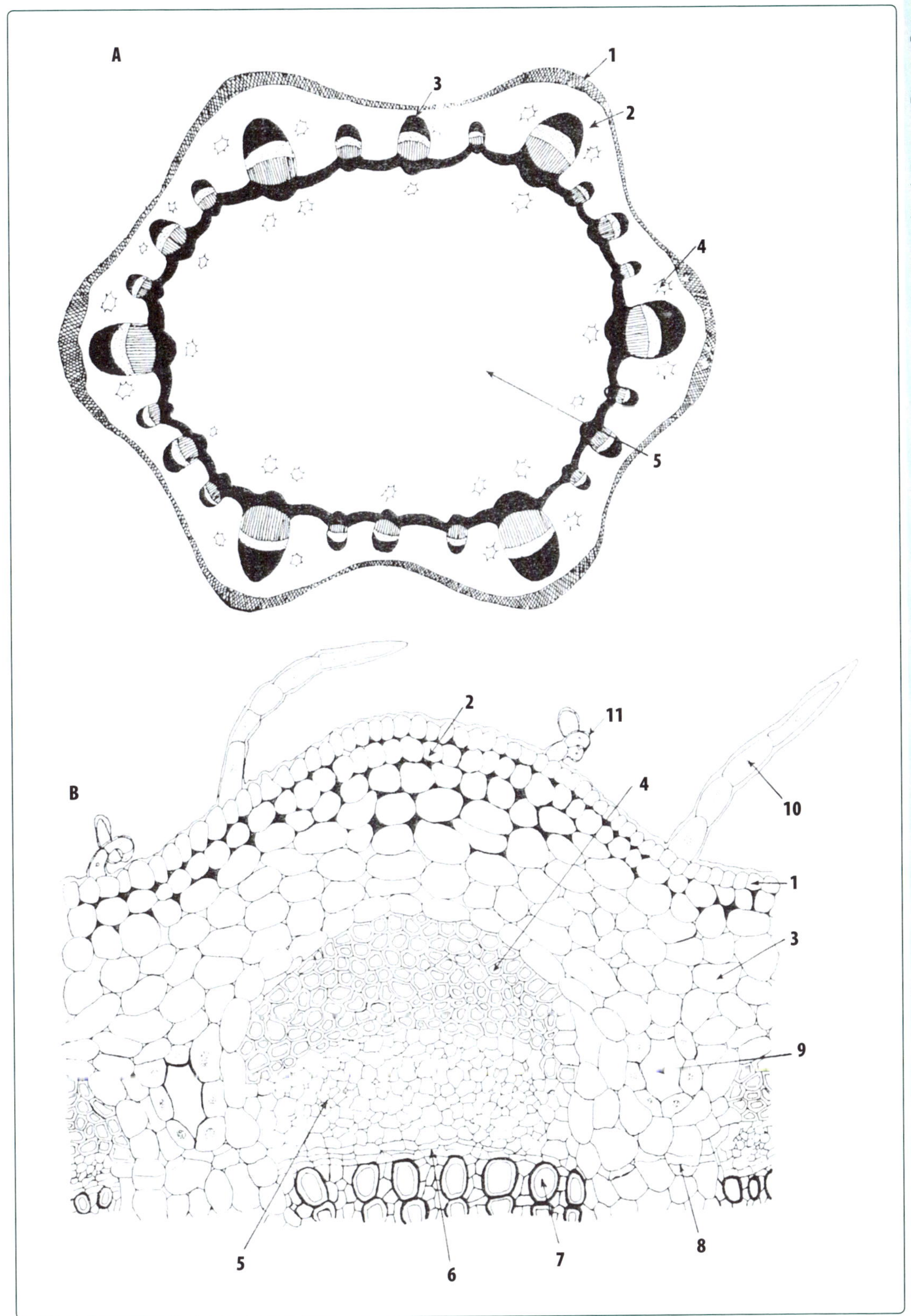

Fig. 11.12 – ARUCA *(Calea pinnafitida* (R. Brown) Banks ex Steudal). **A.** Desenho esquemático de secção transversal de caule: **1** – colênquima; **2** – região cortical; **3** – feixe vascular; **4** – canal secretor; **5** – região medular. **B.** Secção transversal de caule mostrando: **1** – epiderme; **2** – colênquima; **3** – região cortical; **4** – periciclo fibroso; **5** – floema; **6** – região cambial fascicular; **7** – xilema; **8** – região cambial interfascicular; **9** – canal secretor; **10** – pelo tector; **11** – pelo glandular.

Cipó-cabeludo

Mikania hirsutissima DC – *Compositae*

Parte usada: Partes aéreas e partes aéreas floridas.

Sinonímia vulgar: Guaco-cabeludo; Guaco-de-cabelos; Cipó-almecega; Cipó-almecega-cabeludo; Erva-dutra; Cipó-caatinga; Cipó-de-cerca.

Sinonímia científica: *Mikania sepiaria* Gardn; *Mikania martiana* Gardn; *Mikania ursina* Martins; *Eupatorium hirtum* Less; *Willugbaeya hersutissima* Necker.

A droga possui odor fracamente aromático e sabor um tanto amargo.

Descrição macroscópica

Planta volúvel, provida de caule bastante ramificado, cujos ramos emergem do principal num ângulo de aproximadamente 90º. O caule é cilíndrico lenhoso, coberto de pelos apresentando coloração castanha em suas partes jovens. É estriado longitudinalmente e provido de fratura fibrosa.

As folhas são opostas palmatinérveas, com ápice acuminado, base codiforme e de margem pouco denteada. São verde-escuras, esparso-pilosas e ligeiramente ásperas na face ventral e verde-brancacentas, densamente pilosas e aveludadas na face dorsal. Medem até 25 cm de comprimento por até 15 cm de largura. O limbo tem cinco nervuras principais que saem do ápice do pecíolo. Da nervura mediana, algumas vezes, partem duas nervuras mais calibrosas do que as demais nervuras secundárias, na altura do terço médio inferior da folha. As duas nervuras citadas emergem da nervura principal mediana num ângulo de aproximadamente 30º, ao passo que as outras em ângulos de 80º a 90º. Todas as nervuras são pouco salientes na face ventral e mais acentuadas na dorsal. Os pecíolos são pilosos e ligeiramente arqueados, alcançando até 10 cm de comprimento por 3 mm de espessura na base.

Os capítulos florais reúnem-se em carimbos e estes formam amplas panículas. Os capítulos são pedunculados, medindo aproximadamente 1 cm de comprimento. Cada capítulo tem quatro floretas, cada uma protegida por bráctea navicular estriada no sentido longitudinal e tenuemente pilosa. Todo o conjunto é protegido por bráctea maior de aspecto semelhante às anteriores.

As floretas são tubulosas, hermafroditas, brancacentas, providas de papo com cerca de trinta cerdas delicadas e providas de espículos. O fruto, de coloração escura, é um aquênio pentangular medindo até 3 mm de comprimento (Fig. 11.13).

Descrição microscópica

A folha apresenta mesofilo heterogêneo e assimétrico. As epidermes, quando observadas em secção transversal, apresentam células providas de contorno retangular alongadas no sentido periclinal. As células da epiderme superior são maiores que aquelas da epiderme inferior que, por sua vez, são um tanto irregulares na forma ou no tamanho. Ambas as epidermes são providas de pelos tectores pluricelulares e unisseriados e de pelos glandulares encurvados. As epidermes, quando vistas de face, apresentam células de contorno poligonal um tanto sinuosas, principalmente na epiderme inferior. Os estômatos do tipo anomocítico ocorrem exclusivamente na epiderme inferior.

O parênquima paliçádico é constituído por duas fileiras celulares. O parênquima lacunoso é formado de quatro a seis fileiras de células. Feixes vasculares do tipo colateral podem ser observados na região do mesofilo acompanhados de canal secretor. A região da nervura mediana apresenta de três a cinco feixes vasculares envolvidos pelo parênquima fundamental e relacionados com canais secretores (Fig. 11.14).

O caule apresenta estrutura eustélica. Possui a epiderme recoberta por pelos longos, tectores, unisseriados. Pelos glandulares semelhantes àqueles que ocorrem nas folhas também podem ser observados.

Caules mais velhos apresentam súber formado por felógeno, que se desenvolve logo abaixo da epiderme. Na região mediana do córtex pode-se notar a presença de anel esclerenquimático formado por células que apresentam caracteristicamente as paredes transversais e basais espessadas por lignina. Os feixes vasculares são do tipo colateral aberto encimado por calota fibrosa e estão relacionados com canais secretores localizados na região dos raios medulares ao lado da região floemática.

Em estruturas mais velhas, os raios medulares desenvolvem-se em forma de cunhas que separam os feixes vasculares, os quais apresentam floema bem desenvolvido ao lado de dilema secundário, em que aparecem vasos de grande abertura isolados ou em pequenos grupos. As folhas e o caule não apresentam cristais de oxalato de cálcio (Fig. 11.15).

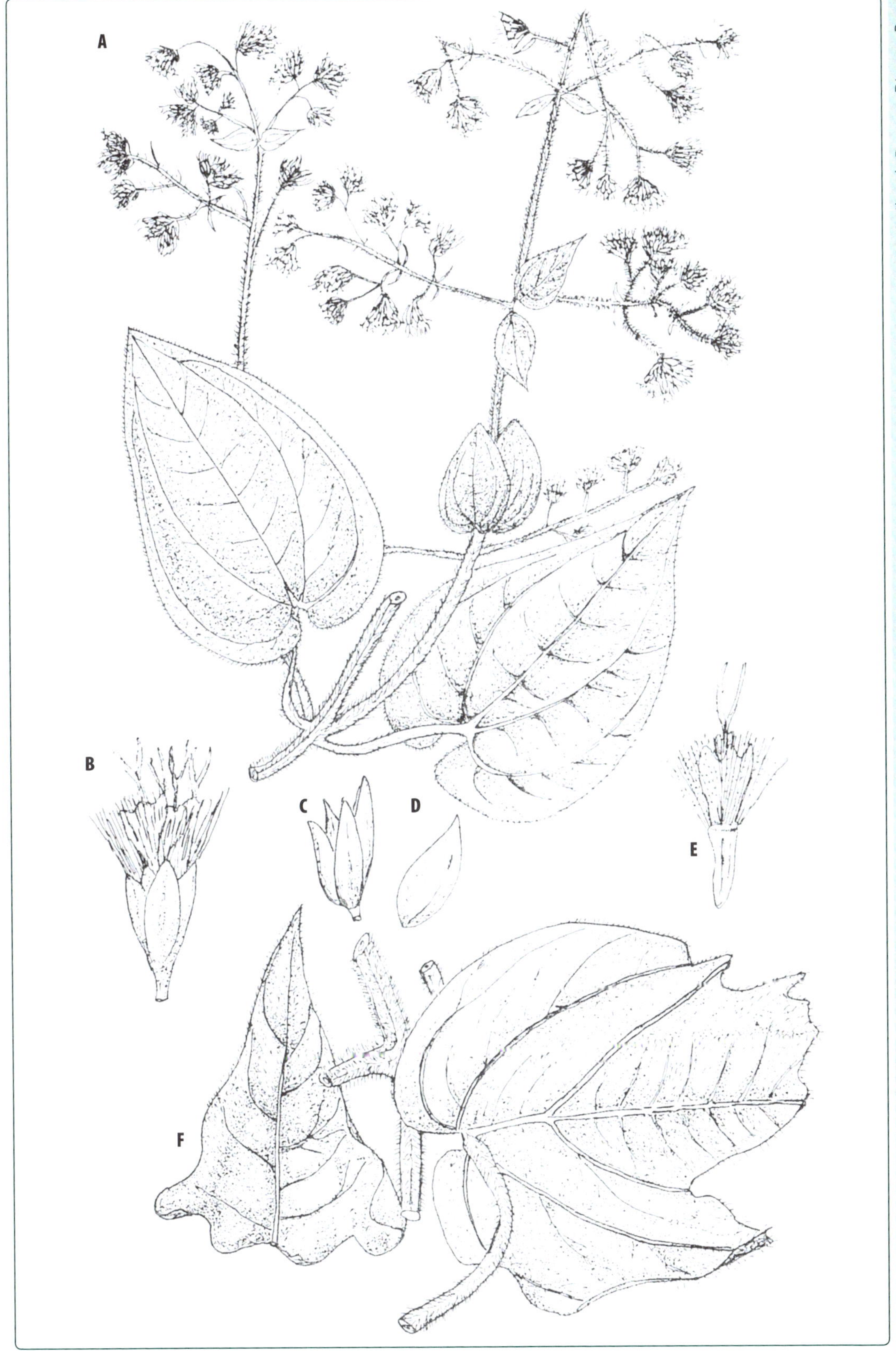

Fig. 11.13 – CIPÓ-CABELUDO *(Mikania hirsutissima* DC). **A.** Ramo florido. **B.** Capítulo. **C.** Brácteas involucrais. **D.** Bráctea tetriz. **E.** Floreta isolada. **F.** Aspecto da droga.

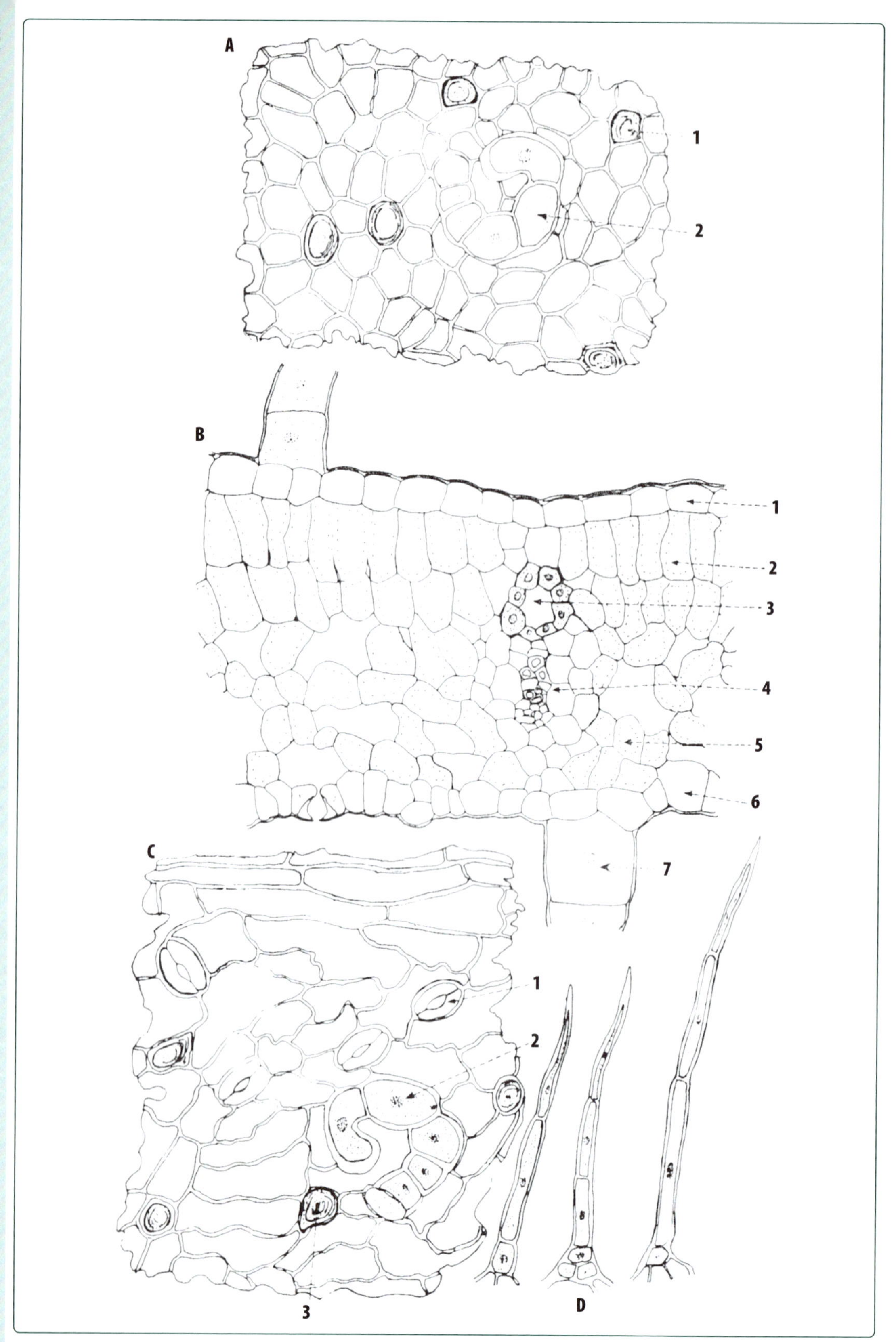

Fig. 11.14 – CIPÓ-CABELUDO *(Mikania hirsutissima* DC). **A.** Epiderme superior em visão paradérmica mostrando: **1** – base de pelo tector; **2** – pelo glandular curvo. **B.** Secção transversal da folha: **1** – epiderme superior; **2** – parênquima paliçádico; **3** – canal secretor; **4** – feixe vascular; **5** – parênquima lacunoso; **6** – epiderme inferior; **7** – célula basal de pelo tector. **C.** Epiderme inferior em visão paradérmica: **1** – estômato anomocítico; **2** – pelo glandular curvo; **3** – base de pelo tector. **D.** Pelos tectores.

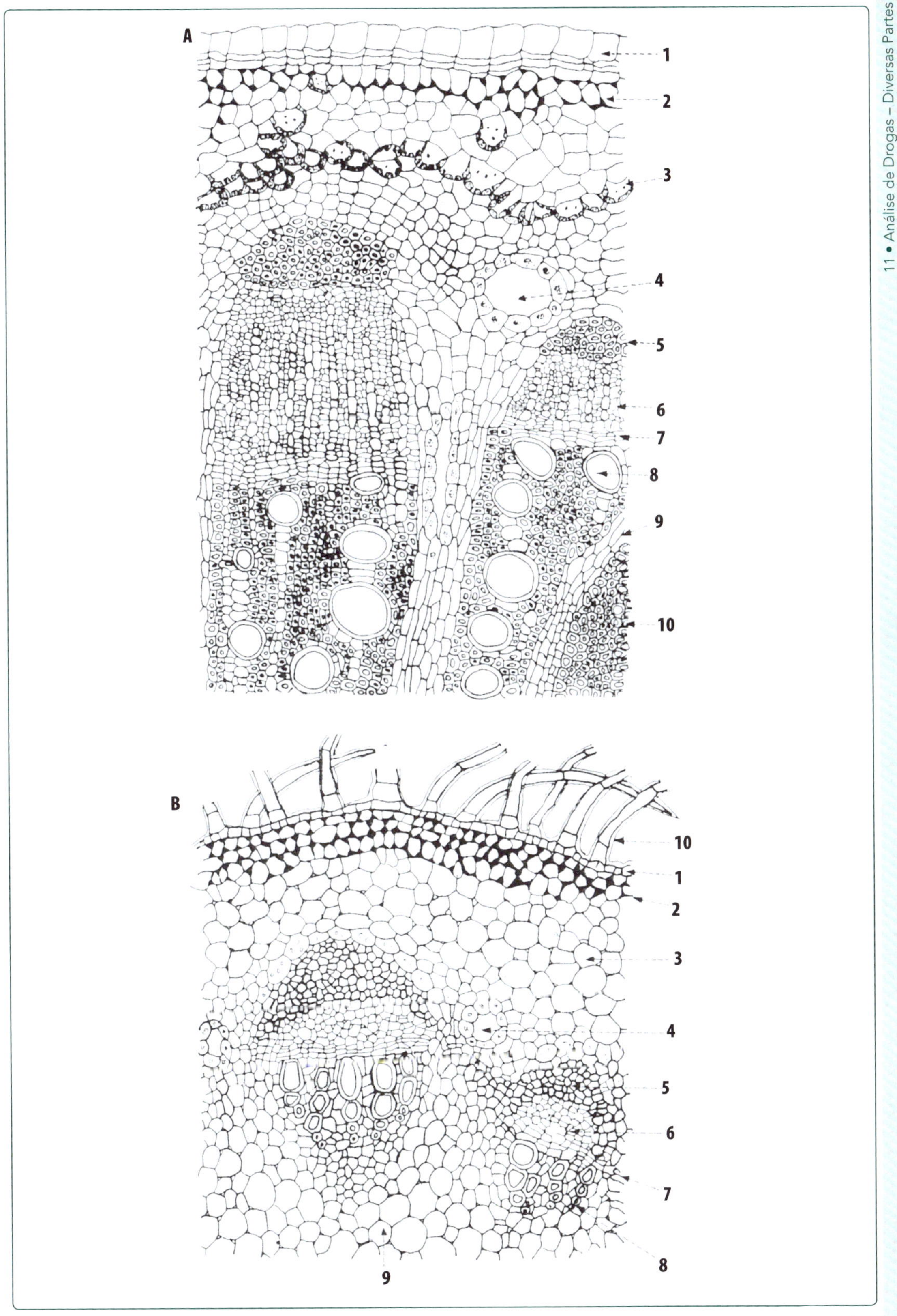

Fig. 11.15 – CIPÓ-CABELUDO *(Mikania hirsutissima* DC). **A.** Secção transversal de caule com estrutura secundária: **1** – súber; **2** – calênquima; **3** – anel esclerenquimático; **4** – canal secretor; **5** – periciclo fibroso; **6** – floema; **7** – região cambial; **8** – xilema; **9** – raio medular; **10** – fibras da xilema. **B.** Secção transversal do caule em início de estrutura secundária: **1** – epiderme; **2** – calênquima; **3** – região cortical; **4** – canal secretor; **5** – periciclo fibroso; **6** – floema; **7** – câmbio.; **8** – xilema; **9** – parênquima medular; **10** – pelo tector.

Estévia

Stevia rebaudiana (Bertoni) Bertoni – *Compositae*

Parte usada: Partes aéreas; folhas.

Sinonímia vulgar: Caá-hê-e; Caá-jhe-hê; Azuca-caá; Eira-caá; Caá-yupi; Erva-adocicada; Folha-doce; Planta-doce; Yerba-dulce.

Sinonímia científica: *Eupatorium rebaudianum* Bertoni

A droga possui odor fraco característico e sabor nimiamente doce.

Descrição macroscópica

Planta herbácea provida de caule ereto cujo comprimento, quando florido, pode variar de 20 a 80 cm, podendo excepcionalmente alcançar até cerca de 1,5 m de altura.

As regiões caulinares localizadas junto ao ápice do vegetal apresentam cor verde, ao passo que as basais são pardacentas.

As folhas são opostas-lanceoladas subsésseis, de ápice agudo, base cuneada e margem serrilhada do meio para o ápice foliar. São trinervadas, apresentando a nervura mediana mais desenvolvida. Apresentam consistência membranosa e são verde-escuras na página superior, sendo a página inferior um tanto mais clara. Medem até 6 cm de comprimento por até 2,5 cm de largura. Algumas vezes, a metade superior das folhas adquire tonalidade verde-azulada e lustrosa.

As flores acham-se reunidas em capítulos agrupados em inflorescências terminais corimbiformes de coloração alvinitente.

Os frutos são do tipo aquênio, possuem tamanho reduzido e apresentam-se providos de forma angular e superfície um tanto pilosa (Fig. 11.16).

Descrição microscópica

A folha apresenta mesofilo heterogêneo e assimétrico. As epidermes, quando observadas em secção transversal, são constituídas por células de contorno aproximadamente retangular, alongadas no sentido periclinal.

Tanto a epiderme superior quanto a epiderme inferior podem apresentar pelos tectores e pelos glandulares. Os pelos tectores são pluricelulares, unisseriados e terminados por célula mais longa que as outras e um tanto mais afilada. As epidermes, vistas em cortes paradérmicos, mostram células de contorno sinuoso. Os estômatos são do tipo anomocítico e ocorrem em ambas as epidermes, sendo, entretanto, mais frequentes na epiderme inferior.

O parênquima paliçádico é formado por duas fileiras de células e representam aproximadamente a metade da espessura do limbo. O parênquima lacunoso, por sua vez, é formado de quatro a cinco fileiras de células. Feixes vasculares delicados podem ser observados na região do mesofilo.

Secções transversais do caule apresentam contorno aproximadamente hexagonal. A epiderme é constituída por células irregulares na forma e no tamanho. Sobre essa epiderme, pode-se observar a presença de pelos tectores e glandulares semelhantes aos mencionados na descrição da folha. Logo abaixo da epiderme aparecem duas a três camadas de células colenquimáticas com espessamento celulósico nos cantos. O caule apresenta estrutura eustélica, com feixes vasculares do tipo colateral aberto. A região parenquimática medular é ligada à região cortical por raios medulares estreitos formados, geralmente, por quatro a dez fileiras celulares em largura (Figs. 11.17 e 11.18).

Fig. 11.16 – ESTÉVIA *Stevia rebaudiana* (Bert.) Bertoni. **A.** Ramo com folhas. **B.** Folha isolada. **C.** Inflorescência. **D.** Invólucro do capítulo. **E.** Bráctea involucral. **F.** Floreta tubulosa. **G.** Gineceu.

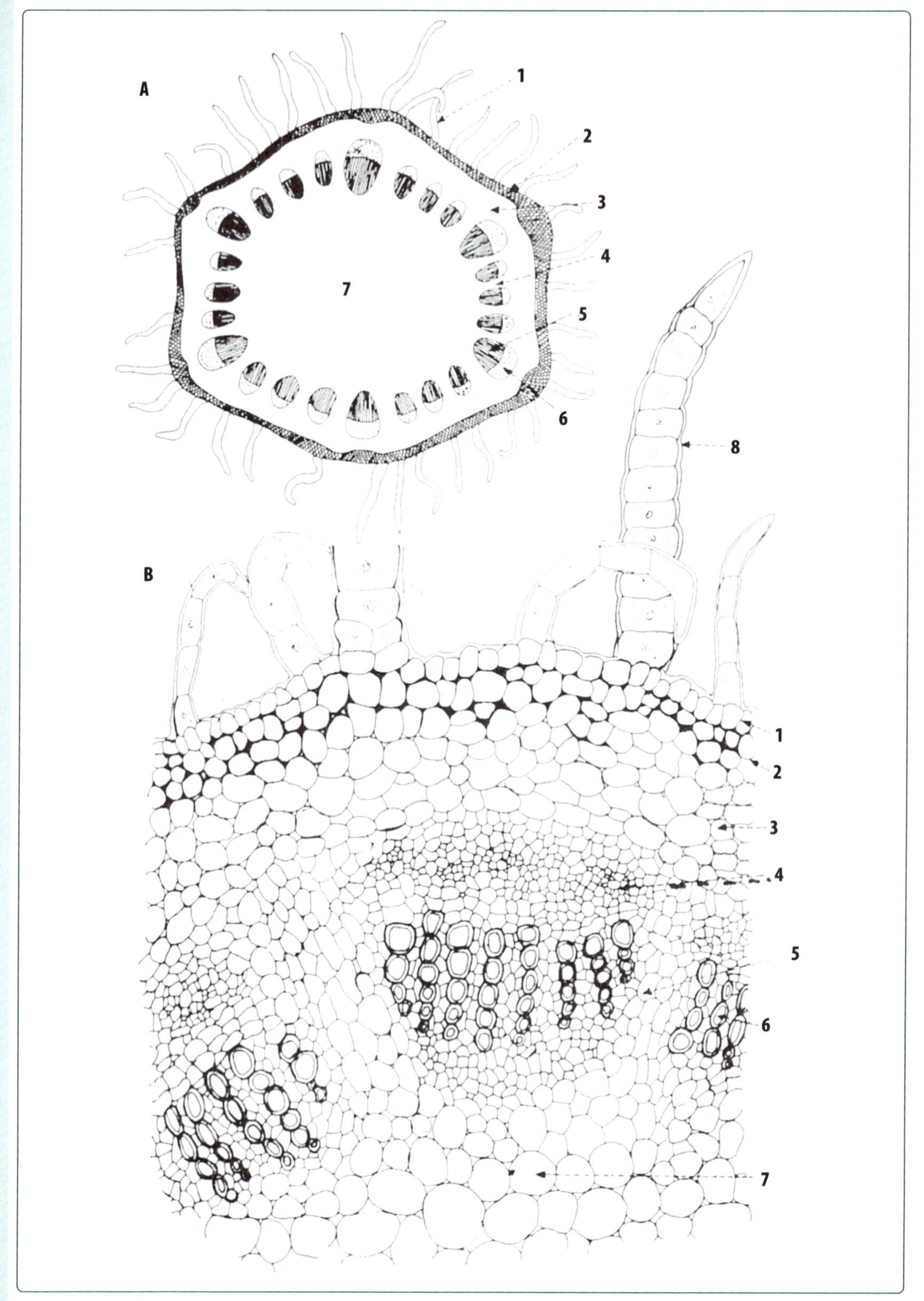

Fig. 11.17 – ESTÉVIA *Stevia rebaudiana* (Bert.) Bertoni. **A.** Desenho esquemático de secção transversal de caule: **1** – pelo tector; **2** – colênquima; **3** – região cortical; **4** – floema; **5** – xilema; **6** – floema; **7** – parênquima medular. **B.** Secção transversal do caule mostrando: **1** – epiderme; **2** – colênquima; **3** – parênquima cortical; **4** – floema; **5** – raio medular; **6** – xilema; **7** – parênquima medular; **8** – pelo tector.

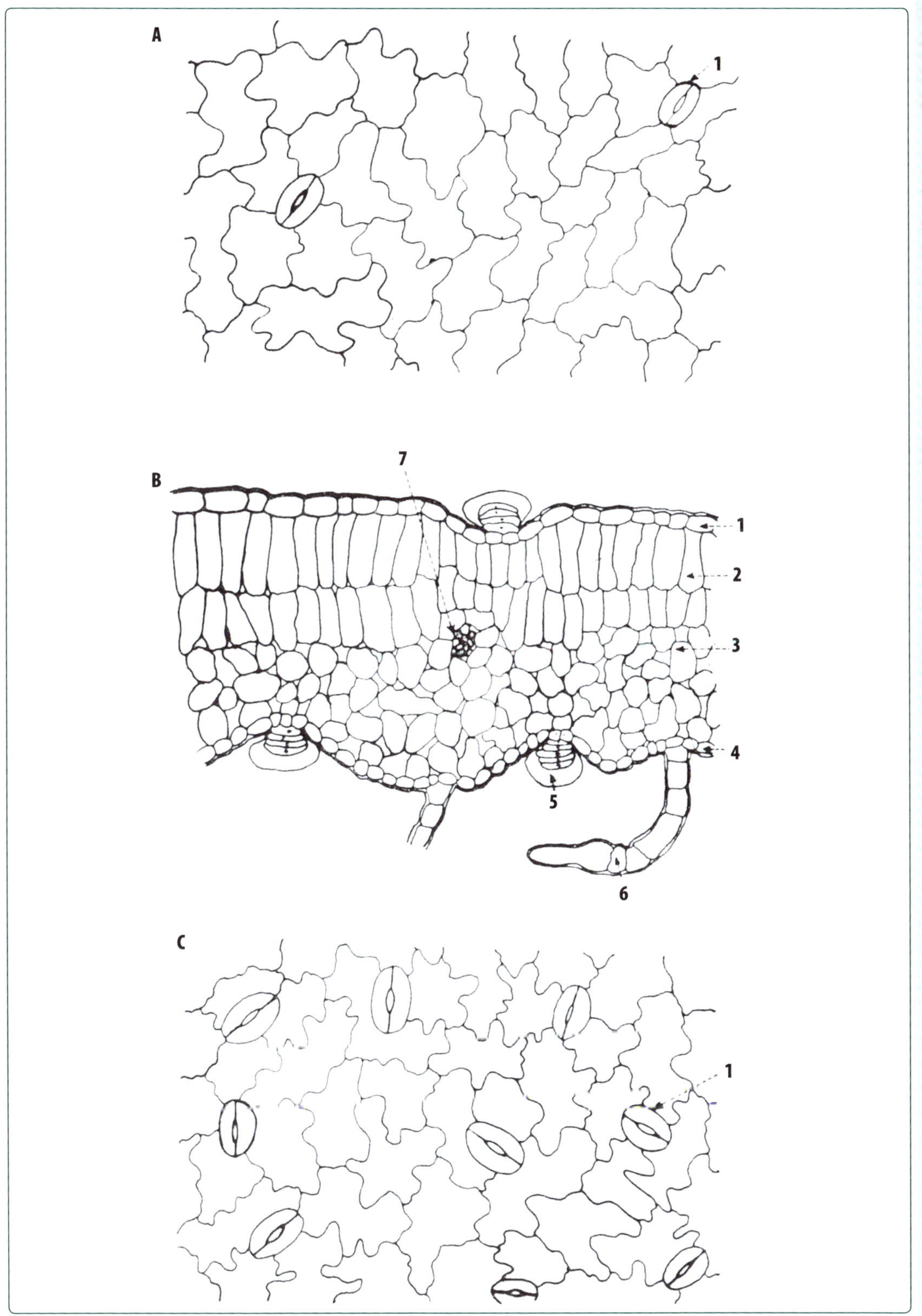

Fig. 11.18 – ESTÉVIA *Stevia rebaudiana* (Bert.) Bertoni. **A.** Epiderme superior vista de face: **1** – estômato anomocítico. **B.** Secção transversal da folha: **1** – epiderme superior; **2** – parênquima paliçádico; **3** – parênquima lacunoso; **4** – epiderme inferior; **5** – pelo glandular; **6** – pelo tector; **7** – feixe vascular. **C.** Epiderme inferior vista de face: **1** – estômato anomocítico.

Jurubeba

Solanum paniculatum L. – *Solanaceae*

Parte usada: Caule; raiz; partes aéreas; folhas e frutos. (Observação: A *Farmacopeia Brasileira* oficializou como partes usadas o caule e a raiz.

Sinonímia vulgar: Jurumbeba; Juribeba; Juribeda; Jurupeba; Jurepeba; Jubeba; Jupeba; Jurubeba-do-Pará; Juvena; Juveva; Jurubena; Juuna; Jurupetinga; Jurubeba-verdadeira; Joa-tica; Jumbeba; Urumbeba.

Sinonímia científica: *Solanum altera* Piso; *Solanum jubeba* Vell.; *Solanum manaelli* Moricand.

A droga é inodora e possui sabor amargo.

Descrição macroscópica

Arbusto de até 3,5 m de altura provido de ramos nimiamente alvo-tomentosos mais ou menos armados de acúleos robustos, achatados e curvos.

As folhas são polimorfas, inteiras ou lobadas, geralmente com cinco a sete lóbulos. Apresentam ápice agudo ou acuminado, base aguda-auriculada ou subcordiforme e contorno suboblongo. Apresentam margens inteiras e superfície alvo-tomentosa na face dorsal. A face ventral deixa cair logo o indumento piloso, passando a exibir cor verde brilhante que contrasta fortemente com a tonalidade verde-esbranquiçada da face dorsal. O indumento é constituído por pelos estrelados ou em forma de candelabros.

As flores, dispostas em subcorimbos terminais, apresentam pedúnculos e pedicelos cobertos por indumento branco. O cálice é curto, dividido em cinco lobos obovais, apiculados, branco-tomentosos e inermes. Corola medindo 2 cm de diâmetro, azul-arroxeada, pálido-violácea ou mesmo branca, alvo-tomentosa do lado exterior. A corola é rotácea, com cinco pétalas providas de lobos largo-triangulares. Os estames são iguais, eretos e possuem anteras lineares pouco atenuadas, de coloração amarela e deiscência poricida. O gineceu é provido de estilete ereto encimado por estigma capitato-claviforme. O ovário é ovalado e glabro, bicarpelar, bilocular, poliovulado.

O fruto é uma baga globosa de cerca de 1 cm de diâmetro de coloração amarela, provida de sementes oblíquo-ovais, triangulares, convexas e testáceas.

A droga oficial consiste de raiz de caule ou de mistura de ambos, cortados em pedaços de tamanhos variados. As raízes aparecem em pedaços tortuosos medindo até 3 cm de diâmetro. Suas superfícies são rugosas, de coloração pardo-acinzentada e estriadas no sentido longitudinal. Sua secção transversal mostra a casca estreita e o lenho bem desenvolvido estriado radialmente e provido de centro de coloração branco-amarelada.

Os pedaços de caule apresentam superfície acinzentada, estriada no sentido longitudinal e frequentemente provida de acúleos curvos. Numerosas lenticelas em forma de verrugas achatadas podem ser observadas. Os pedaços de maior diâmetro e pedaços finos mostram, logo abaixo da superfície, regiões de tecido clorofiliano de cor verde. A região medular é bem desenvolvida.

Descrição microscópica

✓ *Raiz*

A periderme apresenta súber pouco desenvolvido, podendo conter até vinte fileiras de células bastante achatadas, isto é, providas de paredes radiais curtas. O parênquima cortical também não é muito desenvolvido e engloba em sua parte externa grupos de células pétreas providas de paredes lignificadas, um tanto extratificadas e canaliculadas, possuidoras de lúmen largo. Próximo ao periciclo, nota-se a presença de células esclerosadas de paredes mais espessadas e de lúmen mais estreito. Grãos de amido simples, esféricos, podem ser observados em toda a região cortical e, em especial pela abundância, nas regiões mais internas. A região floemática é razoavelmente desenvolvida, sendo atravessada por raios vasculares estreitos. A região cambial é bem evidente. O xilema é formado por vasos isolados ou reunidos em pequenos grupos envolvidos por células parenquimáticas de paredes espessadas e canaliculadas. Fibras lenhosas de lúmen estreito são bastante frequentes em toda a região xilemática, que é cortada por raios vasculares estreitos constituídos por duas fileiras de células. Bolsas de areia cristalina ocorrem em toda a região cortical.

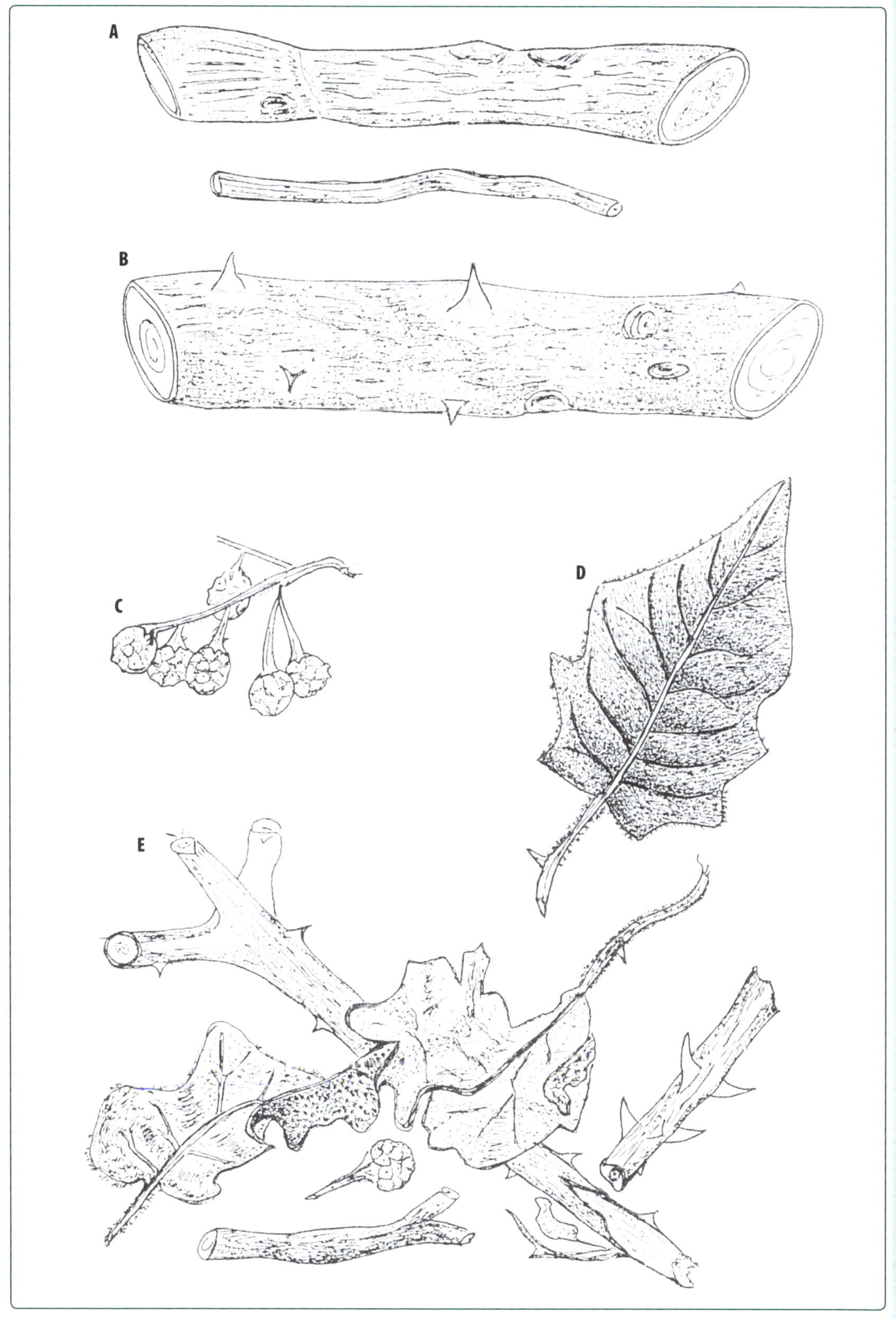

Fig. 11.19 – JURUBEBA *(Solanum paniculatum* L.). **A.** Fragmento de raízes. **B.** Fragmento de caule. **C.** Frutos. **D.** Folha. **E.** Droga como frequentemente aparece no comércio.

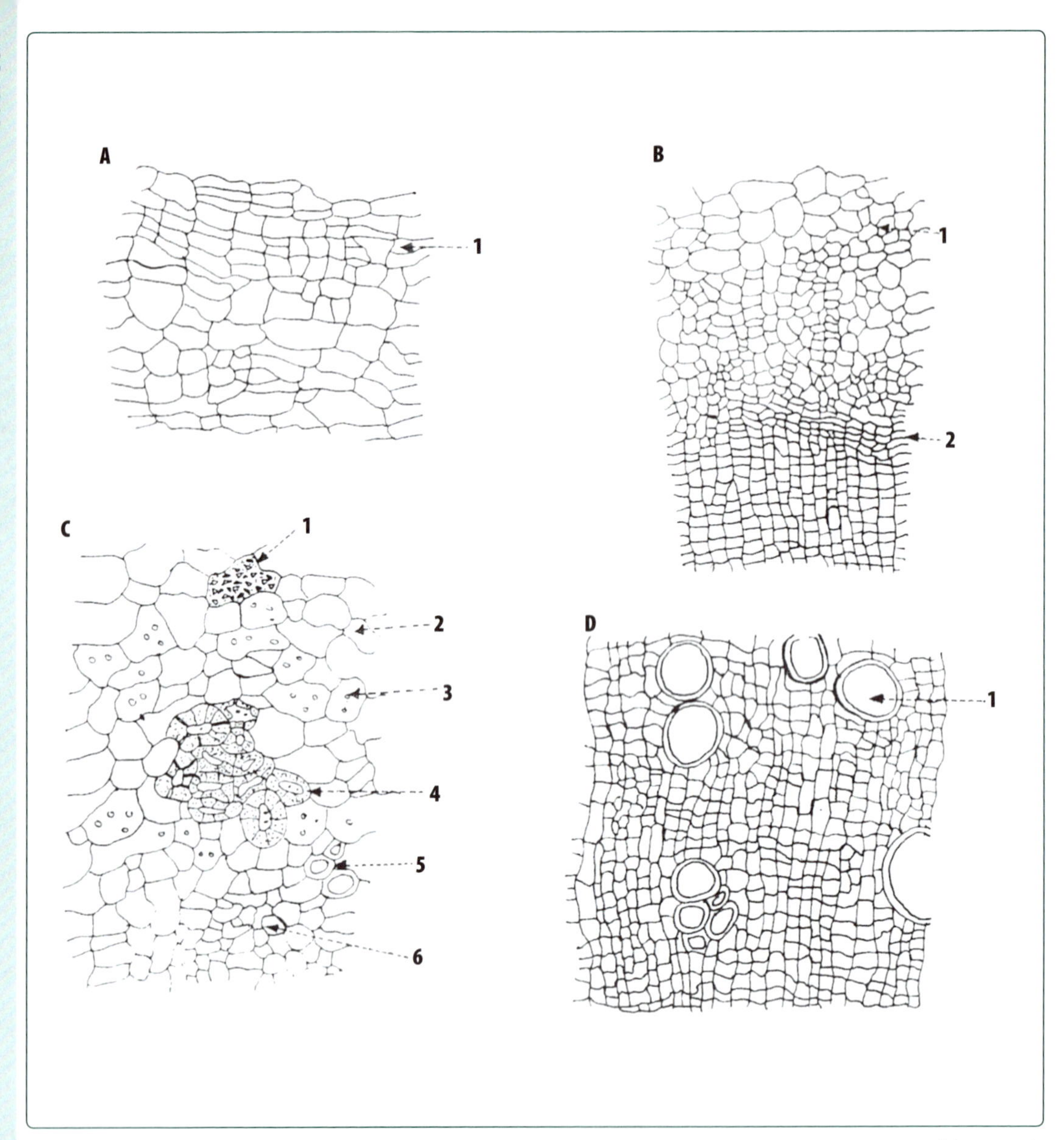

Fig. 11.20 – JURUBEBA *(Solanum paniculatum* L.). **A.** Secção transversal da periderme da raiz: **1** – súber. **B.** Secção transversal da raiz na altura da região floemática: **1** – floema; **2** – região cambial. **C.** Detalhe da região cortical da raiz: **1** – bolsa contendo areia cristalina; **2** – parênquima cortical; **3** – grãos de fécula; **4** – grupo de células pétreas; **5** – fibras; **6** – região floemática. **D.** Detalhe da região xilemática: **1** – vaso.

✓ *Caule*

O súber é bem desenvolvido, sendo constituído por vinte ou mais fileiras celulares alinhadas radialmente. A região cortical, formada por células parenquimáticas de paredes finas, envolve em sua região mediana duas ou três fileiras de células esclerosadas, de paredes espessas canaliculadas e de lúmen largo.

O periciclo é fibroso e descontínuo, apresentando fibras brancacentas pouco lignificadas reunidas em pequenos grupos. Bolsas contendo areia cristalina podem ser observadas na região cortical. A região floemática, a região cambial e a região xilemática são semelhantes àquelas já descritas na raiz.

A região central do caule é ocupada por parênquima medular, no qual pode ser observada a presença de bolsas de areia cristalina. Essa região, externamente, é delimitada por grupos de fibras de paredes espessadas e de lúmen estreito, as quais se acham relacionadas com o floema interno.

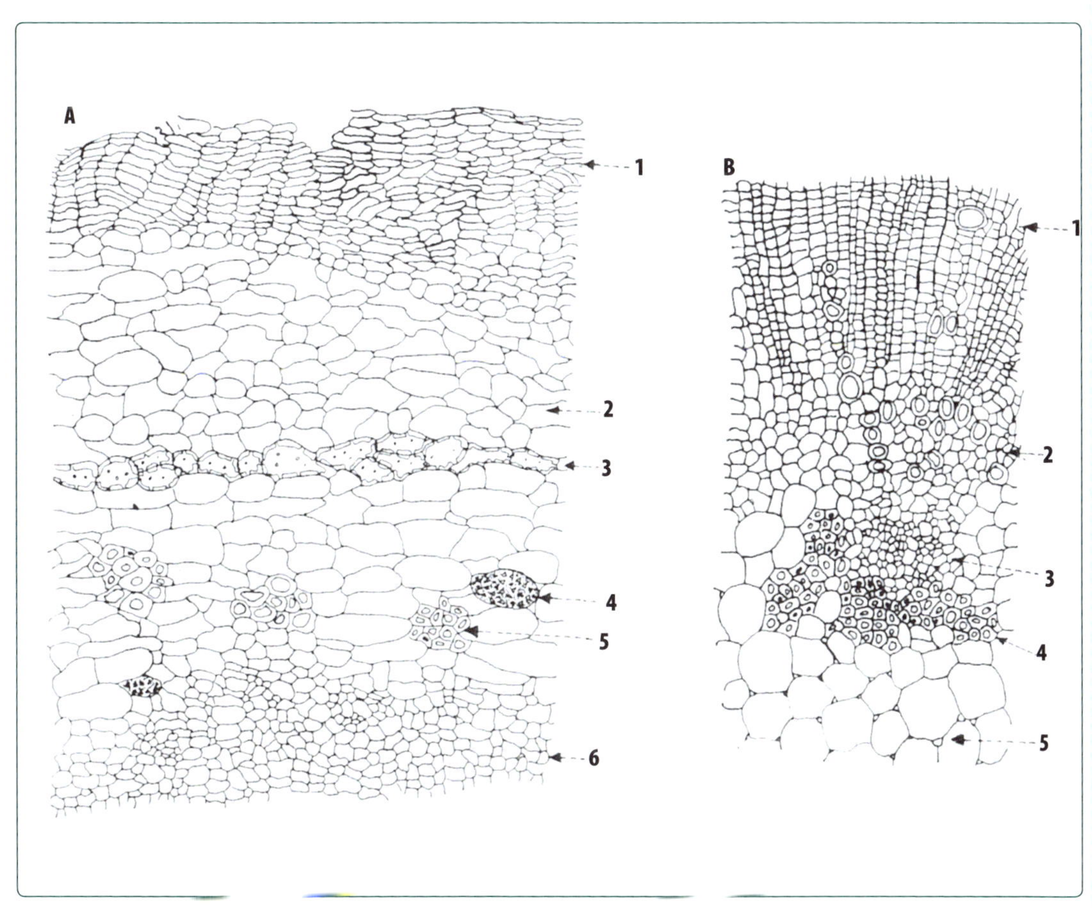

Fig. 11.21 – JURUBEBA *(Solanum paniculatum* L.). **A.** Secção transversal da região externa do caule: **1** – súber; **2** – parênquima cortical; **3** – anel esclerenquimático; **4** – bolsa contendo areia cristalina; **5** – grupo de fibras; **6** – floema. **B.** Secção transversal da região interna do caule: **1** – xilema secundário; **2** – xilema primário; **3** – floema interno; **4** – fibras; **5** – parênquima medular.

Maconha

Cannabis sativa L. varo *indica* Lamarck – *Cannabinaceae*

Parte usada: Sumidade florida.

Sinonímia vulgar: Cânhamo; Cânhamo-da-Índia; Cânhamo-indiano; Meconha; Diamba; Luamba; Fumo-de-Angola; Riamba; Aliamba; Nadiamba; Dirijo; Pango; Umbaru; Atchi.

Sinonímia científica: *Cannabis indica* Lamarck; *Cannabis chinensis* Del.; *Cannabis errática* Siev.; *Cannabis foetida* Gilib.; *Cannabis lupulus* Scop.; *Cannabis macrosperma* Stokes.

A droga apresenta odor e sabor forte e característico.

No tocante à parte usada, salienta-se que a droga é constituída pelas inflorescências femininas destacadas dos ramos e desembaraçada das folhas maiores, devendo conter no máximo 10% de frutos ou de outra matéria estranha.

Descrição macroscópica

Apresenta-se no comércio sob a forma de massa achatada, oblonga ou ovoide de 6 a 7 cm de comprimento por 3 cm de largura, aproximadamente. A espécie vegetal é dioica existindo, portanto, exemplares masculinos e exemplares femininos. O vegetal pode alcançar 3 m de altura.

O caule é de cor verde-escura; apresenta superfície áspera ao tato e aspecto piloso. A planta feminina, via de regra, é maior que a masculina e possui maior massa foliar.

As folhas localizadas inferiormente nos caules têm disposições opostas, ao passo que as folhas da ponta dos ramos são alternas. São longopecioladas, palmatinérveas, compostas de cinco a sete segmentos linear-lanceolados e de ápice acuminado. Medem até 12 cm de comprimento, apresentam margem algumas vezes denteada e são pubescentes nas duas páginas.

As flores apresentam disposição axilar, são apétalas, esverdeadas: as masculinas de receptáculo convexo e dispostas em panículas e as femininas, de cálice gamossépalo, em forma de saco, dispostas em glomérulos.

As brácteas foliáceas são providas de pelos e os frutos são aquênios arredondados envolvidos pelo cálice persistente. Nas massas que compõem a droga distinguem-se as brácteas foliáceas de cor verde--acinzentada, tendo na axila duas flores, cada uma delas acompanhada de bractéola membranosa muito pequena.

As folhas são trifolioladas ou simples. Os folíolos são lanceolados, híspidos e serreados nas margens.

As flores são formadas de um ovário envolvido por um perigônio cupuliforme e encimado por dois longos estiletes filiformes articulados na base e providos de papilas estigmáticas.

Os frutos, às vezes, acompanham a droga e são do tipo aquênio, uniloculares e monospérmicos (Fig. 11.22).

Descrição microscópica

As folhas são guarnecidas na face superior por uma epiderme desprovida de estomas e que encerra grande quantidade de pelos unicelulares, muito curtos, de ponta recurvada e base muito dilatada, contendo cada um deles um cistólito, os quais penetram profundamente no mesofilo. A epiderme inferior é guarnecida de pelos longos, unicelulares, cônicos, curvos, cuja base é incrustada de carbonato de cálcio e de pelos glandulosos sésseis, constituídos por uma glândula pluricelular do tipo *Labiatae.* O mesofilo é heterogêneo e contém cristais de oxalato de cálcio do tipo drusa e condutos laticíferos.

As brácteas apresentam epiderme guarnecida na face externa por grande quantidade de pelos capitados, formados por longo pedículo pluricelular e plurisseriado, coroado por uma grossa glândula de compartimentos múltiplos separados por septos verticais. As brácteas encerram ainda pelos tectores, unicelulares, cônicos, de paredes espessas, direitos e não recurvados como os das folhas. Grande quantidade de drusas de oxalato de cálcio ocorre nesse órgão.

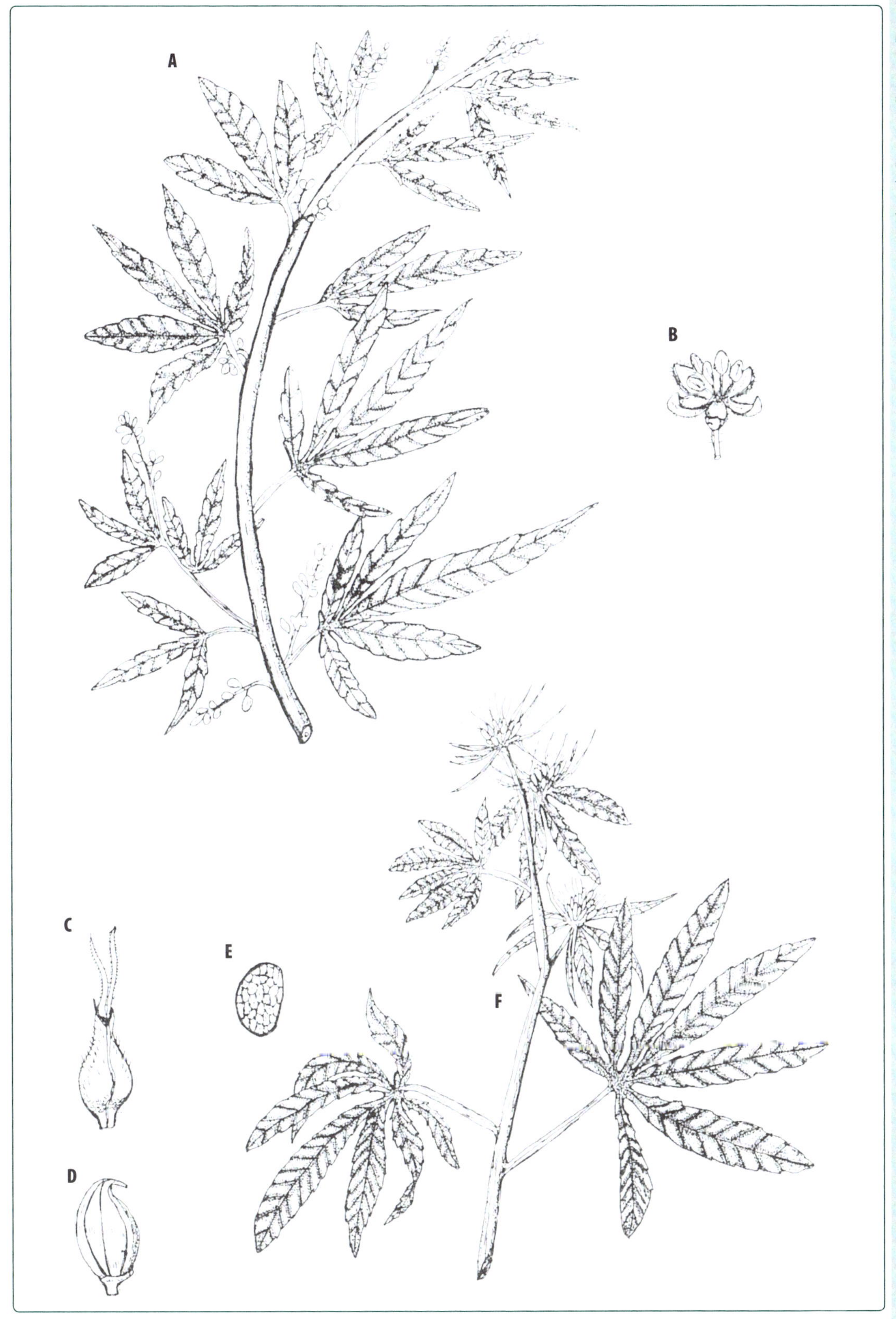

Fig. 11.22 – MACONHA *(Cannabis saliva* L.). **A.** Planta masculina. **B.** Flor masculina. **C.** Flor feminina. **D.** Fruto. **E.** Semente. **F.** Planta feminina.

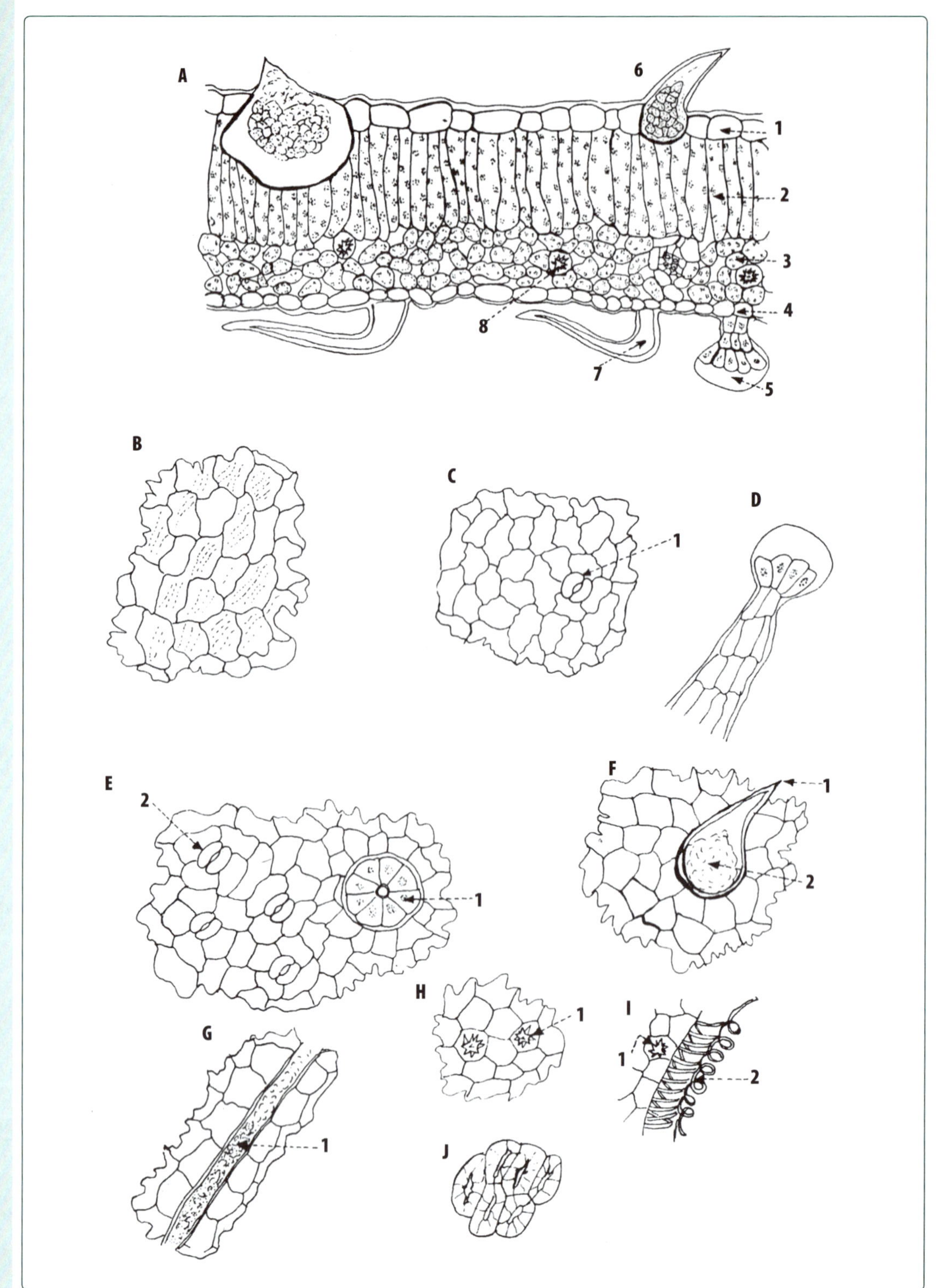

Fig. 11.23 – MACONHA *(Cannabis sativa* L.). **A.** Secção transversal da folha: **1** – epiderme; **2** – parênquima paliçádico; **3** – parênquima lacunoso; **4** – epiderme inferior; **5** – pelo glandular; **6** – pelo tector com cistólito na base; **7** – pelo tector; **8** – drusa. **B.** Epiderme superior de folha vista de face. **C.** Epiderme inferior de folha vista de face mostrando estômatos anomocíticos: **1** – estômato. **D.** Pelo glandular pedicelado. **E.** Fragmento de epiderme visto de face mostrando: **1** – pelo glandular; **2** – estômato anomocítico. **F.** Fragmento de epiderme superior vista de face mostrando pelo tector com cistólito na base: **1** – pelo tector; **2** – cistólito. **G.** Fragmento mostrando laticífero: **1** – laticífero. **H.** Fragmento mostrando drusas: **1** – drusa. **I.** Fragmento mostrando: **1** – drusa; **2** – vasos espiralados. **J.** Grupo de células pétreas provenientes do fruto.

Salvia

Salvia officinalis L. – *Labiatae*

Parte usada: Folha.

Sinonímia vulgar: Salva; Salva comum; Salva-das-boticas; Salva-de-remédio; Chá-da-Grécia; Chá-da-França; Erva-sagrada.

Sinonímia científica: *Salvia minor* Garsault; *Salvia aurita* Schult; *Salvia chromatica* Hoffmgg.; *Salvia papillosa* Hoffmgg.; *Salvia hispanica* Etling ex Willk. et Lange; *Salvia grandiflora* Ten.

A droga apresenta odor aromático, balsâmico e sabor amargo e um pouco adstringente.

Descrição macroscópica

As folhas são curto-pecioladas quando provenientes das partes superiores do vegetal e medianamente pecioladas quando provenientes das partes inferiores, alcançando comprimento relativo igual à metade do comprimento do limbo. O limbo apresenta contorno oblongo, ápice arredondado ou obtuso, base arredondada, subcordada ou, às vezes, ligeiramente auriculada e margem finamente crenada. Algumas folhas podem apresentar contorno lanceolado e ápice ligeiramente agudo, especialmente aquelas provenientes das partes superiores do vegetal. A superfície superior é finamente rugosa e menos revestida que a inferior que é densamente albo-lanada. O limbo foliar mede de 2,5 a 6,5 cm de comprimento por 1,0 a 2,5 cm de largura.

Algumas vezes, pedaços de caule podem acompanhar a droga; eles revelam a disposição oposta das folhas. Esses pedaços caulinares apresentam secção transversal obtuso-quadrangular e são sublenhosos e albo-lanados quando provenientes das partes inferiores do vegetal, tomentoso-pubescentes e um pouco mais flexíveis quando oriundos de terminações floríferas.

Descrição microscópica

Ambas as faces da folha apresentam estômatos, pelos tectores e glandulosos. Em cortes paradérmicos, as epidermes apresentam células providas de contorno sinuoso e cutícula finamente estriada. Os estômatos são do tipo diacítico e os pelos tectores unisseriados, bi ou tricelulares. Os pelos glandulares são de dois tipos: pequenos, unicelulares suportados por pedicelo unisseriado longo, provido de uma ou duas células das quais uma é bem maior. Esse tipo de pelo glandular pode apresentar glândula septada e grandes octacelulares e sésseis do tipo da família *Labiatae.* O mesofilo é heterogêneo e assimétrico, formado na parte superior por duas camadas de células paliçádicas e na inferior por quatro a seis camadas de células do parênquima lacunoso. Pequenos feixes vasculares podem ser observados na região do limbo. A região da nervura mediana é biconvexa, e o sistema liberolenhoso dispõe-se em forma de arco.

A secção transversal do caule mostra estrutura eustélica. Os feixes vasculares se dispõem em círculo, notando-se a presença de quatro feixes maiores dispostos na região dos ângulos. O colênquima é do tipo angular; as regiões parenquimáticas são bem desenvolvidas e os feixes vasculares são acompanhados por fibras. A epiderme apresenta tricomas do mesmo tipo descrito para as folhas.

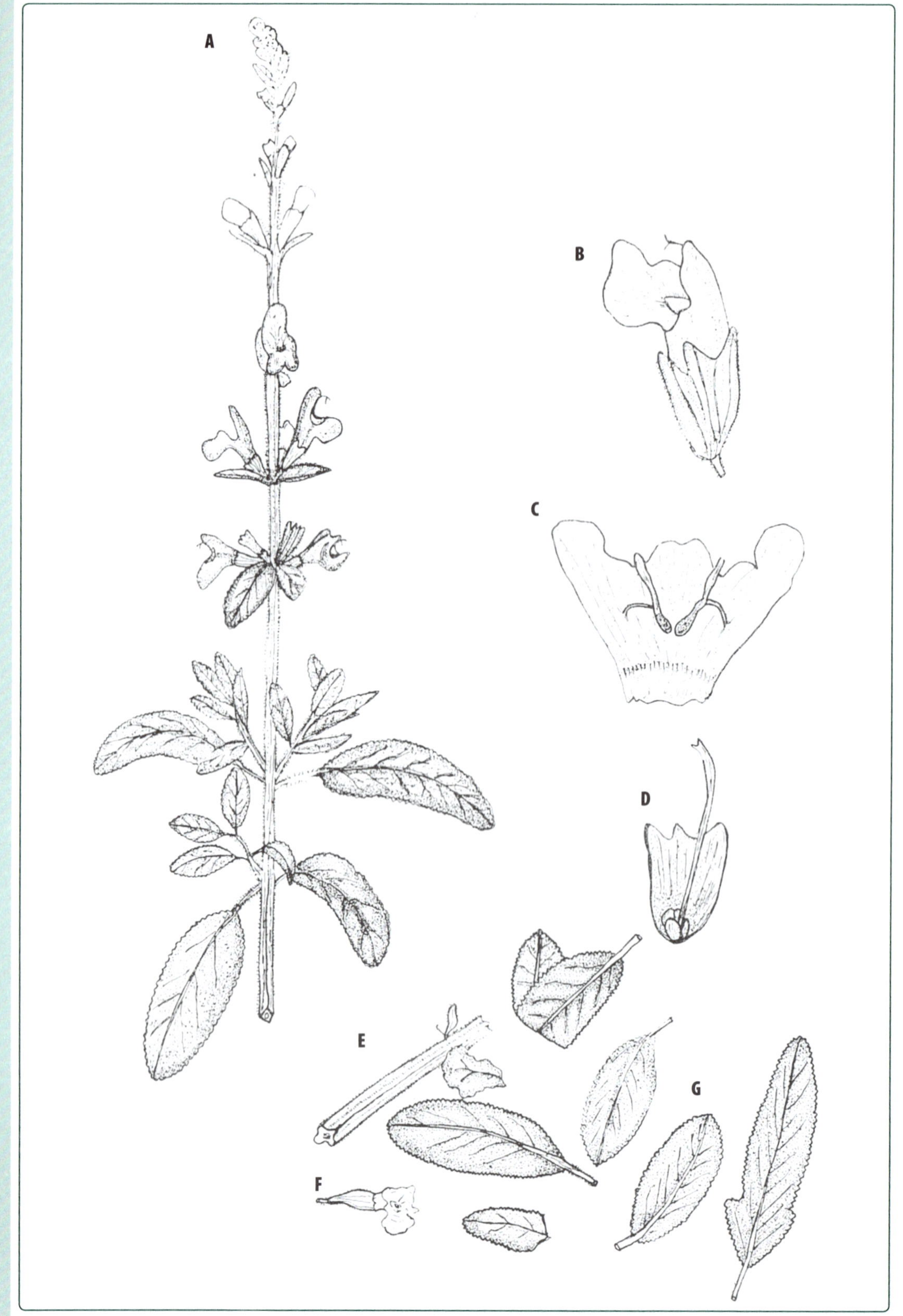

Fig. 11.24 – SALVIA *(Salvia officinalis* L.). **A.** Sumidade florida do vegetal. **B.** Flor isolada. **C.** Corola aberta mostrando estames epipétalos típicos de SALVIA. **D.** Gineceu mostrando estilete ginobásico e ovário tetradividido, inserido em fragmento de cálice. **E.** Fragmento de caule. **F.** Flor. **G.** Diversos tipos de folhas.

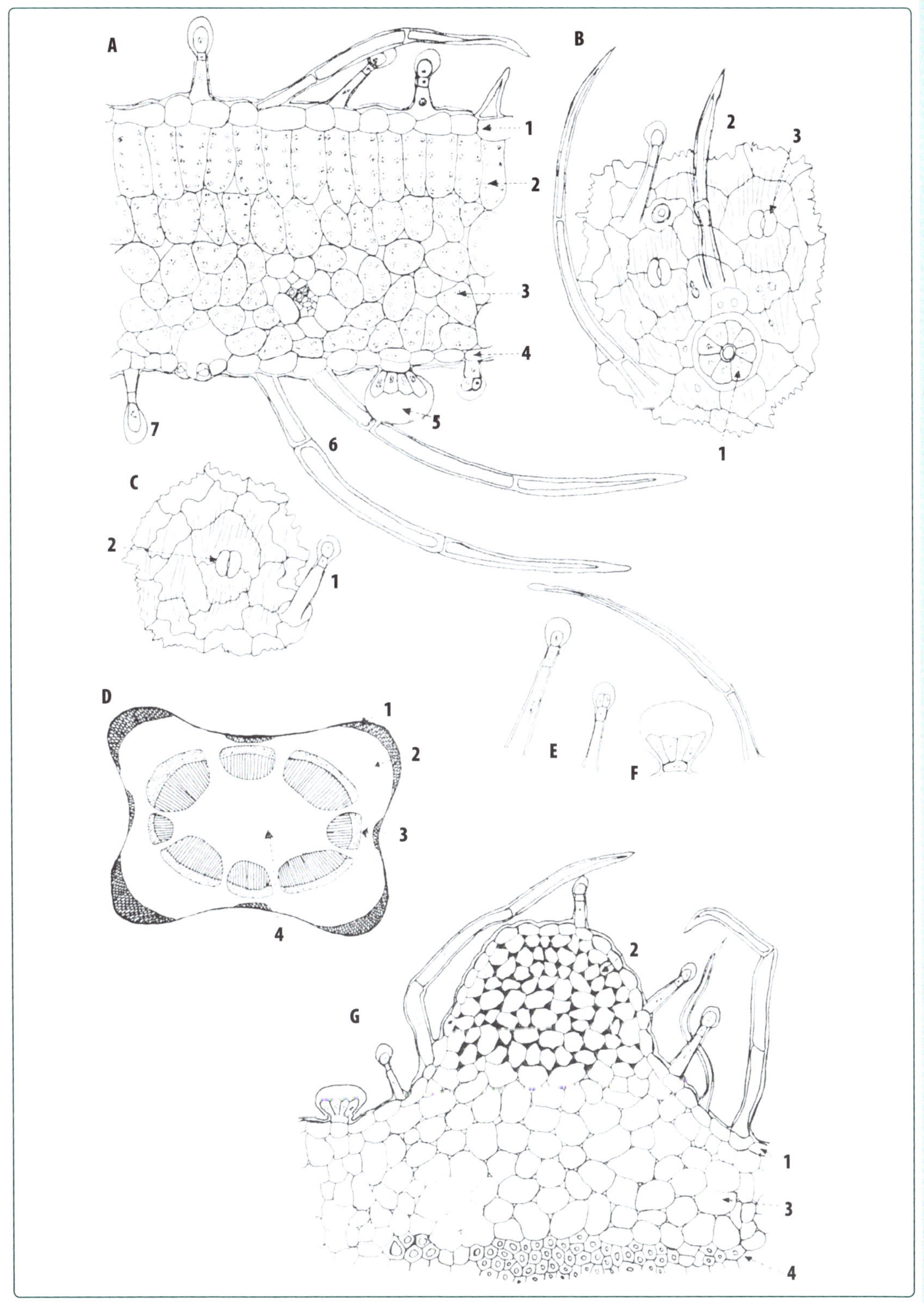

Fig. 11.25 – SALVIA *(Salvia officinalis* L.). **A.** Secção transversal da folha: **1** – epiderme superior; **2** – parênquima paliçádico; **3** – parênquima lacunoso; **4** – epiderme inferior; **5** – pelo glandular típico de *Labiatae;* **6** – pelo tector; **7** – pelo glandular. **B.** Epiderme inferior da folha vista de face: **1** – pelo glandular típico de *Labiatae;* **2** – pelo tector; **3** – estômato diacítico. **C.** Epiderme superior da folha vista de face: **1** – pelo glandular; **2** – estômato diacítico. **D.** Desenho esquemático de secção transversal do caule: **1** – colênquima; **2** – região cortical; **3** – feixe vascular; **4** – parênquima medular. **E.** Pelos glandulares de pedicelo unisseriado e glândula capitada. **F.** Pelo glandular típico de *Labiatae.* **G.** Secção transversal (região saliente): **1** – epiderme; **2** – colênquima; **3** – parênquima cortical; **4** – fibras.

Sapé

Imperata brasiliensis Trinius – *Gramineae*

Parte usada: Rizoma.

Sinonímia vulgar: Sapé-macho; Capim-sapé; Capim-peba; Jucapé; Navalhas; Capim-agreste; Capim-massapê; Capi-peba; Capim-de-bezerro.

Sinonímia científica: *Imperata brasiliensis* Trin. var. *mexicana* Rupr.; *Imperata arundinacea* Cyrillo var. americana Anderss.

A droga é inodora e de sabor adocicado e mucilaginoso.

Descrição macroscópica

O rizoma é comercializado em pequenos fragmentos que medem de 3 a 5 cm de comprimento por 3 a 5 mm de diâmetro. Esses fragmentos apresentam forma cilíndrica, coloração brancacenta ou amarelo-palha. Sua superfície é rígida, luzidia e estriada no sentido longitudinal. As regiões dos nós e dos entrenós são bem evidentes; estes medem, geralmente, de 1 a 3 cm de comprimento. Os rizomas comercializados, com frequência, apresentam restos de raízes e de escamas foliáceas. As raízes geralmente são cilíndricas, um tanto tortuosas e estriadas longitudinalmente. As escamas são alongadas, estriadas longitudinalmente e lembram o aspecto de calha (Fig. 11.26).

Descrição microscópica

O rizoma, cortado transversalmente, apresenta a seguinte estrutura: epiderme constituída de células irregulares na forma e no tamanho, recoberta por cutícula fina. Algumas vezes, as paredes dessas células sofrem impregnação de lignina; apresentam hipoderme formada por duas a três camadas de células também irregulares na forma e no tamanho, a qual sempre é menor do que as das células da região cortical, que ocorre logo abaixo. Essas células apresentam coloração amarelada e paredes espessas que adquirem coloração vermelho-cereja quando tratadas pelo reativo de floroglucina-clorídrica. A região cortical é bem desenvolvida e apresenta células parenquimáticas arredondadas e que deixam entre si espaços intercelulares triangulares do tipo meato. No interior dessa região encontram-se feixes vasculares de tamanho menor do que aqueles da região do cilindro central. Espaços celulares maiores do tipo câmara podem ser algumas vezes observados. A endoderme é formada de células relativamente grandes, de paredes laterais e basal espessadas, assumindo o aspecto de U.

O periciclo é multisseriado, fibroso, internamente sinuoso e envolve numerosos feixes vasculares colaterais. A região central é formada de células parenquimáticas arredondadas e que envolvem numerosos feixes vasculares arredondados que mostram um ou dois vasos de grande abertura ao lado de um ou dois vasos bem menores. A região floemática é bem evidente (Fig. 11.27).

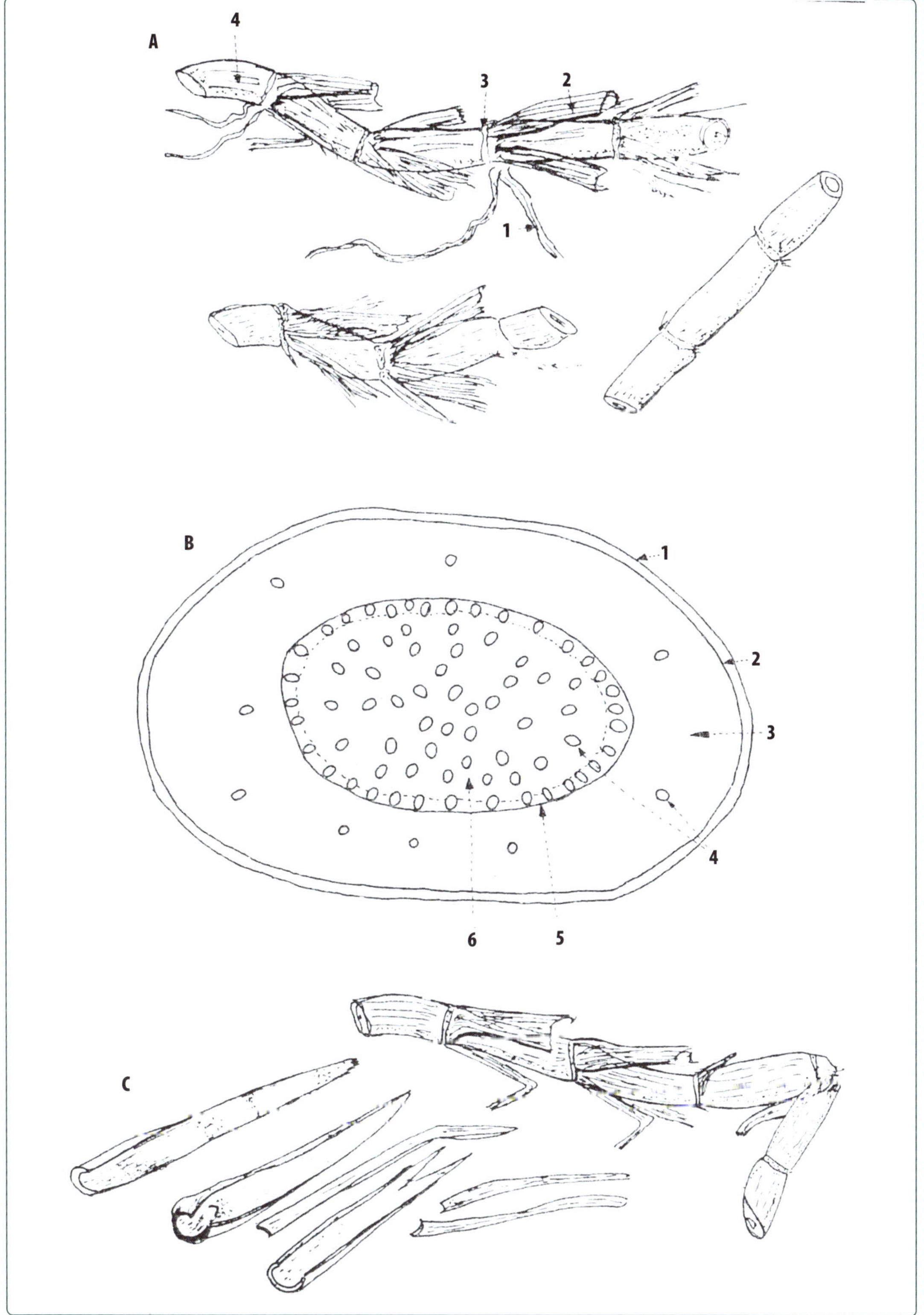

Fig. 11.26 – SAPÉ *(Imperata brasiliensis* Trinius.). **A.** Aspecto externo do rizoma: **1** – raiz; **2** – catafilos; **3** – região do nó; **4** – região do entrenó. **B.** Secção transversal do rizoma: **1** – epiderme; **2** – hipoderme; **3** – região cortical; **4** – feixe vascular; **5** – periciclo; **6** – cilindro central. **C.** Catafilos.

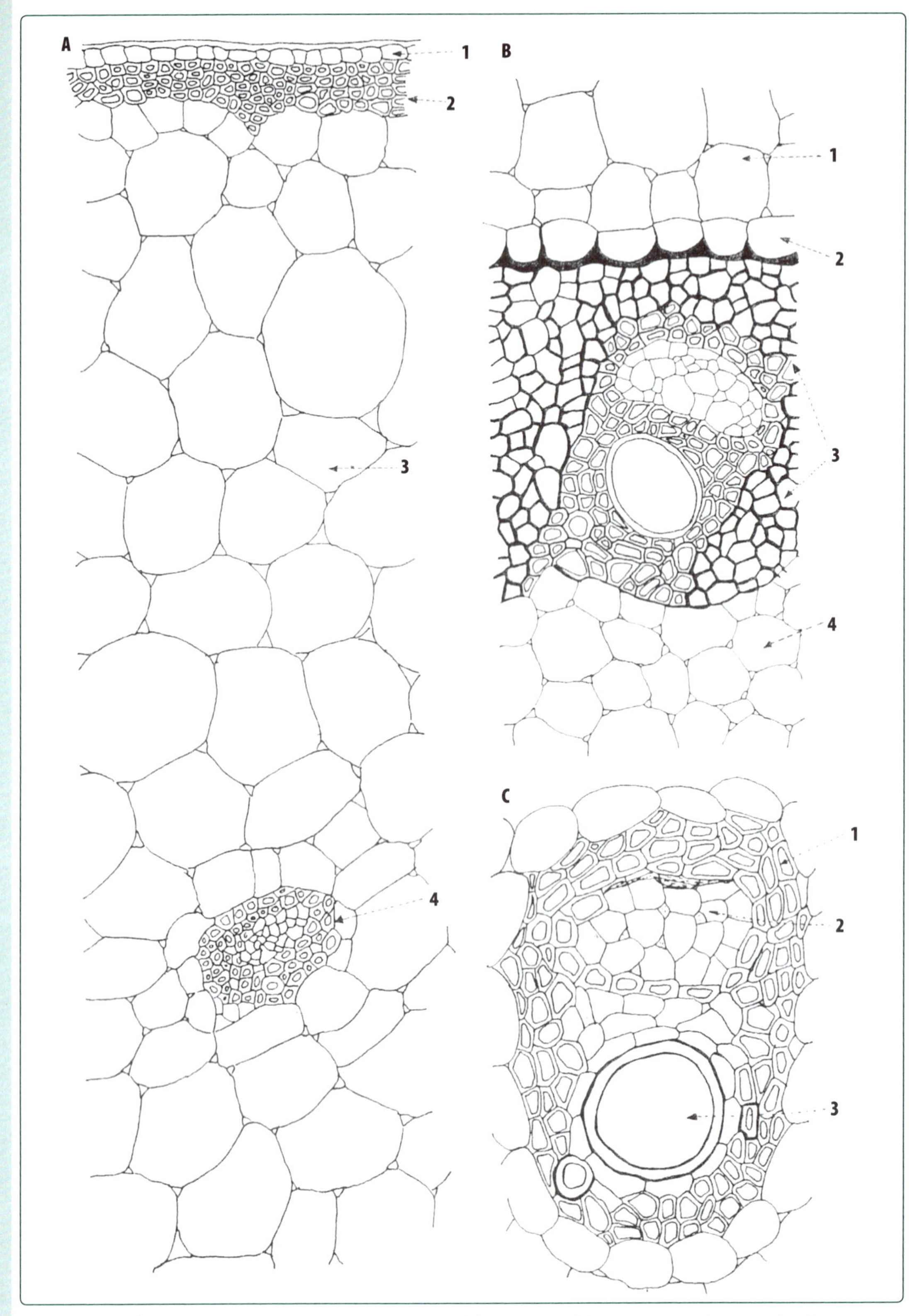

Fig. 11.27 – SAPÉ *(Imperata brasiliensis* Trinius.). **A.** Secção transversal da região cortical do rizoma: **1** – epiderme; **2** – hipoderme; **3** – parênquima cortical; **4** – feixe vascular da região cortical. **B.** Detalhe da secção transversal do rizoma: **1** – parênquima cortical; **2** – endoderme; **3** – periciclo; **4** – parênquima fundamental. **C.** Feixe vascular do cilindro central: **1** – envoltório fibroso; **2** – região floemática; **3** – vaso.

Índice Remissivo

A

B

C

D

E

F

G

H

I

J

L

M

N

O

P

Q

R

S

T

U

V